Grossesse
et allaitement

Guide thérapeutique

Grossesse et allaitement
Guide thérapeutique

Sous la direction de
Ema Ferreira

Éditions du
CHU Sainte-Justine

Catalogage avant publication de Bibliothèque et Archives nationales du Québec et Bibliothèque et Archives Canada

Vedette principale au titre:
  Grossesse et allaitement: guide thérapeutique
  Comprend des réf. bibliogr. et un index.
  ISBN 978-2-89619-102-4
    1. Pharmacologie périnatale. 2. Femmes enceintes - Usage des médicaments. 3. Fœtus, Effets des médicaments sur le. 4. Nouveau-nés, Effets des médicaments sur les. I. Ferreira, Ema.

  RG627.6.D79G76 2007   618.3'061   C2007-941851-1

Illustrations: Marie-Paule Prot
Conception graphique: Nicole Tétreault

Diffusion-Distribution au Québec: Prologue inc.
          en France: CEDIF (diffusion) – Casteilla (distribution)
          en Belgique et au Luxembourg: SDL Caravelle
          en Suisse: Servidi S.A.

Éditions du CHU Sainte-Justine
3175, chemin de la Côte-Sainte-Catherine
Montréal (Québec) H3T 1C5
Téléphone: 514 345-4671
Télécopieur: 514 345-4631
www.chu-sainte-justine.org/editions

Dépôt légal: Bibliothèque et Archives nationales du Québec, 2007
          Bibliothèque et Archives Canada, 2007

MISE EN GARDE

Cet ouvrage a été conçu pour contribuer à enrichir les connaissances des cliniciens dans la prise en charge de leurs patientes enceintes ou qui allaitent. Le contenu est informatif et ne doit en aucun cas remplacer le jugement clinique dans les soins individualisés. Les auteurs et l'éditeur ne sont pas responsables des effets directs ou indirects liés à l'utilisation des renseignements publiés dans cet ouvrage.

Préface

■

La prescription d'un médicament à une femme enceinte représente un défi thérapeutique pour le prescripteur et la patiente. En effet, comment trouver un équilibre entre le traitement de la femme et le souci de ne pas nuire à son enfant en développement ? Puisque la mère est une entité connue, elle est clairement la priorité clinique. Cependant, dans la plupart des cas, l'embryon ou le fœtus sera exposé au médicament, bien que ce soit à des concentrations probablement inférieures.

En réalité, le traitement de la mère implique toujours deux patients (ou plus lorsqu'il s'agit de grossesses multiples). Il est par ailleurs devenu évident que la cause principale de la toxicité lors du développement (retards de croissance, anomalies structurelles, déficits fonctionnels ou comportementaux, décès) correspond à une interaction entre le matériel génétique de la mère, l'embryon ou le fœtus et les différents facteurs environnementaux. Bien que ces facteurs soient en général inconnus, il est possible que les médicaments ou d'autres produits chimiques en fassent partie. En outre, l'information sur le matériel génétique de la mère et de l'embryon ou du fœtus est presque toujours absente. Ainsi, même les agents thérapeutiques que l'on croit peu dangereux pour le développement dans la population générale peuvent constituer des risques élevés chez certaines femmes. Il s'agit donc de choisir soigneusement le traitement pour que les bénéfices thérapeutiques attendus ne soient pas atténués par une toxicité pour l'embryon ou le fœtus.

Dans *Grossesse et allaitement : guide thérapeutique*, les auteurs ont relevé un défi complexe. Les chapitres 1 à 6 de la première partie fournissent aux professionnels de la santé une information essentielle à propos des médicaments prescrits pendant la grossesse et l'allaitement. Les trois derniers chapitres de cette section couvrent les drogues courantes et la nutrition. Dans la deuxième partie, correspondant aux chapitres 10 à 36, les auteurs passent en revue les principes de traitement et les données d'innocuité des médicaments. Les thèmes abordés couvrent les situations les plus communes nécessitant un traitement pendant la grossesse.

Bien qu'il y ait pour le clinicien de nombreuses sources de renseignements concernant les médicaments prescrits pendant la grossesse et l'allaitement, ce livre comble un besoin important en ce qu'il collige les références qui traitent des médicaments tout en les ordonnant par classe thérapeutique. *Grossesse et allaitement: guide thérapeutique* s'avérera sans nul doute une ressource de grande valeur.

Gerald G. Briggs, BPharm, FCCP
Pharmacist Clinical Specialist (Obstetrics/Gynecology)
Women's Pavilion, Miller Children's Hospital
Long Beach Memorial Medical Center, California
Clinical Professor of Pharmacy, University of California
Adjunct Profess of Pharmacy Practice, University of Southern California

Remerciements

■

Mes collègues et moi avons commencé à rêver de ce livre en 2000 ; sept ans plus tard, le voilà enfin.

Ce livre est le fruit d'un beau travail d'équipe. Sans le dévouement de tous les auteurs et de tous les lecteurs scientifiques, il n'aurait pas vu le jour. Je tiens à les remercier chaleureusement en espérant que nous pourrons continuer à travailler avec eux à différents projets.

La réalisation de ce livre doit grandement à l'appui précieux de Jean-François Bussières, chef du Département de pharmacie du CHU Ste-Justine, qui nous a soutenus tout au long de ce projet. Il a facilité notre travail, tant au plan financier que matériel.

Deux personnes très importantes ont contribué à la parution de ce livre. La première, Cécile Louvigné, interne en pharmacie de Nantes, a initié le projet et en a coordonné d'une main de maître toutes les étapes. Son dévouement a été tel que son séjour de 6 mois au Québec s'est transformé en 12 mois, puis en 18 mois. Sa thèse de doctorat a été consacrée à ce projet de livre. Laurence Spiesser-Robelet, interne en pharmacie de Paris, avait donc un important défi à relever quand elle a pris la relève de Cécile. Elle a rapidement su assumer toutes les tâches et nous a permis de poursuivre sans embûche notre travail.

L'encouragement et le soutien de mes collègues pharmaciennes de l'équipe mère-enfant du CHU Sainte-Justine ont été d'une importance capitale. Je les remercie pour leurs précieux conseils. J'ai également apprécié les moments cocasses qui ne manquent jamais de survenir au cours de la réalisation de projets de grande envergure ; cela a eu l'immense mérite de faire baisser un peu la pression…

Je tiens à souligner le soutien des Éditions Sainte-Justine qui nous ont fait confiance et qui continuent à nous appuyer.

Je tiens finalement à remercier mes proches et ceux de tous nos collaborateurs qui ont accepté de sacrifier des moments en famille pour la réalisation de ce livre. Merci à Myles, Maya et Liam.

Ema Ferreira, B.Pharm., M.Sc., Pharm.D., FCSHP
Pharmacienne/Professeur agrégé de clinique
CHU Ste-Justine/Université de Montréal
Chaire Pharmaceutique Famille Louis-Boivin

Liste des auteurs

■

Marie-France Beauchesne, B.Pharm, M.Sc., Pharm.D.
Professeur agrégé de clinique, Faculté de pharmacie, Université de Montréal.
Pharmacienne, Hôpital du Sacré-Cœur, Montréal (Canada).

Guila Benyayer, B. Pharm.
Étudiante, Faculté de pharmacie, Université de Montréal (Canada).

Ariane Blanc, B.Pharm, M.Sc.
Clinicienne associée, Faculté de pharmacie, Université de Montréal. Pharmacienne, CHU Sainte-Justine, Montréal (Canada).

Véronique Bouche
Assistante de recherche, CHU Sainte-Justine, Montréal (Canada). Interne en pharmacie (France).

Marie-Sophie Brochet, B.Pharm, M.Sc.
Clinicienne associée, Faculté de pharmacie, Université de Montréal. Pharmacienne, CHU Sainte-Justine, Montréal (Canada).

Jean-François Bussières, B.Pharm, M.Sc., M.B.A., FCSHP
Professeur agrégé de clinique, Faculté de pharmacie, Université de Montréal.
Chef du département de pharmacie, CHU Sainte-Justine, Montréal (Canada).

Geneviève Cardinal, L.L.B., L.L.M.,
Avocate, consultante en droit et en éthique, membre du Comité d'éthique de la recherche, CHU Sainte-Justine, Montréal (Canada).

Jen-François Delisle, B.Phar., M.Sc.,
Pharmacien, CHU Sainte-Justine, Montréal (Canada).

Joséphine Djulus, M.D.
Conseillère, *Motherisk*, *The Hospital for Sick Children*, Toronto (Canada).

Sophie Doyon, B.Pharm, M.Sc.
Résidente en pharmacie, CHU Sainte-Justine, Montréal (Canada).

Jordine Felix
Étudiante, Faculté de pharmacie, Université de Montréal (Canada).

Ema Ferreira, B.Pharm, M.Sc, Pharm.D, FCSHP
Professeur agrégé de clinique, Faculté de pharmacie, Université de Montréal.
Pharmacienne, CHU Sainte-Justine, Montréal (Canada).

Geneviève Fortin, B.Pharm, M.Sc.
Clinicienne associée, Faculté de pharmacie, Université de Montréal. Pharmacienne, CHU Sainte-Justine, Montréal (Canada).

Virginie Gagné, B.Pharm
Clinicienne associée, Faculté de pharmacie, Université de Montréal.
Pharmacienne, Montréal (Canada).

Josianne Gauthier, B.Pharm, M.Sc.
Résidente en pharmacie, CHU Sainte-Justine, Montréal (Canada).

Yvonne Khamla, B.Pharm
Étudiante, Faculté de pharmacie, Université de Montréal (Canada).

Cécile Louvigné
Assistante de recherche, CHU Sainte-Justine, Montréal (Canada). Interne en pharmacie (France).

Michèle Mahone, M.D., M.Sc., FRCPC
Interniste, CHU Sainte-Justine, Montréal
(Canada).

Josianne Malo, B.Pharm, M.Sc.
Clinicienne associée, Faculté de pharmacie,
Université de Montréal. Pharmacienne,
CHU Sainte-Justine, Montréal (Canada).

Brigitte Martin, B.Pharm, M.Sc.
Clinicienne associée, Faculté de pharmacie,
Université de Montréal. Pharmacienne,
CHU Sainte-Justine, Montréal (Canada).

Caroline Morin, B.Pharm, M.Sc.
Clinicienne associée, Faculté de pharmacie,
Université de Montréal. Pharmacienne,
CHU Sainte-Justine, Montréal (Canada).

Annie Pellerin, B.Pharm, M.Sc.
Pharmacienne, Centre mère-enfant du
CHU de Québec, Québec (Canada).

Sonia Prot Labarthe, D.Pharm, M.Sc.
Assistante de recherche,
CHU Sainte-Justine, Montréal (Canada).
Docteur en pharmacie (France).

Co Q.D. Pham, B.Pharm, M.Sc.,
Pharm.D. BA, B.Sc
Professeur adjoint de clinique, Faculté de
pharmacie, Université de Montréal.
Pharmacien, Centre Universitaire de Santé
McGill, Montréal (Canada).

Andréanne Précourt, B.Pharm, M.Sc.
Clinicienne associée, Faculté de pharmacie,
Université de Montréal. Pharmacienne,
CHU Sainte-Justine, Montréal (Canada).

Evelyne Rey, M.D., M.Sc, FRCPC
Interniste, CHU Sainte-Justine,
Montréal (Canada).

Isabelle Roblin, D.Pharm, M.Sc.
Assistante de recherche,
CHU Sainte-Justine, Montréal (Canada),
Docteur en pharmacie (France).

Martin Saint-André, M.D., C.M., FRCPC
Coordonnateur des activités académiques,
Université de Montréal. Psychiatre,
CHU Sainte-Justine, Montréal (Canada).

Laurence Spiesser-Robelet, M.Sc.
Assistante de recherche,
CHU Sainte-Justine, Montréal (Canada).
Interne en pharmacie (France).

Simon Tremblay, B.Pharm.
Étudiant, Faculté de pharmacie,
Université de Montréal (Canada).

Florence Weber, M.D., FRCPC
Interniste, CHU Sainte-Justine,
Montréal (Canada).

Table des matières

■

DEUXIÈME PARTIE
MODALITÉS DE TRAITEMENT ET
DONNÉES D'INNOCUITÉ DES MÉDICAMENTS

SECTION A
Cardiologie

SECTION B
Endocrinologie

SECTION C
Infectiologie

SECTION D
Immuno-allergologie

SECTION E
Gastro-entérologie

Introduction

■

Ema FERREIRA
Cécile LOUVIGNÉ
Laurence SPIESSER-ROBELET

Quel est l'objectif de ce livre ?

L'objectif principal de ce livre est d'assister les cliniciens dans leurs prises de décision quant à la pharmacothérapie des femmes qui planifient une grossesse, sont enceintes ou allaitent. Ainsi, le clinicien sera en mesure de :
- choisir un traitement adapté chez une femme enceinte ou qui allaite ;
- évaluer le risque en cas de grossesse exposée à un médicament ;
- conseiller les patientes sur la prise de substances récréatives, la nutrition et les traitements durant la grossesse et l'allaitement.

À qui est destiné ce livre ?

Ce livre est destiné à tout professionnel de la santé en contact avec des femmes qui planifient une grossesse, qui sont enceintes ou qui allaitent. Ce guide pratique est utile pour le clinicien qui n'a que peu de temps à consacrer à l'analyse critique exhaustive de la documentation sur l'utilisation des médicaments durant la grossesse et l'allaitement.

Qui a rédigé ce livre ?

Des pharmaciennes de la Chaire pharmaceutique Famille Louis-Boivin *Médicaments, grossesse et allaitement* à Montréal, notamment du centre Info-Médicaments en Allaitement et Grossesse (IMAGe), différents médecins expérimentés dans le domaine, des pharmaciens hospitaliers et communautaires, des étudiants en pharmacie de l'Université de Montréal et des internes en pharmacie de l'Université de Nantes et de Paris V ont participé à la rédaction. De plus, le contenu scientifique de chaque section a été révisé par des pharmaciens, des médecins et des nutritionnistes qui travaillent avec des femmes enceintes ou qui allaitent. Les illustrations ont été réalisées par l'artiste Marie-Paule Prot.

Comment est construit ce livre?

Ce livre est divisé en deux sections principales:

Première partie: Notions générales

Les notions générales permettent au clinicien d'obtenir l'information de base nécessaire pour interpréter des données, réaliser l'anamnèse complète de ses patientes et évaluer l'impact des habitudes de vie sur la grossesse et sur l'allaitement. Cette première partie permettra au clinicien d'avoir tous les outils nécessaires pour conseiller la patiente.

Deuxième partie: Modalités de traitement et données d'innocuité

Les chapitres portant sur une pathologie présentent les effets de la grossesse sur la condition et les conséquences la pathologie sur le déroulement de la grossesse. Sont ensuite revues les options de traitement recommandées et les données sur l'innocuité des médicaments durant la grossesse et l'allaitement. Les pathologies le plus souvent retrouvées dans une population ambulatoire sont discutées. Les données d'innocuité relatives aux anti-infectieux sont regroupées dans un seul chapitre afin d'éviter les répétitions.

Comment utiliser ce livre?

Afin de pouvoir interpréter les données présentées dans les chapitres de la seconde partie, il est fortement conseillé de lire les chapitres sur les connaissances de base de la première partie du livre. Le chapitre sur la communication du risque peut aider le clinicien à transmettre l'information à la patiente de façon appropriée.

Les chapitres de la deuxième partie ont été rédigés sous un même modèle:

- Généralités (définition, épidémiologie, étiologies, facteurs de risque).
- Effets de la grossesse sur la condition de la mère.
- Effets de la maladie sur la grossesse, effets néonatals (si applicable) et effets à long terme.
- Outils d'évaluation (signes, symptômes et dosages biologiques).
- Traitements recommandés pendant la grossesse (seuls les médicaments pour lesquels les données d'innocuité sont suffisantes pour permettre de les recommander sont présentés dans ce tableau).
- Données sur l'innocuité des médicaments au cours de la grossesse (les données sur tous les médicaments susceptibles d'être utilisés pour traiter la pathologie sont présentées dans ce tableau).
- Traitements recommandés pendant l'allaitement (le modèle de ce tableau est identique à celui de la grossesse et peut, dans quelques cas, être jumelé au tableau sur la grossesse).
- Données sur l'innocuité des médicaments au cours de l'allaitement (les données sur tous les médicaments susceptibles d'être utilisés pour traiter la pathologie sont présentées dans ce tableau).
- Références.

L'index permet de retrouver les données par médicament, par pathologie ou par syndrome malformatif.

Comment l'information a-t-elle été sélectionnée ?

Afin de fournir un guide pratique, les résultats des études réalisées durant la grossesse ont été synthétisés et parfois regroupés lorsque les issues et les devis des études étaient similaires. Les données présentées ne sont pas exhaustives. Cependant, le lecteur peut se référer à la bibliographie pour obtenir les études complètes. Lorsque les informations issues des essais cliniques étaient suffisantes, les notifications de cas n'étaient pas rapportées, hormis dans des situations particulières. Les données animales ont été présentées seulement si moins de 50 expositions chez la femme enceinte étaient publiées dans la littérature médicale, si les malformations chez les animaux et les humains étaient de la même nature ou si les effets observées chez les animaux pouvaient être liés à l'action pharmacologique du médicament.

L'une des issues principales sur lesquelles nous nous sommes penchés est la survenue de malformations à la suite d'une exposition au cours du premier trimestre, période la plus critique. D'autres issues, comme les taux d'avortements spontanés, de prématurité ou le poids à la naissance, sont rapportées lorsqu'elles sont explorées dans la documentation scientifique. Les effets néonatals et les effets à long terme chez l'enfant exposé *in utero* sont décrits lorsque des données sont rapportées dans la littérature médicale.

Il existe peu d'études réalisées durant l'allaitement et leurs résultats se basent souvent sur un nombre très restreint de patientes. L'interprétation des données est expliquée dans le chapitre portant sur les connaissances de base sur l'utilisation des médicaments durant l'allaitement.

Depuis les dernières mises à jour effectuées, la recherche se poursuit et d'autres études ont pu être publiées sur les sujets présentés. Le lecteur est encouragé à consulter l'information récente.

Cette première édition de *Grossesse et allaitement: guide thérapeutique* est un outil pratique pour le clinicien. Nous sommes fiers de vous présenter ce premier ouvrage publié en langue française sur le sujet. Nous espérons que les informations qui s'y trouvent seront utiles pour tout professionnel de la santé qui prend en charge des femmes enceintes ou qui allaitent.

PREMIÈRE PARTIE

Notions générales

Chapitre 1

Aspects juridiques de l'utilisation de médicaments chez la femme enceinte ou qui allaite

■

Jean-François BUSSIÈRES
Geneviève CARDINAL
Amélie PROULX

Introduction

L'utilisation de médicaments chez la femme enceinte ou qui allaite est un enjeu clinique important compte tenu des problèmes reliés à la pharmacothérapie observés chez la mère, le fœtus et le nouveau-né. Ces problèmes potentiels incluent des effets sur le fœtus (par ex. : anomalie congénitale), des effets sur la grossesse (par ex. : déclenchement d'un travail avant terme) ou le nouveau-né (par ex. : sevrage à la naissance). L'utilisation de médicaments durant la grossesse et l'allaitement est problématique parce qu'il existe peu de données probantes en ce qui concerne l'efficacité et la sécurité de ces médicaments au sein de cette population. L'objectif de ce chapitre est de présenter le cadre législatif canadien qui s'applique aux médicaments utilisés chez la femme en âge de procréer, durant la grossesse ou l'allaitement. De plus, compte tenu que le droit des professions, les droits civils et les hôpitaux sont des domaines de compétence provinciale, ce chapitre présente le cadre législatif québécois de la pratique pharmaceutique dans le contexte de la grossesse et de l'allaitement.

Historique

En dépit de plusieurs siècles de pharmacothérapie, on recense les premiers effets tératogènes de substances à la fin du XIXᵉ siècle, avec des études sur les effets de la chaleur, du froid, de l'anoxie et de chocs sur le fœtus. En 1921, Zilva étudie l'impact de régimes déficients en facteurs liposolubles chez la femme enceinte tandis que Goldstein documente les risques inhérents à l'utilisation de rayons X chez la femme enceinte. Gregg observe les effets tératogènes de la rubéole chez des mères infectées en 1931. En 1935, Hale et coll. étudient l'impact du déficit en vitamine A. En 1948, Gillman et Hakin observent les effets toxiques de la moutarde azotée chez la femme enceinte[1].

Tout bascule au début des années soixante avec la catastrophe de la thalidomide[2, 3]. La thalidomide a été commercialisée dans les années cinquante à titre de somnifère et d'antiémétique chez les femmes enceintes. Elle a été produite en Allemagne de l'Ouest dès 1953 par la société Grünenthal et vendue comme médicament d'octobre 1957 jusqu'en 1962 dans près de 50 pays excluant les États-Unis. En juin 1961, l'avocat Schulte-Hillen s'adresse au pédiatre Widukind Lenz afin de tenter d'expliquer la phocomélie observée chez son fils et sa nièce. Lenz et d'autres chercheurs proposent l'hypothèse qu'une substance toxique ingérée par voie orale soit à l'origine de ces anomalies. Ils proposent notamment que cet effet tératogène soit lié à une exposition aux insecticides, aux produits d'entretien ménager, aux suppléments alimentaires ou encore à des médicaments. En novembre 1961, Lenz publie dans l'hebdomadaire *Die Welt am Sonntag* ses soupçons sur la thalidomide et une série de 14 cas d'anomalies congénitales. On doit souligner qu'il n'existe pas à cette époque de systèmes de déclaration des effets indésirables observés en clinique. *A posteriori*, on constate que ces cas d'anomalies congénitales surviennent chez des femmes ayant consommé la thalidomide durant les 50 premiers jours de la grossesse. On estime que la thalidomide aurait affecté plus de 15 000 enfants, dont 12 000 ont manifesté des anomalies congénitales à la naissance de type amélie et phocomélie. On rapporte que moins de 8000 de ces enfants ont survécu plus d'un an. La thalidomide fut retirée du marché mondial en 1962 et plus précisément le 2 mars 1962 au Canada[4].

Définitions

Produit dangereux

Le cadre réglementaire encadrant les produits dangereux est défini par *Loi sur les produits dangereux* (LPD)[5]. Un produit dangereux est un produit interdit, limité ou contrôlé au sens de l'article 2 de la loi. En vertu du système pancanadien d'information sur les matières dangereuses utilisées au travail (SIMDUT), le fabricant a l'obligation de fournir une fiche signalétique accompagnant le produit qui doit comprendre les informations sur les effets toxiques sur la reproduction, la tératogénicité, la mutagénicité et les effets embryotoxiques[6]. Bien que la toponymie de description des risques liés aux produits dangereux ne s'applique pas aux médicaments jusqu'à maintenant, elle est d'intérêt sachant que le fabricant possède habituellement une fiche signalétique pour chaque substance chimique qu'il utilise, incluant les médicaments qu'il met en marché. Le *National Institute for Occupational Safety and Health* a établi une liste de médicaments dangereux en s'inspirant de ces fiches signalétiques. On peut consulter ces listes en ligne[7].

Drogue et médicament

Dans les lois fédérales, le terme « drogue» est généralement préféré au terme «médicament». Selon l'article 2 de la *Loi sur les aliments et drogues*[8], «sont compris parmi les drogues, les substances ou mélanges de substances fabriqués, vendus ou présentés comme pouvant servir: a) au diagnostic, au traitement, à l'atténuation ou à la prévention d'une maladie, d'un désordre, d'un état physique anormal ou de leurs symptômes, chez l'être humain ou les animaux; b) à la restauration, à la correction ou à la modification des fonctions organiques chez l'être humain ou les animaux; c) à la désinfection des locaux où des aliments sont gardés[9]».

Produit de santé naturel

Le terme «produit de santé naturel» est défini à l'article 1 du *Règlement sur les produits de santé naturels* (RPSN)[10]. Le produit de santé naturel est une «substance mentionnée à l'Annexe 1 du RPSN ou une combinaison de substances dont tous les ingrédients médicinaux sont des substances mentionnées à l'Annexe 1, remèdes homéopathiques ou traditionnels, fabriqués, vendus ou présentés comme pouvant servir: a) au diagnostic, au traitement, à l'atténuation ou à la prévention d'une maladie, d'un désordre, d'un état physique anormal, ou de leurs symptômes chez l'être humain; b) à la restauration ou à la correction des fonctions organiques chez l'être humain; c) à la modification des fonctions organiques chez l'être humain telle que la modification de ces fonctions de manière à maintenir ou promouvoir la santé». Le nouveau cadre règlementaire prévu par le RPSN est en vigueur depuis le 1er janvier 2004.

Recherche clinique

Les essais cliniques, qu'ils visent des femmes en âge de procréer ou des femmes enceintes, qui allaitent ou tout autre sujet humain, sont encadrés par le *Règlement sur les aliments et drogues*[11] qui consacre le Titre 5 de sa partie C aux drogues destinées aux essais cliniques sur des sujets humains ainsi que des directives.

Avant d'autoriser un essai clinique au Canada, Santé Canada examine les renseignements soumis dans la demande d'essais cliniques pour s'assurer que l'essai est correctement conçu et que les participants ne seront pas exposés à des risques indus.

Santé Canada a publié, en 1997, une directive sur l'inclusion des femmes dans les essais cliniques, qu'elles soient en âge de procréer ou ménopausées. La «directive s'applique principalement aux nouvelles substances actives (y compris les produits biologiques et les produits radiopharmaceutiques), [...] aux nouveaux usages, aux nouvelles formulations ou aux combinaisons de médicaments approuvés qui pourraient être utilisées par des femmes[12, 13]». Cette directive vise à «encourager l'inclusion des femmes, en particulier celles qui sont en âge de procréer, aux premiers stades de l'élaboration d'un médicament[14]» tout en émettant un certains nombres de balises.

«Les femmes qui participent aux essais cliniques devraient prendre des précautions appropriées afin d'éviter de tomber enceintes et d'exposer le fœtus à un agent potentiellement toxique pendant le déroulement de l'étude. Les femmes devraient aussi recevoir des conseils quant à l'importance d'employer une méthode de contraception fiable et être informées de l'état actuel des études sur la reproduction animale et de toute autre information concernant la tératogénicité du médicament[15].»

«Dans tous les cas, le formulaire de consentement et la brochure de l'investigateur doivent inclure toute l'information disponible sur le risque potentiel de toxicité pour le fœtus. Si les études sur la toxicité pour la reproduction animale sont terminées, il faut en présenter les résultats et expliquer ce qu'ils signifient pour les humains.

Si ces études ne sont pas terminées, il faut fournir d'autres renseignements pertinents, tels qu'une évaluation générale de la toxicité pour le fœtus de médicaments ayant des structures ou des effets pharmacologiques connexes. Si l'on ne dispose d'aucune information pertinente, on doit indiquer explicitement dans le formulaire de consentement éclairé qu'il existe un risque potentiel pour le fœtus[16].» Advenant une grossesse, un suivi doit être assuré par les professionnels responsables des essais cliniques (médecin, pharmacien, équipe de recherche).

De façon globale, « la décision d'inclure les femmes enceintes ou les femmes qui allaitent dans un essai particulier doit être prise au cas par cas et doit être fondée sur une évaluation attentive des risques et avantages et en tenant compte de la nature et de la gravité de la maladie, de la disponibilité de données d'études précliniques sur les animaux et des résultats de telles études, de l'existence d'un traitement d'appoint et des risques associés à ce traitement, du stade de la grossesse et des lésions que pourraient subir le fœtus ou le bébé[17]».

Énoncé de politique des trois Conseils

De plus, au Canada on doit se référer à l'*Énoncé de politique des trois Conseils*[18] en ce qui concerne la recherche en santé. Ces trois Conseils regroupent les Instituts de recherche en santé du Canada (IRSC), le Conseil de recherche en sciences naturelles et génie du Canada (CRSNG) et le Conseil de recherches en sciences humaines du Canada (CRSHC). Ce texte jouit d'une autorité considérable dans le domaine des essais cliniques même s'il ne s'agit ni d'une loi, ni d'un règlement.

Le chapitre 5 de cet énoncé porte sur l'intégration à la recherche et particulièrement la recherche avec des femmes. On peut y lire que «plusieurs raisons expliquent la mise à l'écart traditionnelle des femmes de la recherche, notamment la peur des risques pour les fœtus, la crainte d'affecter leur capacité de reproduction ou de nuire aux nouveau-nés allaités, etc.». L'énoncé comporte notamment la règle 5.2 à l'effet que «les femmes ne seront pas automatiquement exclues des projets de recherche uniquement pour des raisons liées à leur sexe ou à leur capacité de reproduction». On y retrouve le commentaire suivant: «Les chercheurs et les comités d'éthique de la recherche qui envisagent des projets faisant appel à des femmes enceintes ou qui allaitent devraient plutôt tenir compte des avantages et des inconvénients de la recherche pour celles-ci et pour leurs embryons, fœtus ou nourrissons. L'obligation sur le plan éthique d'évaluer les avantages et les inconvénients de la recherche s'étend donc à la recherche avec des femmes enceintes ou qui allaitent.»

Le *Code civil du Québec*

Au Québec, les essais cliniques sont aussi réglementés par plusieurs articles du titre deuxième du *Code civil du Québec*[19]. Sont ainsi énoncées les règles en matière de consentement aux soins et à la recherche. Dans le cadre d'une expérimentation, l'obligation d'information est plus exigeante qu'en matière de soins. Tous les risques associés aux différentes interventions prévues dans le protocole de recherche devraient être divulgués, incluant ceux qui se rattachent au choix de la méthodologie de recherche, aux examens et aux mécanismes de contrôle et de diagnostic. On y prévoit aussi des règles précises quant à la proportionnalité des risques et des bienfaits d'une expérimentation, à la constitution d'un dossier sur une personne et au caractère confidentiel des informations recueillies au sujet d'un individu. Le *Code civil* exige enfin l'évaluation des projets de recherche concernant des personnes mineures ou des personnes majeures inaptes par un comité d'éthique de la recherche désigné par le ministre. Cela n'inclut pas les projets avec des femmes enceintes ou des femmes qui allaitent à moins que la recherche porte directement sur le bébé déjà né.

Avec une quasi-absence de normes rédigées de façon spécifique pour les femmes enceintes, le Canada et le Québec ont choisi d'appliquer aux essais cliniques portant sur les femmes enceintes les différentes normes habituellement destinées à l'ensemble des sujets humains. Les essais cliniques portant sur les femmes enceintes ou qui allaitent seront soumis à l'évaluation d'un comité d'éthique de la recherche, notamment en regard du *Règlement sur les aliments et drogues*. Dans la pratique, les différents acteurs impliqués dans les structures d'évaluation des projets de recherche doivent donc appliquer ces normes de façon à prendre en compte les particularités des femmes enceintes impliquées dans les essais cliniques.

L'obtention d'un consentement éclairé chez la femme enceinte nécessitera qu'elle soit recrutée à un moment qui lui permette de réfléchir à son éventuelle participation. D'autres projets nécessiteront qu'une mise en garde soit explicitement prévue dans le formulaire de consentement pour avertir les participantes de ne pas devenir enceinte durant la recherche. L'évaluation des risques et bénéfices chez la femme enceinte doit être extrêmement rigoureuse et doit prendre en considération les effets de la recherche sur l'enfant à naître. Par exemple, les lignes directrices internes du CHU Sainte-Justine en matière de recherche précisent que seule la recherche entraînant des bénéfices directs pourra être faite chez les femmes enceintes malades s'il n'y a pas de solutions de remplacement. Il faudra considérer les risques pour le fœtus et s'abstenir si on soupçonne la possibilité d'effets néfastes. Aussi, l'évaluation de la bienfaisance et de l'équilibre des risques et des avantages fait en sorte que le fœtus et la femme enceinte ne peuvent pas être traités séparément. L'approche risque-bénéfice tant pour la mère que pour le fœtus doit être adoptée.

Enfin, le contexte particulier de la grossesse requiert l'évaluation des aspects scientifiques par une équipe qui possède une expertise dans le domaine de la santé mère-enfant. Un comité d'éthique de la recherche qui n'a pas l'habitude d'évaluer ce type de projets de recherche devrait faire appel à une expertise extérieure.

Mise en marché

Une fois que la mise sur le marché d'un produit thérapeutique est autorisée, il faut joindre à l'emballage et à la distribution de ce produit des renseignements qui permettent aux consommateurs de faire des choix éclairés. Ces renseignements sont communiqués au moyen des étiquettes et de l'information écrite accompagnant le produit thérapeutique. Cela comprend la monographie du produit, l'étiquette apposée à l'extérieur de l'emballage et l'étiquette sur le contenant du produit.

Monographie de médicaments

Selon les lignes directrices de Santé Canada, «la monographie de produit a pour but d'offrir les renseignements nécessaires pour assurer l'innocuité et l'efficacité du recours à un médicament (appelé «drogue» selon la législation fédérale) et d'agir également à titre de document de référence auquel seront comparés tous les documents promotionnels ou publicitaires distribués ou commandités par le promoteur au sujet du médicament en question[20]». En ce qui concerne la grossesse et l'allaitement, les lignes directrices comportent les précisions suivantes dans les sections «Pharmacologie détaillée» et «Mises en garde et précautions».

Pharmacologie détaillée

Cette section de la monographie inclut «les facteurs qui influencent les profils pharmacodynamique, métabolique et pharmacocinétique, y compris les effets de l'âge, du sexe, de la grossesse, des facteurs génétiques, des maladies, de la présence d'aliments, du pH du contenu de l'estomac et des interactions médicamenteuses[21]».

Mises en garde et précautions

FEMMES ENCEINTES

Dans cette section de la monographie, «le type de données doit être brièvement mentionné (études menées chez l'homme ou chez l'animal) et des recommandations (par ex.: éviter le médicament au cours d'un trimestre particulier) portant sur la façon de prescrire le médicament en toute sécurité doivent être fournies[22]». De plus, «les effets non tératogènes doivent être mentionnés (p. ex. symptômes de sevrage, hypo-glycémie). Si le médicament en question s'avère contre-indiqué au cours de la grossesse, une mention à ce sujet doit faire partie de la présente section et de la section *Contre-indications*[23]». Le degré d'exposition durant la grossesse peut être aussi indiqué (par ex. élevé > 1000 grossesses, limité < 1000 grossesses). «Une mention doit apparaître lorsque le médicament n'est pas absorbé systématiquement et lorsqu'il est impossible de déterminer s'il peut nuire indirectement au fœtus[24].»

FEMMES QUI ALLAITENT

«Lorsqu'un médicament est absorbé de façon systématique, des renseignements sur son excrétion dans le lait maternel et ses effets sur le nourrisson doivent être four-nis. Les effets indésirables prévisibles chez le nourrisson doivent être mentionnés et les mesures suggérées pour éviter une exposition élevée chez le nourrisson doivent être fournies. Le potentiel d'effets indésirables graves ou d'oncogénicité doit être clairement indiqué. En l'absence de données tirées d'études menées chez la femme, des données pertinentes tirées d'études menées chez les animaux doivent être offertes. De plus, l'énoncé suivant (ou un énoncé semblable) doit être utilisé: nous ne savons pas si ce médicament est excrété dans le lait maternel. Puisque de nombreux autres médicaments le sont, la prudence est de mise.» [...] «Par ailleurs, à moins que des études n'aient démontré que le produit n'est pas excrété dans le lait maternel, l'énon-cé suivant (ou un énoncé semblable) doit être inclus: lorsque l'évaluation des avan-tages et des risques justifie l'administration de ce produit à des femmes qui allaitent, l'allaitement au sein doit être remplacé par un allaitement artificiel (préparation lac-tée)[25].» Toutefois, l'utilité de ces mentions est souvent limitée compte tenu des études disponibles ou citées.

Étiquetage

Les règles générales en matière d'étiquetage ne posent aucune exigence quant aux indications du médicament pour les femmes enceintes ou qui allaitent[26]. En vertu de l'article C.09.012 du *Règlement sur les aliments et drogues*, la seule particularité régle-mentaire recensée en ce qui concerne l'étiquetage et la grossesse porte sur l'acide salicylique, et ce depuis 1986. On peut lire que «l'étiquette d'une drogue renfermant de l'acide salicylique ou l'un de ses sels ou dérivés et destinée à l'usage interne doit porter un avertissement indiquant qu'il ne faut pas utiliser la drogue pendant les trois derniers mois de la grossesse et au cours de l'allaitement sans avoir consulté un médecin».

Avis et mises en garde

Santé Canada publie régulièrement des avis, mises en garde et retraits en ce qui concerne l'utilisation de médicaments au Canada. Bien que des dizaines d'avis soient publiés chaque année, un nombre limité porte sur l'utilisation de médicaments en contexte de grossesse et d'allaitement. Depuis mai 2006, Santé Canada a adopté deux nouveaux outils de communication, les mises à jour et les alertes, afin de mieux informer la population au sujet des risques sanitaires potentiels[27]. Ces avis peuvent être consultés sur le site de Santé Canada:

http://www.hc-sc.gc.ca/ahc-asc/media/advisories-avis/index_f.html

Publicité sur les médicaments

En vertu de l'art. 3 de la *Loi sur les aliments et drogues*, «il est interdit de faire, auprès du grand public, la publicité d'un aliment, d'une drogue, d'un cosmétique ou d'un instrument à titre de traitement ou de mesure préventive d'une maladie, d'un désordre ou d'un état physique anormal énumérés à l'annexe A ou à titre de moyen de guérison». Ainsi, par exemple, il est interdit de faire de la publicité pour des médicaments utilisés dans le traitement des nausées et vomissements de la grossesse, incluant les termes suivants: nausées matinales, somnolence, vertiges, étourdissements se manifestant pendant la grossesse. Toutefois, on précise qu'on peut présenter des médicaments antiémétiques pour le soulagement du mal des transports, mais qu'il est interdit de suggérer de les employer pendant la grossesse. Ainsi, on n'observe aucune publicité directe aux consommateurs pour les médicaments d'ordonnance destinés à des femmes enceintes ou qui allaitent. Toutefois, on observe de la publicité directe aux consommateurs (en tenant compte des contraintes de la *Loi sur les aliments et drogues*) pour certains médicaments utilisés chez la femme (p.ex. contraceptifs oraux), avec mention seulement de la marque de commerce mais pas des avantages et des risques. Santé Canada a publié en octobre 2006 de nouvelles lignes directrices sur la publicité des produits de santé commercialisés destinés aux consommateurs pour les médicaments en vente libre, incluant les produits de santé naturels[28]. On observe de la publicité directe aux consommateurs pour les médicaments et produits de santé naturels en vente libre (par exemple des vitamines et suppléments dans les circulaires de bannières et chaînes de pharmacie).

Pratique professionnelle

En complément au cadre réglementaire de recherche clinique et de mise en marché des médicaments au Canada, cette seconde partie présente de façon sommaire les principes généraux de la responsabilité civile, disciplinaire, pénale et criminelle qui doivent être pris en considération par les professionnels qui prescrivent ou administrent des médicaments chez la femme enceinte ou qui allaite. Les règles relatives à la santé et la sécurité au travail pour lesquelles il importe de porter une attention particulière dans le cadre de la pratique professionnelle seront également abordées.

Responsabilité civile

En vertu du cadre législatif auquel il est soumis, le professionnel a plusieurs obligations dont celles de renseigner le patient et d'obtenir son consentement, de soigner, d'assurer un suivi et de protéger le secret professionnel. Dans le cadre de l'utilisation des médicaments chez la femme enceinte ou qui allaite, l'obligation du professionnel de renseigner sa patiente est d'autant plus importante que les risques ne sont pas toujours connus et qu'il peut y avoir des conséquences pour la santé de la mère et du fœtus. L'obligation de renseigner s'exerce donc en fournissant une information suffisante pour permettre à la patiente de prendre la meilleure décision possible[29]. Ainsi, le professionnel devrait divulguer à la patiente le diagnostic, la nature et l'objectif du traitement, les risques encourus et les choix thérapeutiques possibles[30]. Il doit de plus répondre adéquatement à ses questions. Il importe de préciser que cette information doit être transmise par la personne responsable de l'information (par ex : le médecin et non la secrétaire, le pharmacien et non l'assistant-technique en pharmacie). Par ailleurs, un professionnel ne doit jamais présumer qu'une information a été donnée par un autre professionnel (par ex : le pharmacien ne peut présumer que le médecin a prévenu la femme enceinte des risques pour le fœtus)[31]. L'obligation de renseigner et d'obtenir un consentement libre et éclairé ne doit pas porter uniquement sur le traitement médical mais sur l'ensemble du plan de soins proposé.

Pour obtenir des précisions sur les effets des médicaments sur la grossesse et sur l'enfant à naître, de même que des renseignements sur le *counseling* dans ce domaine, les intervenants de la santé peuvent consulter le chapitre 2. *Connaissances de base sur l'utilisation des médicaments au cours de la grossesse* et le chapitre 5. *Communication du risque et conseils sur l'utilisation des médicaments* de cet ouvrage.

En ce qui concerne la divulgation du risque, la jurisprudence, tant québécoise que canadienne, est abondante particulièrement sur la qualification du risque et sur son étendue. Il n'existe pas de consensus sur la terminologie appropriée à utiliser. Ainsi, on parlera d'un risque prévisible, possible, probable, majeur, grave, sévère, connu, etc. sans qu'il soit possible d'établir une probabilité de survenue pour un patient donné. Le professionnel doit présenter le risque tant du point de vue de la gravité que de la fréquence. En vertu de la jurisprudence, le médecin ou le pharmacien n'a pas l'obligation de révéler tous les risques possibles. L'obligation de divulguer un risque relève du jugement clinique et ne doit porter que sur les renseignements pertinents à connaître[32]. On parle de probabilité de matérialisation. Bien qu'il n'existe pas de seuil critique pré-déterminé, certains auteurs s'entendent pour dire qu'un risque de moins de 1 % n'a pas forcément à être révélé. Le critère de gravité devrait néanmoins être pris en considération, notamment en regard des conséquences, et le risque dévoilé même s'il est rare. Par exemple, même s'il y a des risques de moins de 1 % que l'utilisation d'un médicament cause une anomalie fœtale, le professionnel devrait en faire part à sa patiente.

Ainsi, une fois l'obligation de renseigner complétée, il revient au patient d'apprécier la gravité des risques et de prendre une décision éclairée. La communication de cette information doit tout de même être adaptée au patient et présentée de façon intelligible, simple et claire[33]. De façon générale, l'information peut être transmise verbalement. Le professionnel doit vérifier si le patient éprouve des difficultés de compréhension et s'assurer qu'il est apte à consentir en tenant compte de son âge ou de sa capacité à consentir. Ainsi, en cas d'inaptitude ou si le patient est un mineur âgé de moins de 14 ans, le professionnel devra obtenir un consentement substitué selon les règles prévues au *Code civil du Québec*[34].

La responsabilité civile d'un professionnel ne pourra être retenue que s'il a été démontré qu'il a commis une faute, qu'il y a eu un dommage et qu'il y a un lien de causalité entre la faute et le dommage[35]. Un professionnel peut se tromper sans être tenu responsable du préjudice découlant de son erreur, pour autant que son erreur soit d'une nature telle qu'elle aurait pu être commise par tout autre professionnel raisonnablement compétent et habilité placé dans les mêmes circonstances que le professionnel en cause[36]. La faute professionnelle peut être une faute d'action (par. ex: erreur de dispensation et mauvais médicament) ou une faute d'omission (par ex: omission de donner des conseils à une femme enceinte, omission d'intercepter une interaction médicamenteuse etc.)[37]. On doit distinguer les actes requérant le jugement professionnel (par ex: évaluation de la pharmacothérapie) des actes ne nécessitant aucune compétence particulière spécialisée (par ex: erreur de dispensation alors que la saisie de l'ordonnance au dossier informatique du patient était adéquate). Dans ce dernier cas, le professionnel est davantage tenu à une obligation de résultat que de moyens. Ainsi, le manquement à une ou plusieurs obligations, telle celle de renseigner, est susceptible d'engager la responsabilité du professionnel si les autres éléments y sont prouvés.

Un professionnel peut également être tenu responsable pour le fait d'une autre personne[38]. Par exemple, un pharmacien en pratique privée ou en milieu communautaire demeure responsable de la faute commise par les personnes qu'il s'adjoint, c'est-à-dire les assistants-techniques en pharmacie. Dans un établissement de santé, un assistant-technique qui commet une faute engage la responsabilité de l'établissement puisqu'il est considéré comme un employé de l'hôpital. Elle peut également engager la responsabilité du pharmacien dans la mesure où celui-ci doit exercer un contrôle et une surveillance de l'action de ses assistants-techniques dans l'accomplissement de leurs fonctions.

En vertu d'une entente conclue entre le ministère de la Santé et des Services Sociaux et l'Association des pharmaciens des établissements de santé, les établissements de santé s'engagent à assumer les frais de défense et le montant des dommages auxquels le pharmacien pourrait être condamné dans le cadre d'une poursuite ou d'une réclamation civile intentée contre celui-ci, sauf exceptions.

Le Fonds d'assurance responsabilité professionnelle de l'Ordre des pharmaciens du Québec (FARPOQ) a également pour mission d'assurer la couverture d'assurance responsabilité professionnelle liée à l'exercice de la profession de pharmacien sur le territoire du Québec. Il s'agit d'un organisme créé par l'Ordre afin de remplir les obligations qui découlent du *Code des professions*[39] et de la *Loi sur les assurances*[40].

Par contre, les médecins ne sont pas couverts par la police d'assurance des établissements de santé puisqu'ils ne sont pas considérés comme des employés de l'hôpital, sauf exception. Ils doivent donc détenir leur propre assurance. Ainsi, la majorité d'entre eux sont assurés par l'Association canadienne de protection médicale[39].

Responsabilité disciplinaire

Les obligations déontologiques des professionnels sont régies par le *Code des professions*[41] et les autres lois professionnelles applicables. Ainsi, le Bureau d'un ordre professionnel doit adopter par règlement un code de déontologie imposant aux professionnels des devoirs d'ordres général et particulier envers le public, ses clients et sa profession.

Par exemple, le projet de *Code de déontologie des pharmaciens*[42] qui devrait être adopté en 2007 et le *Code de déontologie des médecins*[43] comportent plusieurs articles qui peuvent éclairer la bonne utilisation de médicaments chez la femme enceinte ou qui allaite.

Le professionnel qui ne respecte pas ses obligations est susceptible de faire l'objet d'une plainte et éventuellement de comparaître devant le comité de discipline de son ordre. Les sanctions disciplinaires peuvent aller de la réprimande à la radiation temporaire ou permanente[44].

Le droit professionnel régit également les actes qui peuvent être posés par chacun des professionnels. Ainsi, un professionnel qui pose des actes médicaux pour lesquels il n'est pas autorisé est susceptible de faire l'objet d'une plainte pour exercice illégal de la profession. Dans le domaine de la santé, on retrouve des lois qui balisent les professions d'exercice exclusif (par ex: médecins, pharmaciens) et d'exercice à titre réservé (par ex: ergothérapeute, infirmière auxiliaire, inhalothérapeute).

Au Québec, plusieurs professionnels sont habilités à prescrire des médicaments à des individus, soit les médecins[45], les dentistes[46], les podiatres[47], les sages-femmes[48] et les infirmières praticiennes spécialisées[49]. De plus, d'autres professionnels sont habilités à initier ou ajuster des médicaments ou une thérapie médicamenteuse selon une ordonnance collective ou individuelle, notamment les pharmaciens[50] et les infirmières[51].

Responsabilité pénale et criminelle

Finalement, il est intéressant d'aborder la question de la responsabilité pénale et criminelle entourant la tératogénicité.

Un professionnel de la santé qui prescrit un médicament pouvant causer une malformation chez le nouveau-né pourrait difficilement être reconnu coupable d'un acte criminel à moins, évidemment, que ce geste soit intentionnel. Ce professionnel risque davantage de faire l'objet d'une poursuite en responsabilité civile ou d'une plainte déontologique. Néanmoins, il n'est pas exclu que la responsabilité pénale du professionnel soit retenue notamment en vertu de la *Loi sur les aliments et drogues*[52] qui prévoit à l'article 31 que quiconque contrevient à cette loi ou aux règlements qui en découlent commet une infraction et encourt, sur déclaration de culpabilité, une amende et une période d'emprisonnement maximale de trois ans.

Santé et sécurité au travail

Il est aussi intéressant de s'attarder à la situation des femmes enceintes ou qui allaitent et qui utilisent des médicaments non pas pour leur usage personnel mais simplement dans le cadre de manipulations liées à la nature de leur travail ou encore du fait de leur simple proximité physique de médicaments dans le cadre de leur travail. Des lois et règlements du cadre législatif canadien et québécois reconnaissent, dans un contexte de santé et sécurité au travail, des droits à ces femmes.

En vertu de l'article 132 du *Code canadien du travail*[53], «l'employée enceinte ou allaitant un enfant peut cesser d'exercer ses fonctions courantes si elle croit que la poursuite de tout ou partie de celles-ci peut, en raison de sa grossesse ou de l'allaitement, constituer un risque pour sa santé ou celle du fœtus ou de l'enfant. Une fois qu'il est informé de la cessation, et avec le consentement de l'employée, l'employeur en informe le comité local ou le représentant».

Au Québec, en vertu de l'art. 40 de la *Loi sur la santé et la sécurité au travail*[54], «une travailleuse enceinte qui fournit à l'employeur un certificat attestant que les conditions de son travail comportent des dangers physiques pour l'enfant à naître ou, à cause de son état de grossesse, pour elle-même, peut demander d'être affectée à des tâches ne comportant pas de tels dangers et qu'elle est raisonnablement en mesure d'accomplir». Ainsi, dans le cadre de la pratique pharmaceutique, une femme enceinte ou qui allaite peut demander à être affectée à d'autres tâches (par ex: ne pas travailler en hémato-oncologie).

Cette même loi crée des obligations aux employeurs à l'égard des produits qui peuvent constituer un risque pour la santé et la sécurité des travailleurs[55]. Ils doivent rendre disponible à leurs employés les informations concernant les produits dangereux utilisés dans leur milieu de travail et établir et appliquer un programme de formation et d'information. La Commission de la santé et de la sécurité au travail (CSST) a la responsabilité de répondre aux questions concernant le SIMDUT, un système qui vise à protéger la santé et la sécurité des travailleurs en favorisant l'accès à l'information et de proposer un service de répertoire toxicologique[56] ainsi qu'un guide d'utilisation des fiches signalétiques[57].

Références

1. GARFIELD E. Teratology literature and the thalidomide controversy *Current comments.* 1986;50:404-412.

2. SANTÉ CANADA - *La question de la thalidomide au Canada* - [cité le 20061017]; http://www.hc-sc.gc.ca/dhp-mps/prodpharma/activit/fs-fi/thalidomide_fs_fd_f.html site visité le 20070629.

3. RADIO-CANADA, *La Thalidomide, dossier* - [cité le 20060101]; http://archives.radio-canada.ca/IDD-0-16-65/sciences_technologies/thalidomide/ site visité le 20070629.

4. ASSOCIATION CANADIENNE DES VICTIMES DE LA THALIDOMIDE. [cité 20070101] http://www.thalidomide.ca/ site visité le 200706128.

5. MINISTÈRE DE LA JUSTICE – *Canada*. Loi sur les produits dangereux, L.R. 1985, chapitre H-3 - [cité le 20070629]; http://lois.justice.gc.ca/fr/notice/index.html?redirect=%2Ffr%2FH-3%2Findex.html site visité le 20070629.

6. COMMISSION DE LA SANTÉ ET DE LA SÉCURITÉ AU TRAVAIL - Lexique - [cité le 20070123]; http://www.reptox.csst.qc.ca/Lexique-A.htm site visité le 20070629.

7. NATIONAL INSTITUTE FOR OCCUPATIONAL SAFETY AND HEALTH - *Process for updating the list of hazardous drugs (Appendix A) for the NIOSH Alert on Hazardous Drugs* NIOSH Docket #105 - [cité le 20070629]; http://www.cdc.gov/niosh/review/public/105/default.html site visité le 20070629.

8. MINISTÈRE DE LA JUSTICE - Canada - *Loi sur les aliments et les drogues*, L.R., 1985, chapitre F-27 - [cité le 20070629]; http://lois.justice.gc.ca/fr/F-27/index.html site visité le 20070629.

9. MINISTÈRE DE LA JUSTICE - Canada -*Loi sur les aliments et les drogues*, L.R., 1985, chapitre F-27 art.2 - [cité le 20070602]; http://lois.justice.gc.ca/fr/F-27/index.html site visité le 20070629.

10. MINISTÈRE DE LA JUSTICE - CANADA - *Règlement sur les produits de santé naturels*, DORS/2003-196- [cité le 20070605]; http://lois.justice.gc.ca/fr/showtdm/cr/DORS-2003-196//?showtoc=&instrumentnumber=DORS-2003-196 site visité le 20070629.

11. Ministère de la justice - Canada - *Règlement sur les aliments et drogues* - C.R.C., ch.. 870) [cité le 20070605];
http://lois.justice.gc.ca/fr/showtdm/cr/C.R.C.-ch.870//?showtoc=&instrumentnumber=C.R.C.-ch.870
site visité le 20070629.

12. Institut canadien d'informations juridiques, *Règles sur les aliments et les drogues*, C.R.C., c.870 - [cité le 20070629];
http://www.canlii.org/ca/regl/crc870/
site visité le 20070629.

13. Santé Canada - Direction du programme des produits thérapeutiques - *Inclusion des femmes dans les essais cliniques* - [cité le 20061012];
http://www.hc-sc.gc.ca/dhp-mps/prodpharma/applic-demande/guide-ld/clini/womct_femec_f.html
site visité le 20070629.

14. Santé Canada - *Inclusion des femmes dans les essais cliniques durant la mise au point des médicaments* - [cité le 19970527];
http://www.hc-sc.gc.ca/dhp-mps/prodpharma/applic-demande/pol/women_femmes_pol_f.html
site visité le 20070629.

15. Santé Canada - Direction du programme des produits thérapeutiques - *Inclusion des femmes dans les essais cliniques* - [cité le 20061012];
http://www.hc-sc.gc.ca/dhp-mps/prodpharma/applic-demande/guide-ld/clini/womct_femec_f.html
site visité le 20070629.

16. Santé Canada - Direction du programme des produits thérapeutiques - *Inclusion des femmes dans les essais cliniques* - [cité le 20061012];
http://www.hc-sc.gc.ca/dhp-mps/prodpharma/applic-demande/guide-ld/clini/womct_femec_f.html
site visité le 20070629.

17. Santé Canada - Direction du programme des produits thérapeutiques - *Inclusion des femmes dans les essais cliniques* - [cité le 20061012];
http://www.hc-sc.gc.ca/dhp-mps/prodpharma/applic-demande/guide-ld/clini/womct_femec_f.html
site visité le 200670629.

18. Santé Canada - Direction du programme des produits thérapeutiques - *Inclusion des femmes dans les essais cliniques* - [cité le 20061012];
http://www.hc-sc.gc.ca/dhp-mps/prodpharma/applic-demande/guide-ld/clini/womct_femec_f.html
site visité le 20070629.

19. Instituts de recherche en santé du Canada, Conseil de recherches en sciences naturelles et en génie du Canada, Conseil de recherches en sciences humaines du Canada. *Énoncé de politique des trois Conseils: Éthique de la recherche avec des êtres humains*, 1998 (avec les modifications de 2000, 2002 et 2005) - [cité le 20051027];
http://www.pre.ethics.gc.ca/francais/policystatement/policystatement.cfm
site visité le 20070629.

20. Code civil du Québec, art. 21, 22, 23, 37 - [cité le 20070601];
http://www2.publicationsduquebec.gouv.qc.ca/dynamicSearch/telecharge.php?type=2&file=/CCQ/CCQ.html
site visité le 20070629.

21. Santé Canada - *Ligne directrice à l'intention de l'industrie - monographies de produit* - [cité le 20040614];
http://www.hc-sc.gc.ca/dhp-mps/prodpharma/applic-demande/guide-ld/monograph/pm_mp_f.html
site visité le 20070629.

22. Santé Canada - *Ligne directrice à l'intention de l'industrie - monographies de produit* - [cité le 20040614];
http://www.hc-sc.gc.ca/dhp-mps/prodpharma/applic-demande/guide-ld/monograph/pm_mp_f.html
site visité le 20070629..

23. Santé Canada - *Ligne directrice à l'intention de l'industrie - monographies de produit* - [cité le 20040614];
http://www.hc-sc.gc.ca/dhp-mps/prodpharma/applic-demande/guide-ld/monograph/pm_mp_f.html
site visité le 20070629.

24. Santé Canada - *Ligne directrice à l'intention de l'industrie - monographies de produit* - [cité le 20040614];
     http://www.hc-sc.gc.ca/dhp-mps/prodpharma/applic-demande/guide-ld/monograph/pm_mp_f.html
     site visité le 20070629.

25. Santé Canada - *Ligne directrice à l'intention de l'industrie - monographies de produit* - [cité le 20040614];
     http://www.hc-sc.gc.ca/dhp-mps/prodpharma/applic-demande/guide-ld/monograph/pm_mp_f.html
     site visité le 20070629.

26. Santé Canada - *Ligne directrice à l'intention de l'industrie - monographies de produit* - [cité le 20040614];
     http://www.hc-sc.gc.ca/dhp-mps/prodpharma/applic-demande/guide-ld/monograph/pm_mp_f.html
     site visité le 20070629.

27. *Règlement sur les aliments et drogues*, art. C.01.004 et par ex. C. 01.021, C.01.025. - [cité le 20070629];
     http://www.canlii.org/ca/regl/crc870/artc.01.004.html
     site visité le 20070629.

28. Santé Canada - *Feuille d'information - Outils de communication des risques de Santé Canada* - [cité le 20060516];
     http://www.hc-sc.gc.ca/ahc-asc/media/advisories-avis/2006/fact-feuille_f.html
     site visité le 20070629.

29. Santé Canada - Direction générale des produits de santé et des aliments. *Lignes directrices sur la publicité des produits de santé commercialisés destinés aux consommateurs pour les médicaments en vente libre, incluant les produits de santé naturels* - [cité le 20070329];
     http://www.hc-sc.gc.ca/dhp-mps/advert-publicit/pol/index_f.html
     site visité le 20070629.

30. Lesage-Jarjoura P., Philips-Nootens S., *Éléments de responsabilité civile médicale-le droit dans le quotidien de la médecine*, Éd. Yvon Blais, 2e éd., 2001 au para. 179.

31. Lesage-Jarjoura P., Philips-Nootens S., *Éléments de responsabilité civile médicale-le droit dans le quotidien de la médecine*, Éd. Yvon Blais, 2e éd., 2001 au para. 183.

32. Lesage-Jarjoura P., Philips-Nootens S., *Éléments de responsabilité civile médicale-le droit dans le quotidien de la médecine*, Éd. Yvon Blais, 2e éd., 2001 au para. 182.

33. Lesage-Jarjoura P., Philips-Nootens S., *Éléments de responsabilité civile médicale-le droit dans le quotidien de la médecine*, Éd. Yvon Blais, 2e éd., 2001 aux paras. 188 et 191.

34. Lesage-Jarjoura P., Philips-Nootens S., *Éléments de responsabilité civile médicale-le droit dans le quotidien de la médecine*, Éd. Yvon Blais, 2e éd., 2001 au para. 197.

35. Code civil du Québec, arts. 1458 11 et ss- [cité le 20070601];
     http://www2.publicationsduquebec.gouv.qc.ca/dynamicSearch/telecharge.php?type=2&file=/CCQ/CCQ.html
     site visité le 20070629.

36. Baudouin, J.-L., Deslauriers, P., *La responsabilité civile*, Éd. Yvon Blais, 6e éd. 2003 aux pp. 63-65.

37. Lesage-Jarjoura P., Philips-Nootens S., *Éléments de responsabilité civile médicale-le droit dans le quotidien de la médecine*, Éd. Yvon Blais, 2e éd., 2001 aux paras. 57-59.

38. Lesage-Jarjoura P., Philips-Nootens S., *Éléments de responsabilité civile médicale-le droit dans le quotidien de la médecine*, Éd. Yvon Blais, 2e éd., 2001 au para. 66.

39. Code civil du Québec, arts. 1458 et 1463 - [cité le 20070601];
     http://www2.publicationsduquebec.gouv.qc.ca/dynamicSearch/telecharge.php?type=2&file=/CCQ/CCQ.html
     site visité le 20070629.

40. Code des professions, L.R.Q., chapitre C-26 - [cité le 20070601];
     http://www2.publicationsduquebec.gouv.qc.ca/dynamicSearch/telecharge.php?type=2&file=/C_26/C26.html
     site visité le 20070629.

41. Règlement d'application de la Loi sur les assurances, L.R.Q., chapitre A-32 - [cité le 20070601];
     http://www.cmpa-acpm.ca/ site visité le 20070629.

42. LOI SUR LA PHARMACIE, L.R.Q. chapitre P-10, r.5., art. 6, 37, 94 - [cité le 20070601];
http://www2.publicationsduquebec.gouv.qc.ca/dynamicSearch/telecharge.php?type=2&file=/P_10/P10.html
site visité le 20070629.

43. LOI MÉDICALE, L.R.Q. chapitre M-9, r.4.1, arts. 29 et 30 - [cité le 20070601];
http://www2.publicationsduquebec.gouv.qc.ca/dynamicSearch/telecharge.php?type=2&file=/M_9/M9.html
site visité le 20070629.

44. CODE DES PROFESSIONS DU QUÉBEC, L.R.Q., chapitre C-26, art. 156, 157 – [cité le 20070801];
http://www2.publicationsduquebec.gouv.qc.ca/dynamicSearch/telecharge.php?type=2&file=/C_26/C26.html
site visité le 20070810.

45. LOI MÉDICALE, L.R.Q., chapitre M-9, art. 31 - [cité le 200706201];
http://www2.publicationsduquebec.gouv.qc.ca/dynamicSearch/telecharge.php?type=2&file=/M_9/M9.html
site visité le 20070629.

46. LOI SUR LES DENTISTES, L.R.Q. chapitre D-3, art. 34 - [cité le 20070601];
http://www2.publicationsduquebec.gouv.qc.ca/dynamicSearch/telecharge.php?type=2&file=/D_3/D3.html
site visité le 20070629.

47. LOI sur la podiatrie, L.R.Q. chapitre P-12, art. 11 - [cité le 20070601];
http://www2.publicationsduquebec.gouv.qc.ca/dynamicSearch/telecharge.php?type=2&file=/P_12/P12.html ,
site visité le 20070629.

48. LOI SUR LES SAGES-FEMMES, L.R.Q. chapitre S-0.1, art. 8 - [cité le 20070601];
http://www2.publicationsduquebec.gouv.qc.ca/dynamicSearch/telecharge.php?type=2&file=/S_0_1/S0_1.html
site visité le 20070629.

49. LOI SUR LES INFIRMIÈRES ET LES INFIRMIERS, L.R.Q. chapitre I-8, art. 36.1 - [cité le 20070601];
http://www2.publicationsduquebec.gouv.qc.ca/dynamicSearch/telecharge.php?type=2&file=/I_8/I8.html
site visité le 20070629.

50. LOI SUR LA PHARMACIE, L.R.Q., chapitre P-10, art. 17 - [cité le 20070601];
http://www2.publicationsduquebec.gouv.qc.ca/dynamicSearch/telecharge.php?type=2&file=/P_10/P10.html
site visité le 20070629.

51. LOI SUR LES INFIRMIÈRES ET LES INFIRMIERS, L.R.Q. chapitre I-8, art. 36.1 - [cité le 20070601];
http://www2.publicationsduquebec.gouv.qc.ca/dynamicSearch/telecharge.php?type=2&file=/I_8/I8.html
site visité le 20070629.

52. MINISTÈRE DE LA JUSTICE - Canada - Loi sur les aliments et les drogues, L.R., 1985, chapitre F-27 art.2
- [cité le 20070602];
http://lois.justice.gc.ca/fr/F-27/index.html
site visité le 20070629.

53. CODE CANADIEN DU TRAVAIL, L.R.C.1985, chapitre L-2 - [cité le 20070601];
http://lois.justice.gc.ca/fr/L-2/index.html
site visité le 20070629.

54. LOI SUR LA SANTÉ ET SÉCURITÉ AU TRAVAIL, L.R.Q., chapitre S-2.1 - [cité le 20070601];
http://www2.publicationsduquebec.gouv.qc.ca/dynamicSearch/telecharge.php?type=2&file=/S_2_1/S2_1.html
site visité le 20070629.

55. LOI SUR LA SANTÉ ET SÉCURITÉ AU TRAVAIL, L.R.Q., chapitre S-2.1, art. 62.1- [cité le 20070601];
http://www2.publicationsduquebec.gouv.qc.ca/dynamicSearch/telecharge.php?type=2&file=/S_2_1/S2_1.html
site visité le 20070629.

56. CSST, COMMISSION DE LA SANTÉ ET SÉCURITÉ AU TRAVAIL, Service du répertoire toxicologique - [cité le
20070629];
http://www.reptox.csst.qc.ca
site visité le 20070629.

57. CSST, SERVICE DU RÉPERTOIRE TOXICOLOGIQUE, Guide d'utilisation d'une fiche signalitique - [cité le
20070629]
http://www.reptox.csst.qc.ca/Documents/SIMDUT/GuideFra/Htm/GuideFra.htm
site visité le 20070629.

Chapitre 2

Connaissances de base sur l'utilisation des médicaments au cours de la grossesse

■

Brigitte MARTIN
Caroline MORIN

Introduction

La complexité des processus menant à la formation d'un être humain est fascinante. Pourtant, tout ne se passe pas toujours comme prévu. Qu'est-ce qui peut entraîner une déviation au développement normal de l'embryon? Quelle est la contribution des facteurs environnementaux, et surtout des médicaments, à ces anomalies? Afin de comprendre les impacts sur l'enfant à naître d'une exposition à un médicament durant la grossesse, une révision des phases du développement embryonnaire et fœtal et des concepts-clefs en tératologie est essentielle. Les sources d'information accessibles pour l'évaluation du risque tératogène seront également discutées dans ce chapitre.

Embryologie

Terminologie

Cycle menstruel

Le cycle menstruel a une durée moyenne de 28 jours (23 à 35 jours chez 90% des femmes). Peu importe la durée du cycle, l'ovulation a lieu quatorze jours avant la menstruation. La fécondation peut se produire le jour de l'ovulation et jusqu'à deux jours plus tard[1, 2].

Âge et durée de la grossesse

Le stade de la grossesse peut faire référence à deux dénominations: l'âge post-conceptionnel et l'âge gestationnel (ou postmenstruel).

L'âge postconceptionnel est calculé à partir du jour de la fécondation et est utilisé dans certains volumes de référence d'embryologie et de tératologie[1].

Comme la date de fécondation est souvent impossible à déterminer en pratique, l'âge gestationnel est utilisé en clinique. L'âge gestationnel est calculé à partir de la date du premier jour de la dernière menstruation (DDM). Ainsi, en utilisant l'âge gestationnel, une grossesse dure en moyenne 280 jours ou 40 semaines. Une façon rapide de calculer la date prévue d'accouchement (DPA) est d'utiliser la règle de Nägele: DPA = DDM - 3 mois + 7 jours + 1 an (estimation adéquate pour une femme qui a un cycle menstruel régulier de 28 jours)[1].

Trimestre

En clinique, on découpe traditionnellement la grossesse en trimestres d'environ treize semaines qui ne coïncident pas tout à fait avec les périodes du développement humain[2]. Le premier trimestre correspond à la période critique du développement embryonnaire. Les deuxième et troisième trimestres sont des périodes de croissance et de maturation des différents systèmes[1].

Embryon

Nom du produit de conception pendant l'embryogenèse (voir la section *Phases du développement humain*).

Fœtus

Nom du produit de conception pendant la fœtogenèse (voir la section *Phases du développement humain*).

Phases du développement humain

Les processus complexes de division, de migration, de différenciation, de croissance et de réarrangement cellulaires qui suivent la fécondation vont conduire à la formation d'un organisme multicellulaire complexe (figure 1)[1].

Implantation et prédifférenciation

Aussi appelée phase préembryonnaire, cette période s'étend du jour de la fécondation jusqu'à la quatorzième journée après la fécondation, soit les jours 14 à 28 après la date du premier jour de la dernière menstruation. La fécondation a lieu dans la trompe de Fallope. Pendant sa migration vers l'utérus, le zygote entreprend une série de divisions cellulaires qui mène à la formation du blastocyte. Formé de cellules totipotentes, c'est-à-dire encore indifférenciées, le blastocyte s'implante dans l'endomètre vers le sixième ou le septième jour après la fécondation[3]. Pendant la nidation qui a lieu pendant la semaine qui suit, le blastocyte se transforme et la circulation placentaire primitive s'établit[1, 4].

Étant donné le contact limité entre le blastocyte et le sang de la mère ainsi que la nature totipotente des cellules, l'exposition à un médicament pendant cette période n'est pas associée à un risque accru de malformations[1].

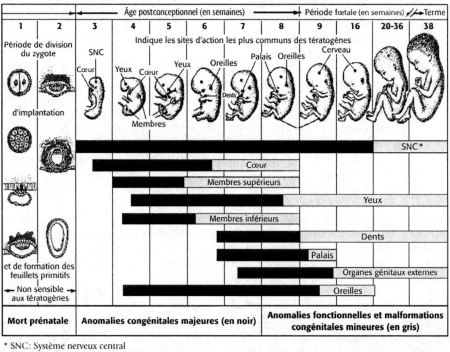

PÉRIODES CRITIQUES DU DÉVELOPPEMENT HUMAIN

Figure 1 – Développement embryonnaire et fœtal (reproduit et traduit de Moore KL, Persaud TVN. *The developing human: clinically oriented embryology*. 5ᵗʰ Ed. Philadelphia: W.B. Saunders Company, Elsevier Science; 1993., avec permission).

Embryogenèse

Cette période a lieu du quinzième au cinquante-sixième jour après la fécondation, soit jusqu'à la fin de la huitième semaine après la fécondation[1, 2]. Plusieurs auteurs définissent cette période en la faisant débuter au jour de la fécondation, englobant ainsi la phase préembryonnaire[2]. D'importants processus de développement ont lieu, soit la mise en place des trois feuillets primitifs, puis la formation de la plaque neurale et l'organogenèse proprement dite, c'est-à-dire la formation des organes. Il s'agit d'une période marquée par la différenciation, la prolifération et la migration cellulaires, et donc une période critique pour la survenue de malformations majeures lors de l'exposition à un agent tératogène[3].

Fœtogenèse

La fœtogenèse débute à partir de la neuvième semaine après la fécondation, soit la onzième semaine après la dernière menstruation[1, 2]. Les organes et les systèmes physiologiques mis en place durant l'embryogenèse continuent à se spécialiser et à grandir : il s'agit d'une phase de croissance et de maturation fonctionnelle[1]. À ce stade, l'exposition à un médicament peut entraîner des malformations mineures, des anomalies fonctionnelles et des retards de croissance.

Pour certains systèmes, comme le système nerveux central, les processus de différenciation, de migration et de croissance cellulaires se poursuivent jusqu'à la naissance, et même au-delà[1, 3].

Tératologie

Depuis des siècles, la naissance d'un enfant présentant des anomalies, notamment des malformations morphologiques, frappe l'imagination. Avant le 19e siècle, on perçoit les malformations comme des punitions ou des sorts lancés aux familles, ou encore on les attribue à une peur intense ressentie par la future mère lors de sa grossesse[5, 6].

Au cours du 19e siècle, les développements de la génétique et la découverte de la transmission génétique des caractères permettent de mieux comprendre la survenue des anomalies congénitales: elles sont alors envisagées comme étant presque seulement d'origine génétique. Le placenta est perçu comme une barrière protégeant l'enfant à naître des menaces externes[6, 7].

Les recherches menées au début du 20e siècle nous apprennent que des altérations de l'environnement, comme une déficience nutritionnelle ou des irradiations, peuvent aussi avoir des impacts importants sur l'embryon[7]. Ce n'est qu'en 1941 que le premier facteur exogène causant des malformations congénitales est reconnu. Un ophtalmologiste australien établit un lien entre une épidémie de rubéole dans la population et la multiplication d'enfants atteints de malformations similaires, incluant des cataractes, des anomalies cardiaques et de la surdité[7].

La commercialisation de la thalidomide en Allemagne en 1957, et l'épidémie de malformations congénitales qui s'ensuit, marque le début de la tératologie moderne. Jusqu'alors, on ne se doutait pas qu'un médicament entraînant si peu d'effets indésirables chez la mère puisse être aussi embryotoxique. Il faudra attendre deux ans après la première description d'un enfant atteint de phocomélie et dont la mère avait reçu de la thalidomide, pour qu'un lien soit suggéré entre l'exposition au médicament et la survenue de ces malformations. Entre-temps, l'utilisation du médicament continue à se répandre dans plusieurs pays, y compris au Québec. Le médicament est finalement retiré du marché au Canada en 1962 et mondialement en 1965[8, 9]. Récemment, la thalidomide est revenue sur le marché pour d'autres indications.

Depuis lors, le milieu médical et la population prennent conscience des dangers que peuvent représenter certains médicaments pris durant la grossesse. Cette nouvelle menace soulève des craintes dans la population mais, surtout, stimule l'essor d'une nouvelle science, la tératologie moderne.

Terminologie et risques de base

Les risques de base de différentes issues de grossesse sont listés au tableau I.

Tératologie

Science qui décrit les anomalies du développement prénatal et qui étudie leurs causes[1].

Agent tératogène

Agent ou exposition exogène ayant la capacité de modifier le développement embryonnaire ou fœtal normal, et entraînant des anomalies congénitales[1, 3, 10].

Les agents tératogènes identifiés jusqu'à présent comprennent des agents infectieux (virus de la rubéole, toxoplasmose, etc.), des médicaments (thalidomide, acide valproïque, etc.), des produits chimiques ou des éléments retrouvés dans l'environnement (plomb, méthylmercure, etc.), des agents physiques (radiations, hyperthermie, etc.) et des traumas (par exemple, biopsie des villosités choriales si effectuée tôt dans la grossesse avec un cathéter trop gros).

Anomalie (ou malformation) congénitale

Malformation métabolique, morphologique ou fonctionnelle présente à la naissance et qui cause une incapacité physique ou mentale ou qui est fatale[11, 12]. Dans cet ouvrage, les termes «malformation» et «anomalie» sont utilisés indifféremment, bien que pour plusieurs auteurs et chercheurs, une «malformation» ait plus précisément le sens d'une anomalie morphologique.

Les anomalies congénitales comprennent les anomalies génétiques (par exemple, syndrome de Down), les anomalies liées à des facteurs exogènes (par exemple, dysmélie liée à la thalidomide ou syndrome d'alcoolisation fœtal) et les anomalies fonctionnelles (par exemple, retard mental lié à l'hypothyroïdie maternelle et fœtale). Au Canada, plus de 25 % de la mortalité infantile peut être attribuée aux anomalies congénitales[13].

ANOMALIE MAJEURE

Malformation qui interfère sérieusement avec la viabilité, la qualité de vie, le bienêtre physique ou l'acceptabilité sociale[2].

Au Canada, 2 à 3 % des enfants naissent avec une anomalie congénitale majeure[12]. Ce chiffre atteint 6 à 7 % si l'on englobe les anomalies qui sont mises en évidence après la période néonatale[1, 7]. Le spina bifida et les malformations cardiaques sont des exemples d'anomalies majeures.

ANOMALIE MINEURE

Anomalie sans conséquence médicale ou cosmétique importante. Ces malformations se retrouvent chez 10 à 15 % des enfants[1, 7]. Elles peuvent parfois indiquer la présence potentielle d'une anomalie majeure sous-jacente[1]. Une hernie ombilicale et le strabisme sont des exemples d'anomalies mineures.

Avortements spontanés (ou fausses couches)

Perte de l'embryon ou du fœtus avant la vingtième semaine de la grossesse (en âge gestationnel). Une fois la grossesse confirmée, on estime que 15 à 20 % des femmes vont avoir un avortement spontané[1, 6]. Ce risque augmente avec l'âge maternel[1]. Après vingt semaines de grossesse, on parle de perte fœtale.

Pertes fœtales et mortinaissance

Décès d'un fœtus à partir de vingt semaines de grossesse (en âge gestationnel) et avant l'expulsion ou l'extraction complète du fœtus[13].

TABLEAU I – RISQUES DE BASE DES ISSUES DE GROSSESSE OU DES ÉVÉNEMENTS POSSIBLES LORS D'UNE GROSSESSE[1, 2, 7, 13]	
Issue ou événement	Taux observé dans la population en général
Perte embryonnaire précoce (avant que la grossesse ne soit connue).	10 à 45 %
Avortement spontané (une fois la grossesse connue).	15 à 20 %
Grossesse ectopique.	0,5 %
Perte fœtale.	5,8 pour 1000 naissances totales*
Prématurité (naissance avant 37 semaines de grossesse en âge gestationnel).	7,6 pour 100 naissances vivantes*
Anomalies congénitales (parmi les naissances vivantes) • Mineures • Majeures (à la naissance) • Majeures (à 1 an).	10 à 15 % 2 à 3 %* 6 à 7 %
Retard de croissance intra-utérine (poids à la naissance inférieur au 10e percentile, en fonction de l'âge gestationnel).	7,9 pour 100 naissances d'un seul enfant vivant*
Mortalité néonatale (dans le premier mois de vie).	3,4 pour 1000 naissances totales*

*Données canadiennes[13]

Étiologie des anomalies congénitales

L'origine de la plupart des anomalies n'est pas connue (tableau II). On estime que jusqu'à un quart des anomalies sont d'origine génétique (affections héréditaires, mutations géniques ou anomalies chromosomiques). Dix pour cent des anomalies peuvent être attribuées à des facteurs environnementaux. Plusieurs anomalies congénitales sont multifactorielles, c'est-à-dire qu'elles proviennent de l'interaction de plusieurs gènes et facteurs environnementaux : elles sont alors attribuables à une hérédité multifactorielle[1, 6, 12].

On estime que les médicaments sont responsables de moins de 1 % des anomalies, même si on avait d'abord avancé le chiffre de 4 à 5 %[7, 14]. Si le chiffre réel n'est pas précis, il n'en demeure pas moins que les médicaments ne sont pas une source principale de tératogenèse[7, 12]. Cependant, il s'agit d'une source évitable de malformations majeures, et donc tout effort de prévention permet de diminuer l'incidence globale d'anomalies congénitales.

Pour le moment, on ne sait pas à quel point les médicaments pris par le père peuvent influencer le développement embryonnaire ; si un risque existe, il est probablement très faible.

TABLEAU II – ÉTIOLOGIE DES ANOMALIES CONGÉNITALES[1, 6, 7, 12]	
Causes	Fréquence
Génétique	15 à 25 %
Facteurs environnementaux	7 à 10 %
• Infections maternelles	2 à 3 %
• Conditions maternelles	1 à 4 %
• Conditions mécaniques (déformations)	1 à 2 %
• Médicaments et substances chimiques	< 1 %
Hérédité multifactorielle	20 à 25 %
Inconnue	40 à 60 %

Principes de tératogenèse

La capacité d'un médicament à induire des malformations est gouvernée par les principes de tératogenèse énoncés par J. G. Wilson en 1959, et adaptés par la suite par plusieurs autres pionniers de la tératologie[5, 7, 8, 15]. Quatre de ces principes primordiaux sont énoncés ci-dessous et illustrés par des exemples.

La sensibilité d'un organisme à un agent tératogène varie en fonction du stade de développement au moment de l'exposition

Il existe une période critique spécifique à chaque organe ou structure durant laquelle un agent tératogène risque d'interférer avec le développement normal. Pour la plupart des structures, cette période critique se situe pendant l'embryogenèse (voir la section *Embryogenèse*)[1].

L'exposition à un agent tératogène pendant cette période peut mener à des malformations majeures. Par exemple, l'acide valproïque induit des anomalies du tube neural lorsque l'embryon est exposé pendant la période de fermeture du tube neural, soit précisément entre le 17e et le 28e jour après la fécondation. Une exposition ultérieure ne risque pas d'entraîner de telles malformations.

On assume en général que la période de sensibilité aux malformations majeures exclut la phase d'implantation et de prédifférenciation, c'est-à-dire les deux premières semaines qui suivent la fécondation (voir la section *Implantation et prédifférenciation*). Au cours de cette période dite du « tout-ou-rien », l'exposition à un agent tératogène peut entraîner une perte de la grossesse si un nombre critique de cellules est détruit ; cependant, si le processus d'implantation et de division cellulaire se poursuit, on n'attend pas de dommages structurels, étant donné que les cellules sont encore indifférenciées à ce stade[1, 8]. Notons que l'exposition à certains médicaments dont le temps d'élimination est prolongé peut se poursuivre au-delà de cette période, même si on a cessé ces médicaments avant la fécondation ou la période du « tout-ou-rien ».

Après l'embryogenèse, l'exposition d'un fœtus à un agent tératogène entraîne surtout des malformations mineures ou des anomalies fonctionnelles. Cependant, plusieurs structures peuvent être affectées de façon importante même pendant la fœtogenèse, notamment le système nerveux central[2].

La sensibilité d'un organisme à un agent tératogène dépend du génotype de l'embryon et de l'interaction de celui-ci avec les facteurs environnementaux

Les caractéristiques propres à chaque individu et à chaque espèce déterminent la réponse tératogène, et la survenue d'une malformation. Par exemple, moins de 10 % des enfants exposés à la phénytoïne présentent des anomalies congénitales. L'interaction de la phénytoïne avec le bagage génétique de l'embryon détermine, en partie du moins, la réponse tératogène : les embryons déficients en hydroxylase époxyde, une enzyme impliquée dans la détoxication des intermédiaires réactifs tératogènes, pourraient être plus sensibles au potentiel tératogène de cet antiépileptique[8, 16].

Ce principe explique les différences observées entre les études expérimentales menées chez les animaux et les manifestations du développement anormal observées chez l'humain. Il existe des différences importantes dans la façon dont les xénobiotiques sont métabolisés entre les espèces, et même entre les individus d'une même espèce, ce qui peut entraîner des différences significatives dans l'exposition de l'embryon à l'agent tératogène et, ultimement, dans la réponse tératogène observée.

Il existe une relation entre la dose et la réponse tératogène

Plus la dose d'un médicament est importante, plus le risque d'interférer avec le développement embryonnaire normal est élevé. L'incidence et la sévérité des malformations augmentent avec la dose de l'agent tératogène[7]. Pour chaque exposition, il existe des doses qui ne sont pas associées à un risque accru de malformations majeures. Aussi, tout agent ou médicament peut devenir tératogène s'il est donné à des doses suffisamment élevées. Ce principe peut être illustré par l'acide valproïque, associé à un risque tératogène plus élevé lorsque des doses quotidiennes supérieures à 1000 mg sont administrées durant l'embryogenèse (tableau III). Pour certains agents comme l'alcool, les doses en-deçà desquelles on n'observe pas d'effet tératogène ne sont pas connues.

La capacité d'un agent tératogène à atteindre les tissus en développement, et donc d'initier un développement anormal, dépend de la nature de cet agent

Le poids moléculaire, la liposolubilité, le degré d'ionisation et la liaison protéique d'un médicament sont des facteurs qui affectent son passage transplacentaire et peuvent moduler son potentiel tératogène. Ce principe implique également que la voie d'administration, le degré d'absorption et la durée du traitement sont des données critiques dans l'évaluation du risque tératogène associé à un médicament[15].

En plus de ces principes fondateurs, il existe d'autres concepts qui complètent notre compréhension des processus tératogènes. On stipule notamment que les agents tératogènes agissent de façon spécifique sur les cellules et les tissus pour initier un développement anormal, par exemple par altération de la synthèse ou de la fonction des protéines[3, 8]. On reconnaît également que les manifestations du développement anormal sont multiples et incluent les malformations, mais aussi le retard de croissance, les déficits fonctionnels postnatals transitoires ou irréversibles, la mutagenèse et la mort [7, 8].

Médicaments tératogènes

La plupart des médicaments ne sont pas associés à un risque tératogène[14]. Il est difficile de répertorier ou de lister les médicaments qui causent des anomalies puisque leur action tératogène dépend de nombreux facteurs énumérés au point précédent[3]. Pour établir un lien de cause à effet entre un médicament et une anomalie congénitale, il faut répondre à plusieurs critères, notamment : une vraisemblance biologique (un effet pharmacologique pouvant expliquer l'anomalie), une répétition de l'association suggérée dans plus d'une étude épidémiologique rigoureuse, une association forte entre l'exposition et l'anomalie, une spécificité de l'anomalie, une relation entre la durée, la dose et la réponse, et idéalement des études expérimentales animales confirmant les effets observés[6, 12].

Les médicaments pour lesquels ces preuves de tératogenèse ont été établies et qui sont considérés comme des agents tératogènes «classiques» sont présentés au tableau III. Au cours des dernières années, quelques autres médicaments comme la paroxétine et les inhibiteurs de la HMG-COA réductase ont été associés à un risque tératogène dans des séries de cas ou des études épidémiologiques, mais leur potentiel tératogène n'est pas confirmé. La plupart de ces médicaments sont revus plus en profondeur dans les autres chapitres de ce livre.

TABLEAU III – PRINCIPAUX MÉDICAMENTS TÉRATOGÈNES[1, 3, 7, 9, 17-20]
ADAPTÉ DE LA RÉFÉRENCE POLIFKA JE, FRIEDMAN JM. MEDICAL GENETICS : 1. CLINICAL TERATOLOGY IN THE AGE OF GENOMICS.
CMAJ 2002;167(3):265-73

Médicament	Période critique	Doses utilisées dans les cas d'anomalies	Description des effets tératogènes et incidence lors d'une exposition pendant la période critique
Agents alkylants • Busulfan • Chlorambucil • Cyclophosphamide (voir chapitre 29. *Polyarthrite rhumatoïde et lupus érythémateux disséminé.*	Embryogenèse.	Doses variables, mais souvent utilisées pour le traitement de cancers en combinaison avec d'autres traitements.	Malformations de plusieurs organes (cœur, membres, yeux, reins, etc.), fentes labio-palatines, dysmorphies faciales, malformations digitales ; incidence non définie.
Amiodarone	À partir de 10 semaines après la fécondation.	Doses antiarythmiques usuelles.	Hypothyroïdie (17 %, goitre présent dans 18 % des cas d'hypothyroïdie) et hyperthyroïdie (3 %) transitoires.
Androgènes (danazol, testostérone et dérivés)	À partir de la 6ᵉ semaine après la fécondation pour le danazol, période non définie pour la testostérone.	Danazol : 200 mg par jour ou plus.	Virilisation des organes génitaux externes des fœtus de sexe féminin ; incidence non définie.

Médicament	Période critique	Doses utilisées dans les cas d'anomalies	Description des effets tératogènes et incidence lors d'une exposition pendant la période critique
Antiépileptiques de première génération • Acide valproïque ou divalproex sodique • Carbamazépine • Phénobarbital • Phénytoïne • Trimethadione (voir le chapitre 32. *Épilepsie*).	Embryogenèse.	Doses de traitement habituelles pour l'épilepsie.	Malformations du tube neural (acide valproïque et carbamazépine), malformations cardiaques, fentes labio-palatines, malformations squelettiques, urogénitales, cranio-faciales et digitales, microcéphalie ; en considérant toutes les anomalies, incidence entre 5 et 10 %, et jusqu'à 17 % pour l'acide valproïque.
Anti-inflammatoires non stéroïdiens (voir le chapitre 33. *Migraine et douleurs*).	2e et 3e trimestres.	Au 2e trimestre : une exposition ponctuelle ne comporte pas de risque accru. Au 3e trimestre : doses thérapeutiques usuelles pendant plus de 48 heures (n.b. : observations faites au plus tard à 30 semaines postfécondation, risque probablement accru après ce stade).	Oligoamnios, dysfonction rénale ; fermeture prématurée du canal artériel et hypertension pulmonaire néonatale (cliniquement significatif à partir de la 26e semaine suivant la fécondation) ; constriction du canal artériel rare avant 25 semaines, 50-70 % à 30 semaines et 100 % à partir de 32 semaines (âge postconceptionnel).
Antimétabolites • Aminoptérine • Cytarabine • 5-fluorouracile • Méthotrexate • (voir chapitre 29. *Polyarthrite rhumatoïde et lupus érythémateux disséminé.*)	Embryogenèse.	Doses variables, mais souvent utilisées pour le traitement de cancers en combinaison avec d'autres traitements ; pour le méthotrexate, quelques rapports avec des doses utilisées pour le traitement de l'arthrite ou du psoriasis. Pour le méthotrexate ; une dose seuil de 10 mg par semaine a été suggérée.	Malformations du système nerveux central, malformations du crâne, fentes labio-palatines, malformations squelettiques et des membres ; incidence et sévérité des malformations augmentent avec la dose utilisée, notamment pour le méthotrexate.

Médicament	Période critique	Doses utilisées dans les cas d'anomalies	Description des effets tératogènes et incidence lors d'une exposition pendant la période critique
Corticostéroïdes systémiques (voir le chapitre 28. *Maladies inflammatoires de l'intestin*).	Embryogenèse (période de formation du palais entre la sixième et la dixième semaine suivant la fécondation).	Doses anti-inflammatoires systémiques.	Fentes labiales ou palatines; risque augmenté de 3 à 4 fois, soit environ 3 à 4 cas pour 1000 naissances.
Diéthylstilbestrol	1er et 2e trimestres.	1,5 à 150 mg par jour.	**Filles :** adénocarcinome vaginal ou cervical à cellules claires; incidence ≤ 1,4 pour 1000 expositions. Anomalies structurelles génitales (surtout au niveau du col utérin et du vagin); incidence estimée à 25 %. Augmentation du risque d'avortement spontané et de naissance prématurée. **Garçons :** anomalies génitales, anomalies de la spermatogenèse.
Fluconazole (voir le chapitre 20. *Anti-infectieux*).	Période critique non définie.	400 mg par jour ou plus; doses uniques de 150 mg non associées à un risque accru jusqu'à présent.	Malformations squelettiques et cranio-faciales, fentes palatines; incidence inconnue.
Inhibiteurs de l'enzyme de conversion de l'angiotensine et Antagonistes des récepteurs I de l'angiotensine II (voir le chapitre 11. *Hypertension artérielle*).	2e et 3e trimestres.	Doses usuelles pour le traitement de l'hypertension.	Dysgénésie rénale, oligoamnios, hypoplasie pulmonaire et défaut d'ossification du crâne, hypotension, insuffisance rénale; incidence inconnue.
Isotrétinoïne, acitrétine, étrétinate, vitamine A (voir le chapitre 34. *Acné*).	Embryogenèse.	0,2 à 1,5 mg/kg/jour pour l'isotrétinoïne, mais des expositions à une seule dose ont mené à des malformations caractéristiques; pour la vitamine A, doses inférieures à 10 000 UI par jour ne sont pas associées à des risques accrus.	Malformations du système nerveux central, du crâne, des yeux et des oreilles, micrognathie, fentes labiales ou palatines, malformations cardiaques, du thymus et des membres, retard mental; incidence estimée à environ 25 à 30 % avec l'isotrétinoïne.

Médicament	Période critique	Doses utilisées dans les cas d'anomalies	Description des effets tératogènes et incidence lors d'une exposition pendant la période critique
Lithium (voir le chapitre 31. *Maladie bipolaire et troubles psychotiques*).	Embryogenèse.	Doses de traitement habituelles.	Malformations cardiaques (incidence entre 0,9 et 6,8 %), notamment anomalie d'Ebstein (incidence estimée entre 0,05 et 0,1 %).
Méthimazole (voir le chapitre 13. *Dysthyroïdies*).	Embryogenèse.	Doses de traitement habituelles.	*Aplasia cutis* (anomalie d'ossification du crâne), syndrome d'exposition comprenant atrésie des choanes, atrésie de l'œsophage, anomalies faciales et retards de développement; incidence inconnue, mais probablement faible.
	2e et 3e trimestres (à partir de la 10e semaine après la fécondation).	Doses de traitement habituelles.	Hypothyroïdie fœtale chez 2 à 10 % des enfants dont la mère a été traitée pour une maladie de Graves, goitre.
Misoprostol	Embryogenèse.	Doses à partir de 200 μg.	Syndrome de Moëbius (paralysie faciale secondaire à la paralysie des nerfs crâniens VI et VII), associé ou non à des malformations des membres et à un retard mental ; incidence inconnue mais risque absolu faible. Autres anomalies rapportées : anomalies des membres, arthrogrypose, pieds bots, hydrocéphalie.
Pénicillamine	Période critique non définie.	Doses supérieures à 500 mg par jour associées à un risque accru.	Hyperélasticité cutanée (semblable au *cutis laxa*), apparemment réversible; incidence non définie mais probablement faible.
Propylthiouracil (voir le chapitre 13. *Dysthyroïdies*).	2e et 3e trimestres (à partir de la 10e semaine après la fécondation).	Doses de traitement habituelles.	Hypothyroïdie fœtale chez 2 à 10 % des enfants dont la mère a été traitée pour une maladie de Graves, goitre.

Médicament	Période critique	Doses utilisées dans les cas d'anomalies	Description des effets tératogènes et incidence lors d'une exposition pendant la période critique
Quinine (voir le chapitre 9. *Paludisme*).	Période critique non définie, probablement embryogenèse.	Doses élevées utilisées pour induire un avortement (jusqu'à 30 g) ; les doses utilisées pour le traitement de la malaria ne comportent pas ce risque.	Surdité et cécité (hypoplasie des nerfs auditif et optique) ; incidence inconnue.
Tétracyclines (voir le chapitre 20. *Anti-infectieux*)	À partir de 14 semaines après la fécondation.	Doses thérapeutiques usuelles.	Coloration de la première dentition : jaune au début, puis cendré avec taches jaune-brun ; incidence inconnue.
Thalidomide	Embryogenèse (entre les 20e (± 1) et 36e (± 1) jours après la fécondation).	50 à 100 mg par jour.	La malformation principale est le développement anormal d'un ou plusieurs membres, surtout amélie ou phocomélie. Plusieurs autres malformations rapportées, parmi les plus fréquentes : malformations cardiaques, urogénitales, gastro-intestinales, des oreilles (microtie); incidence de 20 à 50 %.
Triméthoprime (voir le chapitre 20. *Anti-infectieux*).	Embryogenèse.	Doses thérapeutiques usuelles.	Malformations cardiaques, génito-urinaires, fentes labio-palatines et anomalies du tube neural; incidence imprécise, probablement inférieure à 6%.
Warfarine (voir le chapitre 10. *Anticoagulation*).	Embryogenèse (prise à partir de 4 semaines après la fécondation).	Doses thérapeutiques usuelles.	Syndrome d'exposition fœtale à la warfarine, incluant : hypoplasie nasale, dysplasie des épiphyses, malformations vertébrales; incidence estimée entre 6 et 25%.
	Tous les trimestres.	Doses thérapeutiques usuelles.	Anomalies hétérogènes du système nerveux central, incluant : hémorragies intracrâniennes, anomalies oculaires ; incidence à moins de 5%.

Sources d'information et évaluation du risque

Puisque les femmes enceintes sont historiquement exclues des essais cliniques précédant la mise en marché des médicaments, il existe souvent peu d'information sur le risque tératogène associé à un médicament. Les données animales sont les seules sources d'information accessibles lors de la commercialisation d'un médicament ; les notifications de cas sont publiées dans les années qui suivent et des études épidémiologiques observationnelles comptant un plus grand nombre de femmes exposées sont éventuellement réalisées. En outre, certaines populations peuvent être étudiées lorsque des systèmes de surveillance régionaux ou nationaux sont mis en place, comme c'est le cas avec le registre suédois des naissances[21].

Il n'existe pas de méthodologie parfaite pour étudier le potentiel tératogène d'un médicament. C'est l'évaluation de l'ensemble de ces données qui permet de déterminer si un médicament comporte un risque ou non durant la grossesse.

Études animales

Mis à part quelques rares exceptions, les médicaments tératogènes chez l'humain entraînent une tératogenèse comparable chez au moins une espèce animale[14, 22].

Ainsi, depuis le début des années soixante, les études effectuées chez l'animal sont requises pour la mise en marché d'un nouveau médicament. Ces études permettent surtout d'identifier les tératogènes majeurs. Ce fut notamment le cas avec les dérivés de vitamine A, dont le potentiel tératogène a été identifié avant leur utilisation chez l'humain[23].

Cependant, plusieurs médicaments causant des effets tératogènes chez les animaux exposés à des doses très élevées n'entraînent pas de risque significatif aux doses thérapeutiques préconisées chez l'humain[5, 14, 22]. La sensibilité différente des espèces aux médicaments et les différences dans le métabolisme des xénobiotiques entre les espèces limitent l'utilisation des études animales pour prédire les tératogènes chez l'humain[21]. Dans cet ouvrage, les études animales sont précisées lorsque les données cumulées chez l'humain sont insuffisantes pour déterminer les risques.

Observations cliniques isolées et séries de cas

Les premiers rapports d'utilisation d'un médicament durant la grossesse chez l'humain sont publiés sous forme d'observations cliniques isolées (*case-reports*) ou de séries de cas. Il est difficile d'établir un lien de causalité entre un médicament et des malformations uniquement à partir de rapports de cas, à moins d'observer un patron très spécifique d'anomalies, ou que le médicament soit utilisé par un très petit nombre de femmes[22]. Le potentiel tératogène de la grande majorité des médicaments listés au tableau III a ainsi été découvert par l'observation de cliniciens vigilants qui ont reconnu des patrons de malformations caractéristiques répétées chez plusieurs enfants[23, 24].

Études épidémiologiques

Les études épidémiologiques permettent d'évaluer si l'exposition à un médicament durant la grossesse est associée à un risque tératogène dans une population. Une étude de cohorte consiste à comparer le taux de malformations (ou de toute autre issue de grossesse) entre un groupe de femmes exposées à un médicament et un groupe sans exposition. Ce type de devis, limité entre autres par la taille de l'échantillon, permet surtout de démontrer qu'un médicament n'augmente pas de façon considérable le risque de malformations. Dans une étude cas-témoins, on vérifie si les enfants présentant des malformations ont été exposés à un médicament donné plus fréquemment que les enfants sans malformation. Ce type d'étude permet d'évaluer le lien entre une malformation rare et un médicament[21, 22, 24].

Ces études observationnelles comportent plusieurs difficultés méthodologiques, notamment la détermination précise des cas et des expositions, qui peut être compliquée par le fait que les femmes ne se rappellent pas avec précision des médicaments qu'elles ont pris plusieurs mois auparavant. De plus, les facteurs de confusion, comme la condition maternelle, doivent être soigneusement contrôlés.

Évaluation du risque

Classifications

Au Canada, la monographie de la plupart des médicaments affirme que l'innocuité du médicament n'a pas été établie durant la grossesse et qu'il ne devrait être utilisé chez la femme enceinte que si les bienfaits l'emportent sur les risques. Les études animales sont parfois décrites, mais les données cliniques cumulées chez les femmes enceintes ne sont presque jamais évoquées[25].

Le système de classification américaine de la *Food and Drug Administration* (FDA), établi en 1979, attribue aux médicaments des cotes A, B, C, D et X en fonction des études animales et humaines. Bâti pour servir de guide thérapeutique lors de la prescription d'un médicament, il s'avère cependant d'une utilité limitée lorsqu'il s'agit de conseiller une patiente enceinte[26]. Il comporte également plusieurs limites : les études animales y tiennent une place très importante par rapport aux données cliniques humaines, les cotes ne tiennent pas compte des conditions d'exposition (dose, voie d'administration, etc.) et du stade de développement, et très peu de changements de classes ont lieu, malgré la publication d'études épidémiologiques chez l'humain[26].

Cette classification a été remise en question par la *Teratology Society* (société américaine de tératologie) et plusieurs experts dans le domaine qui préconisent un abandon de ce système et l'utilisation d'énoncés descriptifs résumant les données disponibles sur un médicament durant la grossesse et une estimation des risques associés à son usage[26].

Ainsi, les cotes de la FDA, couramment évoquées par les professionnels de la santé et parfois même enseignées dans les universités, n'ont pas été retenues pour l'élaboration de cet ouvrage. Le risque tératogène est plutôt présenté sous forme d'un énoncé descriptif succinct pour chaque médicament discuté.

Évaluation du risque chez une femme enceinte ou planifiant une grossesse

Il convient en premier lieu d'évaluer l'indication du médicament et les risques de ne pas traiter la condition maternelle. L'obtention des histoires obstétricale, pharmacologique et médicale de la patiente s'avère aussi importante pour l'évaluation des risques (voir le chapitre 5. *Communication du risque et conseils sur l'utilisation des médicaments*).

Les données cumulées chez l'humain sont celles qui peuvent le mieux guider le clinicien pour l'évaluation des risques. Si les notifications de cas sont souvent peu utiles en clinique, les données provenant d'études épidémiologiques rigoureuses permettent d'estimer les risques encourus par la patiente[22, 27]. En l'absence de données chez l'humain, les données pharmacocinétiques (absorption, passage placentaire, etc.) et les données tirées des études animales peuvent orienter le clinicien dans son évaluation des risques. L'analyse des données animales doit tenir compte des conditions d'exposition, de la présence de toxicité maternelle et de la nature des effets observés. Le tableau IV liste certaines sources de données utiles qui pourront compléter la consultation de cet ouvrage pour l'évaluation du risque. La façon de transmettre ces informations est discutée au chapitre 5. *Communication du risque et conseils sur l'utilisation des médicaments*.

TABLEAU IV – QUELQUES SOURCES DE DONNÉES POUR L'ÉVALUATION DU RISQUE

Sites Internet gratuits (plusieurs de ces sites contiennent aussi des liens vers d'autres sites Internet) :

• Centers for Disease Control and Prevention (CDC) - medication use during pregnancy and breastfeeding : **www.cdc.gov/ncbddd/meds/**

• Drugs in pregnancy and breastfeeding : **www.perinatology.com**

• Food and Drug Administration (FDA) - guide to pregnancy registries : **www.fda.gov/womens/registries/**

• March of Dimes : **www.marchofdimes.com**

• Motherisk : **www.motherisk.org**

• Organisation Mondiale de la Santé (OMS) - grossesse : **www.who.int/topics/pregnancy/fr/**

• Organization of Teratology Information Specialists (OTIS) : **www.otispregnancy.org**

• Santé Canada - grossesse en santé : **www.phac-aspc.gc.ca/hp-gs/index_f.html**

• Société des obstétriciens et gynécologues du Canada : **www.sogc.org**

Bases de données payantes (nécessitant un abonnement) :

• Reprotox : **www.reprotox.org**

• Teris : **http://depts.washington.edu/~terisweb/teris/index.html**

Livres :

• BRIGGS G.G, FRIEDMAN R.K., YAFFE S.J. *Drugs in pregnancy and lactation : a reference guide to fetal and neonatal risk.* 7th ed. Baltimore : Williams & Wilkins ; 2005.

• SCHAEFER C. *Drugs during pregnancy and lactation, treatment options and risk assessment.* 1st ed. Amsterdam : Elsevier B.V. ; 2001 (2e édition prévue pour 2007).

Centre d'information pour les professionnels de la santé du Québec :

• Centre IMAGe (Info-médicaments en allaitement et grossesse) : 514-345-2333.

Si le traitement n'est pas essentiel, on pourra le suspendre ou le retarder. Dans les cas où le traitement s'avère essentiel, on doit choisir les médicaments qui présentent le moins de risques pour l'enfant à naître et la mère. Les médicaments de premier recours selon la condition à traiter sont listés dans les chapitres de cet ouvrage. Les médicaments qui sont utilisés depuis longtemps sont généralement mieux documentés durant la grossesse; à l'inverse, les médicaments les plus récents ont rarement été étudiés et devraient être évités, autant chez une femme enceinte que chez une femme en âge d'avoir des enfants[14, 22, 27]. On doit éviter de donner des doses sousthérapeutiques à une femme enceinte, sous prétexte de réduire les risques.

Si les seuls traitements efficaces pour la condition de la patiente sont des médicaments qui comportent des risques durant la grossesse (par exemple, l'acide valproïque), on doit envisager des traitements préventifs (par exemple, l'acide folique) et les mesures de diagnostic anténatal appropriées (par exemple, échographie détaillée), et préparer la prise en charge à la naissance[27]. Ces mesures sont détaillées dans les chapitres de cet ouvrage. Pour certains médicaments, l'exposition durant la période critique d'anomalie peut parfois être évitée.

Dans le cas d'une patiente qui ne serait pas encore enceinte, certaines mesures peuvent être recommandées de façon à diminuer les risques d'anomalies congénitales. Le tableau V cite certaines de ces recommandations.

TABLEAU V – SOINS PRÉCONCEPTIONNELS POUR MINIMISER LE RISQUE D'ANOMALIES CONGÉNITALES[10, 28]

- Prise d'acide folique.
- Vaccination à jour (pour la rubéole, par exemple).
- Modifications des habitudes de vie (arrêt du tabagisme et de la prise de drogue, saine alimentation).
- Atteinte d'un poids santé.
- Si la patiente a une maladie chronique : planification de la grossesse pendant une période où la maladie est stable.
- Si la femme prend des médicaments, évaluation de la pertinence de modifier certains traitements pour d'autres plus sécuritaires s'il y a lieu.
- Planification d'un suivi lors de confirmation de la grossesse si nécessaire.
- Prise en charge conjointe par l'équipe traitante (médecins généralistes et spécialistes, pharmacien, diététiste, etc.) lors de la planification de la grossesse.

Références

1. MOORE KL, PERSAUD TVN. *Before We Are Born. Essentials Of Embryology And Birth Defects.* 6th ed. Philadelphia: Saunders, Elsevier Science; 2003.
2. O'RAHILLY R, MULLER F. *Human Embryology and Teratology.* 3rd Ed. New York:Wiley-Liss; 2001.
3. POLIFKA JE, FRIEDMAN JM. Medical genetics: 1. Clinical teratology in the age of genomics. *CMAJ* 2002;167(3):265-73.
4. RABINEAU D, DUPONT J-M, PLATEAUX P. *Embryologie humaine.* 2006 [vérifié 4 février 2007]; Disponible dans : Http://Cvirtuel.Cochin.Univ-Paris5.Fr/Embryologie/Animentre/Animentre1.Html
5. SCIALLI AR. A *Clinical Guide To Reproductive And Developmental Toxicology.* 1st ed. Boca Raton: CRC Press; 1992.

6. BRENT RL, BECKMAN DA, LANDEL CP. Clinical teratology. *Curr Opin Pediatr* 1993;5(2):201-11.
7. SCHARDEIN JL. *Chemically Induced Birth Defects*. 3rd ed. New York: Marcel Dekker, Inc.; 2000.
8. FINNELL RH. Teratology: General considerations and principles. *J Allergy Clin Immunol* 1999;103(2 Pt 2):S337-42.
9. KALTER H. Teratology In The 20th Century : Environmental causes of congenital malformations in humans and how they were established. *Neurotoxicol Teratol* 2003;25(2):131-282.
10. CRAGAN JD, FRIEDMAN JM, HOLMES LB, UHL K, GREEN NS, RILEY L. Ensuring the safe and effective use of medications during pregnancy: planning and prevention through preconception care. *Matern Child Health J* 2006;10 Suppl 7:129-35.
11. OFFICE QUÉBÉCOIS DE LA LANGUE FRANÇAISE. *Le grand dictionnaire terminologique*. [vérifié 4 février 2007]; Available From: Http://www.Granddictionnaire.com/
12. SANTÉ CANADA. *Les anomalies congénitales au Canada - Rapport sur la santé périnatale*. Dans: Ottawa: Ministre des travaux publics et des services gouvernementaux Canada, Editor. Ottawa; 2002.
13. SANTÉ CANADA. *Rapport sur la santé périnatale au Canada*. Dans: Ottawa: Ministre des travaux publics et des services gouvernementaux Canada, Editor.; 2003.
14. BRIGGS GG. Drug effects on the fetus and breast-fed infant. *Clin Obstet Gynecol* 2002;45(1):6-21.
15. WILSON JG, FRASER FC. *Handbook of Teratology*. 1st ed. New York: Plenum Press; 1977.
16. SCHAEFER C. *Drugs During Pregnancy and Lactation*. 1st ed. Amsterdam: Elsevier; 2001.
17. BRIGGS GG, FREEMAN RK, YAFFE SJ. *Drugs in Pregnancy and Lactation. A reference guide to fetal and neonatal risk*. 7th ed. Philadelphia: William & Wilkins; 2005.
18. KOREN G. *Maternal-fetal Toxicology. A clinician's guide*. 3rd ed. New York: Marcel Dekker, Inc.; 2001.
19. BARTALENA L, BOGAZZI F, BRAVERMAN LE, MARTINO E. Effects of amiodarone administration during pregnancy on neonatal thyroid function and subsequent neurodevelopment. *J Endocrinol Invest* 2001;24(2):116-30.
20. Reprorisk® System Internet Database. In: *Thomson Micromedex*; Greenwood Village, Co: Updated Periodically.
21. KALLEN B. *Epidemiology of Human Reproduction*. 1st ed. Boca Raton: Crc Press; 1988.
22. KOREN G, PASTUSZAK A, ITO S. Drugs in pregnancy. *N Engl J Med* 1998;338(16):1128-1137.
23. BRENT RL. Utilization of animal studies to determine the effects and human risks of environmental toxicants (drugs, chemicals, and physical agents). *Pediatrics* 2004;113(4 Suppl):984-95.
24. KALLEN B. Methodological issues in the epidemiological study of the teratogenicity of drugs. *Congenit anom* (Kyoto) 2005;45(2):44-51.
25. GAUTHIER L, PELLERIN A. Connaissez-vous votre ABCD... X ? *Québec Pharmacie* 1999;46(9):840-842.
26. FDA CLASSIFICATION OF DRUGS FOR TERATOGENIC RISK. Teratology Society Public Affairs Committee. *Teratology* 1994;49(6):446-7.
27. ÉLÉFANT E, SAINTE-CROIX A. Évaluation du risque médicamenteux chez la femme enceinte: méthodologie d'évaluation et gestion du risque. *Therapie* 1997;52:307-311.
28. MAHONE M, WEBER F. Les médicaments et la grossesse: problème en vue ? *Le Clinicien* 2004:41-46.
29. MOORE KL, PERSAUD TVN. *The Developing Human: clinically oriented embryology*. 5th ed. Philadelphia: W.B. Saunders Company, Elsevier Science; 1993.

Chapitre 3

Impacts des changements physiologiques sur la pharmacocinétique

■

Josianne GAUTHIER
Annie PELLERIN

Introduction

Pendant la grossesse, plusieurs changements physiologiques s'opèrent afin d'assurer le développement normal du fœtus. La pharmacocinétique des médicaments utilisés dans le traitement de certaines affections chroniques ou aiguës peut être influencée par ces changements.

Les données publiées sur le sujet sont toutefois limitées, souvent obtenues au cours d'études observationnelles incluant un nombre restreint de patientes. Les informations sont rarement disponibles pour tous les stades de la grossesse, le premier trimestre étant le moins étudié[1]. Les connaissances actuelles permettent toutefois de prédire la tendance générale de l'effet de la grossesse sur le devenir des médicaments dans l'organisme.

Ce chapitre trace un portrait de l'impact des changements physiologiques entraînés par la grossesse sur la pharmacocinétique des médicaments administrés à la mère. Le tableau I résume les principaux changements physiologiques et pharmacocinétiques liés à la grossesse. Le tableau II présente l'influence de ces changements sur la pharmacocinétique de certains médicaments.

Absorption

Absorption gastro-intestinale

La motilité intestinale est réduite durant la grossesse. L'augmentation de la progestérone au cours de la grossesse est responsable de cet effet car elle entraîne la relaxation des muscles lisses gastro-intestinaux[2-5]. Comme les taux de progestérone augmentent progressivement au cours de la grossesse, l'effet est d'autant plus important en fin de grossesse. Le temps de transit gastro-intestinal est augmenté de 30 % à 50 %[2, 4]. L'absorption de certains médicaments peut donc être retardée ce qui peut entraîner une baisse de leur concentration sanguine maximale (C_{max}) et prolonger leur délai d'action[3, 4].

D'autre part, le ralentissement du transit gastro-intestinal prolonge le temps de contact entre la muqueuse gastro-intestinale et les médicaments. L'absorption de certains médicaments peut ainsi être favorisée, car le flot sanguin du tube digestif est plus important pendant la grossesse à cause de l'augmentation du débit cardiaque[4-7].

L'absorption des médicaments pourrait également être réduite par l'élévation du pH gastrique pendant la grossesse, suite à une diminution de la production d'acide gastrique et à une sécrétion accrue de mucus, ce qui modifie le degré d'ionisation de des acides et bases faibles[2, 3].

Les nausées et les vomissements de la grossesse peuvent réduire l'absorption des médicaments et leur C_{max} ou faire en sorte que plusieurs doses soient omises, ce qui peut modifier la réponse au traitement[2-4]. Il est possible d'atténuer cet effet en conseillant aux femmes enceintes de prendre leurs médicaments au moment de la journée où les nausées et vomissements sont le moins contraignants.

Même s'il semble que l'absorption orale des médicaments ne soit pas modifiée significativement pendant la grossesse, le ralentissement du transit digestif et le temps de contact prolongé avec la muqueuse la rendent imprévisible. Si l'impact des modifications physiologiques observées au niveau du tractus gastro-intestinal demeure plutôt théorique, elles peuvent être suspectées en cas d'apparition d'effets indésirables ou lorsque l'efficacité d'un médicament semble modifiée. La voie parentérale peut être privilégiée lorsque l'on désire obtenir rapidement l'effet d'un médicament (analgésiques, antiémétiques, etc.)[3, 4].

Absorption parentérale

La perfusion cutanée et tissulaire subit elle aussi l'influence de l'augmentation du débit cardiaque, principalement au niveau des mains et des pieds, ce qui peut faciliter l'absorption des médicaments lipophiles administrés par les muqueuses, par voie transcutanée, sous-cutanée et intramusculaire chez la femme enceinte[8]. L'augmentation de l'hydratation de la peau causée par l'augmentation du volume d'eau extracellulaire pendant la grossesse peut faciliter l'absorption des médicaments hydrophiles[4]. L'absorption cutanée au niveau des membres inférieurs serait toutefois diminuée en fin de grossesse par une baisse du flot sanguin causée par la compression exercée par l'utérus sur la veine cave inférieure[4].

Au niveau pulmonaire, l'augmentation du débit cardiaque et du volume courant (volume d'air échangé à chaque respiration) se traduisent par une augmentation du débit sanguin pulmonaire et de l'hyperventilation[3]. L'absorption des médicaments administrés par inhalation peut donc être favorisée chez la femme enceinte[4].

Distribution

Volume de distribution

Le volume de distribution (Vd) des médicaments hydrosolubles est élargi pendant la grossesse suite à l'augmentation du volume plasmatique (environ 50%) et de l'eau corporelle totale (environ 8L), dont près de la moitié se retrouve au niveau du liquide amniotique, du placenta et du fœtus[1-6, 9]. L'augmentation du volume de distribution des médicaments entraîne une diminution de leur C_{max} pour une dose donnée[1, 2]. Une augmentation de la dose peut donc s'avérer nécessaire pour maintenir des concentrations plasmatiques thérapeutiques. L'augmentation du Vd peut également entraîner un allongement de la demi-vie d'élimination ($t_{1/2}$) d'un médicament si sa clairance demeure constante ou si elle est ralentie pendant la grossesse, tel qu'illustré par la formule suivante[4] :

$$t_{1/2} = \frac{Vd \times 0,693}{Cl}$$

Le Vd des médicaments liposolubles est lui aussi plus important pendant la grossesse, suite à une augmentation de la masse adipeuse de 3 à 4 kg en moyenne[3, 4, 7]. Comme pour les médicaments hydrosolubles, les concentrations plasmatiques peuvent être plus faibles pour une dose donnée. En général, l'impact de la modification du Vd des médicaments liposolubles n'est pas cliniquement significatif[3]. Cependant, la masse adipeuse peut agir comme réservoir et une accumulation, ainsi qu'une augmentation des effets thérapeutiques et indésirables des médicaments liposolubles, sont possibles si ces derniers sont administrés pendant une période prolongée[4].

Liaison protéique

La distribution des médicaments est également modifiée au cours de la grossesse par une diminution de la concentration des protéines plasmatiques et de leur capacité à lier les médicaments. Ce phénomène est principalement observé avec l'albumine dont les concentrations diminuent de 20 à 30% à partir du deuxième trimestre[2, 4, 10]. L'augmentation du volume plasmatique, plus rapide que la production de cette dernière, serait la principale cause de l'hypo-albuminémie observée pendant la grossesse[2]. De plus, les hormones stéroïdiennes et placentaires, ainsi que les acides gras libres, dont les taux augmentent tout au long de la grossesse, se lient à l'albumine et déplacent les médicaments de leurs sites de liaison, ce qui crée un nouvel état d'équilibre entre la fraction liée et la fraction libre (fl) des médicaments[2, 4].

L'ocytocine réduirait davantage la liaison protéique de certains médicaments, ce qui favoriserait le passage et l'accumulation des médicaments non liés chez le fœtus pendant le travail. La concentration totale de médicament est alors diminuée et la fl, responsable de l'activité pharmacologique, augmente de façon proportionnelle[10].

La fl ne sera cependant pas nécessairement augmentée de façon significative pour tous les médicaments suite à une diminution de la liaison protéique, puisque lorsqu'il y a administrations répétées, l'ensemble des changements physiologiques et pharmacocinétiques observées pendant la grossesse participent à la création du nouvel état d'équilibre et qu'une modification de la liaison protéique peut alors être compensée par un métabolisme hépatique ou une élimination rénale plus importants, ou encore par des concentrations plasmatiques réduites suite à l'augmentation du volume de distribution[2, 4]. La fl d'un médicament fortement lié aux protéines et administré en dose unique par voie intraveineuse pendant la grossesse pourra toutefois être augmentée et produire un effet pharmacologique plus important, puisque la quantité de médicament non liée atteignant le site d'action sera plus importante[4].

L'effet de l'augmentation de la fl est significatif pour les médicaments fortement liés à l'albumine, principalement éliminés par voie hépatique et dont l'écart thérapeutique est étroit[1]. Pendant la grossesse, il est donc préférable de doser la fl de ces médicaments, lorsque cela est possible, et de faire un suivi plus étroit des signes de toxicité[2]. Le dosage de la fraction libre peut également s'avérer utile pour déterminer les concentrations sanguines de la digoxine, puisqu'une substance endogène (*digoxin-like protein*) produite par le fœtus et le placenta interagit avec certaines méthodes de dosage[1, 4].

Contrairement à l'albumine, les concentrations de l'alphaglycoprotéine acide, qui lie plusieurs médicaments basiques (opiacés, antidépresseurs tricycliques, bêtabloquants) ne sont pas diminuées pendant la grossesse[2, 6].

D'autres protéines liant des substances endogènes, dont la thyroglobuline, sont quant à elles augmentées pendant la grossesse. Chez les patientes hypothyroïdiennes, l'augmentation de la liaison de la thyroxine à la thyroglobuline nécessite une augmentation des doses d'hormones thyroïdiennes dès le début de la grossesse[4, 11].

Distribution fœto-maternelle

Tel que mentionné plus haut, le volume de distribution des médicaments est augmenté par la présence du placenta, du liquide amniotique et du fœtus. La plupart des médicaments traversent le placenta par diffusion passive (molécules de faible poids moléculaire, non liées, non ionisées, fortement liposolubles), jusqu'à l'atteinte de concentrations égales entre la mère et le fœtus. Le passage transplacentaire des médicaments est plus important au troisième trimestre de la grossesse suite à une augmentation du flot sanguin, un amincissement du placenta et une augmentation de sa surface[4, 12].

Le niveau d'albumine fœtale augmente tout au long du développement pour atteindre des niveaux égaux ou supérieurs à ceux de la mère au cours du troisième trimestre[2]. Comme la fl des médicaments peut traverser le placenta, la diminution du taux de liaison aux protéines plasmatiques de la mère favorise leur passage transplancentaire et leur liaison aux protéines plasmatiques fœtales[2, 4]. L'affinité des protéines fœtales est supérieure à celle des protéines maternelles pour certains médicaments, ce qui favorise leur accumulation chez le fœtus[10]. La concentration d'alphaglycoprotéine acide est plus faible chez le fœtus que chez la mère et la fl des médicaments liés à cette protéine, plus élevée chez le fœtus que chez cette dernière, favorise la survenue d'effets toxiques chez le nouveau-né exposé *in utero* en fin de grossesse[2, 10].

Le pH sanguin du fœtus est légèrement plus acide que celui de la mère, ce qui permet aux bases faibles de traverser le placenta[2-5, 12]. Ces dernières s'ionisent au contact du pH du fœtus et retraversent difficilement le placenta. À l'état d'équilibre, les concentrations plasmatiques fœtales peuvent alors dépasser celles de la mère[2-4, 12]. Cet effet est encore plus important lorsque le bien-être fœtal est compromis, puisque le pH sanguin fœtal est davantage diminué[12].

Puisque certains médicaments peuvent s'accumuler chez le fœtus, une surveillance particulière de leurs signes de toxicité devrait être effectuée au cours des premières heures de vie des nouveau-nés exposés en fin de grossesse[4].

Certains transporteurs situés de part et d'autre du placenta modulent également la distribution fœto-maternelle des médicaments. Par exemple, la glycoprotéine P (Pgp) freine le passage transplacentaire de la digoxine et de certains inhibiteurs de la protéase[12-14]. La Pgp est aussi impliquée dans l'excrétion rénale de la digoxine[1]. Le transporteur d'acides aminés de type-L (LAT-1) favorise quant à lui le passage transplacentaire de la gabapentine, qui tend à s'accumuler dans le compartiment fœtal[15].

Puisque certaines substances comme la digoxine peuvent être administrées à la mère pour traiter une pathologie fœtale, des doses importantes pourront être nécessaires afin d'atteindre des concentrations suffisantes chez le fœtus[12, 13].

Métabolisme

Métabolisme hépatique

L'augmentation du flot sanguin hépatique pendant la grossesse semble peu affecter le métabolisme des médicaments. Seuls les médicaments à coefficient d'extraction hépatique élevé pourraient théoriquement voir leur clairance augmentée[1, 4, 6].

Cytochromes P450 (CYP450)

L'activité enzymatique, qui est dépendante de facteurs génétiques, physiologiques et environnementaux, est modifiée durant la grossesse[1]. L'augmentation des taux d'œstrogènes et de progestérone durant la grossesse est présumée responsable des changements dans le métabolisme hépatique[1, 4, 6].

ACTIVITÉ AUGMENTÉE

La famille des isoenzymes CYP3A est la plus abondante des CYP450 et métabolise plus de 50 % des médicaments. L'expression des **CYP3A4** est augmentée pendant la grossesse[1]. La progestérone pourrait contribuer à cet effet. On retrouve également ces enzymes dans le tractus gastro-intestinal.

L'activité des **CYP2A6** est également augmentée au cours des deuxième et troisième trimestres de la grossesse. La progestérone serait responsable de cet effet. Ces enzymes métabolisent la nicotine et son principal métabolite, la cotinine[1]. Les doses de nicotine nécessaires dans le cadre d'une thérapie de remplacement dans le sevrage tagagique peuvent donc être plus élevées pendant la grossesse[1].

L'activité des **CYP2D6** semble être principalement régulée de façon hormonale puisque chez les femmes, on retrouve une concentration légèrement plus élevée (20 %) de CYP2D6 que chez les hommes[1]. L'expression des CYP2D6 est augmentée au troisième trimestre de la grossesse chez les métabolisateurs rapides[1, 16]. L'effet inverse serait observé chez les métaboliseurs lents, qui eux présenteraient une réduction de l'activité de ces cytochromes. Contrairement aux autres CYP dont l'activité est augmentée pendant la grossesse, l'induction des CYP2D6 ne serait pas dépendante de l'élévation des taux de progestérone[1].

Une augmentation de l'activité des **CYP2C9** a été démontrée pendant la grossesse[1]. La progestérone peut contribuer à ce changement qui est davantage significatif au troisième trimestre. On n'observerait toutefois aucune induction des CYP2C9 chez les métabolisateurs lents[1].

Activité diminuée

L'activité des **CYP1A2** est diminuée de moitié en fin de grossesse et on commence à observer cet effet dès le premier trimestre[1, 17]. Les taux croissants d'œstrogène et de progestérone seraient responsables de cette inhibition. La $t_{1/2}$ de la caféine, qui est métabolisée à 90 % par les CYP1A2, est significativement plus longue chez les femmes enceintes et ce dès le premier trimestre[1]. Des auteurs ont décrit une diminution de 96 % de la consommation ainsi qu'une aversion pour le café chez 65 % des patientes inclues dans une étude[18].

L'expression des **CYP2C19** est également diminuée durant la grossesse. La diminution de l'activité enzymatique est plus significative aux deuxième et troisième trimestres. L'œstrogène serait responsable de l'inhibition enzymatique observée[1]. Ce changement ne devrait toutefois être significatif que chez les métaboliseurs rapides, puisque les CYP2C19 des métabolisateurs lents ont déjà une activité réduite[1].

Enfin, il existe une grande variabilité interindividuelle en ce qui a trait à l'expression des isoenzymes hépatiques, ce qui rend l'effet de la grossesse sur le métabolisme de certains médicaments encore plus difficile à prédire. De plus, comme plusieurs médicaments sont métabolisés par différents CYP, l'inhibition d'une voie métabolique peut être compensée par l'induction d'une autre voie. Dans le cas d'une patiente recevant plusieurs médicaments métabolisés par différents CYP, l'inhibition ou l'induction des CYP peut aussi entraîner un débalancement de «l'état d'équilibre» qui prévalait entre eux avant la grossesse et se traduire par une réduction de l'effet attendu ou l'apparition d'effets indésirables[1].

Uridines diphosphates glucuronosyltransférase (UGT)

L'activité des UGT, qui catalysent la conjugaison de plusieurs médicaments au glucuronide, est augmentée durant la grossesse[1]. La clairance de la lamotrigine est augmentée de 200 à 300 % en monothérapie et de 65 à 90 % en polythérapie pendant la grossesse[1].

Métabolisme plasmatique

L'activité de certaines enzymes extrahépatiques, comme les cholinestérases, est diminuée pendant la grossesse[3].

Métabolisme placentaire et fœtal

Même s'ils dépendent du système enzymatique de la mère pour métaboliser les médicaments, le fœtus et le placenta possèdent une faible quantité de plusieurs enzymes (CYP 1A1, 2E1, 3A4, 3A5, 3A7, 2C9, 2C19, 4B1, UGT, sulfotransférases) capables de métaboliser les médicaments dès la dixième semaine de la grossesse [1, 3, 4, 12]. L'activité de CYP1A1 et UGT placentaires peut être induite par le tabagisme et la consommation d'alcool par la mère[1, 12].

Le métabolisme fœto-placentaire par les CYP ne contribue pas de façon significative au métabolisme des médicaments administrés à la mère[1, 4]. De plus, 50 % de la circulation fœtale évite le foie en étant dirigée directement vers le cœur et le cerveau, évitant ainsi le «premier passage hépatique», ce qui peut favoriser l'accumulation, prolonger et accroître l'effet de certains médicaments chez le fœtus[2]. Le métabolisme placentaire impliquant les UGT pourrait par contre être significatif pour certaines substances[1].

Élimination

Élimination rénale

Le flot sanguin rénal et le taux de filtration glomérulaire (TFG) sont augmentés de 80 et 50 % respectivement pendant la grossesse, ce qui entraîne une augmentation de l'excrétion de la fraction non liée aux protéines des médicaments éliminés par cette voie dès le premier trimestre de la grossesse[1-5, 7]. La clairance des médicaments excrétés inchangés dans l'urine est directement proportionnelle au TFG et à la clairance de la créatinine sérique, cette dernière atteignant son maximum vers la 34ᵉ semaine de la grossesse[4]. L'augmentation du TFG pendant la grossesse influence donc particulièrement l'élimination de ces médicaments. À l'accouchement, il peut être important de diminuer les doses de certains médicaments pour éviter une toxicité en raison d'une diminution de la clairance rénale[1].

L'effet de la grossesse sur la sécrétion et la réabsorption tubulaire n'est pas bien connu. Certaines substances, comme les bêta-lactamines, pourraient cependant être sécrétées, puisque leur clairance excède le TFG[1].

Élimination biliaire

L'œstrogène comporte un effet cholestatique. Ainsi, la clairance des médicaments sécrétés par voie biliaire peut être atténuée[3].

Applications cliniques

Il est difficile d'évaluer l'impact global des différents changements physiologiques de la grossesse sur la pharmacocinétique d'un médicament. Par exemple, même si le volume de distribution d'un médicament est augmenté, comme la clairance peut également être modifiée au cours de la grossesse, la demi-vie et les concentrations sanguines ne s'en trouveront pas nécessairement modifiées[1].

Il faut toujours évaluer l'observance au traitement lorsque des taux sériques inférieurs à la normale sont notés chez la femme enceinte[2]. En effet, la crainte d'exposer son fœtus à des médicaments peut motiver la mère à diminuer ou abandonner son traitement. Cette crainte est souvent justifiée mais peut également résulter d'incompréhension ou d'un manque d'information. Il est donc primordial d'expliquer à la mère les risques et les bénéfices d'une thérapie durant la grossesse.

Une revue de la littérature portant sur les modifications apportées à la pharmacocinétique des médicaments pendant la grossesse a permis de confirmer la tendance générale de l'effet de ces changements (tableaux I et II), malgré l'hétérogénéité des études répertoriées (stades de la grossesse, groupes de comparaison, voies d'administration, etc.) et de résultats contradictoires obtenus d'une étude à l'autre pour le même paramètre pharmacocinétique d'un même médicament[7]. Les auteurs concluent cependant qu'il n'est pas possible d'élaborer une stratégie d'ajustement de la pharmacothérapie convenant à l'ensemble des patientes enceintes pour un médicament donné à partir des données actuellement disponibles. Même si l'on connaît la tendance générale de l'effet de ces changements sur le devenir des médicaments dans l'organisme, plusieurs paramètres pharmacocinétiques peuvent être modifiés au même moment pour une substance donnée, ce qui rend l'évaluation de l'effet global de ces changements plus complexe. Les données publiées à ce jour, combinées à un suivi étroit de l'efficacité, des effets indésirables et, s'il y a lieu, des concentrations sanguines, pourront permettre d'identifier certaines patientes pour lesquelles des ajustements de la pharmacothérapie sont nécessaires.

TABLEAU I – RÉSUMÉ DES PRINCIPAUX CHANGEMENTS PHYSIOLOGIQUES ET PHARMACOCINÉTIQUES LIÉS À LA GROSSESSE

Paramètres pharmacocinétiques	Changements physiologiques	Changements pharmacocinétiques	Exemples de médicaments potentiellement affectés (liste non exhaustive)
Absorption Gastro-intestinale[1-7]	↑ temps de transit gastro-intestinal	↓ C_{max} ↑ T_{max}	Acétaminophène, opiacés, anti-émétiques
	↓ motilité gastro-intestinale	↑ absorption	Tous
		↓ absorption	Médicaments métabolisés au niveau du tractus digestif
	↑ flot sanguin gastro-intestinal	↑ absorption	Tous
	↑ pH gastrique	↑ ionisation ↓ absorption	Acides faibles
		↓ ionisation ↑ absorption	Bases faibles
	Nausées et vomissements	↓ absorption ↓ C_{max}	Tous
		↓ Vd (déshydratation)	Lithium
Par les muqueuses, voies transcutanée, sous-cutanée et intramusculaire[6, 8]	↑ perfusion cutanée ↑ hydratation de la peau	↑ absorption ↑ concentration totale	Tous
Pulmonaire[3, 4]	↑ flot sanguin pulmonaire Hyperventilation	↑ absorption	Gaz anesthésiants, autres médicaments administrés par inhalation

Paramètres pharmacocinétiques	Changements physiologiques	Changements pharmacocinétiques	Exemples de médicaments potentiellement affectés (liste non exhaustive)
Distribution Volume de distribution[1-7, 9]	↑ volume d'eau corporelle totale ↑ volume plasmatique liquide amniotique, placenta, fœtus	↑ Vd des médicaments hydrosolubles ↓ C_{max}	Aminosides, ampicilline, céphalosporines, vancomycine
	↑ masse adipeuse	↑ Vd médicaments liposolubles ↓ C_{max}	Amiodarone, diazépam, fentanyl, oxazepam, ondansétron
Liaison protéique[1, 2, 4, 6, 10, 11]	↓ albumine ↓ capacité de lier les médicaments	↓ concentration totale ↑ fl ↑,↓,↔ effet pharmacologique en fonction des particularités pharmacocinétiques individuelles du médicament	Acide salicylique, acide valproïque, ampicilline, alfentanyl, bupivacaïne, dexaméthasone, diazepam, fentanyl, inhibiteurs sélectifs de recapture de la sérotonine, lidocaïne, midazolam, phénobarbital, phénytoïne, propranol, sulfisoxazole
		↑ Vd	Acide valproïque, phénytoïne
	↑ thyroglobuline	↓ fl	Lévothyroxine
Métabolisme hépatique[1, 2, 4, 6, 7, 16, 17]	↑ flot hépatique	↑ Cl des médicaments à coefficient d'extraction élevé	Lidocaïne, métoprolol, midazolam, morphine, nicotine
	↑ progestérone	↑ activité CYP2A6 ↑ Cl (T_2, T_3)	Nicotine
		↑ activité CYP2C9 ↑ Cl_{totale} (T_1, T_2, T_3) ↑ Cl intrinsèque (T_3)	Phénytoïne
		↑ activité CYP3A4 ↑ Cl (T_1, T_2, T_3)	Carbamazépine, saquinavir, lopinavir, ritonavir, indifinavir, nifédipine
	?	↓ activité CYP2D6 ↑ Cl (T_3)	Dextrométhorphane, fluoxétine, métoprolol, nortriptyline

Paramètres pharmacocinétiques	Changements physiologiques	Changements pharmacocinétiques	Exemples de médicaments potentiellement affectés (liste non exhaustive)
	↑ Œstrogène	↓ activité CYP2C19 ↓ Cl (T_2, T_3)	Proguanil, lansoprazole (?), oméprazole (?), pantoprazole (?)
		↓ activité CYP1A2 ↑ $t_{1/2}$ ↓ Cl (T_1, T_2, T_3) ↑ activité des UGT ↑ Cl	Caféine, théophylline, olanzapine (?), clozapine (?) Amitriptyline, cyproheptadine, doxépine, imipramine, lamotrigine, prométhazine, morphine, oxazepam, zidovudine
Métabolisme fœtal et placentaire[1-4, 12]	Fœtus	Accumulation possible de métabolites plus polaires que la molécule mère ↑ $t_{1/2}$	Normépéridine
	Placenta	Activité significative des UGT placentaires ↑ Cl	Olanzapine
Élimination rénale[1, 2, 4, 7]	↑ flot sanguin rénal ↑ taux de filtration glomérulaire ↑ sécrétion ?	↑ Cl (T_1, T_2, T_3)	Acyclovir (?), aminosides, bêta-lactamines, bupropion, daltéparine, digoxine, enoxaparine, gabapentine, lithium, sotalol, vigabatrin
Biliaire[2, 3]	↑ Œstrogène Cholestase	↓ clairance des médicaments sécrétés par voie biliaire	Rifampicine

? : suggéré par certains auteurs ; ↑ : augmentation ; ↓ : diminution ; ↔ : inchangé ; C_{max} : concentration maximale ; Cl : clairance ; CYP : cytochrome P450 ; fl : fraction libre ; T : trimestre ; UGT : uridines diphosphates glucuronosyltransférases ; $t_{1/2}$: demi-vie d'élimination ; Vd : volume de distribution.

TABLEAU II – ASPECTS CLINIQUES DES CHANGEMENTS PHARMACOCINÉTIQUES

Médicaments/ Substances	Changements pharmacocinétiques	Recommandations et suivi
Acide valproïque[1, 19]	↓ C_{totale} ↑ fl	• Dosage de la fraction libre. • Augmenter la dose du médicament selon les résultats de dosage et la réponse clinique de la patiente.
Caféine[18]	↑ $t_{1/2}$ ↓ Cl (T_1,T_2, T_3)	• Risque d'effets indésirables plus prononcés et prolongés. • Diminution de la consommation de caféine recommandée.
Carbamazépine[19]	↑ Cl ↓ $t_{1/2}$	• Effectuer un suivi étroit des concentrations plasmatiques et de la fl au cours de la grossesse. • Augmenter la dose selon les résultats de dosage et la réponse clinique de la patiente.
Daltéparine Enoxaparine[20]	↑ Cl (T_1,T_2, T_3)	• Augmenter la fréquence d'administration (2 fois par jour en traitement) sans augmenter la dose journalière. • Traitement : effectuer un suivi des taux d'anti-Xa et ajuster selon les résultats.
Digoxine[1, 4]	↑ Cl maternelle ↓ C_{max} maternelle ↑ albumine fœtale Pgp placentaires	• Effectuer un suivi étroit des concentrations plasmatiques au cours de la grossesse. • Augmenter la dose du médicament si nécessaire. • Pour traiter une pathologie fœtale, des doses importantes pourront être nécessaires afin d'atteindre des concentrations suffisantes chez le fœtus. • Une surveillance particulière des signes de toxicité devrait être effectuée au cours des premières heures de vie des nouveau-nés exposés en fin de grossesse.
Fluoxétine[21]	↑ Cl (T_3)	• Effectuer un suivi de l'efficacité du médicament. • Augmenter les doses si nécessaire.
Lamotrigine[19, 22]	↑ Cl (T_1,T_2, T_3)	• Effectuer un suivi étroit des concentrations plasmatiques tous les mois au cours de la grossesse (en pratique à faire tous les trimestres en l'absence de complications). • Adapter la dose en fonction des résultats de dosage et de la réponse clinique.
Lévothyroxine[11]	↓ fl	• Augmenter les doses dès le début de la grossesse. • Suivi du taux de *Thyroid Stimulating Hormone* (TSH) recommandé.
Lithium[1, 4]	↑ Cl (T_1,T_2, T_3) ↓ $t_{1/2}$	• Effectuer un suivi étroit des concentrations plasmatiques au cours de la grossesse. • Augmenter la dose si nécessaire.

Médicaments/ Substances	Changements pharmacocinétiques	Recommandations et suivi
Nicotine[1]	↓ $t_{1/2}$ ↑ Cl (T_2, T_3)	• Des doses plus élevées peuvent être nécessaires dans le cadre d'une thérapie de remplacement, plus particulièrement au 2e et au 3e trimestres.
Nifédipine[1]	↑ Cl (T_3)	• Effectuer un suivi de l'efficacité du médicament. • Augmenter les doses/fréquence d'administration si nécessaire.
Phénytoïne[19]	↓ C_{totale} ↑ fl ↑ Cl (T_3) ↓ $t_{1/2}$	• Effectuer un suivi étroit des concentrations plasmatiques de la fl au cours de la grossesse. • Augmenter la dose du médicament si nécessaire.
Antirétroviraux[23]	Cl et C_{max} variables	• Effectuer un suivi de l'efficacité du médicament. • Un suivi des concentrations plasmatiques de certains antirétroviraux au cours de la grossesse est en cours d'évaluation et pourrait s'avérer utile pour ajuster la posologie.

↑: augmentation; ↓: diminution; $t_{1/2}$: demi-vie d'élimination; T_1: premier trimestre; T_2: deuxième trimestre; T_3: troisième trimestre; C_{totale}: concentration plasmatique totale; Cl: clairance; Vd: volume de distribution; C_{max}: concentration maximale.

Références

1. ANDERSON GD. Pregnancy-induced changes in pharmacokinetics: a mechanistic-based approach. *Clin Pharmacokinet* 2005;44(10):989-1008.

2. LOEBSTEIN R, KOREN G. Clinical relevance of therapeutic drug monitoring during pregnancy. *Ther Drug Monit* 2002;24(1):15-22.

3. DAWES M, CHOWIENCZYK PJ. Drugs in pregnancy. Pharmacokinetics in pregnancy. *Best Pract Res Clin Obstet Gynaecol* 2001;15(6):819-26.

4. SCHOONOVER LL LC. *Pharmacokinetics of Drugs During Pregnancy and Lactation*. Philadelphia: Lippincott Williams & Wilkins; 2001.

5. LOEBSTEIN R, LALKIN A, KOREN G. Pharmacokinetic changes during pregnancy and their clinical relevance. *Clin Pharmacokinet* 1997;33(5):328-43.

6. FREDERIKSEN MC. Physiologic changes in pregnancy and their effect on drug disposition. *Semin Perinatol* 2001;25(3):120-3.

7. LITTLE BB. Pharmacokinetics during pregnancy: evidence-based maternal dose formulation. *Obstet Gynecol* 1999;93(5 Pt 2):858-68.

8. MATTISON DR. Transdermal drug absorption during pregnancy. *Clin Obstet Gynecol* 1990;33(4):718-27.

9. METCALFE J SM, BARRON DH. *Maternal Physiology During Gestation*. New York: Raven Press, Ltd; 1988.

10. PERUCCA E, CREMA A. Plasma protein binding of drugs in pregnancy. *Clin Pharmacokinet* 1982;7(4):336-52.

11. ALEXANDER EK, MARQUSEE E, LAWRENCE J, JAROLIM P, FISCHER GA, LARSEN PR. Timing and magnitude of increases in levothyroxine requirements during pregnancy in women with hypothyroidism. *N Engl J Med* 2004;351(3):241-9.

12. SYME MR, PAXTON JW, Keelan JA. Drug transfer and metabolism by the human placenta. *Clin Pharmacokinet* 2004;43(8):487-514.

13. MOLSA M, HEIKKINEN T, HAKKOLA J, HAKALA K, WALLERMAN O, WADELIUS M, et al. Functional role of P-glycoprotein in the human blood-placental barrier. *Clin Pharmacol Ther* 2005;78(2):123-31.

14. VAN HEESWIJK RP, KHALIQ Y, GALLICANO KD, BOURBEAU M, SEGUIN I, PHILLIPS EJ, et al. The pharmacokinetics of nelfinavir and M8 during pregnancy and post partum. *Clin Pharmacol Ther* 2004;76(6):588-97.

15. OHMAN I, VITOLS S, TOMSON T. Pharmacokinetics of gabapentin during delivery, in the neonatal period, and lactation: does a fetal accumulation occur during pregnancy? *Epilepsia* 2005;46(10):1621-4.

16. WADELIUS M, DARJ E, FRENNE G, RANE A. Induction of CYP2D6 in pregnancy. *Clin Pharmacol Ther* 1997;62(4):400-7.

17. TSUTSUMI K, KOTEGAWA T, MATSUKI S, TANAKA Y, ISHII Y, KODAMA Y, et al. The effect of pregnancy on cytochrome P4501A2, xanthine oxidase, and N-acetyltransferase activities in humans. *Clin Pharmacol Ther* 2001;70(2):121-5.

18. LAWSON CC, LEMASTERS GK, WILSON KA. Changes in caffeine consumption as a signal of pregnancy. *Reprod Toxicol* 2004;18(5):625-33.

19. PENNELL PB. Antiepileptic drug pharmacokinetics during pregnancy and lactation. *Neurology* 2003;61(6 Suppl 2):S35-42.

20. ENSOM MH, STEPHENSON MD. Pharmacokinetics of low molecular weight heparin and unfractionated heparin in pregnancy. *J Soc Gynecol Investig* 2004;11(6):377-83.

21. HEIKKINEN T, EKBLAD U, PALO P, LAINE K. Pharmacokinetics of fluoxetine and norfluoxetine in pregnancy and lactation. *Clin Pharmacol Ther* 2003;73(4):330-7.

22. PENNELL PB, NEWPORT DJ, STOWE ZN, HELMERS SL, MONTGOMERY JQ, HENRY TR. The impact of pregnancy and childbirth on the metabolism of lamotrigine. *Neurology* 2004;62(2):292-5.

23. MIROCHNICK M, CAPPARELLI E. Pharmacokinetics of antiretrovirals in pregnant women. *Clin Pharmacokinet* 2004;43(15):1071-87.

Chapitre 4

Connaissances de base sur l'utilisation des médicaments au cours de l'allaitement

■

Isabelle ROBLIN

«À peine l'enfant est-il né qu'il s'escrie, et sans aucun maîstre, la nature le conduisant, succe du lait des mamelles, qui y a esté amassé par grande prevoyance...»
Jean Fernel, *La medicina*, 1554.

Introduction

Promotion de l'allaitement maternel par les organismes officiels[1]

En 1978, l'Organisation Mondiale de la Santé (OMS) et Santé Canada font du développement de l'allaitement maternel un de leurs objectifs prioritaires. Depuis, les initiatives internationales pour la promotion de l'allaitement se sont succédées : le «Code international de commercialisation des substituts du lait» (OMS, 1981), le document fixant les «dix conditions pour le succès de l'allaitement maternel» (OMS et UNICEF, 1989), la «Déclaration d'Innocenti» (OMS et UNICEF, 1990) et la certification des hôpitaux selon «l'Initiative des hôpitaux amis des bébés» (OMS et UNICEF, 1991). Des lignes directrices, des recommandations et des prises de position ont été émises en ce sens par la plupart des autorités de santé et associations professionnelles canadiennes, dont Santé Canada, la Société canadienne de pédiatrie, les diététistes du Canada et l'Association des pharmaciens du Canada.

Bénéfices de l'allaitement maternel

Le lait maternel surpasse toute préparation lactée tant par la qualité de ses apports nutritionnels que par ses propriétés immunologiques. Dans les six premiers mois après la naissance, sa composition évolue pour s'adapter aux besoins de l'enfant. Il lui assure un rythme de croissance optimal et le protège contre les agents pathogènes principalement au niveau du tractus digestif et de l'appareil respiratoire supérieur[1-3].

Il semble également être un facteur de protection contre la mort subite du nourrisson et la survenue d'atopie chez les nourrissons prédisposés[2].

Sur le plan psychologique, l'allaitement favorise l'établissement avec la mère d'une interaction privilégiée participant au développement affectif, cognitif et social de l'enfant.

Les bénéfices de l'allaitement sont aussi incontestables pour la santé maternelle. Il diminue le risque d'hémorragie du *post-partum*, favorise l'involution de l'utérus permettant un retour plus facile au poids antérieur à la grossesse, crée sous certaines conditions une aménorrhée du *post-partum*, favorise la re-minéralisation osseuse après l'accouchement, réduit le risque de cancers ovarien et utérin en préménopause et diminue les risques d'ostéoporose et de fractures de hanche en post-ménopause[1, 3].

Rôle du professionnel de la santé en période d'allaitement

Face à la fréquence des prescriptions de médicaments pendant l'allaitement, il est primordial que les différents professionnels de la santé soient en mesure de diffuser à leurs patientes une information de qualité et actualisée sur ce sujet.

L'interruption de l'allaitement même temporaire n'est en effet pas une mesure anodine puisqu'elle risque de le compromettre définitivement privant ainsi l'enfant du meilleur aliment qui soit.

Physiologie de la lactation [4, 5]

La lactation est la dernière étape du cycle de la reproduction et elle peut être considérée comme une prolongation de la vie intra-utérine. Phénomène biologique complexe encore mal élucidé, elle est sous la dépendance de nombreux facteurs hormonaux, psychologiques et nutritionnels. La lactation (ou lactogénèse) peut être schématiquement divisée en trois phases.

Lactogénèse phase I

La glande mammaire tout comme le corps jaune et le placenta, est un organe cyclique en dormance entre deux périodes de reproduction. Au cours de chaque grossesse, le tissu sécrétoire passe par une phase de croissance intense. Ce processus est sous la dépendance des hormones spécifiques de la gestation (en particulier progestérone et prolactine) et à un moindre niveau des hormones non spécifiques impliquées dans la différenciation cellulaire (telles que les hormones surrénaliennes et l'hormone de croissance). La prolactine hypophysaire agit comme un facteur de croissance et de différenciation de la glande mammaire. La progestérone intervient dans la multiplication et la différenciation des cellules épithéliales qui assureront la production du lait. Elle exerce également un effet freinateur puissant sur la sécrétion lactée pendant toute la durée de la grossesse.

En fin de gestation, la glande mammaire est un tissu fonctionnel dans lequel les cellules épithéliales différenciées sont organisées en plusieurs milliers d'alvéoles mammaires productrices de lait et réparties en grappes autour des canaux lactifères. La quantité de lait produite est proportionnelle au nombre de cellules épithéliales issues de la croissance mammaire au cours de la gestation.

Lactogénèse phase II

Cette phase correspond à l'initiation de l'allaitement et résulte des modifications hormonales survenant en fin de grossesse : diminution et irrégularité de la sécrétion de progestérone, mais aussi augmentation de la concentration des oestrogènes. Ces modifications sont à l'origine de la stimulation de la synthèse et de la libération de prolactine sous la forme de pics de plus en plus élevés et fréquents. Après l'accouchement, la chute des concentrations circulantes de progestérone et d'oestrogènes lève l'inhibition exercée sur la prolactine. La mise en fonction des systèmes de synthèse des différents composants du lait est alors déclenchée.

Lactogénèse phase III

Cette dernière étape correspond au processus de maintien de la lactation assuré par la succion de l'enfant lors des tétées. Elle se met en place à partir du troisième ou quatrième jour du *post-partum*. La succion exercée par le nouveau-né n'est cependant pas suffisante pour provoquer à elle seule l'expulsion du lait. La stimulation des récepteurs sensitifs de l'aréole déclenche un réflexe neuro-endocrinien qui lève l'inhibition hypothalamique exercée sur l'hypophyse par une hormone inhibitrice de la prolactine, le *Prolactin Inhibitor Factor*, qui pourrait être de la dopamine. La décharge d'ocytocine post-hypophysaire provoque la contraction des cellules myoépithéliales qui enserrent les alvéoles mammaires. Le lait est expulsé vers les canaux lactifères, puis éjecté au travers de 15 à 20 orifices répartis au niveau de chaque mamelon. L'entretien de la lactation dépend également de facteurs maternels, tels que la qualité de l'alimentation, l'environnement endocrinien (insuline, corticostéroïdes, hormones thyroïdiennes, hormone de croissance), le niveau de stress et la qualité des gestes qui accompagnent la tétée et l'extraction du lait.

Composition du lait maternel et suppléments

Dans les premiers jours de vie, le nouveau-né consomme un liquide biologique visqueux, épais et orangé produit par la glande mammaire à raison de 60 à 80 ml par jour : le colostrum. Ce lait « de l'adaptation » est un concentré salé de protéines qui permet à l'enfant de s'adapter à son nouveau milieu en luttant contre la déshydratation et les infections[6].

La composition du colostrum évolue pour donner un lait de transition, puis un lait mature obtenu environ trois semaines après l'accouchement. La production lactée augmente pour parvenir à une moyenne de 750 ml par jour à un mois de vie[7]. L'enfant en consommera en moyenne 150 ml par kilogramme de poids et par jour pendant les six premiers mois[8].

Le lait mature est une émulsion dont la composition et quelques-unes des particularités de ses constituants sont résumées dans le tableau I.

Un état de malnutrition est susceptible d'influencer la teneur du lait maternel en lipides, mais n'a pas d'impact sur les concentrations en protéines et en glucides[7].

TABLEAU I – COMPOSITION DU LAIT MATERNEL MATURE[7, 9]		
Composants (*constituant majoritaire*)	Teneur moyenne*	Avantages et particularités
Eau	600-850 mL par jour (88 %)	Lutte contre la déshydratation (pertes hydriques du nourrisson très élevées en raison de sa surface cutanée importante et de sa faible capacité de concentration rénale).
Lipides *Triglycérides (98 %)*	40 g/L (4 %) Teneur lipidique variable : • selon un rythme nycthéméral (enrichi le matin) ; • selon le moment de la tétée (enrichi en fin de tétée).	Acides gras insaturés nécessaires à la croissance et à la maturation neuronale Régule l'appétit du nourrisson par effet satiétogène des lipides.
Glucides *Lactose (90 %)*	70 g/L (7 %)	Apport en sucre simple pallie à l'immaturité pancréatique dans les 6 premiers mois (incapacité à dégrader les sucres complexes tel le saccharose).
Protéines solubles *(70 %)*	10 g/L (1 %)	Immunoglobulines : lutte contre les agents infectieux. Enzymes et hormones : aide à l'absorption et à l'assimilation des principaux constituants du lait par le nourrisson.
Minéraux	2g/L (0,2 %)	Fer : faible teneur, mais qui suffit à couvrir les besoins de l'enfant en raison d'une grande biodisponibilité.
Vitamines	<1g/L (<0,1 %)	Apports vitaminiques adéquats sauf en vitamine D (voir commentaire ci-après).

*Valeurs approximatives calculées. Le total n'est pas égal à 100.

Bien que le lait maternel soit un des seuls aliments naturels contenant de la vitamine D (environ 25 UI/L), il n'en renferme pas suffisamment pour couvrir les besoins de l'enfant allaité. Santé Canada, la Société canadienne de pédiatrie et les Diététistes du Canada recommandent donc que les nourrissons allaités nés à terme reçoivent des suppléments de vitamine D par voie orale à raison de 400 unités internationales (UI) par jour (10 µg par jour) et jusqu'à 800 UI par jour (soit 20 µg par jour) pour les nourrissons vivant dans les communautés du Nord[2]. En pratique, l'administration doit débuter dès la naissance et se poursuivre jusqu'à ce que l'alimentation du nourrisson lui fournisse quotidiennement au moins 400 UI de vitamine D à partir d'autres aliments ou jusqu'à ce que le nourrisson allaité au sein atteigne l'âge de un an[3].

Place de l'allaitement au Canada

Selon la définition de l'OMS, on entend par allaitement maternel exclusif la pratique consistant à nourrir un bébé exclusivement de lait maternel, incluant le lait qui a été exprimé. Il est également possible de donner au bébé des vitamines, des minéraux ou des médicaments. L'eau, les substituts du lait maternel, les autres liquides et les aliments solides sont toutefois exclus. Dans tous les autres cas, on parle d'allaitement maternel mixte. À l'instar de l'OMS et de l'UNICEF, Santé Canada recommande un allaitement maternel exclusif pendant les six premiers mois de vie des nourrissons nés à terme et en santé. Au delà, il est recommandé de donner au nourrisson des aliments solides ayant une teneur élevée en nutriments, plus particulièrement en fer, tout en poursuivant l'allaitement maternel jusqu'à l'âge de deux ans et même au-delà[3].

D'après des données statistiques de 2005-2006, 85 % des nouveau-nés québécois sont allaités à la naissance dont 61 % par allaitement maternel exclusif[10]. À un, trois et six mois, les taux d'allaitement chutent respectivement à 73 % (dont allaitement exclusif : 60 %), à 62 % (dont allaitement exclusif : 46 %) et à 47 % (dont allaitement exclusif : 7 %)[10]. Le ministère de la Santé et des Services Sociaux (MSSS) du Québec s'est fixé comme objectif général pour 2007 d'atteindre un taux d'allaitement maternel de 85 % à la sortie des services de maternité et de 70 %, 60 % et 50 % respectivement au deuxième, quatrième et sixième mois de vie de l'enfant, et de 20 % à un an[1]. Le MSSS du Québec propose également l'instauration d'un système de suivi des taux d'allaitement exclusif et mixte, la constitution de groupes de soutien à l'allaitement, ainsi que l'amorce d'un processus de certification des établissements de santé (maternités des hôpitaux, Centres de Santé et de Services Sociaux (CSSS) sous le nom «*Ami des bébés*». Les lignes directrices du MSSS invoquent la responsabilité de chaque professionnel de santé dans la protection, le soutien et la promotion de l'allaitement maternel auprès des mères québécoises[1].

Mécanismes impliqués dans le transfert des médicaments

Les mécanismes impliqués dans le transfert des médicaments du milieu sanguin maternel vers le lait maternel sont au nombre de trois : la diffusion passive considérée comme le mécanisme principal, la diffusion intercellulaire directe et le transport actif[11].

Diffusion passive

Schématiquement, la diffusion passive suit les principes pharmacocinétiques qui s'appliquent à un modèle bi-compartimental, composé dans le cas de l'allaitement maternel de la circulation systémique maternelle et du tissu mammaire (figure 1). Seules les molécules libres non liées aux protéines plasmatiques et non ionisées peuvent diffuser librement selon un gradient de concentration du compartiment le plus concentré (le sang de la mère) vers le compartiment le moins concentré (le lait maternel)[12].

Diffusion intercellulaire directe

Les molécules de faible poids moléculaire (inférieur à 200 daltons) peuvent être transférées dans le lait par diffusion intercellulaire directe (ex : lithium)[11].

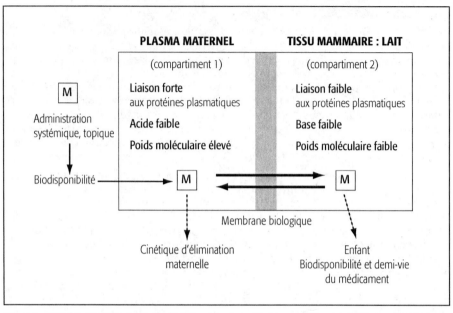

Figure 1 – Transfert des médicaments dans le lait maternel : modèle bi-compartimental et influence des principaux paramètres physico-chimiques du médicament.

M : médicament

Transport actif

Le processus de transport actif concerne plutôt les molécules endogènes comme les immunoglobulines. Exceptionnellement, un médicament peut se déplacer par transport actif, mais ce mode de transfert est encore peu étudié[8].

Évaluation pratique de la compatibilité d'un médicament avec l'allaitement

La plupart des médicaments pris par une mère qui allaite se retrouvent dans son lait. Dans leur grande majorité, ils y sont cependant présents à des concentrations si faibles qu'ils ne constituent pas une contre-indication à l'allaitement. Une liste non exhaustive des médicaments déconseillés en allaitement ou nécessitant un suivi de l'état de santé de l'enfant est présentée dans le tableau II.

Avant tout processus d'évaluation de l'importance du transfert d'un médicament dans le lait maternel et des risques associés pour l'enfant, le professionnel de la santé devra s'interroger sur la pertinence du traitement en période d'allaitement et sur la possibilité de le différer, ou sur l'existence de mesures non pharmacologiques. Si ceci ne peut pas être fait nous proposons ci-après une démarche logique qu'il pourra utiliser afin d'évaluer la sécurité d'un médicament en allaitement. Il lui appartiendra toutefois d'adapter cette logique à chaque cas particulier.

TABLEAU II – MÉDICAMENTS OU CLASSES THÉRAPEUTIQUES DÉCONSEILLÉS EN ALLAITEMENT OU NÉCESSITANT UNE SURVEILLANCE ACCRUE DE L'ENFANT

Médicaments ou classes thérapeutiques	Informations sur les craintes en allaitement
Amiodarone	Longue demi-vie (50 jours), potentiel de toxicité thyroïdien et cardiaque, concentration élevée de l'amiodarone et de son métabolite dans le lait maternel, un cas d'hypothyroïdie chez un enfant allaité. Utilisation doit être couplée à un suivi strict de la fonction thyroïdienne de l'enfant[13, 14].
Antinéoplasiques	Peu d'études disponibles en allaitement, craintes théoriques de toxicité chez le nourrisson[12, 13].
Bêta-bloquants (voir le chapitre 11. *Hypertension artérielle*). Acébutolol Aténolol	**Acébutolol** : transfert dans le lait estimé à 3,5 % de la dose maternelle ajustée au poids. Un cas de manifestation de bêta-blocage (hypotension, bradycardie, tachypnée transitoire) chez un nouveau-né allaité. Autres cas d'exposition sans effet indésirable[14]. **Aténolol** : transfert dans le lait estimé entre 5,7 et 19,2 % de la dose maternelle ajustée au poids. Excrétion rénale (85 %), faible liaison aux protéines plasmatiques (< 5%). Deux enfants allaités avec manifestations de bêta-blocage (léthargie, cyanose, bradycardie, hypothermie)[12, 14].
Drogues d'abus (voir le chapitre 9. *Substances illicites*).	Usage illicite chez la mère. Effets inconnus chez l'enfant.
Iode 131	Longue demi-vie radioactive (8,1 jours), potentiel de toxicité sur la fonction thyroïdienne de l'enfant. Usage contre-indiqué pendant l'allaitement jusqu'à l'obtention d'une activité résiduelle dans le lait inférieure à 1mSev (obtenue entre 21 et 42 jours après la dose)[15].
Lithium (voir le chapitre 31. *Maladie bipolaire et troubles psychotiques*).	Utilisation préoccupante : transfert dans le lait jusqu'à 30 % de la dose maternelle ajustée au poids, concentrations sériques chez l'enfant jusqu'à 50 % des taux maternels. Trois cas de manifestations d'effets indésirables (cyanose, léthargie, inversion de l'onde T, TSH élevé). Suivi primordial de la fonction thyroïdienne et de l'état d'hydratation de l'enfant[14].
Tétracyclines (traitement chronique) (voir le chapitre 20. *Anti-infectieux*).	Aucun effet indésirable rapporté pour des traitements à court terme (une à deux semaines). En cas d'usage chronique, crainte théorique d'altération des dents et de la croissance osseuse[13].

TABLEAU III – CALCUL DU POURCENTAGE DE PASSAGE D'UN MÉDICAMENT DANS LE LAIT MATERNEL PAR RAPPORT AUX DOSES MATERNELLE ET PÉDIATRIQUE. APPLICATION AU CAS DE L'ACYCLOVIR[16]

Étapes	Données disponibles	Calcul
Étape 1 : calcul de la dose maternelle quotidienne par unité de poids de la mère (unité : mg/kg/j)	Dose quotidienne prise par la mère : 800 mg par voie orale 5 fois par jour Poids de la mère estimé : 70 kg	Dose quotidienne de médicament reçue par la mère ajustée au poids : (800 x 5)/70=57,1 mg/kg/j
Étape 2 : calcul de la dose apportée quotidiennement à l'enfant par le lait maternel par unité de poids de l'enfant (unité : mg/kg/j)	Concentration lactée maximale : 5,81 mg/L Consommation de lait estimée : 150 mL/kg/j	Dose quotidienne de médicament reçue par l'enfant : 5,81 x 0,15=0,87 mg/kg/j
Étape 3 : calcul de la proportion du médicament pris par la mère et à laquelle l'enfant est quotidiennement exposé par le lait maternel (en % de la dose maternelle ajustée au poids, DMA)		Pourcentage de la dose maternelle ajustée au poids : (0,87/57,1) x 100=1,5 %
Étape 4 : calcul de la proportion du médicament à laquelle l'enfant est quotidiennement exposé par le lait maternel par rapport à la dose pédiatrique (en % de la dose pédiatrique)	Dose quotidienne en néonatologie : 20 mg/kg toutes les 8 heures	Pourcentage de la dose pédiatrique néonatale : (0,87/[20 x 3]) x 100=1,45 %

Première question : existe-t-il des études cliniques ayant évalué le passage du médicament dans le lait maternel ? Comment interpréter les résultats ?

Durant les six premiers mois de vie, il est admis qu'un enfant allaité consomme en moyenne 150 mL de lait maternel par kilogramme de poids corporel par jour. Il est donc possible d'estimer le niveau d'exposition de l'enfant à une molécule prise par sa mère si sa concentration dans le lait est connue[8]. La méthode de calcul de la dose relative reçue par l'enfant par rapport à la dose maternelle et à la dose utilisée en pédiatrie est détaillée à l'aide d'un exemple dans le tableau III.

Pourcentage de la dose maternelle ajustée au poids et pourcentage de la dose pédiatrique

Le pourcentage de la dose maternelle ajustée au poids (DMA) est considéré comme ayant une bonne valeur prédictive de l'importance de l'exposition de l'enfant au médicament pris par sa mère. La communauté scientifique admet empiriquement que si un médicament passe dans le lait dans une proportion inférieure à 10% de la DMA, celui-ci ne devrait pas occasionner d'effets indésirables chez l'enfant allaité né à terme[8, 17]. Il s'agit du seuil considéré comme sécuritaire pour l'enfant. Dans le cas d'un médicament ayant une indication en pédiatrie, le calcul de la proportion de la dose pédiatrique est un indicateur à privilégier. Il est alors aisé de conclure que la dose de médicament retrouvée dans le lait maternel est généralement trop faible pour craindre un effet thérapeutique ou toxique pour l'enfant. Certaines études cliniques ont mesuré la concentration systémique du médicament chez l'enfant et la comparent à la celle de la mère. Dans tous les cas, il est important de savoir à quel moment de l'allaitement les mesures des concentrations ont été effectuées. En *post-partum* immédiat, un médicament aura tendance à être transféré en quantité plus importante dans le lait. Les études réalisées proches de l'accouchement surestimeront la quantité de médicament reçue par un enfant âgé de plusieurs mois, qui par ailleurs tète moins fréquemment qu'un *nouveau-né*. Dans certains cas, malgré un faible passage dans le lait maternel, un suivi plus étroit de l'enfant peut être recommandé étant donné la toxicité importante du médicament (par ex.: azathioprine).

Rapport lait/plasma

Le rapport de la concentration du médicament dans le lait sur sa concentration dans le plasma maternel (appelé rapport L/p) est un critère retrouvé dans de nombreuses études. Puisque l'on considère que la plupart des molécules passent dans le lait selon un processus de diffusion passive, leurs concentrations y sont proportionnelles à celles du plasma maternel[13]. Des tableaux mentionnant des valeurs théoriques de ce rapport sont disponibles pour la plupart des médicaments[17]. L'interprétation du rapport L/p est le suivant:

- si le rapport L/p est inférieur à 1 (exemple: aspirine, L/p=0,08), on s'attend à retrouver de faibles concentrations du médicament dans le lait[16]. Pour la plupart des médicaments, le rapport L/p est inférieur à 1.
- si le rapport L/p est supérieur à 1 (exemple: clarithromycine, L/p>1), on s'attend à retrouver des concentrations du médicament plus élevées dans le lait que dans la circulation maternelle[16].

Cette notion a plusieurs limites importantes puisqu'elle ne tient pas compte de la quantité absolue du médicament présent dans le sang de la mère. Elle ne prend pas non plus en considération l'existence d'un mécanisme de transport actif des médicaments de la circulation maternelle dans le lait ou de réabsorption active du lait vers la circulation maternelle[13]. Même pour des valeurs du rapport L/p supérieures à 1, cette quantité est souvent beaucoup trop faible pour craindre un afflux massif de la molécule dans le lait, notamment dans le cas de la clarithromycine. Il ne tient pas compte non plus de la clairance du médicament chez l'enfant. Sa valeur varie aussi selon la méthode de calcul utilisée (mesure des concentrations à un temps unique ou à plusieurs temps avec détermination de l'aire sous la courbe)[13]. L'utilité clinique du rapport L/p est donc très limitée.

Position de l'American Academy of Pediatrics

Depuis 1983, le comité des médicaments de l'*American Academy of Pediatrics* (AAP) publie régulièrement des tableaux faisant état de sa position sur l'usage des médicaments pendant l'allaitement. La dernière version datant de 2001 est un outil facilement accessible par les professionnels de la santé[18]. D'autres sociétés savantes et auteurs attribuent à chaque médicament des niveaux de sécurité par rapport à leur usage en période d'allaitement[16, 19]. Les auteurs des différents systèmes de classification mettent en garde le professionnel de santé contre l'usage trop facile et systématique de ces seules côtes de sécurité. Si elles constituent une aide à la décision thérapeutique la mieux adaptée à l'allaitement, elles ne doivent intervenir qu'en complément d'autres facteurs individuels propres à l'enfant ou à la condition maternelle.

Deuxième question : dispose-t-on d'une expérience clinique favorable de l'utilisation du médicament en allaitement ou en pédiatrie ?

Selon les principes énoncés précédemment, on devrait avoir certaines réserves à utiliser des médicaments diffusant dans le lait maternel à plus de 10 % de la DMA. Cependant en raison de leur bonne tolérance en pédiatrie ou de leur usage relativement fréquent en période d'allaitement, l'utilisation de certains d'entre eux ne génère que peu de craintes chez les enfants allaités. C'est notamment le cas du fluconazole et du métronidazole respectivement retrouvés dans le lait jusqu'à 16 % et 24 % de la DMA ou 11 % et 30 % des doses les plus faibles utilisées en pédiatrie[16, 17]. Le fluconazole est fréquemment utilisé en allaitement dans le traitement des candidoses mammaires réfractaires conjointement à un traitement oral de l'enfant par la même molécule. Il est particulièrement bien toléré par la population pédiatrique (y compris les nouveau-nés). Le métronidazole a été largement étudié en allaitement et n'a jamais été associé avec la manifestation d'effets indésirables graves chez l'enfant, si ce n'est un cas douteux de diarrhée et intolérance au lactose[16]. Il existe cependant une précaution à observer dans le cas du métronidazole (cela est abordé à la question n° 6).

Troisième question : que suggèrent les caractéristiques physicochimiques du médicament ?

Les caractéristiques physicochimiques d'une molécule permettent de présumer de sa diffusion plus ou moins aisée de la circulation systémique maternelle vers le lait. La figure 1 schématise l'influence des critères physico-chimiques des médicaments sur leur passage dans le lait maternel et leur absorption par l'enfant allaité. En aucun cas, elles ne peuvent cependant remplacer les études cliniques ayant quantifié l'importance de ce passage.

Liposolubilité

Les molécules à caractère lipophile ont tendance à diffuser plus facilement et plus rapidement au travers des membranes des alvéoles mammaires. Cette liposolubilité leur confère une capacité de concentration dans la fraction lipidique du lait[7]. En règle générale, on privilégiera l'usage de médicaments à faible caractère lipophile. Les médicaments passant facilement la barrière hémato-encéphalique, tels que les antidépresseurs ou les benzodiazépines, diffusent assez facilement dans le lait maternel. Dans la réalité, ce phénomène reste relativement limité. La concentration en lipides du lait augmente au cours de la tétée et certains auteurs considèrent qu'un médicament liposoluble pourrait y voir sa concentration doubler entre le début et la fin de la tétée[13]. Il serait donc intéressant de savoir si dans les études les mesures ont été effectuées en début, milieu ou fin de tétée. Le colostrum ayant une faible concentration en lipides, la diffusion des molécules lipophiles est relativement limitée dans le lait consommé par l'enfant dans ses premiers jours de vie.

Liaison aux protéines plasmatiques

La plupart des médicaments circulent dans le compartiment sanguin maternel sous forme liée aux protéines plasmatiques (principalement à l'albumine et à l'alpha-1-glycoprotéine acide). Seule la fraction non liée aux protéines plasmatiques peut diffuser du sang de la mère dans le lait maternel. Ainsi, plus une molécule est fortement liée aux protéines plasmatiques (au-delà de 95 %), moins il est probable qu'elle diffuse en quantité importante dans le lait. On peut citer le cas de l'ibuprofène et de la warfarine (liaison aux protéines plasmatiques de l'ordre de 99 %) qui sont supposés passer très faiblement dans le lait, ce que confirment d'ailleurs les études quantitatives[16]. En revanche le lithium, avec une liaison aux protéines plasmatiques estimée proche de zéro, y diffuse très facilement[16]. Le lait maternel renferme peu de protéines par rapport au plasma (10 g/L versus 75 g/L environ) et celles-ci présentent une faible affinité pour les médicaments[7, 20]. Leur liaison aux protéines du lait n'est donc pas un facteur significatif dans les échanges entre les compartiments lactés et sanguins.

Poids moléculaire

Plus son poids moléculaire est faible, plus un médicament aura tendance à diffuser librement dans le lait maternel[8]. La plupart des médicaments ont un poids moléculaire inférieur à 500 daltons (Da) et peuvent donc diffuser facilement dans le lait maternel[20]. En revanche dès que le poids moléculaire dépasse 600 Da, leur transfert dans le lait est plus improbable. C'est notamment le cas des héparines (poids moléculaires variant entre 6 000 à 20 000 Da) qui peuvent être utilisées sans crainte chez la mère allaitante.

Caractéristiques acidobasiques

Seules les molécules non ionisées peuvent diffuser librement selon un gradient de concentration du compartiment sanguin maternel vers le compartiment lacté. L'état d'ionisation d'une molécule est fonction de son caractère acidobasique, défini par son pKa et par le pH du milieu où elle se trouve. Le lait étant légèrement plus acide (pH moyen = 6,9 à 7,1) que le plasma (pH = 7,4), les bases faibles non ionisées diffusent du plasma maternel vers le lait dans lequel elles ont tendance à s'ioniser et à y être alors séquestrées sans rediffusion possible vers le plasma maternel[7, 12]. Ce phénomène fait craindre une concentration des bases faibles dans le lait comme c'est le cas pour certains bêta-bloquants (pKa généralement supérieur à 9,5)[12]. Au contraire, le milieu relativement alcalin du plasma favorise l'ionisation des acides faibles qui diffusent donc en moindre quantité dans le lait. Leur état majoritairement non ionisé dans le compartiment lacté leur permet aussi de rediffuser vers le plasma maternel. On citera notamment l'exemple des pénicillines et des anti-inflammatoires non stéroïdiens dont l'état majoritairement ionisé chez la mère ne fait pas craindre de phénomène de concentration dans le lait[12].

Demi-vie d'élimination ($t_{1/2}$)

Il s'agit d'un critère très important dans l'évaluation de l'exposition d'un enfant allaité à une molécule prise par sa mère. Il est toujours préférable d'avoir recours à des médicaments de courte demi-vie (de l'ordre de quelques minutes à quelques heures). Selon les principes généraux de pharmacocinétique, on estime qu'au-delà de 5 demi-vies d'une molécule, celle-ci est éliminée du plasma maternel à 97 % de sa concentration maximale. Dans ce cas et dépendamment du nombre de tétées quotidiennes, il pourra être conseillé à la mère de prendre sa médication immédiatement après une tétée. La majorité du médicament pourra alors être en grande partie éliminée de l'organisme maternel avant la prochaine tétée[16].

Il conviendra d'être particulièrement vigilant dans le cas des médicaments présentés sous forme à libération prolongée. La notion de courte demi-vie du principe actif ne s'applique plus dans ce cas. On s'interrogera également sur le caractère inactif ou actif de ses métabolites qui peuvent être responsables de la manifestation d'effets indésirables chez l'enfant allaité. On citera notamment la norfluoxétine ($t_{1/2}$ de 360 heures), métabolite actif de la fluoxétine, qui a été retrouvée en quantités cliniquement significatives dans le plasma d'enfants allaités[12]. Ce métabolite pourrait en partie être tenu pour responsable des cas de colique, irritabilité, pleurs excessifs et autres manifestations indésirables décrites chez certains bébés de mères allaitantes traitées par la fluoxétine[13].

Biodisponibilité

La biodisponibilité d'un médicament conditionne sa concentration dans la circulation systémique maternelle, et donc la quantité absolue de médicament retrouvée dans le lait et à laquelle l'enfant est exposé. Chez la mère, c'est la voie d'administration utilisée qui influence cette biodisponibilité. Les concentrations retrouvées dans le lait sont d'autant plus faibles que l'absorption du médicament chez la mère est moindre. Il est donc préférable dans la mesure du possible d'avoir recours à des formes locales ou topiques plutôt qu'à des formes systémiques.

Chez l'enfant, c'est la biodisponibilité orale du médicament qui influence les taux circulants obtenus et le potentiel d'effets indésirables qui pourrait en découler. Par manque de données pédiatriques, on estime que la biodisponibilité orale d'un médicament chez l'enfant allaité est approximativement la même que celle d'un adulte. Cependant, certains d'entre eux pourraient alors provoquer des troubles gastro-intestinaux chez le nouveau-né. C'est ce qui est craint avec la plupart des antibiotiques, même si en pratique ces effets restent rares et peu sévères. Même si un passage dans le lait maternel et observé, une faible biodisponibilité orale fera en sorte que le bébé en absorbera une faible quantité. C'est le cas de la morphine, de la gentamicine, de l'insuline, des inhibiteurs de la pompe à protons, du sumatriptan, etc.[8]

Quatrième question : quel potentiel d'effets indésirables peut-on craindre chez un enfant exposé à un médicament par le lait maternel ?

Généralement, on ne dispose que de notifications de cas ponctuels ne permettant pas d'impliquer avec certitude le médicament pris par la mère dans les manifestations observées chez l'enfant. Ainsi 100 cas d'effets indésirables rapportés chez des enfants allaités dont les mères prenaient au moins un médicament ont été analysés[21]. Le lien de causalité entre la prise médicamenteuse par la mère et l'effet toxique manifesté par l'enfant n'a pu être déterminé avec certitude dans aucun des cas rapportés. Il a été défini comme «probable» dans 47 % des cas et comme «possible» dans 53 % des cas. Ces rapports ponctuels ne doivent donc en aucun cas aboutir à émettre de façon trop systématique des contre-indications à l'allaitement. Il faut plutôt les considérer comme des mises en garde permettant d'orienter la vigilance du professionnel de santé sur la survenue possible d'un type d'effet indésirable particulier. Connaissant le potentiel d'effet associé à chaque médicament, il sera alors possible de sélectionner le traitement ayant le meilleur profil de bienfaits pour la mère et de moindre risque pour l'enfant.

La plupart des effets secondaires imputables à un médicament diffusant dans le lait maternel sont peu spécifiques : somnolence ou irritabilité, troubles digestifs ou encore diminution de la prise alimentaire avec retentissement sur la courbe de poids. Concernant ce dernier point, le 27 avril 2006, l'OMS a publié de nouvelles normes de croissance internationales pour le nourrisson et l'enfant de moins de 5 ans. Pour la première fois, les courbes de croissance ont pris comme référence le nourrisson allaité au sein, définissant ainsi l'allaitement maternel comme la norme biologique[22].

Les effets indésirables les plus fréquemment rapportés ont été évalués sur une cohorte de 838 enfants âgés pour la plupart de moins de quatre mois et exposés à différentes classes médicamenteuses par l'allaitement[23]. Les quatre classes de médicaments les plus fréquemment pris par les mères étaient des analgésiques ou narcotiques (24 %), des antibiotiques (20 %), des antihistaminiques (10 %) et des sédatifs ou antidépresseurs (5 %). Seulement 11 % des enfants ont manifesté des effets indésirables, tous transitoires et de sévérité mineure (tableau IV). Aucun n'a nécessité de consultation médicale ou d'arrêt momentané de l'allaitement.

TABLEAU IV – EFFETS INDÉSIRABLES LES PLUS FRÉQUEMMENT OBSERVÉS CHEZ L'ENFANT EXPOSÉ À DES MÉDICAMENTS PAR L'ALLAITEMENT[23]	
	Fréquence des effets indésirables
Analgésiques ou narcotiques	11,2 %, dont somnolence (plus de 50 %)
Antibiotiques	19,3 %, dont diarrhée (65 %)
Antihistaminiques	9,4 %, dont irritabilité (75 %)
Sédatifs ou antidépresseurs	7,1 %, dont somnolence (plus de 50 %)

Les effets à long terme d'un traitement chronique pris par la mère (pathologies psychiatriques, pathologies intestinales inflammatoires, douleurs chroniques, etc.) sur le développement de l'enfant allaité sont mal connus. Les études cliniques sont peu nombreuses et n'incluent que de trop faibles cohortes pour pouvoir aujourd'hui conclure. On pourrait néanmoins supposer que l'allaitement n'est qu'une période de trop courte durée pour craindre un effet significatif sur le développement de l'enfant. La diversification assez rapide des sources d'alimentation (à partir de 6 mois selon Santé Canada) limite aussi l'exposition prolongée de l'enfant aux médicaments pris par sa mère[3]. Les données disponibles dans la littérature médicale s'intéressent principalement aux antidépresseurs et à leurs effets sur le développement comportemental et neuro-psychologique des enfants exposés. Elles suggèrent un développement comparable à celui des enfants non exposés pendant l'allaitement (voir le chapitre 30. *Dépression et troubles anxieux*).

Cinquième question : quels sont les facteurs liés à l'enfant qui influencent son exposition au médicament ?

L'âge de l'enfant, son état de santé et le type d'allaitement seront autant de facteurs à considérer pour évaluer les risques posés par l'exposition à un médicament par l'allaitement. Ces éléments ont une influence sur la fréquence, la durée des tétées et donc sur la quantité absolue du médicament absorbée par l'enfant. Ainsi, plus l'enfant allaité a un âge avancé moins le lait maternel occupe de place dans son alimentation. A l'inverse, le nourrisson allaité de manière exclusive reçoit une plus forte dose des médicaments. Cette notion doit être relativisée puisque qu'un nouveau-né en *postpartum* immédiat consomme un volume relativement faible de lait.

L'estimation par le professionnel de la santé du niveau d'immaturité physiologique de l'enfant est fondamentale. Il est possible de définir trois niveaux de risque (faible, intermédiaire, élevé) pour l'enfant allaité de manifester un effet indésirable au médicament pris par sa mère[8]. Un groupe à faible risque réunit les enfants de 6 à 18 mois dont les voies métaboliques sont globalement efficaces. Le groupe à risque modéré comprend des enfants de moins de 4 mois qui présentent encore un certain nombre de voies métaboliques non fonctionnelles. Enfin, le groupe à risque élevé est constitué des nouveau-nés et des prématurés. L'immaturité physiologique concerne les fonctions de métabolisation et d'élimination, mais également celles d'absorption et de distribution. Elle explique pourquoi la cinétique du médicament chez la mère ne peut être transposée à l'enfant allaité. Les particularités liées à l'immaturité physiologique des nouveaux-nés et leurs implications sur la cinétique du médicament apporté par le lait maternel sont résumées dans le tableau V.

TABLEAU V – ABSORPTION, DISTRIBUTION, MÉTABOLISME ET ÉLIMINATION (ADME) CHEZ LE NOUVEAU-NÉ		
Facteur modifié	**Conséquences**	**Interprétation**
Absorption [20, 24]	• pH gastrique transitoirement alcalin (prématuré, nouveau-né à terme au 1er de vie). • Stase gastrique. • Péristaltisme intestinal irrégulier. • Perméabilité intestinale augmentée (prématuré). • Flore gastro-intestinale et activité enzymatique digestive altérées.	• Absorption facilitée pour les bases faibles et molécules instables en milieu acide. • Délai dans l'atteinte du pic de concentration plasmatique. • Absorption orale augmentée. • Absorption orale facilitée notamment pour les molécules de poids moléculaire élevé. • Métabolisme intestinal pouvant faciliter l'activation de certaines molécules (ß-glucuronidation accrue).	Absorption des médicaments apportés par le lait maternel difficilement prévisible particulièrement chez les nouveau-nés et les prématurés.
Distribution [20, 24]	• Proportion en eau totale /tissu adipeux modifiée. • Affinité et concentration des protéines plasmatiques diminuées. • Perméabilité de la barrière hémato-encéphalique augmentée.	• Volume de distribution des molécules hydrophiles accru, volume de distribution des molécules lipophiles diminué. • Proportion des molécules sous forme libre (forme active) augmentée. • Activité de certaines molécules du système nerveux central accrue.	Risque d'exacerbation des effets thérapeutiques et toxiques des médicaments amené par le lait maternel.
Métabolisation [13, 24, 25]	• Enzymes de phase I (oxydo-réduction, CYP450) partiellement ou totalement non fonctionnelles. • Enzymes de phase II (conjugaison) plus ou moins fonctionnelles.	• Inactivation ou élimination des molécules excrétées par voie biliaire ralentie. • Inactivation ou élimination des molécules excrétées par voie biliaire ralentie.	Risque d'accumulation des médicaments apportés par le lait maternel dans les premiers mois de vie (fonctionnement à 1/3 des capacités d'un adulte à la naissance, puis acquisition progressive sur quelques semaines à 3-5 mois).
Élimination [13, 24, 25]	• Filtration glomérulaire et sécrétion tubulaire partiellement fonctionnelles.	• Élimination des médicaments excrétés majoritairement par voie rénale ralentie.	

Devant la diversité des particularités physiologiques d'un jeune enfant, il apparaît difficile de prévoir le devenir d'un médicament apporté par le lait maternel. Il est donc important qu'une mère allaitante qui reçoit un médicament soit informée des effets indésirables qu'elle pourrait potentiellement observer chez son enfant.

En pratique, les médicaments transférés dans le lait se trouvent généralement en quantités trop faibles pour qu'on puisse réellement craindre une accumulation conduisant à la manifestation d'effets toxiques chez l'enfant. De plus, des processus compensatoires peuvent parfois se mettre en place en l'absence de certaines voies métaboliques chez le prématuré. Ainsi une induction du métabolisme hépatique a été observée dès la naissance chez des enfants exposés à un médicament *in utero*[24].

Sixième question : les facteurs maternels génèrent-t-ils des craintes vis-à-vis de l'allaitement ?

Les liaisons entre les cellules épithéliales des alvéoles mammaires sont plus perméables durant les deux premières semaines du *post-partum*[13]. Sans que cette période ne contre-indique l'allaitement par une mère qui reçoit un médicament, on recommandera une plus grande surveillance de l'état général de l'enfant pendant cette période. Considérant l'absence d'étude clinique sur les effets à long terme, il est déconseillé dans la mesure du possible d'instaurer des traitements chroniques durant l'allaitement s'ils peuvent être différés (exemple : statines en cas de troubles lipidiques modérés). Cependant, il faudra également envisager les risques liés au non traitement de la mère qui pourrait exacerber une condition instable pré-existante (exemple : troubles de l'humeur). Il faudra aussi relativiser l'exposition de l'enfant allaité dans le cas où la pathologie de la mère a nécessité l'instauration ou la poursuite d'un médicament pendant sa grossesse. Dans une telle situation, l'exposition du fœtus *in utero* est quantitativement plus importante que l'exposition au même médicament en période d'allaitement. Ceci constitue souvent un argument très rassurant pour les mères atteintes de pathologies chroniques (exemples : troubles psychiatriques, pathologies inflammatoires). Le recours à des doses très élevées soulève aussi des hésitations en cas d'allaitement d'un prématuré ou d'un nourrisson. C'est, par exemple, le cas du métronidazole prescrit à la dose unique de 2 grammes. La plupart des auteurs recommandent alors une suspension de l'allaitement pour une période de 12 heures chez le prématuré ou l'enfant de moins de 1 mois[16].

Plus que le traitement médicamenteux lui-même, l'état pathologique de la mère peut générer certaines réticences par rapport à l'allaitement. Une mère séropositive ou atteinte d'une tuberculose active non traitée ne devrait pas allaiter. Par contre, une infection virale banale respiratoire ou gastro-intestinale autorise l'allaitement sans précaution particulière autre que les mesures d'hygiène habituelle (protection par la main en cas d'éternuement, lavage des mains...). Pour les mères atteintes d'une tuberculose traitée, d'une infection à cytomégalovirus, ou virus de l'herpès, ou l'hépatite B ou à celui de la varicelle, l'allaitement de l'enfant est possible sous certaines conditions : traitement du lait par congélation à -20°c pendant 7 jours (cytomégalovirus), absence de contact de l'enfant avec les lésions maternelles (herpès, varicelle), administration d'immunoglobulines spécifiques et initiation précoce du schéma vaccinal de l'enfant (hépatite B)[26].

Septième question : la mère reçoit-elle des médicaments susceptibles d'affecter (diminution/augmentation) sa production de lait ?

Médicaments ou substances susceptibles de diminuer la production de lait

L'interférence avec la sécrétion de prolactine et un effet sur le flux sanguin mammaire ont été évoqués pour expliquer la diminution de la production de lait par certaines molécules[13]. Bien que les femmes seront différemment sensibles à cet effet, il est recommandé d'éviter leur recours en période d'allaitement.

- La bromocriptine et la cabergoline sont des molécules capables de réduire et supprimer la production lactée[13]. En raison des effets indésirables de la bromocriptine et de son retrait dans l'interruption volontaire de la lactation, la cabergoline l'a supplantée dans cette indication en Amérique du Nord.

- Les contraceptifs oraux contenant des oestrogènes sont à éviter avant l'obtention d'un niveau optimal de lactation (obtenu après six semaines du *post-partum*). Dans les premières semaines, il a été rapporté une diminution de la production de lait pouvant atteindre jusqu'à 40% de la production initiale[19]. Les contraceptifs oraux à base de progestatifs seuls sont préférés en période d'allaitement, bien que chez certaines mères ils entraînent également une diminution de la production lactée[8]. Il est donc recommandé en cas d'allaitement exclusif de ne débuter une contraception hormonale que dans un délai de six semaines après l'accouchement. En pratique, la majorité des femmes débutent une contraception orale à base de progestatifs seuls dans les premiers jours suivant leur accouchement sans rencontrer de problème particulier.

- La pseudoéphédrine qui entre dans la composition de nombreuses formulations décongestionnantes pourrait diminuer la production de lait (voir le chapitre 15. *Rhume et grippe*)[27].

- La vitamine B_6 à des doses supérieures à 600 mg par jour pourrait diminuer le niveau de production lactée par inhibition de la sécrétion de prolactine[16].

- La diminution du volume vasculaire par les diurétiques pourrait en théorie diminuer la production de lait[13].

- Certaines consommations sociales peuvent avoir un effet négatif sur la production lactée. Une femme qui allaite son enfant et consomme plus de 15 cigarettes par jour s'expose à une diminution possible de 30 à 50% de ses taux de prolactine[28]. Le tabagisme est également associé à une réduction de la durée de l'allaitement et du volume de lait produit (voir le chapitre 7. *Tabagisme*).

- Devant toute production de lait insuffisante, le professionnel de santé devra s'assurer que la patiente ne se trouve dans aucun de ces cas de figure. Une consommation d'alcool supérieure à 0,5 g par kilogramme de poids de la mère (pour une femme de 60 kg, correspond à 62,5 mL d'alcool fort ou 250 mL de vin ou 2 canettes de bière) diminue le volume de lait produit et inhibe le réflexe d'éjection[28]. De plus, l'alcool ayant un poids moléculaire de seulement 120 daltons, il diffuse très facilement dans le lait maternel. Il existe dans la documentation scientifique un algorithme qui donne à titre indicatif le temps nécessaire à l'élimination de l'alcool de la circulation systémique maternelle en fonction du poids de la mère et de la quantité consommée (voir le chapitre 8. *Consommation d'alcool*).

Médicaments susceptibles d'augmenter la production de lait

- Les traitements anti-psychotiques par des phénothiazines (en particulier : chlorpromazine) ou par la rispéridone peuvent engendrer une galactorrhée en agissant comme antagonistes des récepteurs dopaminergiques[8, 13, 29].
- Quelques rares cas ponctuels de galactorrhée ont été rapportés avec les anti-dépresseurs tricycliques et plus exceptionnellement avec certains inhibiteurs sélectifs de recapture de la sérotonine[29].
- Le métoclopramide et la dompéridone sont des antagonistes dopaminergiques utilisés comme galactogogues en cas d'insuffisance de montée laiteuse. Bien que le métoclopramide soit la molécule la plus étudiée dans cette indication, son profil d'effets indésirables fait qu'elle n'est plus utilisée aujourd'hui pour stimuler la production de lait. La dompéridone, avec son profil d'innocuité plus favorable, est maintenant l'option retenue[13, 30]. Les quelques rares études ayant permis d'évaluer son efficacité sur de petites cohortes de patientes ont été conduites à des doses de 10 mg trois fois par jour. Dans la pratique, il n'est pas rare de voir des prescriptions allant de 20 mg quatre fois par jour à 30 mg trois fois par jour, et très exceptionnellement jusqu'à 40 mg quatre fois par jour. Habituellement les effets débutent dans les jours suivant l'instauration du traitement et sont à leur optimum en deux à trois semaines. Sans que des recommandations n'aient été émises, le traitement est généralement poursuivi à dose efficace pour une période de trois à huit semaines. La diminution de dose est amorcée progressivement par pallier de 10 à 20 mg sur des périodes de 4 à 5 jours environ[31]. La dompéridone par voie orale n'est pas commercialisée aux États-Unis, et la *Food and Drug Administration* ne recommande pas son utilisation comme galactogogue. Cette mise en garde est fondée sur la base de données obtenues dans les années quatre-vingt quand son utilisation par voie intra-veineuse à fortes doses (jusqu'à 10mg/kg/j), en traitement adjuvant de chimiothérapie, a été associée à des arythmies, des arrêts cardiaques et des décès[30,32]. Compte tenu des conditions très particulières ayant abouti aux recommandations américaines, la dompéridone par voie orale reste un traitement de choix dans l'insuffisance de montée laiteuse au Canada[13, 30].

Références

1. MINISTÈRE DE LA SANTÉ ET DES SERVICES SOCIAUX. *L'allaitement maternel au Québec - Lignes directrices.* 2001 [cited 2006-08-23] ; Available from : http://www.msss.gouv.qc.ca/index.php
2. SOCIÉTÉ CANADIENNE DE PÉDIATRIE - LES DIÉTÉTISTES DU CANADA ET SANTÉ CANADA. *La nutrition du nourrisson né à terme et en santé.* 1998 2006-06-18 [cited 2006-08-09] ; Available from : http://www.hc-sc.gc.ca/fn-an/pubs/infant-nourrisson/nut_infant_nourrisson_term_f.html#table
3. SANTÉ CANADA. *Chapitre 7 : L'allaitement. Les soins à la mère et au nouveau-né dans une perspective familiale : lignes directrices nationales* 2002-07-20 [cited 2006-08-13] ; Available from : http://www.phac-aspc.gc.ca/dca-dea/publications/smpf07_f.html
4. MARTINET J, HOUDEBINE L-M. *Glande mammaire, mammogenèse, facteurs de croissance, lactogenèse.* Dans : INRA-INSERM, editor. Biologie de la lactation. La Loupe : SAGER ; 1993. p. 3-29.
5. LAWRENCE RA, LAWRENCE RM. *Physiology of lactation.* Dans : Breastfeeding : a guide for the medical profession. St Louis : Mosby, Inc. ; 1999. p. 59-94.
6. THIRION M. *Le lait du petit d'homme, ou la biologie du lien. Le colostrum, lait de l'adaptation.* Dans : L'allaitement. Luçon : Editions Albin Michel ; 1994. p. 103-105.

7. PONS G, REY E. Passage des médicaments dans le lait. Dans: Brion F, Cabrol D, Moriette G, Pons G, eds. *Les médicaments en périnatologie*. Paris: Masson; 2003. p. 17-26.

8. HALE TW. Maternal medications during breastfeeding. *Clin Obstet Gynecol* 2004;47(3):696-711.

9. LUPIEN J. *Chapitre 1: Le lait de femme. Le lait et les produits laitiers dans la nutrition humaine* 1995 [cited 2006-08-23]; Available from: http://www.fao.org/docrep/T4280F/T4280F01.htm

10. NEILL G, BEAUVAIS B, PLANTE N, HAEIK LN. *Recueil statistique sur l'allaitement maternel au Québec, 2005-2006*. Institut de la statistique du Québec 2006.

11. VAN DAMME M. *Éléments de pharmacocinétique: application aux risques liés à l'allaitement maternel.* In: De Schuiteneer B, De Coninck B, editors. Médicaments et allaitement - Guide de prescription des médicaments en période d'allaitement. Paris: Arnette Blackwell SA; 1996. p. 24.

12. BERLIN CM, BRIGGS GG. Drugs and chemicals in human milk. *Semin Fetal Neonatal Med* 2005;10(2):149-59.

13. ILETT KF, KRISTENSEN JH. Drug use and breastfeeding. *Expert Opin Drug Saf* 2005;4(4):745-68.

14. ANDERSON P, SAUBERAN J. Amiodarone, Acébutolol, Aténolol, Lithium. *Lact Med* 2006-04-10 (Amiodarone, Acébutolol); 2006-06-02 (Aténolol, Lithium) [cited 2006-08-13]; Available from: http://toxnet.nlm.nih.gov/cgi-bin/sis/htmlgen?LACT

15. SAENZ RB. Iodine-131 elimination from breast milk: a case report. *J Hum Lact* 2000;16(1):44-6.

16. HALE T, editor. *Medications and mother's milk*. Amarillo: Hale Publishing; 2006.

17. BENNETT P, MATHESON I, NOTARIANNI L, RANE A, REINHARDT D. *Monographs on individual drugs*. In: Bennett P, editor. Drugs and human lactation. Amsterdam: Elsevier; 1996. p. 75-533.

18. AMERICAN ACADEMY OF PEDIATRICS COMMITTEE ON DRUGS. Transfer of drugs and other chemicals into human milk. *Pediatrics* 2001;108(3):776-89.

19. LAWRENCE RA, LAWRENCE RM. *Drugs in breast milk*. In: Breastfeeding: a guide for the medical profession. St Louis: Mosby, Inc.; 1999. p. 363.

20. BREITZKA RL, SANDRITTER TL, HATZOPOULOS FK. Principles of drug transfer into breast milk and drug disposition in the nursing infant. *J Hum Lact* 1997;13(2):155-8.

21. ANDERSON PO, POCHOP SL, MANOGUERRA AS. Adverse drug reactions in breastfed infants: less than imagined. *Clin Pediatr* (Phila) 2003;42(4):325-40.

22. WORLD HEALTH ORGANIZATION MULTICENTER GROWTH REFERENCE STUDY GROUP. *WHO Child Growth Standards*. 2006 2006-04-27 [cited 2006-08-23]; Available from: http://www.who.int/childgrowth/standards/technical_report/en/index.html

23. ITO S, BLAJCHMAN A, STEPHENSON M, ELIOPOULOS C, KOREN G. Prospective follow-up of adverse reactions in breast-fed infants exposed to maternal medication. *Am J Obstet Gynecol* 1993;168(5):1393-9.

24. ANDERSON P. Medication use while breastfeeding a neonate. *Neonatal Pharmacol Q* 1993;2(2):3-14.

25. ITO S, LEE A. Drug excretion into breast milk--overview. *Adv Drug Deliv Rev* 2003;55(5):617-27.

26. LAWRENCE RA, HOWARD CR. Given the benefits of breastfeeding, are there any contraindications? *Clin Perinatol* 1999;26(2):479-90.

27. ALJAZAF K, HALE TW, ILETT KF, HARTMANN PE, MITOULAS LR, KRISTENSEN JH, et al. Pseudoephedrine: effects on milk production in women and estimation of infant exposure via breastmilk. *Br J Clin Pharmacol* 2003;56(1):18-24.

28. HOWARD CR, LAWRENCE RA. Drugs and breastfeeding. *Clin Perinatol* 1999;26(2):447-78.

29. Kropp S, Ziegenbein M, Grohmann R, Engel RR, Degner D. Galactorrhea due to psychotropic drugs. *Pharmacopsychiatry* 2004;37 Suppl 1:S84-8.

30. MORISSETTE H, CÉLESTE V. Les galactogogues. *Québec Pharmacie* 2005;52(3):173-7.

31. NEWMAN J, PITMAN T. *Not enough milk*. In: Dʳ Jack Newman's Guide to Breastfeeding. Toronto: Harper Collins; 2000. p. 75.

32. OSBORNE RJ, SLEVIN ML, HUNTER RW, HAMER J. Cardiotoxicity of intravenous domperidone. *Lancet* 1985;2(8451):385.

Chapitre 5

Communication du risque et conseils sur l'utilisation des médicaments

Caroline MORIN

Introduction

Plusieurs futurs parents inquiets sont amenés à consulter leur professionnel de la santé pour savoir de quelle façon la médication peut affecter le développement de leur futur enfant. Malgré nos propres craintes face à une telle situation, l'utilisation de médicaments durant la grossesse ou l'allaitement ne peut être simplement évitée. Le bagage émotionnel qui accompagne une grossesse ainsi que la crainte d'atteinte à l'enfant en développement amènent un défi supplémentaire pour le clinicien.

Pour répondre aux questionnements des futurs parents, les professionnels de la santé doivent communiquer les informations dans un processus visant à balancer les risques et les bienfaits du traitement par rapport à ceux de la maladie, aux risques de base dans la population générale ainsi que par rapport aux autres facteurs de risques présents. Dans le cas d'une consultation durant l'allaitement, les bienfaits de ce dernier sont aussi à considérer.

Profil d'utilisation des médicaments

Grossesse

Nombre et type de médicaments utilisés pendant la grossesse

L'utilisation de médicaments est relativement commune pendant la grossesse. Le tableau I résume les études les plus récentes portant sur le sujet. Les données proviennent de divers pays, les seules provenant du Canada étant celles récemment

TABLEAU I – RÉSUMÉ DES ÉTUDES PORTANT SUR LE PROFIL D'UTILISATION DES MÉDICAMENTS DURANT LA GROSSESSE					
Études – Nombre de patientes	Pays – Années de collecte des données	Utilisation de médicament			
		% de femmes utilisant des médicaments			Nombre de médicaments par femme
		Rx (%)	MVL(%)	PR (%)	
Garriguet D, Santé Canada 2006[1]	Canada, 1994-2003	57-62*	27-33*	26*	
Bakker MK et coll. 2006[13] n = 5412	Pays-Bas, 1994-2004			79,1	2
Refuerzo JS et coll. 2005[2] n = 418	États-Unis	96,9 (sans mv: 76,5)	Sans mv: 62,8 (PN 4,1)		2,3 ± 1,7 33,5% ont pris plusieurs médicaments dont 13,6% ont pris 4 ou plus
Andrade SE et coll. 2004[4] n = 152 531	États-Unis, 1996-2000			82 (sans mv: 64)	Sans mv: 2,7 de 1,7 classes différentes
Malm H et coll. 2003[5] n = 43 470	Finlande, 1999			46,2*	2,1 (12,7% ≥ 3 Rx)
Beyens MN et coll. 2003[34] n = 911	France, 1996-1997			93,5	10,9 ± 7,5
Henry A et coll. 2000[9] n = 140	Australie, 1999	96-97	95-98 (PN 15,7)	38-44	Rx: 3,1-3,3 MVL: 2,3-2,6 Pr: 0,7-0
Lacroix I et coll. 2000[10] n = 1000	France, 1996			99	13,6
Donati S et coll. 2000[11] n = 9004	Italie, 1995-1996	75		99	1,7 (34% 1 Rx, 29% 2 Rx, 10% 3 Rx, 3% 4 Rx ou plus)
Olesen C et coll. 1999[6] n = 16 001	Danemark, 1991-1996			44,2*	2,6
Splinter MY et coll. 1997[12] n = 100	États-Unis, 1995		94	93	4,13 ± 2,46 (sans mv: 2,85 ± 2,32)
Bonassi S et coll. 1994[35] n = 3112	Italie, 1989-1990	82,7			2,17
Aviv RI et coll. 1993[3] n = 236	Afrique du Sud, 1991	71,2*	28,8*	59*	2,17
Rubin JD et coll. 1993[36] n = 2752	États-Unis, 1981-1987	68,1*			1,8 (2,2 ingrédients)
C.G.D.U.P. 1992[37] n = 14 778	22 pays	86			2,9
Bonati M et coll. 1990[8]	Revue de 13 études	80-100**			4,7

Rx: médicaments; MVL: médicaments disponibles en vente libre; PR: médicaments pour lesquels une ordonnance a été faite; PN: produits naturels; mv: multivitamines et minéraux.
* études où l'utilisation de vitamines ou minéraux n'étaient pas considérée
** en excluant une étude où 35% des femmes utilisaient un médicament

publiées par Santé Canada. Les variations quant à la méthodologie et aux sources de données d'une étude à l'autre rendent parfois les interprétations et les comparaisons difficiles. Mentionnons entre autres : la différence dans les années de collecte de données, l'exclusion ou l'inclusion de certains médicaments, dont les vitamines et minéraux qui sont parmi les médicaments les plus populaires durant la grossesse, les différences de pratique d'un pays à l'autre et les différences dans la couverture des assurances-médicaments.

Malgré ces variations, un portrait global peut tout de même être tiré. De façon générale, les femmes consomment de 2 à 5 médicaments au cours de leur grossesse, jusqu'à 10 à 13 médicaments dans certaines études[1-14]. L'utilisation de vitamines et minéraux est très répandue. En excluant ces derniers, on observe que de 27 à 63 % de femmes prennent des médicaments en vente libre et de 26 à 64 % de femmes prennent des médicaments à la suite d'ordonnance de leur médecin[1-6]. On observe également que l'utilisation de médicaments sur une base d'auto-médication est répandue et on doit s'en informer lors de la cueillette de données.

Les médicaments utilisés par un plus grand nombre de femmes étaient : les vitamines et minéraux, les analgésiques (surtout l'acétaminophène), les antibiotiques (surtout les pénicillines), les antiacides, les antiémétiques, les laxatifs, les inhalateurs pour l'asthme, les médicaments contre le rhume et la grippe et les préparations topiques (antifongiques, antibiotiques et corticostéroïdes)[1-17].

Variation en fonction du trimestre

Certaines études observaient une augmentation de la consommation de médicaments alors que d'autres voyaient une diminution ou encore aucun changement d'un trimestre à l'autre ou par rapport à l'utilisation avant la grossesse[1, 4, 7-13]. De façon globale, lorsque des variations étaient observées, elles étaient attribuables surtout à l'augmentation de la prise de multivitamines, d'acide folique, de suppléments de fer, de médicaments pour des symptômes liés à la grossesse (antiacides, antiémétiques, laxatifs, antifongiques pour administration intra-vaginale et antibiotiques), ainsi qu'à la diminution de la prise de contraceptifs oraux et d'anti-inflammatoires non stéroïdiens[9, 12]. En excluant les antidépresseurs et les anxiolytiques, l'utilisation de médicaments pour des problèmes de santé chronique semble relativement stable durant la grossesse par rapport à la période précédant la grossesse, ou même légèrement diminuée[4, 9, 12, 13].

Allaitement

Médicaments les plus fréquemment utilisés

Une seule étude évaluant de façon spécifique l'utilisation de médicaments chez les femmes qui allaitaient a été retrouvée. Cette utilisation était évaluée dans les six mois suivant l'accouchement, aux Pays-Bas[14]. Environ 66 % des femmes qui ont allaité ont pris au moins un médicament pendant cette période, comparativement à 80% de celles qui n'ont jamais allaité[14]. Les médicaments les plus utilisés par les femmes qui allaitaient étaient, en ordre décroissant de fréquence d'utilisation : vitamines, analgésiques oraux, suppléments de fer, anti-infectieux, homéopathie, contraceptifs oraux, analgésiques topiques, médicaments contre la toux, le rhume et la grippe, et laxatifs[14]. En comparaison avec les femmes qui n'allaitaient pas, l'utilisation de vitamines et de produits homéopathiques était plus fréquente chez les femmes qui allaitaient, alors que l'utilisation de contraceptifs oraux, fer, médicaments pour malaises gastriques, antidépresseurs et sédatifs/hypnotiques ainsi que médicaments contre l'hémorragie du *post-partum* était moins fréquente[14].

Impact de la prise de médicaments sur la poursuite de l'allaitement

Ces femmes ont également été interrogées par rapport à certains comportements liés à l'utilisation de médicaments pendant l'allaitement. Environ 12 % des femmes qui n'allaitaient pas ont dit avoir opté pour ce choix en raison de la prise d'un médicament. Dix-sept pourcent de celles qui allaitaient ont dit qu'elles auraient pris un médicament si elles n'avaient pas allaité. Parmi celles qui allaitaient : 2,4 % ont cessé l'allaitement à cause de la prise d'un médicament, 6,4 % ont cessé l'utilisation d'un médicament en raison de l'allaitement, 31 % ont hésité à combiner l'utilisation de médicaments et l'allaitement. Soixante-deux pourcent n'ont apparemment pas eu d'inquiétude à combiner les deux[14].

Sources d'information des patientes

Sources consultées

Une étude révèle que les sources d'informations les plus consultées par les femmes enceintes étaient, par ordre d'importance : les médecins (surtout les médecins généralistes), les amis et la famille, les livres, les magazines, les pharmaciens et le service de consultation téléphonique de leur hôpital[15]. Il est à noter que 24 % des femmes interrogées ont consulté plus de cinq sources. Le service de consultation téléphonique de l'hôpital était jugé le plus utile, suivi des professionnels de la santé, alors que les amis et la famille étaient jugés comme étant la source la moins utile. Les feuillets, magazines, livres et Internet étaient en général jugés très utiles (environ au même niveau que les professionnels de la santé)[15].

Influence sur la prise de médicaments

Le lien entre les sources d'information consultées et la décision d'arrêter ou de débuter un médicament durant la grossesse a également été exploré[15].

Début de traitement pendant la grossesse

La recommandation pour le début de la prise d'un médicament sur ordonnance durant la grossesse provenait surtout d'un médecin (89 %) ou d'un autre professionnel de la santé (7,4 %). En ce qui a trait aux médicaments de vente libre, la recommandation provenait en majorité de sources non formelles (environ 34 % aucune source, 5,7 % amis et famille, 2,7 % médias, entre autres)[15].

Arrêt de traitement durant la grossesse

La principale raison d'arrêt de la prise d'un médicament durant la grossesse était liée aux inquiétudes par rapport aux torts possibles pour le bébé et, de façon un peu moins importante, liée à l'amélioration du problème de santé de la patiente. Plus de la moitié (54 %) de ces décisions sur les médicaments d'ordonnance avaient été prises sans consulter de source d'information. En ce qui a trait aux médicaments en vente libre, les professionnels de la santé avaient un rôle encore moins important, la décision ayant été prise sans consulter de source d'information dans 72 % des cas[15].

Rôle des professionnels de la santé dans la mise à jour des sources d'information

Ces observations nous font voir qu'il existe beaucoup d'auto-médication durant la grossesse. Les raisons motivant ces actions diffèrent, les femmes ayant plus tendance à débuter un traitement par besoin de traiter une maladie et à l'arrêter pour des craintes par rapport au bébé. Les femmes consultent beaucoup de sources d'information, dont certaines potentiellement non adéquates, mais elles savent le plus souvent discerner lesquelles sont les plus crédibles. Bien qu'on ait peu de contrôle sur le contenu des sources non formelles, il est possible de contribuer, à long terme, à rendre adéquats les renseignements qu'on y retrouve en transmettant de l'information de qualité aux amis, à la famille et aux magazines destinés aux femmes enceintes.

Perception du risque

De façon générale, les femmes ont une perception exagérée du risque tératogène, ce qui peut mener à un traitement sous-optimal d'un problème de santé, à de l'anxiété ou encore à l'arrêt d'une grossesse désirée. Si le professionnel de la santé sait de quelle façon le risque tératogène est perçu et quelles sont les variables pouvant modifier cette perception, il peut améliorer la façon dont ce risque est communiqué.

Perception du risque tératogène

Perception du risque tératogène chez les femmes enceintes

ESTIMATION DU RISQUE DE MALFORMATIONS

Deux études conduites dans un centre d'information témoignent de la surestimation du risque qui persiste même après la remise d'information juste sur un médicament non tératogène.

Dans la première étude, les patientes exposées à un produit non tératogène estimaient le risque de malformations majeures chez leur enfant à 24 % avant l'entretien. Après avoir reçu les informations sur l'innocuité du médicament, le risque qu'elles percevaient diminuait à 14 %, mais demeurait bien supérieur au risque de base observé dans la population générale. Le risque de malformations majeures perçu dans la population générale était relativement bien estimé, soit à 5,6 % . Dans le cas des patientes exposées à un médicament tératogène, la perception du risque restait sensiblement la même avant et après l'intervention, soit 36 % avant et 37 % après[16].

Dans la deuxième étude, à la suite de la remise d'information exacte sur un médicament non tératogène, les femmes cotaient leur risque entre 3,2 et 3,4 (sur une échelle de 1 à 5, 1 signifiant que l'utilisation du médicament était sûre en grossesse et ne provoquait pas de malformations congénitales)[17].

DÉSIR D'INTERRUPTION DE GROSSESSE LIÉ À LA PRISE D'UN MÉDICAMENT

On a évalué la tendance à vouloir terminer une grossesse à la suite de l'exposition à un médicament[18]. Les femmes avaient une tendance de plus de 50 % (échelle de 0 à 100) à vouloir terminer leur grossesse avant la remise d'information. Après l'entretien chez 78 femmes, 61 femmes ont décidé de poursuivre leur grossesse et les 17 autres ont choisi de la terminer. Parmi ces 17 femmes, deux seulement avaient été exposées à un médicament tératogène. Bien que d'autres raisons aient motivé leur choix, il est intéressant de noter qu'une femme exposée à un médicament non tératogène dit avoir arrêté sa grossesse suite aux informations reçues, huit avaient peur malgré les informations transmises, deux l'ont terminée après avoir reçu l'avis de leur médecin, malgré le fait qu'elles avaient été exposées à un médicament non tératogène[18].

Perception du risque tératogène chez les professionnels de la santé

Une surestimation du risque tératogène est également observée chez les professionnels de la santé[17, 19]. Quoique cette exagération du risque soit moins prononcée que celle observée chez les patientes, il faut se rappeler que même lors de la transmission d'informations à un professionnel de la santé, l'interprétation du risque peut être erronée.

Une étude, entre autres, rapporte que suite à la remise d'information exacte sur un médicament non tératogène, les professionnels de la santé ont coté le risque entre 1,7 et 2,3 (sur une échelle de 1 à 5, 1 signifiant que l'utilisation du médicament était sans danger durant la grossesse et ne provoquait pas de malformations congénitales)[17].

Variables pouvant modifier la perception du risque

Certains auteurs se sont intéressés aux éléments qui pouvaient affecter la perception du risque. Ces variables ont été classifiées sous différents thèmes: les incertitudes et les limites des connaissances scientifiques, le manque de confiance en la personne qui communique l'information, l'influence des médias, les biais, les croyances et les perceptions propres à chaque personne ainsi que la façon dont est transmise l'information[20].

Incertitudes et limites des connaissances scientifiques

Le manque de recherche sur l'innocuité des médicaments durant la grossesse, les variations dues à la chance et les limites des données actuelles font qu'il est virtuellement impossible d'affirmer hors de tout doute qu'un médicament n'est pas tératogène. Ces incertitudes augmentent l'anxiété des patientes et peuvent résulter en une prise en charge non optimale de la grossesse ou même encore à l'arrêt d'une grossesse autrement désirée[20-22].

Relation de confiance

En raison d'événements hautement médiatisés comme le «scandale» de la thalidomide, (des femmes avaient donné naissance à des enfants ayant des malformations causées par un médicament qui leur avait pourtant été recommandé par leur médecin), les professionnels de la santé peuvent être perçus comme des adversaires potentiels. Toutefois, plus la personne semble crédible et digne de confiance, plus on est susceptible d'accepter un risque[20].

Influence des médias

Les médias ont aussi un rôle à jouer dans la distorsion de la perception du risque. Ils ont tendance à rapporter plus souvent les événements rares ou spectaculaires. Ils contribuent à mettre l'accent sur les risques et rapportent rarement les bienfaits de l'utilisation de médicaments durant la grossesse, contribuant ainsi à l'écart entre le risque réel et le risque perçu[16, 20]. L'information qu'on y retrouve peut aussi avoir été mal interprétée ou être mal présentée. Les professionnels de la santé sont aussi une source non négligeable de mauvaise information et contribuent à perpétuer des mythes concernant l'utilisation de médicaments durant la grossesse[16, 22].

Biais personnels

Les biais, croyances et perceptions propres à chaque individu font aussi varier la façon dont l'information est reçue[20]. La perception du risque varie selon nos expériences personnelles, nos préjugés, notre situation socio-économique et notre culture[23].

Les gens sont plus susceptibles d'accepter un risque s'ils sentent qu'ils ont un certain contrôle sur ce dernier. Comme on considère que l'embryon est vulnérable et qu'on ne peut contrôler tout à fait son développement, un risque théorique, même très faible, devient inacceptable[20]. Le risque est plus acceptable s'il est bien distribué dans la population (risque «naturel» ou «spontané») ou s'il est contrebalancé par certains bienfaits et que les options possibles ont été évaluées[20]. Il est difficile pour une patiente de contrebalancer des risques par rapport à des bienfaits, en particulier lorsque ce risque est accompagné d'incertitude, puisque les gens recherchent davantage des variables dichotomiques[20]. Lorsque leurs professionnels de la santé ont des opinions divergentes, la tâche devient encore plus difficile. Enfin, les gens acceptent difficilement de prendre un médicament qui a une chance sur un million de causer une malformation alors qu'ils acceptent le risque de base de malformations majeures de 3 % présent dans toute grossesse[22]. On peut comprendre qu'ils ne veulent pas vivre avec la culpabilité d'avoir causé une malformation chez leur enfant, d'où l'importance de renforcer les risques liés au non traitement d'une maladie.

Façon dont l'information est transmise

La façon dont le risque est présenté peut aussi influencer la perception du risque. À titre d'exemple, une étude a comparé l'effet de la transmission de l'information sur le risque de base de malformations majeures avec une structure positive ou négative[24]. La structure négative était la suivante : «Lors de chaque grossesse, il y a un risque de 1 à 3 % qu'une femme donne naissance à un enfant ayant une malformation majeure. Il n'a pas été montré que la prise de ce médicament pouvait modifier ce risque.» La structure positive était la suivante : «Lors de chaque grossesse, il y a une chance de 97 à 99 % qu'une femme donne naissance à un enfant n'ayant pas de malformation majeure. Il n'a pas été montré que la prise de ce médicament pouvait modifier cette chance.» Les résultats montraient que lorsqu'on présente les informations en terme de probabilité d'avoir un enfant en santé plutôt qu'en terme de probabilité d'avoir un enfant ayant une malformation majeure, la perception du risque diminue (15 *versus* 8 sur une échelle de 0 à 100, 0 étant aucun risque) ou encore 1,9 *versus* 1,7 (échelle de 1 à 5, 1 étant très faible risque) et la probabilité que la femme prenne le médicament augmente (20 % *versus* 34 %). Il vaudrait donc mieux utiliser à la fois la structure négative et la structure positive, de façon à minimiser le risque que l'information transmise soit faussement rassurante ou faussement inquiétante.

Attitudes de la patiente

À la suite de la transmission de l'information, les réactions et sentiments varient d'une personne à l'autre[23] :

- Culpabilité : suite à la prise d'un médicament durant la grossesse, lorsqu'il est nécessaire de prendre un médicament pour traiter un problème de santé chronique ou encore suite à la naissance d'un enfant ayant une anomalie.

- Anxiété: se rencontre chez à peu près toutes les femmes enceintes et est probablement renforcée par la pression sociale qui valorise une «grossesse et des enfants parfaits», mais aussi par de la mauvaise information.
- Colère: face à une situation qu'on ne peut pas modifier.
- Confusion: si la patiente a reçu des informations contradictoires ou encore si elle n'a pas bien compris l'information qui lui a été transmise. En ce sens, certaines patientes ont demandé plusieurs avis.
- Indifférence: cette attitude peut aussi être une façon de manifester de l'anxiété.

Consultation auprès d'une femme enceinte

Il y a principalement trois situations qui se présenteront:

- la femme qui planifie une grossesse et qui prend un médicament de façon chronique;
- la femme qui est actuellement enceinte et qui veut savoir quel traitement elle pourrait débuter pour un problème de santé particulier;
- la femme qui a déjà été exposée à un médicament et qui se demande à quels risques son futur enfant a été exposé.

Cueillette de données

Le tableau II présente les informations à recueillir auprès de la patiente. Ces renseignements permettent de considérer les autres facteurs de risque potentiels pour l'estimation juste du risque, d'aider la patiente à prendre les meilleures décisions et d'évaluer si ses traitements conviennent à son état. La cueillette de données permet également d'établir une relation de confiance avec l'interlocuteur, de cerner ses inquiétudes et sa perception du risque ainsi que d'évaluer ses connaissances sur le sujet et ses sources d'information.

L'âge de la patiente a son importance car certains risques, tels la prématurité, le retard de croissance intra-utérine et les anomalies chromosomiques, sont modifiés en fonction de l'âge[25, 26].

On questionne la patiente sur les grossesses antérieures, incluant les avortements spontanés et les avortements thérapeutiques. Ces données font varier le risque et la perception d'une patiente. En ce qui concerne la grossesse pour laquelle il y a questionnement, le stade où l'exposition a lieu et la détermination de l'âge gestationnel précis sont essentiels, les risques variant selon le stade de grossesse. Il importe aussi de demander si l'exposition a déjà eu lieu, ce qui aura un impact sur notre façon de communiquer les informations.

Une histoire pharmacothérapeutique complète est essentielle. Si la femme est enceinte et que l'exposition a déjà eu lieu, on doit déterminer les dates exactes d'exposition au médicament. La posologie utilisée ainsi que les ajustements effectués doivent être notées. L'utilisation d'autres médicaments et d'autres susbstances potentiellement tératogènes (drogues, alcool) doit être recherchée. On questionnera aussi la patiente au sujet de ses problèmes de santé. Plusieurs symptômes et problèmes de santé doivent être maîtrisés durant la grossesse, tant pour la mère que pour assurer un développement embryonnaire et fœtal adéquat. Mentionnons entre autres l'asthme, la dépression, les troubles anxieux, le diabète, l'épilepsie, l'hypertension,

TABLEAU II – RENSEIGNEMENTS À RECUEILLIR AUPRÈS D'UNE FEMME ENCEINTE

Données démographiques	Âge
Données obstétricales	**Antécédents obstétricaux**
	Nombre de grossesses, incluant le nombre d'avortements spontanés, d'avortements thérapeutiques ou d'interruptions volontaires de grossesse
	Nombre d'enfants et leur état de santé
	Complications lors de grossesses antérieures
	Grossesse actuelle
	Stade de la grossesse (déterminé par la date du premier jour de la dernière menstruation ou par échographie si les dates sont incertaines ou si le cycle est irrégulier)
	Déroulement de la grossesse (normal ?)
	Résultats des échographies ou autres tests de dépistage, s'il y a lieu
Antécédents médicaux et problèmes de santé actuels	Problèmes de santé actuels et antérieurs
	Antécédents familiaux d'anomalies congénitales
Antécédents médicamenteux et pharmacothérapie actuelle	Tous les médicaments sur ordonnance et en vente libre, incluant les produits naturels et les suppléments de vitamines et minéraux.
	Posologies, moment de l'exposition et modifications de la posologie.

les endocrinopathies, les maladies auto-immunes, les infections, le cancer, la transplantation et les arythmies cardiaques[27]. Comme un médicament peut avoir plusieurs indications, il est important de connaître la raison pour laquelle il est utilisé. Dans certains cas, des médicaments pourraient aussi être remplacés par d'autres dont l'innocuité durant la grossesse est mieux attestée. Les antécédents familiaux pourront être discutés avec le médecin.

Recherche et évaluation de l'information

La littérature médicale est souvent difficile à interpréter. Alors que beaucoup de données sont disponibles pour certains médicaments, les données sont contradictoires ou encore absentes pour d'autres[21]. Certaines sources d'information sont à privilégier. Pour en connaître davantage, se référer au chapitre 2. *Connaissances de base sur l'utilisation des médicaments au cours de la grossesse*. Si l'information n'est pas facilement accessible, mieux vaut rappeler la patiente plus tard. Il est préférable de prendre son temps plutôt que de donner une information incomplète ou erronée dans une situation d'une telle importance pour la patiente.

Remise de l'information

La communication du risque est la transmission de l'information sur le risque, mais aussi sur les incertitudes entourant l'estimation de ce risque[22]. Les renseignements sont présentés dans un processus visant à transmettre les informations de façon précise, objective, balancée et adaptée à la patiente pour l'aider à soupeser les risques potentiels des médicaments par rapport aux risques connus dans la population générale et par rapport aux risques liés au non traitement de la maladie afin de la guider dans son processus décisionnel[28]. Cette façon de faire peut à elle seule contribuer à diminuer l'anxiété. Il faut trouver un équilibre entre rassurer et transmettre des données inquiétantes. Il est rarement possible de déterminer de façon exacte si un médicament aura ou non un effet tératogène. Comme cette évaluation se fait sur une base individuelle, la présence ou l'absence de tout facteur de risque doit être considérée.

Un exemple de démarche, incluant les principales informations devant être transmises et l'ordre de présentation des données, est proposé au tableau III. Le texte qui suit apporte certains autres éléments à considérer lors de la consultation.

Attitudes et moyens de diminuer l'anxiété

Donner l'information lentement, en faisant des pauses à l'occasion, facilite l'intégration des données[29]. La voix devrait rester calme. On évitera par exemple d'utiliser des phrases exclamatives (Oh mon Dieu !) et de hausser le ton sur les mots à la fin des phrases[29].

Le langage non verbal, un contact visuel, un ton de voix chaleureux, l'écoute active, l'empathie et l'utilisation de réponses-reflet sont des éléments très importants qui à eux seuls rassurent les patientes[20, 29].

Des termes clairs et non ambigus seront privilégiés aux termes vagues pouvant augmenter l'anxiété[28]. Certains suggèrent d'éviter l'utilisation de mots tels «sécuritaires» ou «pas de problème», car la tératogénicité est un domaine où il y a rarement des certitudes[23]. D'autres évitent des termes comme «rarement» ou «souvent» afin de rester le plus objectif possible. S'ils sont utilisés, la signification de ces mots devrait être précisée avec des chiffres. Certains utiliseront des tournures positives et privilégieront des mots comme «chance» ou «probabilité» plutôt que «risque».

Il est intéressant de noter que les patientes soulèvent les problèmes suivants lors de leur communication avec un professionnel de la santé : ne pas transmettre l'information juste ou ne pas le faire de façon adéquate, ne pas aider la patiente dans son problème de santé, dévaluer son point de vue ou ne pas comprendre ses perspectives[20].

Il est essentiel d'inclure la patiente dans notre démarche : un sentiment de contrôle dans le processus décisionnel contribue à diminuer l'anxiété. La patiente comprendra que le plan de traitement est optimal pour elle et que les différentes options ont été évaluées.

Enfin, il est très important de ne pas prendre la décision à la place de la patiente et de ne pas donner son avis personnel. La décision est basée sur plusieurs facteurs (sociaux, professionnels, psychologiques, religieux, etc.) différents de ce qui est lié au questionnement initial[21]. Nos biais liés à nos expériences personnelles et nos préjugés ne devraient pas se refléter dans notre conversation avec la patiente[21, 23]. Notre rôle est de s'assurer que la perception du risque est juste et de soutenir la patiente. La décision finale sera prise par les personnes qui, en bout de ligne, auront à vivre avec les conséquences de cette décision[22].

TABLEAU III – EXEMPLE DE DÉMARCHE À EFFECTUER LORS DE LA REMISE D'INFORMATION SUR L'EXPOSITION À UN MÉDICAMENT DURANT LA GROSSESSE[20, 22, 23, 29, 30]

- Vérifier les connaissances de la patiente, ses sources d'information s'il y a lieu et sa perception du risque.
  - Permet de clarifier les inquiétudes de la patiente et de mieux cerner sa perception du risque et de la situation.
  - Garder en tête qu'une femme enceinte a une perception du risque augmentée, tenter de ramener ses croyances le plus près possible de la réalité et rectifier les mauvaises perceptions ainsi que les mauvaises informations reçues.
  - S'il y a des informations contradictoires, en expliquer les raisons (permet à la patiente de tirer ses propres conclusions).
- Discuter des bienfaits du traitement
  - Pour la mère et pour le fœtus.
  - Informations précises sur les raisons du traitement et revoir s'il y a indication de traiter.
  - Évaluer les risques associés au non traitement de la maladie. Ne pas sous-estimer les risques de ne pas traiter un problème de santé.
  - Pour la majorité des indications de traitement, il y a assez d'informations permettant l'utilisation d'un médicament.
- Discuter du risque de base de 3% d'anomalie majeure qui ne peut être contourné.
  - On ne peut garantir qu'aucune complication ne surviendra, peu importe si on prend ou non un médicament.
  - Rassurer en rappelant qu'il n'y a pas d'anomalie majeure dans 97 % des cas.
  - Rappeler que les médicaments sont une cause minoritaire d'anomalie congénitale. Malgré les incertitudes scientifiques, environ 40 tératogènes seulement sont connus et que bien que les gens aient souvent tendances à incriminer les médicaments, ces derniers sont liés à moins de 1% des anomalies congénitales.
  - Ceci aidera entre autres les parents à comprendre et à s'ajuster si leur enfant avait une anomalie.
- Expliquer de quelles sources proviennent les informations sur les médicaments et discuter des incertitudes et limites des données.
- Transmettre les données d'innocuité du médicament en transmettant les informations précises sur les risques potentiels.
  - Discuter du moment de la grossesse où l'exposition a eu lieu ou aura lieu (période du tout ou rien, période critique, différences selon les trimestres). Dans certains cas, il pourrait être possible, après évaluation, d'éviter la période critique d'exposition.
  - Rassurer la patiente. S'il n'y a pas d'augmentation du risque jusqu'à présent et que cette information s'appuie sur une bonne documentation.
  - Si le risque est augmenté, préciser de quel type de malformation ou de toxicité il s'agit, le quantifier et le comparer au risque de base et connaître la période critique d'exposition pour cette anomalie. S'il y a lieu, discuter des tests de dépistage et de diagnostic prénatal ou adresser la patiente aux personnes compétentes pour assurer le suivi.
  - Se rappeler qu'il y a très peu de cas où une interruption de grossesse est nécessaire après la prise d'un médicament. Cette décision peut être prise après une discussion éclairée avec une personne compétente dans ce domaine.

- Discuter des options de traitement possibles.
- Conseiller sur les façons de minimiser les risques s'il y a lieu. À titre d'exemple :
  - Un supplément d'acide folique peut être suggéré si cela est indiqué selon le stade de la grossesse ou lors de la planification de la grossesse.
  - Des modifications aux habitudes de vie peuvent aussi être suggérées.
  - Évaluer s'il y a la possibilité de changer un traitement pour un médicament dont l'innocuité chez la femme enceinte est mieux attestée.
- Discuter des autres facteurs de risques s'il y a lieu. Si la patiente n'a pas d'autre facteur de risque, se servir de cet élément pour la rassurer.
- Évaluer la compréhension de la patiente (peut être fait après chaque médicament s'il y en a plus d'un). Réévaluer sa perception du risque.
- À la fin, résumer l'information, déterminer un plan d'action si nécessaire et rester ouvert aux questions futures. Contacter les autres intervenants au besoin.
- Documenter la consultation.

Choix des données d'innocuité à transmettre

Dans le choix des données à transmettre, il faut identifier les besoins de la patiente et ne pas se limiter à lui redonner toute l'information qu'on a trouvée. Il vaut mieux utiliser notre perception de sa compréhension pour décider, au fur et à mesure que se déroule l'entretien, la quantité d'information à transmettre[29]. Il n'est souvent pas nécessaire de transmettre les données animales. Les hypothèses non confirmées et les notifications de cas isolées ne devraient pas être transmises à la patiente[28]. Pour les notifications de cas, on peut mentionner par exemple une absence de patron dans les anomalies rapportées au lieu de lui décrire chaque exposition[29]. Si plusieurs études d'exposition sont publiées, on peut les résumer en disant, par exemple, qu'il y a eu plus de 2000 expositions dans les études sans qu'on observe une augmentation du risque de base de malformations majeures[29].

DIFFICULTÉS - ZONES GRISES OU PRISES DE DÉCISION EN L'ABSENCE DE DONNÉES

S'il n'y a pas assez d'information pour estimer un risque, nous ne sommes pas responsables de cette absence de données. L'information existante vaut quand même quelque chose et nous pouvons servir de guide à la patiente en lui transmettant certains éléments, par exemple en lui rappelant le risque de base de malformations dans la population générale, en lui rappelant la place des médicaments dans l'étiologie des anomalies et en discutant de la possibilité d'échographie détaillée[22, 23]. Une absence de notification de cas de tératogénécité peut être un peu rassurant quand il n'y a pas de données disponibles.

Enfin, expliquer pourquoi il n'y a pas d'information disponible peut aider : médicament récemment commercialisé, médicament rarement utilisé chez les femmes enceintes, absence d'étude pré-commercialisation chez les femmes enceintes, etc.[22, 23]

En l'absence de données, plusieurs possibilités demeurent : avoir un avortement et ne jamais savoir si son enfant aurait été normal, avoir un enfant sans anomalie ou encore avoir un enfant avec une anomalie sans jamais savoir si l'exposition en question est responsable de cette anomalie[22].

Suivi et plan d'action à la suite de la transmission des informations

À la fin de l'entretien, on évitera de laisser la patiente sans avoir déterminé avec elle un plan d'action pour la poursuite des événements. Si on n'est pas d'accord avec l'avis d'un autre professionnel de la santé, mieux vaut le contacter pour discuter de la situation plutôt que de laisser la patiente avec des avis contradictoires.

Notre discussion doit inclure, lorsqu'indiqué, la possibilité de détecter certaines anomalies fœtales et, par conséquent, réduire le risque de donner naissance à un enfant avec malformations. Certains cas nécessiteront des tests de diagnostic prénatal supplémentaires[28, 30]. Parmi les tests utilisés, mentionnons : la clarté nucale pour évaluer le risque de certaines aberrations chromosomiques ou cardiopathies, une échographie précoce, une échographie détaillée, le dosage des alpha-fœtoprotéines sanguines ou dans le liquide amniotique pour les anomalies du tube neural, une échocardiographie[31]. Des procédures effractives telles une amniocentèse ou encore le prélèvement de villosités chorioniques sont rarement nécessaires pour évaluer les conséquences d'une exposition médicamenteuse[28, 29]. Il faut se rappeler que plusieurs tests sont disponibles, qu'ils comportent toutefois des limites et des risques et que certains ne peuvent être pratiqués qu'à l'intérieur d'une période précise de la grossesse. Dans tous les cas, la décision de les utiliser, leur réalisation et leur interprétation devraient être faites par des médecins qualifiés en la matière. Il est utile d'informer les spécialistes en imagerie fœtale de l'exposition médicamenteuse afin qu'ils procèdent à un examen échographique ciblé sur les anomalies possibles associées à l'exposition. Un arrêt de grossesse peut parfois être envisagé suite à la prise d'une décision éclairée[30].

Certaines autres interventions pourront aussi être suggérées. La patiente pourra être adressée si besoin à une clinique pour changement de comportement lors de prise d'alcool ou de drogue[30]. Lors de planification de grossesse, certaines suggestions sont aussi à faire et seront discutées plus loin dans le texte.

Situations cliniques

PLANIFICATION DE GROSSESSE

Une évaluation pré-conceptionnelle permet d'identifier les éléments comporte-mentaux, psychosociaux, génétiques, médicaux qui peuvent constituer des facteurs de risques additionnels pendant la grossesse. Si des problèmes potentiels sont identifiés, on peut les éviter ou les minimiser. Un bilan de santé est particulièrement important si la patiente présente un problème de santé chronique afin de compléter les investigations s'il y a lieu, d'évaluer l'impact de la grossesse sur l'évolution de la maladie ainsi que l'impact de la maladie sur le déroulement de la grossesse[27, 32]. C'est aussi l'occasion de discuter de prise d'acide folique pour la prévention des anomalies du tube neural, de l'adoption de bonnes habitudes de vie et de compléter la vaccination s'il y a lieu[32]. Des traitements pourront être modifiés ou remplacés par d'autres dont l'innocuité est mieux établie, en veillant à maintenir la stabilité la santé de la mère sans mettre en danger le développement de l'enfant[33].

PATIENTE DÉJÀ ENCEINTE

Les éléments discutés au paragraphe précédent sont aussi à considérer. Dans le cas où la patiente est déjà enceinte, il est important de se rappeler que les femmes enceintes ont généralement une mauvaise perception du risque tératogène. Il est alors plus difficile de favoriser l'observance au traitement en présence de pathologies où un traitement est essentiel durant la grossesse[30]. Un renforcement des bienfaits du traitement pour la mère et pour le déroulement de la grossesse ainsi que l'explication des risques aidera à guider la patiente. Dans le cas où une patiente a été exposée à un médicament, il faut garder en tête le fait que plusieurs pensent alors à interrompre leur grossesse, même lors d'exposition à un médicament non tératogène. Il importe alors ramener les perceptions à leur juste valeur, en veillant toutefois à ne pas prendre de décisions à la place de la patiente.

Consultation auprès d'une femme qui allaite

Cueillette de données

Les informations à recueillir pour juger de l'innocuité, pour le nourrisson, d'un traitement pris par une femme qui allaite sont présentées au tableau IV. Là encore, il est essentiel de bien connaître les problèmes de santé de la patiente et ses habitudes de vie, de savoir si elle prend d'autres médicaments et de comprendre la façon dont elle voit la situation pour l'aider dans l'évaluation des bienfaits par rapport aux risques.

TABLEAU IV – RENSEIGNEMENTS À RECUEILLIR AUPRÈS D'UNE FEMME QUI ALLAITE

Données démographiques au sujet du nourrisson	Âge de l'enfant Né à terme (37 semaines ou plus) ou prématuré ? S'il est prématuré, de combien de semaines ? Poids à la naissance (si nouveau-né)
Données sur l'allaitement	Est-ce que l'allaitement maternel est la seule source d'alimentation du nourrisson ? Si préparations lactées ou aliments solides, combien de prises par jour ?
Antécédents médicaux et médicamenteux du nourrisson	Problèmes de santé Médicaments
Antécédents médicaux de la mère	Antécédents obstétricaux Antécédents médicaux et problèmes de santé actuels Antécédents médicamenteux et pharmacothérapie actuelle
Antécédents médicamenteux et pharmacothérapie actuelle de la mère	Tous les médicaments sur ordonnance et en vente libre, incluant les produits naturels et les suppléments de vitamines et minéraux. Posologies et moment de l'exposition
Habitudes de vie de la mère	Alcool, tabac, drogues, caféine

Recherche et évaluation de l'information

Pour aider dans le jugement de l'innocuité, le lecteur peut se référer au chapitre 4. *Connaissances de base sur l'utilisation des médicaments au cours de l'allaitement* .

Remise de l'information

Les trois principaux éléments à considérer par la suite seront les bienfaits et l'urgence du traitement, les multiples bienfaits de l'allaitement et les inquiétudes par rapport aux impacts potentiels de la médication sur le nourrisson. Les inquiétudes à ce moment ne sont plus liées au risque de malformation, mais davantage au risque d'effets indésirables, de toxicité ou encore d'impact sur le développement à long terme.

Références

1.   GARRIGUET D. Medication use among pregnant women. *Health Rep* 2006;17(2):9-18.

2.   REFUERZO JS, BLACKWELL SC, SOKOL RJ, LAJEUNESSE L, FIRCHAU K, KRUGER M, et al. Use of over-the-counter medications and herbal remedies in pregnancy. *Am J Perinatol* 2005;22(6):321-4.

3.   AVIV RI, CHUBB K, LINDOW SW. The prevalence of maternal medication ingestion in the antenatal period. *S Afr Med J* 1993;83(9):657-60.

4.   ANDRADE SE, GURWITZ JH, DAVIS RL, CHAN KA, FINKELSTEIN JA, FORTMAN K, et al. Prescription drug use in pregnancy. *Am J Obstet Gynecol* 2004;191(2):398-407.

5.   MALM H, MARTIKAINEN J, KLAUKKA T, NEUVONEN PJ. Prescription drugs during pregnancy and lactation--a Finnish register-based study. *Eur J Clin Pharmacol* 2003;59(2):127-33.

6.   OLESEN C, STEFFENSEN FH, NIELSEN GL, DE JONG-VAN DEN BERG L, OLSEN J, SORENSEN HT. Drug use in first pregnancy and lactation: a population-based survey among Danish women. The EUROMAP group. *Eur J Clin Pharmacol* 1999;55(2):139-44.

7.   WERLER MM, MITCHELL AA, HERNANDEZ-DIAZ S, HONEIN MA. Use of over-the-counter medications during pregnancy. *Am J Obstet Gynecol* 2005;193(3 Pt 1):771-7.

8.   BONATI M, BORTOLUS R, MARCHETTI F, ROMERO M, TOGNONI G. Drug use in pregnancy: an overview of epidemiological (drug utilization) studies. *Eur J Clin Pharmacol* 1990;38(4):325-8.

9.   HENRY A, CROWTHER C. Patterns of medication use during and prior to pregnancy: the MAP study. *Aust N Z J Obstet Gynaecol* 2000;40(2):165-72.

10.   LACROIX I, DAMASE-MICHEL C, LAPEYRE-MESTRE M, MONTASTRUC JL. Prescription of drugs during pregnancy in France. *Lancet* 2000;356(9243):1735-6.

11.   DONATI S, BAGLIO G, SPINELLI A, GRANDOLFO ME. Drug use in pregnancy among Italian women. *Eur J Clin Pharmacol* 2000;56(4):323-8.

12.   SPLINTER MY, SAGRAVES R, NIGHTENGALE B, RAYBURN WF. Prenatal use of medications by women giving birth at a university hospital. *South Med J* 1997;90(5):498-502.

13.   BAKKER MK, JENTINK J, VROOM F, VAN DEN BERG PB, DE WALLE HE, DE JONG-VAN DEN BERG LT. Drug prescription patterns before, during and after pregnancy for chronic, occasional and pregnancy-related drugs in the Netherlands. *Bjog* 2006;113(5):559-68.

14.   SCHIRM E, SCHWAGERMANN MP, TOBI H, DE JONG-VAN DEN BERG LT. Drug use during breastfeeding. A survey from the Netherlands. *Eur J Clin Nutr* 2004;58(2):386-90.

15.   HENRY A, CROWTHER C. Sources of advice on medication use in pregnancy and reasons for medication uptake and cessation during pregnancy. *Aust N Z J Obstet Gynaecol* 2000;40(2):173-5.

16.   KOREN G, BOLOGA M, LONG D, FELDMAN Y, SHEAR NH. Perception of teratogenic risk by pregnant women exposed to drugs and chemicals during the first trimester. *Am J Obstet Gynecol* 1989;160(5 Pt 1):1190-4.

17.   POLE M, EINARSON A, PAIRAUDEAU N, EINARSON T, KOREN G. Drug labeling and risk perceptions of teratogenicity: a survey of pregnant Canadian women and their health professionals. *J Clin Pharmacol* 2000;40(6):573-7.

18. KOREN G, PASTUSZAK A. Prevention of unnecessary pregnancy terminations by counselling women on drug, chemical, and radiation exosure during the first trimester. *Teratology* 1990;41:657-61.

19. SANZ E, GOMEZ-LOPEZ T, MARTINEZ-QUINTAS MJ. Perception of teratogenic risk of common medicines. *Eur J Obstet Gynecol Reprod Biol* 2001;95(1):127-31.

20. POLIFKA JE, FAUSTMAN EM, NEIL N. Weighing the risks and the benefits: a call for the empirical assessment of perceived teratogenic risk. *Reprod Toxicol* 1997;11(4):633-40.

21. ELEFANT E, BOYER M, BOYER P, GALLIOT B, ROUX C. Teratogenic Agent Information Centre: fifteen years of counseling and pregnancy follow-up. *Teratology* 1992;46(1):35-44.

22. SCIALLI AR. *Risk assessment and counseling*. In: Scialli AR, editor. A clinical guide to reproductive and developmental toxicology. Boca Raton: CRC Press; 1992. p. 231-55.

23. HAUN J, COOK L, DUQUETTE D, GOLD R, LUDOWESE C, ORMOND K. *Psychological reactions to teratogen counseling*. In: Haun J, Ormond K, editors. Clinical Teratology Educational Modules. Madison: Great Lakes Regional Genetics Group; 2000. p. 211-20.

24. JASPER JD, GOEL R, EINARSON A, GALLO M, KOREN G. Effects of framing on teratogenic risk perception in pregnant women. *Lancet* 2001;358(9289):1237-8.

25. KLEIN D, Committee on Adolescence. Adolescent pregnancy: current trends and issues. *Pediatrics* 2005;116:281-6.

26. MARCH OF DIMES. Pregnancy after 35. 2006 [vérifié 2006 March 5]; Disponible dans: www.marchofdimes.com/printableArticles/14332_1155.asp

27. MAHONE M, WEBER F. Les médicaments et la grossesse: problème en vue? *Le Clinicien* 2004:41-46.

28. SCHAEFER C, HANNEMANN D, MEISTER R. Post-marketing surveillance system for drugs in pregnancy – 15 years experience of ENTIS. *Reprod Toxicol* 2005;20(3):331-43.

29. MATTHEWS A, ORMOND K. *The teratogen counseling session*. In: Haun J, Ormond K, editors. Clinical Teratology Educational Modules. Madison: Great Lakes Regional Genetics Group; 2000. p. 200-210.

30. BRIGGS G. Drug effects on the fetus and breast-fed infant. *Clin Obstet Gynecol* 2002;45(1):6-21.

31. SANTÉ CANADA. *Les anomalies congénitales au Canada - Rapport sur la santé périnatale*, 2002. In. Ottawa: Ministre des Travaux publics et des Services gouvernementaux Canada; 2002. p. 39-48.

32. MARCH OF DIMES. Pre-pregnancy planning. 2006 [vérifié 2006 March 5]; Disponible dans: www.marchofdimes.com/printableArticles/14332_1156.asp

33. PETERS P, SCHAEFER C. *General commentary to drug therapy and drug risks in pregnancy*. In: Schaefer CH, editor. Drugs during pregnancy and lactation - Handbook of prescription drugs and comparative risk assessment. Amsterdam: Elsevier Science B.V.; 2001. p. 1-13.

34. BEYENS MN, GUY C, RATREMA M, OLLAGNIER M. Prescription of drugs to pregnant women in France: the HIMAGE study. *Thérapie* 2003;58(6):505-11.

35. BONASSI S, MAGNANI M, CALVI A, REPETTO E, PUGLISI P, PANTAROTTO F, et al. Factors related to drug consumption during pregnancy. *Acta Obstet Gynecol Scand* 1994;73(7):535-40.

36. RUBIN JD, FERENCZ C, LOFFREDO C. Use of prescription and non-prescription drugs in pregnancy. The Baltimore-Washington Infant Study Group. *J Clin Epidemiol* 1993;46(6):581-9.

37. GROUP ON DRUG USE IN PREGNANCY (C.G.D.U.P.). Medication during pregnancy: an intercontinental cooperative study. *Collaborative Int J Gynaecol Obstet* 1992;39(3):185-96.

Chapitre 6

Nutrition et suppléments vitaminiques

■

Yvonne KHAMLA
Ema FERREIRA
Brigitte MARTIN

Généralités

La nutrition représente un aspect important à considérer et à optimiser pendant la grossesse. En effet, pour favoriser la santé des femmes enceintes et pour réduire les complications (retard de croissance intra-utérine, prématurité, mortalité périnatale, problèmes chroniques durant l'enfance, etc.), les femmes enceintes devront modifier certaines de leurs habitudes de vie[1]. Le régime alimentaire en est un bon exemple. Une alimentation saine basée sur le *Guide Alimentaire Canadien* permet à la femme enceinte de combler ses besoins nutritifs et ceux de son bébé tout en gagnant du poids adéquatement[1,2,3]. Une nutrition optimale aura donc un impact important sur les résultats cliniques recherchés chez la mère et chez son bébé[1,2].

Vie saine durant la grossesse

Alimentation saine

De façon générale, les femmes enceintes devraient avoir une alimentation variée qui inclut des produits céréaliers, des produits laitiers, des viandes ou substituts, des fruits et légumes, tout en évitant une prise excessive en sel et en caféine. Elles doivent également s'abstenir de boire de l'alcool. Il faut conseiller aux femmes enceintes ou qui allaitent de limiter leur apport en caféine sous la tranche de 300 mg de caféine par jour, en tenant compte de toutes les sources (café, thé, chocolat, boissons gazeuses type cola, etc.)[3]. Les femmes enceintes doivent également être sensibilisées aux besoins énergétiques, à la prise de poids durant la grossesse et à l'exercice physique.

Les femmes enceintes doivent porter une attention particulière à la consommation adéquate d'acide folique, de fer, de calcium, de vitamine D, de protéines et d'acides gras essentiels (AGE) et éviter la surconsommation de vitamine A. Pour augmenter leur consommation d'acide folique, les femmes devraient manger plus de produits céréaliers à grains entiers ou enrichis, des légumes vert foncé, des légumineuses, des abats, des noix et des oranges. Pour favoriser l'apport en calcium, on recommande d'augmenter l'apport en produits laitiers. Finalement, le fer peut être retrouvé dans les viandes et substituts et dans les produits céréaliers à grains entiers ou enrichis[3].

Besoins énergétiques de la femme enceinte

Les femmes doivent également être sensibilisées aux besoins énergétiques durant la grossesse. Le métabolisme basal est augmenté chez la femme enceinte ; il y a un accroissement du travail des systèmes cardiovasculaire, rénal et respiratoire et une synthèse accrue des tissus maternels[4]. De plus, un apport accru en énergie est nécessaire pour la croissance du fœtus et du placenta ainsi que pour combler les besoins de la femme enceinte[1-3]. Une femme enceinte a besoin de près de 2500 à 2700 kcal (10 500 à 11 340 kJ) par jour, tout dépendant de son métabolisme de base et son degré d'activité[1,3]. Les besoins énergétiques augmentent surtout pendant les deuxième et troisième trimestres[1-3]. Une augmentation de 100 kcal (420 kJ), de 340 kcal (1428 kJ) et de 452 kcal (1898 kJ) par jour au cours des premier, deuxième et troisième trimestres respectivement est recommandée[2,3]. Les besoins en protéines sont également augmentés pendant la grossesse pour les mêmes raisons, passant de 46 g à 71 g par jour[2].

Gain de poids recommandé durant la grossesse

En moyenne, le gain de poids suggéré est de 11,5 à 16 kilogrammes (kg) durant la grossesse[1]. Cette recommandation varie selon l'indice de masse corporelle (IMC) de la femme avant sa grossesse[1,2]. L'IMC se calcule à l'aide du poids et de la taille de la patiente (IMC = poids (kg) / taille^2 (cm^2))[1]. Le gain de poids sera donc inversement proportionnel à l'IMC initial de la femme avant sa grossesse (tableau I). Un gain de poids selon les valeurs recommandées permet une croissance optimale du fœtus alors qu'un gain de poids sous les valeurs normales peut entraîner un retard de croissance intra-utérine ainsi qu'un risque de mortalité périnatale élevé[2]. De plus, un bébé de petit poids sera plus à risque d'être atteint de maladie cardiaque ou endocrinienne dans sa vie adulte[1]. En effet, de récentes études suggèrent une corrélation entre un retard de croissance intra-utérine et le développement d'hypertension artérielle, de maladie coronarienne et de diabète de type 2 durant la vie adulte[5]. D'autre part, l'obésité pré-grossesse augmentera le risque que la femme soit atteinte de diabète gestationnel ou d'hypertension artérielle[1]. De plus, elle est également à risque de complications durant l'accouchement (déclenchement artificiel du travail, accouchement par césarienne, etc.) et aura plus de difficulté à débuter l'allaitement[1,6]. Un bébé né d'une mère obèse est aussi plus à risque de macrosomie, de malformations congénitales et d'obésité durant l'enfance[1]. Il présentera également un plus grand risque d'être atteint d'une anomalie du tube neural, indépendamment de la prise ou non d'acide folique[1].

Le poids de la mère demeure donc un paramètre important à suivre pour optimiser la santé de la mère et de son enfant et diminuer les complications qui pourraient survenir.

Les femmes enceintes de jumeaux, de triplés ou plus doivent prendre plus de poids que les femmes enceintes d'un seul enfant pour compenser la masse supplémentaire de tissus maternels et fœtaux relative à une grossesse multiple[3].

TABLEAU I – GAIN DE POIDS RECOMMANDÉ DURANT LA GROSSESSE[3]

IMC < 20 kg/cm²	12,5-18 kg (28-40 lbs)
IMC entre 20 et 27 kg/cm²	11,5-16 kg (25-35 lbs)
IMC > 27 kg/cm²	7-11,5 kg (15-25 lbs)
Enceinte de jumeaux	16-20,5 kg (35-45 lbs)
Enceinte de triplés	> 16-20,5 kg (35-45 lbs)

IMC: indice de masse corporelle.

Exercice durant la grossesse

Pour maintenir un poids optimal, les femmes enceintes peuvent faire de l'exercice physique régulièrement (marche, natation, bicyclette stationnaire et exercices aérobiques à faible impact) pendant 15 à 30 minutes, de 3 à 5 fois par semaine[3].

Acide folique

Rôles de l'acide folique durant la grossesse

L'acide folique, connu également sous les noms de folate, d'acide ptéroylgluta-mique et de vitamine B_9, est une vitamine hydrosoluble qui a un rôle physiologique dans la synthèse des purines et du thymidylate, constituants des acides nucléiques[7]. Au cours de la grossesse, il joue un rôle de première ligne dans la croissance des tissus maternels et fœtaux et il occupe également un grand rôle dans la prévention d'anomalies du tube neural (ATN)[8-13]. En effet, les études démontrent que la prise d'acide folique avant la conception et pendant les premiers stades de la grossesse réduit l'incidence d'ATN de 36 % à 85 %, selon la dose d'acide folique prise et selon les concentrations sériques de folate initiales de la femme enceinte[9,10]. L'acide folique semble également réduire l'incidence de récurrence d'ATN de près de 72 %[9,10]. De plus, l'apport d'acide folique peut prévenir d'autres anomalies congénitales telles qu'une malformation cardiaque, une anomalie de l'appareil urinaire, des fentes oro-faciales, une anomalie des membres et une sténose du pylore[8,9,12]. On estime que 50 % des anomalies de naissance peuvent être prévenues par un apport suffisant d'acide folique chez la femme en âge de concevoir[9]. Les bienfaits de l'acide folique sont tellement flagrants que depuis 1998, il est obligatoire au Canada que la farine blanche, les pâtes alimentaires et la semoule de maïs soient enrichies d'acide folique pour augmenter l'apport de ce dernier dans l'alimentation de la population canadienne et, ainsi, diminuer l'incidence d'ATN chez la femme enceinte[3,8,9,11,12]. Les produits enrichis en acide folique ont permis de rehausser l'apport quotidien de 100 à 200 µg[3,8,11,12]. Une étude a démontré que cet enrichissement a permis de diminuer l'incidence d'ATN, passant de 1,13 cas d'ATN par 1000 grossesses à 0,58 cas (p < 0,0001)[13].

Anomalies du tube neural (ATN)

Les anomalies du tube neural (spina bifida, anencéphalie, etc) sont une conséquence d'un défaut de fermeture, à l'extrémité supérieure ou inférieure du tube neural au cours de la troisième et de la quatrième semaine de grossesse après conception (du 26e au 28e jour)[9-11]. Il naît environ 400 enfants présentant une ATN chaque année au Canada ce qui représente environ 1 cas pour 1000 naissances[3,10]. Cependant, l'incidence d'ATN au Canada a énormément diminué passant de 11,6 cas pour 10 000 naissances vivantes en 1989 à 7,5 cas pour 10 000 naissances totales (naissances vivantes et morts-nés) en 1997[8,9,12]. Cette amélioration peut être expliquée par l'utilisation accrue du diagnostic prénatal (échographie, dépistage sérique maternel), par l'interruption de grossesse en présence de résultats positifs et par une utilisation plus fréquente de suppléments vitaminiques[8,9,12]. La majorité des ATN sont d'origine multifactorielle. Elles résultent de l'effet combiné des facteurs génétiques et environnementaux (région géographique, origine ethnique, exposition à des agents tératogènes, etc.)[8,10,12]. Étonnamment, seulement 5 % des cas d'ATN ont une histoire familiale positive alors que 90-95 % des cas se présentent chez un couple sans antécédents familiaux d'ATN[3,14]. Les ATN peuvent donner lieu à des avortements spontanés ou à une mortinaissance[11]. Les enfants atteints d'une ATN vivront avec un handicap de gravité variable (paralysie, hydrocéphalie, déformation des membres, problème d'apprentissage, incontinence urinaire, etc.) ou peuvent mourir au cours de la petite enfance[3,10,11].

Apport recommandé d'acide folique durant la grossesse

FEMMES À FAIBLE RISQUE D'ATN

L'apport nutritionnel recommandé (ANR) de folate durant la grossesse est d'environ 600 µg par jour[1,2,14]. Il peut s'avérer difficile pour les femmes enceintes de consommer les quantités recommandées par l'unique recours à l'alimentation[3,14]. Selon le *Guide Alimentaire Canadien*, la prise d'aliments riches en folate ne permettra de combler que le tiers de l'ANR, soit 200 µg par jour[14]. La femme désirant un enfant devra donc prendre un supplément d'acide folique afin d'assurer un apport adéquat. En effet, pour prévenir l'incidence d'une ATN chez la femme à faible risque, nous recommandons de prendre 400 µg d'acide folique en supplément par jour, en plus de leur apport alimentaire[3,9-12,14].

La prise d'acide folique devrait débuter au moins un mois avant la conception et se poursuivre jusqu'à la fin du premier trimestre afin d'assurer une concentration plasmatique suffisante lors de la fermeture du tube neural [3,9-12,14]. Il sera essentiel d'inciter toutes les femmes en âge de procréer, et particulièrement celles qui envisagent tomber enceintes, à débuter la prise d'un supplément d'acide folique et, lorsqu'elles seront enceintes, de le continuer jusqu'à la fin du premier trimestre.

FEMMES À RISQUE ÉLEVÉ D'ATN

Les femmes enceintes présentant un risque moyen ou élevé d'ATN nécessiteront une plus grande dose d'acide folique (de 4 à 5 mg par jour)[8,9,11]. Parmi les facteurs de risque d'une ATN, on constate souvent les antécédents suivants : une grossesse antérieure où le fœtus présentait une ATN, des antécédents familiaux d'ATN remontant jusqu'à trois générations, le diabète, l'épilepsie, la prise d'acide valproïque ou de carbamazépine et la prise d'antifoliques (par exemple: aminoptérine, triméthoprime)[9,11,12]. On a également rapporté que les femmes obèses sont plus à risque de donner naissance à un enfant avec une ATN. Toutefois on ne sait pas encore si un apport en acide folique plus élevé peut réduire ce risque[15].

Les bénéfices d'un supplément d'acide folique ont été démontrés et appuyés par plusieurs études[8-13]. Leurs bienfaits dans la prévention des ATN ont été prouvés et sont maintenant connus. Par contre, il est important de prendre en considération que l'acide folique à une dose plus grande que 1 mg peut entraver le diagnostic d'une carence en vitamine B_{12} en corrigeant les changements d'anémie mégaloblastique normalement décelables[8,9,11]. Toutefois, il n'empêchera pas les complications neurologiques sensitives et motrices associées à une telle carence[8,9,11].

Fer

Rôles du fer durant la grossesse

Le fer possède plusieurs fonctions vitales. Au niveau de l'hémoglobine, le fer transporte l'oxygène à partir des poumons jusqu'aux tissus. Dans la myoglobine, il facilite l'utilisation et l'entreposage de l'oxygène et, au niveau des cytochromes, il joue un rôle dans les réactions enzymatiques[16]. Pendant la grossesse, les besoins en fer sont augmentés pour accroître le niveau d'hémoglobine maternel, ceci dans le but de pallier à la production élevée de globules rouges et à la croissance du fœtus et du placenta[3,4].

Déficience en fer

La carence en fer représente la cause la plus commune des anémies chez la femme enceinte[17]. Dans les pays industrialisés, 18 à 25 % des femmes enceintes sont touchées par cette carence[17]. Plusieurs complications se présentent chez le nouveau-né et chez la mère lorsque celle-ci souffre d'anémie ferriprive. Parmi celles-ci, on peut retrouver un accouchement prématuré, une insuffisance pondérale à la naissance ou une mortalité fœtale[3,18-20]. Pour la mère, l'anémie ferriprive entraîne un risque accru de fatigue, une baisse de rendement au travail, un effort accru du système cardio-vasculaire, une diminution de la résistance aux infections et une moindre tolérance à une perte sanguine ou à une intervention chirurgicale au moment de l'accouchement[3,19].

Controverse à propos de l'administration systématique d'un supplément de fer durant la grossesse

Les études cliniques révélant que l'anémie de la mère peut être associée à des résultats cliniques défavorables chez le nouveau-né renferment quelques biais[17-18]. Une revue des études concernant les suppléments de fer et leurs effets sur les résultats cliniques chez le nouveau-né a été publiée[18]. Plusieurs biais ont été relevés dans les études révisées: études non randomisées, pas de répartition des groupes en aveugle, pas de placebo, cause de l'anémie non connue (pas nécessairement causée par une déficience en fer), période de l'étude trop courte, dose de fer insuffisante, petit échantillon, etc[18]. Il est donc difficile de conclure de façon définitive que les complications chez le nouveau-né sont nécessairement causées par la carence en fer de la mère. De plus, plusieurs études ont démontré que les suppléments de fer pendant la grossesse corrigent les paramètres hématologiques de la mère, mais leurs effets sur l'incidence des complications chez le nouveau-né sont variables[18-20]. Finalement, certaines études ont démontré que les suppléments de fer peuvent être à l'origine de la formation de radicaux libres qui causeraient un stress oxydatif[20]. Ce stress oxydatif pendant la grossesse pourrait amener plusieurs complications: augmentation des risques de malformations congénitales, d'accouchements prématurés, d'insuffisance pondérale à la naissance, etc.[20]. Toutefois, il est important de noter que ces effets néfastes ont été extrapolés. En effet, il existe peu ou pas d'études sur les effets des radicaux libres des suppléments de fer chez les femmes enceintes[20]. Malgré cela, une étude récente a été menée dans le but d'évaluer la corrélation entre la prise d'un supplément de fer chez les femmes enceintes et les résultats cliniques du nouveau-né[21]. Il s'agit d'une étude randomisée, contrôlée, en double aveugle d'une durée de trois ans. Une différence significative a été relevée sur le taux de nouveau-nés avec une insuffisance pondérale (4% dans le groupe avec supplément comparé à 17% dans le groupe placebo; p = 0,003). Les auteurs concluent donc que la prise d'un supplément de fer durant la grossesse mérite d'être reconsidérée car elle pourrait réduire de façon significative l'incidence de la naissance de bébés avec une insuffisance pondérale et, potentiellement, réduire les coûts d'hospitalisation.

Les ambiguïtés entre les différentes études expliquent la controverse sur le besoin d'un supplément de fer chez toutes les femmes enceintes indépendamment de leur état hématologique. Pour cette raison *The Canadian Task Force for Preventive Health Care* stipule qu'à l'heure actuelle les preuves sont insuffisantes pour recommander ou déconseiller l'administration systématique de suppléments de fer pendant la grossesse[3,16,17,19]. Toutefois, comme les réserves de fer de nombreuses femmes enceintes sont insuffisantes pour répondre aux besoins de la grossesse, malgré un régime alimentaire riche en fer, le Comité de révision scientifique et le *U.S. Institute of Medecine* (IOM) conseillent un supplément de fer quotidien à faible dose (30 mg) à toutes les femmes durant les deuxième et troisième trimestres de la grossesse, conjointement à leur alimentation riche en fer[3,17,19].

Apport nutritionnel en fer recommandé durant la grossesse

Étant donné le besoin accru en fer pendant la grossesse, la femme enceinte sera incitée à augmenter son apport en fer dans son régime alimentaire. En effet, l'ANR quotidien en fer pendant la grossesse est de 13 mg durant le premier trimestre, de 18 mg durant le deuxième trimestre et de 23 mg durant le dernier trimestre[3,14.] Un régime alimentaire riche en fer représente donc une méthode non pharmacologique importante à adopter. Le fer se présente sous deux formes dans l'alimentation: le fer hémique qui est la forme la mieux absorbée et le fer non hémique[3,4,14,17]. Toutefois, la présence de certains aliments favorisera l'absorption du fer non hémique. C'est le cas pour les aliments riches en vitamine C, la viande, les volailles et les poissons. C'est la raison pour laquelle nous préconisons leur combinaison[3,4,14,17]. Finalement, il est également recommandé d'éviter de prendre des aliments riches en fer avec des inhibiteurs de l'absorption du fer tels le thé, le café et le calcium (source alimentaire ou supplément)[3,4,17].

Facteurs de risque d'une déficience en fer

Les données canadiennes sur l'apport en fer chez les femmes en âge de procréer font état d'un apport alimentaire moyen inférieur aux ANR[3,14]. Les adolescentes seraient les plus à risque d'avoir un faible apport en fer[3]. D'autres facteurs de risque influenceraient de façon négative le bilan en fer et augmenteraient le risque d'anémie chez la femme enceinte[3,4,17]:

- statut socio-économique faible ou femmes peu scolarisées;
- consommation faible de viande ou d'acide ascorbique;
- consommation fréquente de thé ou café peu de temps avant ou après les repas;
- dons de sang plus de 3 fois par année;
- multiparité;
- antécédents de ménorragies;
- grossesse multiple.

Paramètres hématologiques

L'administration systématique d'un supplément de fer chez toutes les femmes enceintes reste une question non résolue et le jugement clinique de chaque professionnel de la santé sera de mise afin de prendre une bonne décision. Certains pourront se baser sur des paramètres de laboratoire. En effet, il sera primordial pour les femmes enceintes de subir des tests de laboratoire visant à déceler une anémie. Selon le *Center for Disease Control and Prevention*, la mesure de l'hémoglobinémie (Hgb) ou la mesure de l'hématocrite (Hct) lors de la première consultation prénatale est nécessaire[4,16,17]. Un faible taux d'hémoglobine chez la femme enceinte est une conséquence physiologique normale de l'augmentation du volume plasmatique pendant la grossesse[16,19]. En général, le taux d'hémoglobine diminue de 20 g/L et atteint sa valeur minimale pendant le deuxième trimestre. Ensuite, l'Hgb retourne aux valeurs préconceptionnelles à l'approche de l'accouchement[19]. Selon l'Organisation Mondiale de la Santé, une femme enceinte est considérée anémique si son Hgb est inférieure à 110 g/L durant le premier ou le troisième trimestre de la grossesse ou si son Hgb est inférieure à 105 g/L durant le deuxième trimestre ou encore si l'hématocrite est inférieure à 32 %[4,17,19]. Il est important de noter qu'une Hgb supérieure à 150g/L ou un hématocrite supérieur à 45 % peut laisser entrevoir une mauvaise expansion du volume plasmatique. Cet état a été associé à de la prééclampsie, à une réduction de la croissance fœtale, à une insuffisance pondérale, à un accouchement prématuré et à d'autres résultats cliniques défavorables pour le bébé[16,17]. D'autres paramètres hématologiques peuvent être mesurés. En effet, le *National Academy of Sciences* recommande quant à lui, la mesure de l'Hgb et le taux de ferritine à la consultation prénatale ainsi qu'aux deuxième et troisième trimestres[17]. Un taux de ferritine entre 15 et 30 µg/L démontre une réserve de fer insuffisante pour une grossesse, alors qu'un taux de ferritine inférieur à 12 µg/L indique une déficience en fer avec anémie[17]. Finalement, pour les femmes à haut risque (anémie persistante durant le troisième trimestre, perte abondante de sang lors de l'accouchement, grossesse multiple), il sera conseillé de mesurer l'Hgb quatre à six semaines *post-partum*[17].

Traitement de l'anémie ferriprive en grossesse

Le traitement recommandé pour une anémie ferriprive chez la femme enceinte est de 60 à 120 mg de fer élémentaire par voie orale 1 ou 2 fois par jour[4,16,17]. Lorsque l'Hgb ou l'Hct atteint les valeurs normales, la dose peut être réduite à 30 mg par jour[4,16,17]. La voie parentérale sera réservée exclusivement pour des cas d'anémie sévère ou lorsque la voie orale n'est pas tolérée, ou encore si la patiente est inobservante (tableau II)[17].

TABLEAU II – TRAITEMENT DE L'ANÉMIE FERRIPRIVE PENDANT LA GROSSESSE[17]		
	Traitements	Posologies
Première ligne de traitement	Fumarate de fer	300 mg par voie orale 1 ou 2 fois par jour (équivaut à 100 mg de fer élémentaire 1 ou 2 fois par jour).
	Gluconate de fer	300 mg par voie orale 2 ou 3 fois par jour (équivaut à 35 mg de fer élémentaire 2 ou 3 fois par jour).
	Sulfate de fer (forme régulière)	300 mg par voie orale 1 à 3 fois par jour (équivaut à 60 mg de fer élémentaire 1 à 3 fois par jour).

Interactions avec le fer

Comme mentionné précédemment, en raison de l'effet inhibiteur du calcium sur l'absorption du fer, il est déconseillé de les prendre en ensemble[3]. De plus, un apport élevé en fer peut nuire à l'absorption du zinc. C'est la raison pour laquelle il sera recommandé de prendre un supplément de zinc à une dose de 15 mg par jour lorsque qu'une patiente prendra une dose de fer élémentaire supérieure à 30 mg par jour[3,14]. Finalement, il est important de noter qu'un supplément de zinc entrave, quant à lui, l'absorption du cuivre. Un supplément de cuivre de 2 mg par jour est donc approprié[4].

Calcium et vitamine D

Rôles du calcium et de la vitamine D durant la grossesse

Le calcium est essentiel au bon fonctionnement des systèmes nerveux et cardiaque. Il est également indispensable pour la contraction musculaire et la coagulation du sang[7]. Toutefois, son rôle dans le maintien de l'intégrité de l'os et son implication dans le développement du squelette fœtal demeurent l'intérêt principal en grossesse[3,14]. La vitamine D, quant à elle, facilite l'absorption intestinale du calcium et est essentielle à l'utilisation efficace du calcium par l'organisme[3]. Elle est produite lorsque la lumière du soleil réagit avec le 7-déhydrocholestérol présent dans la peau[3].

Déficiences en calcium et en vitamine D

Les conséquences d'une déficience en calcium durant la grossesse n'ont pas été documentées[4]. De plus, les résultats cliniques relatifs à la minéralisation des os chez la mère et chez le fœtus à la suite de la prise d'un supplément de calcium n'ont pas été étudiés. Par contre, les études menées en Europe ont montré qu'une déplétion en vitamine D chez la mère est associée à une hypocalcémie néonatale et à une tétanie chez le nouveau-né puis à une ostéomalacie chez la mère[4]. Toutefois, malgré ces résultats cliniques défavorables, un supplément de routine n'est pas conseillé[4]. Les cliniciens préconisent tout d'abord une augmentation de calcium et de vitamine D dans l'apport alimentaire[3,4].

Apports nutritionnels recommandés de calcium et vitamine D durant la grossesse

Pendant la grossesse, les apports nutritionnels de référence (ANREF*) recommandés en calcium sont de 1000 à 1500 mg par jour, selon l'âge de la femme et l'ANREF en vitamine D est de l'ordre de 200 unités internationales (UI) (5 µg) par jour[3,14]. Cependant, l'ANREF en vitamine D a été établi en considérant qu'une grande partie des besoins quotidiens est comblée par l'exposition aux rayons du soleil[3,14]. Malgré les besoins accrus en calcium et en vitamine D, la prise de suppléments représente une approche plutôt rare, mais elle est applicable si les apports sont insuffisants (apport en calcium inférieur à 600 mg par jour; faible consommation de lait enrichi en vitamine D ou peu d'exposition au soleil)[4]. Chez les femmes enceintes qui sont peu exposées au soleil ou qui ne boivent pas de lait enrichi à la vitamine D, un supplément de 200 UI par jour est recommandé[4]. Un supplément de calcium et de vitamine D pourrait être recommandé pour les femmes prenant des médicaments qui peuvent être à l'origine d'œstéopénie (corticoïdes, héparine, par exemple). Un surdosage en vitamine D a été associé à un retard mental, un retard de croissance et une hypercalcémie[4]. Néanmoins, une dose variant de 400 à 500 UI par jour a été considérée comme adéquate et sécuritaire pendant la grossesse[4].

Facteurs de risque d'une déficience en calcium et en vitamine D

Les femmes défavorisées sur le plan socio-économique, les adolescentes et les végétariennes sont celles qui risquent le plus de souffrir d'une déficience en calcium. Quant à la déficience en vitamine D, elle est plus notable chez celles qui portent régulièrement des vêtements couvrant la majeure partie de la peau, celles qui habitent une région septentrionale durant les mois d'hiver (la majeure partie du Canada), celles qui s'exposent peu au soleil et celles qui ont une pigmentation foncée[3,4].

Vitamine A

Une association entre des niveaux bas de vitamine A chez la mère et un retard de croissance intra-utérine dans des populations à risque de déficience en vitamine A a été rapportée[2]. Dans les pays industrialisés, l'inquiétude porte sur l'apport excessif et non sur la carence en vitamine A[2]. La prise de vitamine A en quantité excessive durant les premiers mois de la grossesse est tératogène. La quantité exacte qui est tératogène n'est pas connue mais on a rapporté que le risque de malformations congénitales augmente au-dessus d'une dose quotidienne de 10 000 unités et que la limite supérieure tolérable durant la grossesse varie entre 9333 à 10 000 unités par jour sans tenir compte des apports en bêta-carotènes. Si les femmes prennent un supplément vitaminique durant la grossesse, il est important de leur rappeler de ne prendre qu'un seul comprimé pour éviter un apport excessif en vitamine A[22,23].

Acides gras essentiels

La consommation des acides gras essentiels (AGE), c'est-à-dire de l'acide linoléique et de l'acide linolénique, est fortement encouragée durant la grossesse afin d'assurer le bon développement nerveux et visuel du fœtus[3,14]. L'acide arachidonique (AA)

---

*Les apports nutritionnels de référence (ANREF) sont un ensemble de valeurs nutritionnelles de référence établies à partir de données scientifiques pour les populations en bonne santé.

et l'acide docosahexanoïque (ADH) sont les dérivés des AGE les plus recherchés pendant la grossesse[3]. Ils s'accumulent dans les tissus nerveux du fœtus et du nouveau-né durant le dernier trimestre de la grossesse et les premiers mois de vie postnatale[3]. Le fœtus dépend évidemment de la mère pour obtenir tout l'AA et tout l'ADH dont il a besoin pour un développement optimal[3]. La femme enceinte devra donc être sensibilisée aux bénéfices d'un régime alimentaire riche en AGE. Les sources alimentaires d'origine végétale qui renferment de grandes quantités d'AGE sont les huiles végétales (ex.: huile de canola et de soya), les margarines et les vinaigrettes à base d'huiles non hydrogénées, de même que certaines noix et graines. On retrouve des quantités modérées d'acide arachidonique dans la viande de bœuf, de porc et de volaille et dans les œufs. La principale source de ADH est le poisson (saumon, maquereau et sardines)[3].

On recommande aux femmes enceintes de combler leurs besoins augmentés d'AGE par l'alimentation plutôt que dans les produits naturels, étant donné que l'innocuité de ces produits demeure incertaine.

Autres vitamines et minéraux

Les besoins des autres suppléments vitaminiques et minéraux sont pour la plupart comblés par une alimentation saine. C'est le cas pour la thiamine (vitamine B_1), la riboflavine (vitamine B_2), la niacine, la vitamine B_{12} et la vitamine C[4]. Par contre, selon nos références, les apports en vitamine B_6, en vitamine E, en zinc et en magnésium sont souvent sous les ANREF recommandés[4]. Cependant, la supplémentation de ces derniers n'a pas fait l'objet d'études randomisées. Les résultats cliniques attendus pour la mère ou l'enfant ne sont donc pas connus.

Femme enceinte végétarienne

La prise en charge de la nutrition d'une femme enceinte végétarienne peut devenir un défi de taille, surtout chez les femmes végétaliennes qui ne prennent aucun produit d'origine animale. Les patientes qui prennent certains produits d'origine animale (par exemple les lacto-ovo-végétariennes) souffrent rarement de déficiences nutritionnelles. Les femmes végétariennes devraient être référées à une nutritionniste pour évaluer leur apport et leurs besoins durant la grossesse. Chez les femmes végétariennes on s'inquiète principalement de l'apport en calcium et vitamine D, fer, vitamine B_{12} et zinc. Le calcium est principalement retrouvé dans les produits laitiers et un apport adéquat peut devenir un problème chez les végétaliennes. Ces femmes devraient être encouragées à manger d'autres produits riches en calcium (graines de sésame, légumineuses, brocoli, orange, etc.)[3]. La vitamine D se retrouve dans le lait, la boisson de soya enrichie, la margarine et les poissons gras tel le saumon. On devrait conseiller aux femmes végétaliennes de manger de la margarine régulièrement. La vitamine B_{12} est principalement retrouvée dans les produits d'origine animale. On recommande aux femmes végétaliennes de prendre au moins 1 µg de vitamine B_{12} par jour ou de prendre des substituts de viande enrichis en vitamine B_{12}. Un choix judicieux des aliments contenant du fer et de la vitamine C pour favoriser l'absorption du fer peut permettre d'éviter la déficience en fer chez les femmes végétariennes[3]. L'apport en zinc des femmes végétariennes est généralement adéquat, mais son absorption peut être entravée par une diète riche en calcium, en fibres et en oxalates (épinards, café et thé, par exemple) et il est conseillé de manger des produits riches en zinc (noix, légumineuses, grains entiers, lait et jaune d'œuf). Pour les femmes végétariennes qui prennent un supplément vitaminique contenant 30 mg ou plus de fer, il est recommandé de choisir un supplément contenant également 15 mg de zinc.

Un supplément vitaminique contenant les éléments cités ci-haut pourrait être recommandé chez les femmes végétariennes enceintes[3].

Suppléments vitaminiques

Plusieurs études indiquent que l'utilisation périconceptionnelle de multivitamines contenant de l'acide folique permet de réduire non seulement les ATN mais également d'autres anomalies congénitales cardiaques et urinaires, les fentes palatines et la sténose du pylore[9]. Plusieurs besoins nutritionnels sont augmentés durant la grossesse tel le calcium, le fer, le zinc, les vitamines du groupe B (incluant l'acide folique), la vitamine C, la vitamine D et la vitamine E[22]. Les données actuelles indiquent que les apports nutritionnels en acide folique, en fer et en calcium sont faibles chez les femmes en âge de procréer[3]. Présentement, il est recommandé que toutes les femmes en âge de procréer prennent un supplément d'acide folique (seul ou sous forme de multivitamines). Des suppléments vitaminiques contenant d'autres vitamines et minéraux peuvent également être nécessaires chez certaines femmes[3,9]. Plusieurs préparations de multivitamines sont maintenant disponibles sur le marché, la plupart d'entre elles sans ordonnance. Il est important de connaître le contenu des formulations de multivitamines avant d'en conseiller une. Les multivitamines prénatales devraient contenir au moins 0,4 mg d'acide folique, 20 à 30 mg de fer élémentaire, 200 UI de vitamine D pour atteindre l'apport nutritionnel recommandé puisque les sources alimentaires de vitamine D sont rares et au moins 250 mg de calcium (une portion de produits laitiers). Les vitamines prénatales «naturelles» ne peuvent pas être recommandées pour l'instant puisqu'il n'y a pas de règlementation qui peut assurer leur contenu.

Quelques patientes peuvent avoir de la difficulté à tolérer les suppléments vitaminiques prénatals durant le premier trimestre principalement dû au contenu en fer. En pratique, voici, quelques conseils qui peuvent être donnés à ces patientes :

- couper le comprimé (si sécable) en deux et prendre 1/2 comprimé 1 à 2 fois par jour (si le comprimé contient 0,8 mg ou plus d'acide folique prendre 1/2 comprimé 1 fois par jour)
- prendre le comprimé avec de la nourriture
- si les nausées sont le matin, prendre le comprimé le soir
- prendre un supplément d'acide folique seul et commencer à prendre le supplément vitaminique plus tard lors de la grossesse lorsque les nausées se sont dissipées.

Édulcorants

La consommation en quantité modérée de certains édulcorants artificiels, ces substituts de sucre retrouvés dans une variété de produits alimentaires comme les boissons gazeuses ou les confiseries, ne pose pas de risques connus pour la santé des femmes enceintes et de leur fœtus[3,25]. Le recours occasionnel et modéré à l'aspartame, au sucralose et à l'acésulfame de potassium n'est pas déconseillé durant la grossesse. L'aspartame doit cependant être considéré comme une source supplémentaire de phénylalanine pour les femmes enceintes atteintes de phénylcétonurie[3,25]. La saccharine et les cyclamates, dont l'innocuité générale pour la santé est plus controversée, doivent être évités ; la faible quantité retrouvée parfois dans les préparations médicamenteuses, comme certains sirops, ne comporte cependant pas de risques[25].

Même si la consommation modérée de produits sucrés à l'aide d'édulcorants n'est pas déconseillée, on évitera durant la grossesse de remplacer des aliments essentiels par des aliments sans teneur nutritive ou d'utiliser ces succédanés de sucre en remplacement du sucre de table[3,25].

TABLEAU III – RÉSUMÉ DES BESOINS EN SUPPLÉMENTS VITAMINIQUES CHEZ LA FEMME ENCEINTE[4,24]

Vitamines et minéraux	Doses quotidiennes recommandées
Vitamine A	N/R Ne pas dépasser 10 000 unités par jour, dans tenir des apports en bêta-carotène
Vitamine D	200 à 400 UI si risque élevé de déficience
Vitamine E	Malgré un apport alimentaire sous l'ANR, supplément non recommandé
Vitamine C	50 mg chez fumeuses ou grossesse multiple
Acide folique	0,4 mg à 1 mg 4 à 5 mg si à risque élevé d'ATN À débuter 1 mois avant la grossesse et poursuivre jusqu'à la fin du 1er trimestre
Thiamine (Vitamine B$_1$)	N/R
Riboflavine (Vitamine B$_2$)	N/R
Niacinamide	N/R
Vitamine B$_6$	2 mg chez adolescentes ou grossesse multiple
Vitamine B$_{12}$	1 µg si végétalienne (certains auteurs recommandent un supplément chez toutes les femmes végétariennes)
Biotine	N/R
Acide pantothénique	N/R
Calcium	600 mg si risque élevé (en association avec vitamine D)
Magnésium	Malgré un apport alimentaire sous l'ANR, supplément non-recommandé
Iodure	N/R
Fer	30 mg surtout aux 2e et 3e trimestres
Zinc	15 mg en présence de 30 mg de fer élémentaire
Cuivre	2 mg en présence de zinc
Chrome	N/R
Manganèse	N/R
Molybdène	N/R
Sélénium	N/R

N/R : Ce sont des vitamines ou des minéraux dont la supplémentation durant la grossesse est non recommandée car ils peuvent être généralement comblés par l'alimentation. Aucune étude randomisée n'a été faite pour valoir leur intérêt en tant que supplément.

Période du post-partum

Perte de poids

La perte de poids après l'accouchement varie d'une femme à l'autre. Certaines reprennent leur poids pré-grossesse – plus ou moins 1 ou 2 kg – une année après l'accouchement. Environ 20 à 30 % des femmes pèseront 4 ou 5 kg de plus au même moment[3].

Besoins énergétiques

Les besoins nutritionnels durant l'allaitement sont plus grands que ceux durant la grossesse. Dans les quatre à six premiers mois de vie, les bébés doublent leur poids de naissance et l'énergie fournie par le lait de la mère durant les quatre premiers mois d'allaitement équivaut à la quantité d'énergie requise durant toute la grossesse[2].

Il est recommandé que les femmes qui allaitent prennent environ un surplus d'énergie de 500 kcal (2100 kJ) par jour pour répondre aux besoins de l'allaitement[2]. Après 6 mois, les besoins additionnels diminuent à 400 kcal (1600 kJ) par jour car la production de lait diminue[2].

Besoins en vitamines et minéraux

Les besoins en vitamines et minéraux augmentent durant l'allaitement à l'exception du fer[2,24]. Les recommandations canadiennes pour les apports nutritionnels de référence sont publiées par Santé Canada[24].

Si les femmes qui allaitent s'alimentent selon leurs besoins, un supplément vitaminique n'est pas nécessaire. Chez les femmes qui consomment moins de nutriments que ce qui est recommandé, on a noté des apports faibles en calcium, magnésium, zinc, vitamine B_6 et acide folique[2]. On devrait recommaner aux patientes qui ne prennent pas de produits laitiers de prendre 400 UI de vitamine D par jour et du calcium (pour les apports en vitamine D chez le nouveau-né allaité, voir le chapitre 4. *Connaissances de base sur l'utilisation des médicaments au cours de l'allaitement.*) Également, les femmes végétaliennes devraient prendre un supplément quotidien de 2,6 µg de vitamine B_{12}[2]. Chez les femmes à risque de carences alimentaires, un supplément vitaminique pourrait être recommandé.

Références

1. POSITION OF THE AMERICAN DIETETIC ASSOCIATION. Nutrition and lifestyle for healthy pregnancy outcome. *J Am Diet Assoc.* 2002; 102 : 1479-1490

2. PICCIANO, MF. Pregnancy and lactation: physiological adjustments, nutritional requirements and the role of dietary supplements. *J. Nutr* 2003: 133 : 1997S-2002S.

3. SANTÉ CANADA. Nutrition pour une grossesse en santé : lignes directrices nationales à l'intention des femmes en âge de procréer. Ottawa : Ministre des Travaux publics et Services gouvernementaux Canada, 1999. 2006 January 17 [vérifié 2005-09-06]; Disponible à l'adresse suivante : http://www.hc-sc.gc.ca/fn-an/nutrition/prenatal/national_guidelines-lignes_directrices_nationales-06g_f.html#1

4. INSTITUTE OF MEDICINE (U.S.). *Subcommittee on Nutritional Status and Weight Gain During Pregnancy.* Chapter 14 : Iron nutrition during pregnancy p 272-98; chapter 15 : Trace elements p 299-317; chapter 16 : Calcium, vitamin D, and magnesium p 318-35; chapter 17 : Vitamines A, E and K, p. 336-50; Chapter 18 : Water-soluble vitamins p 351-79. Dans Nutrition during pregnancy: part I, weight gain : part II, nutrition supplements. Washington, DC: National Academy Press ; 1990.

5. GODFREY KM, BARKER DJP. Fetal nutrition and adult disease. *Am J Clin Nutr* 2000;71 (suppl): 1344S-52S.
6. GALTIER-DEREURE F et al. Obesity and pregnancy: complications and cost. *Am J Clin Nutr* 2000;71 (suppl): 1242S-8S.
7. *Compendium des produits et spécialités pharmaceutiques*. 39th ed. Ottawa, Ontario : Association des pharmaciens du Canada, 2004
8. VAN ALLEN MI, MCCOURT C, LEE NS. *Santé avant la grossesse: L'acide folique pour la prévention primaire des anomalies du tube neural*. Ottawa, Ontario : Ministre des Travaux publics et Services gouvernementaux Canada, 2002. 2006 January 17 [vérifié 2002]; Disponible à l'adresse suivante : http://www.phac-aspc.gc.ca/fa-af/rapport/rapport_complet.html
9. WILSON RD et al. Membres du comité de génétique de la SOGC. L'apport en acide folique pour la prévention des anomalies du tube neural et d'autres anomalies congénitales. Directives cliniques de la SOGC, No 138, novembre 2003. *J Soc Obstet Gynaecol Can* 2003; 25(11) : 966-73
10. ACOG PRACTICE BULLETIN. Clinical management guidelines for obstetrician-gynecologists. No. 44, July 2003. Neural Tube defects. *Obstet Gynecol* 2003; 102(1): 203-213
11. FERREIRA E. L'acide folique et la prévention des anomalies du tube neural. *Québec Pharmacie* 2000; 47(9) : 726-730
12. KOHUT R, RUSEN ID. *Les anomalies congénitales au Canada*. Ottawa, Ontario : Ministre des Travaux publics et Services gouvernementaux Canada, 2002. 2006 January 17 [vérifié 2002]; Disponible à l'adresse suivante : http://www.phac-aspc.gc.ca/publicat/cac-acc02/pdf/acc2002_f.pdf
13. RAY JG, MEIER C, VERMULEN MJ, BOSS S, WYATT PR, COLE DEC. Association of neural tube defects and folic acid fortification in Canada. *Lancet* 2002; 360: 2047-8.
14. SANTÉ CANADA. Les soins à la mère et au nouveau-né dans une perspective familiale: lignes directrices nationales. Ottawa: Ministre des Travaux publics et Services gouvernementaux Canada, 2000, Chapitres 3-4. 2006 January 17 [vérifié 2002-07-20]; Disponible à l'adresse suivante : http://www.phac-aspc.gc.ca/dca-dea/prenatal/fcmc1_f.html
15. RAY JG, WYATT PR, VERMEULEN MJ, MEIER C, COLE DE. Greater maternal weight and the ongoing risk of neural tube defects after folic acid flour fortification. *Obstet Gynecol* 2005;105(2):261-5.
16. CDC (1998) CENTERS FOR DISEASE CONTROL AND PREVENTION. Recommendations to prevent and control iron deficiency in the United States. *MMWR* 1998; 47 (No. RR-3): 1-29.
17. ANEMIA REVIEW PANEL. *Guidelines for the Management of Anemia*. 1st ed. Toronto: MUMS Guideline Clearinghouse; 2004 : p 17-18; 42-43; 58-59.
18. RASMUSSEN KM. Is there a causal relationship between iron deficiency or iron-deficiency anemia and weight at birth, length of gestation and perinatal mortality? *J Nutr* 2001; 131: 590S-603S
19. FEIGHTNER JW. Administration systématique d'un supplément de fer pendant la grossesse. Dans: *Guide canadien de médecine clinique préventive*. Ottawa: Ministère des Approvisionnements et services Canada; 1994: 72-80
20. SCHOLL TO, REILLY T. Anemia, iron and pregnancy outcome. *J Nutr* 2000; 130: 443S-447S
21. COGSWELL ME et al. Iron supplementation during pregnancy, anemia, and birth weight: a randomized controlled trial. *Am J Clin Nutr* 2003; 78:773-81.
22. GUNDERSON E. Nutrition during pregnancy for the physically active woman. *Clinical Obstetrics and Gynecology* 2003;46(2):390-402.
23. KIRKHAM C, HARRIS S, GRZYBOWSKI S. Evidence-based prenatal care: Part I. General prenatal care and counseling issues. *American Family Physician* 2005;71(7):1307-1560.
24. HEALTH CANADA. Dietary Reference Intakes, 2003. 2006 January 17 [cited 2005-08-04]; Available from : http://www.hc-sc.gc.ca/fn-an/nutrition/reference/table/index_e.html
25. MARTIN B. Peut-on utiliser les édulcorants durant la grossesse? *Québec Pharmacie* 1999; 46(5):450-453.

Chapitre 7
Tabagisme

Caroline MORIN

Introduction

Le tabagisme mène à une dépendance physique, psychologique et sociale importante et ses effets néfastes sur la santé sont bien connus. La grossesse représente un
moment d'intervention privilégié puisque les femmes ont alors une motivation supplémentaire à arrêter de fumer. Le tabagisme durant la grossesse est le facteur de
risque modifiable de morbidité et mortalité périnatales le plus important dans les
pays industrialisés[1-3]. La cessation complète de l'usage du tabac chez la femme
enceinte ainsi que chez les personnes vivant avec elle est encouragée pour la santé de
l'enfant et de la mère. Des interventions ne sont pas sans intérêt pour les femmes
enceintes puisqu'on sait que près de 50 % des fumeuses quotidiennes ont tenté sans
succès d'arrêter l'usage du tabac au moins une fois dans la dernière année[4].

Il est encourageant de noter que dans la population générale, le taux global de
tabagisme a diminué de près de la moitié ces 20 dernières années, passant de 35 %
en 1985 à 19 % en 2006[5]. Chez les femmes en âge de procréer, on note dans la dernière enquête de surveillance de l'usage du tabac au Canada que jusqu'à 25,7 % de
celles qui sont âgées de 20 à 44 ans fument la cigarette et que 17,5 % des femmes de
ce groupe d'âge fument quotidiennement de 10 à 14 cigarettes[4].

Durant leur plus récente grossesse, 22 % des femmes de 20 à 24 ans et 8,4 % des
femmes de 25 à 44 ans ont fumé régulièrement[4]. De plus, 17,5 % des conjoints des
femmes de 20 à 24 ans et 6,1 % des conjoints des femmes de 25 à 44 ans ont fumé
régulièrement à la maison lors de la plus récente grossesse[4]. L'exposition passive
durant la période néonatale et l'enfance est aussi préoccupante et on note qu'au
Québec, 18,4 % des enfants de moins de 11 ans sont exposés régulièrement à la fumée
secondaire du tabac à la maison[4].

De 20 à 40% des fumeuses arrêtent l'usage du tabac durant leur grossesse[2, 3]. La majorité d'entre elles cesseront spontanément de fumer lorsque la grossesse sera connue[2]. Parmi les facteurs associés à un faible taux d'arrêt, mentionnons le jeune âge de la mère, le jeune âge au début du tabagisme, un nombre élevé de cigarettes fumées quotidiennement, la présence d'un autre fumeur au même domicile, un niveau de scolarité plus faible, l'exposition au tabagisme passif, un statut socio-économique défavorisé, un niveau de dépendance élevé et la multiparité[2, 3].

Les rechutes durant la grossesse et après la naissance de l'enfant sont fréquentes. Parmi les femmes qui arrêtent de fumer en début de grossesse, environ la moitié auront des changements répétés de leur statut tabagique durant la grossesse[6]. On estime que parmi les femmes ayant cessé de fumer durant leur grossesse, 50% à 70% recommenceront à fumer respectivement dans les 3 et 12 mois suivant l'accouchement[7]. Les facteurs associés à un arrêt prolongé sont l'allaitement, un niveau de scolarité élevé et l'absence de tabagisme dans l'entourage[3].

Effets du tabagisme sur la grossesse

Effets pharmacologiques spécifiques à la reproduction

La fumée de cigarette contient des centaines de composés toxiques, dont plusieurs n'ont pas été étudiés de façon spécifique durant la grossesse[1, 8, 9]. Un nombre important d'entre eux sont des toxines cellulaires telles que le cyanure, le cadmium, le plomb, la nicotine, le monoxyde de carbone et certains hydrocarbures aromatiques polycycliques[1, 8]. Il est probable que plusieurs de ces substances contribuent aux effets néfastes du tabagisme durant la grossesse par différents mécanismes[1]. Les deux substances les plus étudiées sont la nicotine et le monoxyde de carbone. Les concentrations fœtales de ces dernières sont environ de 10 à 15% supérieures aux concentrations maternelles[9-11]. Ainsi, l'embryon ou le fœtus est exposé à plusieurs substances pouvant affecter son développement par un effet direct ou indirect.

La diminution du flot sanguin utéro-placentaire secondaire à la nicotine est le mécanisme le plus souvent évoqué dans la documentation scientifique afin d'expliquer certains des effets néfastes de la fumée de cigarette[1, 8, 10, 11]. Cet effet serait causé non pas directement par la nicotine, mais plutôt par les catécholamines libérées chez la mère[10]. Un autre facteur pouvant contribuer à la vasoconstriction et à la diminution du flot utéro-placentaire est la diminution d'oxyde nitrique qui agit normalement comme vasodilatateur[1, 10]. On émet l'hypothèse que la diminution du flot sanguin utéro-placentaire mènerait à une diminution de l'apport en oxygène et en nutriments au fœtus[1, 10]. Toutefois, cette hypothèse est dérivée d'études animales où des doses élevées de nicotine étaient administrées rapidement[1, 10]. Certains auteurs pensent que l'insuffisance utéro-placentaire secondaire au tabagisme n'a pas un impact significatif sur le développement de l'embryon et du fœtus[1, 10].

La nicotine, en se liant aux récepteurs nicotiniques de l'acétylcholine, peut notamment avoir des effets aux niveaux cardiovasculaire, pulmonaire et du système nerveux central[1]. On observe une augmentation de la tension artérielle et de la fréquence cardiaque maternelles, une augmentation de la fréquence cardiaque fœtale et une diminution de la variabilité de la fréquence cardiaque fœtale lorsque la mère fume la cigarette ou reçoit une thérapie de remplacement à la nicotine[1]. Les effets au niveau du développement pulmonaire et de la fonction respiratoire sont décrits plus loin (section *système respiratoire*). Des études animales montrent que la nicotine interfère avec la libération de plusieurs neurotransmetteurs ainsi qu'avec la génération et la maturation des nerfs[1].

Pour sa part, le monoxyde de carbone, en se liant à l'hémoglobine, diminue l'apport en oxygène vers les tissus foetaux. L'hémoglobine fœtale a une affinité 200 fois plus forte que l'hémoglobine adulte pour le monoxyde de carbone et on observe 80 % plus de carboxyhémoglobine du côté fœtal que du côté maternel[1, 10]. On pense que cette hypoxie secondaire serait une cause de retard de croissance intra-utérine (RCIU) chez les fœtus de mères fumeuses[1]. On sait qu'une exposition chronique à des doses élevées de monoxyde de carbone peut mener à des problèmes de développement neurologique; toutefois, l'impact à ce niveau de l'exposition au monoxyde de carbone par le tabagisme maternel n'est pas clair[1].

Plusieurs changements morphologiques observés au niveau du placenta témoignent également des effets néfastes du tabagisme[12]. L'exposition chronique aux constituants de la fumée de cigarette joue probablement un rôle direct, mais aussi indirect, en créant une hypoxie pathologique au niveau du placenta[12]. Cet environnement hypoxique mène à une diminution de la prolifération du cytotrophoblaste (couche de cellules spécialisées du placenta), à des modificatons de l'implantation du placenta et de l'invasion interstitielle endovasculaire. Les zones placentaires affectées sont amincies[12]. On observe un effet dose-réponse et l'impact le plus important a lieu lors d'une exposition au premier trimestre[12]. Les mécanismes compensatoires mis en place ont le potentiel de compromettre les fonctions du placenta et d'affecter le déroulement du reste de la grossesse[12].

Les autres mécanismes proposés pour expliquer les effets du tabagisme incluent une diminution de la production d'œstrogènes et de progestérone, une interférence avec le transport des acides aminés, une augmentation de l'activité du facteur d'activation des plaquettes et certaines prédispositions génétiques[1, 12].

Impact sur les issues de grossesse

Le tabac est un facteur de risque qui a été et est encore très étudié. Le tableau I résume les informations publiées sur les risques connus de l'exposition *in utero* à la fumée de cigarette. Les études discutées dans cette section ont été choisies afin de refléter les connaissances actuelles.

TABLEAU I – EFFETS DU TABAGISME SUR LA GROSSESSE

Issues de grossesse	Données publiées	Mécanisme proposé, commentaires
Fertilité, grossesse ectopique et avortements spontanés		
Infertilité	• Une méta-analyse de 12 études : RC 1,60[13]. • Effet dose-dépendant[14]. • Risque attribuable au tabagisme : 13 %[13]. • Effet réversible à la suite de l'arrêt de l'usage du tabac[8, 14].	Diminution de la réserve ovarienne et anomalies tubaires[8, 9, 14].
Grossesses ectopiques	• Neuf de 11 études cas-témoins ont conclu à une association entre le tabagisme et un risque augmenté de grossesse ectopique[15] : – Risque augmenté d'environ 2 à 4 fois ; – effet lié à la dose dans 4 études (2 études n'ont pas observé d'association si < 10 cigarettes par jour) ; – risque attribuable au tabagisme de 35 % dans une étude[15].	Augmentation du temps de transit tubaire[15].
Avortements spontanés	• Une étude récente a observé un RC ajusté de 1,64 si ≥ 20 cigarettes par jour durant la grossesse[16]. • Parmi 6 autres études, 4 n'ont pas observé d'association. Une d'entre elles n'a observé une association qu'avec le niveau de cotinine urinaire et une autre rapporte une association, avec des RC ajustés variant de 1,6 à 2[16]. • Le risque attribuable au tabagisme demeure faible[8].	Diminution de la perfusion placentaire[14].
Anomalies structurelles majeures		
De façon générale, il ne ressort pas de risque augmenté de malformations majeures par rapport au risque de base connu dans la population générale. Quant aux anomalies spécifiques, les données probantes montrent une association avec un risque augmenté de fentes orales et, possiblement, un risque augmenté de gastroschisis, de craniosynostose et d'anomalies des membres. Comme ces anomalies sont relativement rares, le risque absolu pour un enfant exposé demeure faible.		
Craniosynostose	• Trois études cas-témoins ont observé une association : RC ajustés entre 1,67 et 1,92[17-19]. • Effet lié à la dose[18, 19].	Hypoxie fœtale[19].
Fentes orales	• Méta-analyse de 24 études cas-témoins et études de cohorte[20] : – fente labiale ± fente palatine : RR 1,34 ; – fente palatine : RR 1,22 ; – fente orale sans type spécifié : RR 1,26. • Certaines données suggèrent que l'association pourrait être plus marquée chez les enfants présentant une prédisposition génétique[8, 21, 22].	Origine multifactorielle aux fentes labio-palatines impliquant des facteurs environnementaux et génétiques[8, 9].

Issues de grossesse	Données publiées	Mécanisme proposé, commentaires
Gastroschisis	• Deux études cas-témoins sur 4 ont observé une association (RC : 1,6)[9, 23-26]. • Tendance observée : 23,6 % des femmes ayant un enfant avec gastroschisis fumaient ≥ 25 cigarettes par jour, comparativement à 12,9 % dans le groupe témoin[27] ; • Risque augmenté si présence de malnutrition ou de certaines variations génétiques[27, 28].	Interruption de la perfusion utéro-placentaire durant l'embryogenèse[9].
Malformations réductionnelles des membres	• Six études sur 8 n'ont pas observé d'association après ajustement pour les facteurs confondants[29, 30]. Les 2 autres ont observé un risque augmenté[29] : RC 1,26 (effet lié à la dose) et 1,73.	Interruption de la perfusion utéro-placentaire[8].
Déformations des pieds	• Sept études sur 10 rapportent un risque augmenté avec des RC < 2 sauf dans 2 études où le RC est de 2,2 dans une étude et de 2,6 chez les garçons et 2,7 chez les filles dans l'autre étude[29]. • En présence d'un antécédent familial de pied-bot et de tabagisme maternel, on observe une synergie avec un RC de 20,3 alors que le RC en présence d'un antécédent familial seul est de 6,5[9].	Interruption du flot vasculaire.
Malformations des doigts	• Une étude rapporte un RC de 1,31 et discute d'une association semblable dans 3 autres études et d'une absence d'association dans 2 autres études[31]. • Effet lié à la dose[31].	Interruption de la perfusion utéro-placentaire.
Déroulement de la grossesse		
Rupture prématurée préterme des membranes	• Méta-analyse de 6 études de cohorte et cas-témoins : RC de 1,7[32]. • Effet dose-réponse documenté[9, 11].	Diminution des concentrations de cuivre et de vitamine C, éléments essentiels à la synthèse et au maintien du collagène du col de l'utérus, est observée chez les fumeuses[2, 11]. Par ailleurs, une inflammation du cordon ombilical et du placenta de certaines fumeuses laisse croire à une susceptibilité augmentée aux infections et donc au TPT et à la RPPM[2, 11].

Issues de grossesse	Données publiées	Mécanisme proposé, commentaires
Placenta *prævia*	• Méta-analyse de 9 études de cohorte et cas-témoins: RC de 1,6[33]. • Effet dose-réponse (nombre quotidien de cigarettes et durée du tabagisme)[11]. • Risque comparable à celui d'une femme non fumeuse si arrêt en début de grossesse[11]. • Risque attribuable au tabagisme: 10 à 26 %[11, 33].	Hypoxie chronique mènerait à un élargissement du placenta (augmentation du ratio diamètre: épaisseur), augmentant ainsi le risque de couvrir le col[2, 11].
Décollement placentaire	• Méta-analyse de 13 études de cohorte et cas-témoins: RC de 1,9[34]. • Effet dose-réponse documenté (nombre quotidien de cigarettes et durée du tabagisme)[11]. • Risque comparable à celui d'une non fumeuse si arrêt en début de grossesse[11]. • Risque attribuable au tabagisme: 15 à 25%[34].	Diminution de la perfusion, altérations dégénératives et inflammatoires du placenta[2, 11].
Naissance prématurée	• Augmente le risque de prématurité spontanée en plus d'augmenter le risque de prématurité associé aux autres complications obstétricales liées au tabagisme[2]. • RC ajustés variant de 1,2 à 2,9[2, 11, 35-39]. • Association inversement proportionnelle à l'âge gestationnel[2, 35, 36, 38]. • Effet dose-réponse documenté[2, 11, 37-39]. • Une étude rapporte un risque moindre lors d'arrêt du tabagisme en début de grossesse, alors que 2 autres études rapportent un risque similaire pour cette issue lorsque le tabagisme est limité au 1er trimestre ou lorsqu'il est présent toute la grossesse[11, 40, 41]. • Certaines variations génétiques augmentent le risque[42]. • Risque attribuable au tabagisme jusqu'à 15 %[9, 11].	L'augmentation des prostaglandines au niveau des membranes fœtales explique l'augmentation du risque de TPT et de RPPM[2, 39]. Augmentation du risque de placenta *prævia*, de décollement placentaire et de RCIU explique une partie des naissances prématurées électives[2].
Retard de croissance intra-utérine	• Lien de causalité établi à partir de résultats similaires obtenus dans plusieurs études[2, 8, 43]. • Diminution du poids de naissance d'environ 200 g en moyenne par rapport à des nouveau-nés de femmes n'ayant jamais fumé durant leur grossesse (observation constante d'une étude à l'autre)[2, 8, 11, 43]. • Pour le petit poids par rapport à l'âge gestationnel, RR variant de 1,5 à 2,9, avec un effet lié à la dose[2, 11, 43]. • Différence négligeable entres les femmes qui arrêtent de fumer tôt dans leur grossesse et celles qui n'ont jamais fumé[2, 8, 43]. • Effet dose-dépendant[8, 43]. • Certaines variations génétiques augmentent le risque[42]. • Risque attribuable au tabagisme (bébé de petit poids pour l'âge gestationnel): de 20 % à 30 %[2, 8, 9]. • Croissance à long terme: une revue de 9 études conclut à une diminution de la taille d'environ 0,5 cm après ajustement pour les facteurs confondants[44].	Hypoxie associée à l'exposition au monoxyde de carbone surtout et diminution de la perfusion sanguine utéro-placentaire, toxicité de certains métaux lourds dont le cadmium, altérations morphologiques du placenta[2, 11, 43].

Issues de grossesse	Données publiées	Mécanisme proposé, commentaires
Mortalité périnatale	• Plus de 20 études publiées qui, de façon globale, soutiennent une association[11]. • RR de 1,33[11]. • Mortinaissances : RR variant de 1,3 à 1,8 (effet lié à la dose). • Mortalité néonatale : RR variant de 1,2 à 1,4[2]. • Risque attribuable au tabagisme : 5 à 10%[8, 11].	Hypoxie fœtale et augmentation de la résistance vasculaire[2]. Mortinaissances : augmentation des anomalies placentaires et des RCIU[2]. Mortalité néonatale : augmentation du risque de prématurité et de RCIU[2].

RC : rapport de cote, RR : risque relatif, RCIU : retard de croissance intra-utérine, TPT : travail préterme, RPPM : rupture prématurée préterme des membranes

Tabagisme passif

Les effets néfastes du tabagisme maternel sur le déroulement de la grossesse et le développement embryonnaire et fœtal sont liés à la dose. Ainsi, on peut s'attendre à ce que l'exposition à la fumée secondaire de cigarette puisse également avoir des effets néfastes, même s'ils sont moins importants que ceux observés lorsque la femme enceinte fume[43]. À titre d'exemple, une faible association[10] a été notée entre le tabagisme passif et un retard de croissance intra-utérine et une diminution moyenne du poids de naissance de 20 à 100 g. Cette variation peut être comparable à l'effet observé chez des femmes fumant de 1 à 5 cigarettes quotidiennement[43].

Effets néonatals

Des symptômes de sevrage ont été décrits chez des nouveau-nés exposés *in utero* au tabagisme[45-47]. Les symptômes sont transitoires et ne nécessitent pas de traitement pharmacologique[47].

Dans cinq études compilant les données de 189 nouveau-nés exposés au tabagisme pendant la grossesse, ces derniers ont présenté des symptômes d'adaptation plus difficile à la vie extra-utérine dans les premiers jours de vie, en particulier au niveau des systèmes nerveux central, gastro-intestinal et visuel. Les symptômes décrits chez ces enfants étaient de l'irritabilité, de l'hypertonie, des tremblements, une baisse du tonus musculaire, des réflexes primaires et de l'éveil ainsi que des coliques. Dans trois études, les femmes fumaient en moyenne de 7 à 19 cigarettes par jour[45-48].

Effets à long terme

Système respiratoire

Des études animales montrent que lors d'administration de doses de nicotine comparables à l'exposition humaine, la nicotine interfère avec l'intégrité des pneumocytes de type II, la synthèse de surfactant, l'élasticité du tissu pulmonaire et possiblement la fonctionnalité des récepteurs nicotiniques[10, 49]. Chez l'humain, ces effets ont été observés à la suite d'une exposition *in utero* à la fumée de cigarette[49]. Un rétrécissement des voies aériennes de petit diamètre dû à l'épaississement des parois ainsi qu'à une augmentation de la musculature lisse sont également rapportés[49]. Des données probantes montrent que l'exposition *in utero* mène à un contrôle respiratoire altéré, une diminution de la réponse à l'hypoxie et une hyperréactivité bronchique[49]. Certaines réponses immunitaires altérées pourraient prédisposer au développement d'infections pulmonaires virales[49]. De plus, une prédisposition génétique à une atteinte pulmonaire suite à une exposition *in utero* à la fumée de cigarette est aussi suggérée[49].

Cliniquement, ces modifications se traduisent par un risque augmenté d'asthme, de bronchite et d'hospitalisation au cours de l'enfance[49]. Ces risques sont augmentés indépendamment de l'exposition passive dans l'enfance et certaines données montrent même que l'exposition *in utero* aurait un impact plus important que l'exposition postnatale[49-51]. L'effet est plus marqué lors d'une exposition au premier ou au deuxième trimestres.

Syndrome de mort subite du nourrisson (SMSN)

L'atteinte du développement pulmonaire et du contrôle de la respiration observée suite à une exposition *in utero* à la fumée de cigarette pourrait expliquer l'augmentation du risque de SMSN[11].

Les études menées sur des populations différentes ont observé des résultats similaires, avec une augmentation du risque de SMSN variant généralement de deux à quatre fois par rapport aux enfants qui n'ont pas été exposés à la fumée de cigarette en anténatal[8, 11]. La plupart des études ont observé un effet lié à la dose[2, 9, 11]. Bien que le risque soit plus élevé chez les enfants exposés à la fois *in utero* et durant l'enfance, on observe une association indépendante avec l'exposition prénatale[2, 8, 11]. Une revue systématique de l'association entre le tabagisme prénatal et postnatal et le SMSN a conclu à un RC ajusté d'environ 2 autant pour l'exposition prénatale au tabagisme maternel que pour l'exposition postnatale. Le risque de SMSN attribuable au tabagisme durant la grossesse est de 24 %[9].

Développement neurologique et comportemental

Plusieurs études ont établi une association entre l'exposition *in utero* à la fumée de cigarette et des déficits du développement neurologique et des troubles de comportement, tel le trouble de déficit d'attention avec hyperactivité (TDAH)[2, 44, 52, 53]. Il est difficile d'établir le rôle exact du tabagisme dans les troubles neuro-développementaux, étant donné la présence de facteurs socio-économiques confondants dont l'impact sur le développement des enfants est probablement plus important que le tabagisme[2, 52, 53]. Le tabagisme pourrait être le marqueur de la présence d'autres facteurs ayant un impact significatif sur le développement neurologique.

Sur le plan du développement neurologique, des déficits cognitifs globaux et des difficultés d'apprentissage sont observés, avec un effet dose-réponse[52, 53]. Toutefois, après ajustements pour les facteurs confondants, certaines études n'observent plus d'association[52]. Au niveau du quotient intellectuel, les différences observées seraient de l'ordre de 5 points, une différence n'ayant que peu d'impact pour un enfant, mais pouvant en avoir un au niveau d'une population[52]. Une récente étude a conclu à une absence d'effet direct du tabagisme durant la grossesse sur le développement cognitif à 6, 11 et 17 ans, après ajustement pour le quotient intellectuel et le niveau de scolarité de la mère[54].

Les associations sont plus fortes entre l'exposition *in utero* à la fumée de cigarette et les troubles de comportement chez l'enfant, l'adolescent et le jeune adulte[2, 44, 52, 53]. À ce niveau aussi, l'ajustement en fonction des facteurs confondants n'était pas toujours effectué de façon adéquate. Toutefois, les résultats de huit études bien construites observent un effet faible mais indépendant du tabagisme maternel sur les symptômes liés au TDAH[53]. Quatre de ces études ont observé un effet lié à la dose[53]. Toutefois, le TDAH s'explique surtout par des facteurs génétiques, le tabagisme pouvant expliquer une certaine variation additionnelle[53]. D'autres études ont observé plus de comportements agressifs et d'opposition chez les enfants ayant été exposés *in utero* à la fumée de cigarette[2, 52, 53]. Enfin, une prédisposition à la dépendance à la nicotine chez les adolescents a été observée lorsque la mère fumait plus de 10 cigarettes par jour durant sa grossesse[53].

Les mécanismes proposés pour expliquer ces atteintes incluent l'hypoxie fœtale et les effets directs de la nicotine et des autres constituants de la cigarette sur le cerveau fœtal en développement[10, 53]. Les études animales rapportent notamment un impact sur la différenciation des cellules neuronales et la mise en place des systèmes impliquant les neurotransmetteurs[1, 53].

Cancer

La fumée de cigarette contient au moins 50 substances cancérigènes identifiées. Plusieurs études se sont ainsi attardées à évaluer l'impact potentiel de l'exposition *in utero* à ces substances, les cancers les plus étudiés étant les tumeurs cérébrales et la leucémie aiguë lymphoblastique. Une méta-analyse de 30 études a observé une faible association entre le tabagisme durant la grossesse et l'augmentation du risque de cancer dans l'enfance avec un RR de 1,1[55]. Lorsque les cancers étaient analysés par type, on n'observait pas d'association. Quoique la question demeure préoccupante et que certaines études épidémiologiques aient observé une association, il n'y a pas de preuve claire à ce jour que l'exposition *in utero* à la fumée de cigarette puisse augmenter le risque d'être atteint d'un de ces types de cancer. Des interactions possibles entre l'exposition à la fumée de cigarette et certains polymorphismes génétiques sont à l'étude[56].

Si on s'attarde plus spécifiquement aux tumeurs cérébrales, une méta-analyse de 12 études observationnelles incluant au total 6566 patients (2678 cas) n'a observé aucune association entre le tabagisme maternel durant la grossesse et un risque augmenté de tumeur cérébrale chez l'enfant[57]. Une étude prospective a conclu à un rapport de risque (*hazard ratio*) ajusté de 1,24 chez les enfants âgés de 2 à 4 ans[58]. Le rapport de risque n'était plus significatif après la stratification en tumeurs bénignes et malignes.

En ce qui concerne la leucémie et le lymphome, certaines études observent un risque augmenté, d'autres non, et d'autres encore un effet protecteur[59]. Des analyses faites à partir des mêmes bases de données ont observé un risque diminué de leucémie aiguë lymphoblastique (rapport de risque ajusté de 0,75)[59]. Après ajustement, il n'y avait pas d'association pour le lymphome non hodgkinien ni pour la leucémie aiguë myéloïde. Une méta-analyse de huit études n'a pas non plus observé d'association avec la leucémie dans l'enfance[55].

Effets du tabagisme au cours de l'allaitement

Passage dans le lait maternel des constituants du tabac

Les études documentant l'exposition du nourrisson aux substances contenues dans la cigarette ont porté principalement sur la nicotine. Cette dernière se retrouve dans le lait maternel et on estime que les nourrissons allaités par des mères fumeuses ont des taux de cotinine urinaire 10 fois plus élevés que les enfants de mères fumeuses qui ne sont pas allaités[60]. La demi-vie de la nicotine dans le lait est sensiblement la même que dans le sang, soit de 60 à 90 minutes[60].

Le thiocyanate, un dérivé du cyanure, a aussi été étudié durant l'allaitement[61]. Cette substance a des effets anti-thyroïdiens. Toutefois, les quantités retrouvées dans le lait maternel ne seraient pas différentes de celles mesurées chez des femmes consommant une diète riche en aliments contenant des substances cyanogéniques[61]. L'allaitement aurait en contrepartie des effets positifs sur la fonction thyroïdienne[61].

En ce qui a trait aux centaines d'autres substances contenues dans la cigarette, bien qu'elles aient été moins étudiées, on ne peut exclure qu'elles puissent aussi passer dans le lait maternel.

Effets cliniques rapportés à court et à long terme

Les femmes qui fument la cigarette ont des taux de désir, d'initiation et de durée d'allaitement plus faibles par rapport aux femmes non fumeuses[62]. Un effet lié à la dose est observé pour ces trois critères[62]. Des effets négatifs sur la production de lait sont également souvent rapportés dans la documentation scientifique[60, 63]. Une revue des études publiées sur ce sujet conclut que des facteurs psychosociaux expliqueraient en grande partie les taux d'allaitement plus faibles observés chez les mères fumant la cigarette[63].

Effets sur la production de lait

Les études animales ont observé un effet négatif sur la libération de prolactine avec des doses élevées de nicotine[63]. Les études chez l'humain ne sont pas aussi claires. Les fumeuses ont des taux de base de prolactine plus faible, mais l'augmentation de cette hormone lors de l'allaitement ne serait pas affectée[63]. Certaines études rapportent de faibles différences entre des groupes de fumeuses et de non fumeuses, mais la variation dans chacun des groupes est grande et l'impact clinique est incertain puisqu'on ne s'attend pas à un effet concentration-dépendant de la prolactine[63].

Une seule étude chez l'humain a évalué l'effet sur l'ocytocine et n'a pas observé d'impact[63]. Les études animales n'avaient pas observé non plus d'effet sur la libération d'ocytocine[63].

Il reste d'autres explorations à faire dans ce domaine et il n'est pas exclu que d'autres mécanismes puissent affecter la production de lait, tels une vasoconstriction secondaire à l'épinéphrine ou encore un effet direct de certaines substances contenues dans la cigarette[63].

Effets cliniques sur l'allaitement

Une étude menée chez 10 patientes concluait à une diminution de la production de lait chez les fumeuses ; toutefois, la fréquence et la durée des tétées chez ces mères n'étaient pas documentées[63]. Plusieurs chercheurs rapportent que les mères fumeuses perçoivent davantage une plus faible production de lait, sans impact documenté sur le gain de poids de l'enfant[63]. Le tabagisme pourrait n'être que le marqueur d'autres facteurs (ex: facteurs psychosociaux, comportements liés à l'allaitement) responsables d'un impact négatif sur les taux d'allaitement[63]. En excluant la part de ces autres facteurs, le tabagisme compterait pour environ 8% de la variabilité des taux d'allaitement[63]. Ainsi, bien que des effets physiologiques ne soient pas exclus, ce sont plutôt les facteurs psychosociaux qui expliqueraient une grande partie des différences dans les taux d'allaitement.

Recommandations

Pendant l'allaitement, il est recommandé d'encourager les femmes à arrêter de fumer. Toutefois, dans une situation où un arrêt du tabagisme est trop difficile, les auteurs s'entendent pour recommander aux femmes d'allaiter leur enfant, même si elles fument la cigarette[60, 61, 63]. Parmi les bienfaits du lait maternel, ceux ayant trait à la nutrition et à l'immunité ne sont pas à négliger. Une étude rapporte une diminution des infections respiratoires lors d'un allaitement prolongé (RR de 2,2 pour un allaitement inférieur à six mois chez une mère fumeuse et RR de 1,1 lors d'un allaitement de plus de six mois)[60]. Les enfants de mères fumeuses qui ne sont pas allaités sont aussi bien souvent exposés à la fumée secondaire, sans bénéficier des avantages de l'allaitement maternel.

Bien que des différences dans la composition du lait, telles une diminution de vitamine C et de vitamine E, aient été observées, on considère que la qualité du lait n'est presque pas modifiée[60, 63].

Interventions pour l'arrêt du tabagisme

On devrait s'informer systématiquement du statut tabagique des femmes enceintes ou qui allaitent. Il est suggéré de discuter des bienfaits de la cessation tabagique avec la femme qui voudrait arrêter de fumer et de lui remettre de l'information écrite[64]. Les mesures non pharmacologiques sont de premier recours chez la femme enceinte. Elles incluent des conseils sur les effets du tabagisme pour la santé de la femme et sur le déroulement de la grossesse et la santé du bébé, une bonne préparation (par ex.: fixer une date d'arrêt, dresser une liste des raisons pour lesquelles on fume et pour lesquelles on veut arrêter de fumer, penser à des activités à faire lorsque l'envie de fumer viendra) et des habitudes de vie saines. Lorsque les mesures non pharmacologiques sont inefficaces, l'utilisation de mesures pharmacologiques, en particulier les thérapies de remplacement à la nicotine, est recommandée[1, 64].

Les femmes qui ne veulent pas arrêter de fumer manquent souvent d'informations sur les méfaits du tabac. On suggère donc de leur transmettre le plus de renseignements possibles à ce sujet et de réévaluer avec elles leur désir d'arrêter de fumer à une rencontre ultérieure. Plus les femmes tentent d'arrêter de fumer tôt durant la grossesse et plus leurs chances d'y arriver sont élevées. Comme la majorité des effets néfastes de la cigarette sur le déroulement de la grossesse sont liés à la dose, on encouragera fortement une femme qui ne peut arrêter de fumer à diminuer le plus possible sa consommation de cigarettes. L'évaluation de l'entourage immédiat de la femme est aussi recommandée. Enfin, une femme qui a récemment arrêté de fumer risque de rechuter et a besoin de soutien.

Une méta-analyse de 48 études évaluant l'efficacité des programmes de cessation du tabagisme chez la femme enceinte a conclu à une diminution significative de la poursuite du tabagisme dans les groupes recevant l'intervention, avec un RR de 0,94 ou encore une différence absolue entre les groupes de 6 %[65]. Une grande hétérogénéité existe entre les études répertoriées. Ces résultats ne sont pas vraiment différents de ceux observés dans les 25 études d'intensité élevée où des interventions plus fréquentes et de plus longue durée sont mises en place (RR 0,92, avec une différence absolue de 8 %)[65]. Ces études incluaient rarement des méthodes pharmacologiques et les résultats reflètent surtout l'efficacité des thérapies comportementales (par ex. : conseils sur les bienfaits d'arrêter l'usage du tabac, sur le contrôle du stress, sur le fait de retarder le moment où on fume une cigarette, sur le changement de la routine liée à l'action de fumer la cigarette). Les données d'efficacité des médicaments ayant fait l'objet d'études chez la femme enceinte sont présentées au tableau II. Les données d'innocuité des principaux traitements se retrouvent aux tableaux III et IV.

Seize études faisant partie de la méta-analyse citée plus haut ont évalué l'impact sur les issues périnatales de l'arrêt du tabagisme durant la grossesse. Des diminutions du risque de bébé de petit poids à la naissance (RR 0,81) et de prématurité (RR 0,84) sont documentées[65].

TABLEAU II – EFFICACITÉ DES TRAITEMENTS PHARMACOLOGIQUES ÉVALUÉS CHEZ LA FEMME ENCEINTE	
Études et devis	Résultat
Thérapies de remplacement de la nicotine (TRN)	
Wisborg et coll. 2000 (n=250)[66] • Étude à répartition aléatoire dans un groupe avec timbre de nicotine (n=124, 15 mg/16 heures pendant 8 semaines, puis 10 mg/16 heures pendant 3 semaines) ou un groupe placebo. • Fumeuses de 10 cigarettes par jour. • Âge gestationnel à l'entrée dans l'étude : 22 semaines. • Quatre rencontres prénatales dans les deux groupes à l'étude.	• Taux d'abandon (traitement vs placebo) : – 2e visite prénatale : 37 vs 29 % ; – 4e visite prénatale : 28 vs 25 % ; – un an après l'accouchement : 15 vs 14 %. • Différence de poids à la naissance non significative de 186 g, en faveur du traitement aux timbres de nicotine. • Observance faible du traitement (nombre médian de timbres utilisés dans le groupe traitement = 14). • Les taux relativement élevés d'arrêt du tabagisme dans chacun des groupes témoignent de l'efficacité des conseils et des thérapies comportementales.
Kapur et coll 2001 (n=30)[67] • Étude à répartition aléatoire dans un groupe avec timbre de nicotine (n=17, 15 mg/18 heures pendant 8 semaines, puis 10 mg/18 heures pendant 2 semaines, puis 5 mg/18 heures pendant 3 semaines) ou un groupe placebo (n=13). • Fumeuses de 15 cigarettes par jour. • Âge gestationnel à l'entrée à l'étude : 16 à 18 semaines. • Conseils de base et aux semaines 1, 4 et 8.	• Taux d'abandon : 4/17 (23,5 %) dans le groupe avec timbre de nicotine vs 0 % dans le groupe avec placebo. • L'étude a été interrompue de façon précoce par la levée du double insu en raison des symptômes de sevrage sévères chez une femme.

Études et devis	Résultat
Thérapies de remplacement de la nicotine (TRN)	
Schroeder et coll. 2002 (n=21)[68] • Étude ouverte. • Fumeuses de ≥ 15 cigarettes par jour. • Âge gestationnel moyen à l'entrée dans l'étude : 27 semaines. • Intervention : timbre de nicotine de 22 mg pendant 8 semaines (24h/jour). • Suivi : profil biophysique du fœtus, signes vitaux de la mère, conseils chaque semaine jusqu'à l'accouchement et 2 échographies au courant de l'étude.	• Taux d'abandon : – 8/21 à l'accouchement ; – 4/21 un mois après l'accouchement ; – 2/21 un an après l'accouchement. • Taux élevé d'effets indésirables.
Hegaard et coll. 2003 (n=647)[69] • Étude à répartition aléatoire dans groupe intervention (n=327) *vs* groupe suivi usuel (n=320). • 71 % fumaient 10 cigarettes par jour. • Âge gestationnel moyen à l'entrée à l'étude : 16 semaines. • Intervention : conseils par une sage-femme ayant reçu une formation spécifique de 5 jours ; invitation à participer à un programme d'arrêt tabagique plus intensif. L'intervention comporte 5 à 6 rencontres prénatales en plus de la rencontre initiale. • Programme d'arrêt tabagique plus intensif : rencontres plus fréquentes et plus longues et possibilité d'utiliser une TRN pendant au maximum 11 semaines. 27 % des femmes ont accepté le programme plus intensif et 86 % de celles-ci ont pris une TRN.	• Taux d'abandon à 37 semaines de grossesse : 14 % dans le groupe intervention *vs* 5 % dans le groupe suivi usuel ($p < 0,0001$). • Montre l'efficacité d'une intervention multimodale intégrant diverses approches.
Bupropion	
Chan et coll 2005 (n= 44)[70] • Étude observationnelle, avec groupe sous bupropion (n=22) et groupe sans traitement (n=22). • Fumeuses de 7 cigarettes par jour en moyenne. • Femmes au 1er trimestre.	• Taux d'abandon : 45 % (10/22) dans le groupe bupropion *vs* 14 % (3/22) dans le groupe témoin. • À noter que les femmes dans le groupe bupropion avaient fait plus de tentatives d'arrêt dans le passé, ce qui influence les chances d'arrêter de fumer.

TABLEAU III – DONNÉES D'INNOCUITÉ DES AIDES PHARMACOLOGIQUES POUR L'ARRÊT DU TABAGISME DURANT LA GROSSESSE		
Médicament	Données durant la grossesse	Recommandations, commentaires
Thérapies de remplacement à la nicotine (TRN)	• Trois études cumulant 42 femmes traitées avec un timbre de 21 ou 22 mg, pour des durées variant de 6 heures à 4 jours. Patientes au 2e ou 3e trimestre[71-73] : – absence d'impact significatif au niveau des paramètres hémodynamiques évalués ; – pas de différence dans les concentrations de cotinine suite à l'utilisation du timbre ou la prise de cigarette. • Deux études compilant au total 49 patientes traitées à la gomme de nicotine, durée de traitement variant de une dose à cinq jours (6 à 30 gommes de 2 mg par jour)[74, 75]. Patientes au 2e ou 3e trimestres : pas de différence significative dans les paramètres hémodynamiques évalués entre les groupes, hormis la tension artérielle et la fréquence cardiaque maternelles augmentées dans une étude (sans impact au niveau de la fréquence cardiaque fœtale et du Doppler de l'artère ombilicale). • Une récente étude de croisement de bases de données rapporte une faible augmentation du risque de malformations congénitales (RC 1,61) avec l'exposition *in utero* à des substituts de nicotine[76]. Ces résultats doivent être interprétés avec prudence. Dans cette étude, les enfants exposés au tabagisme maternel au 1er trimestre ne montraient pas de risque augmenté de malformations majeures et à ce jour, rien n'indique que l'exposition *in utero* aux TNR pourrait constituer un risque supérieur au tabagisme.	• Traitement pharmacologique de 1er recours chez la femme enceinte, en association avec un *counselling* et un suivi étroit (thérapie comportementale).
Bupropion	Voir chapitre 30. *Dépression et troubles anxieux.*	Traitement prometteur chez les femmes n'ayant pas répondu aux traitements de 1er recours.
Nortryptyline	Voir chapitre 30. *Dépression et troubles anxieux.*	N'a pas été associée à des anomalies à ce jour et bon recul d'utilisation chez la femme enceinte. Rarement utilisée dans cette indication, pourtant son efficacité pour l'arrêt du tabagisme dans la population générale est comparable à celle du bupropion et des thérapies de remplacement à la nicotine[77].

Médicament	Données durant la grossesse	Recommandations, commentaires
Varénicline	• Pas d'effet tératogène observé chez 2 espèces animales[78]. • Aucune donnée chez l'humain.	Utilisation non recommandée durant la grossesse en raison de l'absence de données.

TABLEAU IV – DONNÉES D'INNOCUITÉ DES AIDES PHARMACOLOGIQUES POUR L'ARRÊT DU TABAGISME DURANT L'ALLAITEMENT

Médicament	Données durant l'allaitement	Recommandations, commentaires
Timbres de nicotine	Une étude conduite auprès de 15 femmes fumant en moyenne 17 cigarettes par jour. Les doses quotidiennes totales prises par le lait chez le nourrisson (en incluant la cotinine) étaient en moyenne (mcg/kg/jour) : 25,2 avec le tabagisme ; 23,0 avec le timbre de 21 mg ; 15,8 avec le timbre de 14 mg et 7,5 avec le timbre de 7 mg[79].	Si les mesures non pharmacologiques ne sont pas efficaces, les thérapies de remplacement à la nicotine peuvent être utilisées chez la femme qui allaite. Même si les gommes n'ont pas été évaluées durant l'allaitement, elles peuvent être utilisées en prenant la dose après la tétée.
Gommes de nicotine	Non évalué durant l'allaitement. Toutefois, on sait que les concentrations sériques de nicotine chez un patient prenant des gommes sont de 30 à 60 % inférieures à celles obtenues suite à la prise de cigarettes.	
Bupropion	Voir chapitre 30. *Dépression et troubles anxieux.*	
Amitriptyline/ nortriptyline	Voir chapitre 30. *Dépression et troubles anxieux.*	
Varénicline	Pas de donnée sur son passage dans le lait maternel.	Utilisation non recommandée en l'absence de données.

Références

1. BENOWITZ NL, DEMPSEY DA. Pharmacotherapy for smoking cessation during pregnancy. *Nicotine Tob Res* 2004;6(Suppl 2):S189-202.

2. CNATTINGIUS S. The epidemiology of smoking during pregnancy: smoking prevalence, maternal characteristics, and pregnancy outcomes. *Nicotine Tob Res* 2004;6(Suppl 2):S125-40.

3. LU Y, TONG S, OLDENBURG B. Determinants of smoking and cessation during and after pregnancy. *Health Promot Int* 2001;16(4):355-65.

4. SANTÉ CANADA. *Enquête de surveillance de l'usage du tabac au Canada (ESUTC) 2006 - Tableaux supplémentaires.* 2006 vérifié 14 août 2007; Disponible dans: http://www.hc-sc.gc.ca/hl-vs/alt_formats/hecs-sesc/pdf/tobac-tabac/research-recherche/stat/ctums-esutc/2006/sup-table-ann_f.pdf

5. SANTÉ CANADA. *Enquête de surveillance de l'usage du tabac au Canada (ESUTC) 2006 - Sommaire des résultats annuels de 2006.* 2006 vérifié14 août 2007]; Disponible dans: http://www.hc-sc.gc.ca/hl-vs/tobac-tabac/research-recherche/stat/ctums-esutc/2006/ann_summary-sommaire_f.html

6. PICKETT KE, WASCHLAG LS, DAI L, LEVENTHAL BL. Fluctuations of maternal smoking during pregnancy. *Obstet Gynecol* 2003;101:140-7.

7. PASQUALE PB. Pregnancy and smoking: the unrecognized addiction. *J Perinat Educ* 1993;2(2):15-9.

8. WERLER MM. Teratogen update: smoking and reproductive outcomes. *Teratology* 1997;55:382-8.
9. BRIGGS GG, FREEMAN RK, YAFFE SJ. *Drugs in Pregnancy and Lactation*. 7th ed. Philadelphia: Lippincott Williams & Wilkins; 2005.
10. LAMBERS DS, CLARK KE. The maternal and fetal physiologic effects of nicotine. *Semin Perinatol* 1996;29(2):115-26.
11. ANDRES RL, DAY M-C. Perinatal complications associated with maternal tobacco use. *Semin Neonatol* 2000;5:231-41.
12. ZDRAVKOVIC T, GENBACEV O, MCMASTER MT, FISHER SJ. The adverse effects of maternal smoking on the human placenta: a review. *Placenta* 2005;26(Suppl A):S81-6.
13. AUGOOD C, DUCKITT K, TEMPLETON AA. Smoking and female infertility: a systematic review and meta-analysis. *Hum Reprod* 1998;13(6):1532-9.
14. PRACTICE COMMITTEE OF THE AMERICAN SOCIETY FOR REPRODUCTIVE MEDICINE. Smoking and infertility. *Fertil Steril* 2006;86(5 Suppl):S172-7.
15. DEKEYSER-BOCCARA J, MILLIEZ J. Tabac et grossesse extra-utérine: y a-t-il un lien de causalité? *J Gynecol Obstet Biol Reprod* 2005;34:3S119-23.
16. NIELSEN A, HANNIBAL CG, LINDEKILDE BE, TOLSTRUP J, FREDERIKSEN K, MUNK C, et al. Maternal smoking predicts the risk of spontaneous abortion. *Acta Obstet Gynecol Scand* 2006;85(9):1057-65.
17. HONEIN MA, RASMUSSEN SA. Further evidence for an association between maternal smoking and craniosynostosis. *Teratology* 2000;62:145-6.
18. ALDERMAN BW, BRADLEY CM, GREENE C, FERNBACH SK, BARON AE. Increased risk of craniosynostosis with maternal cigarette smoking during pregnancy. *Teratology* 1994;50(1):13-8(abstract).
19. KÄLLEN K. Maternal smoking and craniosynostosis. *Teratology* 1999;60:146-50.
20. LITTLE J, CARDY A, MUNGER RG. Tobacco smoking and oral clefts: a meta-analysis. *Bull World Health Organ* 2004;82(3):213-8.
21. ZEIGER JS, BEATY TH, LIANG K-Y. Oral clefts, maternal smoking, and TGFA: a meta-analysis of gene-environment interaction. *Cleft Palate Craniofac J* 2005;42(1):58-63.
22. SHI M, CHRISTENSEN K, WEINBERG CR, ROMITTI P, BATHUM L, LOZADA A, et al. Orofacial cleft risk is increased with maternal smoking and specific detoxification-gene variants. *AM J Hum Genet* 2007;80(1):76-90.
23. GOLDBAUM G, DALING J, MILHAM S. Risk factors for gastroschisis. *Teratology* 1990;42(4):397-403 (abstract).
24. WERLER MM, MITCHELL AA, SHAPIRO S. Demographic, reproductive, medical, and environmental factors in relation to gastroschisis. *Teratology* 1992;45(4):353-60 (abstract).
25. HADDOW JE, PALOMAKI GE, HOLMAN MS. Young maternal age and smoking during pregnancy as risk factors for gastroschisis. *Teratology* 1993;47(3):225-8 (abstract).
26. TORFS CP, VELIE EM, OECHSLI FW, BATESON TF, CURRY CJ. A population-based study of gastroschisis: demographic, pregnancy, and lifestyle risk factors. *Teratology* 1994;50(1):44-53 (abstract).
27. LAM PK, TORFS CP. Interaction between maternal smoking and malnutrition in infant risk of gastroschisis. *Birth Defects Res A Clin Mol Teratol* 2006;76(3):182-6.
28. TORFS CP, CHRISTIANSON RE, IOVANNISCI DM, SHAW GM, LAMMER EJ. Selected gene polymorphisms and their interaction with maternal smoking, as risk factors for gastroschisis. *Birth Defects Res A Clin Mol Teratol* 2006;76(10):723-30.
29. COURNOT M-P, ASSARI-MERABTENE F, VAUZELLE-GARDIER C, ÉLÉFANT E. Quels sont les risques d'embryo-foetopathie liés à l'exposition au tabagisme pendant la grossesse? *J Gynecol Obstet Biol Reprod* 2005;34:3S124-9.
30. CZEIZEL AE, KODAJ I, LENZ W. Smoking during pregnancy and congenital limb deficiency. *BMJ* 1994;308:1473-6.
31. MAN L-X, CHANG B. Maternal cigarette smoking during pregnancy increases the risk of having a child with a congenital digital anomaly. *Plast Reconstr Surg* 2006;117:301-8.
32. CASTLES A, ADAMS EK, MELVIN CL, KELSCH C, BOULTON ML. Effects of smoking during pregnancy. Five meta-analyses. *Am J Prev Med* 1999;16(3):208-15.

33. FAIZ AS, ANANTH CV. Etiology and risk factors for placenta previa: an overview and meta-analysis of observational studies. *J Matern Fetal Neonatal Med* 2003;13:175-90.

34. ANANTH CV, SMULIAN JC, VINTZILEOS AM. Incidence of placental abruption in relation to cigarette smoking and hypertensive disorders during pregnancy: a meta-analysis of observational studies. *Obstet Gynecol* 1999;93:622-8.

35. KYRKLUND-BLOMBERG NB, GRANATH F, CNATTINGIUS S. Maternal smoking and causes of very preterm birth. *Acta Obstet Gynecol Scand* 2005;84(6):572-7.

36. MORKEN N-H, KÄLLEN K, HAGBERG H, JACOBSON B. Preterm birth in Sweden 1973-2001: rate, subgroups, and effect of changing patterns in multiple births, maternal age, and smoking. *Acta Obstet Gynecol Scand* 2005;84(6):558-65.

37. BURGUET A, KAMINSKI M, ABRAHAM-LERAT L, SCHAAL J-P, CAMBONIE G, FRESSON J, et al. The complex relationship between smoking in pregnancy and very preterm delivery. Results of the Epipage study. *BJOG* 2004;111:258-65.

38. FANTUZZI G, AGGAZZOTTI G, RIGHI E, FACCHINETTI F, BERTUCCI E, KANITZ S, et al. Preterm delivery and exposure to active and passive smoking during pregnancy: a case-control study from Italy. *Pædiatr Perinat Epidemiol* 2007;21:194-200.

39. HAMMOUD AO, BUJOLD E, SOROKIN Y, SCHILD C, KRAPP M, BAUMANN P. Smoking in pregnancy revisited: findings from a large population-based study. *Am J Obstet Gynecol* 2005;192:1856-63.

40. OHMI H, HIROOKA K, MOCHIZUKI Y. Fetal growth and the timing of exposure to maternal smoking. *Pediatr Int* 2002;44:55-9.

41. RAATIKAINEN K, HUURINAINEN P, HEINONEN S. Smoking in early gestation or through pregnancy: a decision crucial to pregnancy outcome. *Prev Med* 2007;44:59-63.

42. NUKUI T, DAY RD, SIMS CS, NESS RB, ROMKES M. Maternal/newborn GSTT1 null genotype contributes to risk of preterm, low birthweight infants. *Pharmacogenetics* 2004;14:569-76.

43. COLLET M, BEILLARD C. Conséquences du tabagisme sur le développement foetal et le risque de retard de croissance intra-utérin ou de mort foetale in utero. *J Gynecol Obstet Biol Reprod* 2005;34(Hors série no 1):3S135-45.

44. LASSEN K, OEI TPS. Effects of maternal cigarette smoking during pregnancy on long-term physical and cognitive parameters of child development. *Addictive Behaviors* 1998;23(5):635-53.

45. LAW KL, STROUD LR, LAGASSE LL, NIAURA R, LIU J, LESTER BM. Smoking during pregnancy and newborn neurobehavior. *Pediatrics* 2003;111:1318-23.

46. GODDING V, BONNIER C, FIASSE L, MICHEL M, LONGUEVILLE E, LEBECQUE P, et al. Does in utero exposure to heavy maternal smoking induce nicotine withdrawal symptoms? *Pediatr Res* 2004;55:645-51.

47. PICHINI S, GARCIA-ALGAR O. In utero exposure to smoking and newborn neurobehavior. How to assess neonatal withdrawal syndrome? *Ther Drug Monit* 2006;28:288-90.

48. MEIER C, FABRE E, KNIDER R, LAGABRIELLE JF. Retentissement du tabagisme maternel sur le comportement du nouveau-né: dosage des métabolites urinaires de la nicotine chez la mère et le nouveau-né. *Immuno-analyse & biologie spécialisée* 2005;20:360-71.

49. STICK S. The effects on in-utero tobacco-toxin exposure on the respiratory system in children. *Curr Opin Allergy Clin Immunol* 2006;6:312-6.

50. PATTENDEN S, ANTOVA T, NEUBERGER M, NIKIFOROV B, DE SARIO M, GRIZE L, et al. Parental smoking and children's respiratory health: independent effects of prenatal and postnatal exposure. *Tob Control* 2006;15:294-301.

51. LANNERO E, WICKMAN M, PERSHAGEN G, NORDVALL L. Maternal smoking during pregnancy increases the risk of recurrent wheezing during the first years of life (BAMSE). *Respir Res* 2006;7:3.

52. MARRET S. Effets de l'exposition tabagique maternelle pendant la grossesse sur le développement cérébral foetal. *J Gynecol Obstet Biol Reprod* 2005;34(Hors série no 1):3S230-3.

53. HUIZINK AC, MULDER EJH. Maternal smoking, drinking or cannabis use during pregnancy and neurobehavioral and cognitive functioning in human offspring. *Neurosci Biobehav Rev* 2006;30:26-41.

54. BRESLAU N, PANETH N, LUCIA VC, PANETH-POLLAK R. Maternal smoking during pregnancy and off-spring IQ. *Int J Epidemiol* 2005;34:1047-53.

55. BOFFETTA P, TRÉDANIEL J, GRECO A. Risk of childhood cancer and adult lung cancer after childhood exposure to passive smoke: a meta-analysis. *Environ Health Perspect* 2000;108:73-82.

56. CLAVEL J, BELLEC S, REBOUISSOU S, MENEGAUX F, FEUNTEUN J, BONAÏTI-PELLIE C, et al. Childhood leukaemia, polymorphisms of metabolism enzyme genes, and interactions with maternal tobacco, coffee and alcohol consumption during pregnancy. *Eur J Cancer Prev* 2005;14(6):531-40.

57. HUNCHAREK M, KUPELNICK B, KLASSEN H. Maternal smoking during pregnancy and the risk of child-hood brain tumors: a meta-analysis of 6566 subjects from twelve epidemiological studies. *Neurooncol* 2002;57(1):51-7.

58. BROOKS DR, MUCCI LA, HATCH EE, CNATTINGIUS S. Maternal smoking during pregnancy and risk of brain tumors in the offspring. A prospective study of 1.4 million Swedish births. *Cancer Causes Control* 2004;15(10):997-1005.

59. MUCCI LA, GRANATH F, CNATTINGIUS S. Maternal smoking and childhood leukemia and lymphoma risk among 1,440,542 Swedish children. *Cancer Epidemiol Biomarkers Prev* 2004;13(9):1528-33.

60. FONTAINE B. Tabagisme et allaitement: quelles techniques d'aide à l'arrêt du tabac proposer aux mères? *J Gynecol Obstet Biol Reprod* 2005;34 (Hors série no 1):3S209-12.

61. DOREA JG. Maternal smoking and infant feeding: breastfeeding is better and safer. *Matern Child Health J* 2007;11(3):287-91.

62. AMIR LH, DONATH SM. Does maternal smoking have a negative physiological effect on breast-feeding? The epidemiological evidence. *Birth* 2002;29(2):112-23.

63. AMIR LH. Maternal smoking and reduced duration of breastfeeding: a review of possible mecha-nisms. *Early Hum Dev* 2001;64(1):45-67.

64. ACOG COMMITTEE OPINION. Number 316, October 2005. Smoking cessation during pregnancy. *Obstet Gynecol* 2005;106(4):883-8.

65. LUMLEY J, OLIVER SS, CHAMBERLAIN C, OAKLEY L. Interventions for promoting smoking cessation during pregnancy. *Cochrane Database of Systematic Reviews* 2004(4):No.: CD001055.

66. WISBORG K, HENRIKSEN TB, JESPERSEN LB, SECHER NJ. Nicotine patches for pregnant smokers: a ran-domized controlled study. *Obstet Gynecol* 2000;96:967-71.

67. KAPUR B, HACKMAN R, SELBY P, KLEIN J, KOREN G. Randomized, double-blind, placebo-controlled trial of nicotine replacement therapy in pregnancy. *Current Therapeutic Research* 2001;62(4):274-8.

68. SCHROEDER DR, OGBURN PL, HURT RD, CROGHAN IT, RAMIN KD, OFFORD KP, et al. Nicotine patch use in pregnant smokers: smoking abstinence and delivery outcomes. *J Matern Fetal Neonatal Med* 2002;11:100-7.

69. HEGAARD HK, KJAERGAARD H, MOLLER LF, WACHMANN H, OTTENSEN B. Multimodal intervention rais-es smoking cessation rate during pregnancy. *Acta Obstet Gynecol Scand* 2003;82:813-9.

70. CHAN B, EINARSON A, KOREN G. Effectiveness of bupropion for smoking cessation during preg-nancy. *J Addict Dis* 2005;24(2):19-23.

71. ONCKEN CA, HARDARDOTTIR H, HATSUKAMI DK, LUPO VR, RODIS JF, SMELTZER JS. Effects of transder-mal nicotine or smoking on nicotine concentrations and maternal-fetal hemodynamics. *Obstet Gynecol* 1997;90:569-74.

72. OGBURN PL, HURT RD, CROGHAN IT, SCHROEDER DR, RAMIN KD, OFFORD KP, et al. Nicotine patch use in pregnant smokers: nicotine and cotinine levels and fetal effects. *Am J Obstet Gynecol* 1999;181:136-43.

73. WRIGHT LN, THORP JM, KULLER JA, SHREWSBURY RP, ANANTH C, HARTMANN K. Transdermal nicotine replacement in pregnancy: maternal pharmacokinetics and fetal effects. *Am J Obstet Gynecol* 1997;176:1090-4.

74. LINDBLAD A, MARSAL K. Influence of nicotine chewing gum on fetal blood flow. *J Perinat Med* 1987;15:13-9.

75. ONCKEN C, HATSUMAKO D, LUPO V, Effects of short-term use of nicotine gum in pregnant smokers. *Clin Pharmacol Ther* 1996;59:654-61.

76. MORALES-SUAREZ-VARELA MM, BILLE C, CHRISTENSEN K, OLSEN J. Smoking habits, nicotine use, and congenital malformations. *Obstet Gynecol* 2006;107:51-7.

77. HUGHES JR, STEAD LF, LANCASTER T. Antidepressants for smoking cessation. *Cochrane Database of Systematic Reviews* 2007(1):No.: CD000031.

78. KLASCO RK (Ed). REPRORISK® System (internet version). In: *Thomson Micromedex*, Greewood Vilage, Colorado, USA. Avalaible at: http://www.thomsonhc.com.

79. ILETT KF, HALE TW, PAGE-SHARP M, KRISTENSEN JH, KOHAN R, HACKETT LP. Use of nicotine patches in breast-feeding mothers: transfer of nicotine and cotinine into human milk. *Clin Pharmacol Ther* 2003;74(6):516-24.

Chapitre 8

Consommation d'alcool

■

Joséphine DJULUS

Introduction

L'alcool est la substance tératogène la plus communément consommée parmi les femmes en âge de procréer. Sa consommation est profondément ancrée dans de nombreuses sociétés à travers le monde[1]. La consommation d'alcool chez les femmes en âge de procréer peut augmenter le risque de grossesse non désirée et l'exposition de l'embryon ou du fœtus à l'alcool, avec tout l'éventail d'anomalies congénitales et de développement qui en découle.

Caractéristiques de la substance

L'éthanol ou l'alcool éthylique est le principe actif des boissons alcoolisées[1]. L'alcool est une drogue psychoactive définie comme hypnosédative ou nooleptique. Il déprime le centre inhibiteur du cerveau, ce qui favorise la communication avec autrui[1].

L'éthanol est une petite molécule miscible dans l'eau et les lipides, et absorbée par simple diffusion au niveau gastrique et au niveau de l'intestin grêle[2]. Sa distribution dans l'ensemble de l'organisme est très rapide[2]. Tout éthanol consommé pendant la grossesse, par quelque boisson que ce soit, franchit très facilement le placenta. Ses concentrations dans le liquide amniotique et chez le fœtus sont proches de celles mesurées dans le sang maternel[2].

Le métabolisme hépatique élimine plus de 80 % de l'éthanol ingéré; le reste est excrété sous forme inchangée dans l'air expiré, les urines et la sueur. Plusieurs voies métaboliques participent à la métabolisation de l'éthanol. L'éthanol est d'abord transformé en acétaldéhyde selon trois systèmes: le système de l'alcool déshydrogénase (ALDH) qui est la voie prépondérante, le système microsomal qui fait intervenir une isoenzyme du cytochrome P_{450} (CYP_2E1) et un système catalasique qui est accessoire. L'acétaldéhyde est ensuite oxydé par l'aldéhyde déshydrogénase (ALDH) en acétate qui est un métabolite non toxique (figure 1)[1, 2]. L'acétaldéhyde traverse également le placenta et porte atteinte à la plupart des tissus[1, 3].

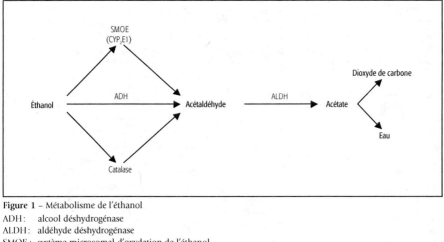

Figure 1 – Métabolisme de l'éthanol
ADH: alcool déshydrogénase
ALDH: aldéhyde déshydrogénase
SMOE: système microsomal d'oxydation de l'éthanol
CYP_2E1: cytochrome P_{450} 2E1

L'élimination de l'alcool par le fœtus se fait par trois mécanismes: le retour dans la circulation de la mère par le placenta; l'oxydation enzymatique, grâce à l'ADH et l'ALDH, qui sont peu actives chez le fœtus; et, enfin, par le passage dans le liquide amniotique[4]. Il y a une réabsorption possible de l'alcool par ingestion et déglutition du liquide amniotique par le fœtus[4]. Par conséquent, l'alcool et son premier dérivé, l'acétaldéhyde, sont éliminés beaucoup plus lentement chez le fœtus que chez la mère (< 50 % par rapport à la mère)[5]. Les métabolites toxiques de l'éthanol tels que l'acétaldéhyde ou les radicaux libres entraînent des modifications cellulaires et membranaires pouvant contribuer aux effets néfastes causés par la consommation d'alcool pendant la grossesse[1].

Épidémiologie

Les résultats de l'enquête sur les toxicomanies au Canada en 2004 montrent que 76,8 % des femmes âgées de 15 ans et plus ont rapporté avoir consommé de l'alcool au moins une fois au cours des douze mois précédant l'enquête[6]. Une autre enquête révèle que 12 à 26 % des canadiennes âgées de 15 à 44 ans qui boivent de l'alcool ont pris au moins cinq verres de boisson alcoolisée en une seule occasion douze fois ou plus dans une année[7].

En fait, à l'échelle mondiale, jusqu'à 60 % des femmes consomment de l'alcool à un stade ou à un autre de leur grossesse. La consommation d'alcool pendant la grossesse varie selon l'âge et la zone géographique. Les données de l'enquête canadienne suggèrent que le nombre de femmes qui déclarent avoir consommé de l'alcool pendant la grossesse a diminué. En 1994-95, entre 17 % et 25 % des femmes interrogées déclaraient avoir consommé au moins une boisson alcoolisée pendant leur dernière grossesse, et entre 7 % et 9 % parmi elles ont déclaré en avoir consommé tout au long de leur grossesse. En 1998-99, ces pourcentages étaient de 14,4 % et 4,9 % respectivement[8].

Effets de l'alcool sur la grossesse et l'enfant

Impact de la quantité d'alcool ingérée par la mère

Le retentissement d'une exposition prénatale à l'alcool sur le développement de l'embryon ou du fœtus peut varier considérablement en fonction de la quantité d'alcool absorbée, des modalités de consommation, du stade de développement du fœtus, de l'état de santé et de nutrition de la mère, de l'usage d'autres substances psychotropes, des capacités métaboliques de la mère, de la susceptibilité individuelle de l'enfant à naître qui, à son tour, est influencée par son propre patrimoine génétique[1, 8]. Des études faites chez les jumeaux nés de mères alcooliques a montré que les jumeaux monozygotes sont affectés par l'alcool d'une façon semblable, tandis que les jumeaux provenant de deux zygotes distincts sont affectés d'une façon tout à fait différente[4].

TABLEAU I – EFFETS DE L'EXPOSITION *IN UTERO* À L'ALCOOL SUR LE FŒTUS ET L'ENFANT[1, 4, 5, 9]			
Effets sur la grossesse	**Effets sur le fœtus**	**Effets sur le nouveau-né**	**Effets sur l'enfant**
• Augmentation des risques suivants : – avortement spontané ; – accouchement prématuré ; – mortalité périnatale (mort-né, mort subite du nourrisson) ; – anomalies placentaires ; – retard de croissance intra-utérine.	• Retard de croissance intra-utérine. • Atteinte du processus de formation des divers organes ou systèmes : – système nerveux (le plus vulnérable) ; – vision, ouïe, cœur, reins, squelette, peau, organes génitaux.	• Conséquences des atteintes fœtales. • Syndrome d'imprégnation ou syndrome de sevrage en cas d'alcoolisation de la mère au 3e trimestre : – dépression du système nerveux central ; – hyperexcitabilité, hypertonie, difficultés de succion, troubles de sommeil, perturbations de l'électroencéphalogramme.	• Retard de croissance. • Dysmorphies craniofaciales. • Troubles neurologiques. • Troubles du comportement. • Anomalies cognitives.

Il n'y a pas de dose seuil d'alcool démontrée réellement inoffensive pour l'embryon ou le fœtus. Le plus grand risque de dommages au fœtus a été associé à la consommation épisodique de grandes quantités d'alcool (cinq verres ou plus en une seule occasion) et à la consommation fréquente d'alcool (plus de sept verres par semaine)[1, 8].

Le terme « verre » désigne le verre standard ou unité internationale d'alcool (UIA) qui correspond à environ 13,5 g d'alcool pur ; tels que un verre de 142 mL de vin à 12 % d'alcool, une bouteille de 341 mL de bière à 5 % d'alcool, une coupe de champagne, un apéritif, un digestif ou une mesure de whisky. Les taux d'alcoolémie pendant la grossesse jouent un rôle important dans la survenue de l'effet tératogène. Il a été suggéré que l'alcool a des répercussions à un degré ou un autre sur le bébé chez 4 à 40 % des femmes ayant une consommation importante pendant leur grossesse. La raison pour laquelle ces répercussions sont plus lourdes chez certains bébés que chez d'autres est inconnue[8, 9].

Effets sur le fœtus

Chez l'embryon ou le fœtus, l'alcool peut endommager pratiquement tous les organes ou systèmes tels que le cœur, le squelette, les reins, la peau, les vaisseaux ombilicaux, la vision, l'ouïe et, particulièrement, le système nerveux.

Il n'existe pas de période plus vulnérable ou moins vulnérable[1, 4, 5, 9].

Effets de l'alcool sur le développement du système nerveux central (SNC)

Le cerveau est l'organe le plus vulnérable aux effets de l'alcool. Il commence sa formation dès la troisième semaine après la conception (cinquième semaine de gestation) pour ne s'achever que plusieurs années après la naissance.

Les altérations structurales et fonctionnelles du cerveau peuvent varier selon la période d'exposition et être à l'origine de perturbations à long terme. Ces effets dommageables sont constants durant tout le développement du SNC.

L'ensemble de la masse cérébrale est touchée, avec un volume et un poids réduits. Diverses perturbations ont été retrouvées, telles que : diminution de la prolifération neuronale, perturbation de la différenciation cellulaire, anomalies de la giration neuronale, altérations de la synaptogénèse, réduction du nombre des neurones, retard de la myélinisation et des arborescences dendritiques.

Certaines régions du cerveau manifestent une vulnérabilité particulière face à l'alcool, notamment le cortex cérébral, l'hippocampe, les noyaux gris, le corps calleux et le cervelet[1, 4-6, 9].

Manifestations cliniques

ENSEMBLE DES TROUBLES CAUSÉS PAR L'ALCOOLISATION FŒTALE

L'expression « Ensemble des Troubles Causés par l'Alcoolisation Fœtale » (ETCAF) est un terme générique couvrant l'ensemble des altérations occasionnées par l'exposition prénatale à l'alcool, y compris l'expression la plus sévère qui est le syndrome d'alcoolisation ou d'alcoolisme fœtal (SAF). Bien que le retentissement embryofœtal de l'alcool soit fréquent, il existe une grande distorsion dans les signalements d'incidence et de prévalence de l'ETCAF. Cela s'explique par des divergences dans la méthodologie des études, par le défaut de prise en compte des facteurs de confusion, par le ciblage de populations spécifiques, par les critères diagnostiques utilisés et par des biais dans les évaluations ainsi que les biais de compte-rendus. Les taux accumulés de ETCAF s'élèvent à 9,1 cas pour 1000 naissances vivantes dans les pays industrialisés, avec une variation importante dans certaines populations à risque. Dans certaines communautés des Premières Nations d'Amérique du Nord, on a constaté une incidence du SAF de 190 cas pour 1000 naissances vivantes. En Colombie-Britannique et au nord de Manitoba, l'incidence du SAF est de respectivement 3,3 cas et de 7,2 cas pour 1000 naissances vivantes[8].

Le syndrome d'alcoolisation fœtale

Le syndrome d'alcoolisation fœtale se caractérise par des traits faciaux particuliers, un retard de la croissance pré et post-natale et des anomalies du système nerveux central. Généralement, la sévérité de ces signes est directement proportionnelle à l'importance de l'alcoolisation maternelle pendant la grossesse. Des malformations d'organes ne surviennent généralement que dans les formes sévères[5, 8, 9].

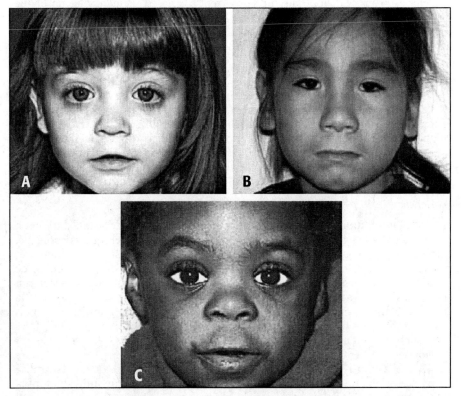

Figure 2 : Traits faciaux caractéristiques chez les enfants de différentes ethnies atteints du syndrome d'alcoolisation fœtale. (A) Enfant de descendance nord-européenne. (B) Enfant de descendance autochtone. (C) Enfant de descendance africaine. Les photographies sont tirées de WATTENDORF, D. J., MUENKE M. Fetal alcohol spectrum disorders. *Am Fam Physician* 2005;72:279-82,285, avec la permission de *American Academy of Family Physicians*.

Les anomalies craniofaciales sont caractérisées par une fente palpébrale étroite, un hypertélorisme, un petit nez, modérément retroussé, une lèvre supérieure allongée avec un bord vermillon peu marqué, un faible développement de l'étage moyen de la face, une hypoplasie maxillaire, une face moyenne aplatie, une lèvre supérieure mince ainsi qu'un épicanthus bilatéral[5, 8, 9]. La figure 2 représente les traits faciaux d'enfants atteints de SAF.

Le retard de la croissance est global et constant, affectant la taille, le poids et le périmètre crânien. La microcéphalie est très fréquente. Il peut se manifester avant ou après la naissance avec un faible poids à la naissance par rapport à l'âge gestationnel. La taille et le poids sont souvent inférieurs au troisième percentile. La taille est plus touchée que le poids[5, 8, 9].

Les troubles liés au dysfonctionnement du système nerveux central, tels que les réactions répétées aux stimuli visuels et auditifs qui ont été constatés chez le nouveau-né, sont les suivants : une habituation trop lente, une asymétrie dans les mouvements de la tête, des trémulations lorsque l'enfant porte la main au visage, une tendance à conserver trop longtemps les yeux ouverts ainsi qu'un réflexe à la succion pauvre et peu efficace. Tous ces symptômes ne s'observent pas nécessairement chez un même individu[4, 5, 8].

Effets néonatals

Le syndrome de sevrage est possible en période néonatale[5, 10].

Signes cliniques

Pendant les premières heures de vie, le taux d'alcoolémie chez le nouveau-né peut se traduire par des signes de dépression du système nerveux avec respiration courte. Le syndrome de sevrage peut apparaître secondairement, associant hyperexcitabilité, hypertonie, trémulations, clonies, troubles du sommeil, de la succion et de la déglutition. L'électro-encéphalogramme montre un hypersynchronisme avec une nette augmentation d'amplitude dans les différentes dérivations[5].

Diagnostic

Dans l'incertitude des antécédents maternels, il est parfois difficile d'attribuer à l'alcool la pathologie néonatale. Certains examens biologiques tels que l'alcoolémie, l'alcoolurie, le dosage de la gamma-glutamyl-transpeptidase (GGT), des transaminases, de même que le volume globulaire moyen, manquent de sensibilité et de spécificité[8]. Les analyses de laboratoires pour la recherche d'alcool dans le méconium et les cheveux du nouveau-né peuvent confirmer l'exposition à l'alcool pendant la grossesse[8]. Plusieurs catégories de diagnostic sont décrites: le syndrome d'alcoolisation fœtale (SAF) avec ou sans exposition confirmée à l'alcool, le SAF partiel (SAFp), les anomalies congénitales liées à l'alcool (ACLA) et les troubles neurologiques du développement liés à l'alcool (TNDLA). Le terme «Ensemble des Troubles Causés par l'Alcoolisation Fœtale» (ETCAF) n'est pas un diagnostic clinique. Il est utilisé pour décrire l'éventail des problèmes qui peuvent survenir chez un individu dont la mère consommait de l'alcool au cours de sa grossesse[8].

Prise en charge des bébés

Chez le nouveau-né, le syndrome de sevrage nécessite rarement un traitement médical, le maternage de l'enfant étant très efficace[4].

Effets à long terme chez l'enfant

Les anomalies liées à l'alcoolisation fœtale peuvent s'échelonner de problèmes neurocomportementaux subtils jusqu'au schéma complet du syndrome de l'alcoolisation fœtale[8].

Le retard de croissance peut persister durant toute l'enfance et la vie adulte ; dans certains cas, le rattrapage s'effectue à l'adolescence[8].

L'aspect du visage peut aussi se modifier dès l'adolescence, mais les anomalies oculaires persistent. Les anomalies viscérales et squelettiques tendent à s'améliorer avec l'âge. Il peut y avoir des troubles de développement sans déformation apparente[5, 8].

Avec l'âge, l'enfant atteint par l'ETCAF peut présenter plusieurs troubles tels que des troubles neurologiques, des troubles du comportement ou des anomalies cognitives. Les troubles neurologiques peuvent être une perte d'audition neurosensorielle, avec des surdités de perception, une atteinte de la vision, des troubles du langage, des perturbations de la motricité fine, avec imprécision des gestes et une instabilité psychomotrice[5, 8].

TABLEAU II – TROUBLES NEURODÉVELOPPEMENTAUX CHEZ L'ENFANT ATTEINT DE ETCAF[5, 8]		
Troubles neurologiques	**Troubles du comportement**	**Troubles des fonctions cognitives**
• Perte d'audition neurosensorielle. • Atteinte de la vision. • Troubles du langage. • Perturbations de la motricité fine. • Instabilité psychomotrice. • Crises convulsives. • Trouble de la coordination.	• Troubles du sommeil. • Troubles de la conduite alimentaire. • Tics. • Encoprésie, énurésie. • Impulsivité. • Déficits de maintien de l'attention. • Hyperactivité. • Troubles du jugement. • Diminution de la compétence sociale.	• Problèmes de mémoire. • Difficultés d'apprentissage. • Faible capacité d'abstraction. • Faibles habiletés mathématiques. • Faibles capacités visuospatiales. • Faible capacité à résoudre des problèmes. • Défaut de planification.

Les troubles du sommeil, les troubles de la conduite alimentaire, les habitudes et stéréotypies anormales, les tics, l'encoprésie ou l'énurésie sont également fréquents. Les troubles de comportement sont constants et sont dominés par une diminution des compétences sociales. Ils empêchent l'utilisation de façon efficace des possibilités intellectuelles et même manuelles. Il s'agit de l'hyperactivité, l'impulsivité, le trouble de jugement, la confiance infantile aux autres, le déficit de l'attention, l'instabilité psychomotrice et psychoaffective, la déficience de capacités d'adaptabilité interpersonnelle. Le retard mental n'est pas constant. Une étude a rapporté une moyenne de quotient intellectuel située à 68, avec des écarts nets de 20 à 120[4, 5]. Les troubles cognitifs touchent la mémoire, la capacité d'apprentissage, les capacités visuospatiales, la résolution des problèmes, la pensée abstraite, les mathématiques ainsi que la difficulté à percevoir les règles sociales[4].

Le pronostic à long terme est essentiellement lié au risque des troubles du développement neurocomportemental, qu'il y ait ou non un retard de croissance, une dysmorphie ou des malformations associées. Ces troubles peuvent entraîner des complications dans la vie des personnes atteintes, notamment des problèmes de santé mentale, des problèmes de scolarité, de délinquance, de détention, d'insertion socio-professionnelle, de comportement sexuel inadapté, d'abus d'alcool et de drogues[4, 11].

Prise en charge des enfants

Pour les enfants atteints par ETCAF, une prise en charge précoce et permanente avec des techniques de réhabilitation ciblées et une stimulation individuelle précoce, améliorent leur intégration. L'enseignement adapté aux enfants atteints d'ETCAF se déroule dans un environnement où les stimulations sont réduites au maximum. Les enfants atteints d'ETCAF devraient être évalués par des professionnels spécialisés (en pédiatrie, en génétique, en psychiatrie, etc.) afin d'identifier et traiter leurs problèmes de façon individuelle[8].

Données sur l'innocuité de l'alcool pendant l'allaitement

L'alcool est rapidement excrété dans le lait maternel à des concentrations similaires, voire supérieures, aux concentrations plasmatiques[12]. Le pic dans le lait est observé au bout de 30 à 90 minutes après l'ingestion, dépendant de la présence ou non d'aliments dans l'estomac[13]. À partir du lait, l'alcool retourne dans le sang. Au fur et à mesure que l'élimination s'accomplit, la diminution du taux dans le lait est parallèle à celle du taux sérique. Par conséquent, le fait d'exprimer le lait n'aura aucun impact sur l'élimination de l'alcool sauf pour éviter un engorgement[14].

La bière a la réputation d'être un galactogogue[13]. Toutefois, l'alcool peut inhiber le réflexe d'éjection[12]. L'odeur et le goût du lait maternel peuvent être altérés également[14]. Les études cliniques ont montré que les nourrissons absorbent moins de lait contenant de l'alcool[14]. La présence d'alcool dans le lait peut perturber les habitudes de sommeil, altérer le développement moteur et s'accompagner de risques d'hypoglycémie chez le nourrisson[14]. L'élévation de sécrétion endogène infantile de cortisol peut être provoquée par la présence prolongée d'alcool dans le lait maternel. Un pseudo syndrome de Cushing a été rapporté chez un nourrisson de mère alcoolique[12].

Prise en charge de la patiente qui consomme de l'alcool

Prise en charge des symptômes liés à l'arrêt de la consommation d'alcool

Les cibles thérapeutiques pendant la grossesse restent encore à définir. Un traitement de fond de la carence en vitamines et en oligoéléments doit être envisagé. L'acide folique (1 mg) et le fer (30 mg) sont donnés de façon systématique ainsi que la vitamine B_1 à la dose de 100 mg par jour. En fonction de l'importance de la dépendance à l'alcool, la détoxification peut être soit progressive pendant trois ou quatre jours ou encore envisagée dans le cadre d'une hospitalisation. Les benzodiazépines peuvent être utilisées pour traiter les signes de sevrage (voir le chapitre 30. *Dépression et troubles anxieux*). La clonidine est parfois utilisée pour réduire l'hyperexcitabilité autonomique consécutive au sevrage[1, 15].

Prise en charge de la femme qui consomme de l'alcool avant ou pendant la grossesse

L'alcool est un sujet difficile qui touche à l'environnement familial et à un état de souffrance psychologique. Il est important d'informer toutes les femmes enceintes des risques pour le bébé et de leur indiquer qu'il est recommandé de cesser toute consommation de boisson alcoolisée pendant la grossesse dès la première consultation prénatale.

Il est recommandé de repérer les conduites d'alcoolisation pendant la grossesse, d'identifier les personnes à risque pour une prise en charge immédiate et efficace par une équipe de professionnels qui connaissent réellement le problème de l'alcoolisation maternelle[15].

Le déni ou la minimalisation de la consommation d'alcool sont constants. Vu que l'alcoolisation évolue en général dans la solitude, la clandestinité et la culpabilité, l'interrogatoire doit rechercher de façon systématique la consommation d'alcool même si apparemment il n'existe aucun signe de dépendance ou de troubles de comportement. Il est important de créer un climat de confiance et d'évaluer le mode vie (habitudes alimentaires et consommation de boissons, tabac, drogues, médicaments) en posant un certain nombre de questions, et de ne pas se contenter de réponses négatives. Il est recommandé d'utiliser des questionnaires standardisés et validés pour la recherche et l'évaluation d'une addiction ou d'une consommation excessive d'alcool. Les questionnaires DETA-CAGE et TWEAK sont communément utilisés pendant la grossesse[8].

Les études épidémiologiques humaines ont confirmé que l'arrêt de la prise d'alcool en cours de grossesse peut aboutir à une diminution de l'atteinte fœtale[1]. Les femmes, si elles sont abstinentes, donnent naissance à des enfants sains. Les hommes, alcooliques ou non, mariés à une femme sobre, ont une descendance normale. Lorsqu'une femme donne naissance à un enfant présentant un syndrome d'alcoolisation fœtal, il n'y a aucun danger pour l'enfant à venir, lors d'une grossesse suivante, si elle reste abstinente[4]. L'abstention totale d'alcool doit être envisagée dès la conception et tout au long de la grossesse. Il faut également inciter le futur père à participer au message de prévention.

Prise en charge de la femme qui consomme de l'alcool pendant l'allaitement

Pour minimiser ou éviter l'exposition à l'alcool du nourrisson, une consommation régulière d'alcool est déconseillée. Une mère qui allaite et qui choisit de consommer de l'alcool occasionnellement peut établir soigneusement un horaire de tétée. Retarder la tétée après consommation d'alcool permet à l'organisme maternel de ramener les niveaux d'alcool au plus bas (niveau zéro)[14]. Les travaux effectués par le programme *Motherisk* (Toronto, Canada) ont permis d'estimer la période d'attente en fonction de la quantité d'alcool consommé et du poids de la mère[14]. D'autres recommandations ont été également formulées, comme exprimer le lait avant la consommation d'alcool pour le donner au biberon durant la période de consommation d'alcool, ou choisir des boissons ou des cocktails sans alcool (tableau III).

L'allaitement maternel présente trop d'avantages pour le déconseiller. En plus des valeurs nutritives, il favorise en particulier les interactions affectives entre le bébé et sa mère, ce qui garantit un meilleur développement psychomoteur, même pour une mère alcoolique[4].

TABLEAU III – PÉRIODE DE TEMPS ALLANT DU DÉBUT DE LA CONSOMMATION JUSQU'À L'ÉLIMINATION DE L'ALCOOL DU LAIT MATERNEL POUR DES FEMMES DE POIDS VARIÉS, EN SUPPOSANT QUE LE MÉTABOLISME DE L'ALCOOL SE FAIT AU RYTHME CONSTANT DE 15 MG/DL ET QUE LA FEMME EST DE TAILLE MOYENNE (1,62 M OU 5 PI 4 PO)[14]

Poids de la mère	Nombre de verres* (heure : minutes)											
Kg (lb)	1	2	3	4	5	6	7	8	9	10	11	12
40,8 (90)	2:50	5:40	8:30	11:20	14:10	17:00	19:51	22:41				
43,1 (95)	2:46	5:32	8:19	11:05	13:52	16:38	19:25	22:11				
45,4 (100)	2:42	5:25	8:08	10:51	13:34	16:17	19:00	21:43				
47,6 (105)	2:39	5:19	7:58	10:38	13:18	15:57	18:37	21:16	23:56			
49,9 (110)	2:36	5:12	7:49	10:25	13:01	15:38	18:14	20:50	23:27			
52,2 (115)	2:33	5:06	7:39	10:12	12:46	15:19	17:52	20:25	22:59			
54,4 (120)	2:30	5:00	7:30	10:00	12:31	15:01	17:31	20:01	22:32			
56,7 (125)	2:27	4:54	7:22	9:49	12:16	14:44	17:11	19:38	22:06			
59,0 (130)	2:24	4:49	7:13	9:38	12:03	14:27	16:52	19:16	21:41			
61,2 (135)	2:21	4:43	7:05	9:27	11:49	14:11	16:33	18:55	21:17	23:39		
63,5 (140)	2:19	4:38	6:58	9:17	11:37	13:56	16:15	18:35	20:54	23:14		
65,8 (145)	2:16	4:33	6:50	9:07	11:24	13:41	15:58	18:15	20:32	22:49		
68,0 (150)	2:14	4:29	6:43	8:58	11:12	13:27	15:41	17:56	20:10	22:25		
70,3 (155)	2:12	4:24	6:36	8:48	11:01	13:13	15:25	17:37	19:49	22:02		
72,6 (160)	2:10	4:20	6:30	8:40	10:50	13:00	15:10	17:20	19:30	21:40	23:50	
74,8 (165)	2:07	4:15	6:23	8:31	10:39	12:47	14:54	17:02	19:10	21:18	23:50	
77,1 (170)	2:05	4:11	6:17	8:23	10:28	12:34	14:40	16:46	18:51	20:57	23:03	
79,3 (175)	2:03	4:07	6:11	8:14	10:18	12:22	14:26	16:29	18:33	20:37	22:40	
81,6 (180)	2:01	4:03	6:05	8:07	10:08	12:10	14:12	16:14	18:15	20:17	22:19	
83,9 (185)	1:59	3:59	5:59	7:59	9:59	11:59	13:59	15:59	17:58	19:58	21:58	23:58
86,2 (190)	1:58	3:56	5:54	7:52	9:50	11:48	13:46	15:44	17:42	19:40	21:38	23:36
88,5 (195)	1:56	3:52	5:48	7:44	9:41	11:37	13:33	15:29	17:26	19:22	21:18	23:14
90,7 (200)	1:54	3:49	5:43	7:38	9:32	11:27	13:21	15:16	17:10	19:05	20:59	22:54
93,0 (205)	1:52	3:45	5:38	7:31	9:24	11:17	13:09	15:02	16:55	18:48	20:41	22:34
95,3 (210)	1:51	3:42	5:33	7:24	9:16	11:07	12:58	14:49	16:41	18:32	20:23	22:14

*1 verre : 12 oz ou 355 mL de bière à 5%, ou 5 oz ou 148 mL de vin à 11 %, ou 1,5 oz ou 44 mL d'alcool à 40%.
Exemple n° 1 : Une femme de 40, 8 kg (90 lb) qui consomme trois verres d'alcool en une heure doit attendre 8 heures et 30 minutes pour que l'alcool soit complètement éliminé de son lait, tandis qu'une femme de 95,3 kg (210 lb) qui consomme la même quantité doit attendre 5 heures et 33 minutes.
Exemple n° 2 : Une femme de 63,5 kg (140 lb) qui boit 4 bières doit attendre 9 heures et 17 minutes pour que l'alcool soit complètement éliminé de son lait. Ainsi, si la consommation a débuté à 20 h, la femme devra attendre jusqu'à 5 h 17 minutes.
Reproduit avec autorisation.

Références

1. NULMAN I, KOREN G, GLADSTONE J, O'HAYON B. Fetal alcohol syndrome. In: Koren G, editor. *Maternal-Fetal Toxicology-A Clinician's Guide*. 3ʳᵈ ed. New York: Marcel Dekker Inc; 2001. p. 467-493.
2. Expertise collective. Pharmacocinétique de l'éthanol. Alcool - Effets sur la santé 2001 13 avril 2006 [vérifié 18 avril 2006]; Disponible dans: http://www.inserm.fr/fr/questionsdesante/mediatheque/expertises/att00001953/alcool2001-synthese.pdf
3. CHEVALLEY A, COROMA-Collège romand de médecine de l'addiction. Effet de la consommation abusive de marijuana (ou cannabis) et d'alcool sur la femme enceinte, le foetus et le jeune enfant. 23 janvier 2003 12 janvier 2005 [vérifié 18 avril 2006]; Disponible dans: http://www.romandieaddiction.ch/textes/flash/200301_flash.006.pdf
4. DEHAENE P. *La grossesse et l'alcool*: Presses Universitaires de France; 1995.
5. VALLÉE L, CUVELLIER J. Syndrome d'alcoolisme fœtal: lésions du système nerveux central et phénotype clinique. *Pathol Biol* 2001;49:732-737.
6. ADLAF E, BEGIN P, SAWKA E, editors. Enquêtes sur les toxicomanies au Canada: Une enquête nationale sur la consommation d'alcool et d'autres drogues par les Canadiens: La prévalence de l'usage et les méfaits: Rapport détaillé. Ottawa: Centre canadien de lutte contre l'alcoolisme et les toxicomanies; 2005.
7. Statistics Canada. Frequency of drinking 5 or more drinks on one occasion in the last 12 months, by age group and sex, household population aged 12 and over who are current drinkers, Canada, 2000/01. June 2004 22 mars 2006 [vérifié 18 avril 2006]; Disponible dans: http://www.statcan.ca/english/freepub/82-221-XIE/00502/tables/html/2155.htm
8. CHUDLEY AE, CONRY J, COOK JL, LOOCK C, ROSALES T, LEBLANC N. Ensemble des troubles causés par l'alcoolisation foetale: lignes directrices canadiennes concernant le diagnostic. *JAMC* 2005;172(5 Suppl):SF1-SF22.
9. KOREN G, NULMAN I. *The Motherisk Guide to Diagnosing Fetal Alcohol Spectrum Disorder*. Toronto: The graphic centre-Hospital for Sick Children; 2002.
10. BESUNDER J, BLUMER J. Neonatal drug withdrawal syndromes. In: Koren G, editor. *Maternal-Fetal Toxicology-A Clinician's Guide*. New York: Marcel Dunker Inc; 2001. p. 347-371.
11. RILEY EP, MCGEE CL. Fetal alcohol spectrum disorders: an overview with emphasis on changes in brain and behavior. *Exp Biol Med* (Maywood) 2005;230(6):357-65.
12. DE SCHUITENEER B, DE CONINCK B. Éthanol. In: *Médicaments et allaitement*. Paris: Arnette Blackwell S.A.; 1996. p. 563-567.
13. HALE T, editor. *Medications and mother's milk*. Amarillo: Hale Publishing; 2006.
14. KOREN G. Drinking alcohol while breastfeeding. Will it harm my baby? *Can Fam Physician* 2002;48:39-41.
15. RAYBURN WF, BOGENSCHUTZ MP. Pharmacotherapy for pregnant women with addictions. *Am J Obstet Gynecol* 2004;191(6):1885-97.

Chapitre 9

Substances illicites

■

Joséphine DJULUS

CANNABIS

Introduction

Caractéristiques de la substance

Le cannabis est utilisé sous deux formes : la marijuana, qui est un mélange de feuilles, de tiges et de sommités florales de la plante, et le haschich, la résine extraite des extrémités florales.

Le cannabis contient un grand nombre de substances chimiques actives ayant des effets pharmacologiques variés, mais son principe actif majeur est le delta-9-tétrahydro-cannabinol (THC) dont la teneur varie considérablement en fonction des préparations, pouvant aller de 2 % à 70 %. Le THC doit son action à son interaction avec les récepteurs aux cannabinoïdes de type 1 (CB1) et type 2 (CB2) au niveau du système nerveux central[1, 2].

Le THC est habituellement inhalé mais il peut aussi être ingéré oralement. Son absorption s'effectue à partir des poumons et du tube digestif. Très lipophile, le THC se distribue rapidement dans tous les tissus riches en lipides, spécialement le cerveau, pouvant enraciner une dépendance psychique avec un désir persistant de consommation du cannabis. Par contre, la dépendance physique paraît très faible. Les symptômes de sevrage tels que des nausées, des sueurs, des tremblements, des insomnies ainsi qu'une baisse d'appétit ont été observés après une interruption brusque de consommation importante et quotidienne[1, 3]. Le THC traverse facilement la barrière placentaire. La concentration sanguine fœtale des métabolites du THC s'est révélée 2,5 à 7 fois moins élevée que la concentration maternelle lors de l'accouchement de femmes ayant consommé quotidiennement de la marijuana[4-6].

Épidémiologie

Le cannabis est la substance illicite la plus consommée par les femmes enceintes. Sa nature illicite constitue un obstacle très difficile à surmonter quant au recueil des données visant à déterminer la prévalence de sa consommation pendant la grossesse.

Dans certaines études faites en Amérique du Nord, le cannabis est retrouvé dans les urines des femmes enceintes dans 1,9 % à 2,9 % des cas. Par contre, les tests effectués sur le méconium montrent une prévalence de 7,5 %[4].

Au Canada, l'enquête nationale réalisée en 2004 auprès des femmes âgées de 15 ans et plus a révélé que 10,2 % de ces dernières ont consommé du cannabis au cours de l'année qui a précédé l'enquête[7]. Une étude publiée en 1991 a révélé que 3 % des femmes enceintes consomment régulièrement du cannabis pendant leur grossesse[8].

Les études relatives aux effets du cannabis sur la grossesse et le fœtus sont peu nombreuses et souvent contradictoires. La plupart du temps, l'usage simultané de plusieurs substances psychoactives (tabac, alcool, etc.) et des conditions de vie socio-économiques précaires associées à la consommation de cannabis compliquent la détermination d'un lien de cause à effet entre l'usage du cannabis et l'apparition des effets néfastes au cours de la reproduction[4, 7].

Effets pendant la grossesse et chez l'enfant

Bien qu'insinués, les effets néfastes associés à l'exposition intra-utérine au cannabis ne peuvent pas être démontrés clairement car de nombreux facteurs confondants, comme la consommation d'autres substances licites ou illicites ainsi que les conditions de vie des personnes prenant l'enfant en charge, doivent être pris en compte dans l'interprétation des résultats d'études[4].

Effets pendant la grossesse

Certaines études expérimentales ont mis en évidence des modifications cérébrales du fonctionnement dopaminergique ainsi que des perturbations dans le rôle régulateur de CB1 dans le développement cérébral chez le fœtus animal exposé au THC. L'usage régulier de cannabis semble être associé à un retard de croissance intra-utérine en fonction de la quantité consommée.

Une exposition régulière et importante peut être associée à un retard de croissance intra-utérine avec une diminution du poids de naissance de 80 à 105 g, ainsi qu'une taille et un périmètre crânien inférieurs à la normale. Toutefois, tous ces paramètres se normalisent durant la première année de vie.

Les études cliniques et expérimentales n'ont pas démontré de malformations congénitales liées à l'exposition prénatale au cannabis[4-6, 9].

Effets néonatals

Certains troubles neurologiques, tels que tremblements subtils, sursauts exagérés, réflexe de Moro prononcé, ont été décrits chez les nouveau-nés après une exposition prénatale prolongée[4]. En outre, une diminution de la puissance des pleurs, une raideur musculaire, de l'irritabilité et une succion faible ont aussi été signalés chez le nouveau-né d'une mère ayant consommé de la marijuana régulièrement pendant la grossesse. Ces différentes observations s'atténuent habituellement dans les 30 jours qui suivent la naissance[5, 6, 8]. Les processus biochimiques et physiologiques à la base de ces observations n'ont pas encore été élucidés. Considérant la demi-vie particulièrement longue du THC, il serait difficile d'attribuer ces manifestations cliniques précoces au syndrome de sevrage.

Effets à long terme

Des perturbations dans les habitudes de sommeil pendant les trois premières années de la vie de l'enfant ont été mentionnées[8].

Les études de comportement d'enfant en âge scolaire décrivent une augmentation significative de la fréquence de l'hyperactivité, de l'impulsivité, des difficultés à accomplir des tâches nécessitant une attention soutenue et de la délinquance. Des problèmes cognitifs tels que l'inattention et la difficulté à résoudre des problèmes visuels ont également été observés[10]. En outre, l'implication éventuelle de l'exposition prénatale au cannabis a été signalée dans le cas d'une leucémie lymphoblastique aiguë[5, 9].

Données sur l'innocuité du cannabis pendant l'allaitement

Le THC inhibe la production d'ocytocine et de prolactine, ce qui pourrait perturber l'allaitement.

Les données sur l'exposition au THC par le lait maternel sont encore restreintes. De faibles quantités de THC passent dans le lait des mères consommatrices de cannabis. Selon les résultats d'une étude, l'estimation de la quantité de THC qu'un nourrisson recevrait est d'environ 0,8 % de la dose maternelle ajustée au poids lors d'un allaitement maternel exclusif.

L'usage chronique de cannabis par la mère entraîne une accumulation de THC dans son lait (concentration jusqu'à huit fois supérieure à celle mesurée dans le plasma de la mère)[6, 11].

Aucune investigation clinique n'a exploré la vitesse d'élimination du THC dans le lait humain. Toutefois, sa demi-vie d'élimination plasmatique est de 20 à 36 heures, voire 4 jours dans certains cas d'usage chronique[11].

Des cas de léthargie chez le nourrisson ainsi qu'une réduction dans la fréquence et la durée des tétées ont été signalés[11].

Une étude a suggéré que l'exposition au cannabis par le lait maternel pendant le premier mois de vie semble être associée à une réduction du développement moteur de l'enfant à l'âge de un an. Par contre, l'association avec la réduction de développement mental n'a pas été rapportée[12]. L'impact à long terme du cannabis sur l'enfant allaité est inconnu[11].

Prise en charge de la patiente qui consomme du cannabis

Prise en charge des symptômes liés à l'arrêt de la consommation

Il n'existe pas de traitement de substitution pour le cannabis[13]. Les symptômes de sevrage lors de l'arrêt des prises pendant la grossesse ou l'allaitement peuvent justifier la prescription de psychotropes tranquillisants ou hypnotiques en évitant les benzodiazépines au pouvoir toxicomanogène reconnu (voir le chapitre 30. *Dépression et troubles anxieux*).

La prise en charge est essentiellement d'ordre psychologique. Les thérapies cognitives et comportementales favorisent la motivation, puis le maintien de l'abstinence.

Consommation pendant la grossesse

Une information précise concernant les effets néfastes de la consommation du cannabis sur le déroulement de la grossesse et l'avenir de l'enfant doit être transmise à toute femme enceinte ou désirant le devenir avant la procréation ou dès la première consultation.

Diverses études ont révélé que la plupart des futures mères réduisent ou arrêtent l'utilisation du cannabis dès le début de leur grossesse. Si l'intéressée est incapable de suspendre elle-même sa consommation, elle doit être adressée à un centre qualifié ou à un personnel spécialisé en milieu obstétrical. Le partenaire devrait être partie prenante du processus. L'usage de cannabis ne peut à lui seul justifier l'interruption de grossesse[13].

Consommation pendant l'allaitement

Dans tous les cas, l'allaitement maternel doit être encouragé. Toutefois, les mères qui allaitent devraient s'abstenir de consommer du cannabis. Les problèmes que peut induire l'exposition au THC par le lait maternel et l'exposition passive à la fumée de cannabis dans l'air ambiant seront clairement expliqués à la mère, de même que les désavantages connus du recours à l'allaitement artificiel.

Dans tous les cas, les nourrissons devraient faire l'objet d'une surveillance médicale étroite[11].

COCAÏNE

Introduction

Caractéristiques de la substance

La cocaïne est un alcaloïde extrait de la feuille d'*Erythoxylon coca*. La cocaïne est un stimulant très puissant du système nerveux central. Elle est utilisée de façon légale pour son effet anesthésique local, mais l'utilisation pour ses effets stimulants et euphorisants est illicite[9]. La cocaïne peut entraîner une dépendance psychologique, par contre la dépendance physique n'a pas été clairement démontrée. Les consommateurs réguliers éprouvent des symptômes de sevrage communs au sevrage d'autres stimulants du système nerveux central, comme la dépression, l'épuisement, le sommeil prolongé et la faim.

Diverses voies d'administration peuvent être utilisées, notamment la voie orale, nasale, respiratoire (fumée de crack cocaïne), intraveineuse, intramusculaire, vaginale et rectale[14]. La cocaïne est rapidement absorbée et sa demi-vie plasmatique varie entre 0,7 et 1,5 heures[15, 16]. Elle traverse très aisément la barrière placentaire[17].

Épidémiologie

Un bon nombre de femmes en âge de procréer utilisent la cocaïne à des fins récréatives. L'enquête nationale canadienne de 2004 a révélé que 1,1 % des femmes âgées de 15 ans et plus ont expérimenté la cocaïne au cours de l'année précédant l'étude[7]. La plupart des femmes qui utilisent la cocaïne sont polytoxicomanes avec un profil socio-économique et un état psychologique défavorables (malnutrition, précarité des conditions de vie, infections, etc). En outre, la nature exacte du produit acheté dans la rue de même que le dosage du principe actif sont rarement connus. Par conséquent, il est très difficile de réaliser une étude fiable sur les effets des drogues illicites chez la femme enceinte et la prévalence d'utilisation ne peut être déterminée. Dans ce contexte, la consommation de cocaïne peut avoir des conséquences néfastes sur le déroulement de la grossesse et pour l'enfant à venir.

Effets de la cocaïne pendant la grossesse et chez l'enfant

Risque infectieux

La méthode d'administration par injection constitue une source de transmission d'infection virale (hépatite B, hépatite C et VIH) entraînant un risque de transmission verticale de la mère infectée à l'enfant à naître[14].

Effets pendant la grossesse

L'exposition à la cocaïne entraîne une vasoconstriction placentaire, une diminution du flux sanguin utérin ainsi qu'une hypercontractibilité utérine. Une vasoconstriction générale est aussi observée chez la mère et le fœtus. Ainsi, on a pu observer chez les femmes cocaïnomanes des hypertensions artérielles gravidiques, des avortements spontanés, des ruptures prématurées des membranes, des décollements placentaires, des hématomes rétro-placentaires, des accouchements prématurés ainsi que des complications de la délivrance[14, 16].

Des perturbations hémodynamiques pouvant être à l'origine des lésions intra-crâniennes sont observées chez le fœtus exposé à la cocaïne[5, 18].

Certaines études ont mis en évidence un retard de croissance intra-utérine se caractérisant par la réduction du poids et de la taille de naissance, de même qu'une diminution du périmètre crânien par rapport à la normale. Il existe une nette amélioration s'il n'y a eu consommation qu'au cours du premier trimestre[9].

L'effet tératogène de la cocaïne n'a pas encore été clairement démontré. Les résultats d'études sont contradictoires, créant des confusions et des interprétations erronées de la tératogénicité. Quelques cas isolés de malformation cardiovasculaire et de tractus uro-génital ont été rapportés. L'usage de plusieurs drogues est fréquent chez les femmes enceintes qui consomment de la cocaïne, et les effets observés chez les nouveau-nés peuvent être attribuables à l'usage d'autres substances (par exemple, le tabac ou l'alcool), ainsi qu'à d'autres facteurs, comme des soins prénatals inadéquats, une mauvaise alimentation de la mère ou d'autres facteurs associés aux conditions de vie de la mère[5, 14, 16, 18].

Effets néonatals

Le nouveau-né peut présenter des symptômes neurologiques (convulsions, irritabilité, trémulations, hypertonie ou hypotonie), des troubles gastro-intestinaux (vomissements et diarrhées) et cardiovasculaires (tachycardie, hypertension) dans les deux à trois jours suivant l'accouchement après une exposition prénatale prolongée[16]. Ces caractéristiques cliniques peuvent durer plusieurs semaines à plusieurs mois.

Habituellement, elles ne nécessitent aucun traitement particulier. Les processus biochimiques et physiologiques qui gouvernent ces symptômes n'ont pas encore été élucidés. Il semble que leur présence soit plutôt liée à la toxicité de la cocaïne sur le système nerveux du nouveau-né qu'au sevrage[18].

La présence de cocaïne et de ses métabolites chez le nouveau-né est détectable dans les urines jusqu'à une semaine de vie. La preuve de la présence de cocaïne chez le nouveau-né peut être démontrée par l'analyse des urines, du méconium, des aspirations gastriques et des cheveux[17, 19].

Les morts subites du nourrisson sont cinq à huit fois plus fréquentes chez les bébés exposés *in utero* à la cocaïne que dans la population générale, spécialement dans les premières semaines de vie[5, 18].

Effets à long terme

Des troubles du comportement et un retard du développement moteur et intellectuel, spécialement du langage, ont été signalés. Toutefois, les conclusions demeurent controversées et ces retards peuvent être évités avec une intervention précoce dans le but de stimuler le développement de l'enfant. L'environnement dans lequel l'enfant exposé à la cocaïne *in utero* grandit constitue un facteur déterminant pour son développement, aussi bien moteur que mental et affectif[14, 18].

Données sur l'innocuité de la cocaïne pendant l'allaitement

Les données existantes concernant le passage de la cocaïne dans le lait maternel sont restreintes. La cocaïne et son métabolite inactif (benzoylecgonine) sont retrouvés dans le lait maternel en quantité significative. Dans un cas rapporté, la cocaïne et ses métabolites étaient présents dans le lait maternel jusqu'à 36 heures après la prise par voie nasale. Ils étaient aussi détectables dans les urines du bébé jusqu'à 60 heures après la dernière tétée[9, 20].

Les effets secondaires (irritabilité, trémulations, diarrhées, vomissements, tachycardie, tachypnée, hypertension et mydriase) ont été rapportés chez un enfant de deux semaines allaité par une mère cocaïnomane[15, 20].

Prise en charge de la patiente qui consomme de la cocaïne

Prise en charge des symptômes liés à l'arrêt de la consommation

Il n'existe pas de traitement de substitution particulier pour la prise de cocaïne. En général, le traitement du sevrage est plutôt symptomatique; les antidépresseurs tricycliques peuvent aussi être envisagés[14, 16].

Les recommandations demeurent la détoxification et une prise en charge précoce par une équipe expérimentée et multidisciplinaire (obstétricien, psychologue, psychiatre, pédopsychiatre, puéricultrice et travailleur social)[14].

Consommation avant ou pendant la grossesse

L'usage de cocaïne ne justifie pas à lui seul une indication d'avortement thérapeutique[21].

Les conseils, orientés sur l'abstinence et les risques pour la grossesse, aident à prévenir la réutilisation. Il est bon de valoriser le rôle maternel de la patiente en lui enlevant surtout le sentiment de culpabilité et en encourageant les liens mère-enfant[14].

Consommation pendant l'allaitement

Une mère qui choisit d'allaiter après l'usage de cocaïne doit être avertie de ses effets néfastes sur le nourrisson. Les précautions, basées sur la pharmacocinétique et la pharmacodynamie de la cocaïne, doivent être prises pour minimiser, voire éviter, l'exposition à la cocaïne par l'allaitement.

Une surveillance régulière de l'état de santé de l'enfant allaité ainsi que le dosage hebdomadaire de la cocaïne et de ses métabolites dans les urines et le lait maternel sont conseillés. Le dosage de la cocaïne dans les urines de l'enfant sera aussi régulièrement effectué au cas par cas, lors d'exposition prénatale à des substances utilisées à des fins récréatives[20].

OPIACÉS

Introduction

Caractéristiques de la substance

Les opiacés ou les narcotiques sont des produits dérivés de l'opium (extrait du pavot asiatique). La famille des opiacés se compose des alcaloïdes naturels (morphine, codéine, hydrocodone...) et des dérivés de synthèse ou opioïdes. Les opioïdes peuvent être semi-synthétiques (héroïne, oxycodone, hydromorphone...) ou entièrement synthétiques (méthadone, mépéridine, pentazocine, fentanyl...); leurs effets sont similaires à ceux de l'opium sans y être chimiquement apparentés.

Les opiacés sont des dépresseurs du système nerveux central avec une activité analgésique. À faible dose, ils entraînent une euphorie avec désinhibition et, à forte dose, une sédation.

Diverses voies d'administration peuvent être utilisées, notamment intraveineuse, orale, nasale, respiratoire, intramusculaire, sous-cutanée, vaginale et rectale.

La dépendance physique et psychologique aux opiacés s'acquiert rapidement, engendrant le tableau majeur de la polytoxicomanie[18, 22]. Cette dépendance peut aussi résulter d'un usage thérapeutique régulier initié avant et pendant la grossesse.

Les opiacés traversent facilement la barrière placentaire pour atteindre la circulation sanguine du fœtus[9, 18, 23].

Épidémiologie

L'illégalité de l'usage récréatif des opiacés rend difficile l'évaluation épidémiologique de leur utilisation pendant la grossesse.

L'enquête nationale canadienne de 2004 a révélé qu'environ 0,5 % des femmes âgées de 15 ans et plus ont consommé de l'héroïne à un moment de leur vie[7]. Les données démographiques canadiennes sur la consommation d'autres opiacés ne sont pas disponibles.

Effets des opiacés pendant la grossesse et chez l'enfant

Chez la femme toxicomane, une grossesse est à haut risque pour la vie de la mère et du futur enfant. Le devenir de la grossesse peut être affecté non seulement par les effets des opiacés et ses divers diluants, mais aussi la méthode d'administration, ainsi que le style de vie résultant de la toxicomanie.

Dans la grande majorité des cas, la découverte de la grossesse est tardive en raison d'aménorrhées prolongées et de l'effet analgésique des drogues ingérées.

On assiste à des grossesses mal suivies avec une augmentation de la fréquence et de la gravité des complications[18, 22].

Risque infectieux

La méthode d'administration par injection constitue une source de transmission d'infection virale telle que l'hépatite B, l'hépatite C ainsi que le VIH, entraînant un risque de transmission verticale de la mère infectée à l'enfant à naître[18].

Effets sur la grossesse

La prise des opiacés peut provoquer des symptômes de sevrage plusieurs fois par jour chez la mère, entraînant des effets semblables chez le fœtus avec des risques de souffrance fœtale, voire de mort *in utero*. L'hypercontractibilité utérine avec une insuffisance placentaire peuvent aussi résulter des épisodes de sevrage.

Aucune étude clinique n'a pu clairement démontrer une augmentation du taux de malformations congénitales liée à l'exposition prénatale aux opiacés (voir le chapitre 33. *Migraines et douleurs*). Des hypotrophies fœtales avec une diminution du poids de naissance, du périmètre crânien et de la taille ont été décrites. Les autres complications sont essentiellement des accouchements prématurés (20 à 56 % des cas) et des retards de croissance intra-utérine[18].

Effets néonatals

Le syndrome de sevrage est fréquent en période périnatale (50 à 80 %)[24]. Il se caractérise par:

- des signes *neurologiques*: agitation, hyperexcitabilité, cris aigus, troubles du sommeil, trémulations, hypertonie, et convulsions;
- des signes *digestifs*: succion inefficace, régurgitations, vomissements, diarrhées;
- *autres signes*: tachypnée, bâillements, éternuements, crises de hoquets, accès de sueurs profuses, accès de rougeur cutanée, fièvre alternant avec l'hypothermie. Ces signes peuvent apparaître entre quelques heures et deux semaines de vie. La majorité des symptômes apparaissent dans les 72 heures *post-partum*. Ils peuvent persister pendant quelques semaines, voire quelques mois pour certains de ces signes. En général, le syndrome de sevrage du nouveau-né est traité par une équipe expérimentée par le sulfate de morphine.

Le risque de la mort subite du nourrisson serait 5,29/1000 chez les enfants exposés à l'héroïne pendant la grossesse *versus* 2,3/1000 dans la population générale[23-25].

Effets à long terme

Les séquelles à long terme sont très difficiles à évaluer. Plusieurs études ont mentionné l'absence de déficits de la fonction cognitive. D'autres études ont signalé des troubles de comportement tels que l'agressivité, l'hyperactivité ainsi que la désinhibition[26].

Effets des opiacés pendant l'allaitement

Les données existantes sont très limitées. Les opiacés passent dans le lait maternel. La quantité transférée dépend de la nature chimique du produit. Cette quantité semble être faible, mais elle reste non déterminée après l'usage récréatif des opiacés. Bien que l'héroïne ait une demi-vie plasmatique très courte et une absorption orale faible à partir du lait, sa consommation par la mère pendant l'allaitement peut être dangereuse pour le nourrisson. Son utilisation ainsi que l'utilisation abusive des autres opiacés est contre-indiquée pendant l'allaitement. La quantité ingérée à travers le lait maternel n'est pas forcément suffisante pour traiter le syndrome de sevrage chez le nouveau-né[15, 27].

Prise en charge de la patiente qui consomme des opiacés

Consommation pendant la grossesse

Le suivi de grossesse doit être effectué par plusieurs spécialistes, de préférence organisés en réseau afin d'assurer un soutien social, médical et psychologique. Le père, s'il est présent, doit être activement impliqué dans la prise en charge[13].

Au cas où la surveillance médicale proche s'avérerait difficile, la détoxification peut être réalisée durant une à plusieurs semaines. Dans de telles situations, le second trimestre de la grossesse serait la période idéale pour initier le traitement de substitution car les risques d'avortement spontané et d'accouchement prématuré sont au plus bas[13, 28]. Les divers changements physiologiques qui s'effectuent chez la femme enceinte au premier trimestre rendent le sevrage pénible. Au dernier trimestre, une souffrance fœtale liée aux symptômes de sevrage peut provoquer un accouchement prématuré et augmenter les risques de mortinaissance et de mortalité néonatale[9, 13, 28].

En dehors d'un strict contrôle médical, l'arrêt brusque des opiacés est fortement déconseillé pendant la grossesse[13].

Les recommandations, en cas de consommation de substances opiacés illicites avant ou pendant la grossesse, consistent à entamer ou à poursuivre le traitement de substitution par la méthadone[13, 18, 28].

Si un sevrage est désiré malgré la bonne information sur les bénéfices de la méthadone, il est préférable de le réaliser au second trimestre de la grossesse, comme mentionné précédemment[27].

Consommation pendant l'allaitement

L'allaitement maternel doit être encouragé, et la prise de la méthadone semble être compatible[27].

Traitement de substitution par méthadone

Seule la méthadone est commercialisée au Canada en tant que traitement de substitution aux opiacés. Elle constitue un complément efficace au conseil et autres thérapies comportementales, permettant spécialement la stabilisation de l'état clinique de la grossesse et de la période périnatale[13].

Schéma posologique

Une courte période d'hospitalisation initiale est souvent nécessaire pour établir un bilan prénatal et une bonne surveillance médicale.

Il est recommandé de maintenir des doses élevées de méthadone en cours de grossesse, voire d'augmenter la posologie en fin de grossesse en raison de l'augmentation du volume plasmatique circulant. Une diminution de la posologie en fin de grossesse risque de déséquilibrer les femmes et d'entraîner l'augmentation ou la reprise de consommation d'autres produits plus dangereux[18].

La dose de départ peut être 10 à 20 mg suivie d'une augmentation progressive toutes les 6 à 8 heures[28]. La dose de maintien peut être atteinte au bout de 24 à 48 heures. Des doses de 50 à 150 mg par jour peuvent être utilisées[13].

Données d'innocuité durant la grossesse

La méthadone est un opiacé de synthèse utilisé dans la pharmacothérapie de substitution aux autres opiacés. Certains auteurs ont observé une diminution du poids de naissance, du périmètre crânien ainsi que de la taille du nouveau-né. Ces symptômes sont néanmoins plus marqués lors de la prise de l'héroïne que lors de la prise de méthadone[9, 18]. Même si le traitement de substitution à la méthadone induit le sevrage néonatal parfois tardif, dans 60 à 90 % des cas il renforce le bon suivi de la grossesse[9, 29].

Données d'innocuité durant l'allaitement

La demi-vie d'élimination de la méthadone est, en moyenne, de 27 heures (13-55 heures)[15, 30]. La méthadone passe dans le lait maternel à des taux très faibles. Avec les posologies habituellement prescrites, les taux dans le lait sont si minimes que les taux plasmatiques chez le nourrisson ne sont pas significatifs[9, 15]. En calculant la dose maximale de méthadone dans différentes études où les doses de méthadone allaient jusqu'à 180 mg par jour, les enfants recevraient par le lait maternel 6 % de la dose pédiatrique de méthadone[9, 15, 30, 31]. Cette quantité n'est pas suffisante pour traiter le syndrome de sevrage néonatal[15]. Les résultats d'études n'ont suggéré aucune raison de déconseiller l'allaitement par une mère traitée à la méthadone[31, 32]. Outre le traitement du syndrome de sevrage néonatal, les enfants allaités ne requièrent pas de suivi particulier[31].

En outre, les avantages immunologiques de l'allaitement et l'attachement au bébé qu'il favorise sont bien sûr particulièrement précieux pour la mère toxicomane.

L'usage concomitant d'autres substances récréatives ou la présence d'infections comme le VIH constituent une contre-indication pour l'allaitement maternel[33].

AMPHÉTAMINES

Introduction

Caractéristiques des amphétamines

Les amphétamines sont des psychostimulants sympathomimétiques de synthèse formés à partir de la molécule de phényléthylamine[34].

L'amphétamine, la dextroamphétamine, la méthamphétamine (*speed, Crystal meth, ice*) font partie de la classe des amphétamines[5, 9]. Tout usage des amphétamines en dehors d'une indication thérapeutique est illicite.

Les amphétamines induisent des effets psychiques tels que l'insomnie, l'euphorie, l'anorexie, l'irritabilité, l'agressivité, l'hallucination, puis la lassitude et la dépression secondaire, ainsi que des effets somatiques comme les tremblements, la tachycardie, l'hypertension, etc.[34]. Les consommateurs réguliers éprouvent des symptômes de sevrage commun au sevrage d'autres stimulants du système nerveux central, comme la dépression, l'épuisement, le sommeil prolongé et la faim[35].

Plusieurs voies d'administration ont été décrites : orale, nasale, intraveineuse, etc. Les amphétamines sont bien absorbées par voie orale[35]. Chez la brebis, elles traversent aisément la barrière placentaire et s'accumulent dans l'organisme du fœtus[9].

Épidémiologie

Comme tout produit dont l'usage est illicite, il est difficile d'établir la prévalence, l'incidence, voire les facteurs de risque de sa consommation, spécialement pendant la grossesse.

L'enquête nationale canadienne de 2004 a révélé que 0,6 % des femmes interrogées, âgées de 15 ans et plus, ont expérimenté le *speed* au cours de l'année précédant l'étude[7]. Ces estimations laissent présager que des milliers d'enfants peuvent être exposés aux amphétamines avant leur naissance.

Effets des amphétamines pendant la grossesse et chez l'enfant

Risques infectieux

La méthode d'administration par injection constitue une source de transmission d'infection virale comme l'hépatite B, hépatite C ainsi que le VIH, entraînant un risque de transmission verticale de la mère infectée à l'enfant à naître[18].

Effets sur la grossesse

Outre leur propriété vasoconstrictrice pouvant engendrer des perturbations de la perfusion utéro-placentaire et l'hypertension chez la mère, les amphétamines sont des anorexigènes ayant éventuellement pour conséquence la dénutrition maternelle[36, 37]. Une augmentation du risque de retard de croissance intra-utérine, de prématurité et de morbidité périnatale est observée. Ces observations peuvent être le reflet de plusieurs facteurs comme l'usage d'autres drogues, le style de vie et le mauvais état de santé de la mère[5, 36].

Les amphétamines ne semblent pas être à l'origine de malformations congénitales spécifiques[9]. Les travaux expérimentaux chez les rongeurs ont mentionné qu'à forte dose, l'exposition prénatale à la dextroamphétamine peut provoquer des malformations telles que l'exencéphalie, des fentes palatines, des anomalies oculaires ainsi que des malformations cardiaques[9].

Chez la femme enceinte, quelques cas isolés d'anomalies cardiaques, d'exencéphalie bifide, de microcéphalie, d'hydrocéphalie, d'atrésie intestinale et d'épidermolyse bulleuse ont été notifiés[5, 9].

Effets néonatals

Les signes de sevrage (pleurs aigus, irritabilité, trémulations et éternuements) ont été observés chez des nouveau-nés dont les mères ont consommé des amphétamines durant toute la grossesse[9]. Ce sevrage est caractérisé par des troubles du sommeil, des succions inefficaces, des trémulations ainsi qu'une hypertonie[9]. Une prise en charge adaptée dans des structures sanitaires adéquates est suggérée[13].

Effets à long terme

Les séquelles à long terme n'ont pas encore été clairement élucidées[9].

Données sur l'innocuité des amphétamines pendant l'allaitement

Les données concernant la pharmacocinétique des amphétamines et de leurs dérivés n'ont pas encore été bien élucidées dans le lait humain. La durée d'action est de quatre à six heures, mais à fortes doses elle peut se prolonger jusqu'à 48 heures. La demi-vie d'élimination plasmatique est environ de huit heures[15, 38].

Les amphétamines sont excrétées dans le lait maternel et s'y accumulent[9]. Elles peuvent être détectées dans les urines de l'enfant allaité, mais aucun effet indésirable n'a été observé chez le nourrisson pendant 24 mois de suivi[9, 38]. Une autre étude n'a pas observé d'insomnie ou d'irritabilité dans un groupe de 103 enfants allaités par des mères consommant des amphétamines à diverses doses[9]. Cependant, en se basant sur les propriétés pharmacologiques des amphétamines et selon la quantité consommée par la mère, il est possible que la quantité excrétée dans lait puisse causer de l'agitation, de l'irritabilité, une diminution de la prise de poids et des perturbations du sommeil[15].

Prise en charge de la patiente qui consomme

Prise en charge des symptômes liés à l'arrêt

Il n'existe pas de traitement de substitution particulier pour la prise des amphétamines et de leurs dérivés; le traitement du sevrage est plutôt symptomatique[13].

Consommation avant ou pendant la grossesse

La détoxification et une prise en charge précoce par une équipe expérimentée et multidisciplinaire (obstétricien, psychologue, psychiatre, pédopsychiatre, puéricultrice et travailleur social) améliorent le pronostic. Il est bon de valoriser le rôle maternel de la patiente en lui enlevant surtout le sentiment de culpabilité et en encourageant les liens mère-enfant. L'usage d'amphétamines ne justifie pas à lui seul l'interruption thérapeutique de la grossesse[13].

Consommation pendant l'allaitement

En cas d'utilisation unique et en fonction de la dose administrée, il est fortement recommandé d'interrompre l'allaitement pendant au moins 24 à 48 heures après la prise d'une amphétamine pour réduire les risques pour l'enfant allaité. La prise d'amphétamines sur une base régulière pose des risques pour l'enfant allaité et les risques dépassent les bénéfices dans la plupart des cas[38].

ECSTASY

Ecstasy (X, XTC, E, pilule d'amour...) désigne une variété de produits contenant le méthylène de dioxyméthamphétamine (MDMA). L'*ecstasy* est une drogue de synthèse chimiquement apparentée à l'amphétamine et à la mescaline, et occupe ainsi une position intermédiaire entre les hallucinogènes et les stimulants. Le consommateur recherche l'effet stimulant et euphorisant qu'elle provoque à faible dose et l'effet hallucinogène à forte dose[9].

À dose toxique, l'*ecstasy* peut entraîner une hyperthermie, une déshydratation, une rhabdomyolyse et des convulsions[34].

Cette drogue a pris une place importante parmi les drogues consommées ces dernières années chez les jeunes, y compris chez les femmes en âge de procréer. En 2004, l'enquête nationale canadienne, auprès de personnes âgées de 15 ans et plus a révélé que près de 0,7 % des femmes interrogées ont expérimenté l'*ecstasy* au cours de l'année précédant l'étude[7].

D'une façon générale, il semble que le recours à l'*ecstasy* intervienne seulement après avoir essayé d'autres produits et, plus particulièrement, l'alcool, le tabac et le cannabis. La dépendance physique n'a pas été signalée. Par contre la dépendance peut être psychologique (simple satisfaction à l'idée de répéter l'administration ou désir de le faire pour le même plaisir)[34].

Les données disponibles concernant son usage au cours de la grossesse et l'allaitement sont très restreintes mais elles sont semblables à celles décrites avec les amphétamines[5].

AUTRES HALLUCINOGÈNES

Cette entité regroupe les substances hallucinogènes naturelles (psilocybine, mescaline ou peyotl, datura...) et synthétiques (LSD ou acide lysergique diéthylamide, DOM ou diméthoxy-methylamphétaminenyl, DMT ou diméthyltriptamine, PCP ou phencyclidine, kétamine, GHB ou gamma hydroxybutyrate) qui engendrent des illusions et hallucinations visuelles, auditives et tactiles avec une distorsion de la réalité, accompagnée d'une perception de choses inexistantes[9, 39].

Ces hallucinogènes sont souvent d'utilisation marginale et transitoire chez les toxicomanes. Il est très difficile de connaître la prévalence de cette toxicomanie dans la mesure où ces substances sont aussi vendues sous autres dénominations, ou utilisées comme additif dans des cocktails de drogues. En outre, la fiabilité de l'autodéclaration de l'utilisateur demeure discutable. L'enquête nationale canadienne de 2004 a estimé à 0,3 % le taux des femmes interrogées, âgées de 15 ans et plus, qui ont expérimenté ce genre de substance hallucinogène au cours de l'année écoulée[7]. Par conséquent, ces substances peuvent aussi bien être consommées par certaines femmes enceintes, constituant ainsi un facteur de risque périnatal. En général, ces substances sont très liposolubles. Elles traversent très facilement la barrière placentaire et peuvent s'accumuler chez le fœtus. Bien entendu, elles peuvent aussi passer dans le lait maternel. Toutefois, le contexte de l'utilisation de ces substances (impuretés, polytoxicomanie, problèmes médico-socio-économiques) rend l'exploration de leurs effets à long terme, chez l'enfant, très complexe.

En effet, il n'existe pas de traitement de substitution particulier à l'usage de ces substances. Toute prise en charge d'une patiente devrait avoir pour but l'arrêt de l'intoxication. Outre une échographie détaillée pour identifier la présence des anomalies structurelles, la détoxification et la prise en charge (médico-psycho-sociale) par une équipe multidisciplinaire et compétente constituent les recommandations pour la femme enceinte.

La consommation pendant l'allaitement n'a pas encore été bien élucidée.

Psilocybine

La psilocybine et psilocin (champignon magique) sont des composants actifs de plusieurs d'espèces de champignons, dont le plus recherché est le psilocybe. Par ailleurs, la psilocybine de synthèse est une poudre blanche cristalline en comprimé, en capsule ou en solution liquide. Ces substances sont habituellement prises par voie orale, rarement par voie nasale ou par injection. L'utilisation à des fins récréatives provoque une ivresse de plusieurs heures accompagnée d'hallucinations visuelles, auditives et tactiles, de troubles de la vision colorée, de distorsion temps et espace, d'euphorie, d'hyperesthésies ainsi que de modification de l'humeur, de pensée et de sentiments. En général, elles n'entraînent pas de dépendance ni de tolérance[39].

Une étude faite chez la souris n'a pas révélé d'effets tératogènes reliés à la psilocybine. Aucune autre étude clinique humaine portant sur la reproduction ou l'allaitement n'a été identifiée[5].

Mescaline

La mescaline est un hallucinogène dérivé des boutons séchés d'un cactus appelé le peyotl ou produite synthétiquement. Elle est habituellement prise par voie orale sous forme de poudre, comprimé, capsule ou liquide. Souvent mélangée avec d'autres substances hallucinogènes, la mescaline a presque disparu du marché ; ce qui est vendu comme tel est soit du LSD, soit de la phencyclidine mélangée ou non à de la strychnine. L'usage rituel du peyotl en Amérique latine remonterait à plus de 3000 ans. Cette consommation a été répandue dans le monde occidental[5], surtout auprès des adeptes de la culture psychédélique. La mescaline provoque un état d'excitation majeure avec euphorie, ainsi qu'une tachycardie et une hypertension marquées suivies par un état de sédation avec les hallucinations aussi bien visuelles, auditives, olfactives que tactiles. Son utilisation prolongée peut mener à une tolérance qui disparaît en quelques jours après l'arrêt. Elle ne semble pas entraîner une dépendance physique. Cependant, une dépendance psychologique d'intensité variable peut être observée[39].

Une étude expérimentale (chez le hamster) a rapporté une fréquence élevée de résorption fœtale en fonction de la dose utilisée pendant la gestation. Cependant, l'augmentation de taux de malformations congénitales n'a pas été signalée. Une autre étude (chez le hamster également) a révélé une augmentation de la fréquence de malformations congénitales du système nerveux central dans la progéniture. L'usage abusif de la mescaline est lié à la survenue d'avortements spontanés, de mortinaissances ainsi que de certaines malformations congénitales[5, 40]. Toutefois, aucune étude épidémiologique humaine fiable portant sur les effets de la mescaline au cours de la reproduction ou de l'allaitement n'a été identifiée.

Acide lysergique diéthylamide - LSD

Le LSD (acide) est un dérivé synthétique d'un alcaloïde extrait d'un parasite de l'ergot de seigle, un champignon nommé *Claviceps purpurea*. Il se présente sous forme de cristaux blancs ou de liquide incolore et inodore. Il est ingéré à l'aide de papier buvard ou de papier; il est rarement fumé ou injecté. Ses effets psychologiques sont dominés par une activité hallucinatoire intense (visuelle, auditive et tactile). Il provoque des modifications sensorielles intenses, une dépersonnalisation, de la déréalisation, une distorsion temps et espace, de l'euphorie, des hyperesthésies, des modifications de l'humeur, de la pensée et des sentiments. Un état confusionnel, où se mêlent angoisse, panique, paranoïa, phobies et bouffées délirantes, peut être observé. Aucun syndrome de sevrage physique n'a été décrit à l'arrêt de l'intoxication. En revanche, la dépendance psychique est souvent intense[9, 39].

Les données expérimentales ont indiqué une augmentation de la fréquence de résorption fœtale après l'exposition à des doses élevées de LSD pendant la gestation, ainsi qu'une induction de malformations du système nerveux central et des yeux. Par ailleurs, l'épidémiologie humaine n'a mis en évidence aucune association avec l'augmentation de risque de malformations congénitales. Les études des années 60, 70 et 80 avaient suggéré l'apparition de malformations congénitales et d'altérations chromosomiques chez le nouveau-né. Cependant, cette augmentation de risque des malformations congénitales et altérations chromosomiques n'a pas été confirmée. La consommation du LSD pendant la grossesse semble être reliée à une augmentation de la fréquence des avortements spontanés[5, 9].

Aucune investigation clinique n'a étudié le passage du LSD dans le lait maternel. Néanmoins, son poids moléculaire relativement petit (approximativement 323 daltons) pourrait permettre son passage dans le lait maternel. Étant donné que ses effets psychomimétiques se produisent à des doses extrêmement faibles, son utilisation est contre-indiquée pendant l'allaitement[15, 24].

Phencyclidine - PCP

Le PCP (poussière d'ange, pilules de la paix...) a été développé à l'origine comme un anesthésique dissociatif, déconnectant les patients de la réalité sans perte de conscience et sans perception de la douleur. Son utilisation a été ensuite détournée à titre récréatif pour ses propriétés hallucinogènes.

Il est disponible sur le marché noir sous forme de poudre de couleurs variées, de cristaux, de liquide, de comprimés, de capsules ou de pâte. Le PCP peut aussi être vendu sous une autre dénomination ou être utilisé comme un additif dans des cocktails de drogues. Il peut être fumé, avalé, injecté ou pris par voie nasale. Les utilisateurs chroniques peuvent devenir dépendants psychologiquement. Le PCP n'entraîne pas de dépendance physique[39].

Étant très liposoluble avec une demi-vie longue (51 heures), le PCP traverse très facilement le placenta et atteint le fœtus. Une étude clinique a rapporté la présence du PCP dans la circulation sanguine d'un fœtus 53 jours après la prise par la mère[5, 9, 40].

Les signes de détresse fœtale (présence de méconium dans le liquide amniotique, détresse respiratoire), de sevrage (trémulations, irritabilité, hypertonie, vomissements et diarrhées) ainsi que des comportements anormaux chez le nouveau-né (réflexes perturbés, léthargie, pleurs inconsolables) ont été décrits après l'usage régulier de PCP au cours de la grossesse[9, 41].

Les données sur la tératogénicité du PCP sont actuellement contradictoires. Certaines études faites chez les animaux ont montré des effets tératogènes (fente palatine et malformations du squelette). Quelques cas isolés de malformations congénitales chez l'humain ont été retrouvés dans la littérature médicale, tels que dysmorphie faciale, microcéphalie, multiples malformations intracrâniennes et extracrâniennes. Cependant, deux études cliniques n'ont pas révélé d'augmentation de taux de malformations congénitales après exposition prénatale au PCP[5].

D'autres études expérimentales ont signalé des troubles dans le développement du système nerveux central fœtal. Ces résultats suggèrent que l'exposition au PCP pendant la grossesse pourrait produire des troubles liés au dysfonctionnement du cerveau dans la progéniture. En effet, des problèmes de comportement ont été observés à l'âge préscolaire après l'exposition prénatale au PCP. D'autres données suggèrent que les enfants exposés *in utero* au PCP ont un comportement similaire à des enfants non exposés à l'âge de un an[5].

Un taux significatif du PCP a pu être détecté dans le lait maternel 40 jours après une prise maternelle. Avec ses propriétés hallucinogènes très puissantes et sa tendance à s'accumuler dans le tissu lipidique, l'usage de PCP pendant l'allaitement constitue un véritable danger pour le nourrisson[9, 15, 24].

Kétamine

La kétamine (Spécial K, Vitamine K...) est un anesthésique dissociatif synthétique. Elle est utilisée en médecine vétérinaire et humaine. L'usage détourné à titre récréatif peut causer une sensation extracorporelle agréable ou parfois terrifiante. Des hallucinations avec perceptions extrasensorielles, des effets déshinhibiteurs, anxiolytiques et aphrodisiaques sont observés, aussi bien que des troubles cognitifs et mnésiques, des troubles de l'humeur et du comportement, délires hallucinatoires ou cauchemars. La kétamine se présente sous forme liquide ou sous forme de poudre cristalline. Elle est essentiellement prise par voie nasale mais peut aussi être injectée ou prise par voie orale. Son utilisation chronique et prolongée entraîne une tolérance et une dépendance psychologique[39].

Plusieurs études ont démontré que la kétamine traverse très facilement le placenta et peut, en fonction de la dose, provoquer des perturbations des fonctions vitales chez le fœtus. Des perturbations neuro-comportementales (faible succion, sursauts, réflexe de Moro accentué, hypertonie, parfois apnée) ont été observées chez le nouveau-né de mère traitée à la kétamine durant le travail. Par ailleurs, les données expérimentales animales n'ont pas révélé d'effet tératogène[5, 9]. Aucune donnée concernant l'utilisation de la kétamine pendant l'allaitement n'est disponible.

Acide gamma-hydroxybutyrique - GHB

Le GHB est un composé naturel du cerveau des mammifères. C'est un dépresseur du système nerveux central. La substance est en partie produite par métabolisation de l'acide gamma-amino-butyrique (GABA), neurotransmetteur responsable des mécanismes d'inhibition et d'excitation. Par ailleurs, le GHB synthétique (liquide *ecstasy*, liquide X...) est utilisé pour diverses fins thérapeutiques, entre autres comme anesthésique hypnotique. L'usage détourné du GHB pour des fins récréatives ou criminelles est dû à ses propriétés hallucinogènes, sédatives, déshinibitrices et amnésiantes. Les effets les plus fréquemment rapportés à des doses modérées sont : quiétude, sensualité, légère euphorie ainsi que communication facile. Le GHB se présente sous forme de poudre ou de liquide pratiquement inodore et insipide. Son utilisation est essentiellement par voie orale, rarement par injection intraveineuse. Il peut engendrer la dépendance physique et psychologique chez le consommateur régulier[34].

Le GHB traverse très facilement le placenta. Toutefois, les données concernant ses effets pendant la grossesse et l'allaitement ne sont pas disponibles[5, 39, 42].

SOLVANTS ORGANIQUES

Introduction

Caractéristiques des solvants organiques

Divers produits sont utilisés : essence, kérosène, cosmétiques, colles, dissolvants, liquides correcteurs, détachants, décapants, cires, essence de briquet ou propulseurs fluorés d'aérosols, ainsi que des préparations de nitrites (*poppers*) utilisés comme aphrodisiaques[34, 39].

La consommation abusive de solvants organiques volatiles ou de produits gazeux est souvent due à leurs effets enivrants. L'inhalation de ces produits à faibles doses peut induire une stimulation du système neveux central (euphorie, hallucinations, mégalomanie, convulsions, désinhibition) mais, par contre, de fortes doses peuvent engendrer une dépression neurologique et respiratoire[34].

Le toluène est l'un des principes actifs principaux absorbés dans l'usage récréatif des solvants organiques. Il traverse très facilement la barrière placentaire[5].

Épidémiologie

L'abus de solvants organiques est notamment favorisé par l'accès très facile et peu coûteux à la majorité de ces produits. Certaines femmes en âge de procréer les utilisent régulièrement et souvent en association avec l'alcool.

L'enquête nationale canadienne de 2004 sur la consommation de drogues auprès des personnes de 15 ans et plus a révélé qu'environ 0,7 % des femmes interrogées ont expérimenté l'usage récréatif des solvants organiques dans leur vie[7].

Effets des solvants organiques sur la grossesse et l'enfant

Effets sur la grossesse

La littérature médicale n'est guère abondante sur les effets de ces solvants organiques sur la reproduction. L'utilisation de toluène a été associée à une augmentation du risque de fausses couches et d'accouchements prématurés[5].

Les travaux expérimentaux ont rapporté que l'exposition pré et postnatale au toluène à forte dose peut provoquer des retards de croissance, des anomalies squelettiques ainsi que des troubles de comportement chez les rongeurs[5].

Effets néonatals

Les effets néonatals liés à l'exposition prénatale aux solvants organiques à des fins récréatives sont très peu documentés. Plusieurs cas de malformations congénitales semblables au syndrome d'alcoolisation fœtale ont été rapportés après l'exposition prénatale au toluène, notamment des microcéphalies, des dysfonctionnements du système neveux central, des retards de croissance et des anomalies craniofaciales[5].

Effets à long terme

Un retard de développement et une microcéphalie ont été observés dans le suivi des enfants exposés au toluène[35].

Données sur l'innocuité des solvants organiques durant l'allaitement

La documentation reste très restreinte. Les solvants organiques ont tendance à être liposolubles, ce qui pourrait faciliter leur excrétion dans le lait maternel, affectant ainsi sa qualité. La quantité de solvant pouvant être transférée dans le lait maternel, aussi bien que les effets chez l'enfant allaité, sont inconnus.

Prise en charge de la patiente qui consomme

Prise en charge des symptômes liés à l'arrêt de la consommation de solvants volatiles

Il n'existe pas de traitement de substitution particulier pour l'usage abusif des solvants organiques. Aucun syndrome de sevrage significatif n'a été notifié. Pour ces femmes toxicodépendantes, la grossesse constitue une chance à saisir afin de sortir de l'exclusion et de la marginalité, pour peu qu'elles puissent bénéficier d'une prise en charge adaptée. Celle-ci ne peut se concevoir qu'au sein d'équipes multidisciplinaires aux compétences spécifiques (obstétricale, néonatale, pédiatrique, toxicologique, psychologique). Un dépistage de malformations structurelles à l'échographie peut aussi être recommandé[23].

Références

1. CHEVALLEY A, COROMA-Collège romand de médecine de l'addiction. *Le cannabis.* 2001 [vérifié 10 mars 2006]; Disponible dans: http://www.romandieaddiction.ch/textes/flash/200104_flash.pdf
2. WELEH S, MARTIN B. The pharmacology of marijuana. In: Graham A, Schultz T, Mayo-Smith M, Ries R, Wilford B, editors. *Principles of Addiction Medicine.* Chevy Chase: American Society of Addiction Medicine Inc; 2003. p. 249-270.
3. KALANT H. Adverse effects of cannabis on health: an update of the literature since 1996. *Prog Neuropsychopharmacol Biol Psychiatry* 2004;28(5):849-63.
4. CHEVALLEY A, COROMA-Collège romand de médecine de l'addiction. *Effet de la consommation abusive de marijuana (ou cannabis) et d'alcool sur la femme enceinte, le fœtus et le jeune enfant.* 23 janvier 2003 ;12 janvier 2005 [vérifié 18 avril 2006]; Disponible dans: http://www.romandieaddiction.ch/textes/flash/200301_flash.006.pdf
5. KLASCO R. Reprotox: amphetamines, cannabis, cocaine, gamma-butyrolactone, kétamine, LSD, mescaline, phencyclidine, psilocin, toluène, MDMA. In: *Reprorisk system,* Thomson Micromedex, Greenwood village, Colorado; Edition expires 3/2006.
6. GROTENHERMEN F. Pharmacokinetics and pharmacodynamics of cannabinoids. *Clin Pharmacokinet* 2003;42(4):327-60.
7. ADLAF E, BEGIN P, SAWKA E. ed. *Enquêtes sur les toxicomanies au Canada: Une enquête nationale sur la consommation d'alcool et d'autres drogues par les Canadiens: la prévalence de l'usage et les méfaits: Rapport détaillé.* Ottawa: Centre canadien de lutte contre l'alcoolisme et les toxicomanies; 2005.
8. FRIED PA. Marijuana use during pregnancy: consequences for the offspring. *Semin Perinatol* 1991;15(4):280-7.
9. BRIGGS G, FREEMAN R, YAFFE S. A *Reference Guide to Fetal and Neonatal Risk. Drugs in pregnancy and lactation.* 7th ed. Philadelphia: Lippincott Williams & Wilkins; 2005.
10. FRIED PA, SMITH AM. A literature review of the consequences of prenatal marihuana exposure. An emerging theme of a deficiency in aspects of executive function. *Neurotoxicol Teratol* 2001;23(1):1-11.
11. DJULUS J, MORETTI M, KOREN G. Marijuana use and breastfeeding. *Can Fam Physician* 2005;51:349-50.
12. ASTLEY SJ, LITTLE RE. Maternal marijuana use during lactation and infant development at one year. *Neurotoxicol Teratol* 1990;12(2):161-8.
13. RAYBURN WF, BOGENSCHUTZ MP. Pharmacotherapy for pregnant women with addictions. *Am J Obstet Gynecol* 2004;191(6):1885-97.
14. RON NORTON G, WEINRATH M, BONIN M. *L'usage de la cocaïne: recommandations en matière de traitement et de réadaptation.* 2001 [vérifié 10 mars 2006]; Disponible dans: http://www.hc-sc.gc.ca/ahc-asc/alt_formats/hecs-sesc/pdf/pubs/drugs-drogues/cocaine_use-usage_cocaine/cocaine_f.pdf
15. HALE T, ed. *Medications and Mother's Milk.* 12th ed. Amarillo: Hale Publishing; 2006.
16. CLAUSTRE A, BRESCH-REU I, FOUILHÉ N. *Cocaïne.* 1999 [vérifié 10 mars 2006]; Disponible dans: http://www.inchem.org/documents/pims/pharm/pim139f.htm
17. FERRARO F, FERRARO R, MASSARD A. Consequences of cocaine addiction during pregnancy on the development in the child. *Arch Pediatr* 1997;4(7):677-82.
18. CHEVALLEY A, COROMA-Collège romand de médecine de l'addiction. *Effets de la consommation abusive ou de la dépendance aux substances actives illicites (opiacés et cocaïne) sur la femme enceinte, le fœtus, et le jeune enfant.* 12 septembre 2002 12 janvier 2005 [vérifié 18 avril 2006]; Disponible dans: http://www.romandieaddiction.ch/textes/flash/200209_flash.pdf
19. KOREN G, KLEIN J, FORMAN B, PHAN M, GRAHAM K. Biological markers of intrauterine exposure to cocaine and cigarette smoking. In: Koren G, ed. *Maternal-Fetal Toxicology. A Clinician's Guide.* 3rd ed. New York: Marcel Dekker Inc; 2001. p. 457-465.
20. SARKAR M, DJULUS J, KOREN G. When a cocaine-using mother wishes to breastfeed: proposed guidelines. *Ther Drug Monit* 2005;27(1):1-2.
21. NULMAN I, KOREN G, ROVET J, GREENBAUM R, LOEBSTEIN M. Long-term neurodevelopmental risks in children exposed in utero to cocaine. In: Koren G, ed. *Maternal-Fetal Toxicology. A Clinician's Guide.* 3rd ed. New York: Marcel Dekker Inc; 2001. p. 447-455.

22. Richard D, Senon J, Hautefeuille M, Facy F. *L'héroïne, dossier Toxibase.* 1998 [vérifié 18 avril 2006]; Disponible dans: http://www.drogues.gouv.fr/fr/pdf/professionnels/ressources/dossier_heroine.pdf

23. Cook P, Peterson R, Moore D. *Alcohol, Tobacco and Other Drugs May Harm the Unborn.* Rockville: Office for substance abuse prevention; 1990.

24. American Academy of Pediatrics Committee on Drugs. Neonatal drug withdrawal. *Pediatrics* 1998;101(6):1079-88.

25. Chavez CJ, Ostrea EM, Jr., Stryker JC, Smialek Z. Sudden infant death syndrome among infants of drug-dependent mothers. *J Pediatr* 1979;95(3):407-9.

26. Wilson GS, McCreary R, Kean J, Baxter JC. The development of preschool children of heroin-addicted mothers: a controlled study. *Pediatrics* 1979;63(1):135-41.

27. Van Woensel G, Beyra-Vanneste A-L. Maternité et toxicomanie: état des connaissances. *Revue de la médecine générale* 2000;171:124-134.

28. Kaltenbach K, Berghella V, Finnegan L. Opioid dependence during pregnancy. Effects and management. *Obstet Gynecol Clin North Am* 1998;25(1):139-51.

29. Besunder J, Blumer J. Neonatal drug withdrawal syndromes. In: Koren G, ed. *Maternal-Fetal Toxicology. A Clinician's Guide.* New York: Marcel Dunker Inc; 2001. p. 347-371.

30. McCarthy JJ, Posey BL. Methadone levels in human milk. *J Hum Lact* 2000;16(2):115-20.

31. Jansson LM, Velez M, Harrow C. Methadone maintenance and lactation: a review of the literature and current management guidelines. *J Hum Lact* 2004;20(1):62-71.

32. Ho T, Kapur B, Selby P, Ito S. *Methadone characteristics in breast milk.* In: Canadian Society of Addiction Medicine Annual Meeting; October 2000; Ottawa; October 2000.

33. Lawrence RA, Lawrence RM. Making an informed decision about infant feeding - Drugs in breast milk. In: *Breastfeeding: a guide for the medical profession.* St Louis: Mosby, Inc.; 1999. p. 225; 370.

34. Kupferschmidt H, Fattinger K. *Problèmes médicaux lors de la consommation de drogues illégales.* [vérifié 10 mars 2006]; Disponible dans: http://www.toxi.ch/fre/welcome.html

35. Klasco R. Amphetamine, methamphetamine. In: *Drugdex system, Thomson Micromedex,* Greenwood Village, Colorado; Edition expires 9/2006.

36. Little B, VanBeveren T, Gilstrap L. Amphetamine abuse during pregnancy. In: Gilstrap L, Little B, ed. *Drugs and Pregnancy.* New York: Chapman & Hall; 1998. p. 405-417.

37. Little B, VanBeveren T, Gilstrap L. Introduction to substance abuse during pregnancy. In: Gilstrap L, Little B, ed. *Drugs and Pregnancy.* New York: Chapman & Hall; 1998. p. 369-376.

38. Howard C, Lawrence R. Breastfeeding and drug exposure. *Obstet Gynecol Clin North Am* 1998;25(1):195-217.

39. Véléa D, Hallucinogènes. In: *Toxicomanie et conduites addictives: Guides professionnels de santé.* éd. Heures de France; 2005. p. 95-268.

40. Gilmore HT. Peyote use during pregnancy. *S D J Med* 2001;54(1):27-9.

41. Golden NL, Kuhnert BR, Sokol RJ, Martier S, Williams T. Neonatal manifestations of maternal phencyclidine exposure. *J Perinat Med* 1987;15(2):185-91.

42. Li J, Stokes SA, Woeckener A. A tale of novel intoxication: a review of the effects of gamma-hydroxybutyric acid with recommendations for management. *Ann Emerg Med* 1998;31(6):729-36.

Chapitre 10

Anticoagulation

■

Ema FERREIRA
Évelyne REY

Maladies veineuses thromboemboliques

Les maladies veineuses thromboemboliques (MVTE) sont une cause importante de morbidité et de mortalité maternelles durant la grossesse[1].

Définition

Les MVTE incluent les thromboses veineuses profondes (TVP) et l'embolie pulmonaire[2].

Épidémiologie

L'incidence de MVTE durant la grossesse est d'environ 1 pour 1000 grossesses et elle apparaît avec une fréquence similaire au cours des trois trimestres ainsi que durant l'*ante partum* et le *post-partum*[3, 4]. On rapporte que le risque de MVTE est plus grand après une césarienne d'urgence qu'après un accouchement vaginal. De plus, la TVP atteint plus fréquemment la jambe gauche chez la femme enceinte[5].

Facteurs de risque de MVTE

Parmi les facteurs de risque d'une MVTE, on retrouve une MVTE antérieure ou des antécédents familiaux de MVTE, être âgée de plus de 35 ans, une césarienne ou un accouchement vaginal instrumenté, un traumatisme, une infection, l'obésité, l'alitement prolongé, un choc, une déshydratation et les thrombophilies[2, 6]. La stimulation ovarienne provoquée par les techniques de reproduction assistée peut également ment augmenter le risque de MVTE[2].

Effets de la grossesse sur la coagulation

Durant la grossesse, plusieurs changements physiologiques mènent à un état d'hypercoagulabilité : l'augmentation des facteurs procoagulants (surtout le facteur VIII et le fibrinogène), la diminution de l'activité anticoagulante (diminution de la protéine S et résistance accrue à la protéine C activée), une stase veineuse ainsi que des lésions des veines pelviennes durant l'accouchement[3, 4]. Ceux-ci contribuent à augmenter de cinq fois le risque de MVTE chez une femme enceinte comparativement à une femme non enceinte du même âge[6]. Les concentrations plasmatiques des facteurs de la coagulation reviennent généralement à la normale deux semaines *post-partum*, mais parfois plus tard[6].

Effets des MVTE sur la grossesse

L'embolie pulmonaire fatale est une cause importante de mortalité maternelle dans les pays occidentaux[2].

Outils d'évaluation des MVTE

La suspicion clinique de MVTE requiert une investigation objective. Celle-ci est d'autant plus nécessaire que plusieurs symptômes (œdème, douleur, dyspnée et tachycardie) peuvent être dus à la grossesse. L'investigation diffère peu de celle proposée en dehors de la grossesse, à l'exception de l'utilisation des D-dimères. Ceux-ci augmentent au cours de la grossesse et de l'accouchement, et sont peu indicatifs d'une MVTE après 14 semaines de grossesse. Aucune donnée ne permet d'exclure une MVTE sur la base de D-dimères négatifs pendant la grossesse[7]. Il n'existe aucune donnée comparant la scintigraphie ventilation-perfusion et la tomodensitométrie hélicoïdale chez des femmes enceintes.

Thrombophilies

Définition

Les thrombophilies sont des anomalies congénitales ou acquises qui peuvent prédisposer un individu à une MVTE[8]. Le tableau I indique la prévalence des thrombophilies dans la population. Ces taux sont approximatifs et varient selon les populations. On retrouve une thrombophilie chez au moins la moitié des femmes qui souffrent d'une MVTE durant la grossesse[2]. Les thrombophilies héréditaires sont des déficiences en protéines anticoagulantes telles que l'antithrombine III, la protéine C et la protéine S ou des anomalies au niveau des facteurs procoagulants (facteur V de Leiden et mutation G20210A de la prothrombine)[2]. La principale thrombophilie acquise est le syndrome des antiphospholipides.

Mutation C677T de la MTHFR et l'hyperhomocystéinémie

La méthylènetétrahydrofolate réductase (MTHFR) est une enzyme impliquée dans le métabolisme de l'acide folique en tétrahydrofolate (THF), sa forme active[9]. Une mutation de cette enzyme perturbe le métabolisme des folates et prédispose à une hyperhomocystéinémie secondaire[9]. La mutation homozygote C677T du gène MTHFR n'est pas un facteur de risque indépendant de MVTE, mais l'hyperhomocystéinémie qu'elle entraîne peut augmenter ce risque. Chez une femme porteuse d'une mutation homozygote du gène MTHFR, l'utilisation d'un supplément d'acide folique peut réduire les taux sériques d'homocystéine, mais son effet sur la réduction des complications de l'hyperhomocystéinémie reste à définir. Aucune recommandation sur la dose d'acide folique n'est formulée dans les lignes directrices mais, compte tenu des études actuellement en cours et de la faible toxicité de cet agent, il semble approprié de débuter par une dose de 5 mg par jour en préconception ou dès que la grossesse est connue et poursuivie[5, 9].

Syndrome des antiphospholipides

Le syndrome des antiphospholipides est défini par la présence d'un antiphospho-lipide (anticoagulant lupique et/ou anticardiolipine et/ou anti bêta-glycoprotéine) et des antécédents d'avortements spontanés précoces à répétition et/ou au moins une complication de la grossesse (perte fœtale tardive ou naissance à 34 semaines ou moins suite à une prééclampsie/éclampsie ou insuffisance placentaire sévère) et/ou une thrombose vasculaire[10].

Effets de la grossesse sur les thrombophilies

Les thrombophilies peuvent augmenter le risque de MVTE durant la grossesse. Le tableau I présente les différents types de thrombophilies et le risque de MVTE associé à chacune d'entre elles durant la grossesse.

TABLEAU I – THROMBOPHILIES ET RISQUE D'UNE MVTE DURANT LA GROSSESSE[2, 5, 13]		
Thrombophilie	**Prévalence dans la population***	**Risque absolu de MVTE en grossesse**
Aucune	ND	0,003-0,2%
Thrombophilies héréditaires		
Déficit en protéine C	0,2-0,33%	0,25-0,88%
Déficit en protéine S	ND	ND
Facteur V de Leiden hétérozygote**	2-7%	0,23%
Mutation (G20210A) de la prothrombine hétérozygote**	2-3%	0,5%
Déficit en antithrombine III	0,25-0,55%	36% (type I) 2,4% (type II)
Mutation homozygote C677T du gène de la MTHFR	10%	ND
Thrombophilies acquises		
Syndrome des antiphospholipides	1-2%	ND
Thrombophilies combinées	4,6%	ND

ND : non disponible;
*taux peuvent varier selon les populations étudiées.
**Le risque de thrombose pendant la grossesse, associé aux mutations homozygotes du facteur V de Leiden, et de la mutation (G20210A) homozygote de la prothrombine est présumément élevé compte tenu des données observées dans une population de femmes qui ne sont pas enceintes[14, 15].

Effets des thrombophilies sur la grossesse

Les thrombophilies sont associées à des pertes fœtales précoces à répétition et à des pertes fœtales tardives[11]. On associe de plus en plus les thrombophilies hériditaires ou acquises à une dysfonction placentaire qui résulte en une prééclampsie sévère, un retard de croissance intra-utérine et un décollement du placenta normalement inséré[11]. La relation entre ces complications et les thrombophilies est encore imprécise mais quelques données laissent à penser que les antiphospholipides interfèrent dans les mécanismes d'implantation et d'invasion du trophoblaste en inhibant l'activation du complément[12].

Outils d'évaluation des thrombophilies

Le dépistage des thrombophilies est recommandé chez les femmes ayant des antécédents personnels ou familiaux de MVTE ou ayant eu des complications lors de grossesses précédentes telles que des fausses couches à répétition, une perte fœtale tardive, une prééclampsie sévère ou un décollement placentaire[5, 6]. Puisque la dysfonction placentaire n'apparaît que chez une minorité des femmes présentant une thrombophilie, le dépistage systématique de toutes les femmes enceintes n'est pas recommandé[2].

Traitement et prise en charge de la femme enceinte nécessitant une anticoagulation

Héparine non fractionnée versus héparine de faible poids moléculaire

Il n'existe aucune étude comparant l'efficacité de l'héparine non fractionnée (HNF) et les héparines de faible poids moléculaire (HFPM) pour le traitement ou la prophylaxie d'une MVTE pendant la grossesse. Par contre, plusieurs experts s'entendent pour dire que les HFPM sont préférables pendant la grossesse, notamment en raison des données obtenues en dehors de la grossesse, de leurs paramètres pharmaco-cinétiques et de leur sécurité pour le fœtus. Le risque de thrombocytopénie immunologique et d'ostéoporose semble plus faible (mais pas inexistant) avec les HFPM[16, 17]. Le risque de fracture vertébrale symptomatique en raison de l'ostéoporose est de 2 % avec l'HNF et de 0,04 % avec les HFPM[17, 18]. Ce risque augmente avec l'HNF à des doses élevées (> 10 000 UI/jour) et un traitement prolongé (> 25 semaines)[19, 20]. Un supplément de calcium (500 mg) et de vitamine D (400 UI) peut être utilisé[20]. L'HNF a une pharmacocinétique variable selon le taux de liaison aux protéines plasmatiques et endothéliales. Le taux de saignements sous héparine chez les femmes enceintes est semblable à celui d'une personne non enceinte (2 %)[5]. L'effet de l'héparine sur le temps de thromboplastine activé (aPTT) peut être atténué durant la grossesse à cause des niveaux plus élevés de facteur VIII, de fibrinogène et de protéines pouvant se lier à l'héparine[16]. Lors d'une thrombocytopénie induite par l'héparine, il peut y avoir une réaction croisée entre l'HNF et les HFPM[5, 20].

Traitement d'une MVTE

Les différents protocoles de traitement d'une MVTE sont décrits dans le tableau II. Si une HFPM est utilisée, plusieurs questions restent sans réponse: faut-il calculer la dose sur le poids prégrossesse ou sur le poids actuel? Peut-on diminuer la dose après trois mois de traitement? Doit-on ajuster les doses sur les niveaux d'anti-Xa?

Doit-on surveiller les plaquettes sanguines tout le long de la grossesse? Il faut espérer que des études futures apporteront des réponses claires à ces questions.

Prévention d'une MVTE ou de complications obstétricales

La décision d'administrer un anticoagulant à une femme enceinte doit être basée sur le risque de MVTE en tenant compte de ses antécédents personnels et familiaux et des facteurs actuels de risque de MVTE (tableau II). Par exemple, dans une cohorte de 125 patientes ayant des antécédents de MVTE, les patientes atteintes d'une thrombophilie ou ayant eu une MVTE idiopathique ont présenté plus de récurrences de MVTE pendant la grossesse que des femmes sans thrombophilie ou ayant eu un facteur de risque au moment de la MVTE [21]. Ainsi, plus le risque de MVTE est élevé, plus le niveau d'anticoagulation devrait être élevé. Parmi les femmes requérant un niveau élevé d'anticoaguloprophylaxie, citons celles avec un syndrome des antiphospholipides, un déficit en antithrombine III, de multiples thrombophilies ou qui étaient traitées avec un anticoagulant en dehors de la grossesse. Le traitement des femmes ayant un syndrome des antiphospholipides devrait inclure de l'aspirine à faible dose [5]. Sans traitement, le taux de réussite d'une grossesse est de 5 à 10 % chez ces femmes, alors que l'utilisation d'aspirine et d'HNF est associée à 70 à 80 % de réussite [22]. Les tableaux II et III présentent les traitements anticoagulants préconisés selon la condition de la patiente.

Monitoring

Niveaux d'anti-Xa

Le suivi des niveaux d'anti-Xa n'est pas nécessaire pour toutes les femmes, mais pourrait être utile chez les femmes avec un indice de masse corporelle (IMC) faible ou élevé, en présence d'une insuffisance rénale ou d'un risque très élevé de thrombose [17].

Décompte plaquettaire

L'incidence de la thrombocytopénie induite par l'héparine (TIH) est faible dans une population obstétricale [23]. Par conséquent, pour les femmes recevant de l'HNF, les recommandations pour le suivi des plaquettes est le suivant [23, 24] :
- Dose thérapeutique: tous les deux jours du début du traitement jusqu'au quatorzième jour (ou avant si le traitement est plus court).
- Dose prophylactique et intermédiaire: tous les trois jours du quatrième au quatorzième jour de traitement.

Pour les femmes recevant une HFPM à dose prophylactique ou intermédiaire, il n'est pas recommandé de faire des dosages de plaquettes de manière routinière sauf si elles ont déjà reçu de l'HNF au cours des 100 derniers jours. Il n'existe pas de recommandation quand au suivi des plaquettes des patientes qui reçoivent une HFPM à dose thérapeutique [23, 24]. Nous suggérons dans ce cas d'effectuer un décompte plaquettaire tous les trois jours du quatrième au quatorzième jour de traitement.

Accouchement et anticoagulation

Si la condition clinique de la patiente le permet, l'anticoagulation devrait être arrêtée pour l'accouchement afin de diminuer les risques de saignements et de permettre une analgésie péridurale. Si les risques d'occurrence ou de récidive de MVTE sont élevés, l'HNF ou l'HFPM pourraient être arrêtées et remplacées par une perfusion intraveineuse d'HNF qui peut être cessée au besoin. En pratique, si le risque de saignement est suffisamment faible, l'anticoagulation peut être reprise dans les premières 24 heures après l'accouchement, selon le mode d'accouchement et le risque de thrombose.

Anticoagulation *post-partum*

Une anticoagulation *post-partum* pendant au moins six semaines est recommandée pour la plupart des femmes ayant déjà présenté une MVTE ou porteuses d'une thrombophilie, même si elles n'ont pas reçu d'anticoagulant pendant la grossesse. À l'exception des femmes devant être anticoagulées à long terme, le niveau d'anticoagulation devrait être ajusté selon le degré de risque de thrombose[5]. L'héparine ou la warfarine peuvent être utilisées et sont compatibles avec l'allaitement (tableau V)[19].

TABLEAU II – TRAITEMENT ANTICOAGULANT RECOMMANDÉ CHEZ LA FEMME ENCEINTE [2, 5]	
Condition de la patiente	Traitement recommandé*
Maladies veineuses thrombœmboliques	
Épisode unique de MVTE en présence d'un facteur de risque transitoire excluant la grossesse et les contraceptifs oraux combinés.	Surveillance ou HFPM à dose prophylactique et anticoagulation *post-partum*.
Épisode unique de MVTE lié à la prise d'œstrogènes ou à la grossesse ou chez des femmes présentant des facteurs de risque additionnels.	Anticoagulation *antepartum* recommandée avec HFPM à dose prophylactique et anticoagulation *post-partum*.
Épisode unique de MVTE idiopathique sans anticoagulation à long terme.	Surveillance ou dose prophylactique ou dose intermédiaire d'HNF ou dose prophylactique d'HFPM et anticoagulation *post-partum*.
Plusieurs épisodes de MVTE (≥ 2) et/ou chez des femmes recevant une anticoagulation à long terme (ex.: MVTE idiopathique ou associée à une thrombophilie).	Dose thérapeutique d'HNF ou d'HFPM et reprise de l'anticoagulation à long terme en *post-partum*.
Traitement d'un épisode de MVTE durant la grossesse.	Dose thérapeutique d'HFPM pendant toute la grossesse ou HNF par voie intraveineuse (bolus suivi d'une perfusion en visant un aPTT thérapeutique) pendant au moins 5 jours suivie d'une dose ajustée d'HNF ou d'HFPM pendant toute la grossesse. Cesser HFPM ou HNF sous-cutanée 24 heures avant un déclenchement du travail planifié (pour les femmes à haut risque de MVTE, une perfusion intraveineuse d'HNF peut être débutée et cessée 4 à 6 heures avant l'accouchement) et anticoagulation *post-partum* pendant au moins 6 semaines, avec une durée minimale totale d'anticoagulation d'au moins 3 mois.

Thrombophilies	
Anticorps antiphospholipides sans antécédent de MVTE ni de complications obstétricales.	Surveillance **ou** aspirine à faible dose **ou** dose prophy-lactique d'HNF **ou** d'HFPM et anticoagulation *post-partum*.
Syndrome des antiphospholipides avec antécédent de MVTE.	Dose thérapeutique d'HFPM **ou** d'HNF durant toute la grossesse **et** aspirine à faible dose **et** reprise de l'anticoagulation à long terme en *post-partum*.
Syndrome des antiphospholipides et complications obstétricales.	Aspirine à faible dose **et** dose prophylactique ou dose intermédiaire d'HNF ou dose prophylactique d'HFPM.
Déficience en antithrombine III, homozygotie pour le facteur V de Leiden ou de la mutation G20210A de la prothrombine, ou une double hétérozygosité (avec ou sans MVTE antérieure).	HNF **ou** HFPM à dose intermédiaire **et** anticoagulation *post-partum*.
Autre thrombophilie sans épisode de MVTE.	Surveillance ou dose prophylactique d'HNF ou d'HFPM **et** anticoagulation *post-partum*.
Autres thrombophilies et une MVTE antérieure.	Dose prophylactique ou dose intermédiaire d'HNF ou dose prophylactique ou intermédiaire d'HFPM **et** anticoagulation *post-partum*.
Autres thrombophilies et complications obstétricales antérieures.	Aspirine à faible dose **et** dose prophylactique d'HNF ou d'HFPM et anticoagulation *post-partum*.

TABLEAU III - DÉFINITION DES TRAITEMENTS[5]

Traitement de premier recours		
	Héparine non fractionnée	**Héparines de faibles poids moléculaires**
Dose prophylactique	5000 unités par voie sous-cutanée toutes les 12 heures.	**Daltéparine** 5000 UI par voie sous-cutanée 1 fois par jour. **Énoxaparine** 40 mg par voie sous-cutanée 1 fois par jour. **Nadroparine** 3075 UI par voie sous-cutanée 1 fois par jour. **Tinzaparine** 2500 à 4500 UI par voie sous-cutanée 1 fois par jour.
Dose intermédiaire	Administration sous-cutanée toutes les 12 heures en visant une activité anti-Xa de 0,1-0,3 unités/mL, 6 heures post-injection.	**Daltéparine** 5000 UI toutes les 12 heures ou 100 UI/kg 1 fois par jour par voie sous-cutanée. **Énoxaparine** 40 mg par voie sous-cutanée toutes les 12 heures. **Nadroparine** 3075 UI par voie sous-cutanée 2 fois par jour. **Tinzaparine** 2500 à 4500 UI par voie sous-cutanée 2 fois par jour. Viser un niveau d'activité anti-Xa de 0,3 à 0,5 UI/mL, 4 heures postdose.

	Héparine non fractionnée	Héparines de faibles poids moléculaires
Dose thérapeutique (ajustée)	Administration sous-cutanée toutes les 12 heures en visant un aPTT thérapeutique, 6 heures post dose.	**Daltéparine** 200 UI/kg 1 fois par jour ou 100 UI/kg toutes les 12 heures par voie sous-cutanée. **Énoxaparine** 1 mg/kg par voie sous-cutanée toutes les 12 heures **Nadroparine** 170 UI/kg 1 fois par jour ou 86 UI/kg toutes les 12 heures par voie sous-cutanée. **Tinzaparine** 175 UI/kg 1 fois par jour ou 87,5 unités/kg 2 fois par jour par voie sous-cutanée. Viser un niveau d'activité anti-Xa de 0,5 à 1,2 UI/mL, 4 heures post dose. Administrer les HFPM 2 fois par jour (clairance augmentée durant la grossesse).

Autres traitements[25]	
Danaparoïde	**Prophylaxie** : 750 UI par voie sous-cutanée 2 fois par jour. **Traitement** : 2000 UI par voie sous-cutanée toutes les 12 heures.
Fondaparinux	**Prophylaxie** : 1,5 à 3 mg par voie sous-cutanée 1 fois par jour. **Traitement** : 7,5 mg par voie sous-cutanée 1 fois par jour pour les patientes de 50 à 100 kg.
Lépirudine	0,4 mg/kg (maximum 44 mg) par voie intraveineuse en dose de charge suivi de 0,15 mg/kg par heure (maximum de 16,5 mg par heure) par voie intraveineuse pendant 2 à 10 jours. Ajuster la dose selon l'aPTT.

Anticoagulation _post-partum_		
Warfarine	Dose ajustée en visant un ratio international normalisé (RIN) de 2 à 3 pendant au moins 6 semaines.	Chevauchement avec HNF ou HFPM à doses ajustées en début de traitement.
HFPM	Dose ajustée selon risque de thrombose pendant au moins 6 semaines.	
HFN	Dose ajustée selon risque de thrombose pendant au moins 6 semaines.	

Traitements adjuvants	
AAS à faible dose	• 80 mg (formulation à libération rapide) ou 81 mg (formulation à libération lente) par voie orale 1 fois par jour recommandée si : – syndrome des antiphospholipides ; – valve cardiaque mécanique ; – prévention de la prééclampsie.

AAS : acide acétylsalicylique ; HNF : héparine non fractionnée ; HFPM : héparine de faible poids moléculaire ; MVTE : maladie veineuse thromboembolique ; SAPL : syndrome des antiphospholipides ; aPTT : temps partiel de thromboplastine activée ; TIH : thrombocytopénie induite par l'héparine.

Thromboprophylaxie et valves cardiaques mécaniques

La présence de valves cardiaques mécaniques pose un problème particulier car il n'existe pas de données prouvées sur les doses adéquates d'HNF et d'HFPM pour prévenir les complications thrombotiques et sur les risques qu'engendre la prise de la warfarine durant la grossesse[5, 16]. Il existe plusieurs options de traitement chez ces femmes :

1. Prendre la warfarine durant toute la grossesse.
2. Remplacer la warfarine par l'HNF (ou HFPM) de la sixième à la douzième semaine de grossesse et peu avant l'accouchement.
3. Utiliser l'HNF pendant toute la grossesse (viser un aPTT à mi-intervalle d'au moins deux fois le contrôle ou des niveaux d'anti-Xa de 0,35 à 0,7 unités/mL).
4. Utiliser les HFPM durant toute la grossesse (administrer deux fois par jour et viser des niveaux d'anti-Xa à quatre heures post-injection de 1 à 1,2 unités/mL).

La prise de warfarine pendant toute la grossesse est associée à un risque de 6 à 25 % d'embryopathie et à un taux de thrombose des valves de 3,9 %. La deuxième option comporte un risque accru de thrombose des valves (9,2 %) et la troisième option est associée à un taux de 25 % de thrombose des valves si on utilise un dose ajustée d'HNF et de 60 % avec les doses prophylactiques[16]. L'utilisation des HFPM semble sécuritaire et efficace mais il est possible d'observer des échecs[5, 26]. L'ajout d'aspirine à faible dose est recommandée[27].

Innocuité des anticoagulants

Pour avoir plus d'information sur l'innocuité de l'aspirine chez la femme enceinte, le lecteur est invité à consulter le chapitre 33. *Migraines et douleurs*. Les tableaux IV et V résument les données d'innocuité des différents agents durant la grossesse et l'allaitement .

Un mot sur l'alcool benzylique

Les fioles multidoses d'HNF et d'HFPM contiennent toutes de l'alcool benzylique comme agent de conservation, à des concentrations variant de 10 à 15 mg/mL et peuvent être utilisées chez la femme enceinte et durant l'allaitement. Dans les années 80, 16 cas de décès attribuables à l'exposition à cet agent chez des prématurés de moins de 2 500 g ont été rapportés. Les prématurés ont été exposés par l'utilisation d'eau bactériostatique contenant 9 mg/mL d'alcool benzylique comme agent de rinçage de cathéters intravasculaires. La dose à laquelle ces enfants ont été exposés dépassait souvent 100 mg/kg/jour [28]. À titre comparatif, une femme de 70 kg traitée avec de la daltéparine à raison de 200 unités/kg par jour prélevées à partir de la fiole multidose de 25 000 unités/mL contenant 14 mg/mL d'alcool benzylique serait exposée à une quantité de 7,84 mg/jour. Cette quantité est donc négligeable lorsqu'elle est comparée à celle ayant provoqué des décès. De plus, l'alcool benzylique est métabolisé par la mère et ne peut pas s'accumuler chez le fœtus ou le nourrisson.

TABLEAU IV – INNOCUITÉ DES ANTICOAGULANTS AU COURS DE LA GROSSESSE ET DU *POST-PARTUM* [5, 19, 20]

Anticoagulant	Données au cours de la grossesse	Recommandations
Danaparoïde	• Poids moléculaire: 6500 Da[25]. • 51 grossesses chez 49 femmes exposées au danaparoïde 1000 à 7500 UI par jour pendant une médiane de 10 semaines, 22 au 1er trimestre, 13 au deuxième trimestre, 13 au 3e trimestre et trimestre inconnu chez 3 femmes. Trente-sept femmes qui ont continué le danaparoïde jusqu'à la naissance ont donné naissance à des enfants en santé. Chez les 14 autres femmes, le danaparoïde a été cessé prématurément; on a observé 3 mortinaissances (non attribuées au danaparoïde) et les issues des 11 autres grossesses ne sont pas rapportées. Aucune activité anti-Xa au niveau du cordon ombilical (n=2) [29, 30].	En présence de TIH, le danaparoïde est l'agent de 1er recours chez les femmes enceintes[29].
Fondaparinux	• Pentasaccharide. • Poids moléculaire: 1800 Da[25]. • Pas de passage transplacentaire dans un modèle *ex vivo*[16]. • Un dixième de la concentration plasmatique maternelle mesuré dans le cordon ombilical (n=5, dose 25 mg par jour)[31].	Peu d'expérience avec le fondaparinux durant la grossesse. Réserver son utilisation chez les patientes avec une allergie à l'héparine et au danaparoïde.
Héparine non fractionnée (HNF)	• Poids moléculaire: 12 000-15 000 Da. • Ne traverse pas le placenta[19]. • Pas d'association avec une augmentation des malformations majeures[19]. • Bonne expérience clinique avec l'HNF.	L'héparine non fractionnée est un anticoagulant de 1er recours durant la grossesse.
Héparines de faible poids moléculaire (HFPM) (daltéparine, énoxaparine, nadroparine et tinzaparine)	• Poids moléculaire: 4000 à 6000 Da[20, 32]. • Pas de transfert transplacentaire[32]. • Pas d'association avec une augmentation du risque de malformations majeures[19]. • Bonne expérience clinique avec les HFPM[17].	Les HFPM sont des anticoagulants de 1er recours durant la grossesse avec un meilleur profil de tolérance par rapport à l'HNF.
Lépirudine (analogue de l'hirudine)	• Poids moléculaire: 7000 Da[33]. • Aucune donnée.	L'hirudine et ses dérivés devraient être utilisés seulement chez les femmes qui ont une réaction croisée aux anticorps induits par l'héparine ou si la thrombocytopénie persiste avec le danaparoïde ou en cas d'allergie cutanée à l'héparine et au danaparoïde.

Anticoagulant	Données au cours de la grossesse	Recommandations
Warfarine et autres dérivés coumariniques	• Risque augmenté d'embryopathie (syndrome fœtal de la warfarine), d'anomalies du SNC, d'avortements spontanés, de mortinaissances, de prématurité, d'hémorragies néonatales et de certaines complications obstétricales [19, 34]. • Lors de la prise de la warfarine entre 6 et 9 semaines de grossesse : – taux de 6-25 % du syndrome fœtal de la warfarine[34, 35] ; – dysplasie des épiphyses, hypoplasie des extrémités, scoliose et hypoplasie nasale augmentant le risque du syndrome de détresse respiratoire du nouveau-né[19] ; – faible poids à la naissance, défauts oculaires, retard du développement, perte auditive et malformations cardiaques menant potentiellement à des convulsions et des décès[19] ; – plusieurs auteurs définissent la fenêtre d'exposition critique de la 6e à la 12e semaine d'aménorrhée[5, 20]. • Tous les trimestres : risque de moins de 5 % d'anomalies hétérogènes du développement du SNC probablement secondaires à une hémorragie fœtale (morbidité importante)[19, 35]. • Utilisation à l'accouchement : risque significatif d'hémorragie chez la mère et le nouveau-né[19, 35].	La warfarine est un tératogène à arrêter avant 6 semaines de grossesse et à remplacer par une héparine. Utilisation possible en cas de valves cardiaques mécaniques si le risque de thrombose le dicte[5, 27]. En cas d'exposition pendant la fenêtre critique, une consultation dans un centre spécialisé est recommandée.

TIH : thrombocytopénie induite par l'héparine ; HNF : héparine non fractionnée ; HFPM : héparine de faible poids moléculaire ; SNC : système nerveux central.

TABLEAU V : INNOCUITÉ DES ANTICOAGULANTS PENDANT L'ALLAITEMENT

Anticoagulant	Données de pharmacocinétique*	Données sur le passage dans le lait maternel	Recommandations
Acénocoumarol	• Liaison au protéines plasmatiques : 99 %[36].	• Passage dans le lait maternel déterminé chez 20 patientes et on n'a pas pu détecter l'acénocoumarol dans le lait maternel. On n'a pas observé d'altération des tests de coagulation chez les enfants allaités[36]. • Les niveaux de facteurs et les tests de coagulation étaient similaires chez un groupe de sept enfants allaités comparativement à un groupe contrôle[36].	L'acénocoumarol peut être administré en période d'allaitement[36].
Danaparoïde	• Aucune absorption orale[29].	• Trois cas publiés : – 750 à 4500 unités par jour ; activité anti-Xa négligeable ou nulle détectée dans le lait maternel. Aucune complication chez un des bébés allaités pendant le traitement[29].	En présence de TIH, le danaparoïde est l'agent de 1er recours chez les femmes qui allaitent[29].
Fondaparinux	• Absorption orale probablement négligeable (pentasaccharide).	• Pas de données recensées dans la documentation sur le passage dans le lait maternel.	Passage probablement minime (poids moléculaire) et effets sur le bébé improbables (absorption orale négligeable).
Héparine non fractionnée (HNF)	• Aucune absorption orale[37].	• Pas de données recensées dans la documentation sur le passage dans le lait maternel.	Compatible avec l'allaitement étant donné son poids moléculaire élevé et son absorption orale nulle[38]. La quantité d'alcool benzylique contenu dans les fioles multidoses est trop faible pour affecter l'enfant allaité.

Anticoagulant	Données de pharmacocinétique *	Données sur le passage dans le lait maternel	Recommandations
Héparines de faible poids moléculaire (HFPM) (daltéparine, énoxaparine, nadroparine et tinzaparine)	• Aucune absorption orale[37].	**Daltéparine** • Deux femmes recevant doses de 5000 à 10 000 unités : pas de détection dans le lait maternel • Chez 15 patientes recevant 2500 unités, on a estimé que la quantité dans le lait maternel correspondrait à 15 % de la dose maternelle ajustée au poids pour le bébé (toutefois, la molécule n'est pas absorbée par voie orale)[37]. **Enoxaparine** • Étude chez 12 femmes recevant 20 à 40 mg, on n'a pas noté de changement des niveaux d'anti-Xa chez les bébés allaités[37]. **Nadroparine** • Pas de données sur le passage dans le lait maternel. **Tinzaparine** • Pas de données sur le passage dans le lait maternel rapportées.	Compatibles avec l'allaitement. La quantité d'alcool benzylique contenue dans les fioles multi-doses est trop faible pour affecter l'enfant allaité.
Lépirudine	• Aucune absorption orale[37].	Trois heures après l'administration sous-cutanée de 50 mg de lépirudine, on n'a pas pu détecter de médicament dans le lait maternel. L'enfant a été allaité pendant 3 mois sans épisode de saignement[33].	Peu de données. Passage dans le lait probablement minime car poids moléculaire élevé et absorption orale négligeable[38].
Warfarine	• Liaison aux protéines plasmatiques de 99 %[37].	Données avec 15 femmes : passe très peu dans le lait maternel, n'est pas détectée dans le plasma des enfants et n'affecte pas les paramètres de coagulation chez les enfants allaités (n=7)[37, 38].	Compatible avec l'allaitement.

* Se référer au tableau IV pour les poids moléculaires.

Références

1. ANON. Thrombosis and thromboembolism. In: *Report on confidential enquiries into maternal deaths in the United Kingdom*. London: HMSO; 1998. p. 19-34.
2. GREER IA. Prevention of venous thromboembolism in pregnancy. *Best Pract Res Clin Hæmatol* 2003;16(2):261-78.
3. GINSBERG JS, BRILL-EDWARDS P, BURROWS RF, BONA R, PRANDONI P, BULLER HR, et al. Venous thrombosis during pregnancy: leg and trimester of presentation. *Thromb Hæmost* 1992;67(5):519-20.
4. LINDQVIST P, DAHLBACK B, MARSAL K. Thrombotic risk during pregnancy: a population study. *Obstet Gynecol* 1999;94(4):595-9.
5. BATES SM, GREER IA, HIRSH J, GINSBERG JS. Use of antithrombotic agents during pregnancy: the seventh ACCP conference on antithrombotic and thrombolytic therapy. *Chest* 2004;126(Suppl 3):627S-644S.
6. WALKER M, GARNER P, KEELY E. Thrombosis in Pregnancy: A Review. *J SOGC* 1998;20(10):943-52.
7. EPINEY M, BOEHLEN F, BOULVAIN M, REBER G, ANTONELLI E, MORALES M, et al. D-dimer levels during delivery and the postpartum. *J Thromb Hæmost* 2005;3(2):268-71.
8. CROWTHER MA, KELTON JG. Congenital thrombophilic states associated with venous thrombosis: a qualitative overview and proposed classification system. *Ann Intern Med* 2003;138(2):128-34.
9. HAGUE WM. Homocysteine and pregnancy. *Best Pract Res Clin Obstet Gynæcol* 2003;17(3):459-69.
10. MIYAKIS S, LOCKSHIN MD, ATSUMI T, BRANCH DW, BREY RL, CERVERA R, et al. International consensus statement on an update of the classification criteria for definite antiphospholipid syndrome (APS). *J Thromb Hæmost* 2006;4(2):295-306.
11. ROBERTSON L, WU O, LANGHORNE P, TWADDLE S, CLARK P, LOWE GD, et al. Thrombophilia in pregnancy: a systematic review. *Br J Hæmatol* 2006;132(2):171-96.
12. GIRARDI G, REDECHA P, SALMON JE. Heparin prevents antiphospholipid antibody-induced fetal loss by inhibiting complement activation. *Nat Med* 2004;10(11):1222-6.
13. NINET J. The risk of maternal venous thromboembolism disease. Synopsis and definition of high-risk groups. *Ann Med Interne* (Paris) 2003;154(5-6):301-9.
14. PABINGER I, NEMES L, RINTELEN C, KODER S, LECHLER E, LORETH RM, et al. Pregnancy-associated risk for venous thromboembolism and pregnancy outcome in women homozygous for factor V Leiden. *Hematol J* 2000;1(1):37-41.
15. MARTINELLI I, LEGNANI C, BUCCIARELLI P, GRANDONE E, DE STEFANO V, MANNUCCI PM. Risk of pregnancy-related venous thrombosis in carriers of severe inherited thrombophilia. *Thromb Hæmost* 2001;86(3):800-3.
16. GREER I, HUNT BJ. Low molecular weight heparin in pregnancy: current issues. *Br J Hæmatol* 2005;128(5):593-601.
17. GREER IA, NELSON-PIERCY C. Low-molecular-weight heparins for thromboprophylaxis and treatment of venous thromboembolism in pregnancy: a systematic review of safety and efficacy. *Blood* 2005;106(2):401-7.
18. DAHLMAN TC. Osteoporotic fractures and the recurrence of thromboembolism during pregnancy and the puerperium in 184 women undergoing thromboprophylaxis with heparin. *Am J Obstet Gynecol* 1993;168(4):1265-70.
19. BRIGGS G, FREEMAN R, YAFFE S. *Drugs in Pregnancy and Lactation*. 7ed. Philadelphia: Lippincott Williams & Wilkins; 2005.
20. BOWLES L, COHEN H. Inherited thrombophilias and anticoagulation in pregnancy. *Best Pract Res Clin Obstet Gynaecol* 2003;17(3):471-89.
21. BRILL-EDWARDS P, GINSBERG JS, GENT M, HIRSH J, BURROWS R, KEARON C, et al. Safety of withholding heparin in pregnant women with a history of venous thromboembolism. Recurrence of clot in this pregnancy study group. *N Engl J Med* 2000;343(20):1439-44.
22. STEPHENSON MD, BALLEM PJ, TSANG P, PURKISS S, ENSWORTH S, HOULIHAN E, et al. Treatment of antiphospholipid antibody syndrome (APS) in pregnancy: a randomized pilot trial comparing low molecularweight heparin to unfractionated heparin. *J Obstet Gynæcol Can* 2004;26(8):729-34.

23. WARKENTIN TE, GREINACHER A. Heparin-induced thrombocytopenia: recognition, treatment, and prevention: the seventh ACCP conference on antithrombotic and thrombolytic therapy. *Chest* 2004;126(3 Suppl):311S-337S.

24. GREINACHER A, WARKENTIN TE. Recognition, treatment, and prevention of heparin-induced thrombocytopenia: review and update. *Thromb Res* 2006;118(2):165-76.

25. ANDERSON P, KNOBEN J, TROUTMAN W, editors. *Handbook of clinical drug data.* 10th ed: McGraw-Hill; 2002.

26. BAUERSACHS R, LINDHOFF-LAST E. Anticoagulation of pregnant women with mechanical heart valves using low-molecular-weight heparin. *Arch Intern Med* 2003;163(22):2788-9.

27. GINSBERG JS, CHAN WS, BATES SM, KAATZ S. Anticoagulation of pregnant women with mechanical heart valves. *Arch Intern Med* 2003;163(6):694-8.

28. AMERICAN ACADEMY OF PEDIATRICS. "Inactive" ingredients in pharmaceutical products: update (subject review). American Academy of Pediatrics Committee on Drugs. *Pediatrics* 1997;99(2):268-78.

29. LINDHOFF-LAST E, BAUERSACHS R. Heparin-induced thrombocytopenia-alternative anticoagulation in pregnancy and lactation. *Semin Thromb Hemost* 2002;28(5):439-46.

30. LINDHOFF-LAST E, KREUTZENBECK HJ, MAGNANI HN. Treatment of 51 pregnancies with danaparoid because of heparin intolerance. *Thromb Hæmost* 2005;93(1):63-9.

31. DEMPFLE CE. Minor transplacental passage of fondaparinux in vivo. *N Engl J Med* 2004;350(18):1914-5.

32. LAURENT P, DUSSARAT GV, BONAL J, JEGO C, TALARD P, BOUCHIAT C, et al. Low molecular weight heparins: a guide to their optimum use in pregnancy. *Drugs* 2002;62(3):463-77.

33. LINDHOFF-LAST E, WILLEKE A, THALHAMMER C, NOWAK G, BAUERSACHS R. Hirudin treatment in a breastfeeding woman. *Lancet* 2000;355(9202):467-8.

34. CHAN WS, ANAND S, GINSBERG JS. Anticoagulation of pregnant women with mechanical heart valves: a systematic review of the literature. *Arch Intern Med* 2000;160(2):191-6.

35. RAMIN SM, RAMIN KD, GILSTRAP LC. Anticoagulants and thrombolytics during pregnancy. *Semin Perinatol* 1997;21(2):149-53.

36. DE SCHUITENEER B, DE CONINCK D. *Médicaments et allaitement: guide de prescription des médicaments en période d'allaitement.* 2e éd. Paris: Arnette Blackwell; 1996.

37. HALE T. *Medications and Mother's Milk.* 12th ed. Amarillo: Pharmasoft Publishing; 2006.

38. ANDERSON P. *Drugs and Lactation Database* (LactMed). 2006 [vérifié 8 novembre 2006]; disponible à: http://toxnet.nlm.nih.gov/cgi-bin/sis/htmlgen?LACT

Chapitre 11

Hypertension artérielle

■

Marie-Sophie BROCHET
Cécile LOUVIGNÉ
Ema FERREIRA

Généralités

Les désordres hypertensifs constituent le deuxième problème de santé le plus fréquent qui survient durant la grossesse après l'anémie. Ils représentent l'une des principales causes de morbidité et de mortalité maternelles, fœtales, périnatales et d'accouchement pré terme[1, 2].

Définition

L'hypertension chez la femme enceinte se définit comme une tension artérielle diastolique supérieure ou égale à 90 mmHg[3]. Une tension artérielle systolique de 140 mmHg ou plus exige un monitorage maternel et fœtal serré, mais ne caractérise pas nécessairement l'hypertension de grossesse[3]. Une tension artérielle supérieure ou égale à 160/110 mmHg constitue une urgence médicale car elle est associée à des risques d'hémorragie cérébrale pour la mère[3, 4].

Il existe deux catégories de désordres hypertensifs durant la grossesse[3,5] :

- Hypertension préexistante ou chronique: tension artérielle diastolique ≥ 90 mmHg présente ou découverte avant la 20e semaine de grossesse et qui persiste au-delà des six semaines suivant l'accouchement. Elle peut être compliquée de prééclampsie si une protéinurie anormale apparait ou si la tension artérielle est difficile à contrôler ou si un (ou plus) des facteurs de sévérité apparait.

- Hypertension gestationnelle (HTAg): tension artérielle diastolique ≥ 90 mm Hg apparaissant après la 20e semaine de gestation et se normalisant en général 6 semaines après l'accouchement. On parle de prééclampsie lorsque l'HTAg est accompagnée de protéinurie anormale (protéinurie de 24 heures de plus de 0,3 g/jour ou un rapport protéine/créatinine sur une miction de plus de 30 mg/mmol) ou d'un facteur de sévérité[6].

Dans chaque catégorie, la présence de comorbidités comme un diabète prégrossesse ou une maladie rénale, doit être mentionnée en raison de l'augmentation des complications périnatales liées à leur présence[6].

Épidémiologie

Les désordres hypertensifs touchent environ 10% des femmes enceintes[7,8]. Environ 10 à 20% de ces femmes présenteront une prééclampsie. Cette dernière est associée à un taux de mortalité maternelle variant entre 0,1 et 5 pour 1000 cas[7]. L'éclampsie, ou crise convulsive, en présence d'HTAg avec ou sans protéinurie demeure une complication rare mais associée à une mortalité maternelle de 2 à 5%[7].

Étiologie

L'HTAg est une pathologie associée à la grossesse dont l'étiologie demeure inconnue. On sait que la dysfonction endothéliale et l'augmentation de la réactivité vasculaire en sont les voies finales. Un défaut de vascularisation placentaire lors de l'implantation des trophoblastes au niveau utérin, soit plusieurs mois avant les premières manifestations d'hypertension ou de protéinurie est impliqué dès le tout début[4-7, 11]. Aux deuxième et troisième trimestres, les artères utérines ne peuvent pas assurer le débit sanguin considérable qui leur est demandé. L'ischémie se développe progressivement ce qui altère ainsi la perfusion utéro-placentaire et provoque possiblement la libération de substances cytotoxiques dans la circulation maternelle causant un dysfonctionnement des cellules endothéliales maternelles. Les lésions causées à la paroi vasculaire compromettent, entre autre, la production endogène de substances vasodilatatrices et le maintien de l'anticoagulation[4, 10]. Tous les organes peuvent être affectés incluant le foie, le cerveau et les poumons[9].

Facteurs de risque

Les facteurs de risque de l'HTAg sont cités au tableau I .

Effets de la grossesse sur l'hypertension préexistante

La grossesse s'accompagne de divers changements physiologiques, notamment une augmentation du débit cardiaque et du volume sanguin de 50% durant les 20 premières semaines de gestation. Ce phénomène est accompagné d'une chute de la tension artérielle de 15 à 20 mmHg due à la vasodilatation périphérique qui s'ensuit[4, 9]. Ainsi les femmes hypertendues chroniques peuvent se voir faussement considérées normotensives en début de grossesse[1]. La tension artérielle remonte ensuite vers des valeurs antérieures à la grossesse au troisième trimestre de grossesse lorsque le débit sanguin est à son maximum. Pour cette raison certaines patientes ne nécessiteront pas de traitement pharmacologique au cours de leur grossesse[1].

Effets de l'hypertension sur la grossesse

Les complications maternelles reliées à une tension artérielle non contrôlée pendant la grossesse sont nombreuses. Ce sont : l'HTAg, la prééclampsie, l'éclampsie, l'hémorragie cérébrale, le syndrome de HELLP (caractérisé par la triade d'hémolyse (*Hemolysis*), d'élévation des transaminases à plus de 70 UI/L (*Elevated Liver enzymes*) et de thrombocytopénie par un décompte plaquettaire inférieur à 100000/mm^3

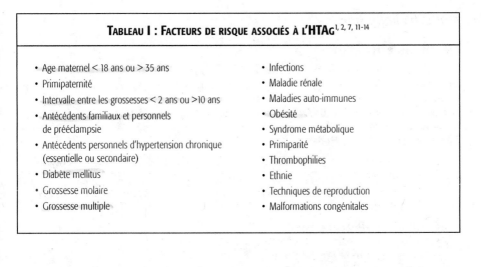

TABLEAU I : FACTEURS DE RISQUE ASSOCIÉS À L'HTAg[1, 2, 7, 11-14]

- Age maternel < 18 ans ou > 35 ans
- Primipaternité
- Intervalle entre les grossesses < 2 ans ou >10 ans
- Antécédents familiaux et personnels de prééclampsie
- Antécédents personnels d'hypertension chronique (essentielle ou secondaire)
- Diabète mellitus
- Grossesse molaire
- Grossesse multiple
- Infections
- Maladie rénale
- Maladies auto-immunes
- Obésité
- Syndrome métabolique
- Primiparité
- Thrombophilies
- Ethnie
- Techniques de reproduction
- Malformations congénitales

(*Low Platelet count*), la coagulation intra-vasculaire disséminée, l'insuffisance rénale aiguë, l'œdème aigu du poumon et la mortalité[1, 3]. L'hémorragie cérébrale maternelle peut survenir lorsque la tension artérielle atteint des valeurs supérieures à 170/110 mmHg[3, 4]. Le syndrome de HELLP peut survenir indépendamment de la présence d'hypertension[15]. Les crises convulsives sont associées à un risque d'hypoxie maternelle et fœtale[8]. La mortalité chez les patientes souffrant de prééclampsie est principalement due aux complications de dysfonction hépatique, d'hématome rétroplacentaire et à l'éclampsie[8, 14].

Effets néonatals

Le retard de croissance intra-utérine (RCIU) constitue la principale cause de complication fœtale et périnatale[4, 8, 16]. Plusieurs études rapportent qu'il existe un lien direct entre la tension artérielle maternelle élevée et les enfants nés avec un petit poids pour leur âge gestationnel, même en l'absence de protéinurie[4]. Cinquante pourcent des accouchements se feront avant terme lors d'hypertension artérielle non contrôlée. Le risque d'hématome rétroplacentaire est aussi doublé en présence d'hypertension chronique. Il y a également un risque augmenté de décollement placentaire relié avec la sévérité de l'hypertension[8, 9]. La mortalité périnatale serait quant à elle triplée si l'hypertension chronique n'est pas adéquatement contrôlée. Ces complications s'expliquent principalement par l'hypoxie ainsi que les complications reliées à la prématurité[8].

Effets à long terme

La tension artérielle lors d'une hypertension gestationnelle se normalise en général six à douze semaines après l'accouchement[3]. Une hypertension chronique sera diagnostiquée chez 10 à 20 % des hypertendues gestationnelles[9]. Les patientes ayant présenté une HTAg lors d'une grossesse seront plus à risque de récurrence lors d'une grossesse ultérieure[1, 14]. De plus elles ont un risque plus élevé de développer des complications cardiovasculaires dans le futur[2-4, 17-19].

Outils d'évaluation

La tension artérielle

La prise de tension artérielle à chaque visite anténatale constitue le principal outil diagnostique d'une HTAg. Un contrôle plus étroit est nécessaire chez les patientes connues hypertendues chroniques. Dans les cas prééclampsie, un suivi serré est essentiel car le cours de la maladie est imprévisible[2]. Une tension artérielle supérieure à 160/110 mmHg constitue une urgence hypertensive. L'admission immédiate à l'hôpital est alors essentielle[6.]

La méthode de prise de la tension artérielle est importante afin de réduire les résultats imprécis[20].

- la tension artérielle doit être prise en position assise préférablement après un repos de dix minutes ;
- Utiliser un sphygmomanomètre validé et calibré ;
- Utiliser un brassard de taille adéquate (1,5 fois la circonférence du bras ou une vessie qui couvre 80% du bras) ;
- Utiliser la phase V de Korotkoff pour la mesure diastolique.

Les dosages biologiques

Actuellement, aucun marqueur biologique ne permet de prédire une hypertension gestationnelle. Des auteurs ont identifié des marqueurs biologiques testés dans le plasma ou dans le sérum permettant de prédire une éventuelle prééclampsie lorsqu'ils sont prélevés au premier trimestre de la grossesse (facteur de croissance placentaire : Inhibine-A, Activine-A, Sélectine-P, *Transforming growth factor-b1, plasminogen activator inhibitor type 2, antagoniste du facteur de croissance placentaire et endothelial [sflt-1]*). Ces marqueurs sont aux stades de recherche et ne sont présentement pas utilisés en clinique[5,16]. D'autres pensent que l'observation de l'ADN et de l'ARN provenant de cellules placentaires serait un meilleur facteur prédictif[21]. Cependant leur usage demeure peu connu et controversé.

On note des anomalies biochimiques et hématologiques au bilan paraclinique qui permettent de suivre l'évolution et déterminer la sévérité de l'HTAg et de la prééclampsie. On pourra observer une hémoconcentration par la mesure de l'hémoglobine et de l'hématocrite, une diminution du décompte plaquettaire, une atteinte hépatique par une élévation des aminotransférases sériques (alanine et aspartate), de l'hémolyse par une élévation de la lactate déshydrogénase sérique ou la présence de schizocytes au frottis sanguin, et une diminution de la filtration glomérulaire par une diminution de la clairance de l'acide urique, de la créatinine et de l'urée[3, 9, 14].

Les signes et symptômes

L'évaluation de l'hypertension gestationnelle repose sur la mesure de la tension artérielle, la présence de protéinurie et des facteurs de sévérité. L'œdème ne fait plus partie des critères de diagnostic de la prééclampsie car il n'est pas exclusif aux patientes souffrant d'hypertension[22].

Certains signes et symptômes sont des facteurs de sévérité qui sont associés avec l'HTAg et suggèrent une atteinte multisystémique[3, 6, 14] :

- Atteinte du système nerveux central : céphalées sévères et inhabituelles, troubles visuels (scotomes, vision brouillée, diplopie), acouphène, étourdissements, somnolence, altération de l'état de conscience, convulsions, papilloedème.
- Atteinte hépatique : nausées, vomissements avec douleur épigastrique (non soulagée par la prise d'antiacide) ou douleur à l'hypocondre droit avec augmentation des transaminases sériques.
- Atteinte hématologique : saignements, pétéchies, thrombopénie (plaquettes < 100 000 X 10^9/L), anémie hémolytique.
- Atteinte rénale : oligurie ou anurie.
- Atteinte pulmonaire : œdème aigu du poumon non cardiogénique.

Le suivi fœtal

Il existe diverses méthodes pour évaluer le bien-être fœtal chez une patiente souffrant de désordres hypertensifs[23] :

- Test de réactivité fœtale (*Non Stress Test*)
  - Test le plus couramment utilisé. L'enregistrement du cœur fœtal pendant 20 minutes est considéré réactif (normal) s'il présente 2 accélérations d'au moins 15 battements par minute, d'une durée de 15 secondes.
- Profil biophysique
  - Test de réactivité fœtale combiné à des éléments échographiques (mesure de la quantité de liquide amniotique, observation des mouvements fœtaux et respiratoires).
- Échographie fœtale
  - Mesure de l'index de liquide amniotique et détection de retard de croissance intra-utérine. Test effectué de routine entre la 18e et 20e semaine, et sera refait si suspicion de retard de croissance ou d'oligohydramnios vers la 32e semaine et au besoin par la suite.
- Décompte des mouvements fœtaux par la mère
  - La mère s'assure que bébé bouge bien, ce qui correspond à une bonne perfusion placentaire.
- Doppler du cordon ombilical et des artères utérines
  - Permet de voir une perfusion adéquate de la mère au fœtus en évaluant le flot sanguin dans l'artère ombilicale et utérine.

Traitements recommandés

Objectifs visés

Le but du traitement de l'hypertension est de prévenir les complications chez la mère et le fœtus et de prévenir la prématurité. Le fait de traiter ou non l'HTAg est controversé. Tous les auteurs s'entendent pour traiter lorsque la tension artérielle est sévère (≥160/110)[6]. Pour une HTAg légère à modérée, la tension artérielle optimale qui diminue les complications maternelles et fœtales et qui maintient une perfusion placentaire adéquate est présentement à l'étude. En pratique, on recommande de maintenir la tension entre 130-155/80-105 mmHg chez les patientes ne présentant pas de comorbidités et entre 130-139/80-89 mmHg pour celles souffrant de conditions comorbides. Une valeur inférieure risquerait de causer une diminution du flot utéro-placentaire et ainsi de nuire au développement fœtal[6]. Le traitement de l'HTAg ne diminue pas le risque d'éclampsie ou de prééclampsie, mais diminue le risque d'hypertension sévère et d'hémorragie cérébrale chez la mère et pourrait diminuer la mortalité périnatale[2, 22].

Traitements non pharmacologiques

Les interventions non pharmacologiques seront adaptées en fonction de la tension artérielle, de l'âge gestationnel et de la présence de facteurs de risque chez la mère et le fœtus[24]. Ces mesures sont:

- Une surveillance de la tension artérielle est recommandée à chaque visite anté-natale chez les patientes normotendues et sera plus étroite chez les patientes avec HTAg ou les hypertendues chroniques. L'achat ou le prêt d'un tensiomètre est fortement suggéré.

- Une alimentation équilibrée sans restriction sodique ou calorique est préconisée. La teneur réduite en sel a été associée à une déplétion du volume plasmatique et à un risque théorique de retard de croissance intra-utérine par diminution du flot utéro-placentaire.

- L'activité physique est recommandée selon les capacités, sauf s'il y a un avis médical contraire.

Traitements pharmacologiques

TABLEAU II – TRAITEMENTS RECOMMANDÉS POUR L'HYPERTENSION DURANT LA GROSSESSE			
Ligne thérapeutique	**Médicament**	**Posologie**	**Suivi recommandé, commentaires**
Hypertension légère à modérée[6, 8,22]			
Premier recours	Méthyldopa	Dose initiale : 250 mg par voie orale 2 fois par jour [augmenter jusqu'à une dose maximale de 2 g par jour (divisée en 4 fois par jour)].	Effets indésirables maternels : sédation, hypotension orthostatique, céphalée, dépression, congestion nasale.
Deuxième recours	Labétalol	Dose initiale : 100 à 200 mg par voie orale 2 fois par jour [augmenter jusqu'à une dose maximale de 1,2 g par jour (divisée en 4 fois par jour)].	Bien toléré. Effets indésirables : étourdissements, fatigue et fourmillement du scalp. À éviter chez les patientes asthmatiques et en présence de RCIU.
Troisième recours	Nifédipine (PA, XL)	Dose initiale : 20 à 30 mg par voie orale 1 à 2 fois par jour (augmenter jusqu'à une dose maximale de 120 mg par jour).	Effets indésirables maternels : céphalée, tachycardie réflexe, œdème des membres. En pratique, il est possible d'utiliser la formulation PA 3 fois par jour ou la formulation XL 2 fois par jour quand la tension artérielle n'est pas maîtrisée avec les posologies usuelles.
	Méthyldopa + agent de 2e recours	Voir posologie ci-dessus.	
	Méthyldopa + hydralazine	Dose initiale : Hydralazine : 10 mg par voie orale 4 fois par jour [augmenter jusqu'à une dose maximale de 200 mg par jour (divisée en 4 fois par jour)].	Effets secondaires maternels : tachycardie réflexe, hypotension orthostatique, bouffées de chaleur.

Ligne thérapeutique	Médicament	Posologie	Suivi recommandé, commentaires
Hypertension sévère[6, 8, 20]			
Les agents utilisés dans l'hypertension sévère sont classés par ordre alphabétique. La décision d'utiliser un agent ou un autre dépendra de la condition des antécédents de la patiente ainsi que de l'expérience du clinicien. Plusieurs antihypertenseurs peuvent être associés si la situation clinique le dicte.	Clonidine	0,05-0,2 mg par voie orale 2 à 4 fois par jour (dose maximale: 0,8 mg par jour)	Effets indésirables maternels: hypotension, étourdissement, somnolence
	Hydralazine	Dose initiale: 5 mg par voie intraveineuse ou intramusculaire. Augmenter jusqu'à 10 mg toutes les 20-40 minutes (maximum de 30 mg au total). Administration en perfusion intraveineuse de 0,5-10 mg par heure.	Effets secondaires maternels fréquents: tachycardie, céphalées et nausées peuvent mimer les symptômes de prééclampsie sévère[25].
	Labétalol	Dose initiale: 10 mg par voie intraveineuse suivi de 20 mg 10 à 15 minutes plus tard puis 40 mg toutes les 10 à 15 minutes (dose maximale: 220 mg) ou en perfusion intraveineuse de 1-2 mg par minute jusqu'à l'obtention de l'effet désiré suivi de 0,5 mg par minute	Prend de plus en plus la place de l'hydralazine car effet rapide et fiable et meilleur profil d'effets indésirables.
	Nifédipine (formulation régulière)	5-10 mg par voie orale toutes les 30 minutes	Aussi efficace que hydralazine et labétalol. Formulation régulière de nifédipine doit être administrée sous surveillance médicale: évaluer les signes vitaux avant et 15 minutes après chaque dose. Bien qu'on ait rapporté quelques cas de blocage neuromusculaire et d'hypotension marquée avec l'utilisation concomitante de sulfate de magnésium et de nifédipine pour la prévention de l'éclampsie, une étude a démontré que cette combinaison n'affecte pas la réponse neuro-musculaire et ne cause pas de l'hypotension marquée[8, 26].

Données sur l'innocuité des médicaments au cours de la grossesse

TABLEAU III – DONNÉES D'INNOCUITÉ DES ANTIHYPERTENSEURS DURANT LA GROSSESSE		
Médicament	**Données durant la grossesse**	**Recommandation, commentaires**
Agonistes alpha2-adrénergiques centraux		
Clonidine	• Études animales : pas d'effet tératogène observé chez le rat ni le lapin ; toxicité développementale notée chez la souris mais à des doses entraînant une toxicité maternelle et très supérieures à celles utilisées chez l'homme[27]. • Pas d'augmentation du taux de malformations majeures chez 59 nouveau-nés exposés à la clonidine durant le 1er trimestre[28]. • La clonidine (n=47) et la méthyldopa (n=48) ont été étudiées chez des femmes hypertendues aux 2e et 3e trimestres. On n'a pas noté de différence dans le contrôle de l'hypertension, la morbidité maternelle et la mortalité et morbidité fœtales[29].	La clonidine est moins étudiée que la méthyldopa. Utiliser au besoin lors d'ajustement du traitement antihypertenseur en combinaison avec d'autres agents.
Méthyldopa (alpha-méthyldopa)	• Études animales : pas d'effet tératogène observé chez trois espèces[28]. • Pas d'augmentation du taux de malformations majeures ni de patron d'anomalie chez 292 nouveau-nés exposés à la méthyldopa au cours du 1er trimestre dans une étude de surveillance[28]. • Pas de toxicité fœtale ni maternelle rapportées dans de nombreuses séries de cas qui datent des années 60-70[28]. • Croissance et développement similaires à un groupe témoin chez 98 enfants exposés *in utero* à la méthyldopa et suivis à l'âge de 7 ans et demi ; toutefois la taille et la circonférence crânienne des garçons de mères traitées avec le méthyldopa étaient plus petites que celles du groupe témoin[30]. • Développements mental et physique normaux à 18 mois chez 46 enfants exposés durant la grossesse pendant 13 jours au 3e trimestre[31]. • Expérience clinique importante : antihypertenseur le plus utilisé pendant la grossesse depuis de nombreuses années.	La méthyldopa est l'agent de 1er recours pour le traitement de l'hypertension durant la grossesse.

Médicament	Données durant la grossesse	Recommandations, commentaires
Bloquants bêta-adrénergiques		
Acébutolol	• Cardiosélectif avec activité sympathomimétique intrinsèque. • Pas d'effet tératogène observé chez deux espèces animales[27]. • Étude rapportant 56 nouveau-nés exposés à l'acébutolol dont 6 au 1er trimestre ; pas de malformations chez ces enfants[32]. • Chez dix nouveau-nés exposés à l'acébutolol près de l'accouchement, on a observé plus de bradycardie, d'hypotension et d'hypoglycémie transitoires par rapport à un groupe de nouveau-nés exposés à la méthyldopa[28].	Les bêta-bloquants ne sont pas associés à des malformations majeures lorsqu'ils sont utilisés au 1er trimestre. Les bloquants bêta adrénergiques ont été associés à un retard de croissance intra-utérine lorsqu'ils sont utilisés aux 2e et 3e trimestres. Les avantages et les risques de l'utilisation des ces agents doivent être évalués pour chaque patiente. Les nouveau-nés exposés à un bêta bloquant en fin de grossesse devraient être observés pour des signes de bêta-blocage (bradycardie, d'hypotension, hypoglycémie) pendant 24 à 48 heures après la naissance[28]. Les bénéfices maternels et périnatals bien établis des bêta-bloquants en font des agents de 2e recours après la méthyldopa[22]. Le labétalol demeure le 1er recours parmi les bêta-bloquants lorsqu'on envisage un bêta-bloquant pour l'hypertension. Le propranolol, le métoprolol ou l'aténolol sont généralement envisagés dans les cas d'arythmie. Le propranolol demeure l'agent de 1er recours de cette classe pour la prophylaxie des migraines.
Aténolol	• Cardiosélectif sans activité sympathomimétique intrinsèque. • Pas d'effet tératogène observé chez deux espèces mais effets foetotoxiques observés (diminution du poids du placenta et du poids foetal et retard de croissance intra-utérine)[28, 23]. • Étude de surveillance rapportant 105 nouveau-nés exposés à l'aténolol durant le 1er trimestre : 11,4 % de malformations majeures ; pathologies maternelles et médicaments concomitants inconnus[28]. • Étude rapportant 31 nouveau-nés exposés à l'aténolol dont 5 au 1er trimestre : pas de malformations chez ces enfants[32]. • Revue de douze études chez la femme enceinte et comparaison avec les données animales : retard de croissance intra-utérine, diminution du poids du placenta et diminution du poids de naissance notés dans les études animales et humaines sauf en cas d'exposition durant le 1er trimestre seulement[33]. • Retard de croissance intra-utérine rapporté chez 7 femmes sur 25 traitées avec l'aténolol dans une étude le comparant au vérapamil pour le traitement de l'hypertension gestationnelle (pas de retard de croissance avec le vérapamil)[34].	

Médicament	Données durant la grossesse	Recommandations, commentaires
Bloquants bêta-adrénergiques		
	• Complications néonatales : bradycardie et hypoglycémie durant la période postnatale immédiate[33]. • Développement normal dans quelques études avec de faibles effectifs (suivi entre 1 et 2 ans)[33]. • Notification d'un cas de fibromatose rétropéritonéale[28].	
Bisoprolol	• Cardiosélectif sans activité sympathomimétique intrinsèque. • Pas d'effet tératogène observé chez deux espèces animales[28]. • Notification d'un cas de malformations associées : fente labio-palatine, hypertélorisme chez un bébé exposé à bisoprolol, sumatriptan et naproxène lors des cinq premières semaines de gestation[35]. • Aucune étude épidémiologique durant la grossesse n'a été retrouvée.	
Esmolol	• Cardiosélectif sans activité sympathomimétique intrinsèque. • Pas d'effet tératogène observé chez deux espèces animales[28]. • Aucun cas d'exposition durant le 1er trimestre n'a été retrouvé dans la littérature médicale. • Blocage bêta-adrénergique transitoire observé chez des bébés exposés à l'esmolol en fin de grossesse[28].	
Labétalol	• Bloquant alpha et bêta-adrénergique sans activité sympathomimétique intrinsèque. • Pas d'effet tératogène observé chez deux espèces animales[28]. • Étude de surveillance : 29 expositions durant le 1er trimestre, 4 malformations majeures (non précisées)[28]. • Développement physique et mental normal à l'âge de 18 mois chez 50 nouveau-nés exposés *in utero* pendant 14 jours au 3e trimestre[31].	

Médicament	Données durant la grossesse	Recommandations, commentaires
	Bloquants bêta-adrénergiques	
	• Blocage bêta-adrénergique rapporté chez plusieurs nouveau-nés exposés au labétalol en fin de grossesse[36].	
	• Notification de deux cas d'épanchement péricardique et d'hypertrophie myocardique après exposition *in utero* au labétalol[37].	
	• L'effet alpa-bloquant de part la diminution de la résistance périphérique pourrait permettre d'avoir une diminution moindre de la perfusion utéro-placentaire par rapport au autres bêta-bloquants[28].	
Métoprolol	• Cardiosélectif sans activité sympathomimétique intrinsèque	
	• Pas d'effet tératogène observé chez deux espèces[28].	
	• 52 nouveau-nés exposés durant le 1er trimestre dans une étude de surveillance : 5,8 % de malformations majeures (non précisées)[28].	
	• Pas d'effet néfaste noté chez plus de 130 expositions au métoprolol aux deuxième et 3e trimestres dans plusieurs essais cliniques[28].	
Nadolol	• Non cardiosélectif et sans activité sympathomimétique intrinsèque.	
	• Pas d'effet tératogène observé chez trois espèces animales[28].	
	• Pas d'augmentation du taux de malformations majeures dans une étude de surveillance rapportant 71 nouveau-nés exposés durant le 1er trimestre de la grossesse[28].	
Oxprénolol	• Non cardiosélectif, mais activité sympathomimétique intrinsèque.	
	• Aucune étude de tératogénicité chez l'animal n'a été retrouvée.	
	• Aucun cas d'exposition durant le 1er trimestre de la grossesse n'a été retracé dans la littérature médicale.	

Médicament	Données durant la grossesse	Recommandations, commentaires
Pindolol	• Non cardiosélectif, mais activité sympathomimétique intrinsèque. • Pas d'effet tératogène observé chez deux espèces animales[28]. • Étude rapportant 38 nouveau-nés exposés au pindolol dont 7 au 1er trimestre ; 1 cas de reflux vésico-urétral[32]. • Pas d'effet néfaste rapporté dans plusieurs petites séries de cas d'exposition au cours des deuxième et 3e trimestres[28, 34].	
Propranolol	• Non cardiosélectif et sans activité sympathomimétique intrinsèque. • Pas d'effet tératogène observé chez deux espèces animales[28]. • Dans une étude de surveillance, on a recensé 274 expositions au 1er trimestre au propranolol, on a observé 4 % de malformations majeures[28]. • Chez 167 nouveau-nés exposés au propranolol *in utero* on a observé 14 % de retard de croissance intra-utérine, 10 % d'hypoglycémie et 7 % de bradycardie. Les complications semblent plus fréquentes avec des doses quotidiennes de 160 mg ou plus[28]. • L'utilisation du propranolol a été associée à une diminution de la réactivité fœtale[28].	
Timolol	• Non cardiosélectif et sans activité sympathomimétique intrinsèque. • Pas d'effet tératogène observé chez trois espèces animales[28]. • Pas d'étude retrouvée chez la femme enceinte.	
Bloquants du canal calcique (BCC)		
Dihydropyridines		
Amlodipine	• Pas d'effet tératogène observé chez deux espèces[28]. • Pas de données retracées chez l'humain.	Étant donné les informations limitées, il est préférable d'éviter les BCC durant le 1er trimestre, l'embryogenèse étant un processus hautement dépendant du calcium[38]. Pour le traitement de l'hypertension chronique, il est préférable d'utiliser

Médicament	Données durant la grossesse	Recommandations, commentaires
Félodipine	• Anomalies digitales observées dans la descendance après administration de félodipine chez des lapines à des doses proches des doses recommandées chez l'homme[28]. • Trois notifications de cas rapportées avec la félodipine chez des femmes enceintes : 1. félodipine + aténolol pendant toute la grossesse ; 2. félodipine à partir de 6 semaines de grossesse ; 3. IECA et diurétique jusqu'à 7 semaines de grossesse suivi de félodipine à partir de 11 semaines (labétalol ajouté à 28 semaines). • Pas de malformations congénitales. • Bébés de petits poids à la naissance[39]. • Voir nifédipine	la méthyldopa en 1er recours au 1er trimestre. Après le 1er trimestre, la nifédipine demeure l'agent de 1er recours parmi les bloquants du canal calcique pour le traitement de l'hypertension.
Nifédipine	• Anomalies digitales chez deux espèces animales, et autres anomalies diverses (malformations squelettiques, fentes palatines) chez trois espèces animales à doses similaires ou supérieures à celles utilisées chez l'humain[28]. • Quatre observations cliniques isolées de malformations des membres ou des doigts rapportées chez l'humain ; lien de causalité inconnu[40]. • Deux malformations majeures notées chez 37 nouveau-nés exposés au 1er trimestre dans une étude de surveillance [28]. • Une étude de cohorte comptant 78 femmes enceintes traitées avec un BCC pendant le 1er trimestre, la majorité avec la nifédipine (44 %) ou le vérapamil (41 %), et les autres avec du diltiazem, de la nimodipine ou de la félodipine : pas d'augmentation du taux de malformations majeures par rapport au groupe témoin. Le taux de prématurité et le poids à la naissance étaient plus faibles dans le groupe traité avec les BCC[41].	

Médicament	Données durant la grossesse	Recommandations, commentaires
	• La nifédipine est également utilisée comme tocolytique avec une efficacité similaire à d'autres agents et un meilleur profil d'effets indésirables[28, 42]. • Un suivi jusqu'à l'âge de 9 à 12 ans d'enfants de mère tocolysées avec la ritodrine et la nifédipine a démontré qu'il n'y avait pas de différence dans le développement moteur. Les enfants exposés à la nifédipine avaient un développement psychologique légèrement meilleur[42].	
Non dihydropyridines		
Diltiazem	• Malformations squelettiques rapportées chez les animaux avec des doses supérieures aux doses humaines[28]. • Étude de surveillance comptant 27 nouveau-nés exposés au 1er trimestre : 14 % de malformations majeures dont 2 malformations cardiaques[28]. • Utilisation comme agent tocolytique rapportée[28]. • Voir nifédipine	Étant donné les informations limitées, il est préférable d'éviter les BCC durant le 1er trimestre, l'embryogenèse étant un processus hautement dépendant du calcium[38]. Pour le traitement de l'hypertension chronique, il est préférable d'utiliser la méthyldopa en 1er recours au 1er trimestre. Après le 1er trimestre, la nifédipine demeure l'agent de 1er recours parmi les bloquants du canal calcique pour le traitement de l'hypertension.
Vérapamil (voir nifédipine)	• Chez deux espèces animales : pas de tératogénicité à des doses supérieures aux doses humaines[28]. • Étude de surveillance : 76 nouveau-nés exposés au 1er trimestre sans augmentation du taux de malformations majeures[28]. • Le vérapamil a été utilisé pour traiter des arythmies fœtales et le travail pré-terme sans évidence de toxicité fœtale[28, 38].	

Médicament	Données durant la grossesse	Recommandations, commentaires
Vasodilatateurs périphériques		
Hydralazine	• Anomalies digitales chez une espèce à des doses supérieures à celles utilisées chez l'humain[28]. • Études de surveillance : 48 cas d'exposition au 1er trimestre : pas d'augmentation du taux de malformations congénitales[28]. • Utilisation de l'hydralazine en fin de grossesse : trois cas des thrombocytopénie néonatale transitoire et saignement[28]. • Une méta-analyse a évalué l'hydralazine dans le traitement de l'hypertension sévère : lorsqu'on la comparait aux autres antihypertenseurs, elle a été associée avec plus de : – hypertension persistante – hypotension – hématomes rétroplacentaires – césariennes – oligurie maternelle – effets secondaires maternels (céphalées, palpitations, tachycardie) – effets néonatals (APGAR plus faibles, mort *in utero*) • On observait toutefois moins de brady-cardie néonatale qu'avec le labétalol[25].	L'hydralazine a été pendant longtemps un agent de 1er recours pour le traitement de l'hypertension gestationnelle sévère ; toutefois les donnés récentes la relèguent plutôt à un traitement de rechange quand les autres traitements ne sont pas suffisants[25].
Diurétiques		
Thiazidiques		
Chlorthalidone Hydrochlorothiazide Indapamide Métolazone	• Étude de surveillance rapportant 233 expositions aux thiazidiques durant le 1er trimestre : risque d'anomalies congénitales légèrement augmenté avec la chlorthalidone (toutefois toutes les mères avaient des pathologies cardiovasculaires)[28]. • Étude de surveillance rapportant 635 expositions au 1er trimestre (chlorthalidone (n=20), chlorothiazide (n=48), hydrochlorothiazide (n=567)) : pas d'augmentation du taux d'anomalies congénitales ni de patron de malforma-tions identifié[28].	Les diurétiques thiazidiques ne sont pas des agents de 1er recours pendant la grossesse. La principale crainte associée aux diurétiques en grossesse est une diminution du volume intravasculaire circulant qui pourrait ainsi réduire la perfusion utéro-placentaire. Ce phénomène n'a pas encore été démontré[28]. Les thiazidiques n'améliorent pas le pronostic de la toxémie et peuvent causer une déplétion vasculaire[44].

Médicament	Données durant la grossesse	Recommandations, commentaires
	• Quelques cas de thrombocytopénie, d'hypoglycémie, d'hyponatrémie et d'hypokaliémie néonatales ont été rapportés avec les thiazidiques[28, 44]. • Les thiazidiques pourraient être diabétogènes chez la femme enceinte[26]. • Étude de surveillance rapportant 46 expositions à l'indapamide : 6,5 % d'anomalies majeures mais pas de patron d'anomalies[28].	
Diurétiques de l'anse		
Acide éthacrynique Furosémide	• Pas d'anomalies observées avec l'acide éthacrynique (50 fois la dose humaine)[28]. • Étude de surveillance : 350 expositions au 1er trimestre au furosémide et 5,1 % d'anomalies congénitales, sans aucun patron d'anomalies identifié[28]. • Pas d'études retrouvées chez l'humain avec l'acide éthacrynique.	Le furosémide peut être utilisé, si requis, dans certaines conditions particulières (oedème pulmonaire, hypertension sévère, insuffisance cardiaque) en utilisant la dose minimale efficace. Les diurétiques n'améliorent pas le pronostic de la toxémie et peuvent causer une déplétion vasculaire[44]
Épargneurs de potassium		

Amiloride
 Spironolactone
 Triamtérène
	• Amiloride :
	  – étude de surveillance : 28 cas d'exposition à l'amiloride au 1er trimestre : 2 anomalies observées[28].
	• Spironolactone : voir chapitre 34. *Acné.*
	• Triamtérène :
	  – antagoniste des folates ;
	  – étude de surveillance : 318 expositions au triamtérène durant le 1er trimestre avec 4,7 % d'anomalies majeures[28] ;
	  – association entre une exposition au antagonistes des folates au 1er trimestre et diverses anomalies congénitales telles que des anomalies du tube neural, des malformations cardiovasculaires et des fentes palatines rapportée dans plusieurs études ; risque diminué en présence d'acide folique[45, 46].
		Il est préférable de ne pas utiliser les diurétiques pendant la grossesse car ils n'améliorent pas le pronostic de la toxémie et peuvent causer une déplétion vasculaire[44]. L'utilisation du triamtérène est associée à une augmentation du taux d'anomalies congénitales et un suivi échographique détaillé est recommandé lors d'une exposition au 1er trimestre de la grossesse.

Médicament	Données durant la grossesse	Recommandations, commentaires
Inhibiteurs de l'enzyme de conversion de l'angiotensine (IECA)		
Bénazepril Captopril Cilazapril Énalapril Énalaprilat Fosinopril Lisinopril Périndopril Quinapril Ramipril Trandolapril	• Une malformation majeure notée parmi 49 enfants exposés à un IECA au 1er trimestre dans un registre de surveillance[47]. • Dix malformations majeures notées parmi 141 enfants exposés au captopril (n=86), à l'énalapril (n=40) ou au lisinopril (n=15) au 1er trimestre dans une étude de surveillance, soit environ 7 %, sans patron d'anomalie apparent[28]. • Étude cas-témoins incluant 209 nouveau-nés exposés au 1er trimestre à un IECA rapporte une augmentation du risque de malformations majeures (7,1 %) notamment cardiovasculaires et du système nerveux central[48]. • Plusieurs notifications de cas indiquent que les IECA sont associés à une hypotension fœtale et néonatale prolongée, hypoplasie pulmonaire, syndrome de détresse respiratoire, oligohydramnios, hypoplasie des os du crâne, malformations osseuses et articulaires, persistance du canal artériel, retard de croissance intra-utérine, travail prématuré, anurie, insuffisance rénale fœtale et néonatale pouvant nécessiter la dialyse et décès fœtal ou néonatal[49-51]. L'angiotensine II joue un rôle important au niveau du développement fœtal. Une faible concentration en angiotensine II provoque donc une diminution de résistance vasculaire rénale et ainsi une réduction de filtration glomérulaire fœtale, laquelle devient normalement fonctionnelle vers la douzième semaine de gestation. Également, une inhibition de conversion d'angiotensine I en angiotensine II induit une diminution de perfusion utéro-placentaire en provoquant une augmentation des niveaux de bradykinines, des puissants vasodilatateurs producteurs de prostaglandines[49].	Les IECA sont associés avec des effets tératogènes à tous les trimestres; il est donc préférable de les éviter durant la grossesse. En cas d'exposition durant la grossesse, un suivi échographique avec une mesure de l'index de liquide amniotique sont recommandés.

Médicament	Données durant la grossesse	Recommandations, commentaires
Antagonistes des récepteurs de l'angiotensine II (ARA)		
Candésartan Éprosartan Irbésartan Losartan Telmisartan Valsartan	• Le mécanisme d'action des ARA est similaire à celui des IECA. • Études animales : diverses anomalies rénales associées avec une utilisation tardive dans la gestation[28]. • Trois naissances de bébés normaux avec l'utilisation du valsartan pendant les 7 à 18 premières semaines de grossesse[52]. • L'utilisation des ARA durant les 2e et 3e trimestres est associée à de l'insuffisance rénale, de l'hypoplasie pulmonaire et crânienne, des contractures des membres et de la mortalité *in utero* et néonatale[50]. • Notifications de cas associant les ARA à des effets similaires à ceux observés avec les IECA[53-55].	L'utilisation des ARA n'est pas recommandée durant la grossesse. En cas d'exposition durant la grossesse, un suivi échographique avec une mesure de l'index de liquide amniotique sont recommandés.

Traitement recommandé de l'hypertension durant l'allaitement

Les données disponibles sur le passage des antihypertenseurs dans le lait maternel sont limitées. Elles sont résumées au tableau IV. Contrairement au traitement de l'hypertension pendant la grossesse, il n'existe pas de ligne de traitement clairement définie. Il est recommandé de traiter en présence d'hypertension sévère, en présence de symptômes ou d'atteinte des organes cibles tel que rétinopathie, néphropathie, insuffisance cardiaque[22].

TABLEAU IV : DONNÉES D'INNOCUITÉ DES ANTIHYPERTENSEURS DURANT L'ALLAITEMENT		
Médicament	**Données durant l'allaitement**	**Recommandations et suivi**
Agonistes alpha2-adrénergiques centraux		
Méthyldopa	• Dix mesures de la méthyldopa dans le lait maternel (500 à 2000 mg par jour) : dose estimée reçue par l'enfant est de moins de 1 % de la dose maternelle ajustée au poids[56]. • Pas d'effets indésirables notés chez quinze nourrissons exposés à la méthyldopa par le lait maternel[57-60] • Un cas de gynécomastie et de galactorrhée rapporté chez une fille de 2 semaines née à terme dont la mère avait reçu 7 jours de méthyldopa 250 mg par voie orale 3 fois par jour. Cependant il s'agit d'un cas isolé et aucun lien de causalité n'a été rapporté[56].	Compatible avec allaitement : 1e recours parmi les agents centraux
Clonidine	• Passage dans le lait estimé à 7 à 8 % de la dose maternelle ajustée au poids ; aucun effet indésirable n'a été rapporté chez les nourrissons (n=13)[56, 61]. • Les concentrations sériques mesurées chez 9 enfants allaités correspondent environ à 66 % des niveaux maternels simultanés, sans effets indésirables chez les enfants[61]. • Risque théorique d'hypotension et de diminution de production lactée par diminution de sécrétion de prolactine (non rapporté)[56].	Passage dans le lait maternel plus élevé que la méthyldopa ; toutefois, la clonidine peut être utilisée comme traitement d'appoint au besoin avec d'autres antihypertenseurs.

Médicament	Données durant l'allaitement	Recommandations et suivi
Bloquants bêta adrénergiques		
Acébutolol Aténolol Bisoprolol Labétalol Métoprolol Oxprénolol Pindolol Propranolol Timolol	• Dose maternelle ajustée pour le poids transférée à l'enfant varie selon l'agent[56] : – Acébutolol : 0,9-3,6 % (plus élevée si on ajoute le métabolite actif) – Aténolol : 7 à 29 % (13-35 % d'une dose pédiatrique) – Bisoprolol : aucune donnée – Labétalol : 0 à 0,6 % – Métoprolol : 0,5 à 3,6 % – Oxprénolol : pas de données retrouvées – Pindolol : 1,6-1,9 % (mépindolol)[62] – Propranolol : 0 à 0,5 % (3 % d'une dose pédiatrique) – Timolol : 1 % (oral), 0,4 % (ophtalmique). • Effets indésirables rapportés chez le nourrisson d'une mère recevant 100 mg par jour d'aténolol (bradycardie, cyanose, diminution de température corporelle et hypotension)[63]. • Effets de béta-blocage observé chez des nourrissons de mères recevant de l'acébutolol à des doses de 400 mg par jour[64].	Plusieurs béta-bloquants sont compatibles avec l'allaitement. Éviter, si possible, l'aténolol et l'acébutolol.
Bloquants du canal calcique (BCC)		
Dihydropyridines		
Amlodipine	• Absence de données, longue demi-vie d'élimination chez l'adulte (30-50 heures) donc risque théorique d'accumulation et d'effets indésirables chez le nourrisson[56].	Il est préférable d'utiliser la nifédipine.
Félodipine	• Absence de données, longue demi-vie d'élimination chez l'adulte (11-16 heures) donc risque théorique d'accumulation et d'effets indésirables chez le nourrisson[56].	
Nifédipine	• Dose reçue par l'enfant estimée à moins de 1 % de la dose pédiatrique ; aucun effet indésirable rapporté chez les nourrissons[56].	Compatible avec allaitement.

Médicament	Données durant l'allaitement	Recommandations et suivi
Non dihydropyridines		
Diltiazem	• Dose reçue par l'enfant estimée à moins de 1 % de la dose maternelle ajustée au poids (1 seul cas rapporté)[56]. • Risque théorique d'hypotension et de bradycardie.	Il est préférable d'utiliser la nifédipine. Toutefois, la quantité de vérapamil et de diltiazem reçue par l'enfant par le lait maternel est faible et risque peu de produire des effets secondaires.
Vérapamil	• Dose reçue par l'enfant estimée à moins de 1 % de la dose maternelle ajustée au poids[56]. • Aucun effet indésirable rapporté chez trois enfants allaités[61]. • Risque théorique d'hypotension et de bradycardie.	
Vasodilatateurs périphériques		
Hydralazine	• Passage dans le lait faible : estimé à 2,5 % de la dose pédiatrique. Aucun effet indésirable rapporté chez un nourrisson[65, 66]. • Risque théorique d'hypotension et de sédation (non rapportée).	Compatible avec allaitement.
Diurétiques		
Thiazidiques		
Chlorthalidone Hydrochlorothiazide Indapamide Métolazone	**Hydrochlorothiazide** • Passage dans le lait faible : estimé à moins de 1 % de la dose utilisée en néonatologie (n=1) ; pas de concentration détectable dans le sérum de l'enfant[56, 66]. • Risque théorique de diminution de la production de lait par déplétion volémique[56]. **Données pharmacocinétiques** • Chlorthalidone : PM = 339 Da, demi-vie : 54 h • Indapamide : PM = 366 Da, demi-vie : 14 h • Métolazone : PM = 366 Da, demi-vie : 8-14 h • Aucune donnée sur le passage dans le lait maternel avec ces agents.	Préférer l'utilisation de l'hydrochlorothiazide si un agent thiazidique doit être utilisé.

Médicament	Données durant l'allaitement	Recommandations et suivi
Diurétiques de l'anse		
Acide éthacrynique	• Aucune donnée.	Malgré l'absence de données, le furosémide peut être utilisé pendant l'allaitement si nécessaire. Puisque la demi-vie du furosémide est courte, la dose pourra être prise immédiatement après un boire pour limiter le passage dans le lait.
Furosémide	• Passage dans le lait non quantifié mais probablement faible. Demi-vie d'élimination rapide de 30 à 120 minutes, forte liaison aux protéines plasmatiques. Bonne expérience clinique en néonatologie et en pédiatrie[56]. • Absorption orale chez le nouveau-né variable[56].	
Épargneurs de potassium		
Amiloride	• Aucune donnée	Préférer l'utilisation de la spironolactone si un diurétique épargneur de potassium doit être utilisé.
Spironolactone	• Dose reçue par l'enfant par le lait maternel estimée à moins de 1 % de la dose pédiatrique (n=1)[56, 66]. • Voir chapitre 34. *Acné*.	
Triamtérène	• Aucune donnée	
Inhibiteurs de l'enzyme de conversion de l'angiotensine (IECA)		
Bénazepril Captopril Cilazapril Énalapril Énalaprilat Fosinopril Lisinopril Périndopril Quinapril Ramipril Trandolapril	**Captopril** • Dose reçue par l'enfant par le lait maternel estimée à moins de 1 % de la dose pédiatrique[56, 66]. Aucun effet indésirable rapporté chez les nourrissons allaités (n=12). **Énalapril** • Dose reçue par l'enfant par le lait maternel estimée à moins de 0,02 % de la dose maternelle ajustée au poids (n=6)[56]. **Fosinopril** • Quantité non détectable dans le lait humain (selon le fabricant)[56]. **Quinapril** • Dose reçue par l'enfant par le lait maternel estimée entre 1 et 2,6 % de la dose maternelle ajustée au poids.	Les IECA qui ont été étudiés passent dans le lait maternel en faible quantité et pourraient être compatibles avec allaitement. Toutefois, les enfants prématurés et les nouveau-nés peuvent être plus sensibles aux effets des IECA.

Médicament	Données durant l'allaitement	Recommandations et suivi
	Concentrations dans le lait maternel indétectables 4 heures après la dose (n=6)[67]. **Ramipril** • Quantité indétectable dans le lait après une dose unique de 10 mg[56]. • Aucune donnée pour cilazapril, lisinopril, périndopril, et trandolapril. • Risque théorique d'hypotension, surtout chez les nouveau-nés.	
Antagonistes des récepteurs de l'angiotensine II (ARA)		
Candésartan Éprosartan Isbésartan Losartan Telmisartan Valsartan	• Aucune donnée sur le passage dans le lait maternel n'a été retrouvée.	Privilégier un IECA si possible car le passage dans le lait a été évalué pour plusieurs d'entre eux.

PM : Poids moléculaire

Prévention de la prééclampsie

Les évidences concernant la prévention de la prééclampsie sont encore limitées, l'étiologie de la maladie n'étant pas encore complètement élucidée. L'ajout d'agents tels que l'aspirine à faible dose, certains antioxydants, les suppléments d'huiles de poisson et de calcium ont été étudiés[68].

Aspirine

La prééclampsie serait, entre autre, associée à une déficience en production de prostacycline intravasculaire, un vasodilatateur, et une production excessive de thromboxane, un vasoconstricteur puissant et un activateur d'agrégation plaquettaire. Le recours à l'aspirine à dose antiplaquettaire permettrait de rétablir l'équilibre entre la production de prostacycline et de thromboxane[69]. Les bénéfices d'utiliser un antiplaquettaire pour prévenir différentes complications associées à l'HTAg ont été évalués[70]. Ainsi, la prise d'un antiplaquettaire, dont l'aspirine à des doses entre 60 et 150 mg par jour, a été associée à une réduction significative de plusieurs complications de la grossesse, soient une diminution de 15 % du risque de prééclampsie, de 8 % du risque d'accoucher avant 37 semaines et une réduction de 14 % du risque de décès fœtal ou néonatal dans une revue systématique incluant plus de 30 000 femmes à risque modéré ou élevé d'HTAg. Les doses supérieures à 75 mg avaient tendance à être plus efficaces que les doses plus faibles. Les résultats ne variaient pas dans le groupe de patientes à risque élevé (antécédent de prééclampsie, diabète mellitus, hypertension chronique, maladies rénales et maladies auto-immunes). Le moment idéal pour débuter ce traitement et les patientes qui pourraient bénéficier de l'aspirine demeurent encore indéterminés.

Étant donné que la pathogénèse s'installerait possiblement avant l'implantation, certains praticiens suggèrent de débuter avant 16 semaines voire même 12 semaines de grossesse[69]. Les données d'innocuité de l'aspirine pendant la grossesse, aux doses utilisées dans la prééclampsie sont décrites au chapitre 33. *Migraines et douleurs*.

Antioxydants

Un autre phénomène observé dans le processus de développement de la prééclampsie est le stress oxydatif causant une défaillance endothéliale et une atteinte de la circulation placentaire. Une méta-analyse rapporte que le recours aux antioxydants, tels que la vitamine C, la vitamine E, le sélénium et le lycopène, pourrait réduire le risque de prééclampsie et d'avoir un bébé avec un petit poids pour l'âge gestationnel[71]. Toutefois, une étude à large échelle récente, comparant 935 femmes prenant 1000 de vitamine C et 400 unités de vitamine E par jour à un groupe de 942 femmes prenant un placebo n'a pas démontré de différence entre ces deux groupes quant au taux de prééclampsie, de retard de croissance intra-utérine ou de mortalité ou morbidité néonatales[72].

Huiles de poisson

Les huiles de poisson contiennent des acides gras à longue chaîne, qui ont des propriétés antiplaquettaires et antithrombotiques. Une étude multicentrique avec près de 1500 femmes enceintes à risque de développer une prééclampsie a évalué la prise d'huiles de poisson ou d'huile d'olive et n'a démontré qu'un bénéfice pour réduire le taux d'accouchement préterme de 33 à 21 %. Les autres issues étaient semblables dans les deux groupes[73]. D'autres études sont donc nécessaires pour conclure sur le sujet. Pour plus d'informations sur l'innocuité des huiles de poisson en grossesse veuillez-vous référer au chapitre 30. *Dépression et troubles anxieux*.

Calcium

Quelques études épidémiologiques ont émis l'hypothèse que la fréquence de prééclampsie et d'éclampsie serait inversement proportionnelle à l'apport nutritionnel de calcium[74]. Ainsi, une méta-analyse rapporte une légère diminution du risque de prééclampsie chez plus de 6000 femmes prenant au moins 1000 mg par jour de calcium. L'effet serait surtout marqué chez les patientes à risque élevé d'HTAg avec une diète initialement faible en calcium[75]. Pour plus d'informations sur les besoins en calcium pendant la grossesse veuillez-vous référer au chapitre 6. *Nutrition et suppléments vitaminiques*.

Références

1. BARRILLEAUX PS, MARTIN Jr JN. Hypertension therapy during pregnancy. *Clin Obstet Gynecol* 2002; 45(1):22-34.
2. CHUNG NA, BEEVERS DG, Lip GY. Management of hypertension in pregnancy. *Am J Cardiovasc Drugs* 2001;1(4):253-62.
3. HELEWA ME, BURROWS RF, SMITH J, WILLIAMS K, BRAIN P, RABKIN SW. Report of the Canadian Hypertension Society Consensus Conference: 1. Definitions, evaluation and classification of hypertensive disorders in pregnancy. *CMAJ* 1997;157(6):715-25.
4. MAGEE LA, ABDULLAH S. The safety of antihypertensives for treatment of pregnancy hypertension. *Expert Opin Drug Saf* 2004;3(1):25-38.

5. BEAUFILS M. Hypertensions artérielles de la grossesse. *Rev Prat* 2003;53(17):1878-88.
6. MAGEE LA. Drugs in pregnancy. Antihypertensives. *Best Pract Res Clin Obstet Gynaecol* 2001; 15(6):827-45.
7. WALKER JJ. Pre-eclampsia. *Lancet* 2000; 356(9237):1260-5.
8. MATTHIESEN L, BERG G, ERNERUDH J, EKERFELT C, JONSSON Y, SHARMA S. Immunology of preeclampsia. *Chem Immunol Allergy* 2005;89:49-61.
9. VAN BECK E, PEETERS LL. Pathogenesis of preeclampsia: a comprehensive model. *Obstet Gynecol Surv* 1998;53(4):233-9.
10. DULEY L. Pre-eclampsia and the hypertensive disorders of pregnancy. *Br Med Bull* 2003;67:161-76.
11. SIBAI BM, LINDHEIMER M, HAUTH J, CARITIS S, VANDORSTEN P, KLEBANOFF M, et al. Risk factors for preeclampsia, abruptio placentae, and adverse neonatal outcomes among women with chronic hypertension. National Institute of Child Health and Human Development Network of Maternal-Fetal Medicine Units. *N Engl J Med* 1998;339(10):667-71.
12. ROBERTS J. *Pregnancy-related hypertension.* In: Creasy R, Resnik R, ed. Maternal-fetal medicine: W.B. Saunders Company; 1999. p. 833-72.
13. WEINSTEIN L. Syndrome of hemolysis, elevated liver enzymes, and low platelet count: a severe consequence of hypertension in pregnancy. 1982. *Am J Obstet Gynecol* 2005;193(3 Pt 1):859; discussion 860.
14. LAU TK, PANG MW, SAHOTA DS, LEUNG TN. Impact of hypertensive disorders of pregnancy at term on infant birth weight. *Acta Obstet Gynecol Scand* 2005;84(9):875-7.
15. IRGENS HU, REISAETER L, IRGENS LM, LIE RT. Long term mortality of mothers and fathers after preeclampsia: population based cohort study. *Bmj* 2001;323(7323):1213-7.
16. HANNAFORD P, FERRY S, HIRSCH S. Cardiovascular sequelae of toxaemia of pregnancy. *Heart* 1997; 77(2):154-8.
17. SMITH GC, PELL JP, WALSH D. Pregnancy complications and maternal risk of ischaemic heart disease: a retrospective cohort study of 129,290 births. *Lancet* 2001;357(9273):2002-6.
18. FRISHMAN WH, SCHLOCKER SJ, AWAD K, TEJANI N. Pathophysiology and medical management of systemic hypertension in pregnancy. *Cardiol Rev* 2005;13(6):274-84.
19. SMETS EM, VISSER A, GO AT, VAN VUGT JM, OUDEJANS CB. Novel biomarkers in preeclampsia. *Clin Chim Acta* 2006;364(1-2):22-32.
20. REY E, LELORIER J, BURGESS E, LANGE IR, LEDUC L. Report of the Canadian Hypertension Society Consensus Conference: 3. Pharmacologic treatment of hypertensive disorders in pregnancy. *Cmaj* 1997;157(9):1245-54.
21. DAVIES GAL, LEDUC L, CRANE J, FARINE D, Hodges S, Kent N. Évaluation prénatale du bien-être foetal - Directives cliniques de la SOGC. *J Soc Obstet Gynaecol Can* 2000;22(6):463-70.
22. MOUTQUIN JM, GARNER PR, BURROWS RF, REY E, HELEWA ME, LANGE IR, et al. Report of the Canadian Hypertension Society Consensus Conference: 2. Nonpharmacologic management and prevention of hypertensive disorders in pregnancy. *CMAJ* 1997;157(7):907-19.
23. MAGEE LA, CHAM C, WATERMAN EJ, OHLSSON A, VON DADELSZEN P. Hydralazine for treatment of severe hypertension in pregnancy: meta-analysis. *BMJ* 2003;327(7421):955-60.
24. MAGEE LA, MIREMADI S, Li J, CHENG C, ENSOM MH, CARLETON B, et al. Therapy with both magnesium sulfate and nifedipine does not increase the risk of serious magnesium-related maternal side effects in women with preeclampsia. *Am J Obstet Gynecol* 2005;193(1):153-63.
25. SCHARDEIN J, editor. *Chemically induced birth defects.* 3rd ed. New York: Marcel Dekker, Inc.; 2000.
26. BRIGGS G, FREEMAN R, YAFFE S. *A reference guide to fetal and neonatal risk. Drugs in pregnancy and lactation.* Philadelphie: Lippincott William & Wilkins; 2005.
27. HORVATH JS, KORDA A, CHILD A, HENDERSON-SMART D, PHIPPARD A, DUGGIN GG, et al. Hypertension in pregnancy. A study of 142 women presenting before 32 weeks' gestation. *Med J Aust* 1985; 143(1):19-21.
28. COCKBURN J, MOAR VA, OUNSTED M, REDMAN CW. Final report of study on hypertension during pregnancy: the effects of specific treatment on the growth and development of the children. *Lancet* 1982;1(8273):647-9.

29. EL-QARMALAWI AM, MORSY AH, AL-FADLY A, OBEID A, HASHEM M. Labetalol vs. methyldopa in the treatment of pregnancy-induced hypertension. *Int J Gynaecol Obstet* 1995;49(2):125-30.

30. DUBOIS D, PETITCOLAS J, TEMPERVILLE B, KLEPPER A, CATHERINE P. Treatment of hypertension in pregnancy with beta-adrenoceptor antagonists. *Br J Clin Pharmacol* 1982;13(Suppl 2):375S-378S.

31. TABACOVA S, KIMMEL CA, WALL K, HANSEN D. Atenolol developmental toxicity: animal-to-human comparisons. *Birth Defects Res A Clin Mol Teratol* 2003;67(3):181-92.

32. MARLETTINI M, CRIPPA S, MORSELLI-LABATE AM, CONTARINI A, ORLANDI C. Randomized comparison of calcium antagonists and beta-blockers in the treatment of pregnancy-induced hypertesion. *Current Therapeutic Research* 1990;48(4):684-94.

33. KAJANTIE E, SOMER M. Bilateral cleft lip and palate, hypertelorism and hypoplastic toes. *Clin Dysmorphol* 2004;13(3):195-6.

34. STEVENS TP, GUILLET R. Use of glucagon to treat neonatal low-output congestive heart failure after maternal labetalol therapy. *J Pediatr* 1995;127(1):151-3.

35. CROOKS BN, DESHPANDE SA, HALL C, PLATT MP, MILLIGAN DW. Adverse neonatal effects of maternal labetalol treatment. *Arch Dis Child Fetal Neonatal Ed* 1998;79(2):F150-1.

36. MCELHATTON PR. *Heart and ciculatory system drugs.* In: Schaffer CH, editor. Drugs during pregnancy and lactation: handbook of prescription drugs and comparative risk assessment. New York: Elsevier; 2001. p. 119-121.

37. CASELE HL, WINDLEY KC, PRIETO JA, GRATTON R, LAIFER SA. Felodipine use in pregnancy. Report of three cases. *J Reprod Med* 1997;42(6):378-81.

38. TABACOVA SA, KIMMEL CA, MCCLOSEY CA. *Developmental abnormalities reported to FDA in association with nifedipine treatment during pregnancy.* In: Fifteen International Conference of th Organization of Teratology Information Services (OTIS); 2002; Scottsdale, Arizona; 2002. p. 368.

39. MAGEE LA, SCHICK B, DONNENFELD AE, SAGE SR, CONOVER B, COOK L, et al. The safety of calcium channel blockers in human pregnancy: a prospective, multicenter cohort study. *Am J Obstet Gynecol* 1996;174(3):823-8.

40. TABACOVA, S.A., KIMMEL, C.A., MCCLOSEY, C.A., «Development abnormalities reported to FDA in association with nifedipine treatment during pregnancy». In: Fifteen Inernational Conference of the Organisaztion of Teratology Information Services (OTIS); 2002; Scottsdale, Arizona; 2002. p. 368.

41. ORLANDI C, MARLETTINI M, CASSANI A, TRABATTI D, AGOSTINI D, SALOMONE t, et al. Treatment of hypertension during pregnancy sith calcium antagonist verapamil. *Current Therapeutic Research* 1986; 39(6):884-892.

42. COLLINS R, YUSUF S, PETO R. Overview of randomised trials of diuretics in pregnancy. *Br Med J* (Clin Res Ed) 1985;290(6461):17-23.

43. HERNANDEZ-DIAZ S, WERLER MM, WALKER AM, MITCHELL AA. Neural tube defects in relation to use of folic acid antagonists during pregnancy. *Am J Epidemiol* 2001;153(10):961-8.

44. HERNANDEZ-DIAZ S, WERLER MM, WALKER AM, MITCHELL AA. Folic acid antagonists during pregnancy and the risk of birth defects. *N Engl J Med* 2000;343(22):1608-14.

45. CENTERS FOR DISEASE CONTROL. *Postmarketing surveillance for angiotensin-converting enzyme inhibitor use during the first trimester of pregnancy—United States, Canada, and Israel, 1987-1995.* MMWR 1997;46(11):240-242.

46. COOPER WO, HERNANDEZ-DIAZ S, ARBOGAST PG, DUDLEY JA, DYER S, GIDEON PS, et al. Major congenital malformations after first-trimester exposure to ACE inhibitors. *N Engl J Med* 2006; 354(23):2443-51.

47. MASTROBATTISTA JM. *Angiotensin converting enzyme inhibitors in pregnancy.* Semin Perinatol 1997; 21(2):124-34.

48. ALWAN S, POLIFKA JE, FRIEDMAN JM. Angiotensin II receptor antagonist treatment during pregnancy. *Birth Defects Res A Clin Mol Teratol* 2005;73(2):123-30.

49. MURKI S, KUMAR P, DUTTA S, NARANG A. Fatal neonatal renal failure due to maternal enalapril ingestion. *J Matern Fetal Neonatal Med* 2005;17(3):235-7.

50. CHUNG NA, LIP GY, BEEVERS M, BEEVERS DG. Angiotensin-II-receptor inhibitors in pregnancy. *Lancet* 2001;357(9268):1620-1.

51. SAJI H, YAMANAKA M, HAGIWARA A, IJIRI R. Losartan and fetal toxic effects. *Lancet* 2001; 357(9253):363.

52. COX RM, ANDERSON JM, COX P. Defective embryogenesis with angiotensin II receptor antagonists in pregnancy. *BJOG* 2003;110(11):1038.

53. BRIGGS GG, NAGEOTTE MP. Fatal fetal outcome with the combined use of valsartan and atenolol. *Ann Pharmacother* 2001;35(7-8):859-61.

54. HALE T. *Medications and mother's milk.* Amarillo: Pharmasoft Publishing; 2006.

55. WHITE WB, ANDREOLI JW, COHN RD. Alpha-methyldopa disposition in mothers with hypertension and in their breast-fed infants. *Clin Pharmacol Ther* 1985;37(4):387-90.

56. JONES HM, CUMMINGS AJ. A study of the transfer of alpha-methyldopa to the human foetus and newborn infant. *Br J Clin Pharmacol* 1978;6(5):432-4.

57. HAUSER GJ, ALMOG S, TIROSH M, SPIRER Z. Effect of alpha-methyldopa excreted in human milk on the breast-fed infant. *Helv Paediatr Acta* 1985;40(1):83-6.

58. HOSKINS JA, HOLLIDAY SB. Determination of alpha-methyldopa and methyldopate in human breast milk and plasma by ion-exchange chromatography using electrochemical detection. *J Chromatogr* 1982;230(1):162-7.

59. ANDERSON P, SAUBERAN J. LactMed 2006-04-10 [cited 2006 12-07]; Available from: http://toxnet.nlm.nih.gov/cgi-bin/sis/htmlgen?LACT

60. KRAUSE W, STOPPELLI I, MILIA S, RAINER E. Transfer of mepindolol to newborns by breast-feeding mothers after single and repeated daily doses. *Eur J Clin Pharmacol* 1982;22(1):53-5.

61. SCHIMMEL MS, EIDELMAN AI, WILSCHANSKI MA, SHAW D, Jr., OGILVIE RJ, Koren G. Toxic effects of atenolol consumed during breast feeding. *J Pediatr* 1989;114(3):476-8.

62. BOUTROY MJ, BIANCHETTI G, DUBRUC C, VERT P, MORSELLI PL. To nurse when receiving acebutolol: is it dangerous for the neonate? *Eur J Clin Pharmacol* 1986;30(6):737-9.

63. LIEDHOLM H, WAHLIN-BOLL E, HANSON A, INGEMARSSON I, MELANDER A. Transplacental passage and breast milk concentrations of hydralazine. *Eur J Clin Pharmacol* 1982;21(5):417-9.

64. BENNETT PN, ASTRUP-JENSEN A, BATES CJ, BEGG EJ, EDWARDS S, C.R. L, et al. *Drugs and human lactation.* 2nd ed. New York: Elsevier; 1996.

65. BEGG EJ, ROBSON RA, GARDINER SJ, HUDSON LJ, REECE PA, OLSON SC, et al. Quinapril and its metabolite quinaprilat in human milk. *Br J Clin Pharmacol* 2001;51(5):478-81.

66. DEKKER G, SIBAI B. Primary, secondary, and tertiary prevention of pre-eclampsia. *Lancet* 2001; 357(9251):209-15.

67. DULEY L, HENDERSON-SMART D, KNIGHT M, KING J. Antiplatelet drugs for prevention of pre-eclampsia and its consequences: systematic review. *Bmj* 2001;322(7282):329-33.

68. DULEY L, HENDERSON-SMART DJ, KNIGHT M, KING JF. Antiplatelet agents for preventing pre-eclampsia and its complications. *Cochrane Database Syst Rev* 2004(1):CD004659.

69. RUMBOLD A, DULEY L, CROWTHER C, HASLAM R. Antioxidants for preventing pre-eclampsia. *Cochrane Database Syst Rev* 2005(4):CD004227.

70. RUMBOLD AR, CROWTHER CA, HASLAM RR, DEKKER GA, ROBINSON JS. Vitamins C and E and the risks of preeclampsia and perinatal complications. *N Engl J Med* 2006;354(17):1796-806.

71. OLSEN SF, SECHER NJ, TABOR A, WEBER T, WALKER JJ, GLUUD C. Randomised clinical trials of fish oil supplementation in high risk pregnancies. Fish Oil Trials In Pregnancy (FOTIP) Team. *BJOG* 2000; 107(3):382-95.

72. MARCOUX S, BRISSON J, FABIA J. Calcium intake from dairy products and supplements and the risks of preeclampsia and gestational hypertension. *Am J Epidemiol* 1991;133(12):1266-72.

73. ATALLAH AN, HOFMEYR GJ, DULEY L. Calcium supplementation during pregnancy for preventing hypertensive disorders and related problems. *Cochrane Database Syst Rev* 2000(3):CD001059.

Chapitre 12

Diabète

■

Laurence SPIESSER-ROBELET
Ema FERREIRA
Jean-François DELISLE

Généralités

Le diabète est un trouble métabolique caractérisé par la présence d'une hyperglycémie chronique. Celle-ci est associée à long terme à des atteintes des différents organes, particulièrement au niveau des yeux, des reins, du système nerveux, du cœur et des vaisseaux sanguins[1, 2].

Le diabète peut être une maladie chronique antérieure à la grossesse ou il peut être diagnostiqué au cours de la grossesse, on parle alors de diabète gestationnel.

Définition et étiologie

Il existe principalement trois types de diabète:

- Diabète de type 1 qui résulte de la destruction des cellules bêta-pancréatiques qui conduit à une déficience absolue en insuline.
- Diabète de type 2, caractérisé par une insulino-résistance avec une déficience relative en insuline ou un défaut de sécrétion de l'insuline.
- Diabète gestationnel, caractérisé par un trouble de la tolérance au glucose de sévérité variable, survenant ou diagnostiqué pour la première fois pendant la grossesse quelque soit le trimestre, le traitement nécessaire ou l'évolution après l'accouchement[2-4].

Épidémiologie

D'après le Système National de Surveillance du Diabète (SNSD) 4,8% des canadiens de 20 ans et plus présentent un diabète (4,6% chez les femmes et 5% chez les hommes)[5]. Ces données n'établissent pas de distinction entre le diabète de type 1 et de type 2. Le diabète de tout type complique 3 à 5% de toutes les grossesses[6].

Diabète de type 1

Le diabète de type 1 représente 10 à 15 % des diabètes. Son incidence est plus élevée dans les populations caucasiennes, notamment dans les pays d'Europe du Nord, et est la plus faible en Asie et en Amérique du Sud. Le diabète survient essentiellement avant 20 ans, mais connaît 2 pics vers 12 ans et 40 ans[7]. L'incidence mondiale augmente globalement de 3 % par an[8].

Diabète de type 2

Le diabète de type 2 survient le plus souvent après 50 ans mais peut être présent chez les femmes en âge de procréer. Il représente environ 90 % des diabètes[7]. Sa prévalence en Europe est de 2 à 5 % et de 5 à 7 % aux États-Unis. Pour près de la moitié des patients, la maladie n'a pas été diagnostiquée[9].

L'incidence du diabète de type 1 et de type 2 pendant la grossesse est estimée à 0,3 %[10].

Diabète gestationnel

Le diabète gestationnel est la complication la plus fréquente de la grossesse[9]. Sa fréquence est très variable à travers le monde; elle reflète l'incidence sous jacente du diabète dans la population et en partie la prévalence du diabète de type 2[3]. Le diabète gestationnel touche 2 à 4 % des femmes enceintes[11]. Au Canada, la prévalence est comprise entre 3,5 et 3,8 % dans les populations non autochtones et de 8 à 18 % chez les autochtones[2].

Influence de la grossesse sur le diabète

Influence de la grossesse sur la glycémie

En début de grossesse, le taux élevé d'œstrogènes augmente la sensibilité à l'insuline et peut être à l'origine d'hypoglycémies graves chez la femme diabétique déjà traitée par insuline. Les hypoglycémies ne semblent pas avoir d'importants effets indésirables chez le fœtus. Toutefois, la non perception des hypoglycémies peut être à l'origine de convulsions chez la mère[2]. Par la suite, les besoins en insuline sont augmentés. Il existe une augmentation de la résistance et une diminution de la sensibilité à l'insuline, notamment au troisième trimestre[6]. Ces modifications sont liées à la production par le placenta d'hormone lactogène placentaire, de progestérone et probablement d'autres hormones comme le cortisol et la prolactine. L'insuline est la principale hormone de croissance pour le fœtus[2, 6, 12].

Contrairement à l'insuline, le glucose traverse la barrière placentaire. Le passage se fait par diffusion facilitée. La glycémie maternelle détermine donc la glycémie fœtale[2, 6, 12].

Les femmes diabétiques ne pourront pas combler la différence entre la production et le besoin nécessaire en insuline. Elles présentent par conséquent une hyperglycémie à l'origine d'une hyperglycémie fœtale[6]. Celle-ci entraîne un hyperinsulinisme et un hyperanabolisme fœtal qui se traduit par une croissance fœtale excessive, notamment des tissus gras qui sont les plus sensibles à l'insuline[6].

Complications maternelles

La mère diabétique s'expose pendant la grossesse à un certain nombre de complications dont :

- un risque d'aggravation d'une rétinopathie (plus fréquent lorsque le contrôle glycémique est mauvais au départ et qu'une normalisation rapide de la glycémie est entreprise)[13]. D'autres facteurs peuvent aussi intervenir dans la progression de la rétinopathie[2, 14, 15] ;
- un risque d'hypertension accru chez les femmes qui présentent une microalbuminurie ou une protéinurie avant la conception. Une néphropathie chez la femme enceinte peut s'aggraver de manière permanente dans 40 % des cas[16] ;
- une aggravation des neuropathies diabétiques qui pourraient avoir des répercussions sur la santé de la mère tels que les gastroparésies, les troubles urinaires, une exacerbation du syndrome du canal carpien[17, 18] ;
- des exacerbations de pathologies artérielles et coronariennes, associées à un risque augmenté de mortalité fœtale et maternelle[15, 19].

Influence du diabète sur la grossesse

Le diabète pendant la grossesse est reconnu comme un facteur de risque d'augmentation de la mortalité périnatale, d'anomalies congénitales et de macrosomies[20]. Toutes les complications sont favorisées par une mauvaise maîtrise de la glycémie pendant la grossesse. La fréquence des avortements spontanés au premier trimestre est directement proportionnelle au taux d'HbA1$_c$ pendant les premières semaines de la grossesse[15].

Complications au premier trimestre

Le principal risque est malformatif pendant la période d'organogenèse. Il est présent chez les femmes atteintes d'un diabète de type 1 ou 2 mal contrôlé et en proportion avec le taux d'HbA1$_c$[21]. Le risque de malformations majeures est de 6 à 12%, soit 2 à 3 fois le risque d'une femme non diabétique[22, 23]. Les malformations sont le plus souvent cardiaques, mais aussi neurologiques avec une augmentation des anomalies du tube neural, urogénitales et gastro-intestinales[23-25]. Le syndrome de régression caudale est une malformation rare spécifique du diabète. Il correspond à un syndrome malformatif qui associe une réduction du nombre des vertèbres sacrées et coccygiennes avec un raccourcissement du fémur, des anomalies génito-urinaires et cardiovasculaires à l'origine d'avortements spontanés et d'une mortalité néonatale élevée[7].

Le contrôle de la glycémie maternelle en prégrossesse est capital car il permet de diminuer le risque malformatif à 3%, c'est à dire à un risque correspondant à celui de la population générale. Il n'y a pas de risque de malformations fœtales chez les femmes présentant un diabète gestationnel car les hyperglycémies se développent le plus souvent à partir du deuxième trimestre[7].

Complications aux deuxième et troisième trimestres

Les complications sont les mêmes pour le diabète de type 1, de type 2 et le diabète gestationnel. Le risque est lié à l'hyperinsulinisme fœtal à l'origine de l'hyperanabolisme. Celui-ci est lié à plusieurs complications :

- la macrosomie (poids de naissance supérieur à 4 kg ou supérieur au 90e percentile en fonction de l'âge gestationnel) ;
- l'hypoxie tissulaire qui entraîne une production excessive d'érythropoïétine et par conséquent une polyglobulie, une déficience en fer et une hyperbilirubinémie[26] ;
- un retard de la maturation pulmonaire directement lié à l'hyperinsulinisme.
- une hypertrophie cardiaque septale[7, 9, 20, 27] ;

Par ailleurs, les patientes diabétiques hypertendues ou présentant des complications des organes cibles ont un risque augmenté d'accouchement prématuré, de retard de croissance intra-utérine et de mortalité périnatale[17, 18] ;

C'est au troisième trimestre que le risque d'acidocétose est le plus élevé chez les patientes présentant un diabète[6]. L'acidocétose chez la femme enceinte est associée à un taux élevé de mort *in utero* et de mortalité maternelle[28].

Effets néonatals

À la naissance, le nombre de complications est plus élevé que chez les bébés de femmes non diabétiques. La macrosomie est à l'origine de traumatismes fœtaux, de dystocie de l'épaule et par conséquent d'un nombre plus élevé de césariennes[15,27].

Le risque d'hypoglycémie néonatale est augmenté. Plus le fœtus est hyperinsulinémique à la fin du troisième trimestre plus le risque d'hypoglycémie néonatale est élevé[20]. L'enfant peut aussi présenter une hypocalcémie du fait de son hyperanabolisme, une hyperbilirubinémie et une polyglobulie liées à l'hypoxie, un déficit en fer et une détresse respiratoire transitoire[7, 9, 20, 26, 27].

Effets à long terme

Chez la mère

Jusqu'à un an après l'accouchement, le risque d'aggravation d'une rétinopathie est plus élevé si la glycémie est mal contrôlée pendant la grossesse[2, 15].

Chez les femmes présentant une clairance à la créatinine inférieure ou égale à 90 mL/min, le risque d'aggravation de la néphropathie à long terme est accru[2].

Les femmes atteintes de diabète gestationnel ont une prédisposition aux anomalies de la glycémie à jeun, à l'intolérance au glucose ou au diabète de type 2. Le risque de dysglycémie entre 3 et 6 mois après le *post-partum* est de 16 à 20 % et le risque cumulatif selon les populations étudiées est de 30 à 50 % selon le temps qui s'est écoulé depuis le diagnostic de diabète gestationnel[2, 27]. L'insulinorésistance est souvent retrouvée chez les femmes ayant fait un diabète gestationnel et est fréquemment associée à une hausse des maladies cardiovasculaires[2].

Chez l'enfant

Pour l'enfant, il existe un risque d'obésité dans l'enfance ou à l'âge adulte d'une part et d'intolérance au glucose et de diabète de type 2 d'autre part . Ce risque concerne les enfants nés d'une mère ayant un diabète préexistant ou un diabète gestationnel et serait associé aux bébés nés avec des retards de croissance intra-utérine ou une macrosomie[2, 7, 27, 29].

Outils d'évaluation

Dosages biologiques

Le contrôle glycémique (glycémie et $HbA1_c$) est primordial pour diminuer le risque de complications et de malformations fœtales. L'$HbA1_c$ est un paramètre de contrôle privilégié pour évaluer l'état du patient diabétique. Deux études DCCT (*Diabete Control And Complication Trial*) et UKPDS (*United Kingdom Prospective Diabete Study*) ont clairement démontré qu'il y avait une corrélation entre le contrôle glycémique d'après le taux d'$HbA1_c$ et l'apparition de complications dans le diabète de types 1 et 2 chez tous les diabétiques[2]. Il est recommandé de mesurer l'$HbA1_c$ plus fréquemment pendant la grossesse. En pratique, la mesure est faite toutes les quatre à six semaines. Certains auteurs recommandent un suivi tous les 15 jours[13].

Diabète préexistant

Les femmes atteintes de diabète de types 1 et 2 qui prévoient une grossesse doivent s'efforcer d'obtenir avant la conception un taux d'$HbA1_c$ maximal de 7 % afin de réduire le risque d'avortement spontané, de malformations fœtales, de prééclampsie, et d'évolution de la rétinopathie[2]. Il faut également faire un dépistage de la néphropathie avant la grossesse[2].

Les objectifs glycémiques recommandés avant la conception et pendant la grossesse, définis par l'Association Canadienne du Diabète, sont présentés dans le tableau I.

Chez les patientes atteintes de diabète de type 1, le fait de chercher à toujours atteindre les objectifs glycémiques peut être associé à une hausse inacceptable du nombre d'hypoglycémies sévères. Les objectifs glycémiques doivent être individualisés dans ce cas[2].

Les femmes enceintes atteintes d'un diabète de type 1 ou 2 doivent effectuer une auto-surveillance en mesurant leurs glycémies préprandiales et postprandiales quatre fois ou plus par jour, afin d'adapter l'insulinothérapie en fonction des objectifs glycémiques. Il est souvent recommandé d'effectuer des contrôles glycémiques la nuit du fait de l'accroissement des hypoglycémies nocturnes pendant la grossesse[2].

TABLEAU I – OBJECTIFS GLYCÉMIQUES RECOMMANDÉS AVANT LA CONCEPTION ET PENDANT LA GROSSESSE CHEZ LES FEMMES AYANT UN DIABÈTE PRÉEXISTANT[2]	
	Objectifs glycémiques
Avant la grossesse	
$HbA1_c$ * (%)	≤ 7 (≤ 6, si possible)
Pendant la grossesse	
Glycémie à jeun et préprandiale (mmol/L)	3,8 à 5,2
Glycémie postprandiale (1 heure) (mmol/L) ou	5,5 à 7,7
Glycémie postprandiale (2 heures) (mmol/L)	5 à 6,6
Glycémie avant la collation du coucher (mmol/L)	4 à 5,9
$HbA1_c$ (%)	≤ 6

*$HbA1_c$: Hémoglobine glyquée. Reproduit avec autorisation.

Certains auteurs recommandent une recherche quotidienne des corps cétoniques par bandelette urinaire pour prévenir le développement d'une cétose et d'une acidocétose[10]. Cependant, d'autres auteurs ne recommandent pas cette recherche du fait de la présence fréquente de corps cétoniques dans les urines sans qu'ils soient positifs dans le sang[13].

Pour les femmes présentant une néphropathie avant la grossesse, il faut surveiller à chaque trimestre la fonction rénale et la protéinurie des 24 heures[2, 16]. L'hypertension doit être contrôlée.

Il est recommandé de contrôler la fonction thyroïdienne chez les femmes présentant une diabète de type 1 car celui-ci coïncide avec 5 à 10 % d'hypothyroïdie ou d'hyperthyroïdie[16].

Diabète gestationnel

Le dépistage du diabète gestationnel est recommandé chez toutes les femmes enceintes entre la 24e et la 28e semaine de la gestation. Cependant chez les femmes à risque, le dépistage sera effectué au premier trimestre de la grossesse pour traiter une éventuelle hyperglycémie[2]. Le dépistage est controversé et plusieurs techniques sont utilisées.

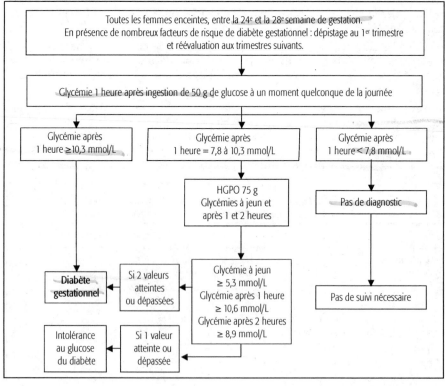

HGPO : Hyperglycémie provoquée par voie orale

Figure 1 – Dépistage et diagnostic du diabète gestationnel[2]

HYPERGLYCÉMIE PROVOQUÉE PAR VOIE ORALE

A. Dépistage et diagnostic selon l'Association Canadienne du Diabète :

l'Association Canadienne du Diabète recommande le schéma présenté à la figure 1. Cependant, dans les populations à risque élevé, une seule épreuve d'HGPO à 75 g de glucose peut servir pour établir le diagnostic[2].

B. Dépistage et diagnostic selon l'American Diabetes Association (ADA) et l'Organisation mondiale de la santé (OMS) :

le dépistage du diabète peut être effectué par une HGPO avec 50 g de glucose. Il est positif si la glycémie à une heure est supérieure à 7,8 mmol/L. Le diagnostic peut être réalisé à la suite d'un dépistage positif ou directement en une étape par une HGPO à 75 g ou 100 g de glucose[4, 30]. Les recommandations pour le diagnostic du diabète sont représentées dans le tableau II.

TABLEAU II – DIAGNOSTIC DU DIABÈTE GESTATIONNEL[4,30]		
	American Diabetes Association (ADA)	**Organisation Mondiale de la Santé (OMS)**
Méthode	HGPO avec 100 g de glucose	HGPO avec 75 g de glucose
Glycémie (mmol/L)		
À jeun	5,3	7
À 1 heure	10	–
À 2 heures	8,6	11,1
À 3 heures	7,8	–
Diagnostic positif	Au moins deux des valeurs atteintes ou dépassées	Au moins une des valeurs atteintes ou dépassées

-: Non mesuré

MESURE DE LA GLYCÉMIE ALÉATOIRE

Une mesure de la glycémie aléatoire devrait être effectuée dès que possible chez les femmes à risque élevé (exemples : antécédents de diabète gestationnel, obésité). Le diagnostic de diabète gestationnel est arrêté en présence d'une glycémie à jeun supérieure ou égale à 7 mmol/L ou d'une glycémie aléatoire supérieure ou égale à 11,1 mmol/L. Des résultats similaires lors d'un second test effectué un jour différent excluent la nécessité de faire toute épreuve complémentaire[4, 30].

En pratique, si la glycémie à jeun est supérieure ou égale à 5,3 mmol/L et la glycémie aléatoire supérieure à 7,8 mmol/L, le diabète gestationnel est suspecté. Une étude a montrée qu'une glycémie à jeun inférieure à 4,4 mmol/L permettait d'exclure un diabète gestationnel avec une sensibilité de 90 %. De même, une valeur supérieure à 5,3 mmol/L permettait de confirmer un diabète gestationnel avec une spécificité de 90 %. Le désavantage de ce test est de ne pas pouvoir reconnaître un diabète gestationnel caractérisé par une hyperglycémie post-prandiale et une euglycémie à jeun[31].

Objectifs glycémiques en présence d'un diabète gestationnel

Les objectifs glycémiques en présence d'un diabète gestationnel recommandés par l'Association Canadienne du Diabète sont regroupés dans le tableau III.

Les valeurs inférieures ne sont pas clairement définies. Toutes les glycémies doivent rester dans les limites de la normale et ne doivent pas atteindre des valeurs trop basses. Les femmes atteintes d'un diabète gestationnel doivent effectuer une auto-surveillance de la glycémie à jeun et en postprandial pour atteindre les objectifs glycémiques recommandés en ajustant leur plan alimentaire et/ou leur thérapeutique[2].

TABLEAU III – OBJECTIFS GLYCÉMIQUES RECOMMANDÉS EN PRÉSENCE D'UN DIABÈTE GESTATIONNEL[2]	
	Objectifs glycémiques
Glycémie à jeun et préprandiale (mmol/L)	<5,3
Glycémie postprandiale (1 heure) (mmol/L)	<7,8
Glycémie postprandiale (2 heures) (mmol/L)	<6,7

Reproduit avec autorisation.

Traitements recommandés pendant la grossesse

Mesures non pharmacologiques

Régime diététique

Pendant la grossesse les femmes diabétiques doivent être évaluées et suivies par un professionnel de la nutrition. L'accent doit être mis sur le choix d'aliments riches en nutriments et la réduction des aliments concentrés en sucres. La répartition de la consommation en glucides sur la journée est faite en prenant plusieurs petits repas et goûters par jour dont une collation au coucher[32].

Un régime hypocalorique n'est pas recommandé car il peut produire une perte de poids, une cétose significative et entraîner une restriction en éléments nutritifs essentiels tels que les protéines et le calcium. La masse corporelle avant la grossesse est un puissant indicateur du poids du bébé à la naissance[2]. Les femmes doivent être encouragées à avoir un gain pondéral adéquat pendant la grossesse[32, 33]. Pour la majorité des femmes présentant un diabète gestationnel, un régime bien conduit peut être suffisant pour obtenir un bon contrôle glycémique[7, 34].

Exercice physique

L'activité physique doit être encouragée à moins qu'il y ait des contre-indications liées à la grossesse ou qu'elle nuise au contrôle de la glycémie[2].

Traitements pharmacologiques

Acide folique

La prise d'un supplément d'acide folique de 4 à 5 mg par jour avant la conception et jusqu'à 13 semaines de grossesse chez la femme atteinte d'un diabète insulino-dépendant est recommandé. En pratique, des comprimés de 5 mg d'acide folique sont prescrits aux femmes atteintes d'un diabète de types 1 et 2 du fait des dosages disponibles. Elle peut réduire le risque d'anomalie du tube neural et d'autres anomalies, notamment cardiaques, qui sont plus fréquentes chez la femme diabétique[2, 35, 36]. Chez les femmes ayant des antécédents de diabète gestationnel, la prise d'acide folique est recommandée à des doses identiques à celles de toute femme enceinte[2].

Insuline

Chez les femmes diabétiques de type 2 qui prévoient une grossesse, les antidiabétiques oraux doivent être arrêtés et l'insulinothérapie est débutée. Chez les femmes avec un diabète de type 1 ou 2, l'insulinothérapie intensive avant la conception doit permettre d'obtenir les objectifs glycémiques pour réduire les risques maternels et fœtaux pendant la grossesse.

Chez les femmes atteintes d'un diabète gestationnel, l'insulinothérapie est débutée lorsque les objectifs glycémiques ne sont pas atteints après deux semaines d'une diète bien conduite[2, 7]. En pratique, elle peut être débutée plus tôt si nécessaire.

SCHÉMAS POSOLOGIQUES

Il a été montré que l'insuline permet d'obtenir les objectifs glycémiques souhaités pendant la grossesse et de réduire la morbidité fœtale et maternelle[2]. Le schéma thérapeutique doit être individualisé en fonction des glycémies à jeun et post-prandiales, du mode de vie, de la capacité à ressentir et à corriger les hypoglycémies et de la situation socio-économique de la patiente[2]. Il est semblable pour tous les types de diabète pendant la grossesse et doit reproduire au mieux la sécrétion physiologique d'insuline[37]. Toutes les insulines utilisées à l'heure actuelle sont d'origine biosynthétique.

L'insulinothérapie est basée sur de multiples injections par jour ou la perfusion continue sous-cutanée. Elle doit être individualisée et adaptée régulièrement selon les besoins changeants chez la femme au cours de la grossesse[2].

Généralement, le schéma d'administration consiste en administration d'insuline ultra-rapide (lispro ou aspart) ou rapide (insuline régulière rapide) et une insuline longue action (NPH) une à deux fois par jour[6, 7, 20].

Cependant, pour un diabète gestationnel, l'insulinothérapie est adaptée en fonction du profil glycémique. Si seule la glycémie à jeun est élevée, une insuline de durée d'action intermédiaire (NPH) peut être administrée avant le coucher. Si les glycémies post-prandiales sont perturbées, une insuline de courte durée d'action peut être administrée avant chaque repas[34].

L'administration d'insuline en perfusion sous-cutanée continue peut aussi être envisagée pendant la grossesse; une étude a démontré un meilleur contrôle glycémique en dehors de la grossesse. Les études pendant la grossesse ont montré une efficacité similaire entre les deux régimes d'administration de l'insuline[38]. Les femmes traitées par perfusion sous-cutanée continue d'insuline doivent être informées du risque plus important d'acidocétose en cas de mauvais fonctionnement de la pompe[2].

Les besoins en insuline augmentent progressivement d'environ 50% entre le début et la fin de la grossesse[6, 7, 34]. Les doses d'insuline sont calculées en fonction du poids maternel habituel et de l'âge gestationnel, puis ajustées en fonction du mode de vie. Les besoins sont souvent de 0,7 à 0,8 unité/kg/jour au premier trimestre, de 0,8 à 1 unité/kg/jour au deuxième trimestre et de 0,9 unité/kg/jour au troisième trimestre puis de 0,9 à 1,2 unité/kg/jour à partir de 36 semaines[13, 38, 39].

L'augmentation est très marquée entre la 28e et la 32e semaine de grossesse[6]. Une diminution des besoins en insuline peut être constatée à la fin du premier trimestre et pendant les deux dernières semaines de la grossesse[13]. Chez les femmes obèses, les doses initiales peuvent atteindre 1,5 à 2 unité/kg/jour pour couvrir l'insulino-résistance liée à la fois à la grossesse et à l'obésité[13].

En général, lors de l'administration d'insuline en trois ou quatre injections par jour, la dose basale sous forme d'insuline NPH représente environ 50 % de la dose totale. Le reste de la dose est administrée sous forme d'insuline rapide ou ultra-rapide avant chaque repas[13, 38]. Lors de l'utilisation d'une pompe à insuline pour une perfusion sous-cutanée continue, les besoins en insuline varient en fonction du moment de la journée[13].

Chez les femmes diabétiques de type 1, les hypoglycémies sont fréquentes pendant la grossesse. La glycémie maternelle a tendance à chuter pendant la période de jeûne du fait de la consommation placentaire et fœtale[38]. Les femmes et leur entourage doivent être sensibilisés aux signes d'hypoglycémie et utiliser le glucagon en cas de besoin[38].

Analogues insuliniques

Certains analogues insuliniques peuvent être utilisés pendant la grossesse. Cependant, les données d'innocuité sur ces médicaments sont beaucoup plus restreintes qu'avec les insulines régulières (tableau IV).

ANALOGUES INSULINIQUES À COURTE DURÉE D'ACTION

L'insuline lispro et l'insuline aspart sont des analogues insuliniques d'action rapide. L'insuline lispro a montré un meilleur contrôle glycémique lors de la grossesse, en réduisant significativement les glycémies post-prandiales et le nombre d'hypoglycémies[40, 41]. Des données similaires sont retrouvées avec l'insuline aspart mais le nombre de femmes exposées pendant la grossesse est beaucoup plus limité qu'avec l'insuline lispro[42, 43]. De plus, ces deux analogues, du fait de leur très court délai d'action, peuvent être administrés jusqu'à 15 minutes après le début d'un repas, alors que l'insuline régulière doit être administrée au moins 30 minutes avant le début du repas[2, 37]. La rapidité d'action permet d'obtenir une meilleure adhésion des patientes à leur traitement[39].

ANALOGUES INSULINIQUES À LONGUE DURÉE D'ACTION

L'insuline glargine est un analogue insulinique de très longue durée d'action. Cette insuline est utilisée comme insuline de base, elle ne génère pas de pic plasmatique[39]. En dehors de la grossesse, l'insuline glargine produit une glycémie à jeun inférieure et moins d'hypoglycémies nocturnes par rapport à l'injection d'insuline NPH une à deux fois par jour[2]. Des résultats similaires ont été retrouvés chez la femme enceinte mais le nombre de femmes exposées pendant la grossesse reste très limité[44-51]. L'innocuité de l'insuline glargine demeure préoccupante chez la femme enceinte[2].

L'insuline détémir est un analogue insulinique de longue durée d'action qui améliore le profil glycémique des patients, présente une moindre variabilité inter-individuelle, génère un gain pondéral plus faible et réduit les hypoglycémies nocturnes par rapport à une insuline NPH dans les études en dehors de la grossesse[52, 53]. L'utilisation de l'insuline détémir pendant la grossesse n'est cependant pas recommandée car il n'y a aucune donnée sur son utilisation chez la femme enceinte.

Antidiabétiques oraux

La plupart des antidiabétiques oraux traversent la barrière placentaire et favorisent l'hyperinsulinisme fœtal[2]. De plus, les études disponibles n'ont pas montré un contrôle glycémique comparable à l'insuline[54]. Ils ne sont donc pas recommandés pendant la grossesse[2, 54]. Les données d'innocuité sur ces molécules pendant la grossesse sont faibles, voire inexistantes (tableau IV).

La metformine a été plus largement étudiée pour le traitement de l'infertilité chez des femmes atteintes de syndrome des ovaires polykystiques. Elle permet de réduire le nombre d'avortements spontanés au premier trimestre et de diabète gestationnel dans cette indication. Elle n'a pas été associée à une augmentation du taux de malformations congénitales majeures[37, 55]. Cependant, les données limitées ne permettent pas de l'utiliser de manière systématique pendant la grossesse.

Le glyburide est l'agent qui traverse le moins le placenta. Son utilisation après le premier trimestre pourrait permettre un contrôle de la glycémie et des issues de grossesse comparable à l'insuline. Cependant des études complémentaires sur l'innocuité du glyburide pendant la grossesse sont nécessaires. Son utilisation doit être évaluée avec réserve[2, 39, 54]. Notons cependant que les dernières données ont modifié les pratiques de nombreux centres qui utilisent maintenant le glyburide en première intention dans le diabète gestationnel pour des raisons d'ordre pratique et de coût[56].

Prise en charge pendant le travail

L'hyperglycémie maternelle est une cause majeure d'hypoglycémie fœtale. L'euglycémie dans la période *peri partum* est essentielle. L'insuline doit permettre de maintenir les objectifs glycémiques. Elle peut être administrée à l'aide de perfusion sous-cutanée continue (chez les femmes traitées par des pompes à insuline pendant leur grossesse) ou par voie intraveineuse. L'insulinothérapie est adaptée en fonction des valeurs de glycémies. Le contrôle de la glycémie doit être effectué toutes les heures[7, 13]. L'insulinorésistance et, par conséquent, les besoins en insuline décroissent très rapidement à partir du moment où la femme est en travail actif, ce qui peut être à l'origine d'hypoglycémies maternelles[7, 13, 15]

Période du post-partum

Les besoins en insuline diminuent de manière très importante en *post-partum* immédiat. En pratique, chez les femmes diabétiques de types 1 et 2, les doses d'insuline après l'accouchement doivent être diminuées d'un tiers par rapport à la dose prégestationnelle, en particulier chez les femmes qui allaitent[13, 57].

Suivi du diabète gestationnel en *post-partum*

Une mesure de la glycémie deux heures après ingestion de 75 g de glucose ou une glycémie à jeun devraient être effectués dans les six mois après l'accouchement pour rechercher un diabète de type 2. En pratique, c'est une HGPO qui est effectuée chez toutes les femmes ayant fait un diabète gestationnel. L'allaitement, une alimentation saine et l'exercice physique doivent être encouragés. L'allaitement pourrait réduire le risque pour l'enfant de développer une intolérance au glucose et contribue à un retour à la normale de la tolérance au glucose à distance de l'accouchement chez les femmes présentant un diabète gestationnel[2, 7]. De plus, un suivi à plus long terme s'impose chez ces femmes pour dépister un diabète de type 2 ou une intolérance au glucose. Le suivi des femmes considérées à risque sera effectué selon les lignes directrices de l'Association Canadienne du Diabète[2].

Planification des futures grossesses

Il est conseillé aux femmes ayant présenté un diabète gestationnel ou une intolérance au glucose de planifier leur grossesse. La tolérance au glucose doit être évaluée avant la conception pour diminuer le risque de malformation congénitale et pour optimiser les issues de grossesse[2].

TABLEAU IV – DONNÉES D'INNOCUITÉ DES TRAITEMENTS DU DIABÈTE PENDANT LA GROSSESSE		
Médicaments	**Données au cours de la grossesse**	**Recommandations, commentaires**
Insuline humaine		
Insuline humaine (régulière, NPH, lente, ultralente)	• Pas de passage transplacentaire[58]. • L'insuline permet un contrôle glycémique adéquat chez les femmes diabétiques de type 1 ou 2 et chez les femmes présentant un diabète gestationnel non contrôlé par la diète seule. Il a été montré dans de nombreuses études que le contrôle glycémique pendant la période préconceptionnelle et la grossesse permettait de réduire de manière significative le taux de malformations et de complications maternelles et fœtales[59]. • Bonne expérience clinique avec l'insuline humaine.	L'insuline humaine est le traitement de premier recours du diabète chez la femme enceinte.
Analogues de l'insuline humaine		
Insuline lispro	• Pas de passage placentaire[60, 61]. • Plus de 500 femmes exposées au premier trimestre sans augmentation du risque de malformations par rapport à des femmes traitées par insuline humaine régulière[40, 41, 62-69]. • Amélioration ou contrôle glycémique identique et diminution ou nombre similaire d'hypoglycémies par rapport à une insuline régulière[40, 41, 62-65, 67-70]. • Pas d'augmentation des complications maternelles et néonatales chez les femmes traitées par insuline lispro par rapport au femmes traitées par insuline régulière pour un diabète préexistant ou gestationnel[40, 41, 62, 64, 70].	L'insuline lispro peut être utilisée pendant la grossesse si son emploi est jugé nécessaire. Cet analogue semble présenter des avantages importants au niveau du contrôle glycémique, un nombre plus faible d'hypoglycémies par rapport à une insuline régulière et des issues de grossesse similaires. La satisfaction des patientes est supérieure à celles utilisant une insuline régulière, ce qui contribue à une meilleure adhésion des patientes au traitement[40].

Médicaments	Données au cours de la grossesse	Recommandations, commentaires
	• Deux cas rapportés de malformations congénitales chez des femmes diabétiques de type 1 traitées au premier trimestre [anomalies cardiaques, pulmonaires et *situs invertus* abdominal ; hernie diaphragmatique (décès à 3 semaines de vie)]. Dans les deux cas, les femmes présentaient une hémoglobine glyquée bien contrôlée[71]. • Dans une cohorte de 14 patientes, trois ont développé une rétinopathie proliférative bilatérale pendant leur grossesse. Ces trois femmes présentaient des glycémies anormalement élevées[72]. L'auteur a conclu que la progression de la rétinopathie chez ces femmes pouvait être lié au pouvoir mitogène de l'insuline lispro. Cependant cette complication n'a pas été retrouvée dans les autres études [41, 64, 67, 70, 73, 74].	
Insuline aspart	• Une seule étude regroupant 157 femmes exposées pendant toute leur grossesse : pas d'augmentation du risque de malformations, de mortalité et de complications maternelles et fœtales par rapport à l'insuline régulière. Les hypoglycémies sévères avec l'insuline aspart étaient significativement plus faibles qu'avec l'insuline régulière pour des valeurs d'$HBA1_c$ similaires (résumé uniquement)[42]. • Étude d'efficacité de l'insuline aspart sur le contrôle glycémique chez 15 femmes traitées pour un diabète gestationnel. Les issues de grossesse sont non spécifiées[43]	En pratique, malgré une expérience clinique moindre et des données limitées, l'insuline aspart est utilisée pendant la grossesse du fait de l'amélioration du profil glycémique qu'elle procure par rapport à une insuline régulière.
Insuline glargine	• Passage placentaire inconnu[58]. • Augmentation *in vitro* de la liaison aux récepteurs IGF1(*Insulin-like Growth Factor 1*) et du potentiel mitogène par rapport à l'insuline humaine[75, 76]. La stimulation des récepteurs du facteur de croissance insulinoïde IGF1 beaucoup plus importante que les autres insulines pourrait altérer la croissance fœtale[2].	Cet analogue de l'insuline semble présenter des avantages au niveau du contrôle glycémique. Cependant son utilisation pendant la grossesse n'est pas recommandée du fait du manque de données. De plus les données sur son pouvoir mitogène doivent être éclaircies.

Médicaments	Données au cours de la grossesse	Recommandations, commentaires
	• Environ 160 femmes exposées dont environ 150 au premier trimestre sans augmentation du risque de malformation par rapport à des femmes traitées par des insulines régulières (dont une étude regroupant 115 femmes au 1er trimestre, seul le résumé de l'étude est disponible)[44-51, 77-79]. • Dans de nombreuses études, on a noté une diminution des hypoglycémies nocturnes et un profil glycémique plus stable pendant la grossesse[44-51, 77].	
Insuline détémir	• Des études chez le rat et le lapin à des doses supérieure à la dose humaine recommandée ont montré des anomalies viscérales chez le rat et des anomalies vésicales chez le lapin[58]. • Aucune donnée humaine durant la grossesse.	Non recommandé pendant la grossesse en raison de l'absence de données humaines[58].
Méglitinides		
Natéglinide	• Pas d'effet tératogène chez le rat. • Passage placentaire chez le rat. • En fin de gestation chez le rat, une diminution du poids de la progéniture a été observée à des doses supérieures à la dose humaine recommandée[61]. • Chez le lapin on a noté une incidence accrue d'agénésie vésiculaire ou de vésicule biliaire de petite taille à une dose toxique chez la mère[80]. • Un seul cas rapporté d'une femme traitée pendant les 24 premières semaines de sa grossesse par pravastatine, metformine et natéglinide puis par insuline au diagnostic de la grossesse. Naissance d'un bébé en santé[80].	Non recommandé pendant la grossesse en raison du manque de données humaines.
Répaglinide	• Non tératogène chez le rat et le lapin[80]. • Déformations squelettiques chez les rats exposés in utero après l'organogenèse et pendant l'allaitement. Ces malformations seraient liées d'après les auteurs à des effets néfastes du répaglinide sur la croissance et non à un effet tératogène[80, 81]. • Passage placentaire connu chez l'humain[80].	Non recommandé pendant la grossesse en raison du manque de données humaines.

Médicaments	Données au cours de la grossesse	Recommandations, commentaires
	• Trois cas rapportés de femmes traitées pendant les 6 ou 7 premières semaines de la grossesse, puis par insuline à partir du diagnostic de grossesse. Naissance de trois bébés en santé. Un des trois enfants a fait une jaunisse nécessitant un jour de photothérapie[82, 83].	
Sulfonylurées		
Chlorpropamide Gliclazide Glimépiride Glyburide Tolbutamide	• Anomalies auriculaires, embryopathies diabétiques peu fréquentes, retrouvées dans deux études sur les sulfonylurées : – six cas (4,1 %) dans une étude regroupant 147 femmes exposées au premier trimestre à un antidiabétique oral, en majorité la chlorpropamide. Pas d'augmentation du taux de malformations congénitales par rapport à l'insuline humaine régulière par ailleurs[84]; – cinq cas lors d'exposition à la chlorpropamide dont trois cas associés à des malformations multiples dans une étude chez 20 femmes traitées par des antidiabétiques oraux pendant des périodes de 3 à 28 semaines. Le taux global de malformations dans cette étude était de 50 %. D'autres malformations congénitales ont été notées avec la chlorpropamide (artère ombilicale unique), le glyburide (anencéphalie ; défaut du septum ventriculaire). De plus les enfants ont présenté à la naissance : une hyperbilirubinémie (67 %), une polycythémie sévère et une hyperviscosité ayant nécessité des transfusions (27 %). Le contrôle glycémique pendant la période péri-conceptionnelle était mauvais pour la majorité des femmes dans cette étude[85]. • Des hypoglycémies pouvant être sévères, prolongées et tardives ont étés décrites à la naissance chez des enfants exposés *in utero* aux sulfonylurées[86]. *Chlorpropamide* • Passage placentaire connu chez l'humain[80].	Les sulfonylurées ne sont pas recommandés pendant la grossesse à l'exception du glyburide pour lequel des études ont montré une efficacité comparable à l'insuline pour le contrôle glycémique du diabète gestationnel. Cependant, le glyburide n'est pas un traitement de premier recours du fait des possibles complications maternelles et fœtales plus importantes qu'avec l'insuline.

Médicaments	Données au cours de la grossesse	Recommandations, commentaires

	• Pas d'augmentation du taux de malformations majeures chez 59 femmes traitées par chlorpropamide au premier trimestre[80, 84, 86].
	• Quatre cas rapportés de malformations fœtales qui pourraient être attribuées au chlorpropamide. On ne connaît pas les doses ni les périodes d'exposition fœtale[80].
	
	Gliclazide
	• Pas d'effet tératogène chez deux espèces[87].
	• Un seul cas d'exposition rapporté d'une femme traitée par gliclazide, roziglitazone et atorvastatine pendant les huit premières semaines de sa grossesse. Naissance d'un bébé en santé[88].
	
	Glimépiride
	• Données animales contradictoires :
	  - pas d'effet tératogène dans deux espèces ;
	  - des malformations lors d'exposition après l'organogénèse et une augmentation des morts intra-utérines ont été rapportées chez deux espèces animales et seraient liées aux hypoglycémies maternelles suite à la prise de glimépiride[61, 80].
	• Pas de données humaines retrouvées dans la littérature médicale.
	
	Glyburide
	• Très faible passage transplacentaire (3,9 %) de la molécule en comparaison des autres sulfonylurées et faible modification du transfert de glucose dans des études *in vitro*[80]. Le glyburide était indétectable dans le sang de cordon chez 201 femmes exposées entre la 11e et la 33e semaine de grossesse[56].
	• Bon contrôle glycémique chez plus de 500 femmes traitées pour un diabète gestationnel par glyburide comparé à l'insuline humaine régulière[56, 89, 90]. Une étude chez 201 femmes n'a pas montré de différence au niveau néonatal en terme de poids de naissance, de macrosomies, de malformations, de polycythémies, d'hyperbilirubinémies, d'hypoglycémies, d'hypocalcémie, de détresse respiratoire, de transfert des nouveau-nés aux soins intensifs et de mortalité périnatale[56]. Cependant :	

Médicaments	Données au cours de la grossesse	Recommandations, commentaires
	- augmentation du nombre d'hypoglycémies et de détresses respiratoires néonatales dans une étude chez 101 femmes exposées[90] ; - augmentation du taux de prééclampsie et de recours à la photothérapie chez les enfants dans une étude regroupant 236 femmes exposées entre la 12e et la 34e semaine[89] ; - chez 44 femmes traitées par glyburide avec des élévations marquées des tests d'hyperglycémie provoquée par voie orale et des glycémies à jeun avant traitement, le risque de macrosomie était plus élevé comparé au femmes traitées par insuline[91]. *Tolbutamide* • Augmentation du taux de malformations ophtalmiques et du système nerveux central, effet embryotoxique direct, malformations, retard de croissance et mort *in utero* dans les études animales[61, 80]. • En fin de grossesse chez le fœtus : concentrations sériques supérieures aux concentrations maternelles[80]. • Sept cas rapportés de malformations fœtales chez des enfants exposés *in utero* sans présence claire de patron de malformations impliquant le traitement[61]. • Onze études n'ont pas montré d'augmentation du taux de malformations fœtales par rapport au taux de base. Cependant, on ne connaît pas les périodes d'exposition pendant la grossesse[80]. • Dix-sept femmes exposées au premier trimestre avec des issues de grossesse favorables[80, 86]. • Complications néonatales : – thrombocytopénies et hypoglycémies néonatales décrites notamment chez le prématuré. Cependant, la période d'exposition n'est pas indiquée[80].	

Médicaments	Données au cours de la grossesse	Recommandations, commentaires
Thiazolidinediones		
Pioglitazone	• Embryotoxicité chez le rat et le lapin à des doses supérieures à la dose humaine recommandée[80]. • La prise tardive pendant la gestation et l'allaitement a abouti à un retard de croissance attribuable à la perte de poids chez le rat [80]. • Passage placentaire inconnu[80]. • Aucune donnée humaine.	Non recommandées pendant la grossesse en raison de l'absence ou de l'insuffisance de données humaines.
Rosiglitazone	• Pas d'effet tératogène chez le rat et le lapin à des doses supérieures à la dose humaine recommandée. Dans ces mêmes études pathologies placentaires chez le rat. Mort et retard de croissance *in utero* chez le rat et le lapin lors de l'administration en milieu et en fin de gestation[80]. • Passage placentaire connu[80]. Une étude a montrée un passage placentaire plus élevé à partir de 10 semaines de grossesse[92]. • Deux cas rapportés de femmes traitées pendant le premier trimestre par rosiglitazone en association avec : fluoxétine dans un premier cas et acarbose, gliclazide, atorvastatine et de nombreux autres traitements dans le 2e cas. Naissance de bébés en santé avec un développement normal lors d'un suivi à respectivement 4 et 18 mois[88, 93]. • Cas rapporté d'une femme traitée entre 13 et 17 semaines par rosiglitazone et metformine. Naissance d'un bébé en santé[94].	
Autres antidiabétiques oraux		
Acarbose	• Absorption de moins de 2 % de la dose sous forme active et de plus de 30 % sous forme de métabolites. • Cinq expositions maternelles au premier trimestre : 2 avortements spontanés et 3 issues de grossesse favorables[80].	Non recommandé pendant la grossesse en raison du manque de données humaines. Une exposition en début de grossesse ne nécessite pas de suivi particulier.

Médicaments	Données au cours de la grossesse	Recommandations, commentaires
	• Six femmes traitées pendant leur grossesse : naissance de 6 bébés en santé (périodes d'expositions non disponibles)[80]. • Un cas rapporté d'une femme traitée pendant les 8 premières semaines de grossesse par acarbose en association avec roziglitazone, gliclazide, carbamazépine, atorvastatine et de nombreux autres traitements. Les traitements antidiabétiques ont été arrêtés au diagnostic de la grossesse à 8 semaines et l'insulinothérapie a été débutée. Naissance d'un bébé en santé[95]. • Quarante-cinq femmes traitées pour un diabète gestationnel après 20 semaines comparées à des femmes traitées par insuline : – poids de naissance et âge gestationnel à la naissance comparables. – Pas de malformations ni d'effets indésirables chez les enfants exposés *in utero*[96].	
Metformine	• Passage placentaire à terme entraînant des concentrations fœtales identiques ou supérieures à celle de la mère[61]. Cependant la metformine ne modifie pas le transport placentaire du glucose[37]. • Environ 500 expositions au premier trimestre dans le traitement du diabète ou du syndrome des ovaires polykystiques sans augmentation du taux de malformations fœtales[55, 80]. • Diminution du nombre d'avortements spontanés au premier trimestre et de diabète gestationnel lors du traitement de l'infertilité par metformine chez des femmes atteintes de syndrome des ovaires polykystiques[37, 55]. • Une étude a montré un taux plus élevé de prééclampsie et de mortalité périnatale (pour les femmes traitées au 3e trimestre) chez 50 femmes traitées par metformine comparées à des femmes traitées par une sulfonylurée ou par de l'insuline. Dans cette étude les femmes traitées par metformine étaient	La metformine n'est pas un traitement de premier recours pendant la grossesse en raison d'un meilleur contrôle de la glycémie par l'insuline pendant cette période. En pratique, la metformine peut être utilisée en association avec l'insuline lorsque l'insuline seule ne permet pas un contrôle glycémique adéquat.

Médicaments	Données au cours de la grossesse	Recommandations, commentaires
	significativement plus obèses[55, 98]. Ces résultats n'ont pas été retrouvés dans une étude chez 93 femmes traitées par metformine ayant des facteurs de risques similaires aux femmes de la première étude (obésité et mauvais contrôle glycémique)[99]. • Développement moteur et social normal à 3 et 6 mois chez 111 enfants dont les mères étaient traitées par metformine pendant toute la grossesse[100].	
Orlistat	• Études animales controversées : Pas d'effet sur la fertilité ni d'effet tératogène chez deux espèces à des doses supérieures à la dose humaine recommandée[80]. Cependant, 2 études sur 4 chez le rat montrent une augmentation du taux de dilatation des ventricules cérébraux[80]. • Aucune donnée humaine retrouvée dans la littérature médicale[80]. • Trois études ont émis l'hypothèse que la perte de poids ou un gain de poids trop faible pendant la grossesse pourrait être lié à des anomalies chez le fœtus notamment au niveau du tube neural[80].	La prise d'orlistat n'est pas recommandée pendant la grossesse. Un suivi échographique doit être effectué lors de la prise à plus long terme notamment lorsqu'elle est associée à une perte de poids en début de grossesse[54].

Traitements recommandés pendant l'allaitement

Après l'accouchement, les besoins en insuline diminuent rapidement chez les femmes diabétiques de types 1 et 2. Il existe très peu d'études sur l'utilisation des antidiabétiques en allaitement. L'insuline est le traitement de premier recours pendant cette période pour les femmes diabétiques aussi bien de type 1 que de type 2. L'allaitement doit être encouragé. Il pourrait être bénéfique pour la mère et l'enfant pour réduire le risque d'apparition d'un diabète de type 2 et favoriser le contrôle glycémique maternel[101]. Les antidiabétiques oraux ne sont pas recommandés en premier recours pendant l'allaitement[7]. En pratique, certains antidiabétiques oraux peuvent être utilisés. Cependant, leur utilisation doit être évaluée au cas par cas.

TABLEAU V – DONNÉES D'INOCUITÉ DES TRAITEMENTS DU DIABÈTE PENDANT L'ALLAITEMENT			
Médicaments	**Données pharmacocinétiques**	**Données pendant l'allaitement**	**Recommandations, commentaires**
Insulines humaines et analogues			
Insulines humaines régulières	• Poids moléculaires supérieurs à 6000 Da. • Insuline est détruite dans le tractus gastro-intestinal de l'enfant.	• Aucune étude sur le passage de l'insuline dans le lait maternel de femmes diabétiques traitées par insuline.	L'insuline est le traitement de premier recours lors de l'allaitement. La surveillance de la glycémie maternelle est essentielle pendant le traitement.
Insuline aspart	• Poids moléculaire : 5826 Da. • $T_{1/2}$: 81 minutes[58].	• Aucune étude sur le passage des analogues insuliniques dans le lait maternel de femmes diabétiques traitées par insuline.	Il n'existe aucune donnée dans la littérature médicale sur l'utilisation des analogues insuliniques pendant l'allaitement, cependant au regard des données pharmacocinétiques et de la destruction de l'insuline dans le tractus gastro-intestinal, leur utilisation semble sécuritaire. La surveillance de la glycémie maternelle est essentielle pendant le traitement.
Insuline lispro	• Poids moléculaire : 5063 Da. • $T_{1/2}$: dose dépendante de 26 à 52 minutes[58].		
Insuline glargine	• Poids moléculaire : 6063 Da. • Liaison protéique : 5%[102]. • Durée d'action de 24 heures[2].		
Insuline détémir	• Absorption progressive sur 24 heures. • Liaison protéique supérieure à 98%. $T_{1/2}$: 4 à 6 heures[58].		
Méglitinides			
Natéglinide	• Liaison protéique : 97 à 99%. • Absorption orale : 75%. • $T_{1/2}$: 1,25 à 3 heures[58].	• Aucune information rapportée concernant l'utilisation de natéglinide ou de répaglinide pendant l'allaitement.	Les méglitinides ne sont pas recommandés pendant l'allaitement.

Médicaments	Données pharmacocinétiques	Données pendant l'allaitement	Recommandations, commentaires
Répaglinide	• Poids moléculaire 453 Da[80]. • Liaison protéique : 98 %. • Absorption orale : 56 %. • $T_{1/2}$: 1 heure[58].		
Sulfonylurées			
Chlorpropamide	• Poids moléculaire : 277 Da. • Liaison protéique : 60 à 90 %[80]. • $T_{1/2}$: 33 heures[102].	• Après une dose de 500 mg, 10,5 % de la dose maternelle ajustée pour le poids est retrouvée dans le lait maternel (nombre de femmes dans l'étude non connu)[102].	Non recommandé pendant l'allaitement.
Gliclazide	• Absorption orale : 80 %. • Liaison aux protéines de 85 à 99 %[58]. • $T_{1/2}$: 8 à 12 heures.	• Aucune information rapportée concernant l'utilisation du gliclazide pendant l'allaitement.	Non recommandé pendant l'allaitement.
Glimépiride	• Poids moléculaire : 490 Da. • Liaison protéique supérieure à 99,5 %. • Absorption orale de 100 %. • $T_{1/2}$: 6 à 9 heures[102].	• Aucune information rapportée concernant l'utilisation du glimépiride pendant l'allaitement.	Non recommandé pendant l'allaitement.
Glyburide	• Poids moléculaire : 494 Da. • Liaison protéique supérieure à 99 %. • Absorption orale complète[102]. • $T_{1/2}$: 5 à 10 heures[58].	• Chez 7 femmes, ayant reçu une dose unique de 5 à 10 mg, les niveaux mesurés dans le lait maternel était indétectables (<5 µg/L) entre 2 et 8 heures après la dose. Passage dans le lait maternel de moins de 1,5 % de la dose maternelle ajustée pour le poids[103]. • Taux de glyburide indétectable (< 80 µg/L) dans le lait maternel de 2 femmes traitées par 5 mg/jour de glyburide. Le seuil de détection de l'étude était trop élevé pour pouvoir conclure à l'absence de passage dans le lait maternel[103].	Le glyburide n'est pas un agent de premier recours pendant l'allaitement. Le glyburide est la sulfonylurée pour laquelle on a le plus de données et pourrait être utilisé si un bon contrôle glycémique avec l'insuline ou la metformine n'est pas atteint.

Médicaments	Données pharmacocinétiques	Données pendant l'allaitement	Recommandations, commentaires
Tolbutamide	• Poids moléculaire : 270 Da. • Liaison protéique : 93 %. • Absorption orale complète[102]. • $T_{1/2}$: 4 à 9 heures[58].	• Chez 2 femmes ayant pris une dose de 500 mg 2 fois par jour de tolbutamide, 4 heures après la dose maternelle. Passage dans le lait maternel de 15 % de la dose maternelle ajustée pour le poids[104].	Non recommandé pendant l'allaitement.
Thiazolidinediones			
Pioglitazone	• Poids moléculaire : 393 Da. • Liaison protéique supérieure à 99 %. • $T_{1/2}$ de la pioglitazone et de ces métabolites est de 16 à 24 heures[58].	• Aucune information rapportée concernant l'utilisation des pioglitazone pendant l'allaitement.	Non recommandé pendant l'allaitement.
Rosiglitazone	• Poids moléculaire : 474 Da. • Biodisponibilité orale : 99 %. • Liaison protéique de 99,8 %. • $T_{1/2}$: 3 à 4 heures[58, 61].	• Aucune information rapportée concernant l'utilisation des rosigliatozone pendant l'allaitement.	Non recommandé pendant l'allaitement.
Autres antidiabétiques oraux			
Acarbose	• Poids moléculaire : 645 Da[102]. • Absorption orale : acarbose : 2 % et métabolites : 30 %. • $T_{1/2}$: 2 heures[58].	• Aucune information rapportée concernant l'utilisation de l'acarbose pendant l'allaitement.	L'acarbose n'est pas recommandé pendant l'allaitement. Malgré le manque de donnée, le passage dans le lait est probablement faible du fait de l'absorption orale minime.
Metformine	• Poids moléculaire : 129 Da • Liaison protéique minimale[102]. • Absorption orale : 50 à 60 %. • $T_{1/2}$: 1,5 à 6 heures[58].	• Passage dans le lait maternel au maximum de 0,65 % de la dose maternelle ajustée au poids, chez 17 femmes traitées par des doses moyennes de 500 à 1500 mg/j[95, 105-107].	Parmi les antidiabétiques oraux, la metformine est l'agent de premier recours pendant l'allaitement.

Médicaments	Données pharmacocinétiques	Données pendant l'allaitement	Recommandations, commentaires
		• Niveaux sériques mesurés : – chez 4 enfants allaités dont les mères prenaient en moyenne 1,5 g de metformine par jour, niveau sérique indétectable chez 2 enfants (<10 µg/L) et 10 et 15% des niveaux sériques maternels mesurés chez deux autres enfants[106, 107] ; – chez deux enfants de 2 et 14 mois dont les mères prenaient 500 mg 2 fois par jour : niveaux sériques indétectables (< 5 µg/L). • La glycémie de 3 enfants allaités par des mères était dans les valeurs normales[95]. • Pas d'effet secondaire chez 74 enfants allaités dont les mères étaient traitées par metformine (aucune donnée sur les doses maternelles et l'âge des enfants)[108]. • Une étude prospective de suivi de 61 enfants allaités et 50 enfants prenant du lait commercial n'a montré aucune différence à 3 et 6 mois en terme de développement moteur et social, de taille, de poids et état général[100].	
Orlistat	• Poids moléculaire 496 Da[58]. • Absorption orale inférieure à 5%.	• Aucune information rapportée concernant l'utilisation de l'orlistat pendant l'allaitement.	Non recommandé pendant l'allaitement en raison du manque de données.

T$_{1/2}$: demi-vie d'élimination

Références

1. AMERICAN DIABETES ASSOCIATION. Report of the expert committee on the diagnosis and classification of diabetes mellitus. *Diabetes Care* 2003;26 Suppl 1:S5-20.

2. ASSOCIATION CANADIENNE DU DIABÈTE. Lignes directrices de pratique clinique 2003 de l'Association canadienne du diabète pour la prévention et le traitement du diabète au Canada. Toronto: pages: S9-S15, S25-S30, S36-S41, S78-S79, S63-S115.

3. COLLÈGE NATIONAL DES OBSTÉTRICIENS ET GYNÉCOLOGUES FRANÇAIS. Recommandations pour la pratique clinique: *Diabète et grossesse*. 1996 18/11/2006 [vérifié 01/03/2007]; Disponible dans: http://www.cngof.asso.fr/D_PAGES/PURPC_01.HTM

4. AMERICAN DIABETES ASSOCIATION. Diagnosis and classification of diabetes mellitus. *Diabetes Care* 2007;30 Suppl 1:S42-7.

5. CENTRE DE PRÉVENTION ET DE CONTRÔLE DES MALADIES CHRONIQUES: DIRECTION GÉNÉRALE DE LA SANTÉ DE LA POPULATION ET DE LA SANTÉ PUBLIQUE: SANTÉ CANADA. *Le Diabète au Canada*. 2ᵉ ed. Ottawa: Sa majesté la Reine du chef du Canada; 2002.

6. GABBE SG, GRAVES CR. Management of diabetes mellitus complicating pregnancy. *Obstet Gynecol* 2003;102(4):857-68.

7. GRIMALDI A. Diabétologie. 2000 2000 02 16 [vérifié 2007 01 03]; Disponible dans: http://www.chups.jussieu.fr/polys/diabeto/diabeto.pdf

8. ONKAMO P, VAANANEN S, KARVONEN M, TUOMILEHTO J. Worldwide increase in incidence of Type I diabetes--the analysis of the data on published incidence trends. *Diabetologia* 1999;42(12):1395-403.

9. BRYSSCHAERT M. *Diabétologie Clinique*. 1ˢᵗ ed. Paris, Bruxelles: De Boeck and Larcier; 1998.

10. HOMKO CJ, KHANDELWAL M. Glucose monitoring and insulin therapy during pregnancy. *Obstet Gynecol Clin North Am* 1996;23(1):47-74.

11. MURPHY C CGS, O'DWYNER A. *Description des états de santé au Canada: Diabète*. Ottawa: Statistique Canada; 2005.

12. TEMPLE RC, ALDRIDGE VJ, MURPHY HR. Prepregnancy care and pregnancy outcomes in women with type 1 diabetes. *Diabetes Care* 2006;29(8):1744-9.

13. JOVANOVIC L, NAKAI Y. Successful pregnancy in women with type 1 diabetes: from preconception through postpartum care. *Endocrinol Metab Clin North Am* 2006;35(1):79-97, vi.

14. TEMPLE RC, ALDRIDGE VA, SAMPSON MJ, GREENWOOD RH, HEYBURN PJ, GLENN A. Impact of pregnancy on the progression of diabetic retinopathy in Type 1 diabetes. *Diabet Med* 2001;18(7):573-7.

15. PORTE DJM, SHERWIN RS, BARON A. *Diabetes mellitus*. 6ᵗʰ ed. United States of America: The Mc Graw-Hill Compagnies; 2003.

16. AMERICAN DIABETES ASSOCIATION. Preconception care of women with diabetes. *Diabetes Care* 2004;27 Suppl 1:S76-8.

17. CARR DB, KOONTZ GL, GARDELLA C, HOLING EV, BRATENG DA, BROWN ZA, et al. Diabetic nephropathy in pregnancy: suboptimal hypertensive control associated with preterm delivery. *Am J Hypertens* 2006;19(5):513-9.

18. GORDON M, LANDON MB, SAMUELS P, HISSRICH S, GABBE SG. Perinatal outcome and long-term follow-up associated with modern management of diabetic nephropathy. *Obstet Gynecol* 1996;87(3):401-9.

19. ROSENN BM, MIODOVNIK M. Medical complications of diabetes mellitus in pregnancy. *Clin Obstet Gynecol* 2000;43(1):17-31.

20. WALKINSHAW SA. Pregnancy in women with pre-existing diabetes: management issues. *Semin Fetal Neonatal Med* 2005;10(4):307-15.

21. AMERICAN DIABETES ASSOCIATION. Standards of medical care in diabetes--2007. *Diabetes Care* 2007;30 Suppl 1:S4-S41.

22. KITZMILLER JL, BUCHANAN TA, KJOS S, COMBS CA, RATNER RE. Pre-conception care of diabetes, congenital malformations, and spontaneous abortions. *Diabetes Care* 1996;19(5):514-41.

23. KOREN G. *Maternal-Fetal toxicology A Clincal's Guide*. 3ʳᵈ ed. New York: Marcel Dekker; 2001.

24. EVERS IM, DE VALK HW, VISSER GH. Risk of complications of pregnancy in women with type 1 diabetes: nationwide prospective study in the Netherlands. *Bmj* 2004;328(7445):915.

25. SHEFFIELD JS, BUTLER-KOSTER EL, CASEY BM, MCINTIRE DD, LEVENO KJ. Maternal diabetes mellitus and infant malformations. *Obstet Gynecol* 2002;100(5 Pt 1):925-30.

26. NOLD JL, GEORGIEFF MK. Infants of diabetic mothers. *Pediatr Clin North Am* 2004;51(3):619-37, viii.

27. MARESH M. Screening for gestational diabetes mellitus. *Semin Fetal Neonatal Med* 2005;10(4):317-23.

28. LUCAS MJ. Diabetes complicating pregnancy. *Obstet Gynecol Clin North Am* 2001;28(3):513-36.

29. PETTITT DJ, JOVANOVIC L. Birth weight as a predictor of type 2 diabetes mellitus: the U-shaped curve. *Curr Diab Rep* 2001;1(1):78-81.

30. WORTH HEALTH ORGANIZATION. *Definition, Diagnosis and Classification of Diabetes Mellitus and its Complications*. Genève; 1999.

31. FERREIRA E, BEAUCHESNE M.F, ADAM A. Métabolisme glucidique. In: *L'essentiel sur la Biologie Clinique et la Pharmacothérapie*. 1ʳᵉ ed: Esidem; 2003. p. 319-351.

32. SANTÉ CANADA. Nutrition pour une grossesse en santé - Lignes directrices nationales à l'intention des femmes en âge de procréer. 2002 2007 01 03 [vérifié 2002; Disponible dans: http://www.hc-sc.gc.ca/fn-an/nutrition/prenatal/national_guidelines-lignes_directrices_nationales-06e_f.html#gestational

33. HEDDERSON MM, WEISS NS, SACKS DA, PETTITT DJ, SELBY JV, QUESENBERRY CP, et al. Pregnancy weight gain and risk of neonatal complications: macrosomia, hypoglycemia, and hyperbilirubinemia. *Obstet Gynecol* 2006;108(5):1153-61.

34. JOVANOVIC L. Achieving euglycaemia in women with gestational diabetes mellitus: current options for screening, diagnosis and treatment. *Drugs* 2004;64(13):1401-17.

35. WILSON RD, DAVIES G, DESILETS V, REID GJ, SUMMERS A, WYATT P, et al. The use of folic acid for the prevention of neural tube defects and other congenital anomalies. *J Obstet Gynaecol Can* 2003;25(11):959-73.

36. FERREIRA E. L'acide folique et la prévention des anomalies du tube neural. *Québec Pharmacie* 2000;47(9):726-730.

37. LANGER O. Management of gestational diabetes: pharmacologic treatment options and glycemic control. *Endocrinol Metab Clin North Am* 2006;35(1):53-78, vi.

38. BERNASKO J. Contemporary management of type 1 diabetes mellitus in pregnancy. *Obstet Gynecol Surv* 2004;59(8):628-36.

39. ACOG PRACTICE BULLETIN. Clinical Management Guidelines for Obstetrician-Gynecologists. Number 60, March 2005. Pregestational diabetes mellitus. *Obstet Gynecol* 2005;105(3):675-85.

40. BUCHBINDER A, MIODOVNIK M, KHOURY J, SIBAI BM. Is the use of insulin lispro safe in pregnancy? *J Matern Fetal Neonatal Med* 2002;11(4):232-7.

41. JOVANOVIC L, ILIC S, PETTITT DJ, HUGO K, GUTIERREZ M, BOWSHER RR, et al. Metabolic and immunologic effects of insulin lispro in gestational diabetes. *Diabetes Care* 1999;22(9):1422-7.

42. HOD M, VISSER GHA, DAMM P, KAAJA R, DUNNE F, HASEN AP, et al. Safety and perinatal outcomes in pregnancy: a randomized trial comparing insuline aspart with human insulin in 332 subject with type 1 diabetes. Abstract. 2006 [vérifié 2007-01-17]; Disponible dans: http://scientificsessions.diabetes.org/Abstracts/index.cfm?fuseaction=Locator.SearchAbstracts

43. PETTITT DJ, OSPINA P, KOLACZYNSKI JW, JOVANOVIC L. Comparison of an insulin analog, insulin aspart, and regular human insulin with no insulin in gestational diabetes mellitus. *Diabetes Care* 2003;26(1):183-6.

44. CARONNA S, CIONI F, DALL'AGLIO E, ARSENIO L. Pregnancy and the long-acting insulin analogue: a case study. *Acta Biomed* 2006;77(1):24-6.

45. CECHUROVA D, LACIGOVA S, JANKOVEC Z, HALADOVA I, ZOUREK M, KRCMA M, et al. The insulin analog glargine during an unplanned pregnancy. *Wien Klin Wochenschr* 2006;118(19-20):619-620.

46. DEVLIN JT, HOTHERSALL L, WILKIS JL. Use of insulin glargine during pregnancy in a type 1 diabetic woman. *Diabetes Care* 2002;25(6):1095-6.

47. DI CIANNI G, VOLPE L, LENCIONI C, CHATZIANAGNOSTOU K, CUCCURU I, GHIO A, et al. Use of insulin glargine during the first weeks of pregnancy in five type 1 diabetic women. *Diabetes Care* 2005;28(4):982-3.

48. Dolci M, Mori M, Baccetti F. Use of glargine insulin before and during pregnancy in a woman with type 1 diabetes and Addison's Disease. *Diabetes Care* 2005;28(8):2084-5.

49. Graves DE, White JC, Kirk JK. The use of insulin glargine with gestational diabetes mellitus. *Diabetes Care* 2006;29(2):471-2.

50. Holstein A, Plaschke A, Egberts EH. Use of insulin glargine during embryogenesis in a pregnant woman with Type 1 diabetes. *Diabet Med* 2003;20(9):779-80.

51. Torlone E, Gennarini A, Ricci NB, Bolli GB. Successful use of insulin glargine during entire pregnancy until delivery in six Type 1 diabetic women. *Eur J Obstet Gynecol Reprod Biol* 2006.

52. Gough SC. A review of human and analogue insulin trials. *Diabetes Res Clin Pract* 2006.

53. Valensi P, Cosson E. Is insulin detemir able to favor a lower variability in the action of injected insulin in diabetic subjects? *Diabetes Metab* 2005;31(4 Pt 2):4S34-4S39.

54. Schaefer C. *Drugs during pregnancy and lactation.* 1st ed. Amsterdam: Elsevier science B.V; 2001.

55. Gilbert C, Valois M, Koren G. Pregnancy outcome after first-trimester exposure to metformin: a meta-analysis. *Fertil Steril* 2006;86(3):658-63.

56. Langer O, Conway DL, Berkus MD, Xenakis EM, Gonzales O. A comparison of glyburide and insulin in women with gestational diabetes mellitus. *N Engl J Med* 2000;343(16):1134-8.

57. Dunne F. Type 2 diabetes and pregnancy. *Semin Fetal Neonatal Med* 2005;10(4):333-9.

58. Klasco Re. DRUGDEX® System. In: *Thomson Micromedex,* Greenwood Village, Colorado; Edition expires 06/2006.

59. Ray JG, O'Brien TE, Chan WS. Preconception care and the risk of congenital anomalies in the offspring of women with diabetes mellitus: a meta-analysis. *Qjm* 2001;94(8):435-44.

60. Boskovic R, Feig DS, Derewlany L, Knie B, Portnoi G, Koren G. Transfer of insulin lispro across the human placenta: in vitro perfusion studies. *Diabetes Care* 2003;26(5):1390-4.

61. Klasco R. *Reprorisk system, Reprotox.* In: Thomson Micromedex, Greenwood village, Colorado.; Edition expires 09/2006.

62. Bhattacharyya A, Brown S, Hughes S, Vice PA. *Insulin lispro and regular insulin in pregnancy.* Qjm 2001;94(5):255-60.

63. Cypryk K, Sobczak M, Pertynska-Marczewska M, Zawodniak-Szalapska M, Szymczak W, Wilczynski J, et al. Pregnancy complications and perinatal outcome in diabetic women treated with Humalog (insulin lispro) or regular human insulin during pregnancy. *Med Sci Monit* 2004;10(2):PI29-32.

64. Garg SK, Frias JP, Anil S, Gottlieb PA, MacKenzie T, Jackson WE. Insulin lispro therapy in pregnancies complicated by type 1 diabetes: glycemic control and maternal and fetal outcomes. *Endocr Pract* 2003;9(3):187-93.

65. Idama TO, Lindow SW, French M, Masson EA. Preliminary experience with the use of insulin lispro in pregnant diabetic women. *J Obstet Gynaecol* 2001;21(4):350-1.

66. Lapolla A, Dalfra MG, Fedele D. Insulin therapy in pregnancy complicated by diabetes: are insulin analogs a new tool? *Diabetes Metab Res Rev* 2005;21(3):241-52.

67. Masson EA, Patmore JE, Brash PD, Baxter M, Caldwell G, Gallen IW, et al. Pregnancy outcome in Type 1 diabetes mellitus treated with insulin lispro (Humalog). *Diabet Med* 2003;20(1):46-50.

68. Persson B, Swahn ML, Hjertberg R, Hanson U, Nord E, Nordlander E, et al. Insulin lispro therapy in pregnancies complicated by type 1 diabetes mellitus. *Diabetes Res Clin Pract* 2002;58(2):115-21.

69. Wyatt JW, Frias JL, Hoyme HE, Jovanovic L, Kaaja R, Brown F, et al. Congenital anomaly rate in offspring of mothers with diabetes treated with insulin lispro during pregnancy. *Diabet Med* 2005;22(6):803-7.

70. Loukovaara S, Immonen I, Teramo KA, Kaaja R. Progression of retinopathy during pregnancy in type 1 diabetic women treated with insulin lispro. *Diabetes Care* 2003;26(4):1193-8.

71. Diamond T, Kormas N. Possible adverse fetal effect of insulin lispro. *N Engl J Med* 1997;337(14):1009; author reply 1010.

72. Kitzmiller JL. Insulin lispro and the development of proliferative diabetic retinopathy during pregnancy. *Am J Obstet Gynecol* 2001;185(3):774-5.

73. BHATTACHARYYA A, VICE PA. Insulin lispro, pregnancy, and retinopathy. *Diabetes Care* 1999;22(12):2101-4.

74. BUCHBINDER A, MIODOVNIK M, MCELVY S, ROSENN B, KRANIAS G, KHOURY J, et al. Is insulin lispro associated with the development or progression of diabetic retinopathy during pregnancy? *Am J Obstet Gynecol* 2000;183(5):1162-5.

75. BOLLI GB, OWENS DR. Insulin glargine. *Lancet* 2000;356(9228):443-5.

76. KURTZHALS P, SCHAFFER L, SORENSEN A, KRISTENSEN C, JONASSEN I, SCHMID C, et al. Correlations of receptor binding and metabolic and mitogenic potencies of insulin analogs designed for clinical use. *Diabetes* 2000;49(6):999-1005.

77. WOOLDERINK JM, VAN LOON AJ, STORMS F, DE HEIDE L, HOOGENBERG K. Use of insulin glargine during pregnancy in seven type 1 diabetic women. *Diabetes Care* 2005;28(10):2594-5.

78. GALLEN IW, JAAP AJ. Insuline Glargine Use in Pregnancy is Not Associated with adverse Maternal or fetal Outcomes. Abstract. 2006 [vérifié 2007-01-17]; Disponible dans: http://scientificsessions.diabetes.org/Abstracts/index.cfm?fuseaction=Locator.SearchAbstracts

79. POYHONEN-ALHO M, SALVETO J, RONNEMAA T, KAAJA R. Insulin Glargine During Pregnancy.Abstract. 2006 [vérifié 2007-01-17]; Disponible dans: http://scientificsessions.diabetes.org/Abstracts/index.cfm?fuseaction=Locator.SearchAbstracts

80. BRIGGS GG FR, YAFFE SJ. *Drugs in pregnancy and lactation.* 7ed. Philadelphia: Lippincott Williams and Wilkins; 2005.

81. VIERTEL B, GUTTNER J. Effects of the oral antidiabetic repaglinide on the reproduction of rats. *Arzneimittelforschung* 2000;50(5):425-40.

82. MOLLAR-PUCHADES MA, MARTIN-CORTES A, PEREZ-CALVO A, DIAZ-GARCIA C. Use of repaglinide on a pregnant woman during embryogenesis. *Diabetes Obes Metab* 2007;9(1):146-7.

83. NAPOLI A, CIAMPA F, COLATRELLA A, FALLUCCA F. Use of repaglinide during the first weeks of pregnancy in two type 2 diabetic women. *Diabetes Care* 2006;29(10):2326-7.

84. TOWNER D, KJOS SL, LEUNG B, MONTORO MM, XIANG A, MESTMAN JH, et al. Congenital malformations in pregnancies complicated by NIDDM. *Diabetes Care* 1995;18(11):1446-51.

85. PIACQUADIO K, HOLLINGSWORTH DR, MURPHY H. Effects of in-utero exposure to oral hypoglycaemic drugs. *Lancet* 1991;338(8771):866-9.

86. KLASCO R. *Reprorisk system, Teris.* In: Thomson Micromedex, Greenwood village, Colorado.; Expires 09/2006.

87. KLASCO Re. *Reprorisk system, Shepard's.* In: Thomson Micromedex, Greenwood Village, Colorado; Edition expires.

88. YARIS F, YARIS E, KADIOGLU M, ULKU C, KESIM M, KALYONCU NI. Normal pregnancy outcome following inadvertent exposure to rosiglitazone, gliclazide, and atorvastatin in a diabetic and hypertensive woman. *Reprod Toxicol* 2004;18(4):619-21.

89. JACOBSON GF, RAMOS GA, CHING JY, KIRBY RS, FERRARA A, FIELD DR. Comparison of glyburide and insulin for the management of gestational diabetes in a large managed care organization. *Am J Obstet Gynecol* 2005;193(1):118-24.

90. ROCHON M, RAND L, ROTH L, GADDIPATI S. Glyburide for the management of gestational diabetes: risk factors predictive of failure and associated pregnancy outcomes. *Am J Obstet Gynecol* 2006;195(4):1090-4.

91. RAMOS GA, JACOBSON GF, KIRBY RS, CHING JY, FIELD DR. Comparison of glyburide and insulin for the management of gestational diabetics with markedly elevated oral glucose challenge test and fasting hyperglycemia. *J Perinatol* 2007;27(5):262-7.

92. CHAN LY, YEUNG JH, LAU TK. Placental transfer of rosiglitazone in the first trimester of human pregnancy. *Fertil Steril* 2005;83(4):955-8.

93. CHOI JS, HAN JY, AHN HK, SHIN JS, YANG JH, KOONG MK, et al. Exposure to rosiglitazone and fluoxetine in the first trimester of pregnancy. *Diabetes Care* 2006;29(9):2176.

94. KALYONCU NI, YARIS F, ULKU C, KADIOGLU M, KESIM M, UNSAL M, et al. A case of rosiglitazone exposure in the second trimester of pregnancy. *Reprod Toxicol* 2005;19(4):563-4.

95. BRIGGS GG, AMBROSE PJ, NAGEOTTE MP, PADILLA G, WAN S. Excretion of metformin into breast milk and the effect on nursing infants. *Obstet Gynecol* 2005;105(6):1437-41.

96. DE VECIANA M PAT, ARTHUR T. E., KIMBERLY D. A Comparison of Oral Acarbose and Insulin in Woman with Gestational Diabetes Mellitus. *Obstet Gynecol* 2002;99(suppl)5S.Abstract.

97. ELLIOTT B. FS, LANGER O. The oral antihyperglycemic agent metformin does not affect glucose uptake and transport in the human diabetic placenta. *American journal of obstetrics and gynecology* 1997;176(1):S182.

98. HELLMUTH E, DAMM P, MOLSTED-PEDERSEN L. Oral hypoglycaemic agents in 118 diabetic pregnancies. *Diabet Med* 2000;17(7):507-11.

99. HUGHES RC, ROWAN JA. Pregnancy in women with Type 2 diabetes: who takes metformin and what is the outcome? *Diabet Med* 2006;23(3):318-22.

100. GLUECK CJ, SALEHI M, SIEVE L, WANG P. Growth, motor, and social development in breast- and formula-fed infants of metformin-treated women with polycystic ovary syndrome. *J Pediatr* 2006;148(5):628-632.

101. TAYLOR JS, KACMAR JE, NOTHNAGLE M, LAWRENCE RA. A systematic review of the literature associating breastfeeding with type 2 diabetes and gestational diabetes. *J Am Coll Nutr* 2005;24(5):320-6.

102. HALE TW. *Medications and Mothers'Milk*. 12th ed. Amarillo,Texas: Hale Publishing,L.P.; 2006.

103. FEIG DS, BRIGGS GG, KRAEMER JM, AMBROSE PJ, MOSKOVITZ DN, NAGEOTTE M, et al. Transfer of glyburide and glipizide into breast milk. *Diabetes Care* 2005;28(8):1851-5.

104. MOIEL RH, RYAN JR. Tolbutamide orinase in human breast milk. *Clin Pediatr* (Phila) 1967;6(8):480.

105. GARDINER SJ, KIRKPATRICK CM, BEGG EJ, ZHANG M, MOORE MP, SAVILLE DJ. Transfer of metformin into human milk. *Clin Pharmacol Ther* 2003;73(1):71-7.

106. HALE T, KRISTENSEN J, HACKETT L, KOHAN R, ILETT K. Transfer of metformin into human milk. *Adv Exp Med Biol* 2004;554:435-6.

107. HALE TW, KRISTENSEN JH, HACKETT LP, KOHAN R, ILETT KF. Transfer of metformin into human milk. *Diabetologia* 2002;45(11):1509-14.

108. ANDERSON PO, SAUBERAN J. *Lactmed*. In: National Library of Medicine, Rockville Pike, Bethesda; 2007.

Chapitre 13

Dysthyroïdies

■

Cécile LOUVIGNÉ

Ema FERREIRA

Les dysthyroïdies sont, après le diabète, les deuxièmes troubles endocriniens les plus fréquents chez les femmes en âge de procréer et peuvent affecter tant la fertilité que le déroulement de la grossesse[1, 2].

Ce chapitre présente seulement les cas d'hypothyroïdie et d'hyperthyroïdie d'origine primaire rencontrés chez les femmes enceintes ou qui allaitent. La crise thyrotoxique représente une urgence vitale et n'est pas abordée dans ce chapitre[3].

Effets de la grossesse sur la fonction thyroïdienne

La quantité d'hormones thyroïdiennes synthétisées, la tétra-iodothyronine ou thyroxine (T_4) et la triiodothyronine (T_3), dépend de l'apport iodé et est régulée par l'axe hypothalamo-hypophyso-thyroïdien. L'hormone thyréostimulante *Thyroid Stimulating Hormone* (TSH) ou thyrotropine est secrétée par l'hypophyse antérieure. La *Thyrotropin Releasing Hormone* (TRH) d'origine hypothalamique stimule la sécrétion et la synthèse de la TSH. Les hormones thyroïdiennes exercent un rétrocontrôle négatif sur la sécrétion de TSH[2].

Les iodures et la TRH passent très bien le placenta, contrairement à la TSH et à T_3 qui ne franchissent pas la barrière placentaire. Le passage de T_4 est faible mais non négligeable[4]. La mère est la seule source d'hormones thyroïdiennes pour le fœtus pendant le premier trimestre[4].

Le placenta comporte également des enzymes responsables de la déiodination de T_4 en T_3[2].

Le *pool* iodé diminue au cours de la grossesse par l'augmentation de la filtration glomérulaire. Ce processus est amorcé dès les premières semaines de grossesse et est compensé en partie par une augmentation de captage de l'iodure par la glande. D'autre part, le passage transplacentaire des iodures nécessaires à la synthèse d'hormones par la thyroïde fœtale à partir de la deuxième moitié de grossesse tend également à diminuer le *pool* iodé. Dans les zones où les apports iodés sont suffisants, la diminution du *pool* iodé est sans conséquence. Cependant les besoins en iode chez la femme deviennent supérieurs pendant la grossesse[2]. L'Organisation Mondiale de la Santé recommande un apport iodé de 200 µg par jour par l'ingestion de sel iodé, de produits laitiers, de pain, de fruits de mer et de poisson[5]. La plupart des multivitamines de grossesse contiennent 150 µg d'iodure de potassium[6].

La concentration sérique de *Thyroxin Binding Globulin* (TBG) qui transporte T_3 et T_4 de façon spécifique augmente entre six et vingt semaines post-conception pour se maintenir jusqu'au terme à un taux deux fois et demi supérieur aux valeurs initiales[2]. L'œstradiol joue un rôle dans cette augmentation[2, 7]. Ainsi le *pool* d'hormones thyroïdiennes libres se trouve diminué, ce qui entraîne une augmentation de la production de T_3 et T_4 pendant la première moitié de la grossesse jusqu'à stabilisation, et une diminution de la saturation de la TBG. Cependant les taux de TSH et de T_4 libre restent généralement dans l'intervalle des valeurs normales[1, 2, 7].

L'homologie de structure entre les sous-unités bêta de la TSH et de l'hormone chorionique gonadotrophique (hCG), ainsi qu'entre leurs récepteurs, confère à l'hCG une faible action thyréostimulante[5, 8].

Hypothyroïdie

Généralités

Définition

L'hypothyroïdie primaire correspond à une lésion de la glande thyroïdienne. Elle est définie par une diminution du taux d'hormones thyroïdiennes associée à une augmentation de TSH par rétrocontrôle positif[9]. L'hypothyroïdie subclinique, dite asymptomatique ou infraclinique, se caractérise par une augmentation faible de TSH et une T_4 libre dans l'intervalle des valeurs normales[9].

Épidémiologie

La prévalence de l'hypothyroïdie clinique chez les femmes en âge de procréer est de l'ordre de 2 %[8, 10].

La prévalence de l'hypothyroïdie subclinique est estimée à 5 %[11].

Étiologies

La cause principale d'hypothyroïdie dans le monde est la carence en iode, mais dans les pays industrialisés, la thyroïdite chronique auto-immune d'Hashimoto représente l'étiologie la plus fréquente[1].

Facteurs de risque

Une maladie auto-immune préexistante est un facteur de risque important. Chez les patientes avec un diabète de type 1, la prévalence de l'hypothyroïdie atteint 5 à 8 %[1].

Effets de l'hypothyroïdie sur la grossesse

L'hypothyroïdie est reconnue comme une cause d'hypofertilité due principalement à des troubles de l'ovulation[8]. Un taux élevé d'auto-anticorps dirigés contre la thyroïde augmente le risque d'avortements spontanés. Une hypothyroïdie non substituée augmente les risques d'hypertension gestationnelle, de prééclampsie, de décollement placentaire et de prématurité[1, 8, 10].

Effets néonatals

Bien que les auto-anticorps dirigés contre la thyroïde traversent le placenta pendant le troisième trimestre, les anticorps anti-thyroperoxydase (TPO) ont peu d'effets sur la thyroïde fœtale. Ainsi, une maladie d'Hashimoto chez la mère est rarement associée à des troubles thyroïdiens chez le fœtus[4].

Dans les pays industrialisés, un dosage de TSH est réalisé chez tous les nouveau-nés dans la semaine qui suit leur naissance, quel que soit le statut thyroïdien de la mère[9]. Une libération accrue de TSH se produit chez le bébé pendant les 24 premières heures de vie, puis le taux diminue graduellement[9].

Effets à long terme

Les hormones thyroïdiennes sont essentielles au développement du système nerveux central. Un lien a été établi entre une hypothyroïdie présente à la fois chez la mère et le fœtus dans des régions carencées en iode et un retard de croissance associé à un retard intellectuel, le crétinisme, chez les enfants[1, 2, 10].

Deux études ont montré que le développement neuropsychologique des enfants dont la mère présente une hypothyroïdie subclinique non traitée est moins bon que celui d'une population témoin[12, 13]. Ces études soulèvent la question du dépistage systématique et du traitement de l'hypothyroïdie subclinique chez la femme enceinte[8, 10, 11].

Outils d'évaluation

Symptômes

Les symptômes des troubles thyroïdiens chez la femme enceinte ne sont pas spécifiques ; ils correspondent à ceux retrouvés dans la population générale[1, 8].

Dosages biologiques

Le dosage plasmatique de TSH doit être effectué en premier car il s'agit du paramètre perturbé le plus précocement au cours des dysthyroïdies[1, 10]. Les dernières recommandations des associations américaines sont de réaliser un dosage de TSH chez toutes les femmes enceintes lors de la première visite prénatale afin de prévenir les conséquences d'une hypothyroïdie infraclinique non traitée[11].

Lorsque l'hypothyroïdie est connue, le taux de TSH doit être contrôlé dès que le diagnostic de grossesse est posé afin d'adapter la posologie de lévothyroxine[7, 10].

Le dosage plasmatique de T_4 libre est indiqué en cas de résultat anormal de TSH. Contrairement à la concentration de T_3, dont une partie provient du métabolisme périphérique de T_4, le dosage de T_4 libre reflète le niveau de la synthèse thyroïdienne [9].

Les anticorps anti-thyroperoxydase (TPO) ou microsomiaux et les anticorps anti-thyroglobuline sont positifs dans la maladie d'Hashimoto[9]. La recherche des anticorps anti-thyroglobuline n'est pas nécessaire en pratique[9].

Traitement de l'hypothyroïdie recommandé pendant la grossesse

Le traitement est le même que chez la femme non enceinte: la lévothyroxine demeure le traitement de choix pendant la grossesse et l'allaitement[1]. La liothyronine (T$_3$) est peu utilisée en raison de sa courte durée d'action. Le tableau I présente le traitement, pendant la grossesse et l'allaitement, des hypothyroïdies substituées avant ou pendant la grossesse. Les données d'innocuité des hormones thyroïdiennes chez la femme enceinte figurent dans le tableau II.

Plusieurs études ont montré que les doses requises en lévothyroxine chez des patientes traitées pour une hypothyroïdie avant la conception sont supérieures au cours de la grossesse[7, 14]. Les besoins en lévothyroxine augmentent dès la cinquième semaine post-conceptionnelle jusqu'à 16 ou 20 semaines post-conceptionnelles environ (soit 22 semaines gestationnelles), avant d'atteindre un plateau[7]. Après l'accouchement, la dose nécessaire est la même que celle requise avant la grossesse[7].

Il est recommandé de toujours utiliser la même forme commerciale car les formulations ne sont pas bioéquivalentes[6].

TABLEAU I – TRAITEMENT DE L'HYPOTHYROÏDIE RECOMMANDÉ PENDANT LA GROSSESSE ET L'ALLAITEMENT		
Médicament	**Posologie**	**Suivi recommandé**
Hypothyroïdie substituée avant la grossesse		
Lévothyroxine (T$_4$)	Il est nécessaire d'augmenter les doses de 30 à 50 % en moyenne par rapport à la dose prise avant la grossesse[7]. Selon les auteurs, les schémas proposés sont différents. Certains auteurs recommandent de prendre deux doses supplémentaires par semaine dès que la grossesse est confirmée jusqu'à ce que le taux de TSH soit déterminé pour ajuster la dose[7]. D'autres auteurs conseillent d'augmenter de 25 à 50 µg par jour dès que la grossesse est confirmée puis de doser la TSH 4 à 6 semaines plus tard[15]. Après l'accouchement, la dose nécessaire est la même que celle requise avant la grossesse[7].	Quatre semaines de traitement sont généralement nécessaires pour modifier le taux de TSH[1]. Le dosage de TSH doit être réalisé tous les mois jusqu'à stabilisation. Après normalisation du taux de TSH, il est recommandé de doser la TSH tous les trimestres[1]. Les suppléments vitaminiques ou les produits contenant du fer, du calcium ou du soja doivent être pris 4 h avant ou après la thyroxine[7].
Hypothyroïdie découverte au cours de la grossesse		
Lévothyroxine (T$_4$)	La posologie doit être adaptée toutes les quatre semaines jusqu'à normalisation du taux de TSH[1]. La dose usuelle de substitution est 1,5 à 2 µg/kg 1 fois par jour.	Idem à hypothyroïdie substituée avant la grossesse.

TABLEAU II: DONNÉES SUR L'INNOCUITÉ DES HORMONES THYROÏDIENNES CHEZ LA FEMME ENCEINTE		
Médicament	**Données au cours de la grossesse**	**Recommandations, commentaires**
Lévothyroxine (L-thyroxine ou T_4)	Pas d'augmentation du taux de malformations majeures par rapport au taux de base dans la population générale ni de patron d'anomalie chez plus de 1000 femmes exposées au premier trimestre[16].	L'utilisation de lévothyroxine est possible à tous les trimestres de la grossesse.
Liothyronine (T_3)	Pas d'augmentation du taux de malformations majeures par rapport au taux de base dans la population générale ni de patron d'anomalie chez 34 femmes exposées au cours du premier trimestre[16].	La liothyronine est peu utilisée en raison de sa courte durée d'action. Les données sont insuffisantes pour exclure tous les risques. Cependant, les données sont rassurantes dans le cas d'une exposition au cours de la grossesse puisqu'elle est obtenue par déiodination à partir de la lévothyroxine[16].

Traitement de l'hypothyroïdie durant l'allaitement

Une hypothyroïdie non traitée peut entraîner une diminution de la production de lait[17]. La lévothyroxine demeure le traitement utilisé en premier recours.

Le tableau I présente les recommandations de traitement des hypothyroïdies substituées avant ou pendant la grossesse et l'allaitement. La quatrième partie de ce chapitre est consacrée à la thyroïdite du *post-partum* (se référer à la section *Thyroïdite du post-partum*).

Les données sur l'innocuité des hormones thyroïdiennes au cours de l'allaitement figurent dans le tableau III.

TABLEAU III – DONNÉES D'INNOCUITÉ DES HORMONES THYROÏDIENNES AU COURS DE L'ALLAITEMENT		
Médicament	**Données au cours de l'allaitement**	**Recommandations, commentaires**
Lévothyroxine (T_4)	Si l'on considère un allaitement maternel exclusif, la dose théorique à laquelle est exposé le bébé est inférieure à 0,01 % de la dose utilisée en pédiatrie[16]. Pas d'effets indésirables rapportés chez les bébés allaités dont les mères prenaient de la lévothyroxine[16].	T_4 est une hormone thyroïdienne secrétée par la mère et le bébé de façon endogène. Le but du traitement est de restaurer un état euthyroïdien chez la mère. Un traitement par lévothyroxine est compatible avec l'allaitement[16].
Liothyronine(T_3)	Si l'on considère un allaitement maternel exclusif, la dose théorique à laquelle est exposé le bébé est inférieure à 10 % de la dose utilisée en pédiatrie[16]. Pas d'effets indésirables rapportés chez les bébés allaités dont les mères prenaient de la liothyronine[16].	T_3 est une hormone thyroïdienne secrétée par la mère et le bébé de façon endogène. Le but du traitement est de restaurer un état euthyroïdien chez la mère. Un traitement par liothyronine est compatible avec l'allaitement[16].

Hyperthyroïdie

Généralités

Définitions

L'hyperthyroïdie primaire correspond à une lésion de la glande thyroïdienne. Elle est définie par une augmentation du taux de T_4 et T_3 associée à une diminution de TSH par rétrocontrôle négatif[9].

Quant à la thyrotoxicose gestationelle transitoire, elle correspond à une hyperthyroïdie biologique et dure seulement la première moitié de la grossesse[5, 8].

Épidémiologie

Un taux de TSH abaissé est retrouvé dans 1 à 3% des grossesses. Toutefois, la prévalence de l'hyperthyroïdie clinique au cours de la grossesse n'est estimée qu'à 0,2% [1, 8, 10]. La thyrotoxicose gestationnelle est plus fréquente que la maladie de Graves mais n'est pas responsable d'hyperthyroïdie clinique[8, 18].

Étiologies

La maladie de Graves est d'origine auto-immune. L'hyperthyroïdie due à la maladie de Graves tend à s'améliorer aux deuxième et troisième trimestres en raison de l'immunodépression relative liée à la grossesse et de l'augmentation du taux de TBG qui entraîne une diminution des fractions libres de T_3 et T_4[8].

La thyrotoxicose gestationnelle est principalement liée à l'action thyréostimulante de l'hormone chorionique gonadotrophique (hCG), ce qui explique la régression spontanée en milieu de grossesse[5, 8, 18].

Facteurs de risque

Une maladie auto-immune préexistante est un facteur de risque important[1].

Effets de l'hyperthyroïdie sur la grossesse

L'hyperthyroïdie non contrôlée est associée à une augmentation du risque d'avortements spontanés, de défaillance cardiaque, de mort fœtale *in utero*, de prééclampsie sévère, de faible poids à la naissance, de travail préterme[1, 8]. Une étude a montré une augmentation du taux de malformations majeures en cas d'hyperthyroïdie non contrôlée[19]. Cependant, les études ultérieures n'ont pas confirmé ce risque[20].

Effets néonatals

Le fœtus est exposé à un risque d'hypothyroïdie iatrogène par excès d'antithyroïdiens de synthèse et à un risque d'hyperthyroïdie par le passage des anticorps thyréostimulants maternels (TSI) à travers le placenta.

La glande thyroïdienne du fœtus acquiert la capacité de concentrer l'iodure dès la dixième semaine de gestation et sécrète des hormones thyroïdiennes à partir de la douzième semaine pour atteindre les concentrations moyennes de l'adulte entre 35 et 37 semaines de gestation[1, 21]. Cependant, la production d'hormones est limitée jusqu'à la vingtième semaine de gestation[21]. Les récepteurs de TSH deviennent sensibles à partir de la vingtième semaine de gestation[21].

L'hyperthyroïdie néonatale affecte 2 à 10 % des enfants nés de mère présentant ou ayant présenté une maladie de Graves[8]. Elle peut survenir même chez des femmes devenues hypothyroïdiennes à la suite d'un traitement par iode ou par chirurgie car les anticorps peuvent persister[22]. L'hyperthyroïdie fœtale peut être suspectée devant un goitre fœtal, un retard de croissance intra-utérine, un oligoamnios, une accélération de la maturation osseuse détectés à l'échographie et une tachycardie fœtale supérieure à 170 battements par minute. Cependant, la tachycardie n'est pas toujours présente[21]. La présence d'un goitre fœtal, que l'échographie permet de visualiser dès la vingtième semaine de grossesse, peut accompagner l'hyperthyroïdie mais il peut également être la conséquence d'une hypothyroïdie fœtale induite par le traitement antithyroïdien administré à la mère[21].

Les anticorps anti-récepteurs de TSH ou la prise d'antithyroïdiens de synthèse au cours du troisième trimestre sont prédictifs de perturbations de la fonction thyroïdienne fœtale[21]. Une étude a montré qu'une surveillance échographique mensuelle à partir de 22 semaines de gestation permet le dépistage et parfois le diagnostic différentiel entre une hypo- et une hyperthyroïdie. Cependant, cet outil doit être validé par les associations d'experts pour établir des lignes directrices[21].

En cas d'hyperthyroïdie fœtale, une augmentation de la dose d'antithyroïdien pris par la mère peut suffire à normaliser la fonction thyroïdienne du fœtus[21].

Dans les cas d'hypothyroïdie fœtale, des injections intra-amniotiques de lévothyroxine après cordocentèse ont été réalisées de façon expérimentale lorsque la réduction de la dose d'antithyroïdien de la mère n'a pas été suffisante[21].

La dysthyroïdie néonatale régresse en quelques jours avec l'élimination des antithyroïdiens ou avec l'élimination des anticorps qui est complète après trois ou quatre mois (demi-vie d'élimination de vingt jours)[5]. La fonction thyroïdienne du bébé devrait être testée à nouveau trois à cinq jours après la naissance après élimination des antithyroïdiens de synthèse[23].

Outils d'évaluation

Symptômes

Les symptômes des troubles thyroïdiens chez la femme enceinte ne sont pas spécifiques ; ils correspondent à ceux retrouvés dans la population générale[1, 8]. Deux signes sont cependant évocateurs d'hyperthyroïdie pendant la grossesse : l'absence de prise de poids, voire un amaigrissement avec un appétit conservé, et une tachycardie permanente supérieure à 90 battements par minute[5].

Les signes cliniques d'hyperthyroïdie sont généralement absents dans la thyrotoxicose gestationnelle. Cependant, une hyperémèse gravidique y est souvent associée[18].

Dosages biologiques

Le dosage plasmatique de TSH doit être effectué en premier car il s'agit du paramètre perturbé le plus précocement au cours des dysthyroïdies[1, 10].

Le dosage plasmatique de T_4 libre est indiqué en cas de résultat anormal de TSH. Contrairement à la concentration de T_3, dont une partie provient du métabolisme périphérique de T_4, le dosage de T_4 libre reflète le niveau de la synthèse thyroïdienne[9]. Le dosage de T_3 ne présente pas d'intérêt majeur mais peut être nécessaire dans la mise en évidence de certaines formes d'hyperthyroïdie fruste[9].

Dans la maladie de Graves, les anticorps stimulants dirigés contre les récepteurs de la TSH (*Thyroid-Stimulating Immunoglobulin* ou TSI) sont présents ainsi que les anticorps anti-thyroperoxydase (TPO) ou microsomiaux, les anticorps anti-thyroglobuline[9]. Les anticorps bloquants dirigés contre les récepteurs de la TSH peuvent être présents mais ils entraînent rarement une hypothyroïdie fœtale ou néonatale[5].

Des recommandations concernant la recherche d'anticorps anti-récepteurs de la TSH (TSI) pendant la grossesse ont été publiées en 1998[22] :

- antécédent de maladie de Graves guérie par antithyroïdiens : pas de recherche de TSI ;

- antécédent de maladie de Graves traitée par chirurgie ou iode radioactif : recherche de TSI en début de grossesse ainsi qu'au cours du troisième trimestre pour estimer le risque d'hyperthyroïdie fœtale si la recherche est positive au premier trimestre ;

- maladie de Graves au cours de la grossesse traitée par antithyroïdiens : dosage des TSI au début du troisième trimestre. En cas de niveau élevé, tester les paramètres thyroïdiens sur le sang du cordon et quatre à sept jours après[22].

Les données actuelles sont en faveur d'un dosage en début de grossesse[21]. De plus, le délai peut être long avant d'obtenir les résultats de TSI.

Traitements recommandés de l'hyperthyroïdie pendant la grossesse

La thyrotoxicose gestationnelle transitoire ne nécessite pas de traitement antithyroïdien[8, 24].

Le tableau IV présente le traitement recommandé de la maladie de Graves pendant la grossesse. Les données sur l'innocuité des anti-thyroïdiens de synthèse chez la femme enceinte figurent dans le tableau V.

Un traitement symptomatique peut être instauré à base de sédatifs (se référer au chapitre 30. *Dépression et troubles anxieux*), bêta-bloquants (se référer au chapitre 11. *Hypertension artérielle*) ou antiémétiques (se référer au chapitre 25. *Nausées et vomissements*).

Dans la plupart des cas, seule la maladie de Graves justifie un traitement par antithyroïdiens de synthèse[8]. L'utilisation de l'iode radioactif est contre-indiquée chez la femme enceinte en raison des dommages que pourrait subir la thyroïde fœtale à partir de la dixième semaine de grossesse[4]. La chirurgie est classiquement réservée aux rares cas d'allergie aux antithyroïdiens, d'effets indésirables graves ou d'échec en cas de dose supérieure à 300 mg de propylthiouracile par jour[8]. Il est alors préférable d'intervenir au cours du deuxième trimestre[8].

Le propylthiouracile est le médicament de première intention pendant la grossesse[1, 25]. Cependant, il n'est pas disponible dans tous les pays[8, 25]. En Amérique du Nord, le propylthiouracile et le méthimazole sont les deux antithyroïdiens disponibles [8, 25].

TABLEAU IV – TRAITEMENT RECOMMANDÉ DE L'HYPERTHYROÏDIE PENDANT LA GROSSESSE		
Médicament	**Posologie**	**Suivi recommandé**
Propylthiouracile (PTU)	L'objectif est d'utiliser la posologie minimale efficace pour maintenir un état euthyroïdien[8,25]. Dans la plupart des cas, le traitement d'attaque est débuté par voie orale à 100 mg 3 fois par jour pendant 4 à 12 semaines, jusqu'à obtenir un état euthyroïdien[25]. Le traitement d'entretien doit être poursuivi à la posologie minimale requise pour maintenir les valeurs de T_4 libre autour de la valeur normale supérieure afin de prévenir l'hypothyroïdie fœtale[8, 25].	Le dosage de T_4 libre doit être réalisé toutes les 2 à 4 semaines afin d'adapter la dose d'antithyroïdien[3]. Le traitement peut être arrêté si 50 mg par jour de PTU suffisent à assurer l'euthyroïdie, en particulier au cours du troisième trimestre[8]. Cependant, cet arrêt est controversé en raison du rebond possible en *post-partum*[3]. En pratique, un dosage de T_4 libre est réalisé toutes les 2 semaines tout au long de la grossesse. Chez les patientes asymptomatiques, la TSH est mesurée 6 semaines après l'accouchement[3].

TABLEAU V – DONNÉES SUR L'INNOCUITÉ DES ANTITHYROÏDIENS DE SYNTHÈSE CHEZ LA FEMME ENCEINTE		
Médicament	**Données au cours de la grossesse**	**Recommandations, commentaires**
Méthimazole (métabolite du carbimazole)	• Pas d'augmentation du taux de malformations majeures chez environ 500 femmes exposées au méthimazole au premier trimestre dans des séries de cas et des petites études[19, 20, 26]. • Notification spontanée d'au moins 19 cas d'*aplasia cutis* après une exposition *in utero* au méthimazole[27]. Il s'agit d'une agénésie partielle de la peau qui touche surtout le cuir chevelu et dont l'incidence dans la population générale est estimée à 0,03 %[27]. • Pas de cas d'*aplasia cutis* rapporté suite à une exposition au méthimazole ou au carbimazole dans les études épidémiologiques[19, 20, 26, 28].	L'analyse statistique des cas rapportés n'est pas possible car il s'agit pour la plupart de notifications spontanées concernant des malformations rares. Les données sont insuffisantes pour exclure un risque de malformation du cuir chevelu et de survenue d'un syndrome malformatif sévère. Cependant, l'incidence du syndrome malformatif semble rare. Il est conseillé d'éviter l'utilisation du méthimazole et du carbimazole au cours de la grossesse. En cas d'exposition, une surveillance échographique doit être réalisée afin de détecter l'apparition d'un goitre[21]. La fonction thyroïdienne doit être contrôlée chez le bébé (se référer à la section *Effets néonatals*).

Médicament	Données au cours de la grossesse	Recommandations, commentaires
	• Émergence d'un syndrome malformatif rare lié au méthimazole: au moins 18 cas notifiés de façon spontanée dans la littérature médicale suite à une exposition au méthimazole ou au carbimazole au premier trimestre[29]. Le syndrome malformatif correspond à des associations de malformations telles qu'une atrésie des choanes ou de l'œsophage, une absence de glande mammaire, un retard de développement, une perte de l'audition et des anomalies faciales[29]. L'incidence de l'atrésie des choanes dans la population générale est estimée à moins de 0,01 % et à moins de 0,04 % pour l'atrésie de l'œsophage[29]. Cependant, 11 cas d'atrésie des choanes ont déjà été rapportés suite à une exposition au méthimazole ou au carbimazole au premier trimestre[26, 29]. Un rôle de l'hyperthyroïdie dans la survenue de ces malformations a été évoqué, cependant le lien est incertain et plusieurs cas ont été rapportés chez des femmes euthyroïdiennes tout au long de la grossesse[29]. • Une hypothyroïdie fœtale et néonatale peut survenir (voir la section *Effets néonatals*). • Pas d'effet néfaste majeur sur le développement psychomoteur d'enfants exposés *in utero* au méthimazole ou au carbimazole observé dans quelques études avec de faibles effectifs[30-32].	
Propylthiouracile (PTU)	• Pas d'augmentation du taux de malformations majeures par rapport au taux de base dans la population ni de patron d'anomalie chez 150 femmes exposées au premier trimestre de la grossesse[16, 20, 27]. • Une hypothyroïdie fœtale et néonatale peut survenir (voir la section *Effets néonatals*). • Pas de retard de croissance, de la fonction intellectuelle ni motrice chez des enfants exposés *in utero* au PTU dans plusieurs études de suivi avec de petits effectifs[16, 27, 33].	Le propylthiouracile est le médicament de première intention pendant la grossesse[8, 16, 25, 27]. Aucun cas d'*aplasia cutis* ni d'embryopathie après exposition *in utero* au propylthiouracile n'a été retrouvé lors de cette recherche. Une surveillance échographique fœtale doit être réalisée afin de détecter l'apparition d'un goitre[21]. La fonction thyroïdienne doit être contrôlée chez le bébé. (se référer à la section *Effets néonatals*).

Traitement de l'hyperthyroïdie recommandé pendant l'allaitement

L'exposition *in utero* aux antithyroïdiens de synthèse et le passage transplacentaire des TSI peuvent perturber la fonction thyroïdienne des nouveau-nés de façon temporaire (se référer à la section *Effets néonatals*). Ainsi, une hypothyroïdie transitoire dans les premiers jours de vie est plus probablement liée au temps de clairance des antithyroïdiens de synthèse qu'à une exposition à travers le lait maternel[34].

Dans les pays industrialisés, un dosage de TSH est réalisé chez tous les nouveau-nés dans la semaine qui suit leur naissance, quel que soit le statut thyroïdien de la mère[9].

Lorsqu'une scintigraphie thyroïdienne est réalisée au cours de l'allaitement, il faut communiquer avec les personnes la réalisant afin d'identifier le produit utilisé et la conduite à tenir.

Le PTU est le traitement de premier recours pendant l'allaitement; le tableau VI présente les données d'innocuité du propylthiouracile et du méthimazole pendant l'allaitement.

Données sur l'innocuité des antithyroïdiens de synthèse chez la femme qui allaite

Seules les études présentant des mères traitées pour un trouble thyroïdien ont été considérées.

TABLEAU VI – DONNÉES D'INNOCUITÉ DES ANTITHYROÏDIENS DE SYNTHÈSE PENDANT L'ALLAITEMENT		
Médicament	**Données au cours de l'allaitement**	**Recommandations**
Méthimazole	• Si l'on considère un allaitement maternel exclusif, la dose théorique à laquelle est exposé le bébé est au maximum 3,5 % de la dose initiale utilisée en néonatologie. • Une étude a montré des concentrations plasmatiques chez des jumeaux proches des concentrations thérapeutiques, cependant leur fonction thyroïdienne n'a pas été perturbée[35]. Des études ultérieures ont montré des concentrations plasmatiques chez les enfants allaités très inférieures aux concentrations thérapeutiques[36]. • Aucun effet indésirable ni modification des paramètres thyroïdiens n'ont été rapportés chez les bébés dont la mère prenait du méthimazole ou du carbimazole au cours de l'allaitement, y compris lorsque le traitement est instauré à 20 ou 30 mg par jour pendant 1 mois[35, 37, 38].	Le méthimazole est compatible avec l'allaitement. Certains auteurs recommandent de surveiller les taux de T$_4$ et TSH chez le bébé durant le traitement[16]. Cependant une surveillance clinique semble suffisante en raison de la faible dose à laquelle est exposé le bébé, à moins que la patiente reçoive des doses supérieures à 40 mg par jour[34, 38].

Médicament	Données au cours de l'allaitement	Recommandations
	• Aucun effet néfaste sur le développement intellectuel n'a été montré[32, 34]. • Une hypothyroïdie transitoire chez la mère due à un excès de méthimazole n'entraîne pas de modification dans les paramètres thyroïdiens des enfants allaités[36].	
Propylthiouracile (PTU)	• Une étude a montré qu'après une seule dose maternelle de 400 mg, la dose théorique à laquelle est exposé le bébé est au maximum 2,1 % de la dose néonatale la plus faible en considérant un allaitement exclusif[39]. • Aucun effet indésirable n'a été rapporté chez les bébés allaités dont la mère prenait du propylthiouracile[34, 39, 40]. • Une perturbation de la fonction thyroïdienne des bébés n'a pas été mise en évidence[34, 39], y compris à des doses maternelles de 300 à 750 mg par jour[40].	Le propylthiouracile est un médicament de première intention pendant l'allaitement. Certains auteurs recommandent de surveiller les taux de T_4 et TSH chez le bébé au cours du traitement[16]. Cependant, une surveillance clinique semble suffisante en raison de la faible dose à laquelle est exposé le bébé[34, 40].

Thyroïdite du post-partum

Généralités

Définition

La thyroïdite du *post-partum* regroupe les dysthyroïdies survenant dans l'année qui suit l'accouchement[24]. Elle comprend généralement deux phases, avec une hyperthyroïdie transitoire suivie d'une hypothyroïdie qui peut devenir définitive dans 12 à 61 % des cas[24].

La phase d'hyperthyroïdie n'est pas présente dans tous les cas[24]. Elle survient entre le premier et le sixième mois après l'accouchement et dure un ou deux mois[24]. Elle est assez souvent méconnue en raison de la discrétion des symptômes[24]. L'hypothyroïdie apparaît entre le sixième et le huitième mois *post-partum* et dure quatre à six mois[24].

Une thyroïdite du *post-partum* peut également survenir après un avortement spontané[24]. Il peut y avoir un délai entre les symptômes cliniques et la perturbation des paramètres de la fonction thyroïdienne[24].

Épidémiologie

La prévalence de la thyroïdite du *post-partum* est estimée entre 5 et 7 % dans les régions sans carence en iode[24].

Étiologie

Les thyroïdites du *post-partum* sont d'origine auto-immune[24].

La survenue des thyroïdites du *post-partum* est favorisée par le rebond de l'activité immunitaire qui suit la fin de la grossesse[24].

Facteurs de risque

Le *post-partum* est une période favorable à l'aggravation ou à la rechute[24]. Chez les patientes avec un diabète de type 1, la prévalence de la thyroïdite du *post-partum* est estimée à 25 %[1].

Outils d'évaluation

Symptômes

Outre les symptômes habituels des dysthyroïdies, des symptômes dépressifs peuvent être associés à l'hypothyroïdie du *post-partum*[24]. L'absence d'ophtalmopathie peut orienter vers un diagnostic différentiel avec la maladie de Graves[24].

Dosages biologiques

Les anticorps anti-thyroperoxydase ou anti-microsomiaux (TPO) sont positifs. Les patientes qui ont des anticorps anti-TPO positifs en début de grossesse ont 30 à 50 % de risque de développer une thyroïdite du *post-partum*[24]. Les anticorps anti-récepteurs de TSH (TSI) sont négatifs, ce qui permet le diagnostic différentiel avec la maladie de Graves[9].

Traitements recommandés de la thyroïdite du *post-partum*

L'hyperthyroïdie de la thyroïdite du *post-partum* ne nécessite pas de traitement anti-thyroïdien; un traitement symptomatique avec des sédatifs et des bêta-bloquants est généralement suffisant (se référer au chapitre 30. *Dépression et troubles anxieux* et au chapitre 11. *Hypertension artérielle*)[24].

Un traitement spécifique est instauré si des signes cliniques d'hypothyroïdie sont présents[24]. Le tableau VII présente les recommandations de traitement de la phase d'hypothyroïdie symptomatique. La durée de traitement et le suivi recommandé sont controversés dans la littérature médicale.

TABLEAU VII – TRAITEMENT RECOMMANDÉ DE L'HYPOTHYROÏDIE DU *POST-PARTUM*			
Médicament	**Posologie**	**Durée de traitement**	**Suivi recommandé**
Lévothyroxine (T₄)	La dose de lévothyroxine doit être adaptée toutes les 4 semaines jusqu'à stabilisation du taux de TSH[1].	La durée de traitement est controversée. Certains auteurs conseillent de traiter pendant 6 à 12 mois[5]. D'autres auteurs recommandent de traiter pendant 2 à 6 mois, puis de doser la TSH 1 fois par an en cas de rémission[24].	Quatre semaines de traitement sont généralement nécessaires pour modifier le taux de TSH[1]. Le dosage de TSH doit être réalisé tous les mois jusqu'à stabilisation[1]. Cependant, des auteurs recommandent de contrôler seulement les taux de TSH et T₄ libre six semaines après l'interruption du traitement[5]. En pratique, le dosage de T₄ libre permet de détecter l'insuffisance hypophysaire qui peut suivre l'accouchement (syndrome de Sheehan).

Données sur l'innocuité des hormones thyroïdiennes au cours de l'allaitement

Les données sur l'innocuité des hormones thyroïdiennes pendant l'allaitement sont présentées dans le tableau III.

Références

1. ACOG PRACTICE BULLETIN. Clinical management guidelines for obstetrician-gynecologists. Number 37, August 2002. (Replaces Practice Bulletin Number 32, November 2001). Thyroid disease in pregnancy. *Obstet Gynecol* 2002;100(2):387-96.

2. GLINOER D. The regulation of thyroid function in pregnancy: pathways of endocrine adaptation from physiology to pathology. *Endocr Rev* 1997;18(3):404-33.

3. MESTMAN JH. Hyperthyroidism in pregnancy. *Best Pract Res Clin Endocrinol Metab* 2004;18(2):267-88.

4. FISHER DA. Fetal thyroid function: diagnosis and management of fetal thyroid disorders. *Clin Obstet Gynecol* 1997;40(1):16-31.

5. BOURNAUD C, ORGIAZZI J. Thyroïde et grossesse. *Ann Endocrinol* (Paris) 2003;64(4):324-31.

6. ASSOCIATION DES PHARMACIENS DU CANADA. *Compendium des produits et spécialités pharmaceutiques*: Association des pharmaciens du Canada; 2005.

7. ALEXANDER EK, MARQUSEE E, LAWRENCE J, JAROLIM P, FISCHER GA, LARSEN PR. Timing and magnitude of increases in levothyroxine requirements during pregnancy in women with hypothyroidism. *N Engl J Med* 2004;351(3):241-9.

8. GLINOER D. Management of hypo- and hyperthyroidism during pregnancy. *Growth Horm IGF Res* 2003;13 Suppl A:S45-54.

9. MALLET L, ADAM A. Fonction thyroïdienne. Dans: *La biologie clinique et la pharmacothérapie*. Adam A et al. 1ère éd. Canada: Edisem Maloine; 2003. p. 425-446.

10. LAZARUS JH, PREMAWARDHANA LD. Screening for thyroid disease in pregnancy. *J Clin Pathol* 2005;58(5):449-52.

11. GHARIB H, TUTTLE RM, BASKIN HJ, FISH LH, SINGER PA, MCDERMOTT MT. Subclinical thyroid dysfunction: a joint statement on management from the American Association of Clinical Endocrinologists, the American Thyroid Association, and the Endocrine Society. *J Clin Endocrinol Metab* 2005;90(1):581-5; discussion 586-7.

12. HADDOW JE, PALOMAKI GE, ALLAN WC, WILLIAMS JR, KNIGHT GJ, GAGNON J, et al. Maternal thyroid deficiency during pregnancy and subsequent neuropsychological development of the child. *N Engl J Med* 1999;341(8):549-55.

13. POP VJ, BROUWERS EP, VADER HL, VULSMA T, VAN BAAR AL, DE VIJLDER JJ. Maternal hypothyroxinaemia during early pregnancy and subsequent child development: a 3-year follow-up study. *Clin Endocrinol* (Oxf) 2003;59(3):282-8.

14. MANDEL SJ, LARSEN PR, SEELY EW, BRENT GA. Increased need for thyroxine during pregnancy in women with primary hypothyroidism. *N Engl J Med* 1990;323(2):91-6.

15. TOFT A. Increased levothyroxine requirements in pregnancy—why, when, and how much? N Engl J Med 2004;351(3):292-4.

16. BRIGGS G, FREEMAN R, YAFFE S. *A Reference Guide to Fetal and Neonatal Risk. Drugs in pregnancy and lactation.* 7th ed. Philadelphia: Lippincott Williams & Wilkins; 2005. p. 914-916.

17. LAWRENCE R, LAWRENCE R. *Breastfeeding. A guide for the medical profession.* In. 5th ed. St Louis, Missouri: Mosby, Inc; 1999. p. 521.

18. TAN JY, LOH KC, YEO GS, CHEE YC. Transient hyperthyroidism of hyperemesis gravidarum. *Bjog* 2002;109(6):683-8.

19. MOMOTANI N, ITO K, HAMADA N, BAN Y, NISHIKAWA Y, MIMURA T. Maternal hyperthyroidism and congenital malformation in the offspring. *Clin Endocrinol* (Oxf) 1984;20(6):695-700.

20. WING DA, MILLAR LK, KOONINGS PP, MONTORO MN, MESTMAN JH. A comparison of propylthiouracil versus methimazole in the treatment of hyperthyroidism in pregnancy. *Am J Obstet Gynecol* 1994;170(1 Pt 1):90-5.

21. LUTON D, LE GAC I, VUILLARD E, CASTANET M, GUIBOURDENCHE J, NOEL M, et al. Management of Graves' disease during pregnancy: the key role of fetal thyroid gland monitoring. *J Clin Endocrinol Metab* 2005;90(11):6093-8.

22. LAURBERG P, NYGAARD B, GLINOER D, GRUSSENDORF M, ORGIAZZI J. Guidelines for TSH-receptor antibody measurements in pregnancy: results of an evidence-based symposium organized by the European Thyroid Association. *Eur J Endocrinol* 1998;139(6):584-6.

23. POLAK M, LE GAC I, VUILLARD E, GUIBOURDENCHE J, LEGER J, TOUBERT ME, et al. Fetal and neonatal thyroid function in relation to maternal Graves' disease. *Best Pract Res Clin Endocrinol Metab* 2004;18(2):289-302.

24. MULLER AF, DREXHAGE HA, BERGHOUT A. Postpartum thyroiditis and autoimmune thyroiditis in women of childbearing age: recent insights and consequences for antenatal and postnatal care. *Endocr Rev* 2001;22(5):605-30.

25. COOPER DS. Antithyroid drugs. *N Engl J Med* 2005;352(9):905-17.

26. DI GIANANTONIO E, SCHAEFER C, MASTROIACOVO PP, COURNOT MP, BENEDICENTI F, REUVERS M, et al. Adverse effects of prenatal methimazole exposure. *Teratology* 2001;64(5):262-6.

27. DIAV-CITRIN O, ORNOY A. Teratogen update: antithyroid drugs-methimazole, carbimazole, and propylthiouracil. *Teratology* 2002;65(1):38-44.

28. VAN DIJKE CP, HEYDENDAEL RJ, DE KLEINE MJ. Methimazole, carbimazole, and congenital skin defects. *Ann Intern Med* 1987;106(1):60-1.

29. FOULDS N, WALPOLE I, ELMSLIE F, MANSOUR S. Carbimazole embryopathy: an emerging phenotype. *Am J Med Genet A* 2005;132(2):130-5.

30. EISENSTEIN Z, WEISS M, KATZ Y, BANK H. Intellectual capacity of subjects exposed to methimazole or propylthiouracil in utero. *Eur J Pediatr* 1992;151(8):558-9.

31. MCCARROLL AM, HUTCHINSON M, MCAULEY R, MONTGOMERY DA. Long-term assessment of children exposed in utero to carbimazole. *Arch Dis Child* 1976;51(7):532-6.

32. Azizi F, Khamseh ME, Bahreynian M, Hedayati M. Thyroid function and intellectual development of children of mothers taking methimazole during pregnancy. *J Endocrinol Invest* 2002;25(7):586-9.

33. Burrow GN, Bartsocas C, Klatskin EH, Grunt JA. Children exposed in utero to propylthiouracil. Subsequent intellectual and physical development. *Am J Dis Child* 1968;116(2):161-5.

34. Mandel SJ, Cooper DS. The use of antithyroid drugs in pregnancy and lactation. *J Clin Endocrinol Metab* 2001;86(6):2354-9.

35. Rylance GW, Woods CG, Donnelly MC, Oliver JS, Alexander WD. Carbimazole and breastfeeding. *Lancet* 1987;1(8538):928.

36. Azizi F. Thyroid function in breast-fed infants is not affected by methimazole-induced maternal hypothyroidism: results of a retrospective study. *J Endocrinol Invest* 2003;26(4):301-4.

37. Azizi F, Khoshniat M, Bahrainian M, Hedayati M. Thyroid function and intellectual development of infants nursed by mothers taking methimazole. *J Clin Endocrinol Metab* 2000;85(9):3233-8.

38. Azizi F, Hedayati M. Thyroid function in breast-fed infants whose mothers take high doses of methimazole. *J Endocrinol Invest* 2002;25(6):493-6.

39. Kampmann JP, Johansen K, Hansen JM, Helweg J. Propylthiouracil in human milk. Revision of a dogma. *Lancet* 1980;1(8171):736-7.

40. Momotani N, Yamashita R, Makino F, Noh JY, Ishikawa N, Ito K. Thyroid function in wholly breast-feeding infants whose mothers take high doses of propylthiouracil. *Clin Endocrinol* (Oxf) 2000;53(2):177-81.

Chapitre 14

Infections des voies respiratoires

■

Geneviève FORTIN

Sinusite bactérienne

Généralités

Définition

La sinusite (ou rhinosinusite) se définit comme l'inflammation d'un ou plusieurs sinus paranasaux. La sinusite est aiguë si les symptômes persistent depuis moins de quatre semaines, subaiguë si les symptômes persistent de quatre à huit semaines et chronique si les symptômes sont présents depuis plus de huit semaines. La sinusite récidivante se définit comme trois épisodes ou plus de sinusites aiguës par année[1]. Comme il y a plusieurs étiologies possibles à cette condition, il existe plusieurs types de sinusites. Dans ce chapitre, nous ne traiterons que de la sinusite bactérienne. La sinusite allergique est abordée dans le chapitre 22. *Rhinite allergique et allergies saisonnières* et les traitements symptomatiques de la sinusite virale figurent dans le chapitre 15. *Rhume et grippe*.

Épidémiologie

On estime que dans la population générale, la sinusite affecte jusqu'à 16% des adultes chaque année. Elle entraîne des coûts de santé considérables et affecte la qualité de vie de façon significative[1].

Étiologies et facteurs de risque

Streptococcus pneumoniae, *Moraxella catarrhalis* et *Hemophilus influenzæ* sont les trois bactéries les plus communément retrouvées dans les sinusites bactériennes, qu'elles soient aiguës, aiguës récurrentes ou l'exacerbation d'une sinusite chronique. *Staphylococcus aureus* peut aussi être présent dans les sinusites aiguës. Les autres bactéries pouvant être en cause dans la sinusite chronique sont des anaérobies (*Prevotella* spp,

Streptococcus spp, *Fusobacterium* spp) et certaines à Gram négatif (*Pseudomonas æruginosa, Serratia marcescens, Klebsiella* spp)[1].

Il existe plusieurs facteurs prédisposant à la sinusite, dont les infections virales des voies respiratoires, la rhinite allergique, la rhinite non-allergique éosinophilique, certaines maladies chroniques (par exemple : fibrose kystique, déficits en immunoglobulines, dyskinésie ciliaire), certains états physiologiques (dont la grossesse, l'hypothyroïdie), certains médicaments (décongestionnants topiques, antihypertenseurs, anovulants)[1].

Effets de la grossesse sur les sinus de la mère

Chez la femme enceinte, un drainage des sinus moins efficace, apparemment corrélé au niveau d'œstrogènes, et une relative déficience de l'immunité cellulaire médiée par les cellules T inhérente à une grossesse normale sont des facteurs prédisposant à la sinusite bactérienne aiguë[2].

Effets de la sinusite sur la grossesse

La sinusite bactérienne comme telle n'a pas d'impact sur le fœtus. Cependant, elle doit être traitée pour prévenir les complications graves (abcès péri-orbitaux, pneumonie, septicémie, méningite) qui peuvent en découler et qui, elles, peuvent avoir un impact négatif sur le fœtus[2]. Si la sinusite bactérienne entraîne une infection systémique (septicémie, méningite, endocardite), la mortalité chez les nouveau-nés peut atteindre 23 %. La mortalité périnatale est principalement attribuable aux complications de la naissance avant terme, rendue nécessaire ou survenant spontanément à cause de la condition critique de la mère[3].

Outils d'évaluation

Les symptômes de la sinusite bactérienne sont les mêmes chez la femme enceinte que dans la population générale : congestion nasale, sécrétions nasales purulentes, céphalées, douleur faciale ou dentaire, toux, fièvre, malaise[1, 2].

Le diagnostic est clinique et est établi s'il y a présence de deux symptômes ou plus depuis plus de sept à quatorze jours sans amélioration. Les cultures nasales ne sont pas fiables, la culture de sécrétions obtenues par aspiration du sinus maxillaire est la technique reconnue la plus efficace. Cependant, elle n'est pas recommandée de façon routinière, son utilité se limitant aux cas où le clinicien juge l'identification précise d'un germe essentielle à l'orientation du traitement[1].

Une radiographie simple des sinus n'est pas indiquée de façon routinière mais peut être faite si jugée nécessaire par le clinicien. L'échographie des sinus peut parfois être utile chez la femme enceinte pour visualiser la quantité de sécrétions nasales présentes dans les sinus. La tomographie à haute résolution (communément appelée *scanner*) est réservée aux cas où une chirurgie endoscopique est nécessaire car la quantité de radiation générée est non négligeable[1].

Traitements de la sinusite bactérienne recommandés pendant la grossesse et l'allaitement

Le traitement de la sinusite bactérienne est généralement empirique puisque les cultures de sécrétions nasales sont peu fiables. Il est dirigé contre *Streptococcus pneumoniae, Moraxella catarrhalis* et *Hemophilus influenzæ*. Le tableau I présente les traitements recommandés de la sinusite bactérienne chez la femme enceinte ou qui allaite. Pour les données d'innocuité des divers antibiotiques durant la grossesse et l'allaitement, le lecteur est référé au chapitre 20. *Anti-infectieux.*

TABLEAU I – TRAITEMENT EMPIRIQUE DE LA SINUSITE BACTÉRIENNE CHEZ LA FEMME ENCEINTE OU QUI ALLAITE[1, 4-6]

Ligne thérapeutique	Médicament	Posologie	Durée	Commentaires
Premier recours	Amoxicilline	500 mg par voie orale 3 fois par jour	10 à 14 jours	Les traitements de 2e recours sont réservés aux patientes : • ayant une allergie sévère fortement soupçonnée ou prouvée par tests cutanés à la pénicilline (excluant cefprozil et amoxicilline + acide clavulanique et céfuroxime axétil) ; • ayant reçu une antibiothérapie dans les 3 mois précédents ; • n'ayant pas répondu au traitement de premier recours après 72 à 96 heures de traitement ; • immunodéprimées ; • qui ont une sinusite frontale ou sphénoïdale.
Deuxième recours	Amoxicilline + acide clavulanique	875 mg par voie orale 2 fois par jour		
	Cefprozil	250 mg à 500 mg par voie orale 2 fois par jour		
	Céfuroxime axétil	250 mg à 500 mg par voie orale 2 fois par jour		
	Clarithromycine	500 mg par voie orale 2 fois par jour		Idéalement, utiliser ce traitement à partir du 2e trimestre.
	Trimethoprime/ sulfaméthoxazole (TMP-SMX)	160 mg/800 mg par voie orale 2 fois par jour		Éviter au premier trimestre ou si l'accouchement est imminent. Éviter chez la femme qui allaite si son nouveau-né présente une déficience en G6PD ou une hyperbilirubinémie, en particulier si le bébé est prématuré ou a moins de 1 mois de vie.
	Clindamycine	300 mg à 450 mg par voie orale 3 à 4 fois par jour		Réservé aux sinusites récidivantes ou aux cas sévères où l'absence de réponse clinique au traitement de 1e recours laisse soupçonner des bactéries anaérobies ; Utilisé en association avec un des antibiotiques de 1er et 2e recours.
	Métronidazole	500 mg par voie orale 3 à 4 fois par jour		
Troisième recours	Ciprofloxacine	500 à 750 mg par voie orale 2 fois par jour		Réservé aux cas où les bactéries Gram négatif résistantes aux autres traitements sont soupçonnées.

Pharyngite bactérienne à streptocoque A

Généralités

Définition, épidémiologie et étiologies

La pharyngite est une infection aiguë du pharynx commune, généralement causée par un virus. Plusieurs virus peuvent causer une pharyngite, notamment les virus respiratoires, les coxsackievirus, l'échovirus et le virus de l'herpès simplex. Diverses bactéries peuvent causer une pharyngite aiguë, dont les streptocoques. Le streptocoque du groupe A est la bactérie la plus souvent impliquée, causant 5 à 10 % des pharyngites aiguës chez les adultes[7].

Facteurs de risque

Le jeune âge est le principal facteur de risque de la pharyngite aiguë à strepto-coque A. Le risque de cette infection est plus élevé chez les enfants d'âge scolaire, chez leurs parents et chez les adultes qui sont souvent en contact avec des enfants dans le cadre de leur travail[7].

Effets de la pharyngite sur la grossesse

La pharyngite à streptocoque A comme telle n'a pas d'impact sur le fœtus. Cependant, elle doit être traitée pour prévenir les complications (abcès péri-amygdalien, lymphadénite cervicale, mastoïdite, pneumonie, septicémie, méningite) qui peuvent en découler et qui, dans celles où il y a dissémination bactérienne systémique, peuvent avoir un impact négatif sur le fœtus[8].

Outils d'évaluation

Le diagnostic de la pharyngite à streptocoque A se fait de la même façon chez la femme enceinte que chez les adultes en général. La présence de symptômes cliniques (entre autres maux de gorge importants, fièvre, nausées) et de facteurs de risque suggérant une pharyngite à streptocoque A devrait être confirmée par un test rapide de détection des antigènes du streptocoque A ou par une culture de gorge[7].

Traitement de la pharyngite bactérienne aiguë chez la femme enceinte ou qui allaite

Le traitement d'une pharyngite aiguë non compliquée peut débuter empiriquement jusqu'à ce que le diagnostic soit confirmé par un test de laboratoire, pourvu que le traitement soit cessé s'il y a absence de streptocoque A. Il est aussi raisonnable de n'initier une antibiothérapie que lorsqu'un test de laboratoire confirme la présence d'une des bactéries pour lesquelles un traitement est souhaitable. Chez l'adulte, le risque de rhumatisme articulaire aigu suite à une pharyngite à streptocoque A est très faible. De plus, le traitement antibiotique est efficace pour prévenir cette dernière complication s'il est débuté dans les neuf jours suivant le début des symptômes. Une culture de contrôle après le traitement n'est pas nécessaire sauf s'il s'agit de pharyngites récidivantes[7].

Ligne thérapeutique	Médicament	Posologie	Durée	Commentaires
TABLEAU II – TRAITEMENT DE LA PHARYNGITE BACTÉRIENNE AIGUË CHEZ LA FEMME ENCEINTE OU QUI ALLAITE[4, 5, 7].				
Premier recours	Pénicilline V	600 mg par voie orale 2 fois par jour	10 jours	
Deuxième recours	Clarithromycine	250 mg par voie orale 2 fois par jour		Idéalement, utiliser la clarithromycine à partir du 2e trimestre.
	Érythromycine base	500 mg par voie orale 4 fois par jour		Traitements réservés aux patientes avec allergie sévère à la pénicilline (prouvée ou fortement soupçonnée).
	Céphalexine	500 mg par voie orale 2 fois par jour		Réservés aux patientes allergiques ou très intolérantes à la pénicilline mais ayant toléré des céphalosporines auparavant.
	Céfadroxil	1000 mg par voie orale 1 fois par jour		
	Clindamycine	300 mg par voie orale 2 fois par jour		Posologie extrapolée des études pédiatriques ; réservés aux patientes souffrant de pharyngites à répétition (car ces choix ont un meilleur taux d'éradication).
	Amoxicilline/ acide clavulanique	875 mg/125 mg 1 comprimé par voie orale 2 fois par jour		

Pneumonie acquise en communauté

Généralités

Définition et épidémiologie

La pneumonie est une infection aiguë du parenchyme pulmonaire. Elle affecte surtout les jeunes enfants et les personnes âgées[9]. La pneumonie acquise en communauté (PAC) est une infection rare chez la femme enceinte (1 pneumonie par 560 à 660 grossesses selon études récentes) mais elle demeure l'une des causes infectieuses non obstétricales les plus fréquentes de décès maternel[10, 11].

Étiologies

Le pathogène le plus souvent impliqué dans la PAC chez la femme enceinte est le *Streptococcus pneumoniæ* suivi de *Haemophilus influenzæ*. Le pathogène à l'origine de la PAC et sa prévalence chez la femme enceinte sont donc semblables à ce qu'on retrouve dans la population adulte générale. Les autres pathogènes moins souvent impliqués dans la PAC chez la femme enceinte sont les mêmes que pour la population adulte générale : *Staphylococcus aureus*, *Moraxella cararrhalis*, bactéries dites « atypiques » (*Legionella* spp, *Mycoplasma pneumoniæ*, *Chlamydia pneumoniæ*), bactéries Gram négatif, virus[9-12].

Facteurs de risque

Les facteurs de risque de la pneumonie chez la femme enceinte sont l'asthme, le tabagisme, la bronchite chronique, l'alcoolisme et l'infection au virus d'immuno-déficience humaine (VIH)[10, 11].

Effets de la grossesse sur le système respiratoire de la mère

La grossesse entraîne quelques changements adaptatifs permettant de répondre à la demande accrue en oxygène pendant cette période. Cependant, il n'y a pas de preuve scientifique soutenant une diminution de la fonction pulmonaire inhérente à la grossesse chez la femme enceinte en santé (ne souffrant pas d'une pneumopathie chronique)[11].

Le changement principal est l'augmentation du volume courant, et ce du premier trimestre jusqu'à la fin de la grossesse. Toutefois, la fréquence respiratoire demeure la même, c'est donc par des respirations plus profondes mais non plus fréquentes que la ventilation est augmentée. La capacité vitale demeure stable ou augmente légèrement durant la grossesse chez la femme en santé[10, 11].

Chez la femme atteinte d'une pneumopathie chronique, certaines données suggèrent que la grossesse avancée peut contribuer à accélérer le processus physio-pathologique de la maladie pulmonaire de base[11].

La pneumonie est généralement plus sévère chez la femme enceinte car la perte de capacité ventilatoire est mal tolérée chez cette dernière[10, 11].

Il n'y a pas de preuve scientifique indiquant que la grossesse soit un facteur de risque de la pneumonie[10, 11].

Effets de la pneumonie sur la grossesse

La pneumonie qui cause une perte substantielle de capacité ventilatoire n'est pas bien tolérée par la femme enceinte. Une atteinte sévère du parenchyme pulmonaire entraîne une hypoxémie et une acidose métabolique. L'acidémie déclenche souvent le travail pré-terme à partir de la deuxième moitié de la grossesse[11].

Selon des études récentes totalisant 632 femmes enceintes atteintes de pneumonie, une insuffisance respiratoire secondaire à la pneumonie a nécessité l'intubation et la ventilation mécanique chez près de 7 % des femmes[11]. La mortalité maternelle attribuable à la pneumonie durant la grossesse se situe entre 0 et 4 % selon les études[10].

L'incidence des complications possibles de la pneumonie, comme l'abcès pulmonaire ou les complications dues à une dissémination hématogène, lymphatique ou contiguë du pathogène (abcès sous-cutané, arthrite, abcès cérébral, endocardite, péritonite) n'a pas été étudiée systématiquement.

Effets néonatals

Les principales conséquences néonatales de la pneumonie maternelle durant la grossesse sont reliés à la naissance prématurée. La mortalité néonatale chez les bébés de femmes enceintes atteintes de pneumonie serait un peu plus élevée que dans la population générale de femmes enceintes non atteintes et serait également attribuable à la prématurité[8, 10, 11].

Outils d'évaluation

Les tests de laboratoire et autres examens diagnostiques à faire chez la femme enceinte sont les mêmes que chez la population adulte générale, incluant la radiographie pulmonaire. Bien que cette procédure expose le fœtus à une quantité minime de radiations, (0,02 à 0,07 mrad), il n'y a pas de preuve que cela puisse entraîner des effets défavorables (ni perte fœtale, ni malformation, ni retard de croissance intra-utérine) lorsque la dose cumulative est inférieure à 5 rad[13].

Chez la patiente enceinte comme chez les autres patients hospitalisés pour une pneumonie prouvée ou soupçonnée, une controverse existe à savoir si des hémocultures et une coloration gram et culture de sécrétions bronchiques (obtenues par toux profonde) devraient être faites systématiquement avant de débuter le traitement empirique. Certains centres demandent ces analyses pour toutes les patientes admises alors que d'autres en évaluent la nécessité suivant la présentation clinique de chaque cas[10, 11, 14]. Un des tests diagnostiques qui peut aussi s'avérer utile chez les femmes enceintes, étant donné le taux de mortalité plus élevé des pneumonies à *Legionella* dans la population générale, est la mesure des antigènes urinaires à *Legionella*, surtout si la pneumonie est assez sévère pour nécessiter un séjour aux soins intensifs[14].

Plusieurs pneumonies se développent à la suite d'une infection virale des voies respiratoires supérieures. Une aggravation ou une persistance des symptômes initiaux pourraient représenter un début de pneumonie, et toute femme enceinte chez qui on soupçonne une pneumonie devrait subir une radiographie pulmonaire[11, 14].

Traitements recommandés pendant la grossesse

Dans la majorité des cas, une hospitalisation et un traitement initial empirique avec des antibiotiques par voie intraveineuse (changés pour la voie orale après 48 heures sans fièvre) sera la prise en charge préconisée[10, 11].

Parmi les mesures non pharmacologiques à privilégier, la femme enceinte atteinte de pneumonie devrait demeurer en position allongée latérale gauche afin de favoriser la perfusion utéro-placentaire. Une supplémentation en oxygène devrait être administrée, lorsque nécessaire, pour maintenir la pression artérielle partielle en oxygène à 70 mmHg minimum, soit le niveau requis afin d'assurer une oxygénation fœtale adéquate. Le fœtus devrait faire l'objet d'un monitoring continu[10].

Le tableau III présente les traitements recommandés de la pneumonie acquise en communauté chez la femme enceinte. Pour les données d'innocuité des divers antibiotiques durant la grossesse et l'allaitement, le lecteur est référé au chapitre 20. *Anti-infectieux.*

TABLEAU III – TRAITEMENTS RECOMMANDÉS DE LA PNEUMONIE ACQUISE EN COMMUNAUTÉ CHEZ LA FEMME ENCEINTE[5, 9-11, 14]

Ligne thérapeutique	Médicament	Posologie	Durée	Suivi, commentaires
Patiente hospitalisée				
Traitement initial				
Premier recours	Céfotaxime	1 g à 2 g par voie intraveineuse toutes les 8 heures.	Passage à un antibiotique par voie orale après 48 heures consécutives sans fièvre.	En association avec érythromycine afin de couvrir bactéries atypiques.
	Ceftriaxone	1 g par voie intraveineuse toutes les 12 à 24 heures.		En association avec érythromycine afin de couvrir bactéries atypiques.
	Érythromycine base	500 mg à 1 g toutes les 6 heures.		En association avec céfotaxime ou ceftriaxone afin de couvrir bactéries atypiques.
Deuxième recours	Azithromycine	500 mg par voie intraveineuse toutes les 24 heures.		Traitement réservé aux femmes : • ayant une allergie sévère fortement soupçonnée ou prouvée ou qui sont très intolérantes aux traitements de 1er et 2e recours. Idéalement, utiliser l'azithromycine à partir du 2e trimestre.
Troisième recours	Ciprofloxacine	400 mg par voie intraveineuse toutes les 12 heures.		Traitement réservé aux femmes : • ayant reçu une antibiothérapie dans les 3 mois précédents (qui est un facteur de risque de pneumocoque résistant à la pénicilline ou possible infection par bacille Gram négatif) ; • patientes immunodéprimées.
Traitement de relais				
Premier recours	Cefprozil	500 mg par voie orale 2 fois par jour.	Durée totale du traitement (incluant traitement intraveineux) : 10 à 14 jours	Traitement de relais seul ou associé à un macrolide (selon présentation clinique ou culture). On utilise généralement un antibiotique de la même famille pour le relais que pour le traitement initial.
	Céfuroxime axétil	500 mg par voie orale 2 fois par jour.		
	Érythromycine base	500 à 1000 mg par voie orale 4 fois par jour.		En traitement de relais seul ou associé à la céphalosporine. Utiliser si infection prouvée ou soupçonnée à *Legionella* spp ou *M. pneumoniæ*. Idéalement, utiliser la clarithromycine à partir du 2e trimestre.
	Clarithromycine	500 mg par voie orale 2 fois par jour.		

Ligne thérapeutique	Médicament	Posologie	Durée	Suivi, commentaires
Deuxième recours	Azithromycine	500 mg par voie orale 1 fois par jour.	Durée totale du traitement (incluant traitement intraveineux): 10 à 14 jours	Traitement réservé aux femmes: • ayant une allergie sévère fortement soupçonnée ou prouvée ou qui sont très intolérantes aux traitements de 1er et 2e recours. Idéalement, utiliser l'azithromycine à partir du 2e trimestre.
Troisième recours	Ciprofloxacine	500 mg à 750 mg par voie orale 2 fois par jour.		Traitement réservé aux femmes: • ayant reçu une antibiothérapie dans les 3 mois précédents (qui est un facteur de risque de pneumocoque résistant à la pénicilline ou possible infection par bacille Gram négatif); • patientes immunodéprimées.
Patiente recevant traitement initial en milieu ambulatoire				
Premier recours	Clarithromycine	500 mg par voie orale 2 fois par jour.	10 à 14 jours	Idéalement, utiliser ce traitement à partir du 2e trimestre.
	Érythromycine base	500 mg à 1000 mg par voie orale 2 à 4 fois par jour.		Préférable à la clarithromycine au premier trimestre.
Deuxième recours	Azithromycine	500 mg le 1er jour suivi de 250 mg 1 fois par jour, par voie orale.	5 jours au total	Idéalement, utiliser l'azithromycine à partir du 2e trimestre.
	Doxycycline	100 mg par voie orale 2 fois par jour.	10 à 14 jours	Option de traitement au 1er trimestre. Éviter si possible aux 2e et 3e trimestre.
	Amoxicilline	500 à 1000 mg par voie orale 3 fois par jour.		Chez les patientes immunodéprimées ou ayant reçu un antibiotique dans les 3 mois précédents, associer un antibiotique de la famille des pénicillines à un macrolide (posologie ci-haut) afin d'augmenter la couverture antimicrobienne.
	Cefprozil	500 mg par voie orale 2 fois par jour.		
	Céfuroxime axétil	500 mg par voie orale 2 fois par jour.		
	Amoxicilline/ acide clavulanique	875 mg à 2000 mg (en composante amoxicilline) 2 fois par jour.		

Traitements recommandés pendant l'allaitement

Le tableau IV présente les traitements de la pneumonie acquise en communauté recommandés chez la femme qui allaite. Pour les données détaillées d'innocuité des divers antibiotiques durant la grossesse et l'allaitement, le lecteur est référé au chapitre 20. *Anti-infectieux.*

TABLEAU IV – TRAITEMENTS RECOMMANDÉS DE LA PNEUMONIE ACQUISE EN COMMUNAUTÉ CHEZ LA FEMME QUI ALLAITE[4, 9, 12, 14].

Ligne thérapeutique	Médicament	Posologie	Durée	Commentaires
Patiente hospitalisée				
Même conduite (antibiotique, posologie, durées de traitement) que pour la femme enceinte (tableau III). Cependant, il y a quelques options de plus chez la femme qui allaite, que nous détaillons ci-bas.				
Deuxième recours	Lévofloxacine	500 mg par voie intraveineuse toutes les 24 heures.	Durée totale du traitement (incluant traitement intraveineux) : 7 à 14 jours	Passage à un antibiotique par voie orale après 48 heures consécutives sans fièvre (voir traitements suggérés pour patiente ambulatoire).
	Moxifloxacine	400 mg par voie intraveineuse toutes les 24 heures.		
Patiente ambulatoire				
Les critères d'utilisation des traitements de 2e recours sont les mêmes que ceux énoncés plus haut. Les traitements de 1er et de 2e recours utilisés chez la femme enceinte en milieu ambulatoire sont les mêmes chez la femme qui allaite. Cependant, il y a quelques options de plus chez cette dernière, que nous détaillons ci-bas.				
Deuxième recours	Lévofloxacine	500 mg par voie orale toutes les 24 heures.	Durée totale du traitement : 7 à 10 jours	Surveiller le nourrisson pour l'apparition de diarrhée (par prudence car aucun cas rapporté).
	Moxifloxacine	400 mg par voie orale toutes les 24 heures.		

Bronchite aiguë

Généralités

Définition et étiologie

La bronchite aiguë non compliquée est une inflammation de l'arbre trachéo-bronchique dont la présentation clinique principale est la toux (avec ou sans sécrétion) qui dure généralement de 10 à 14 jours.

La cause la plus fréquente de la bronchite aiguë non compliquée est virale (principalement influenza A et B, rhinovirus, coronavirus, parainfluenza type 3 et virus respiratoire syncytial). Si la toux est sévère ou prolongée (14 jours et plus), la coqueluche peut également être en cause. Jusqu'à 20 % des adultes ayant une toux persistante (durée moyenne 4 à 6 semaines) ont une coqueluche. Cependant, chez les adultes déjà immunisés pour la coqueluche (la majorité des adultes le sont), la toux paroxystique spécifique à la primo-infection n'est pas présente, il n'y a donc pas de signes cliniques permettant de distinguer la bronchite aiguë non compliquée causée par la coqueluche de celle causée par d'autres pathogènes[12, 15].

Outils d'évaluation

La majorité des épisodes de bronchite aiguë non compliquée ne nécessitent pas d'attention médicale particulière. La présence d'une toux sévère ou prolongée (14 jours et plus), de fièvre (température de 38 °C et plus), une fréquence cardiaque de 100 battements par minute et plus, une fréquence respiratoire de 24 par minute et plus et des signes de consolidation pulmonaire (râles, frémissements, égophonie à l'auscultation) sont des signes qui suggèrent la nécessité d'une évaluation médicale chez les adultes autrement en bonne santé. Si une femme enceinte présente ces mêmes signes et symptômes, elle devrait faire l'objet d'une investigation médicale poussée puisqu'ils peuvent représenter une pneumonie en développement[11, 12, 15]. Si la coqueluche est fortement soupçonnée (par exemple, exposition à un cas ou une éclosion documentés) et qu'un traitement est indiqué, un test diagnostique (culture ou amplification en chaîne par polymérase sur les sécrétions) devrait être fait avant de débuter l'antibiotique[15].

Traitements recommandés chez la femme enceinte ou qui allaite

Le traitement de cette condition est principalement symptomatique. Une hydratation adéquate est recommandée et au besoin, un antitussif et un antipyrétique peuvent être utilisés. Le lecteur est référé au chapitre 27. *Rhume et grippe* pour connaître les médicaments pouvant être utilisés durant la grossesse et l'allaitement. Pour le traitement de la bronchite causée par la coqueluche, une antibiothérapie est recommandée, principalement pour diminuer la contagiosité car elle ne diminue généralement pas la durée des symptômes[12, 15]. Le tableau V présente les traitements recommandés durant la grossesse et l'allaitement.

TABLEAU V – TRAITEMENT DE LA BRONCHITE CAUSÉE PAR LA COQUELUCHE CHEZ LA FEMME ENCEINTE OU QUI ALLAITE[4, 5, 12, 15, 16]				
Ligne thérapeutique	**Médicament**	**Posologie**	**Durée**	**Commentaires**
Premier recours	Érythromycine base	500 mg par voie orale 4 fois par jour.	14 jours	Traitement préféré au 1er trimestre.
	Clarithromycine	500 mg par voie orale 2 fois par jour.	7 jours	Idéalement, utiliser ces traitements à partir du 2e trimestre.
	Azithromycine	500 mg le 1er jour suivi de 250 mg 1 fois par jour les 4 jours suivants par voie orale .	5 jours	

Ligne thérapeutique	Médicament	Posologie	Durée	Commentaires
2ᵉ recours	Triméthoprime/ sulfaméthoxazole (TMP-SMX).	160 mg/800 mg par voie orale 2 fois par jour	14 jours	Éviter au premier trimestre ou si l'accouchement est imminent. Éviter chez la femme qui allaite si son nouveau-né : • est prématuré (et a un âge corrigé de moins de 41 semaines) • est né à terme mais a moins de 1 mois de vie.

Exacerbations pulmonaires aiguës en fibrose kystique

Généralités

Définition, épidémiologie et étiologie

La fibrose kystique (FK) est une maladie génétique récessive qui touche principalement la population caucasienne[17]. Il y a environ 3400 personnes atteintes de fibrose kystique au Canada, dont 47 % sont des adultes ; ainsi, les grossesses chez les femmes atteintes de FK est devenue une réalité[11, 18]. Les manifestations de la maladie sont multisystémiques, mais la principale demeure l'atteinte pulmonaire qui, à elle seule, est responsable de 90 % de la morbidité et de la mortalité. Les sécrétions bronchiques deviennent visqueuses et interfèrent avec la clairance ciliaire. Ceci crée ultimement un milieu propice à la croissance de certaines bactéries, principalement *Staphylococcus aureus* (*S. aureus*) et *Pseudomonas æruginosa* (*P. æruginosa*). Le *S. aureus* est généralement responsable de la colonisation bronchique initiale ; son rôle dans les dommages pulmonaires chroniques est incertain[19]. Le *P. æruginosa*, par contre, est considéré comme le principal responsable des dommages pulmonaires à long terme. Avec le temps, les patients sont atteints d'une infection pulmonaire chronique généralement asymptomatique. La prévalence de l'infection à *P. aeruginosa* est de 30 % dans la première année de vie et elle augmente jusqu'à 80 % vers l'âge de 18 ans. D'autres bactéries Gram négatif (*Stenotrophomonas maltophilia*, *Achromobacter xylosoxidans*, *Burkholderia cepacia*) peuvent aussi infecter les bronches des patients atteints, en général à partir de l'adolescence et à l'âge adulte. Tous les patients atteints de fibrose kystique, infectés chroniquement ou non par des bactéries, peuvent souffrir à l'occasion d'exacerbations pulmonaires infectieuses symptomatiques. L'infection pulmonaire chronique à *P. æruginosa* et l'inflammation chronique qui en résulte entraînent avec les années le développement de bronchiectasies. Ce processus est une des principales causes de perte progressive de fonction respiratoire menant éventuellement à l'insuffisance respiratoire et à la mort[17, 19].

Outils d'évaluation

Les tests de laboratoire et de spirométrie (principalement le volume expiratoire maximal en une seconde [VEMS]) à suivre sont les mêmes chez la femme enceinte atteinte de fibrose kystique ou que chez la femme FK non enceinte. Une radiographie des poumons est généralement faite en début et en cours de traitement lors des exacerbations pulmonaires infectieuses assez sévères pour nécessiter une hospitalisation. Ce suivi devrait continuer indépendamment de la grossesse[11, 19].

Effets de la grossesse sur le système respiratoire de la mère

Le lecteur est référé à la section de ce chapitre portant sur les changements physiologiques respiratoires survenant chez toute femme enceinte. Certaines données extrapolées suggèrent que la grossesse pourrait accentuer le processus physiopathologique de plusieurs maladies pulmonaires chroniques[11]. En ce qui concerne la fibrose kystique, des données récentes, dont une étude de cohorte avec des patientes enceintes et des patientes non enceintes ayant une maladie de sévérité comparable, semblent indiquer que la grossesse en elle-même n'a pas d'impact négatif sur la survie de la mère à long terme[11].

Effets de la fibrose kystique sur la grossesse et sur le fœtus

Chez les patientes atteintes de fibrose kystique, les complications néonatales sont la prématurité et le retard de croissance intra-utérine dû à l'hypoxie chronique. Ces complications surviendraient principalement chez les patientes avec atteinte pulmonaire sévère, maladie hépatique ou diabète. L'accouchement prématuré toucherait jusqu'à 24 % des patientes avec ces facteurs de risque. Autrement, la majorité des grossesses chez les femmes qui ont la fibrose kystique et chez qui on considère l'atteinte pulmonaire légère à modérée se déroulent sans plus de complications obstétricales que dans la population générale[20]. Un VEMS prégrossesse de plus de 50 % et idéalement de 70 % et plus est généralement associé à une issue de grossesse favorable, mais il y a des notifications de cas de grossesses réussies chez des femmes ayant des valeurs inférieures[20, 21].

Traitement de l'exacerbation pulmonaire aiguë en fibrose kystique

Le but du traitement de l'exacerbation aiguë est de ramener la patiente à son niveau clinique de base (préexacerbation)[17].

En fibrose kystique, on assume que l'exacerbation est causée par une surinfection bactérienne, bien que des virus et, plus rarement, des fungi et des mycobactéries atypiques pourraient y contribuer. Le traitement antibiotique débuté fournira presque toujours une double couverture pour le *P. æruginosa* et ce, même si la patiente n'est pas connue comme étant colonisée par ce dernier, car c'est le pathogène principal à tous les stades de la maladie. Si la patiente est connue comme étant porteuse d'autres bactéries que le *P. æruginosa*, par exemple le *S. aureus*, et que le clinicien croit que ce dernier contribue au tableau clinique, l'antibiothérapie sera aussi dirigée contre ce pathogène[17, 19]. Les tableau VI et VII présentent les antibiotiques pouvant être utilisés contre les divers pathogènes impliqués chez les patientes atteintes de fibrose kystique enceintes ou qui allaitent.

TABLEAU VI – TRAITEMENT DES EXACERBATIONS PULMONAIRES EN FIBROSE KYSTIQUE DURANT LA GROSSESSE ET L'ALLAITEMENT[4-6, 17, 19, 22, 23]

Ligne thérapeutique	Médicament	Posologie	Durée	Commentaires
	**Traitement par voie orale ou par nébulisation dirigé contre *P. æruginosa* (traitement ponctuel d'une surinfection légère à modérée ou suppression bactérienne chronique)**			
	Le traitement suppressif chronique habituel est un antibiotique en nébulisation (inhalation). Chez les patientes recevant une suppression chronique, la surinfection sera souvent traitée par l'ajout de la ciprofloxacine au traitement habituel. Chez les patientes qui ne reçoivent pas de suppression chronique, la surinfection peut être traitée avec un antibiotique en nébulisation ou de la ciprofloxacine.			
Premier recours	Tobramycine injectable sans phénol	80 mg à 160 mg par nébulisation 2 fois par jour.	Pendant 3 semaines ou en continu.	Passe en faible concentration dans la circulation sanguine lorsque la dose de 300 mg est administrée.
	Tobramycine pour inhalation	300 mg par nébulisation 2 fois par jour.	Pendant 4 semaines ou alternance de 4 semaines de traitement avec 4 semaines de pause.	Suivre les effets indésirables comme l'acouphène (rarement rapporté avec cette voie d'administration).
	Colistiméthate injectable	75 mg à 150 mg par nébulisation 2 fois par jour.	Pendant 3 semaines ou en continu.	Passe en faible concentration dans la circulation sanguine lorsque la dose de 75 mg est administrée.
	Ciprofloxacine	750 mg à 1000 mg par voie orale 2 fois par jour.	Pendant 3 semaines.	
	**Traitement intraveineux dirigé contre *P. æruginosa* (surinfection modérée à sévère)**			
	Le traitement habituel est une association de deux antibiotiques, préférablement un aminoside avec un antibiotique de la famille des pénicillines/céphalosporines.			
Premier recours Pénicilline ou céphalosporine	Pipéracilline (avec ou sans tazobactam)	3 g à 4 g toutes les 6 heures.	14 à 21 jours (ou plus si nécessaire).	Administré en association avec un autre antibiotique (généralement avec un aminoside, parfois avec une quinolone).
	Ticarcilline/ acide clavulanique	3 g à 4 g (composante ticarcilline) toutes les 6 heures.		
	Ceftazidime	2 g toutes les 8 heures.		
Fluoroquinolone	Ciprofloxacine	400 mg toutes les 8 heures.		Administré en association avec un autre antibiotique de ce tableau ; peut aussi être administré par voie orale si la patiente le tolère ; voir posologie ci-haut.

Ligne thérapeutique	Médicament	Posologie	Durée	Commentaires
Aminoside	Tobramycine	3 mg/kg/dose toutes les 8 heures ou 5 mg/kg/dose toutes les 12 heures.	14 à 21 jours (ou plus si nécessaire).	Faire dosage sérique 5 à 15 minutes pré-dose et 30 minutes post-dose pour ajustement de la posologie. **Valeurs visées** (extrapolées par calculs pharmacocinétiques): **Tobramycine :** **Prédose** : < 2 mg/L (idéalement 0,5 à 1,5 mg/L). **Postdose** : 10 à 15 mg/L **Amikacine :** **Prédose** : < 10 mg/L (idéalement 5 mg/L). **Postdose** : 20 à 30 mg/L.
	Amikacine	7,5 mg/kg/dose à 10 mg/kg/dose toutes les 8 heures.		
Deuxième recours	Méropénem	2 g toutes les 8 heures.	14 à 21 jours (ou plus si nécessaire)	En association avec aminoside ou quinolone.
	Imipénem	1 g toutes les 6 heures.		
	Céfépime	2 g toutes les 8 heures.		

Le traitement des surinfections pulmonaires causées par d'autres bactéries Gram négatif que le *Pseudomonas æruginosa*, comme le *Stenotrophomonas maltophilia*, l'*Achromobacter xylosoxidans* et le *Burkholderia cepacia* comprend aussi une combinaison de deux (parfois plus de deux) antibiotiques puisqu'on a démontré que ce mode de traitement était supérieur à la monothérapie. La combinaison choisie est généralement guidée par l'antibiogramme des bactéries présentes dans la culture d'expectoration (ou de gorge) la plus récente. Cependant, ces bactéries sont souvent multirésistantes et dans ces cas, le choix de la combinaison peut être empirique ou guidé par des tests de synergie (certaines études n'ont pas montré la supériorité du traitement guidé par l'antibiogramme sur le traitement empirique). Les antibiotiques utilisés sont généralement les mêmes que ceux utilisés contre *P. æruginosa* et les posologies sont aussi les mêmes. La différence est le choix des antibiotiques à combiner. Le tableau VII présente les antibiotiques pouvant être combinés en fonction du germe présent.

TABLEAU VII– ANTIBIOTIQUES POUVANT ÊTRE COMBINÉS DANS LE TRAITEMENT DES SURINFECTIONS PULMONAIRES À BACTÉRIES GRAM NÉGATIF CHEZ LA FEMME ENCEINTE OU QUI ALLAITE ATTEINTE DE FIBROSE KYSTIQUE[4-6, 17, 19].

Bactérie	Antibiotique	Commentaires
Stenotrophomonas maltophilia	Ticarcilline avec acide clavulanique par voie intraveineuse.	Même posologie et durée que dans le tableau VI.
	Triméthoprime avec sulfaméthoxazole par voie intraveineuse.	4 à 5 mg/kg/dose en composante triméthoprime par voie intraveineuse aux 8 à 12 heures pour 14 à 21 jours (plus si nécessaire). Éviter au premier trimestre ou si l'accouchement est imminent. Éviter chez la femme qui allaite si son nouveau-né est : • prématuré (et a un âge corrigé de moins de 41 semaines); • né à terme mais a moins de 1 mois de vie. Si le triméthoprime avec sulfaméthoxazole doit absolument être utilisé, voir les mesures de précaution suggérées au chapitre 20. *Anti-infectieux*.
Burkholderia cepacia	Minocycline par voie orale (formulation intraveineuse non disponible au Canada).	Idéalement, éviter aux 2e et 3e trimestre ; posologie 2 mg/kg/dose (maximum 100 mg par dose) par voie orale 2 fois par jour pour 14 à 21 jours (plus si nécessaire).
	Triméthoprime avec sulfaméthoxazole par voie intraveineuse.	Si septicémie ou pneumonie nécrosante, la posologie peut être augmentée à 5 mg/kg/dose en composante triméthoprime par voie intraveineuse aux 6 heures. Voir commentaires ci-dessus.
	Méropénem.	Par voie intraveineuse. Même posologie et durée que dans le tableau VI.
	Ceftazidime.	
	Amikacine.	
Achromobacter xylosoxidans	Minocycline.	Voir posologie et commentaire ci-haut.
	Ciprofloxacine par voie intraveineuse ou orale.	Même posologie et durée que dans le tableau VI.
	Méropénem.	
	Imipénem.	1 g par voie intraveineuse aux 6 heures pour 14 à 21 jours (plus si nécessaire).

Références

1. SLAVIN RG, SPECTOR SL, BERNSTEIN IL, KALINER MA, KENNEDY DW, VIRANT FS, et al. The diagnosis and management of sinusitis: a practice parameter update. *J Allergy Clin Immunol.* 2005;116 (6 Suppl):S13-47.

2. GALL Jr SA. *Abscesses and local Infections in Pregnancy. Principles and practice of medical therapy in pregnancy.* Stamford, Connecticut: Appleton & Lange; 1998. p. 610-12.

3. DUFF P. *Staphylococcal Infections. Principles and practice of medical therapy in pregnancy.* Stamford, Connecticut: Appleton & Lange; 1998. p. 632-33.

4. HALE T. *Medications and Mothers' Milk.* 12th ed. Amarillo, Texas: Hale Publishing, L.P.; 2006.

5. BRIGGS G, FREEMAN R, YAFFE S. *A Reference Guide to Fetal and Neonatal Risk. Drugs in pregnancy and lactation.* 7th ed. ed. Philadelphia: Lippincott Williams & Wilkins; 2005.

6. LACY C, ARMSTRONG L, GOLDMAN M, LANCE L. *Drug Information Handbook International.* 13th ed. Hudson, Ohio: Lexi-Comp; 2005.

7. BISNO AL, GERBER MA, GWALTNEY JM, Jr., KAPLAN EL, SCHWARTZ RH. Practice guidelines for the diagnosis and management of group A streptococcal pharyngitis. Infectious Diseases Society of America. *Clin Infect Dis.* 2002;35(2):113-25.

8. FARO S. *Streptococcal Infections. Principles and practice of medical therapy in pregnancy.* Stamford, Connecticut: Appleton & Lange; 1998. p. 635-37.

9. MANDELL LA, MARRIE TJ, GROSSMAN RF, CHOW AW, HYLAND RH. Canadian guidelines for the initial management of community-acquired pneumonia: an evidence-based update by the Canadian Infectious Diseases Society and the Canadian Thoracic Society. The Canadian Community-Acquired Pneumonia Working Group. *Clin Infect Dis.* 2000;31(2):383-421.

10. WHITTY J, DOMBROWSKI M. *Respiratory Diseases in Pregnancy. Maternal-fetal medicine: principles and practice.* 5t h ed. ed. Philadelphia, Pennsylvania: Saunders; 2004. p. 953-74.

11. ANONYMOUS. *Pulmonary Disorders.* In: Cunningham F, Leveno K, Bloom S, Hauth J, Gilstrap III L, Wenstrom K, editors. Williams Obstetrics. 22nd ed. ed: McGraw-Hill Companies; 2005. p. 1055-72.

12. GELONE S, O'DONNELL J. Respiratory tract infections. In: Koda-Kimble M, editor. *Applied Therapeutics: the clinical use of drugs.* 8th ed. ed. Philadelphia: Lippincott Williams & Wilkins; 2005. p. 60.1-.30.

13. ANDRES R. *Effects of Therapeutic, Diagnostic, and Environmental Agents and Exposure to Social and Illicit Drugs. Maternal-fetal medicine: principles and practice.* 5th ed. Philadelphia, Pennsylvania: Saunders; 2004. p. 288-89.

14. MANDELL LA, BARTLETT JG, DOWELL SF, FILE TM, Jr., MUSHER DM, WHITNEY C. Update of practice guidelines for the management of community-acquired pneumonia in immunocompetent adults. *Clin Infect Dis.* 2003;37(11):1405-33.

15. GONZALES R, SANDE MA. Uncomplicated acute bronchitis. *Ann Intern Med.* 2000;133(12):981-91.

16. GILBERT D, MOELLERING R, ELIOPOULOS G, SANDE M. *The Sanford Guide to Antimicrobial Therapy.* 36th ed. Sperryville, Virginia: Antimicrobial Therapy inc.; 2006.

17. EARLE S. Cystic fibrosis. In: Koda-Kimble M, editor. *Applied Therapeutics: the clinical use of drugs.* 8th ed. Philadelphia: Lippincott Williams & Wilkins; 2005. p. 98.1-16

18. ANONYME. Rapport du registre canadien sur les patients fibro-kystiques; 2002.

19. DAVIS P. Pulmonary disease in cystic fibrosis. In: Chernick V, editor. *Kendig's Disorders of the Respiratory Tract in Children.* Philadelphia: Elsevier; 2006. p. 873-86.

20. BUDEV MM, ARROLIGA AC, EMERY S. Exacerbation of underlying pulmonary disease in pregnancy. *Crit Care Med.* 2005;33(10 Suppl):S313-8.

21. IYENGAR S, COLEMAN M. *Fertility. Cystic Fibrosis Care.* London, UK: Elsevier; 2005.

22. BERINGER P. The clinical use of colistin in patients with cystic fibrosis. *Curr Opin Pulm Med.* 2001; 7(6):434-40.

23. RAMSEY BW, PEPE MS, QUAN JM, OTTO KL, MONTGOMERY AB, WILLIAMS-WARREN J, et al. Intermittent administration of inhaled tobramycin in patients with cystic fibrosis. Cystic Fibrosis Inhaled Tobramycin Study Group. *N Engl J Med.* 1999;340(1):23-30.

Chapitre 15

Rhume et grippe

■

Brigitte MARTIN

Rhume

Définition, étiologies et épidémiologie

Le rhume est une infection virale touchant les voies respiratoires supérieures qui se manifeste par une rhinite, une irritation de la gorge, de la congestion nasale et de la toux. La fièvre est rarement observée. Le rhinovirus est souvent impliqué, mais on retrouve également le coronavirus, le virus syncytial respiratoire et d'autres virus moins fréquents[1, 2]. On estime que les adultes présentent deux ou trois épisodes de rhume par année et que cette incidence est probablement la même chez les femmes enceintes[1].

Effets de la grossesse sur le rhume

La grossesse pourrait exacerber les symptômes du rhume et prédisposer à une sinusite en raison de la diminution de l'activité ciliaire et de l'occlusion des orifices sinusaux entraînées par les œstrogènes[3]. Cette hypothèse n'a pas été confirmée par des études épidémiologiques ou cliniques.

Effets du rhume sur la grossesse

Certaines études rétrospectives suggèrent un lien entre le rhume au cours du premier trimestre et un risque accru de certaines anomalies congénitales, dont les anomalies du tube neural et les fentes labio-palatines isolées[4, 5]. La contribution de la fièvre maternelle a été évoquée par plusieurs chercheurs. Malgré ces observations, on assume généralement que le rhume n'est pas associé à des complications fœtales ou maternelles[3].

Traitement symptomatique

Le traitement du rhume est essentiellement axé sur le soulagement des symptômes (tableau I). Les préparations contenant plusieurs principes actifs ou de l'alcool devraient être évitées durant la grossesse et l'allaitement pour ne pas exposer inutilement le fœtus ou le nourrisson à des médicaments non essentiels. De plus, l'efficacité de plusieurs médicaments couramment utilisés pour ces symptômes n'est pas clairement établie et d'autres agents sont simplement inefficaces. On évitera d'exposer une femme enceinte ou qui allaite à des médicaments qui apportent peu de soulagement. Certains médicaments ou produits de santé naturels comme le dipropylacétate de bismuth, le phénol, la dyclonine, le camphre et l'eucalyptus sont des agents dont l'efficacité n'est pas bien attestée pour le soulagement des symptômes du rhume et dont l'utilisation durant la grossesse n'a pas fait l'objet d'études rigoureuses : ils ne seront pas discutés dans ce chapitre. Néanmoins, les données sur l'innocuité durant la grossesse ou l'allaitement de la plupart des médicaments qui pourraient être pris lors d'un rhume ou d'une grippe sont décrites aux tableaux II et III.

Grippe

Définition, étiologies et épidémiologie

La grippe est causée par les virus de l'influenza. L'infection se distingue du rhume par de la fièvre élevée, des frissons, des myalgies et de la fatigue. Les complications possibles sont l'otite moyenne, la sinusite bactérienne, la pneumonie bactérienne ou, plus rarement, virale, et l'insuffisance respiratoire[6]. L'incidence de la grippe durant la grossesse varie de 2 à 22 % selon les études et les modes de diagnostic, ce qui correspond à ce qu'on observe dans la population générale[6-9].

Effets de la grossesse sur la grippe

La grossesse augmente la gravité des complications de la grippe. Les données provenant des pandémies de 1918 et 1957 ont montré un risque élevé de complications cardiorespiratoires, de pneumonies, d'hospitalisation et de décès, en particulier chez les femmes enceintes aux deuxième et troisième trimestres[8, 10, 11]. Les études plus récentes n'ont pas retrouvé un risque de morbidité et de mortalité aussi élevé que lors des premières pandémies, ce qui pourrait s'expliquer par la vaccination et une amélioration globale des conditions de santé[7, 10]. Cependant, la gravité des complications reste augmentée, particulièrement à la fin de la grossesse. Entre autres, une étude rapporte que les femmes, au troisième trimestre de leur grossesse, présentent un risque trois à quatre fois supérieur d'être hospitalisées pour des événements cardiopulmonaires pendant la saison grippale que les femmes non enceintes ou en période postnatale[12]. Les changements physiologiques associés à la grossesse, telles la diminution de la capacité pulmonaire résiduelle et l'augmentation de la consommation basale d'oxygène, peuvent expliquer la morbidité observée dans cette population[12].

Effets de la grippe sur la grossesse

Contrairement au rhume, la grippe est une infection virale dont les conséquences sont potentiellement graves pour la femme enceinte et son fœtus. Dans l'ensemble, même si les données sont controversées, on estime que les femmes qui développent des complications de l'influenza sont plus à risque d'avortements spontanés, d'accouchements prématurés et de morts fœtales[8].

Le virus de l'influenza ne semble pas être associé à un risque tératogène. Le passage transplacentaire du virus a parfois été rapporté mais paraît rare[7]. Certaines études ont lié une infection au cours du premier trimestre à un risque accru de malformations diverses (fentes labio-palatines, anomalies du tube neural, malformations cardiovasculaires)[5, 9]. Ces chercheurs ont toutefois suggéré que la fièvre soutenue associée à l'infection, plutôt que l'infection elle-même, pourrait être en cause. En effet, le risque accru de malformations est annulé par la prise d'antipyrétiques dans au moins une de ces études[9]. Le potentiel tératogène de l'hyperthermie est démontré, tant dans les modèles animaux que dans les études épidémiologiques chez l'humain[13]. L'élévation de la température corporelle qui entraîne un risque de malformations majeures accru n'est cependant pas bien définie. La plupart des chercheurs ont étudié les effets d'une fièvre supérieure à 38,9 °C pendant plus de 24 heures. Plus rarement, d'autres ont suggéré qu'une température plus basse pouvait également augmenter les risques tératogènes[13].

Effets à long terme

Les modèles animaux et les complications connues d'autres infections virales (notamment le virus de la rubéole et le cytomégalovirus) sur le système nerveux central ont amené les chercheurs à s'interroger sur les effets à long terme d'une infection fœto-maternelle à influenza. Plus d'une vingtaine d'études épidémiologiques ont tenté d'établir un lien entre l'infection à influenza au cours de la grossesse et certaines conditions médicales à l'âge adulte, particulièrement la schizophrénie[14]. La plupart des études effectuées chez l'humain présentent cependant des limites méthodologiques importantes, dont l'absence de documentation de l'infection virale par des tests microbiologiques ou immunologiques, et un biais de mémoire considérable. D'autres études au devis plus rigoureux devront être menées avant de conclure à un lien causal.

Traitements recommandés

Traitement symptomatique

Comme pour le rhume, le traitement de la grippe est axé sur le soulagement des symptômes ; les mêmes considérations que pour le traitement symptomatique du rhume s'appliquent également au soulagement des symptômes de la grippe (voir la section *Traitement symptomatique du rhume*). Les recommandations et les données d'innocuité durant la grossesse et l'allaitement sont résumées dans les tableaux I, II et III.

Traitements antiviraux antigrippaux

L'amantadine (efficace pour l'influenza de type A seulement) et les inhibiteurs de la neuraminidase (zanamivir et oseltamivir) pris dans les 48 heures suivant le début des symptômes raccourcissent d'environ une journée la durée des symptômes de la grippe[6]. Seul l'oseltamivir pourrait aussi réduire le taux de complications grippales ; ce bénéfice a été observé dans la population générale, mais pas encore clairement dans les sous-groupes de patients les plus à risque[15]. Les effets du traitement précoce sur la diminution des complications de la grippe chez la femme enceinte ne sont pas connus.

Compte tenu des données d'innocuité très limitées (tableaux II et III) et des bienfaits modestes attendus, le traitement précoce avec un antiviral est déconseillé pour le moment pour les femmes enceintes ou qui allaitent[1, 11, 16]. Une surveillance étroite de l'évolution de l'infection est recommandée chez les femmes enceintes au troisième trimestre ou cumulant plusieurs facteurs de risques pour des complications grippales[10].

Prévention antigrippale recommandée

L'immunisation annuelle constitue le moyen le plus efficace de diminuer les complications grippales. Selon les recommandations canadiennes pour la saison 2006-2007, à moins de souffrir d'une affection chronique (diabète, maladies cardiaques ou pulmonaires chroniques, etc.), les femmes enceintes ne sont pas incluses dans les groupes à haut risque de complications liées à la grippe[11]. Le Comité consultatif national de l'immunisation reconnaît néanmoins que les femmes enceintes devraient être vaccinées si l'on prévoit qu'elles accoucheront durant la saison grippale, car elles deviendront des contacts familiaux de leur nouveau-né. Même si, pour le moment, elles ne font pas partie des groupes prioritaires ciblés par le programme canadien, les femmes enceintes devraient être encouragées à se faire vacciner.

Le comité américain (*Advisory Committee on Immunization Practices, Centers for Disease Control*) fait une analyse différente des données et inclut pour sa part la grossesse comme facteur de risque pour les complications ; la vaccination y est recommandée pour toutes les femmes enceintes pendant la saison grippale, peu importe le trimestre[17].

TABLEAU I – GROSSESSE ET ALLAITEMENT - TRAITEMENTS RECOMMANDÉS			
Symptôme	Médicament	Posologie	Suivi recommandé, commentaires
Traitement symptomatique du rhume ou de la grippe			
Congestion nasale	Eau saline	1 vaporisation dans chaque narine au besoin.	Pour confort.
	Décongestionnants topiques à longue action (oxymétazoline 0,05 % ou xylométazoline 0,05 % ou 0,1 %)	1 vaporisation dans chaque narine 2 fois par jour au besoin, maximum 3 à 5 jours.	Préférer les vaporisateurs aux gouttes nasales pour minimiser l'absorption.
	Pseudoéphédrine	30 à 60 mg par voie orale 3 ou 4 fois par jour au besoin, ou 120 mg par voie orale 2 fois par jour au besoin (formulations à longue action).	**Grossesse** : utiliser pendant quelques jours aux deuxième et troisième trimestres, si décongestionnants topiques inefficaces, et si pas de contre-indications ; éviter au premier trimestre. **Allaitement** : surveiller la production de lait et cesser le traitement si un effet est noté.

Symptôme	Médicament	Posologie	Suivi recommandé, commentaires
Rhinite	Antihistaminiques de première génération, par ex. diphenhydramine, chlorphéniramine, doxylamine, etc.	• Diphenhydramine : 25 à 50 mg par voie orale 4 fois par jour au besoin. • Chlorphéniramine : 4 mg par voie orale 4 à 6 fois par jour au besoin, ou 12 mg par voie orale 2 fois par jour au besoin (formulation à longue action). • Doxylamine : 12,5 à 25 mg par voie orale 4 à 6 fois par jour au besoin, maximum 75 mg par jour.	Efficacité modeste pour diminuer l'écoulement nasal et les éternuements au cours des deux premiers jours du rhume. Les antihistaminiques de seconde génération sont peu efficaces pour la rhinite due au rhume ou à la grippe[2].
Toux	Dextrométhorphane	10 à 20 mg par voie orale aux 4 à 6 heures au besoin, ou 60 mg par voie orale aux 12 heures (formulation à longue action).	Utiliser seulement si présence de toux sèche ; l'efficacité n'est pas bien établie pour la toux associée au rhume ou à la grippe.
Fièvre et myalgies, irritation de la gorge	Acétaminophène	325 à 650 mg par voie orale aux 4 à 6 heures au besoin (maximum 4000 mg par jour).	Une femme enceinte qui a une fièvre de plus de 38,3 °C devrait être référée au médecin pour une évaluation complète de la condition sous-jacente. Un traitement antipyrétique devrait être initié rapidement et poursuivi tant que la patiente demeure fébrile.
Irritation de la gorge	Gargarisme à l'eau saline	Au besoin.	
Prévention de la grippe			
Vaccination antigrippale	Fluviral[MD], Influvac[MD], Vaxigrip[MD]	0,5 mL par voie intramusculaire pour une dose avant la saison grippale.	Vacciner toutes les femmes qui accoucheront dans la saison grippale et toutes les femmes qui présentent des facteurs de risque pour des complications, peu importe le trimestre.

TABLEAU II – DONNÉES D'INNOCUITÉ DES MÉDICAMENTS UTILISÉS POUR LA PRÉVENTION OU LE TRAITEMENT DES SYMPTÔMES DU RHUME ET DE LA GRIPPE		
Médicaments	**Données d'innocuité**	**Recommandations, commentaires**
Antihistaminiques	Voir le Chapitre 22. *Rhinite allergique et allergies saisonnières*	
Décongestionnants systémiques		
Éphédrine	• Pas d'augmentation du risque de malformations majeures dans une étude de surveillance comptant 373 femmes exposées en début de grossesse[18]. • Pas d'association entre l'exposition à l'éphédrine et le gastroschisis dans une étude cas-témoins[19].	L'éphédrine est moins étudiée que la pseudoéphédrine et pourrait comporter plus de risques de vasoconstriction systémique ; elle devrait préférablement être évitée durant la grossesse[3].
Étafédrine	• Aucune donnée retracée.	L'évaluation des risques est impossible.
Phényléphrine	• Association évoquée entre la phényléphrine (par voie systémique ou topique) et des anomalies des yeux et des oreilles dans une étude de surveillance comptant 1249 femmes exposées en début de grossesse[18]. • Pas d'augmentation du risque de malformations majeures par rapport au risque attendu dans une étude rétrospective comptant 301 enfants exposés *in utero*[20].	Les données proviennent d'un type d'études qui ne tient pas compte de plusieurs facteurs de confusion, dont les autres médicaments pris en concomitance et les conditions de santé des sujets. La phényléphrine pourrait comporter plus de risques de vasoconstriction systémique que la pseudoéphédrine et devrait préférablement être évitée durant la grossesse[3]. Le risque de malformations majeures après une exposition au premier trimestre est probablement faible, s'il existe.
Pseudoéphédrine	• Absence d'augmentation du risque d'anomalies congénitales dans les études épidémiologiques comptant près de 2000 femmes exposées au premier trimestre[18]. • Lien entre l'exposition au premier trimestre et un risque de gastroschisis suggéré dans deux études cas-témoins (rapports de cote = 3,2 et 1,8)[19, 21] ; association non confirmée dans une étude effectuée par d'autres chercheurs[22]. Le gastroschisis est une anomalie majeure rare qui résulte d'un défaut de fermeture de la cavité abdominale du fœtus au cours du premier trimestre, et qui s'observe chez 1 ou 2 nouveau-nés par 10 000 naissances dans la population générale[22]. • Pas d'altération significative des paramètres hémodynamiques fœto-maternels après une dose unique de 60 mg au troisième trimestre chez 12 femmes enceintes[23].	Même si le risque de gastroschisis relié à la prise de pseudoéphédrine demeure très faible (4 à 6 cas sur 10 000 naissances), Il est préférable d'éviter d'exposer une femme enceinte pendant le premier trimestre de la grossesse. Après le premier trimestre, la pseudoéphédrine constitue le décongestionnant systémique de premier recours, en l'absence des contre-indications habituelles. L'exposition devrait être limitée à quelques jours.

Médicaments	Données d'innocuité	Recommandations, commentaires
Décongestionnants topiques		
Naphazoline	• Une malformation majeure notée parmi 20 nouveau-nés exposés au premier trimestre[24]. • Un cas de toxicité néonatale (hypertension pulmonaire et ischémie au membre inférieur) rapporté après usage prolongé de naphazoline à doses élevées pendant la grossesse[25].	Utilisée aux doses recommandées, la naphazoline comporte probablement peu de risques durant la grossesse.
Oxymétazoline et xylométazoline	• Pas de risque tératogène décelé dans 2 études épidémiologiques comptant 250 et 461 enfants exposés *in utero* respectivement à l'oxymétazoline et à la xylométazoline au premier trimestre[20, 26]. • Pas d'effet significatif d'une dose unique d'oxymétazoline 0,05 % administrée à 12 femmes enceintes au troisième trimestre sur les paramètres hémodynamiques fœto-maternels[27].	Utilisés aux doses recommandées, ces médicaments ne comportent pas de risques connus durant la grossesse et constituent des agents de premier recours.
Antitussifs		
Clofédanol (ou chlophédianol)	• Aucune donnée retracée.	L'évaluation des risques est impossible.
Codéine	• Voir le chapitre 33. *Migraines et douleurs.*	Malgré son profil d'innocuité favorable durant la grossesse, la codéine devrait être réservée en deuxième recours comme antitussif, étant donné ses effets indésirables plus fréquents que le dextrométhorphane, pour une efficacité similaire.
Dextrométhorphane	• Absence d'augmentation du risque de malformations majeures dans 3 études de cohorte compilant près de 500 expositions au premier trimestre[18, 20, 28]. • Absence de lien entre l'exposition au premier trimestre et des malformations majeures dans une étude cas-témoins[29].	Les résultats de ces études et l'utilisation répandue du dextrométhorphane en font un médicament de premier recours chez la femme enceinte à tous les trimestres.
Hydrocodone	• Voir le chapitre 33. *Migraine et douleurs.*	L'hydrocodone devrait être réservée en troisième recours comme antitussif, après le dextrométhorphane et la codéine.

Médicaments	Données d'innocuité	Recommandations, commentaires
Expectorants		
Chlorure d'ammonium	• Pas d'association à un risque tératogène accru dans une étude comptant 365 femmes enceintes au premier trimestre de la grossesse[18].	L'efficacité antitussive est peu documentée[30].
Guaifénésine	• Absence d'augmentation du risque d'anomalies majeures dans plusieurs études comptant plus de 1500 enfants exposés *in utero*, dont plus de 600 au premier trimestre[18, 20, 26].	L'efficacité de la guaifénésine comme expectorant est controversée et mal documentée[30].
Antiviraux antigrippaux		
Amantadine	• Résultats des études animales divergents, mais risque tératogène suggéré à doses supérieures à celles utilisées chez l'humain[18]. • Quelques observations cliniques isolées de malformations cardiaques chez des enfants exposés au premier trimestre ; d'autres notifications de cas sans malformation observée[18, 31, 32]. • Nombre d'anomalies congénitales plus élevé chez les enfants exposés *in utero* que le nombre attendu (5 anomalies majeures contre 3 attendues), dans une étude de surveillance comptant 64 enfants exposés en début de grossesse; aucun patron de malformations noté[31].	L'innocuité peu documentée durant la grossesse et l'efficacité marginale de l'amantadine empêchent de recommander son emploi chez des femmes enceintes, particulièrement au premier trimestre de la grossesse. Les données actuelles ne suggèrent pas d'augmentation marquée des malformations majeures chez une patiente exposée, mais sont insuffisantes pour exclure tous les risques.
Oseltamivir	• Absence d'effet embryotoxique ou fœtotoxique chez deux espèces animales à des doses supérieures à celles utilisées chez l'humain[18]. • Étude à hautes doses montre l'accumulation du médicament dans le cerveau des animaux immatures et a mené le fabricant à contre-indiquer ce médicament chez les enfants de moins de 1 an[33]. • Peu d'expérience chez l'humain : 61 expositions rapportées au fabricant (trimestre non précisé), dont 2 malformations majeures notées[33].	L'exposition durant la grossesse, à tout trimestre, pourrait théoriquement mener à une accumulation du médicament dans le cerveau fœtal, étant donné le passage transplacentaire probable du médicament et l'immaturité de la barrière hémato-encéphalique fœtale. Les conséquences de l'exposition *in utero* aux doses thérapeutiques utilisées chez l'humain sont inconnues.

Médicaments	Données d'innocuité	Recommandations, commentaires
Zanamivir	• Biodisponibilité orale : 4 à 17 %[18]. • Absence d'effet tératogène ou embryotoxique chez 2 espèces animales à des doses supérieures à celles utilisées chez l'humain[18]. • Aucune donnée retracée chez l'humain.	La biodisponibilité orale du zanamivir est faible et l'exposition embryonnaire ou fœtale est probablement limitée. Cependant, son efficacité marginale suggère de l'éviter durant la grossesse.
Produits de santé naturels		
Échinacée (*E. purpura*, *E. pallida* ou *E. angustifolia*)	• Absence d'augmentation du risque de malformations majeures, d'avortements spontanés ou de prématurité dans une étude menée chez 206 femmes traitées pendant la grossesse avec l'un ou l'autre des types d'échinacée, dont 112 au premier trimestre, par rapport à un groupe témoin[34].	L'absence actuelle de réglementation des produits de santé naturels au Canada, les données limitées et l'efficacité marginale de ces produits empêchent de recommander leur emploi durant la grossesse[2]. Une exposition avant que la patiente ne sache qu'elle est enceinte comporte probablement un risque faible, s'il existe.
Pastilles		
Pastilles (ingrédients divers)	• Certains médicaments contenus dans les pastilles ont été évalués durant la grossesse : par exemple, l'exposition au cétylpyridium et à la benzocaïne n'a pas été associée à des risques pendant la grossesse[3].	Les pastilles contiennent généralement divers principes actifs en faible quantité. Aux doses recommandées, il est peu probable que ces agents posent des risques pour l'embryon ou le fœtus. Vu leur efficacité peu fondée, il peut être préférable d'utiliser des gargarismes à l'eau saline et de l'acétaminophène si la douleur est importante.
Vaccin antigrippal		
Vaccin antigrippal	• Plus de 2000 femmes enceintes vaccinées, dont 650 au premier trimestre, sans effet embryotoxique ou fœtotoxique associé à la vaccination ; développement neurologique et cognitif normal des enfants suivis jusqu'à l'âge de 7 ans[11, 35]. • Pas d'association avec des complications maternelles ou fœtales dans une étude rétrospective comptant 252 femmes vaccinées après le premier trimestre[35].	Vaccin inactivé dont la composition varie chaque année selon les souches grippales anticipées. Certains cliniciens recommandent de retarder la vaccination après le premier trimestre pour éviter l'association coïncidente avec un avortement spontané, bien qu'aucune donnée ne confirme de lien entre la vaccination et les avortements spontanés[18]. La fièvre est un effet indésirable rare qui peut être contré par l'administration d'acétaminophène. Les vaccins contiennent des quantités minimes de thimérosal qui n'ont pas été liées à des effets néfastes neurodéveloppementaux[11].

Rhume et grippe durant l'allaitement

Le rhume ou la grippe ne sont pas des contre-indications à l'allaitement maternel[36]. Le risque de transmission de l'infection virale par l'allaitement est négligeable par rapport à la transmission par les autres voies (gouttelettes respiratoires, contact direct lors des soins à l'enfant). Les précautions d'usage, notamment le lavage fréquent des mains, devraient être respectées de façon à minimiser les risques de propagation du virus au nourrisson.

Les traitements recommandés durant l'allaitement sont présentés dans le tableau I.

Le tableau III présente les données d'innocuité des médicaments durant l'allaitement.

TABLEAU III – DONNÉES D'INNOCUITÉ DES MÉDICAMENTS UTILISÉS POUR LA PRÉVENTION OU LE TRAITEMENT DES SYMPTÔMES DU RHUME ET DE LA GRIPPE DURANT L'ALLAITEMENT

Médicaments	Données d'innocuité	Recommandations, commentaires
Antihistaminiques	Voir le Chapitre 22. *Rhinite allergique et allergies saisonnières.*	
Décongestionnants systémiques		
Éphédrine	• Biodisponibilité orale : 85 %[37]. • Demi-vie d'élimination : 3-5 h[37]. • Transfert inconnu dans le lait maternel.	Préférer la pseudoéphédrine, mieux connue. L'utilisation occasionnelle pose probablement peu de risques, étant donné l'élimination rapide[37].
Étafédrine	• Transfert inconnu dans le lait maternel.	Préférer la pseudoéphédrine, mieux connue.
Phényléphrine	• Biodisponibilité orale : 38 %[37]. • Demi-vie d'élimination : 2-3 h[37]. • Transfert inconnu dans le lait maternel.	Préférer la pseudoéphédrine, mieux connue. L'utilisation occasionnelle pose probablement peu de risques, étant donné l'élimination rapide et l'absorption gastro-intestinale limitée[37].
Pseudoéphédrine	• Faible transfert dans le lait maternel : au cours d'une journée, l'enfant allaité reçoit moins de 5 % de la dose maternelle ajustée au poids[37, 38]. • Cas d'irritabilité parfois rapportés chez des nourrissons dont la mère recevait la pseudoéphédrine en combinaison avec un antihistaminique[37]. • Réduction de 24 % de la production lactée après une dose unique de 60 mg de pseudoéphédrine dans une étude effectuée chez 8 mères ; l'effet était plus marqué chez les mères allaitant un nourrisson plus âgé[38].	L'utilisation occasionnelle de la pseudoéphédrine pendant quelques jours par une femme qui allaite pose peu de risques pour le nourrisson. La pseudoéphédrine devrait être cessée si la femme observe un effet sur sa production de lait ou de l'irritabilité chez le nourrisson.

Médicaments	Données d'innocuité	Recommandations, commentaires
Décongestionnants topiques		
Naphazoline, phényléphrine, oxymétazoline, xylométazoline	• Transfert inconnu dans le lait maternel.	Étant donné les concentrations sanguines très faibles, l'utilisation de ces agents ne pose probablement pas de risques pour le nourrisson.
Antitussifs		
Clofédanol (ou chlophédianol)	• Transfert inconnu dans le lait maternel.	La structure apparentée à la diphenhydramine suggère un faible risque avec une exposition occasionnelle, mais d'autres agents antitussifs mieux attestés doivent être privilégiés.
Codéine	Voir le chapitre 33. *Migraines et douleurs*.	Une utilisation à doses antitussives pour quelques jours ne pose pas de risques connus pour le nourrisson[37]. La codéine devrait être réservée en deuxième recours comme antitussif, étant donné ses effets indésirables plus fréquents que le dextrométhorphane, pour une efficacité similaire.
Dextrométhorphane	• Biodisponibilité orale : 100 %[37]. • Demi-vie d'élimination : moins de 4 h[37]. • Transfert inconnu dans le lait maternel.	Étant donné sa structure similaire à celle de la codéine, ses propriétés pharmacocinétiques et le fait qu'il présente peu d'effets indésirables aux doses usuelles, son utilisation à court terme chez la femme qui allaite est jugée sûre pour le nourrisson[37].
Hydrocodone	Voir chapitre 33. *Migraines et douleurs*.	Certains cliniciens sont d'avis qu'une utilisation à doses antitussives pendant quelques jours pose peu de risques pour le nourrisson[37] ; préférer le dextrométhorphane en premier recours étant donné sa meilleure tolérance.
Antiviraux antigrippaux		
Amantadine	• Poids moléculaire : 151 Da[37]. • Biodisponibilité orale : 90 %[37]. • Liaison aux protéines plasmatiques : 67 %[37]. • Demi-vie d'élimination : 11-28 h[37]. • Transfert inconnu dans le lait maternel.	Quantités transférées à l'enfant probablement minimes, étant donné les faibles concentrations plasmatiques observées ; cependant, l'effet inhibiteur de l'amantadine sur la prolactine, et donc sur la production de lait, suggère la prudence chez une femme qui allaite[37].

Médicaments	Données de tératogénicité	Recommandations, commentaires
Oseltamivir	• Poids moléculaire : 312 Da[37]. • Biodisponibilité orale : 75 %[37]. • Liaison aux protéines plasmatiques : 42 %[37]. • Demi-vie d'élimination : 6-10 h[37]. • Transfert inconnu dans le lait maternel.	Étant donné le potentiel d'accumulation dans le système nerveux observé dans les études animales, l'utilisation de cet agent devrait être évitée chez une femme qui allaite un nourrisson de moins de un an[16].
Zanamivir	• Poids moléculaire : 332 Da[37]. • Liaison aux protéines plasmatiques : moins de 10 %[37]. • Biodisponibilité orale : 4-17 %[37]. • Transfert inconnu dans le lait maternel.	La faible biodisponibilité orale laisse présager de faibles concentrations sériques, et donc des quantités négligeables dans le lait maternel[37]. L'efficacité marginale et le risque de bronchospasme doivent toutefois être considérés avant de l'administrer à une femme qui allaite.
Expectorants		
Guaifénésine	• Biodisponibilité orale : 100 %[37]. • Demi-vie d'élimination : moins de 7 h[37]. • Transfert inconnu dans le lait maternel.	L'élimination rapide suggère que son utilisation sur une courte période pose peu de risque ; cependant, l'efficacité douteuse empêche de recommander son emploi en allaitement.
Chlorure d'ammonium	• Transfert inconnu dans le lait maternel.	Éviter.
Produits de santé naturels		
Échinacée (*E. purpura, E. pallida* ou *E. angustifolia*)	• Transfert inconnu dans le lait maternel.	Étant donné l'absence de toxicité majeure de ces produits, les experts dans le domaine sont d'avis qu'ils représentent un faible risque pour l'enfant allaité[37]. Cependant, leur efficacité controversée et l'absence de réglementation sur les produits de santé naturels empêchent de les recommander chez les femmes qui allaitent.
Vaccin antigrippal		
Vaccin antigrippal	• Transfert inconnu dans le lait maternel.	Les vaccins inactivés administrés durant l'allaitement ne sont pas associés à des risques connus pour le nourrisson. La vaccination antigrippale est recommandée chez les femmes qui allaitent, puisqu'elles sont des contacts potentiels pour l'enfant[11]. La vaccination est indiquée à partir de 6 mois chez l'enfant (inefficace avant).

Références

1. POWRIE RO. Drugs in pregnancy. Respiratory disease. *Best Pract Res Clin Obstet Gynaecol* 2001;15(6):913-936.
2. ARROLL B. Common cold. *Clin Evid* 2005(13):1853-1861.
3. ELY JW. Treatment of upper respiratory complaints in pregnancy. In: Yankowitz J, Niebyl JR, editors. *Drug Therapy in Pregnancy*. 3rd ed. Philadelphie, PA: Lippincott Williams & Wilkins; 2001. p. 33-46.
4. ZHANG J, CAI WW. Association of the common cold in the first trimester of pregnancy with birth defects. *Pediatrics* 1993;92(4):559-563.
5. MÉTNEKI J, PUHO E, CZEIZEL AE. Maternal diseases and isolated orofacial clefts in Hungary. *Birth Defects Res A Clin Mol Teratol* 2005;73(9):617-623.
6. HANSEN L. Influenza. *Clin Evid* 2004(12):1095-1102.
7. IRVING WL, JAMES DK, STEPHENSON T, LAING P, JAMESON C, OXFORD JS, et al. Influenza virus infection in the second and third trimesters of pregnancy: a clinical and seroepidemiological study. *BJOG* 2000;107(10):1282-1289.
8. ENGLUND JA. Maternal immunization with inactivated influenza vaccine: rationale and experience. *Vaccine* 2003;21(24):3460-3464.
9. ACS N, BANHIDY F, PUHO E, CZEIZEL AE. Maternal influenza during pregnancy and risk of congenital abnormalities in offspring. *Birth Defects Res A Clin Mol Teratol* 2005;73(12):989-996.
10. LAIBL VR, SHEFFIELD JS. Influenza and pneumonia in pregnancy. *Clin Perinatol* 2005;32(3):727-738.
11. CCNI. Statement on influenza vaccination for the 2006-2007 season. An advisory committee statement. *Can Commun Dis Rep* 2006;32(DCC-7):1-28.
12. NEUZIL KM, REED GW, MITCHEL EF, SIMONSEN L, GRIFFIN MR. Impact of influenza on acute cardiopulmonary hospitalizations in pregnant women. *Am J Epidemiol* 1998;148(11):1094-1102.
13. MORETTI ME, BAR-OZ B, FRIED S, KOREN G. Maternal hyperthermia and the risk for neural tube defects in offspring: systematic review and meta-analysis. *Epidemiology* 2005;16(2):216-219.
14. EBERT T, KOTLER M. Prenatal exposure to influenza and the risk of subsequent development of schizophrenia. *Isr Med Assoc J* 2005;7(1):35-38.
15. Les antiviraux dans la grippe. *Rev Prescrire* 2005;25(265):678-690.
16. MOSCONA A. Neuraminidase inhibitors for influenza. *N Engl J Med* 2005;353(13):1363-1373.
17. ACIP. Prevention and Control of Influenza. *MMWR Morb Mortal Wkly Rep* 2005;54:1-40.
18. BRIGGS GG, FREEMAN RK, YAFFE SJ. *Drugs in Pregnancy and Lactation*. 7th ed. Philadelphie, PA: Lippincott Williams & Wilkins; 2005.
19. WERLER MM, MITCHELL AA, SHAPIRO S. First trimester maternal medication use in relation to gastroschisis. *Teratology* 1992;45(4):361-367.
20. ASELTON P, JICK H, MILUNSKY A, HUNTER JR, STERGACHIS A. First-trimester drug use and congenital disorders. *Obstet Gynecol* 1985;65(4):451-455.
21. WERLER MM, SHEEHAN JE, MITCHELL AA. Maternal medication use and risks of gastroschisis and small intestinal atresia. *Am J Epidemiol* 2002;155(1):26-31.
22. TORFS CP, KATZ EA, BATESON TF, LAM PK, CURRY CJ. Maternal medications and environmental exposures as risk factors for gastroschisis. *Teratology* 1996;54(2):84-92.
23. SMITH CV, RAYBURN WF, ANDERSON JC, DUCKWORTH AF, APPEL LL. Effect of a single dose of oral pseudoephedrine on uterine and fetal Doppler blood flow. *Obstet Gynecol* 1990;76(5 Pt 1):803-806.
24. GILBERT C, MAZZOTTA P, LOEBSTEIN R, KOREN G. Fetal safety of drugs used in the treatment of allergic rhinitis: a critical review. *Drug Saf* 2005;28(8):707-719.
25. DAGEVILLE C, JOLY E, SPREUX A, BERARD E. Neonatal toxicity of naphazoline administrated during pregnancy. *Therapy*; 50(5):472-473.
26. JICK H, HOLMES LB, HUNTER JR, MADSEN S, STERGACHIS A. First-trimester drug use and congenital disorders. *JAMA* 1981;246(4):343-346.
27. RAYBURN WF, ANDERSON JC, SMITH CV, APPEL LL, DAVIS SA. Uterine and fetal Doppler flow changes from a single dose of a long-acting intranasal decongestant. *Obstet Gynecol* 1990;76(2):180-182.

28. EINARSON A, LYSZKIEWICZ D, KOREN G. The safety of dextromethorphan in pregnancy: results of a controlled study. *Chest* 2001;119(2):466-469.

29. MARTINEZ-FRIAS ML, RODRIGUEZ-PINILLA E. Epidemiologic analysis of prenatal exposure to cough medicines containing dextromethorphan: no evidence of human teratogenicity. *Teratology* 2001;63(1):38-41.

30. ROY H. Upper respiratory tract infection. In: Association CP, ed. *Patient Self-Care. Helping patients to make therapeutic choices.* 1st ed. Ottawa: Canadian Pharmacists Association; 2002. p. 130-142.

31. ROSA F. Amantadine pregnancy experience. *Reprod Toxicol;* 8(6):531.

32. LEVY M, PASTUSZAK A, KOREN G. Fetal outcome following intrauterine amantadine exposure. *Reprod Toxicol* 1991;5(1):79-81.

33. WARD P, SMALL I, SMITH J, SUTER P, DUTKOWSKI R. Oseltamivir (Tamiflu) and its potential for use in the event of an influenza pandemic. *J Antimicrob Chemother* 2005;55(Suppl 1):i5-i21.

34. GALLO M, SARKAR M, ALI W, PIETRZAK K, COMAS B, SMITH M, et al. Pregnancy outcome following gestational exposure to echinacea: a prospective controlled study. *Arch Intern Med* 2000;160(20): 3141-3143.

35. MUNOZ FM, GREISINGER AJ, WEHMANEN OA, MOUZOON ME, HOYLE JC, SMITH FA, et al. Safety of influenza vaccination during pregnancy. *Am J Obstet Gynecol* 2005;192(4):1098-1106.

36. LAWRENCE RA, LAWRENCE RM. *Breastfeeding: a guide for the medical profession.* 5th ed. St-Louis, MI: Mosby Inc.; 1999.

37. HALE TW. *Medications and mothers' milk.* 12th ed. Amarillo, TX: Pharmasoft publishing L.P; 2006.

38. ALJAZAF K, HALE TW, ILETT KF, HARTMANN PE, MITOULAS LR, KRISTENSEN JH, et al. Pseudoephedrine: effects on milk production in women and estimation of infant exposure via breastmilk. *Br J Clin Pharmacol* 2003;56(1):18-24.

39. ANDERSON P, SAUBERAN J. Hydrocodone. *LactMed* 2006-06-08 [vérifié 2006-10-03]; Disponible dans: http://toxnet.nlm.nih.gov/cgi-bin/sis/htmlgen?LACT

Chapitre 16

Infections urinaires

■

Ema FERREIRA

Généralités

Définition

Les infections urinaires sont l'une des affections les plus fréquentes durant la grossesse[1].

Les infections urinaires durant la grossesse se présentent sous trois différentes formes : la bactériurie asymptomatique, la cystite et la pyélonéphrite aiguë (PNA) (tableau I)[2].

TABLEAU I – DÉFINITION DES INFECTIONS URINAIRES[3, 4]	
Infection urinaire	**Définition**
Bactériurie asymptomatique	• Présence de bactéries dans le tractus urinaire (> 100 000 colonies/mL).
Infection urinaire basse (cystite aiguë)	• Infection qui atteint la vessie et l'urètre. • Dysurie, urgence urinaire et pollakiurie. • Absence de symptômes systémiques ou de fièvre.
Infection urinaire haute (pyélonéphrite aiguë)	• Infection qui atteint le parenchyme rénal et le système collecteur. • Infection systémique grave. • Présence de fièvre, frissons, nausées, vomissements et douleur lombaire. • Symptômes localisés (dysurie, urgences fréquentes) peuvent être absents.

Épidémiologie

L'incidence de la bactériurie asymptomatique est similaire chez la femme enceinte et la femme non enceinte, c'est-à-dire qu'elle varie de 2 à 14 %[2]. Sans traitement, une bactériurie asymptomatique progresse vers une PNA dans 20 à 40 % des cas. Chez les femmes non enceintes, cette progression se fait dans 1 à 2 % des cas[2]. La cystite complique 1 à 4 % des grossesses et la PNA affecte 1 à 2 % des femmes enceintes[2].

Étiologies

Les bactéries qui causent les infections urinaires sont les mêmes chez les femmes enceintes que chez les femmes non enceintes. *Escherichia coli* cause jusqu'à 90 % des infections urinaires ; d'autres bâtonnets Gram négatif sont également retrouvés, tels le *Proteus mirabilis* et le *Klebsiella pneumoniæ*. Des bactéries Gram positif comme les streptocoques du groupe B et les *Staphylococcus saprophyticus* sont plus rarement la cause d'infection urinaire chez la femme enceinte[3]. Les streptocoques du groupe B sont responsables d'environ 5 % des infections urinaires chez les femmes enceintes. Ces infections peuvent être associées à une rupture prématurée et préterme des membranes et à des accouchements prématurés. Il est important de traiter les bactériuries à streptocoques du groupe B et d'administrer une prophylaxie durant l'accouchement[5].

Facteurs de risque

Plusieurs facteurs prédisposent la femme enceinte à une bactériurie asymptomatique, comme le statut socio-économique faible, l'âge maternel avancé, la multiparité et le comportement sexuel. Certaines pathologies peuvent également favoriser la présence de bactériurie asymptomatique ; les femmes souffrant de diabète mellitus, d'anémie falciforme, celles qui sont immunodéficientes (porteuses du VIH, par exemple), celles qui ont des anomalies du tractus génito-urinaire et celles qui ont une atteinte de la moelle épinière sont plus à risque[2]. Un antécédent d'infection urinaire durant l'enfance augmente le risque de bactériurie asymptomatique durant la grossesse[1, 2]. De plus, les femmes qui ont des infections urinaires avant la grossesse sont plus à risque d'avoir un dépistage positif pour la bactériurie asymptomatique à leur première visite prénatale[2].

Effets de la grossesse sur les infections urinaires

Les femmes enceintes ont un risque élevé de développer une infection urinaire. Plusieurs facteurs influencent la colonisation bactérienne de l'urine chez cette population. En fait, dès la sixième semaine de grossesse, 90 % des femmes enceintes présentent une dilatation urétérale qui persiste jusqu'à l'accouchement. De plus, le volume de la vessie augmente et le tonus de l'uretère diminue, menant à une stase urinaire et à un reflux urétéro-vésical. La glycosurie, l'aminoacidurie et la présence d'œstrogènes favorisent également la croissance bactérienne dans l'urine[3].

Effets des infections urinaires sur la grossesse

Les infections urinaires non traitées sont associées à des complications maternelles et fœtales comme la PNA, le travail préterme, la prématurité et le faible poids à la naissance[1].

La pyélonéphrite aiguë est la complication la plus grave de la bactériurie asymptomatique; 20 à 40% des femmes enceintes qui ont une bactériurie asymptomatique développeront une PNA si elles ne sont pas traitées ou si le traitement est inadéquat[6]. La PNA chez la femme enceinte a également été associée à la prééclampsie, à l'hypertension gestationnelle, à l'anémie, à la thrombocytopénie et à une insuffisance rénale transitoire[1]. La pyélonéphrite au cours de la grossesse peut s'aggraver et conduire à un sepsis, une dissémination intra-vasculaire disséminée et à une détresse respiratoire chez la mère[1].

Outils d'évaluation

Un examen physique et une anamnèse complète sont importants pour établir le diagnostic et différencier une infection urinaire d'une infection transmise sexuellement. Il faut également savoir quand sont apparus les premiers symptômes, en obtenir une description et connaître leur durée. Des antécédents d'infection urinaire, de diabète mellitus ou la présence d'anomalies structurelles peuvent orienter vers un diagnostic d'infection urinaire. De plus, la présence de douleurs lombaires, de fièvre, de frissons et de malaise généralisé peuvent aider à faire la distinction entre une infection urinaire basse et une infection haute telle une PNA[4].

La culture urinaire est le deuxième outil indispensable pour le diagnostic. Chez les patientes asymptomatiques, le diagnostic d'une bactériurie se fait à l'aide d'une culture urinaire à mi-jet (présence de 100 000 colonies/mL ou plus d'un pathogène unique). Chez les patientes symptomatiques, des taux de 100 à 1000 colonies/mL sont significatifs étant donné que ces taux peuvent mener à une PNA chez la femme enceinte[1, 2].

Le moment idéal pour dépister une bactériurie se situe entre la 9e et la 17e semaine de grossesse. En général, il est recommandé de faire un dépistage de routine à toutes les femmes enceintes avant la 16e semaine de grossesse[4]. Puisque l'urine peut ne pas rester stérile pendant toute la grossesse, il est recommandé de répéter la culture durant le troisième trimestre[3]. Pour faire le dépistage, une culture urinaire est la méthode la plus sensible mais même si elle demeure la méthode de premier recours pour la détection d'une bactériurie, elle est dispendieuse et on peut attendre jusqu'à 48 heures avant d'obtenir les résultats[3]. Ainsi, l'utilisation d'autres méthodes plus efficaces et moins onéreuses ou plus rapides, telles que les analyses biochimiques qui incluent la détection de protéines, de l'hémoglobine, de leucocyte estérase et de nitrate réductase, peuvent être utilisées pour avoir un résultat plus rapide[7].

Il est recommandé d'effectuer des tests diagnostiques additionnels qui peuvent être pertinents (formule sanguine complète, créatinine et urée sérique et hémocultures). Certains auteurs recommandent de faire des cultures appropriées pour la gonorrhée et la chlamydiose pour permettre d'éliminer ces diagnostics[4].

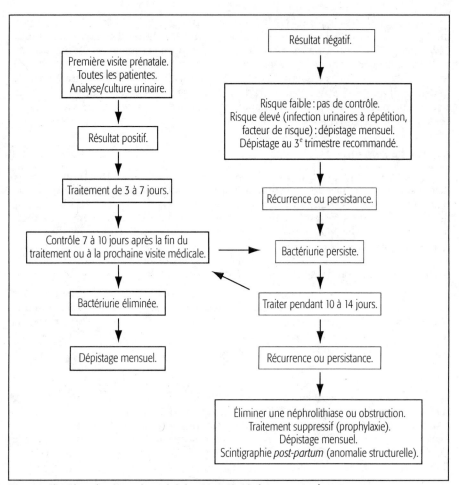

Figure 1 : Algorithme de prise en charge de la bactériurie chez la femme enceinte[5].

En pratique, le contrôle après traitement est souvent réalisé lors du rendez-vous suivant, soit deux ou trois semaines plus tard. Quant au dépistage au troisième trimestre, il est fait pour des patientes à risque ou si les cultures sont contaminées.

Traitements recommandés des infections urinaires durant la grossesse

Toute infection urinaire chez une femme enceinte nécessite un traitement[1, 3]. Plusieurs antibiotiques peuvent être utilisés (tableau II).

Un traitement efficace de la bactériurie asymptomatique durant la grossesse réduit le risque d'infection symptomatique (cystite ou PNA) de 80 à 90%[5]. De plus, cela permet de réduire le taux d'accouchements prématurés[5].

Lors d'une bactériurie asymptomatique, on attend les résultats de la culture bactérienne pour débuter le traitement tandis que dans les cas de cystite aiguë et de PNA, on peut débuter le traitement avant l'obtention des résultats[5]. La prise en charge globale de la bactériurie asymptomatique est décrite à la figure 1.

Les antibiotiques choisis visent à éradiquer les bactéries les plus souvent retrouvées (coliformes Gram négatif). Le tableau II présente les traitements recommandés. Pour l'information sur l'innocuité des ces traitements durant la grossesse, se référer au chapitre 20. *Anti-infectieux*. La durée de traitement pour un premier épisode de bactériurie est de trois à sept jours tandis qu'elle est plus longue pour le traitement d'une récidive de bactériurie ou d'une cystite aiguë (figure 1 et tableau II). Quelques recherches ont étudié l'utilisation de l'amoxicilline, de la céphalexine en dose unique. Ces traitements ont eu un taux de succès plus faible, soit de 50 à 78 %, pour éradiquer la bactériurie[3]. De plus, jusqu'à 23 % des femmes enceintes auront une récidive de PNA durant une même grossesse, augmentant ainsi les risques d'une atteinte rénale permanente. Un suivi adéquat avec des cultures urinaires et un traitement suppressif après le traitement primaire est important[1].

Le traitement de la PNA doit être empirique et agressif. L'hospitalisation est souvent recommandée, surtout chez les patientes qui ont des symptômes de sepsis, celles qui vomissent, qui ne peuvent s'hydrater par la bouche ou qui ont des contractions[3]. On a comparé un traitement oral de céphalexine avec un traitement par céphalotine intraveineuse : leur efficacité, le poids des bébés à la naissance et les taux d'accouchements prématurés étaient similaires[8]. Un autre essai a également indiqué qu'un traitement ambulatoire avec la ceftriaxone intramusculaire suivi de la céphalexine orale résultait en une réponse au traitement, un nombre d'infections récurrentes et un taux d'accouchements prématurés comparables à un traitement intraveineux[9].

TABLEAU II – TRAITEMENTS RECOMMANDÉS POUR LES INFECTIONS URINAIRES DURANT LA GROSSESSE[1, 6]				
Ligne thérapeutique	Médicament	Dose	Durée de traitement	Suivi recommandé, commentaires
Bactériurie asymptomatique[1]				
Traitement de premier recours	Amoxicilline	500 mg par voie orale 3 fois par jour.	3 à 7 jours	Dose unique moins efficace chez la femme enceinte. Culture bactérienne et examen physique 7 à 10 jours après la fin du traitement, ou à la prochaine visite médicale puis mensuellement jusqu'à l'accouchement.
	Céphalexine	250 à 500 mg par voie orale 4 fois par jour.		
	Nitrofurantoïne	100 mg par voie orale 4 fois par jour.		
	Nitrofurantoïne macrocristaux et monohydrate	100 mg 2 fois par jour.		

Ligne thérapeutique	Médicament	Dose	Durée de traitement	Suivi recommandé, commentaires
Bactériurie à streptocoques du groupe B	Pénicilline V	300 mg par voie orale 4 fois par jour.	7 jours	Antibioprophylaxie lors de l'accouchement : pénicilline G par voie intraveineuse 5 millions UI puis 2,5 millions UI toutes les 4 heures jusqu'à l'accouchement.
	Clindamycine	300 mg par voie orale 4 fois par jour.		
Traitement de deuxième recours	Triméthoprime/ Sulfaméthoxazole	160/800 mg 1 comprimé par voie orale 2 fois par jour.	3 jours	Traitement recommandé pendant le 2e trimestre (13 à 24 semaines de grossesse). Peut également être utilisé au 3e trimestre si l'accouchement n'est pas imminent.
	Triméthoprime	200 mg par voie orale 2 fois par jour.		
Autre traitement	Fosfomycine	3 g par voie orale.	1 dose	Traitement recommandé à partir du 2e trimestre.
Cystite aigüe[1]				
	Mêmes antibiotiques que pour la bactériurie asymptomatique	Mêmes doses que pour la bactériurie asymptomatique.	7 à 10 jours	La nitrofurantoïne devrait être utilisée uniquement pour la cystite non compliquée.
Pyélonéphrite aigüe[1, 6]				
Traitement intraveineux	Ampicilline (+/- gentamicine)	1 à 2 g par voie intraveineuse toutes les 6 heures.	Jusqu'à 48 heures afébrile puis traitement de relais oral.	Chez les patientes enceintes qui ont eu un épisode de PNA durant la grossesse en cours, il est recommandé d'instaurer une prophylaxie jusqu'à l'accouchement pour prévenir des récurrences.
	Céfazoline (+/- gentamicine)	1 à 2 g par voie intraveineuse toutes les 8 heures.		
	Céfuroxime	0,75 à 1,5 g par voie intraveineuse toutes les 8 heures.		
	Ceftriaxone	1 à 2 g par voie intraveineuse ou intramusculaire toutes les 24 heures.		
	Gentamicine (+/- ampicilline ou céfazoline)	1,5 mg/kg/dose par voie intraveineuse toutes les 8 heures.		

Ligne thérapeutique	Médicament	Dose	Durée de traitement	Suivi recommandé, commentaires
Traitement oral de relais	Céphalexine	500 mg par voie orale 4 fois par jour.	10 à 14 jours au total.	Culture urinaire 1 semaine après la fin du traitement et mensuellement par la suite.
	Cefprozil	500 mg par voie orale 2 fois par jour.		
	Amoxicilline/ acide clavulanique	875 mg par voie orale toutes les 12 heures.		
	Triméthoprime/ sulfaméthoxazole	160/800 mg 1 comprimé par voie orale deux fois par jour.		Traitement recommandé pendant le 2e trimestre (13 à 24 semaines de grossesse). Peut également être utilisé au 3e trimestre si l'accouchement n'est pas imminent. Culture urinaire 1 semaine après la fin du traitement et mensuellement par la suite.
Traitement suppressif[1]				
Prophylaxie (traitement suppressif)	Nitrofurantoïne	100 mg par voie orale au coucher.	Pendant toute la grossesse et 4 à 6 semaines *post-partum*.	Évaluation radiologique recommandée en *post-partum* chez les patientes avec plusieurs récurrences ou en cas de rechute pendant le traitement suppressif.
Prophylaxie post-coïtale	Céphalexine	250 mg par voie orale.	Après chaque relation sexuelle.	
	Nitrofurantoïne	50 mg par voie orale.		

Les analgésiques urinaires

La phénazopyridine est utilisée comme analgésique pour réduire les symptômes urinaires. Son efficacité n'est pas tout à fait bien démontrée et elle n'est pas dénuée d'effets secondaires (ex. : méthémoglobinémie, anémie hémolytique, insuffisance rénale). Il est donc préférable de recommander des analgésiques systémiques (par ex. : acétaminophène) pour soulager les symptômes des patientes[7]. L'utilisation de la phénazopyridine durant la grossesse ne semble pas associée à des malformations congénitales[10].

Le jus de canneberges

Le jus de canneberges est souvent utilisé pour prévenir et traiter les infections urinaires. On croit que le fructose et les proanthocyanidines retrouvés dans le jus de canneberges interfèrent avec l'adhésion des bactéries à l'épithélium urinaire[7]. Malheureusement, il ne semble pas y avoir assez de données pour recommander l'utilisation du jus de canneberges dans le traitement des infections urinaires[7]. Une revue Cochrane incluant deux essais randomisés contrôlés indique que le jus ou les capsules de canneberges peuvent diminuer le nombre d'infections urinaires chez les femmes sur une période de 12 mois[11]. L'efficacité chez les femmes enceintes n'a pas été étudiée.

Traitements recommandés des infections urinaires durant l'allaitement

Durant l'allaitement, les femmes enceintes doivent être traitées seulement si elles sont symptomatiques. Le traitement de la bactériurie asymptomatique n'est pas nécessaire chez toutes les patientes ; il est indiqué seulement chez les patientes à risque de complications[7].

Le tableau III présente les traitements recommandés pour la cystite aiguë et la PNA durant l'allaitement. Les données d'innocuité des antibiotiques durant l'allaitement se retrouvent dans le chapitre 20. *Anti-infectieux.*

TABLEAU III – TRAITEMENTS RECOMMANDÉS POUR LES INFECTIONS URINAIRES DURANT L'ALLAITEMENT[1, 6]				
Ligne thérapeutique	Médicament	Dose	Durée de traitement	Suivi recommandé, commentaires
Cystite aiguë[7]				
Traitement de premier recours	Triméthoprime/ Sulfaméthoxazole	160/800 mg 1 comprimé par voie orale 2 fois par jour.	3 jours (non compliquée) ; 7 jours (compliquée).	Faire une culture urinaire de suivi si les symptômes persistent.
Autres traitements	Ciprofloxacine	250 mg par voie orale 2 fois par jour.		
	Lévofloxacine	50 à 500 mg par voie orale 1 fois par jour.		
	Norfloxacine	400 mg par voie orale 2 fois par jour.		
	Ofloxacine	200 mg par voie orale 2 fois par jour.		
	Triméthoprime	200 mg par voie orale 2 fois par jour.		
	Nitrofurantoïne	50 mg par voie orale 4 fois par jour.	7 jours	La nitrofurantoïne devrait être utilisée seulement dans la cystite non compliquée. Refaire une culture urinaire de suivi si les symptômes persistent.

Ligne thérapeutique	Médicament	Dose	Durée de traitement	Suivi recommandé, commentaires
	Nitrofurantoïne (macrocristaux et monohydrate)	100 mg par voie orale 2 fois par jour.		
Pyélonéphrite aiguë[7, 12]				
PNA légère à modérée (et traitement de relais pour le traitement intraveineux)	Ciprofloxacine	500 mg par voie orale 2 fois par jour.	10 à 14 jours	Faire une culture urinaire 7 à 10 jours après la fin du traitement.
	Lévofloxacine	250 à 500 mg par voie orale 1 fois par jour.		
	Ofloxacine	400 mg par voie orale 2 fois par jour.		
	Triméthoprime/ Sulfaméthoxazole	160/800 mg par voie orale 2 fois par jour.		
PNA nécessitant un traitement intraveineux	Ampicilline (+/- gentamicine)	1 à 2 g par voie intraveineuse toutes les 6 heures.	Jusqu'à 48 heures afébrile puis traitement de relais oral.	
	Gentamicine (+/- ampicilline, fluoroquinolone ou pipéracilline)	1,5 mg/kg/dose par voie intraveineuse toutes les 8 heures.		
	Gentamicine (+/- ampicilline, fluoroquinolone ou pipéracilline)	1,5 mg/kg/dose par voie intraveineuse toutes les 8 heures.		
	Ciprofloxacine (+/- gentamicine par voie intraveineuse)	400 mg par voie intraveineuse toutes les 12 heures.		
	Lévofloxacine (+/- gentamicine par voie intraveineuse)	250 à 500 mg par voie intraveineuse toutes les 24 heures.		
	Pipéracilline (+/- aminoside par voie intraveineuse)	2 g par voie intraveineuse toutes les 6 heures.		
Traitement oral de relais	Céphalexine	500 mg par voie orale 4 fois par jour.	10 à 14 jours au total	

Ligne thérapeutique	Médicament	Dose	Durée de traitement	Suivi recommandé, commentaires
	Cefprozil	500 mg par voie orale 2 fois par jour.		
	Amoxicilline/ acide clavulanique	875 mg par voie orale 2 fois par jour.		
	Triméthoprime/ sulfaméthoxazole	160/800 mg 1 comprimé par voie orale 2 fois par jour.		
Traitement suppressif				
Prophylaxie (traitement suppressif)	Triméthoprime/ sulfaméthoxazole	40/200 mg par voie orale au coucher ou 3 fois par semaine.	Jusqu'à 4 à 6 semaines *post-partum* pour les cas de PNA durant la grossesse. En continu pour la cystite non compliquée récurrente.	Évaluation radiologique recommandée en *post-partum* chez les patientes avec plusieurs récurrences ou en cas de rechute pendant le traitement suppressif.
	Nitrofurantoïne	50 à 100 mg par voie orale au coucher.		
	Norfloxacine	200 mg par voie orale au coucher.		
	Triméthoprime	100 mg par voie orale au coucher.		
Prophylaxie post-coïtale	Triméthoprime/ Sulfaméthoxazole	40/200 mg par voie orale.	Après chaque relation sexuelle.	
	Ciprofloxacine	250 mg par voie orale.		
	Nitrofurantoïne	50 à 100 mg par voie orale.		
	Norfloxacine	200 mg par voie orale.		
	Ofloxacine	100 mg par voie orale.		
	Céphalexine	250 mg par voie orale.		

Références

1. Lε J, Briggs GG, McKeown A, Bustillo G. Urinary tract infections during pregnancy. *Ann Pharmacother* 2004;38(10):1692-701.
2. Mittal P, Wing DA. Urinary tract infections in pregnancy. *Clin Perinatol* 2005;32(3):749-64.
3. Delzell JE, Jr., Lefevre ML. Urinary tract infections during pregnancy. *Am Fam Physician* 2000;61(3):713-21.
4. Morgan KL. Management of UTIs during pregnancy. *MCN Am J Matern Child Nurs* 2004;29(4):254-8.
5. Patterson TF, Andriole VT. Detection, significance, and therapy of bacteriuria in pregnancy. Update in the managed health care era. *Infect Dis Clin North Am* 1997;11(3):593-608.
6. Wing DA. Pyelonephritis in pregnancy: treatment options for optimal outcomes. *Drugs* 2001;61(14):2087-96.
7. Thirion DJG, Williamson D. Les infections urinaires: une approche clinique. *Pharmactuel* 2003;36(5):246-55.
8. Angel JL, O'Brien WF, Finan MA, Morales WJ, Lake M, Knuppel RA. Acute pyelonephritis in pregnancy: a prospective study of oral versus intravenous antibiotic therapy. *Obstet Gynecol* 1990;76(1):28-32.
9. Millar LK, Wing DA, Paul RH, Grimes DA. Outpatient treatment of pyelonephritis in pregnancy: a randomized controlled trial. *Obstet Gynecol* 1995;86(4 Pt 1):560-4.
10. Briggs G, Freeman R, SJ. Y. *Drugs in Pregnancy and Lactation.* 7th ed. Philadelphia: Lippincott Williams & Wilkins; 2005. p. 715-19.
11. Jepson RG, Mihaljevic L, Craig J. Cranberries for preventing urinary tract infections. *Cochrane Database Syst Rev* 2004(2):CD001321.
12. Wagenlehner FM, Naber KG. Treatment of bacterial urinary tract infections: presence and future. *Eur Urol* 2006;49(2):235-44.

Chapitre 17

Infections vaginales

■

Ariane BLANC

La vaginose bactérienne

Généralités

Définition et étiologies

La vaginose bactérienne représente un débalancement de la flore vaginale qui se manifeste par une surcroissance des bactéries anaérobies et une diminution de la quantité de lactobacilles[1-5]. Les lactobacilles représentent habituellement 95 % de la flore vaginale et assurent un pH vaginal acide protecteur[2]. Le *Gardnerella vaginalis* est le micro-organisme présent dans 95 % des vaginoses bactériennes[3]. Toutefois, la présence de cet organisme n'est pas requise pour établir le diagnostic. On retrouve souvent d'autres espèces, telles que : *Bacteroides* sp., *Ureaplasma urealyticum*, *Mycoplasma hominis*, *Prevotella* sp. et *Mobiluncus* sp.[2, 3, 5]. L'étiologie de la vaginose bactérienne reste controversée. La surpopulation bactérienne anaérobique précède-t-elle l'appauvrissement en lactobacilles (influence environnementale) ou vice-versa[3] ? Ce n'est pas une infection sexuellement transmissible[4].

Épidemiologie

La prévalence de la vaginose bactérienne chez la femme enceinte est d'environ 10 à 30 %[1, 3, 4]. Une étude a démontré que la proportion de femmes enceintes affectées d'une vaginose bactérienne diminue avec l'âge gestationnel[2].

Facteurs de risque

Les facteurs de risques reliés à la vaginose bactérienne sont : l'origine ethnique (la prévalence est plus élevée chez les afro-américaines et les africaines), la présence de dispositif intra-utérin (stérilet), l'activité sexuelle, un nouveau partenaire ou des partenaires multiples, les douches vaginales fréquentes (plus d'une fois par semaine) et le tabagisme[2-5].

Effets de la grossesse sur la vaginose bactérienne de la mère

Même si la prévalence varie avec l'âge gestationnel, la grossesse ne semble pas modifier la symptomatologie.

Effets de la vaginose bactérienne sur la grossesse

La vaginose bactérienne a été associée à une augmentation du risque de rupture prématurée des membranes (RPM), de travail avant terme, de naissance prématurée, de chorioamniotite, d'endométrite *post-partum* et d'infection de plaie post-césarienne[1-5].

Une méta-analyse regroupant 18 études a indiqué que le risque de travail avant terme est deux fois plus élevé chez les femmes enceintes atteintes de vaginose bactérienne[6]. Le risque de RPM et de bébé de petit poids à la naissance chez les femmes infectées est accru d'environ 10 % et 40 %, respectivement[7]. Dans la plupart des études, le risque de travail prématuré n'a pas été diminué par le traitement de la vaginose bactérienne, sauf chez les patientes à risque élevé[8-11]. Les femmes à risque élevé sont celles ayant des antécédents de grossesse avec travail avant terme ou de RPM. C'est aussi à cette notion que nous ferons référence dans ce chapitre lorsque nous parlerons de niveau de risque. Cependant, une méta-analyse plus récente réunissant 14 études a conclu que le risque de travail prématuré chez les femmes n'a pas été diminué et ce, même chez les patientes à risque élevé[12].

Outils d'évaluation

Afin d'établir le diagnostic, la patiente doit présenter au moins trois des signes et symptômes et résultats d'analyses décrits ci-après[5].

Signes et symptômes

La vaginose bactérienne est asymptomatique dans 50 % des cas[4, 5]. Les signes et symptômes, lorsqu'ils sont présents, sont des pertes vaginales abondantes non inflammatoires, blanches ou grises, et malodorantes (odeur de poisson). Il peut également y avoir une sensation de brûlure ou de prurit local qui n'est pas due à une réaction inflammatoire causée par la flore bactérienne retrouvée dans ces cas, mais plutôt à la réaction locale au niveau vulvaire en présence d'une humidité persistante suite à la leucorrhée abondante qui y est associée[1, 3-5].

Analyses biologiques et coloration de Gram[1, 3-5]

Les auteurs de la méta-analyse publiée en 2005 concluent qu'il n'est pas justifié d'effectuer un dépistage systématique chez les patientes asymptomatiques de tout niveau de risque. Ils proposent ainsi de ne traiter que les patientes symptomatiques[12]. Pourtant les recommandations du *Centers for Disease Control and Prevention* (CDC) et de l'Agence de santé publique du Canada, maintiennent que le dépistage de la vaginose bactérienne devrait être offert aux femmes enceintes considérées à risque élevé[4, 5].

Critères d'Amsell pour le diagnostic de la vaginose bactérienne :

- Test de pH des sécrétions vaginales > 4,5. Un pH supérieur à 4,5 n'exclut pas la possibilité d'une mycose concomitante. La présence de sang invalide cette procédure.

- Examen microscopique d'une préparation à l'état frais avec présence de bactéries adhérant aux cellules épithéliales («*clue cells*» ou «cellules cibles ou cellules en tête de clou»).

- Présence d'une odeur de poisson avant et surtout après l'addition de KOH sur les sécrétions résiduelles sur le spéculum. («*Whiff test*»).

- La coloration de Gram est considérée comme la méthode de choix pour diagnostiquer la vaginose bactérienne. En présence d'une vaginose bactérienne, la coloration de Gram révèle une diminution du nombre de grands bâtonnets Gram positif (lactobacilles) mais une augmentation des cellules épithéliales vaginales revêtues de nombreux coccobacilles. Il y a également présence de bâtonnets Gram variables (*Gardnerella vaginalis, Prevotella* sp, *Prophyromonas* sp et *Peptostreptococci*) et des bâtonnets courbés Gram négatif (*Mobiluncus* sp).

- La culture pour identification de *Gardnerella vaginalis* et le test de Papanicolaou («*Pap test*») ne sont pas utilisés dans ce contexte car ils n'ont pas la sensibilité requise pour détecter cette infection.

Traitements recommandés pendant la grossesse (tableau I)

Selon les recommandations du *Centers for Disease Control and Prevention* (CDC) et de l'*Agence de santé publique du Canada*, le traitement pharmacologique de la vaginose bactérienne doit se faire chez les patientes enceintes symptomatiques ou à risque élevé[4, 5].

Le traitement non pharmacologique de la vaginose bactérienne pendant la grossesse consiste à prendre des mesures préventives telles que limiter l'exposition aux facteurs de risques associés à cette infection (douches vaginales, partenaires multiples) et encourager la cessation tabagique[4, 5, 13].

Le métronidazole et la clindamycine par voie orale sont les agents de premier recours pour le traitement de la vaginose bactérienne, selon les lignes directrices du CDC de 2006[3-5]. Le métronidazole et la clindamycine par voie intra-invaginale ne sont pas suggérés pour le traitement des patientes enceintes, puisqu'ils n'ont pas démontré qu'ils diminuaient le risque de travail avant terme, contrairement à la voie orale[2, 5, 9]. Selon une méta-analyse, la clindamycine intra-vaginale administrée de 3 à 7 jours chez des patientes enceintes entre la 10e et la 27e semaine de gestation, aurait même augmenté le risque d'effets néfastes sur le fœtus, dont la prématurité[2]. Une étude nous indique que la clindamycine intra-vaginale a une efficacité de seulement 60 %, 13 à 26 semaines après le traitement[9]. Deux études ont toutefois montré que les cas de travail préterme dans le groupe recevant la clindamycine intra-vaginale entre la 12e et 20e semaine de gestation pour 2 à 5 jours de traitements étaient inférieurs au groupe placebo[12, 14, 15].

Il n'y a pas de place pour le traitement unidose de la vaginose bactérienne en raison d'une efficacité réduite et d'un risque de récidive élevé. Il n'y a pas lieu non plus de traiter le partenaire[4]. Le tableau I présente les traitements et le suivi recommandés de la vaginose bactérienne. Pour les données sur l'innocuité des différents agents utilisés durant la grossesse, se référer au chapitre 20. *Anti-infectieux.*

Traitements recommandés au cours de l'allaitement

Le traitement des vaginoses bactériennes chez les patientes qui allaitent est le même que celui chez les patientes qui ne sont pas enceintes ; on privilégie cependant les traitements topiques afin de minimiser l'exposition du nourrisson[5]. Ainsi, le métronidazole et la clindamycine topiques sont les agents de premier recours, la voie orale étant une alternative[5]. Pour les données sur l'innocuité de ces agents durant l'allaitement, se référer au chapitre 20. *Anti-infectieux*.

La trichomonase

Généralités

Définition et étiologies

La trichomonase est une infection vaginale transmise sexuellement, causée par le protozoaire *Trichomonas vaginalis*[4, 5, 16]. Celui-ci s'attache aux membranes des muqueuses et ingère d'autres bactéries[16]. Il peut infecter le vagin, l'urètre et les glandes de Bartholin et de Skene[16].

Épidémiologie

Selon une étude américaine, la prévalence de la trichomonase serait estimée entre 10 à 35 %[4]. Elle représenterait le quart des cas de vaginites aux États-unis et 5 à 15 % des femmes enceintes[16, 17]. Bien que des données canadiennes fiables fassent défaut, la fréquence de cette infection semble beaucoup plus faible dans nos milieux que chez nos voisins du Sud. Par ailleurs, rien ne laisse supposer que la fréquence de cette infection soit moindre durant la grossesse.

Facteurs de risque

Les facteurs de risque reliés à la trichomonase sont les partenaires multiples, une vie sexuellement active, être afro-américaine, un statut social défavorisé, le tabagisme et la consommation de drogues illicites[4].

Effets de la grossesse sur la trichomonase de la mère

Aucun effet n'a été démontré jusqu'à présent.

Effets de la trichomonase sur la grossesse

La trichomonase a été associée à la rupture prématurée des membranes (RPM), à la naissance avant terme et à un faible poids à la naissance[1, 3-5]. Une méta-analyse étudiant l'effet du traitement de la trichomonase sur le risque de travail préterme n'indique aucun avantage à traiter les patientes asymptomatiques[12]. En effet, une étude et une analyse d'une étude de plus grande envergure ont montré une augmentation du risque lors du traitement de la trichomonase chez les patientes enceintes[18, 19]. Cette méta-analyse avance l'hypothèse d'une réponse inflammatoire suite au relargage de protozoaires détruits par le traitement, augmentant le risque de travail préterme[12]. Toutefois, selon les recommandations du CDC et de l'Agence de santé publique du Canada, l'évaluation et le traitement de la trichomonase, même asymptomatique, est obligatoire pour la patiente ainsi que pour son partenaire[4, 5].

Outils d'évaluation

Symptômes

La trichomonase ne cause pas de symptômes dans 10 à 50 % des cas[3, 4]. Lors d'un diagnostic clinique de trichomonase, avec ou sans une coloration de Gram, les signes et symptômes à observer sont : pertes vaginales beiges ou jaunes verdâtres, écumeuses et malodorantes, avec picotement et dysurie[4, 5]. Il y a également présence d'un érythème de la vulve et du col de l'utérus (piqueté vasculaire rouge)[1, 4].

Analyses biologiques

Le diagnostic de la trichomonase se fait généralement par microscopie d'une préparation à l'état frais. Toutefois la sensibilité de cette méthode est seulement de 60 à 70 %[3, 5]. Le test de Papanicolaou (« *Pap test* ») n'est pas utilisé dans ce contexte car il n'a pas la sensibilité requise pour détecter cette infection[3]. La méthode la plus précise est la culture des sécrétions vaginales pour *Trichomonas vaginalis*[3, 5].

1- Test de pH des sécrétions vaginales > 4,5. Un pH supérieur à 4,5 n'exclut pas la possibilité d'une mycose concomitante. La présence de sang invalide cette procédure[4, 5].

2- Examen microscopique d'une préparation à l'état frais avec visualisation de protozoaires mobiles flagellés (sensibilité de 38 à 82 %, l'expérience de l'observateur étant déterminante)[4, 5].

3- Une coloration de Gram avec une augmentation des leucocytes et neutrophiles et test au trichomonas positif[4, 5].

4- Culture des sécrétions vaginales si les autres examens paracliniques ne sont pas concluants[4, 5].

Traitements recommandés pendant la grossesse

Le traitement non pharmacologique de la trichomonase pendant la grossesse consiste à prendre des mesures préventives telles que limiter l'exposition aux facteurs de risques modifiables associés à cette infection[5].

L'évaluation et le traitement de la trichomonase sont obligatoires et ce, même chez les patientes asymptomatiques[4, 5]. De plus, il faut traiter le partenaire[4, 5]. C'est une maladie à déclaration obligatoire au Québec[4].

Le métronidazole est le seul traitement de la trichomonase efficace et recommandé chez les patientes enceintes[1, 4, 5]. Le traitement unidose peut être prescrit en grossesse et tendrait à améliorer l'observance du traitement. Le tableau I présente les traitements et le suivi recommandés de la trichomonase. Pour les données sur l'innocuité des différents agents utilisés durant la grossesse, se référer au chapitre 20. *Anti-infectieux*.

Traitements recommandés au cours de l'allaitement (tableau II)

Le traitement de la trichomonase chez les patientes qui allaitent est le même que chez la femme enceinte, soit le métronidazole[5]. Pour les données sur l'innocuité du métronidazole durant l'allaitement, se référer au chapitre 20. *Anti-infectieux*.

Les vulvovaginites à levures

Généralités

Définition et étiologies

Les vulvovaginites à levures (encore appelées mycoses vaginales) sont causées par *Candida albicans* dans 90 % des cas[4]. On retrouve également d'autres levures de la *Candida* sp. tels que *C. glabatra, C. krusei* ou *C. tropicalis*, ou bien le *Saccharomyces cerevisiæ* qui peuvent être responsables de vaginites récidivantes et peuvent présenter une réponse thérapeutique sous-optimale aux antifongiques les plus courants[4]. Elles ne sont pas considérées comme transmissibles sexuellement[4].

Épidémiologie

Les vulvovaginites à levures touchent environ 50 à 80 % des femmes en âge de procréer[2]. On estime que 75 % des femmes auront au moins un épisode au cours de leur vie et que 40 à 45 % d'entre elles auront deux épisodes ou plus[4, 5]. La fréquence d'infection augmente durant la grossesse, particulièrement au troisième trimestre. On estime que 15 %, des femmes enceintes en sont atteintes[1].

Facteurs de risque

Les facteurs de risque dans les vulvovaginites à *Candida* sont souvent absents ; toutefois, on y retrouve une vie sexuellement active, un usage courant ou récent d'antibiotiques, la grossesse, l'usage de corticostéroïdes, un diabète mal maîtrisé et une immunodépression[4].

Effets de la grossesse sur les vulvovaginites à levures de la mère

Les vulvovaginites à *Candida* sont souvent plus fréquentes durant la grossesse, particulièrement au troisième trimestre. La cause n'est pas encore élucidée mais on pourrait soupçonner un changement au niveau de la flore vaginale[1]. En effet, le taux élevé d'œstrogène pourrait entraîner une augmentation de la concentration vaginale en glycogène qui peut ainsi favoriser la croissance des levures[1]. La suppression partielle et transitoire de l'immunité à médiation cellulaire durant la grossesse pourrait également être à l'origine du risque augmenté de vulvovaginite[1].

De plus les vulvovaginites à *Candida* lors d'une grossesse sont des vulvovaginites compliquées, avec un taux de récurrence plus élevé, et qui nécessitent une durée de traitement prolongée[5, 20, 21].

Effets des vulvovaginites à *Candida* sur la grossesse

Les vulvovaginites à *Candida* n'ont pas été tenues responsables de complications obstétricales et ne porteraient pas atteinte au fœtus[5, 22]. En fait, on rapporte un seul cas de candidiase oropharyngée congénitale chez un prématuré associé à une vulvo-vaginite à *Candida* maternelle[23].

Outils d'évaluation

Symptômes

On observe des pertes vaginales blanches, en grains ou en mottes. Il y a présence de picotements, dysurie externe, dyspareunie superficielle, érythème et œdème du vagin et de la vulve[1, 4]. Elles sont toutefois asymptomatiques dans 20 % des cas au maximum[4].

Dosages biologiques

Le diagnostic des vulvovaginites à *Candida* est basé sur les signes et symptômes mais mériterait une confirmation à partir de l'examen microscopique d'une préparation de sécrétions vaginales à l'état frais (salin et/ou KOH 10 %) ou une culture fongique[4, 5]. L'utilisation de KOH 10 % lors de la préparation à l'état frais améliore la visualisation des levures et des mycètes[5]. La culture fongique est habituellement effectuée chez les patientes symptomatiques mais dont la préparation à l'état frais était négative ou non concluante[5]. Elle n'est pas effectuée chez les patientes asymptomatiques puisque 10 à 20 % des femmes sont colonisées aux *Candida* sp. et autres levures[5].

1- Test de pH ≤ 4,5 toutefois en présence d'une vaginose bactérienne concomitante, le pH pourrait être supérieur à 4,5[4, 5].

2- Examen microscopique d'une préparation à l'état frais avec présence de levures bourgeonnantes et de filaments pseudomycéliens[4, 5].

3- Coloration de Gram avec levures bourgeonnantes, filaments pseudomycéliens et augmentation des leucocytes et neutrophiles[4, 5].

Traitements recommandés pendant la grossesse

Le traitement non pharmacologique des vulvovaginites à *Candida* pendant la grossesse consiste à prendre des mesures préventives telles que limiter l'exposition aux facteurs de risques associés à cette infection[22]. Le tableau I présente les traitements et le suivi recommandés des vulvo-vaginites à *Candida*. Pour les données sur l'innocuité des différents agents utilisés durant la grossesse, se référer au chapitre 20. *Anti-infectieux*.

Traitements recommandés au cours de l'allaitement

Le traitement des vulvovaginites à *Candida* au cours de l'allaitement est le même que celui durant la grossesse (tableau II)[5]. Pour les données sur l'innocuité des différents agents utilisés durant l'allaitement, se référer au chapitre 20. *Anti-infectieux*.

TABLEAU I – RECOMMANDATIONS POUR LE TRAITEMENT DES VULVOVAGINITES PENDANT LA GROSSESSE[1, 3-5, 13, 20-22]

Ligne thérapeutique	Médicament	Posologie	Durée	Suivi recommandé, commentaires
Vaginose bactérienne				
Premier recours	Clindamycine	300 mg par voie orale 2 fois par jour.	7 jours	Chez les femmes à haut risque d'accouchement prématuré, la clindamycine pourrait être privilégiée pour le traitement de la vaginose bactérienne au deuxième trimestre[24, 25]. Refaire un test de dépistage 1 mois après la fin du traitement pour s'assurer de l'éradication, chez les patientes avec facteur de risque.
	Métronidazole	500 mg par voie orale 2 fois par jour ou 250 mg par voie orale 3 fois par jour.		
Trichomonase				
Premier recours	Métronidazole	2 g par voie orale en unidose.	1 seule dose	Traiter le partenaire. Abstinence conseillée pendant le traitement afin de diminuer les risques de réinfection. Si la patiente est toujours symptomatique après le traitement, refaire un test de dépistage.
Deuxième recours	Métronidazole	500 mg par voie orale 2 fois par jour.	7 jours	
Vulvovaginite à _Candida_				
L'évaluation et le traitement des vulvovaginites à _Candida_ ne sont recommandés que chez les patientes symptomatiques[5].				
Premier recours	Clotrimazole	Crème à 1%, 5 g par voie intra-vaginale. 1 fois par jour.	6 jours	Toujours vérifier la durée de traitement car elle est plus longue chez la femme enceinte[4, 5, 20-22]. Suivi non nécessaire sauf si les symptômes persistent ou s'il y a récurrence dans les 2 mois suivant le traitement. Le soulagement des symptômes survient et les cultures deviennent négatives chez 80 à 95% des patientes ayant suivi un traitement complet[5, 21]. L'efficacité du miconazole, du terconazole et du clotrimazole est comparable contre le _Candida albicans_[5, 20, 21]. Le terconazole, quant à lui, est efficace contre le _Candida glabatra_ qui est une mycose moins fréquemment rencontrée[5, 20-22].
	Miconazole	Crème à 2%, 5 g par voie intra-vaginale 1 fois par jour ou suppositoire vaginal 100 mg par voie intra-vaginale 1 fois par jour.	7 jours	
	Terconazole	Crème à 0,4%, 5 g par voie intra-vaginale, 1 fois par jour.	7 jours	

Ligne thérapeutique	Médicament	Posologie	Durée	Suivi recommandé, commentaires
Deuxième recours	Nystatine	100 000 UI par voie intra-vaginale, 1 fois par jour.	14 jours	La nystatine est considérée comme un deuxième choix dans le traitement des vulvovaginites à *Candida* chez la femme enceinte car son efficacité s'est révélée inférieure avec un plus haut taux de résistance[5, 20-22].
	Fluconazole	150 mg par voie orale.	Une seule dose 2e dose au besoin après trois jours.	Le fluconazole pourrait être utilisé lors du traitement des vaginites à *Candida* chez les femmes enceintes présentant une rupture prématurée des membranes ou un risque de déclenchement prématuré du travail, chez qui les examens vaginaux sont souvent évités. Il est à noter que nous avons privilégié les formulations de 6 à 7 jours pour le traitement des vulvovaginites en grossesse. Il existe toutefois d'autres agents sécuritaires chez la femme enceinte, tels que le butoconazole 2 % en dose unique et l'éconazole en ovule vaginale de 150 mg pour 3 jours.
Lors de récurrences	Fluconazole	150 mg par voie orale, à chaque 3 jours.	Pour 2 doses	Lors de cas de récurrence de vulvo-vaginites à *Candida* chez la femme enceinte.
	Acide borique	600 mg dans capsule de gélatine par voie intra-vaginale, deux fois par jour.	14 jours	Lors des cas récalcitrants malgré le traitement usuel de vulvovaginites à *Candida*, c'est-à-dire suite à l'utilisation des antifongiques azolés ou la nystatine.

TABLEAU II – RECOMMANDATIONS POUR LE TRAITEMENT DES VULVO-VAGINITES CHEZ LES PATIENTES QUI ALLAITENT[5]

Ligne thérapeutique	Médicament	Posologie	Durée	Suivi recommandé, commentaires
Vaginose bactérienne				
Premier recours	Métronidazole	Gel à 0,75 %, 5 g par voie intra-vaginale, 1 fois par jour.	5 jours	Selon les symptômes.
	Clindamycine	Crème à 2 %, 5 g par voie intra-vaginale, au coucher.	7 jours	
Deuxième recours	Métronidazole	500 mg par voie orale 2 fois par jour.	7 jours	
	Clindamycine	300 mg par voie orale 2 fois par jour.	7 jours	
Trichomonase				
Premier recours	Métronidazole	2 g par voie orale.	1 dose	Interrompre l'allaitement pendant 12 heures pour a dose unique de 2 g, surtout s'il s'agit d'un jeune nourrisson.
Deuxième recours	Métronidazole	500 mg par voie orale, 2 fois par jour.	7 jours	
Vulvovaginites à *Candida*				
Premier recours	Clotrimazole ou Miconazole ou Terconazole	La durée de traitement et la forme pharmaceutique recommandées dépendent des facteurs de risque et des symptômes présentés par la patiente (voir traitement des vulvovaginites à *Candida* chez la femme enceinte).		
Premier recours	Nystatine	100 000 UI, par voie intra-vaginale, 1 fois par jour.	14 jours	
	Fluconazole	150 mg par voie orale.	1 dose.	Répéter une deuxième dose si besoin après 3 jours.

Ligne thérapeutique	Médicament	Posologie	Durée	Suivi recommandé, commentaires
Autres options	Butoconazole	Crème 2 %, 5 g, par voie intra-vaginale.	1 dose	L'innocuité du butoconazole et de l'éconazole durant l'allaitement n'a pas été établie jusqu'à présent.
	Éconazole	Ovule vaginal de 150 mg, par voie intra-vaginale, 1 fois par jour.	3 jours	
	Acide borique	600 mg dans capsule de gélatine par voie intra-vaginale, deux fois par jour.	14 jours	L'innocuité de l'acide borique n'a pas été établie durant l'allaitement. Cependant, une étude regroupant 8 volontaires saines qui ont reçu 600 mg d'acide borique, par voie intra-vaginale, 1 fois par jour pendant 7 jours ou 2 fois par jour pendant 14 jours, le taux sanguin de bore était inférieur à 1 µcg/mL (valeurs normales : 0,5-10 µcg/ml)[26].

Références

1. TORGERSON RR, MARNACH ML, BRUCE AJ, ROGERS RS, 3rd. Oral and vulvar changes in pregnancy. *Clin Dermatol* 2006;24(2):122-32.

2. KOUMANS EH, MARKOWITZ LE, HOGAN V. Indications for therapy and treatment recommendations for bacterial vaginosis in nonpregnant and pregnant women: a synthesis of data. *Clin Infect Dis* 2002;35(Suppl 2):S152-72.

3. SOBEL JD. What's new in bacterial vaginosis and trichomoniasis? *Infect Dis Clin North Am* 2005;19(2):387-406.

4. SARWAL S. *Pertes vaginales. Les lignes directrices canadiennes sur les infections transimissibles sexuellement.* Édition 2006. Agence de santé publique du Canada; 2006.

5. WORKOWSKI KA, BERMAN SM. *Sexually Transmitted Diseases Treatment Guidelines, 2006.*

6. LEITICH H, BRUNBAUER M, BODNER-ADLER B, KAIDER A, EGARTER C, HUSSLEIN P. Antibiotic treatment of bacterial vaginosis in pregnancy: a meta-analysis. *Am J Obstet Gynecol* 2003;188(3):752-8.

7. MCGREGOR JA, FRENCH JI, PARKER R, DRAPER D, PATTERSON E, JONES W, et al. Prevention of premature birth by screening and treatment for common genital tract infections: results of a prospective controlled evaluation. *Am J Obstet Gynecol* 1995;173(1):157-67.

8. HAUTH JC, GOLDENBERG RL, ANDREWS WW, DUBARD MB, COPPER RL. Reduced incidence of preterm delivery with metronidazole and erythromycin in women with bacterial vaginosis. *N Engl J Med* 1995;333(26):1732-6.

9. LEITICH H, BODNER-ADLER B, BRUNBAUER M, KAIDER A, EGARTER C, HUSSLEIN P. Bacterial vaginosis as a risk factor for preterm delivery: a meta-analysis. *Am J Obstet Gynecol* 2003;189(1):139-47.

10. MCDONALD HM, O'LOUGHLIN JA, VIGNESWARAN R, JOLLEY PT, HARVEY JA, BOF A, et al. Impact of metronidazole therapy on preterm birth in women with bacterial vaginosis flora (*Gardnerella vaginalis*): a randomised, placebo controlled trial. *Br J Obstet Gynaecol* 1997;104(12):1391-7.

11. MORALES WJ, SCHORR S, ALBRITTON J. Effect of metronidazole in patients with preterm birth in preceding pregnancy and bacterial vaginosis: a placebo-controlled, double-blind study. *Am J Obstet Gynecol* 1994;171(2):345-7; discussion 348-9.

12. Okun N, Gronau KA, Hannah ME. Antibiotics for bacterial vaginosis or Trichomonas vaginalis in pregnancy: a systematic review. *Obstet Gynecol* 2005;105(4):857-68.

13. Morris M, Nicoll A, Simms I, Wilson J, Catchpole M. Bacterial vaginosis: a public health review. *BJOG* 2001;108(5):439-50.

14. Lamont RF, Duncan SL, Mandal D, Bassett P. Intravaginal clindamycin to reduce preterm birth in women with abnormal genital tract flora. *Obstet Gynecol* 2003;101(3):516-22.

15. Ugwumadu A, Manyonda I, Reid F, Hay P. Effect of early oral clindamycin on late miscarriage and preterm delivery in asymptomatic women with abnormal vaginal flora and bacterial vaginosis: a randomised controlled trial. *Lancet* 2003;361(9362):983-8.

16. Say PJ, Jacyntho C. Difficult-to-manage vaginitis. *Clin Obstet Gynecol* 2005;48(4):753-68.

17. Riggs MA, Klebanoff MA. Treatment of vaginal infections to prevent preterm birth: a meta-analysis. *Clin Obstet Gynecol* 2004;47(4):796-807; discussion 881-2.

18. Klebanoff MA, Carey JC, Hauth JC, Hillier SL, Nugent RP, Thom EA, et al. Failure of metronidazole to prevent preterm delivery among pregnant women with asymptomatic Trichomonas vaginalis infection. *N Engl J Med* 2001;345(7):487-93.

19. Wawer MJ, Sewankambo NK, Serwadda D, Quinn TC, Paxton LA, Kiwanuka N, et al. Control of sexually transmitted diseases for AIDS prevention in Uganda: a randomised community trial. Rakai Project Study Group. *Lancet* 1999;353(9152):525-35.

20. Bauters TG, Dhont MA, Temmerman MI, Nelis HJ. Prevalence of vulvovaginal candidiasis and susceptibility to fluconazole in women. *Am J Obstet Gynecol* 2002;187(3):569-74.

21. Young GL, Jewell D. Topical treatment for vaginal candidiasis (thrush) in pregnancy. *Cochrane Database Syst Rev* 2001(4):CD000225.

22. King CT, Rogers PD, Cleary JD, Chapman SW. Antifungal therapy during pregnancy. Clin Infect Dis 1998;27(5):1151-60.

23. Chen CJ, Weng YH, Su LH, Huang YC. Molecular evidence of congenital candidiasis associated with maternal candidal vaginitis. *Pediatr Infect Dis J* 2006;25(7):655-6.

24. Morency AM, Bujold E. The effect of second-trimester antibiotic therapy on the rate of preterm birth. *J Obstet Gynaecol Can* 2007;29(1):35-44.

25. Morency AM, Bujold E. Comment on Pregnancy outcome after early detection of bacterial vaginosis. *Eur. J. Obstet. Gynecol. Reprod. Biol.* 128 (2006) 40-45. *Eur J Obstet Gynecol Reprod Biol* 2007;132(1):129.

26. Van Slyke KK, Michel VP, Rein MF. Treatment of vulvovaginal candidiasis with boric acid powder. *Am J Obstet Gynecol* 1981;141(2):145-8.

Chapitre 18

Infections transmises sexuellement

■

Jordine FELIX
Ema FERREIRA
Josianne MALO

Les infections transmises sexuellement (ITS), jusqu'à récemment désignées comme maladies transmises sexuellement (MTS), affectent la santé, le bien-être et la capacité reproductrice des personnes atteintes[1]. Présentement, au Canada, on observe une hausse du nombre des ITS dont l'incidence avait considérablement diminué au cours des années 1980 et 1990. Ce chapitre traitera de la chlamydiose, la gonorrhée, l'herpès génital, les verrues génitales et la syphilis. Hormis l'herpès et les verrues génitales, ces ITS sont des maladies à déclaration obligatoire[1-3].

Chez les femmes enceintes, les ITS représentent des complications courantes qui peuvent engendrer diverses manifestations pathologiques, autant chez la mère que chez le fœtus. L'éducation, le dépistage, le traitement et la prévention constituent donc des éléments importants des soins prénataux pour toutes les femmes. Selon les recommandations de Santé Canada et du ministère de la Santé et des Services Sociaux du Québec, toute femme enceinte doit, lors de sa première visite prénatale, obtenir un *counseling* approprié et se voir offrir les tests de dépistage suivants : chlamydiose, gonorrhée, syphilis, virus de l'hépatite B et virus de l'immunodéficience humaine (VIH)[1, 3]. De plus, toute femme continuellement exposée à des facteurs de risque d'ITS pendant la grossesse doit passer de nouveaux tests de dépistage chaque trimestre[1, 3].

Chlamydiose

Généralités

Définition

La chlamydiose est une infection génitale causée par *Chlamydia trachomatis*[1, 4-6]. Elle est parfois surnommée la « *maladie silencieuse* » car jusqu'à 90 % des patientes atteintes sont asymptomatiques[5]. Lorsque présents, les symptômes sont les mêmes chez la femme enceinte et non enceinte, soit un écoulement vaginal, une dysurie, des douleurs abdominales basses, des saignements vaginaux anormaux et une dyspareunie[1, 5].

Épidémiologie

L'infection génitale à *C. trachomatis* est la maladie à déclaration obligatoire la plus souvent rapportée. Au Canada, plus de 85 % des ITS déclarées sont des infections génitales à *C. trachomatis* et le taux d'incidence de cette infection a augmenté de 73 % entre 1997 et 2004[2]. Les données recensées pour l'année 2004 démontrent que les femmes de 24 ans et moins sont les plus susceptibles d'être infectées[1-3].

Étiologie

C. trachomatis est un bacille Gram négatif dont les sérotypes D à K sont responsables des infections sexuellement transmissibles[1, 2, 7]. La période d'incubation moyenne est de deux à trois semaines, mais peut durer jusqu'à six semaines[1].

Facteurs de risque

Plusieurs facteurs augmentent le risque de chlamydiose : être âgé de 24 ans ou moins, avoir eu un nouveau partenaire sexuel ou plus d'un partenaire durant l'année précédente, utiliser les méthodes contraceptives barrières de façon inconstante et avoir des antécédents d'ITS[1, 3, 5]. Particulièrement, une infection à *N. gonorrhœæ* est considérée comme un facteur de risque car jusqu'à 50 % des personnes infectées par *N. gonorrhœæ* présentent également une infection à *C. trachomatis*[3].

Effets de la grossesse sur la chlamydiose

Aucune donnée n'est disponible quant à l'effet de la grossesse sur l'évolution ou les manifestations cliniques de cette infection.

Effets de la chlamydiose sur la grossesse

Durant la grossesse, la chlamydiose est associée à plusieurs issues défavorables, notamment un travail préterme, une rupture prématurée des membranes, une prématurité et un faible poids à la naissance[5-7]. La chlamydiose augmente aussi le risque d'endométrite *post-partum* tardive[5].

Effets néonatals

Les enfants nés par voie vaginale de mères infectées par *C. trachomatis* ont un risque de transmission verticale de 50 à 75 %[5, 6, 8]. Les principales manifestations cliniques retrouvées chez le nourrisson sont une conjonctivite débutant durant les trois premières semaines de vie (30 à 50 % des enfants exposés) et une pneumonie apparaissant durant les trois premiers mois de vie (10 à 20 % des enfants exposés)[5, 7, 8]. Sans traitement immédiat, la conjonctivite néonatale peut progresser vers des dommages oculaires sérieux et irréversibles[8]. Des infections asymptomatiques peuvent également survenir au niveau de l'oropharynx et des voies urogénitale et rectale du nourrisson[4, 8].

Effets à long terme

Chez la femme, une chlamydiose non traitée peut mener à des complications reproductives sévères. *C. trachomatis* est un agent étiologique important de l'atteinte inflammatoire pelvienne, dont les principales séquelles incluent l'infertilité, la grossesse ectopique et la douleur pelvienne chronique[1, 4, 5]. Chez l'homme et la femme, la chlamydiose peut aussi se compliquer par le syndrome de Reiter[1, 3]. Ce syndrome est caractérisé par une triade comprenant une urétrite, une arthrite réactionnelle et une conjonctivite.

Outils d'évaluation

Étant donné que jusqu'à 90 % des cas sont asymptomatiques, il est important de procéder à un test de dépistage lors de l'examen prénatal initial chez toutes les femmes[1, 3, 5]. Les tests d'amplification de l'acide nucléique (TAAN), tels que la réaction de polymérase en chaîne (PCR) et l'amplification médiée par la transcription (TMA), sont hautement sensibles et spécifiques[1, 4]. Les TAAN sont donc utilisés dans la mesure du possible avec des échantillons urinaires et cervicaux[1, 4]. La culture est recommandée pour les échantillons provenant de la gorge ou du rectum, pour les échantillons contenant du sang ou du mucus et dans les contextes médico-légaux[1].

Traitements de la chlamydiose recommandés durant la grossesse

Le tableau I rapporte les antibiotiques recommandés pour le traitement de la chlamydiose chez la femme enceinte. L'information relative aux données d'innocuité des antibiotiques durant la grossesse est présentée dans le chapitre 20. *Anti-infectieux.*

L'azithromycine en dose unique offre l'avantage d'une meilleure observance et permet ainsi de maximiser le taux de succès au traitement. Après le premier trimestre de la grossesse, il s'agit du traitement de première intention. Selon les lignes directrices canadiennes, l'azithromycine est considérée comme le traitement de premier recours, peu importe le trimestre de la grossesse[1]. Toutefois, certains professionnels de la santé préfèrent utiliser l'amoxicilline durant le premier trimestre étant donné le meilleur recul d'utilisation avec cet agent. L'amoxicilline et l'érythromycine sont d'efficacité similaire pour le traitement de la chlamydiose chez la femme enceinte, mais l'amoxicilline est mieux tolérée[9]. Enfin, les fluoroquinolones et les tétracyclines ne sont pas recommandées pour traiter la chlamydiose durant la grossesse[1, 4].

Il est recommandé aux personnes atteintes d'utiliser le condom ou de s'abstenir de relations sexuelles durant le traitement (pendant au moins sept jours si traitement à dose unique) et, chez la femme enceinte, jusqu'à l'obtention d'un test de suivi négatif[1, 4]. Les partenaires sexuels des femmes infectées doivent également être traités, qu'ils aient ou non été dépistés[1]. Chez la femme enceinte et son (ses) partenaire(s), des tests de contrôle d'efficacité sont indiqués trois à quatre semaines après la fin du traitement[1]. Ce test ne doit pas être effectué avant en raison du risque de résultat faussement positif causé par une excrétion persistante de micro-organismes morts dans le spécimen biologique soumis à l'analyse[1, 4].

TABLEAU I – TRAITEMENTS DE LA CHLAMYDIOSE RECOMMANDÉS DURANT LA GROSSESSE[1, 9]				
Ligne thérapeutique	Médicament	Dose	Durée du traitement	Suivi et commentaires
Premier recours	Amoxicilline	500 mg par voie orale 3 fois par jour.	7 jours	Peut être utilisée à tout trimestre de la grossesse. Effets indésirables gastro-intestinaux moins fréquents qu'avec l'érythromycine. Refaire un test de contrôle de d'efficacité 3 à 4 semaines après la fin du traitement.
	Azithromycine	1000 mg par voie orale.	Dose unique	Premier recours à partir du 2e trimestre ou en cas de problème d'observance. Refaire un test de contrôle d'efficacité 3 à 4 semaines après la fin du traitement.
Deuxième recours	Érythromycine base	500 mg par voie orale 4 fois par jour.	7 jours	Peut être utilisée à tout trimestre de la grossesse. Éviter l'estolate d'érythromycine en raison du risque accru d'hépatotoxicité chez la mère. Refaire un test de contrôle d'efficacité 3 à 4 semaines après la fin du traitement.

Prophylaxie de l'*ophthalmia neonatorum*

Une chlamydiose ophtalmique devrait être considérée chez tout nouveau-né âgé de 30 jours et moins souffrant de conjonctivite[4]. La prophylaxie néonatale à l'aide d'un antibiotique ophtalmique ne prévient pas la transmission de C. *trachomatis* de la mère à l'enfant, d'où l'importance de traiter les mères infectées avant l'accouchement[4, 8]. La prophylaxie antibiotique prévient toutefois l'ophtalmie gonococcique (tableau IV)[4]. En cas d'une infection oculaire active, les antibiotiques topiques sont inadéquats et un traitement systémique doit être entrepris[4, 8].

Traitements de la chlamydiose recommandés durant l'allaitement

Il n'y a pas de contre-indication à l'allaitement chez une femme ayant une chlamydiose[10]. Les traitements proposés chez la femme qui allaite sont les mêmes que pour la population adulte en général (tableau II). Les données d'innocuité des anti-infectieux durant l'allaitement sont présentées dans le chapitre 20. *Anti-infectieux*. Les recommandations pour le traitement des partenaires et les relations sexuelles sont les mêmes que chez la femme enceinte et se retrouvent dans la section *Traitements de la chlamydiose recommandés durant la grossesse*.

Ligne thérapeutique	Médicament	Dose	Durée du traitement	Suivi et commentaires
Premier recours	Azithromycine	1000 mg par voie orale.	1 dose	Avantageux au point de vue de l'observance.
	Amoxicilline	500 mg par voie orale 3 fois par jour.	7 jours	Refaire un test de contrôle d'efficacité 3 à 4 semaines après la fin du traitement.
	Doxycycline	100 mg par voie orale 2 fois par jour.	7 jours	
Deuxième recours	Ofloxacine	300 mg par voie orale 2 fois par jour.	7 jours	
	Érythromycine base	500 mg par voie orale 4 fois par jour.	7 jours	Refaire un test de contrôle d'efficacité 3 à 4 semaines après la fin du traitement.

TABLEAU II – TRAITEMENTS DE LA CHLAMYDIOSE RECOMMANDÉS DURANT L'ALLAITEMENT[1, 9]

Gonorrhée

Généralités

Définition

La gonorrhée est une infection causée par la bactérie *Neisseria gonorrhœæ*[1, 4]. Environ 40 % des femmes ayant une infection génitale à *N. gonorrhœæ* sont asymptomatiques[11]. Cependant, lorsqu'il s'agit d'une infection au niveau de la gorge ou du rectum, plus de 70 % des sujets infectés sont asymptomatiques[11]. Lorsque des symptômes sont présents, une infection génitale gonococcique chez la femme se manifeste par des pertes et des saignements vaginaux anormaux, de la dysurie ainsi que des douleurs abdominales ou pelviennes[1, 3].

Épidémiologie

Les baisses substantielles des taux de gonorrhée observées tout au long des années 1980 et au début des années 1990 ont pris fin, et la tendance est maintenant à l'inverse[2]. En fait, le taux national a augmenté de 94 % par rapport à son point le plus bas atteint en 1997[2]. En 2004, les jeunes femmes de 15 à 24 ans représentaient environ 70 % des cas déclarés chez les femmes. Cette proportion est demeurée constante au cours des sept dernières années[2]. Selon des données publiées en 1997, la prévalence d'une infection à *N. gonorrhœæ* chez la femme enceinte se situerait entre 0,5 et 7 %, ces taux étant encore plus élevés chez les femmes à haut risque[7].

Au Canada, la résistance de *N. gonorrhœæ* aux fluoroquinolones a régulièrement augmenté, passant de 1 % vers la fin des années 1990 à un taux de 6,2 % en 2004[1, 2]. De même, les données actuellement disponibles indiquent des taux de résistance aux fluoroquinolones supérieurs à 5 % au Québec[3].

Étiologie

La gonorrhée est une infection bactérienne causée par *N. gonorrhœæ*, un parasite humain strict[1, 3, 4]. *N. gonorrhœæ* est un diplocoque Gram négatif intracellulaire[1]. La période d'incubation est habituellement de deux à sept jours, mais elle peut parfois se prolonger[1, 3].

Facteurs de risque

Les facteurs de risque de la gonorrhée sont similaires à ceux retrouvés dans le cas d'une infection à *C. trachomatis*[1, 3]. De plus, il est important de mentionner qu'il existe certaines régions du monde à forte endémicité où le taux de souches résistantes est très élevé. Une relation sexuelle non protégée avec une personne habitant une telle région porte donc un risque supplémentaire d'infection par une souche résistante[1, 4].

Effets de la grossesse sur la gonorrhée

La grossesse augmente le risque d'infections non cervicales et disséminées pouvant causer une arthrite, une dermatite, une endocardite et une méningite[7].

Effets de la gonorrhée sur la grossesse

Parmi les patientes enceintes atteintes d'une infection génitale à *N. gonorrhœæ*, il est estimé que 23 % accoucheront avant terme et que 29 % présenteront une rupture prématurée des membranes[3, 12]. Les infections gonococciques en cours de grossesse sont aussi associées à l'endométrite, à la chorioamnionite et à la septicémie[1, 7].

Effets néonatals

Les infections gonococciques chez le nouveau-né sont causées par un contact direct avec un exsudat cervical infecté à la naissance[3]. La manifestation néonatale la plus commune de l'infection gonococcique est l'*ophthalmia neonatorum*, une conjonctivite apparaissant durant les trois premières semaines de vie[1, 7, 12]. Lorsque non traitée, cette atteinte peut entraîner la cécité. Heureusement, la conjonctivite néonatale causée par *N. gonorrhœæ* a quasiment disparu dans les pays occidentaux à cause de la faible prévalence chez les femmes[1]. Des infections de plaie comme des abcès au niveau du cuir chevelu, ainsi que des infections systémiques tels un sepsis ou une méningite sont d'autres complications possibles[1, 6, 12].

Effets à long terme

Chez la femme, une gonorrhée non ou mal traitée peut causer une atteinte inflammatoire pelvienne, des douleurs pelviennes chroniques et une infertilité[1]. Les femmes atteintes présentent également un risque accru de grossesse ectopique[1]. Chez l'homme et la femme, la gonorrhée peut aussi se compliquer par le syndrome de Reiter[1, 3, 4]. Les gonocoques se localisent dans la peau, dans les articulations, et même très exceptionnellement dans l'endocarde, où ils provoquent des lésions mortelles en l'absence de traitement efficace[3, 4].

Outils d'évaluation

Un dépistage doit être effectué chez toutes les femmes enceintes lors de la première visite prénatale[1, 3]. Puisque plusieurs souches de *N. gonorrhœæ* sont multi-résistantes, la méthode de choix pour le dépistage de la gonorrhée est la culture cellulaire car elle permet d'obtenir un antibiogramme[1]. Les méthodes sans culture telles que les TAAN ne sont recommandées que lorsqu'une culture satisfaisante ne peut être effectuée, car ces tests ne permettent pas d'évaluer la sensibilité des souches aux antibiotiques[1].

Traitements de la gonorrhée recommandés durant la grossesse et l'allaitement

Le tableau III présente les principaux agents recommandés pour le traitement de la gonorrhée durant la grossesse et l'allaitement. Tout traitement visant *N. gonorrhœæ* doit être accompagné d'un traitement empirique contre *C. trachomatis*, à moins que les tests de dépistage de la chlamydiose dont on dispose ne soient négatifs (voir tableaux I et II)[1]. Les données d'innocuité des antibiotiques durant la grossesse et l'allaitement sont présentées dans le chapitre 20. *Anti-infectieux*.

Avec le temps, certains agents pathogènes ont développé une résistance aux antimicrobiens, ce qui complique le traitement des infections. La résistance des gonocoques à la pénicilline, à l'érythromycine et à la tétracycline est établie depuis longtemps, et aucun de ces antibiotiques n'est d'ailleurs recommandé pour le traitement de la gonorrhée[2]. Plus récemment, une résistance de *N. gonorrhœæ* aux fluoroquinolones a été notée dans certaines régions du monde, notamment au Québec[1-3]. Ainsi, cette classe d'antibiotiques n'est plus recommandée sauf dans les rares cas où un traitement n'a pas été initié et l'antibiogramme démontre une sensibilité aux fluoroquinolones.

Par ailleurs, il existe relativement peu de données sur le traitement de la gonorrhée durant la grossesse. Une revue de la documentation scientifique réalisée par le groupe Cochrane suggère que la céfixime, la ceftriaxone et la spectinomycine auraient une efficacité similaire chez les patientes enceintes souffrant de la gonorrhée[13]. La spectinomycine, à cause de son accessibilité limitée par le Programme d'Accès Spécial de Santé Canada, ne constitue toutefois qu'un second recours en cas d'allergie grave aux pénicillines ou aux céphalosporines[1, 4, 6, 13]. Il en est de même pour l'azithromycine, qui est efficace contre les infections gonococciques non compliquées à une dose de 2 g, mais dont l'usage dans cette indication n'a pas été évalué chez la femme enceinte[4]. D'ailleurs, les données d'innocuité sur l'azithromycine au premier trimestre sont limitées et le coût du traitement est relativement élevé[4].

Il est recommandé aux personnes atteintes d'utiliser le condom ou de s'abstenir de relations sexuelles durant le traitement (pendant au moins sept jours si traitement à dose unique)[1, 4]. Les partenaires sexuels des femmes infectées doivent également être traités pour *N. gonorrhœæ* et *C. trachomatis*, qu'ils aient ou non été dépistés[1]. Chez la femme enceinte et son (ses) partenaire(s), des tests de contrôle d'efficacité sont indiqués quatre à cinq jours après la fin du traitement[1].

Il n'y a pas de contre-indication pour l'allaitement chez une femme ayant la gonorrhée[10]. Les agents recommandés pour traiter la gonorrhée dans la population sont en général considérés compatibles avec l'allaitement[1].

Ligne thérapeutique	Médicament	Dose	Durée du traitement	Suivi et commentaires
Premier recours	Céfixime	400 mg par voie orale.	1 dose	Refaire un test de contrôle d'efficacité (issu de tous les sites d'infection) 4 à 5 jours et 6 mois après la fin du traitement.
	Ceftriaxone	125 mg par voie intramusculaire.	1 dose	Diluer avec de la lidocaïne 1 % (sans épinéphrine) afin de diminuer la douleur à l'injection. Refaire un test de contrôle d'efficacité (issu de tous les sites d'infection) 4 à 5 jours et 6 mois après la fin du traitement.
Deuxième recours	Azithromycine	2 g par voie orale.	1 dose	Favoriser une utilisation à partir du 2e trimestre. La dose de 2 g permet de traiter à la fois la gonorrhée et la chlamydiose, mais peut entraîner une intolérance gastro-intestinale. Refaire un test de contrôle d'efficacité (issu de tous les sites d'infection) 4 à 5 jours et 6 mois après la fin du traitement.
	Spectinomycine	2 g par voie intramusculaire.	1 dose	Ce médicament n'est disponible que par l'intermédiaire du Programme d'Accès Spécial de Santé Canada et est utilisé en cas d'allergie aux céphalosporines et à l'azithromycine. Refaire un test de contrôle d'efficacité (issu de tous les sites d'infection) 4 à 5 jours et 6 mois après la fin du traitement.

TABLEAU III – TRAITEMENTS DE LA GONORRHÉE RECOMMANDÉS DURANT LA GROSSESSE ET L'ALLAITEMENT[1, 4, 6, 13]

Prophylaxie de l'*ophthalmia neonatorum*

La prophylaxie antibiotique prévient l'ophtalmie gonococcique et est administrée chez tous les nouveau-nés, que l'accouchement soit vaginal ou par césarienne[4]. Les antibiotiques ophtalmiques utilisés sont répertoriés dans le tableau IV.

TABLEAU IV – TRAITEMENTS PROPHYLACTIQUES RECOMMANDÉS POUR L'OPHTHALMIA NEONATORUM[4]

Médicament	Données du traitement	Recommandations, commentaires
Onguent ophtalmique d'érythromycine 0,5 %	1 application	Le traitement choisi devrait être administré dans les 2 yeux du nouveau-né immédiatement après l'accouchement.
Onguent ophtalmique de tétracycline 1 %	1 application	

Herpès génital

Généralités

Définition

L'herpès génital est une infection virale causée par le virus de l'herpès simplex (VHS-1 ou VHS-2). Cette infection constitue une préoccupation majeure en santé publique car elle est très répandue, incurable et peut faciliter la transmission du virus d'immunodéficience humaine (VIH). Une infection par l'herpès peut être asymptomatique, ce qui diminue l'efficacité du dépistage chez la femme enceinte, pouvant entraîner de lourdes conséquences chez le nouveau-né.

Épidémiologie

L'herpès génital est très prévalent. Des études sérologiques récentes ont montré dans des cohortes de femmes une séropositivité pour le VHS-1 dépassant les 60 % et approchant 90 % dans certaines séries. La séropositivité pour le VHS-2 dépasse maintenant 20 %. Chez les femmes enceintes, 22 % sont infectées par VHS-2 et plus de 2 % ont contracté le virus durant la grossesse[14].

Étiologie

Le VHS est un adénovirus à double brin linéaire, encapsulé. Deux sérotypes sont pathogènes chez l'humain, le VHS-1 et le VHS-2[1]. L'agent causal de l'herpès génital est principalement VHS-2, mais les infections génitales peuvent aussi être causées par VHS-1[15]. Le fait le plus important dans la transmission de ces virus est que 70 % des infections sont acquises de partenaires dits excréteurs asymptomatiques[16].

La pénétration du virus dans l'organisme se produit lors d'un contact avec un sujet infecté qui, la plupart du temps, n'a pas la notion qu'il est porteur du virus. Une fois contracté, le virus reste dans l'organisme et évolue en trois phases, soit la primo-infection ou infection primaire, la récurrence et la dissémination. La période d'incubation moyenne est de six jours[1].

Facteurs de risque

PRIMO-INFECTION

Le mode de contamination principal est le contact direct cutanéo-muqueux avec des lésions herpétiques ou lors d'excrétion asymptomatique. Les relations sexuelles non protégées favorisent la transmission du virus. Les partenaires sexuels multiples et la fréquence des rapports sexuels augmentent le risque de transmission du virus. La femme est plus à risque de contracter une infection herpétique que l'homme[17]. Plus de 70 % des infections au VHS-2 contractées durant la grossesse sont asymptomatiques ou non reconnues[14]. L'auto-contamination est rare mais possible par le contact de la région atteinte avec une autre région du corps.

RÉCURRENCES

Parmi les facteurs pouvant influencer la récurrence figurent la fièvre, le stress ou une vive émotion, la fatigue, le décalage horaire, une chirurgie, la prise d'alcool, les menstruations, l'exposition aux rayons ultraviolets ainsi que les relations sexuelles[1].

Effets de la grossesse sur l'herpès génital

Une femme enceinte court un plus grand risque de contracter une infection à VHS[18]. Les phases de récurrences semblent être plus fréquentes que chez la femme non enceinte et seraient proportionnelles à l'âge gestationnel. Cette sensibilité accrue à l'infection serait due au fait que l'immunité cellulaire diminue à mesure que la grossesse avance[18-20].

Effets de l'herpès génital sur la grossesse

Primo-infection

Une femme non porteuse de VHS peut être à risque de contracter l'infection durant la grossesse. Si une primo-infection survient aux deuxième et troisième trimestres, le taux de transmission verticale est de 30 à 50%. Si le partenaire est atteint d'herpès labial ou génital, il pourrait le transmettre à la femme non porteuse. Il est alors recommandé de s'abstenir de tout contact oral ou génital durant la grossesse[1]. Les données portant sur des femmes non enceintes indiquent qu'un traitement suppresseur chez le partenaire masculin souffrant d'herpès génital pourrait diminuer la transmission du virus sans toutefois remplacer les autres mesures préventives telles l'utilisation du condom ou l'abstinence[1]. Une infection primaire durant la grossesse doit être traitée (tableau V) et une césarienne doit être planifiée, surtout si l'infection se déclare en fin de grossesse[1].

Récurrences

Le risque de transmission verticale lors d'une infection récurrente est plus faible qu'avec une primo-infection (2 à 4%). Pour les femmes qui ont eu une récurrence au cours de l'année précédente, un traitement suppressif est recommandé à partir de la 36e semaine de grossesse jusqu'à l'accouchement (tableau V). Le traitement suppressif permet de réduire le risque de lésions et d'excrétion virale asymptomatique et le taux de césariennes[1, 21]. Une césarienne devrait être effectuée si des lésions ou des symptômes prodromiques sont présents au moment de l'accouchement[1].

Type d'accouchement

Au début du travail, toutes les femmes devraient être questionnées sur les symptômes d'herpès génital incluant les prodromes, ainsi que sur la présence de lésions herpétiques[1]. Les patientes connues comme porteuses de VHS génital devraient avoir un examen de la région ano-génitale incluant un examen visuel interne pour détecter la présence de lésions herpétiques. Même si la césarienne diminue de façon significative le risque d'infection néonatale, celui-ci n'est pas complètement éliminé. En effet, 33% de l'herpès néonatal survient malgré la césarienne. L'efficacité est maximale lorsque la césarienne est effectuée avant la rupture des membranes[20]. Cependant, la césarienne n'est pas forcément indiquée en l'absence de lésions génitales en fin de grossesse chez une femme porteuse du VHS[20]. Un traitement suppressif en fin de grossesse pourrait éventuellement remplacer le recours à la césarienne (tableau V)[21].

Effets néonatals

L'herpès néonatal est rare mais représente la complication majeure de l'herpès génital[20]. Le risque de transmission mère-enfant existe pendant la grossesse, au moment de l'accouchement ou même après la naissance. Pour la transmission néonatale, plusieurs facteurs augmentent le risque d'infection[18] :

- une primo-infection survenant au troisième trimestre de grossesse ;
- des lésions multiples ;
- des lésions au niveau du col ;
- un accouchement par voie vaginale ;
- une rupture prolongée des membranes lors du travail (plus de six heures) ;
- un monitoring effractif sur le nouveau-né lors du travail ;
- un accouchement avant terme.

L'infection néonatale peut être contractée *intra partum* ou *peri partum* (85 % des cas), mais rarement *in utero* (5 % des cas)[18]. Un bébé infecté présentera divers symptômes tels qu'une infection disséminée (45 % des cas) et des symptômes au niveau du système nerveux central (35 % des cas)[20]. Les symptômes associés au système nerveux central sont caractérisés par des convulsions, des états de léthargies, d'irritabilité, des tremblements, un faible appétit ainsi qu'une température instable. L'infection peut également, dans 20 % des cas, se manifester au niveau cutané, oculaire ou buccal (*skin eye mouth diseases*)[14].

Effets à long terme

Malgré un traitement approprié, une infection disséminée au VHS chez le nouveau-né peut entraîner le décès dans 31 % des cas et une atteinte du système nerveux central dans 6 % des cas. À long terme, l'infection et l'atteinte du système nerveux central peuvent occasionner des dommages neurologiques chez 50 % des survivants[20].

Outils d'évaluation

Il est important qu'un dépistage de l'herpès soit effectué lors de la première visite prénatale par le biais d'un questionnaire détaillé incluant le statut du partenaire et des tests sérologiques lorsque indiqués. Les signes cliniques ne suffisent pas pour faire la distinction entre une infection récemment acquise et une récurrence car un bon nombre d'infections peuvent être asymptomatiques ou non reconnues. Lors de l'évaluation clinique, l'herpès devrait faire partie du diagnostic en présence lésions génitales. Lorsqu'elles sont symptomatiques, des vésicules sont présentes, en général, dans la région ano-génitale. Ces vésicules évoluent en ulcères douloureux accompagnés d'adénopathies[18]. Des tests sérologiques doivent être faits pour confirmer le diagnostic et pour faire la distinction entre une infection primaire ou une récurrence[14]. La culture cellulaire demeure la méthode de choix à cause de sa spécificité, de sa sensibilité et de sa capacité de typer la souche du virus. Cependant, la culture cellulaire nécessite la présence d'ulcères ou d'autres lésions muco-cutanées. Par conséquent, la sensibilité de la culture cellulaire est basse dans les lésions récurrentes et diminue au fur et à mesure que les lésions guérissent. Les TAAN tel que la PCR détiennent dans ce cas une plus grande sensibilité. Ainsi, il serait nécessaire d'effectuer une PCR et une culture cellulaire afin de déterminer s'il s'agit du sérotype 1 ou 2 qui cause l'infection. Si une nouvelle infection est suspectée, mais que les tests sérologiques ne montrent aucun VHS et que le virus n'est pas isolé d'une lésion, il est conseillé de répéter un test sérologique six semaines plus tard[1].

Traitements de l'herpès génital recommandés durant la grossesse

Les traitements pour les différentes phases de l'herpès génital sont présentés dans le tableau V. Les données d'innocuité des antiviraux durant la grossesse sont présentées dans le chapitre 20. *Anti-infectieux.*

TABLEAU V – TRAITEMENTS DE L'HERPÈS GÉNITAL RECOMMANDÉS DURANT LA GROSSESSE [1, 4, 18, 20, 21]			
Traitements recommandés	Dose	Durée du traitement	Suivi et commentaires
Primo-infection ou premier épisode			
Acyclovir	200 mg par voie orale 5 fois par jour.	5 à 10 jours	Les cultures de suivi ne sont pas recommandées sauf en cas d'échec thérapeutique ou de symptômes récurrents inhabituels.
Acyclovir	400 mg par voie orale 3 fois par jour.	7 à 10 jours	
Récurrences symptomatiques			
Acyclovir	200 mg par voie orale 5 fois par jour.	5 jours	Les cultures de suivi ne sont pas recommandées sauf en cas d'échec thérapeutique ou de symptômes récurrents inhabituels.
Acyclovir	400 mg par voie orale 3 fois par jour.	5 jours	
Encéphalites			
Acyclovir	10 mg/kg par voie intraveineuse toutes les 8 heures.	21 jours ou jusqu'à amélioration clinique de la patiente.	
Traitement suppressif			
Acyclovir	400 mg par voie orale 3 fois par jour.	De la 36e semaine d'âge gestationnel jusqu'à l'accouchement.	Recommandé pour les femmes ayant une primo-infection durant la grossesse, des récurrences sévères ou fréquentes. Le nouveau-né doit demeurer sous surveillance étroite.
Valacyclovir	500 mg par voie orale 2 fois par jour.	De la 36e semaine d'âge gestationnel jusqu'à l'accouchement.	Moins de données sur l'efficacité du valacyclovir. Recommandé pour les femmes ayant une primo-infection durant la grossesse, des récurrences sévères ou fréquentes. Le nouveau-né doit demeurer sous une surveillance étroite.

Traitements de l'herpès génital recommandés durant l'allaitement

L'herpès n'est pas une contre-indication absolue à l'allaitement[10]. Cependant, les femmes qui ont des lésions herpétiques au niveau des seins devraient s'abstenir d'allaiter. Les lésions situées ailleurs que sur les seins devraient être couvertes et un lavage des mains fréquent est indiqué[22]. Les traitements recommandés figurent dans le tableau VI. Les données d'innocuité des antiviraux durant l'allaitement sont présentées dans le chapitre 20. *Anti-infectieux*. L'acyclovir ainsi que le valacyclovir demeurent les antiviraux de choix dans le traitement de l'herpès génital durant l'allaitement.

TABLEAU VI – TRAITEMENTS DE L'HERPÈS GÉNITAL RECOMMANDÉS DURANT L'ALLAITEMENT[1, 18]				
Ligne thérapeutique	Médicament	Dose	Durée du traitement	Suivi et commentaires
Primo-infection ou premier épisode				
Premier recours	Acyclovir	200 mg par voie orale 5 fois par jour.	5 à 10 jours	Les cultures de suivi ne sont pas recommandées sauf en cas d'échec thérapeutique ou de symptômes récurrents inhabituels.
	Acyclovir	400 mg par voie orale 3 fois par jour.	7 à 10 jours	
	Valacyclovir	1000 mg par voie orale 2 fois par jour.	7 à 10 jours	
Récurrences symptomatiques				
Premier recours	Acyclovir	200 mg par voie orale 5 fois par jour.	5 jours	Les cultures de suivi ne sont pas recommandées sauf en cas d'échec thérapeutique ou de symptômes récurrents inhabituels.
	Acyclovir	400 mg par voie orale 3 fois par jour.	5 jours	
	Valacyclovir	1000 mg par voie orale 1 fois par jour.	5 jours	
	Valacyclovir	500 mg par voie orale 2 fois par jour.	3 à 5 jours	

Verrues génitales

Généralités

Définition

Les verrues génitales, aussi nommées condylomes, sont causées par des génotypes à bas risque de cancer du col du virus du papillome humain (VPH)[1, 4, 6]. L'évolution naturelle consiste en une fluctuation de la taille et du nombre de verrues génitales, et se résout habituellement par une élimination des lésions. Cette résolution n'est cependant pas synonyme d'éradication virale[1].

Épidémiologie

Le VPH fait partie des ITS les plus fréquentes[1, 4]. Des données canadiennes révèlent que, chez les jeunes femmes, la prévalence de cette infection atteint près de 30%[1]. Toutefois, la plupart des infections ano-génitales à VPH sont asymptomatiques et subcliniques[1]. En ce qui concerne les verrues génitales externes visibles à l'examen clinique, leur présence est rapportée chez près de 1% des adultes sexuellement actifs dans la population américaine[1].

Étiologie

Les VPH, ou papillomavirus, sont des virus à ADN possédant une puissante affinité envers les muqueuses humides de l'anus, des voies génitales et des voies aérodigestives[1, 4, 7]. Plus de 130 types de VPH ont été classés selon le séquençage de l'ADN[1]. Les VPH de type 6 et 11 sont les plus couramment impliqués dans le développement de verrues génitales et comportent un faible risque de causer des lésions précancéreuses ou cancéreuses[1, 4, 6]. La période d'incubation de la verrue génitale externe varie de un à huit mois[1].

Facteurs de risque

Il existe des données contradictoires au sujet des facteurs de risque d'infection à VPH[1]. De façon générale, il est accepté que les facteurs de risques pour le développement d'une infection à VPH sont les mêmes que pour les autres ITS[7]. Plus particulièrement, le nombre de partenaires sexuels pendant la vie est un facteur fortement associé[1].

Effets de la grossesse sur les verrues génitales

L'état d'immunotolérance associé à la grossesse peut permettre la résurgence des verrues génitales. Les lésions peuvent donc augmenter en nombre et en taille et devenir friables[1, 6]. Cette croissance régresse habituellement après l'accouchement[1].

Effets des verrues génitales sur la grossesse

Les verrues génitales, lorsqu'elles obstruent le détroit inférieur ou qu'elles sont suffisamment nombreuses pour causer un saignement important, peuvent rendre difficile un accouchement par voie vaginale ou une épisiotomie[1, 4, 6].

Effets néonatals

La transmission périnatale symptomatique de l'infection génitale à VPH est rare[1, 6, 7]. Elle peut se manifester par des lésions ano-génitales et des lésions du tractus respiratoire chez le nouveau-né, apparentes entre trois mois et deux ans[1]. Réduire la transmission du VPH au nouveau-né ne constitue pas en soi un motif suffisant pour recommander un accouchement par césarienne[1, 4, 6, 7].

Effets à long terme

Quoique la majorité des verrues génitales soient causées par des génotypes du VPH à bas risque de cancer du col, elles peuvent occasionnellement être causées par des génotypes de risque élevé[1, 4, 6]. La complication potentielle la plus importante de l'infection génitale à VPH est le développement de lésions précancéreuses et cancéreuses[1, 4, 6, 7]. Toutefois, seule l'infection persistante par des types de VPH à risque élevé peut entraîner l'apparition de telles lésions[1, 4]. Il est important de faire savoir aux femmes que le dépistage régulier d'une infection à VPH ou des dysplasies dans le col de l'utérus est un moyen efficace de réduire les taux de cancer du col[1].

Outils d'évaluation

De façon générale, le diagnostic des verrues génitales est effectué par inspection visuelle[4, 6]. Dans des circonstances particulières, une biopsie peut s'avérer nécessaire afin de confirmer le diagnostic[4, 6, 7].

Traitements des verrues génitales recommandés durant la grossesse

L'intensité du traitement varie selon les spécialistes et la préférence des femmes. Certains spécialistes recommandent de traiter les verrues génitales durant la grossesse à cause de l'augmentation fréquente des lésions pendant cette période[6]. Au contraire, d'autres retardent le traitement en raison d'une réponse insuffisante pendant la grossesse[1]. Enfin, une autre approche consiste à réserver le traitement aux situations où une obstruction significative du détroit inférieur nuit à un accouchement par voie vaginale[6]. Les traitements recommandés n'ont pas été évalués dans des essais cliniques chez la femme enceinte. Les traitements suggérés au tableau VII tiennent simplement compte des données d'innocuité durant la grossesse pour chacun des agents.

TABLEAU VII – TRAITEMENTS DES VERRUES GÉNITALES RECOMMANDÉS DURANT LA GROSSESSE[1, 23]				
Ligne thérapeutique	Médicament	Dose	Durée du traitement	Suivi et commentaires
Premier recours	Cryothérapie	Application locale.	Traitement peut être répété au besoin.	Bon taux de réponse. Peut occasionner des cicatrices.
Deuxième recours	Acide bi- ou trichloracétique 50 à 80 %	Application locale une fois par semaine.	6 à 8 semaines.	N'a pas besoin d'être rincé. Protéger la peau saine avec de la Vaseline (gelée de pétrole), un onguent de xylocaïne à 2 % ou un mélange eutectique de lidocaïne et de prilocaïne. Peut occasionner des ampoules et des ulcérations.
	Laser à CO_2	Application locale.	Traitement peut être répété au besoin.	Bon taux de réponse. Utile en présence de lésions importantes. Peut occasionner des lésions et des cicatrices.
	Excision chirurgicale			Bon taux de réponse. Utile en présence de lésions importantes. Peut occasionner des lésions et des cicatrices.

Données sur l'innocuité des traitements au cours de la grossesse

TABLEAU VIII. DONNÉES SUR L'INNOCUITÉ DES TRAITEMENTS UTILISÉS CONTRE LES VERRUES GÉNITALES AU COURS DE LA GROSSESSE		
Médicament	Données durant la grossesse	Recommandations, commentaires
Acide bi- ou trichloracétique[1, 24]	• Selon une étude de surveillance chez 405 femmes enceintes, dont 2 seulement au 1er trimestre, pas d'augmentation du risque de malformations. • Produits neutralisés sur la peau et les muqueuses.	Considérés sécuritaires durant la grossesse.
Cryothérapie[1, 23]	• Pas d'association avec une augmentation des issues de grossesse défavorables.	Premier recours de traitement durant la grossesse.
Imiquimod[23, 25, 26]	• Pas d'effet tératogène chez l'animal. • Notification de 8 patientes traitées, dont 2 au 1er trimestre, sans issue de grossesse défavorable.	Déconseillé durant la grossesse en raison des données limitées.
Laser à CO_2[1, 7]	• Effets limités à la région traitée (aucun effet systémique connu). • Efficacité documentée chez la femme enceinte.	Peut être utilisé chez la femme enceinte pour le traitement des verrues importantes.
Dérivés du podophyllum[1, 23, 27]	• Pas d'effet tératogène observé chez l'animal. • 18 femmes traitées, dont 14 au premier trimestre : pas d'indice de tératogénicité. • Une femme traitée avec une quantité importante de podophylline au niveau vulvaire durant le 3e trimestre : neuropathie périphérique chez la mère et mort fœtale.	Déconseillés durant la grossesse.

Traitements des verrues génitales recommandés durant l'allaitement

Il n'y a pas de contre-indication en ce qui concerne l'allaitement chez une femme ayant des verrues génitales[10]. Les traitements recommandés n'ont pas été évalués dans des essais cliniques chez la femme qui allaite. L'algorithme suggéré au tableau IX tient simplement compte des données d'innocuité en période d'allaitement pour chacun des agents.

	TABLEAU IX : TRAITEMENTS DES VERRUES GÉNITALES RECOMMANDÉS DURANT L'ALLAITEMENT[1, 23]			
Ligne thérapeutique	**Médicament**	**Dose**	**Durée du traitement**	**Suivi et commentaires**
Premier recours	Cryothérapie	Application locale.	Répété au besoin.	Bon taux de réponse. Peut occasionner des cicatrices.
	Acide bi- ou trichloracétique 50 à 80 %	Application locale une fois par semaine.	6 à 8 semaines.	N'a pas besoin d'être rincé. Protéger la peau saine avec de la Vaseline (gelée de pétrole), un onguent de xylocaïne à 2 % ou un mélange eutectique de lidocaïne et de prilocaïne.
	Imiquimod	Application locale trois fois par semaine.	Maximum de 16 semaines.	Rincer 6 à 8 heures après l'application. Taux de récurrence inférieur à celui de tout autre traitement.
Deuxième recours	Laser à CO_2	Application locale.	Répété au besoin.	Bon taux de réponse. Utile en présence de lésions importantes. Peut occasionner des lésions et des cicatrices.
	Excision chirurgicale			Bon taux de réponse. Utile en présence de lésions importantes. Peut occasionner des lésions et des cicatrices.

Données sur l'innocuité des traitements des verrues génitales au cours de l'allaitement

TABLEAU X – DONNÉES SUR L'INNOCUITÉ DES TRAITEMENTS UTILISÉS CONTRE LES VERRUES GÉNITALES AU COURS DE L'ALLAITEMENT		
Médicament	**Données durant la grossesse**	**Recommandations, commentaires**
Acide bi- ou trichloracétique[1, 28]	• Aucune donnée sur le passage dans le lait maternel.	En raison de la petite surface d'application et de l'absorption topique très faible, effet sur le nourrisson très peu probable.
Cryothérapie[1, 23]	• Effet généralement limité à l'épiderme.	Traitement de premier recours durant l'allaitement.
Imiquimod[23]	• Aucune donnée sur le passage dans le lait maternel. • Biodisponibilité topique minime.	En raison de la petite surface d'application, effet sur le nourrisson très peu probable.
Laser à CO_2[1]	• Effet généralement limité à la région traitée.	Peut être utilisé en période d'allaitement pour le traitement des verrues importantes.
Dérivés du podophyllum[1, 23, 27]	• Aucune donnée sur le passage dans le lait maternel. • Biodisponibilité topique pouvant être significative.	Privilégier les autres options de traitement.

Syphilis

Généralités

Définition

    La syphilis est une ITS causée par la bactérie *Treponema pallidum*[1-4, 6]. Une syphilis non traitée se déroule selon cinq stades évolutifs et présente donc des manifestations cliniques très variées[1-4]. La syphilis primaire correspond à l'apparition initiale d'un chancre génital et d'une adénopathie locale[1-4, 29, 30]. La syphilis secondaire se manifeste ensuite par des éruptions cutanées, des condylomes plats et des symptômes systémiques comme des adénopathies, de la fièvre, un malaise général, des arthralgies et des céphalées[1-4, 30]. La syphilis latente précoce décrit la période asymptomatique subséquente et s'échelonne sur une période de moins de un an après l'obtention d'une sérologie positive, alors que la syphilis latente tardive décrit la période asymptomatique survenant plus de un an après l'obtention d'une sérologie positive[1-4]. Enfin, la syphilis tertiaire se caractérise par des atteintes neurologiques et cardiovasculaires[1-4, 29]. Au Canada, la syphilis infectieuse réfère aux stades de la syphilis primaire, secondaire et latente précoce[1, 2].

Épidémiologie

Parmi les ITS à déclaration obligatoire, la syphilis infectieuse est la moins répandue au Canada[1, 2]. Les données canadiennes disponibles pour l'année 2004 rapportent 0,8 cas de syphilis infectieuse pour 100 000 femmes[2]. Toutefois, comme beaucoup d'autres ITS, cette infection est de plus en plus fréquente. Le taux global en 2004 a plus que doublé par rapport à celui de 2002, et était neuf fois supérieur à celui de 1997[2]. Aujourd'hui, dans les pays occidentaux, la syphilis complique rarement la grossesse ; toutefois, certains pays enregistrent des cas de syphilis congénitale par suite d'une augmentation de l'incidence de la maladie chez les femmes. Au Canada, les cas de syphilis congénitale sont rares. De 1995 à 2004, le nombre de cas a varié de zéro à deux par année[2].

Étiologie

La syphilis est causée par *T. pallidum*, un spirochète Gram négatif hélicoïdal[1, 6, 7]. C'est une affection strictement humaine à transmission vénérienne et transplacentaire[1, 3]. La période moyenne d'incubation peut s'étendre de trois jours à trois mois, mais dure en moyenne trois semaines[1, 3].

Facteurs de risque

Les facteurs de risques de la contraction de la syphilis incluent les relations sexuelles avec une personne atteinte, les partenaires sexuels multiples, les antécédents de syphilis et d'autres ITS, la séropositivité pour le VIH, la provenance d'un pays où la prévalence de la syphilis est élevée et des relations sexuelles avec des personnes de ces pays, l'itinérance, la prostitution ainsi que l'utilisation de drogues injectables[1, 3]. En 2004, parmi les canadiennes, les taux déclarés les plus élevés ont été recensés chez les 20 à 29 ans[2].

Effets de la grossesse sur la syphilis

La grossesse n'a pas d'effet connu sur l'évolution de la syphilis.

Effets de la syphilis sur la grossesse

Une syphilis infectieuse anténatale non traitée risque d'affecter le fœtus, ce qui est associé à des naissances avant terme et des mortinaissances[1, 6, 7, 29, 30]. L'infection est généralement acquise par voie transplacentaire, mais une transmission au moment de l'accouchement peut aussi survenir[1, 6]. Une syphilis primaire ou secondaire non traitée est associée à un risque de transmission au fœtus pouvant atteindre 100 %, alors qu'une syphilis traitée n'est associée qu'à un taux de transmission de 1,8 %[1]. Le risque de séquelles pour le fœtus dépend du moment de l'infection et du délai avant l'initiation d'un traitement adéquat[29].

Effets néonatals

La syphilis congénitale précoce peut se présenter comme une infection fulminante disséminée ou une neurosyphilis[1]. L'affection peut aussi causer un *hydrops fœtalis*, une hépatosplénomégalie, une lymphadénopathie, des désordres hématologiques, des lésions muco-cutanées et osseuses et un retard de croissance[1, 29, 30]. L'infection peut être silencieuse à la naissance, et ne devenir apparente qu'à l'âge de deux ans[29].

Effets à long terme

À long terme, la syphilis tertiaire peut entraîner des complications graves, notamment des lésions du système nerveux central, de l'appareil cardiovasculaire, de l'oeil, de la peau et d'autres organes internes[1-4]. La syphilis non traitée peut éventuellement être mortelle[1, 2].

Les lésions tardives de la syphilis congénitale, entre autres des malformations osseuses ainsi que des anomalies dentaires et neurologiques, apparaissent graduellement durant les 20 premières années de vie de l'enfant[1, 30].

Outils d'évaluation

Cette section décrit de façon très sommaire différents tests utilisés pour le diagnostic et le suivi des infections syphilitiques. Pour obtenir de l'information plus détaillée relative à la prise en charge des patientes infectées et à l'interprétation des différents tests sérologiques disponibles, le lecteur peut se référer à des lignes directrices parues récemment et consulter un collègue expérimenté dans ce domaine[1, 4]. De plus, lors de l'évaluation initiale d'une patiente, il est primordial de documenter tout traitement de la syphilis ou tout résultat sérologique antérieur afin d'éviter un nouveau traitement inutile[1].

Globalement, il est possible d'effectuer deux types de tests sérologiques de la syphilis : les tests non tréponémiques et les tests tréponémiques. Ces deux types de tests sont requis pour le diagnostic de la syphilis[1, 4]. Les tests non tréponémiques incluent le test rapide de la réagine plasmatique (RPR) et le *Venereal Disease Research Laboratory* (VDRL). Les titres d'anticorps non tréponémiques corrèlent généralement avec l'activité de la maladie et servent donc à surveiller la réponse au traitement ainsi que la réinfection[1]. Les résultats de ces tests sont rapportés de façon quantitative. Un changement du titre de l'ordre de 4 (ou 2 dilutions) est considéré nécessaire pour démontrer une différence cliniquement significative (par exemple, changement de 1:16 à 1:4, ou changement de 1:8 à 1:32)[1, 4]. Le RPR et le VDRL sont deux méthodes d'une validité similaire, mais leurs résultats ne peuvent pas être comparés directement[4].

Les tests tréponémiques comprennent le test d'agglutination de *T. pallidum* (TP-PA) et le test d'anticorps antitréponémique fluorescent absorbé (FTA-ABS). Ces tests continuent généralement d'être réactifs pendant la vie des personnes affectées par la syphilis, quel que soit le traitement[1, 4]. Il est toutefois rapporté que lorsque l'infection est traitée pendant le stade primaire de la maladie, une séroconversion survient dans 15 à 25 % des cas[1, 4].

Traitements de la syphilis recommandés durant la grossesse et l'allaitement

Étant donné la résurgence de la syphilis au Canada et des risques associés durant la grossesse, il importe que toute femme enceinte subisse un test de dépistage non tréponémique lors de sa première visite prénatale[1, 3]. Les tests devraient être répétés ultérieurement pendant la grossesse chez les femmes présentant un risque élevé d'infection[1].

La pénicilline G benzathine est le seul antibiotique efficace pour le traitement de tous les stades de la syphilis infectieuse (primaire, secondaire et latente précoce). En cas d'infection survenant durant la grossesse, il s'agit du seul traitement permettant de prévenir la syphilis congénitale[1, 4, 6]. On recommande donc la désensibilisation aux femmes enceintes allergiques[1, 4, 6]. La pénicilline G benzathine n'est disponible que par le Programme d'Accès Spécial de Santé Canada, mais un accès gratuit facilité par les Directions de Santé Publique (DSP) est disponible pour le traitement de la syphilis infectieuse. Le traitement de la neurosyphilis est assuré par la pénicilline G sodique par voie intraveineuse[1, 4, 6].

Le tableau XI présente les posologies de pénicilline recommandées pour le traitement de la syphilis durant la grossesse et l'allaitement. Toute femme ayant reçu un nouveau diagnostic de syphilis durant la grossesse devrait être traitée en fonction du stade de son infection. Chez les patientes atteintes d'une syphilis secondaire en fin de grossesse (plus de 20 semaines de grossesse), le traitement conventionnel est toutefois associé à un risque persistant de mort fœtale et de syphilis congénitale. Il est donc recommandé d'administrer une dose supplémentaire de pénicilline G benzathine à ces patientes, même si l'efficacité d'une telle mesure n'a pas été évaluée[1]. Les traitements de premier recours pour la femme qui allaite sont les mêmes que pour la population générale[1].

Il est recommandé d'utiliser le condom ou de s'abstenir de relations sexuelles jusqu'à guérison de la syphilis[1]. Selon le stade de la maladie, il importe de rechercher et traiter tous les partenaires sexuels de la personne infectée, tel que dicté par le Programme québécois d'intervention préventive auprès des personnes atteintes d'une ITS et auprès de leurs partenaires[31].

Les données d'innocuité des antibiotiques utilisés dans le traitement de la syphillis durant la grossesse et l'allaitement sont présentées dans le chapitre 20. *Anti-infectieux.*

Suivi du traitement

Suite à l'administration de l'antibiotique, les patientes enceintes de plus de 20 semaines ont un risque d'environ 40% de développer la réaction de Jarisch-Herxheimer[1, 4, 6]. Les symptômes qui caractérisent cette réaction sont des frissons, de la fièvre, une myalgie, des céphalées, une hypotension, une tachycardie et de l'irritabilité[1, 6]. Les symptômes se résolvent spontanément en 12 à 24 heures et peuvent être soulagés par de l'acétaminophène[1, 6]. Des contractions utérines et une décélération fœtale peuvent aussi se produire lors de cette réaction, ce qui motive certains centres à hospitaliser la patiente pour surveillance fœtale lors du traitement[1, 4, 6].

Pendant la seconde moitié de la grossesse la prise en charge peut être facilité par une échographie fœtale permettant de déceler une syphilis congénitale (hépatomégalie, ascite et anasarque). Cependant, celle-ci ne doit pas retarder l'initiation du traitement[1, 4]. Une syphilis congénitale indique un risque important d'échec thérapeutique et nécessite une prise en charge par des obstétriciens spécialistes.

TABLEAU XI – TRAITEMENTS DE LA SYPHILIS RECOMMANDÉS DURANT LA GROSSESSE ET L'ALLAITEMENT[1, 4, 6]				
Ligne thérapeutique	Médicament	Dose	Durée du traitement	Suivi et commentaires
Syphilis primaire, secondaire et latente précoce (moins de un an)				
Premier recours	Pénicilline G benzathine	2,4 millions d'unités par voie intramusculaire.	1 dose	En cas de syphilis secondaire chez une patiente à plus de 20 semaines de gestation, répéter la dose une semaine plus tard. Faire un suivi par test non tréponémique 1, 3, 6 et 12 mois après le traitement.
Syphilis latente tardive ou syphilis latente de durée inconnue				
Premier recours	Pénicilline G benzathine	2,4 millions d'unités par voie intramusculaire 1 fois par semaine.	3 semaines	Faire un suivi par test non tréponémique 12 et 24 mois après le traitement.
Neurosyphilis				
Premier recours	Pénicilline G sodique	3 à 4 millions d'unités par voie intraveineuse toutes les 4 heures (16 à 24 millions d'unités par jour).	10 à 14 jours	Faire un suivi par test non tréponémique 6, 12 et 24 mois après le traitement.

Références :

1. AGENCE DE SANTÉ PUBLIQUE DU CANADA. *Lignes directrices canadiennes sur les infections transmises sexuellement.* 2006 [vérifié 14 février 2007]; Disponible dans: http://www.phac-aspc.gc.ca/std-mts/sti_2006/pdf/sti2006_f.pdf

2. AGENCE DE SANTÉ PUBLIQUE DU CANADA. *Rapport de surveillance canadien 2004 sur les infections transmises sexuellement.* 2007 [vérifié 22 juillet 2007]; Disponible dans: http://www.phac-aspc.gc.ca/publicat/ccdr-rmtc/07vol33/33s1/index_f.html

3. MINISTÈRE DE LA SANTÉ ET DES SERVICES SOCIAUX. *Guide québécois de dépistage: infections transmises sexuellement et par le sang.* 2005 [vérifié 14 février 2007]; Disponible dans: http://publications.msss.gouv.qc.ca/acrobat/f/documentation/2005/05-317-03.pdf

4. WORKOWSKI KA, BERMAN SM. Sexually transmitted diseases treatment guidelines, 2006. *MMWR Recomm Rep* 2006;55(RR-11):1-94.

5. PEIPERT JF. Clinical practice. Genital chlamydial infections. *N Engl J Med* 2003;349(25):2424-30.

6. HOLLIER LM, WORKOWSKI K. Treatment of sexually transmitted infections in pregnancy. *Clin Perinatol* 2005;32(3):629-56.

7. JACKSON SL, SOPER DE. Sexually transmitted diseases in pregnancy. *Obstet Gynecol Clin North Am* 1997;24(3):631-44.

8. DARVILLE T. Chlamydia trachomatis infections in neonates and young children. *Semin Pediatr Infect Dis* 2005;16(4):235-44.

9. BROCKLEHURST P, ROONEY G. Interventions for treating genital chlamydia trachomatis infection in pregnancy. *Cochrane Database Syst Rev* 2000(2):CD000054.

10. LAWRENCE RA, LAWRENCE RM. *Breastfeeding: a guide fro the medical profession.* 5ᵗʰ ed. St-Louis: Mosby Inc.; 1999.
11. BOZICEVIC I, FENTON KA, MARTIN IM, RUDD EA, ISON CA, NANCHAHAL K, et al. Epidemiological correlates of asymptomatic gonorrhea. *Sex Transm Dis* 2006;33(5):289-95.
12. WOODS CR. Gonococcal infections in neonates and young children. *Semin Pediatr Infect Dis* 2005;16(4):258-70.
13. BROCKLEHURST P. Antibiotics for gonorrhoea in pregnancy. *Cochrane Database Syst Rev* 2002(2):CD000098.
14. BROWN ZA, GARDELLA C, WALD A, MORROW RA, COREY L. Genital herpes complicating pregnancy. *Obstet Gynecol* 2005;106(4):845-56.
15. ASHLEY RL, WALD A. Genital herpes: review of the epidemic and potential use of type-specific serology. *Clin Microbiol Rev* 1999;12(1):1-8.
16. PATRICK DM, DAWAR M, COOK DA, KRAJDEN M, NG HC, REKART ML. Antenatal seroprevalence of herpes simplex virus type 2 (HSV-2) in Canadian women: HSV-2 prevalence increases throughout the reproductive years. *Sex Transm Dis* 2001;28(7):424-8.
17. MERTZ GJ, BENEDETTI J, ASHLEY R, SELKE SA, COREY L. Risk factors for the sexual transmission of genital herpes. *Ann Intern Med* 1992;116(3):197-202.
18. BROCHET MS. L'herpès pendant la grossesse et l'allaitement chez le nouveau-né: prévention et traitement. *Québec Pharmacie* 2005;52(7):448-452.
19. SCOTT LL, HOLLIER LM, DIAS K. Perinatal herpesvirus infections. Herpes simplex, varicella, and cytomegalovirus. *Infect Dis Clin North Am* 1997;11(1):27-53.
20. LEUNG DT, SACKS SL. Current treatment options to prevent perinatal transmission of herpes simplex virus. *Expert Opin Pharmacother* 2003;4(10):1809-19.
21. SHEFFIELD JS, HILL JB, HOLLIER LM, LAIBL VR, ROBERTS SW, SANCHEZ PJ, et al. Valacyclovir prophylaxis to prevent recurrent herpes at delivery: a randomized clinical trial. *Obstet Gynecol* 2006;108(1):141-7.
22. COMMITTEE ON INFECTIOUS DISEASES AMERICAN ACADEMY OF PEDIATRICS. *Red Book: 2003 Report of the Committee on Infectious Diseases.* 26ᵗʰ ed. Elk Grove Village, IL: American Academy of Pediatrics; 2003.
23. SCHAEFFER C. *Drugs in Pregnancy and Lactation.* 1ˢᵗ ed. Amsterdam: Elsevier Inc.; 2001.
24. HEINONEN O, SLONE D, SHAPIRO S. *Birth Defects and Drugs in Pregnancy.* 1ˢᵗ ed. Littleton: John Wright Publishing Sciences Group, Inc.; 1977.
25. MAW RD. Treatment of external genital warts with 5% imiquimod cream during pregnancy: a case report. *BJOG* 2004;111(12):1475.
26. EINARSON A, COSTEI A, KALRA S, ROULEAU M, KOREN G. The use of topical 5% imiquimod during pregnancy: a case series. *Reprod Toxicol* 2006;21(1):1-2.
27. BRIGGS G, FREEMAN R, YAFFE S. *Drugs in Pregnancy and Lactation.* 7ᵗʰ ed. Philadelphie: Lippincott Williams & Wilkins; 2005.
28. ANDERSON P, SAUBERAN J. *LactMed.* [cited 14 février 2007]; Available from: http://toxnet.nlm.nih.gov/cgi-bin/sis/htmlgen?LACT
29. ASKIN DF. Intrauterine infections. *Neonatal Netw* 2004;23(5):23-30.
30. HYMAN EL. Syphilis. *Pediatr Rev* 2006;27(1):37-9.
31. MINISTÈRE DE LA SANTÉ ET DES SERVICES SOCIAUX. *Programme québécois d'intervention préventive auprès des personnes atteintes d'une infection transmissible sexuellement et auprès de leurs partenaires.* [vérifié 14 février 2007]; Disponible dans: http://publications.msss.gouv.qc.ca/acrobat/f/documentation/2004/04-325-01.pdf

Chapitre 19

Paludisme

■

Sonia PROT-LABARTHE

Généralités

Définition

Le paludisme ou malaria est une infection causée par quatre espèces du genre *Plasmodium* : *P. falciparum*, *P. vivax*, *P. ovale* et *P. malariæ*. La maladie se caractérise par de la fièvre et un syndrome grippal avec myalgies, céphalées, douleurs abdominales, malaises, raideur et frissons. Le paludisme grave dû à *P. falciparum* peut provoquer des convulsions, un coma et une insuffisance rénale et respiratoire parfois fatals. Les décès dus au paludisme sont souvent liés à un diagnostic et un traitement tardifs. Les infections à *P. vivax* et à *P. ovale* peuvent entraîner des rechutes à partir de stades hépatiques quiescents. La période d'incubation du paludisme varie entre sept jours et plusieurs mois[1, 2].

Épidémiologie

En Afrique, 30 millions de femmes enceintes sont exposées chaque année au paludisme et 200 000 nourrissons décèdent des suites d'un paludisme maternel pendant la grossesse[3]. Le risque, pour un voyageur, d'être atteint par le paludisme dépend de l'intensité de transmission dans la zone visitée, de l'itinéraire, de la durée et du type de voyage[2]. Les pays concernés par le paludisme sont les pays d'Afrique et d'Asie du Sud-Est, mais également des pays d'Amérique du Sud et d'Amérique centrale, de même qu'Haïti et la République Dominicaine[4]. Le nombre de cas de paludisme déclarés au Canada a atteint un sommet en 1997 avec 1029 cas déclarés pour redescendre ensuite à environ 400 cas par année. On estime que seulement 30 à 50 % des cas seraient déclarés aux organismes de santé publique[1].

Étiologies

Le paludisme est causé par la piqûre d'un anophèle femelle infecté par *Plasmodium*. Dans de rares cas, la transmission peut se faire par transfusion sanguine, transplantation d'organes, partage de seringues, ou de la mère au fœtus[1, 2].

Facteurs de risque

Parmi les facteurs contribuant aux décès ou aux accès palustres graves, on retrouve l'absence de prophylaxie ou une prophylaxie inappropriée, une mauvaise observance au traitement, le retard du diagnostic et du traitement et un traitement inapproprié une fois le diagnostic établi[1].

Effets de la grossesse sur le paludisme

Dans toutes les zones d'endémie, la fréquence et la sévérité des infections sont plus importantes chez les femmes enceintes par rapport aux femmes non enceintes. Les femmes qui n'ont jamais été exposées au paludisme sont plus fragiles aux complications les plus graves. Même chez les patientes ayant une forte immunité contre le paludisme et vivant dans une région à forte endémie, la première grossesse entraîne une dépression immunitaire qui peut diminuer la réponse contre la maladie. De plus, la prévalence des infections et la parasitémie sont plus importantes durant la première moitié de la grossesse. La parasitémie diminue progressivement jusqu'à l'accouchement pour retrouver en *post-partum* une parasitémie identique à celle d'avant la grossesse. D'autres facteurs peuvent également entrer en jeu tels les hémoglobinopathies (drépanocytose) et les facteurs nutritionnels (fer et acide folique). L'hypoglycémie semble être une complication plus fréquente du paludisme chez la femme enceinte que chez la femme non enceinte[5].

Effets du paludisme sur la grossesse

L'infection par le paludisme peut être plus sévère chez une femme enceinte que chez une femme non enceinte. Le paludisme augmente le risque de prématurité, d'avortements spontanés et de mortinaissance surtout chez les femmes non exposées au palutisme avant leur grossesse[2, 4, 5]. Les retards de croissance intra-utérine sont souvent associés à une infection placentaire, à une diminution de transport de nutriments et d'oxygène au fœtus par le placenta et à une anémie chez la mère[5].

Effets néonatals

La présence de nombreux autres facteurs influençant l'impact du paludisme sur la morbidité et la mortalité des nourrissons font que l'effet isolé de l'infection à Plasmodium est difficile à déterminer. L'infection de la mère peut mener à un paludisme congénital. L'anémie maternelle, la diminution du poids de naissance, le retard de croissance et la prématurité sont des facteurs de risque de mortalité périnatale[5].

Effets à long terme

L'influence de l'exposition *in utero* aux antigènes du paludisme sur la réponse à une infection à *Plasmodium* après la naissance reste à établir[5].

Outils d'évaluation

Les recommandations concernant la détection des symptômes et les dosages biologiques ne sont pas différentes chez la femme enceinte de celles adressées à la population générale. À la moindre fièvre inexpliquée pendant ou après un voyage, il faut demander un frottis sanguin et une goutte épaisse. Si le frottis initial est négatif et que les symptômes persistent, il faut refaire l'analyse sérologique dans les 12 à 24 heures suivantes[1].

Traitements recommandés pendant la grossesse et l'allaitement

La résistance de *P. falciparum* à la chloroquine est maintenant répandue et sa répartition géographique est toujours en évolution. Il est important de toujours vérifier la pharmacorésistance du pays de destination avant d'instaurer un traitement préventif ou curatif[1]. Les antipaludéens inhibent le développement du parasite dans les globules rouges et parfois au niveau hépatique, mais aucun n'empêche l'introduction du parasite dans le sang. C'est pour cette raison qu'aucune méthode n'offre une protection complète contre le paludisme et que les femmes enceintes ou qui planifient une grossesse doivent autant que possible éviter de voyager dans les zones de transmission du paludisme. Si ce voyage ne peut être évité, le traitement prophylactique doit être approprié[1, 2, 4].

Utilisation d'insectifuges

La meilleure façon de prévenir le paludisme est d'éviter les piqûres de moustiques: vêtements appropriés, moustiquaires imprégnées de perméthrine, utilisation d'insectifuges. Le DEET ou N,N Diéthyl-M-Toluamide est l'insectifuge de référence. Comme il est utilisé en application topique, il faut bien respecter les durées de protection. La concentration maximale recommandée est de 30 % (concentration maximale autorisée à la vente au Canada)[6]. Il faut minimiser la surface d'exposition, appliquer sur les vêtements et la peau exposée et laver la peau dès que l'utilisation n'est plus nécessaire.

Prévention du paludisme

Pour les séjours prolongés dans les zones d'endémie, les recommandations sont les mêmes que celles qui s'appliquent pour un court séjour[1]. Même si un voyageur a déjà été atteint par le paludisme, il peut à nouveau être contaminé et les mesures préventives sont toujours nécessaires[2].

L'artémisinine et autres dérivés sont de plus en plus utilisés dans les pays d'endémie mais ne sont pas commercialisés au Canada. De même, l'halofantrine (associé à une cardiotoxicité) et l'association pyriméthamine-sulfadoxine ne sont pas commercialisés au Canada. Auparavant, le proguanil associé à la chloroquine, bien que moins efficace que la méfloquine, appartenait aux options possibles dans le traitement prophylactique dans certaines zones chloroquino-résistantes, en association avec la quinine dans le traitement curatif. Cependant, le proguanil seul ou associé à la chloroquine a été retiré du marché au Canada.

Traitement du paludisme

Le paludisme, surtout à *P. falciparum*, est une urgence médicale qui exige une prise en charge immédiate et un suivi étroit. Avant l'identification certaine du parasite, il faut traiter le patient comme un cas de paludisme à *P. falciparum*. L'administration des médicaments se fera par voie parentérale si des signes de complications du paludisme sont présents ou si les nausées et vomissements sont trop importants[1].

Des études ont montré que la grossesse modifie les paramètres pharmacocinétiques de métabolisme et de distribution des médicaments et semble entraîner des taux plasmatiques inférieurs aux taux attendus chez la femme non enceinte pour certains médicaments (atovaquone et proguanil, méfloquine[7-9]). Cependant, la tolérance à des doses plus élevées de ces médicaments est encore à étudier avant de proposer une augmentation de la posologie chez les femmes enceintes. Face aux données d'innocuité durant la grossesse des différents médicaments utilisés en traitement curatif, il est important de garder en mémoire les risques de mortalité d'une crise de malaria non traitée.

TABLEAU I – TRAITEMENTS RECOMMANDÉS DANS LA PRÉVENTION ET LE TRAITEMENT DU PALUDISME DURANT LA GROSSESSE		
Médicaments	**Posologie**	**Suivi recommandé, commentaires**
Médicaments utilisés pour la prévention du paludisme		
Zone chloroquino-sensible: chloroquine	300 mg de chloroquine base, soit 500 mg de diphosphate de chloroquine une fois par semaine par voie orale[2]. Débuter 1 semaine avant l'entrée dans la zone impaludée, continuer durant le séjour et poursuivre 4 semaines après la sortie de cette zone[2].	La chloroquine est déconseillée chez des patientes ayant des antécédents de convulsions ou de psoriasis généralisé.
Zone chloroquino-résistante: méfloquine	228 mg de méfloquine base, soit 250 mg de chlorhydrate de méfloquine une fois par semaine par voie orale[2]. Débuter 1 semaine avant l'entrée dans la zone impaludée, continuer durant le séjour, et poursuivre 4 semaines après la sortie de cette zone[2].	À utiliser avec précaution chez les patientes ayant des antécédents de désordres psychiatriques, de dépression, d'anxiété ou de convulsions et chez les personnes ayant des anomalies de conduction cardiaque[2].
Zone chloroquino-résistante avec des résistances à la méfloquine: doxycycline	100 mg par voie orale 1 fois par jour. À partir du premier jour du séjour et jusqu'à 4 semaines après le retour.	Déconseillé après le 4e mois de grossesse (voir chapitre 20. *Anti-infectieux*).
Médicaments utilisés pour le traitement du paludisme		
Paludisme à *P. falciparum* sans complication, contracté dans une région où les souches sont sensibles à la chloroquine ou paludisme à *P. vivax*, *P. ovale* ou *P. malariæ*.		
Chloroquine	600 mg de chloroquine base le premier jour, puis 300 mg 6 h plus tard et enfin 300 mg par jour pendant 2 jours[1, 10].	On peut prévenir les rechutes des infections à *P. vivax* ou *P. ovale* par une prophylaxie hebdomadaire à la chloroquine jusqu'à l'accouchement et on réservera l'utilisation de primaquine après l'accouchement chez les patientes n'ayant pas de déficit en G6PD[1].

Médicaments		Posologie	Suivi recommandé, commentaires
Paludisme à *P. falciparum* grave ou compliqué ou contracté dans une région de chloroquino-résistance.			
Quinine	Quinine dose d'attaque	• Par pompe à perfusion : 5,8 mg/kg (en quinine base, soit 7 mg/kg de dichlorhydrate de quinine) pendant 30 minutes. • Sans pompe à perfusion : 16,7 mg/kg (en base, soit 20 mg/kg de dichlorhydrate de quinine) pendant 4 heures[1].	Pas de dose d'attaque si la patiente a déjà reçu de la quinine, de la quinidine ou de la méfloquine au cours des 24 heures précédentes. Surveiller la glycémie toutes les heures pendant la perfusion de quinine. L'administration de quinine nécessite une surveillance de l'électrocardiogramme.
	Quinine dose de relais	8,3 mg/kg (en quinine base, soit 10 mg/kg de dichlorhydrate de quinine) pendant 4 heures toutes les 8 heures, puis relais par la voie orale dès que possible pour un traitement complet de 3 à 7 jours selon les régions (7 jours pour les cas contractés en Asie du Sud-Est)[1].	Surveiller la glycémie toutes les heures pendant la perfusion de quinine. L'administration de quinine nécessite une surveillance de l'électrocardiogramme.
En association avec	Doxycycline	100 mg par voie orale 2 fois par jour pendant 7 jours.	En association avec la quinine. Déconseillé après le 4e mois de grossesse (voir chapitre 20. *Anti-infectieux*). À prendre en même temps que la quinine ou tout de suite après.
	Clindamycine	10 mg/kg par voie intraveineuse, puis 5mg/kg toutes les 8 heures jusqu'à ce que le sang soit exempt de parasites asexués[1].	En association avec la quinine et en alternative à la doxycycline. À prendre en même temps que la quinine ou tout de suite après.

Données sur l'innocuité des médicaments au cours de la grossesse

Insectifuges

Une étude randomisée contrôlée chez 449 femmes aux deuxième et troisième trimestres de grossesse exposées au DEET n'a pas montré d'augmentation du risque de malformations majeures, de petits poids de naissance ou d'impact sur les performances neurologiques et le devenir des nourrissons jusqu'à un an. Pour 4 femmes sur 50, le DEET a été détectable dans le sang de cordon. L'observance a cependant été variable, allant de 0 à 345,1 µg en dose cumulée administrée de DEET[11]. L'utilisation du DEET semble sécuritaire durant le deuxième et le troisième trimestres. Aucune étude n'a été réalisée durant le premier trimestre de la grossesse, mais son utilisation est largement répandue. Les réactions indésirables cutanées sont de faible importance face au risque de paludisme lié aux piqûres de moustique[1].

La citronnelle est embryotoxique chez les poussins, mais aucune donnée n'a été retrouvée chez la femme enceinte. Étant donné le manque de données d'innocuité et la durée d'efficacité inférieure à celle du DEET, l'utilisation de la citronnelle n'est pas recommandée chez la femme enceinte[12].

Médicaments utilisés en prévention et pour le traitement du paludisme

TABLEAU II – DONNÉES D'INNOCUITÉ DES MÉDICAMENTS UTILISÉS DANS LA PRÉVENTION ET LE TRAITEMENT DU PALUDISME		
Médicaments	**Données de tératogénicité**	**Recommandations, commentaires**
Atovaquone	• Pas de tératogénicité chez deux espèces animales. Adénomes hépatocellulaires et carcinomes avec toutes les doses utilisées chez la souris[13]. • Étude randomisée contrôlée et étude de cohorte rassemblant 66 femmes enceintes, dont au moins 3 durant le premier trimestre traitées pendant 3 jours à l'atovaquone 20 mg/kg/j en association avec le proguanil et l'artesunate pour un traitement curatif d'accès palustre : aucune augmentation du risque de malformations majeures, de petits poids de naissance, d'anomalies de croissance ou de développement neurologique constatée[14, 15].	Les données concernant l'atovaquone sont encore très limitées, surtout au premier trimestre, et les études ont été réalisées en comparant les issues de grossesse à des femmes exposées à d'autres médicaments. L'atovaquone ne fait pas partie des traitements de premier recours durant la grossesse.
Chloroquine	• Deux études de cohorte prospectives (2861 femmes traitées à partir de leur première visite prénatale et 118 femmes traitées durant le premier trimestre) ainsi qu'une étude de cohorte rétrospective de 169 femmes traitées durant toute leur grossesse à la chloroquine à dose préventive sur des schémas hebdomadaires ou mensuels : aucune augmentation du risque d'avortements spontanés, de mortinaissances ou de malformations n'a été observée[16-18]. • Étude de cohorte prospective de 81 femmes ayant reçu uniquement de la chloroquine comme traitement curatif pendant 3 jours au premier trimestre de la grossesse : aucune augmentation du taux d'avortements spontanés, de mortinaissances, de malformations congénitales, de petits poids de naissance ni de prématurité notée[19].	La chloroquine fait partie des antipaludéens de premier recours durant la grossesse[21].

Médicaments	Données de tératogénicité	Recommandations, commentaires
	• Chloroquine également utilisée à des doses plus importantes et quotidiennes dans le traitement du lupus ou de maladies rhumatoïdes (voir le chapitre 29. *Polyarthrite rhumatoïde et lupus érythémateux disséminé*). • Étude de cohorte prospective à partir d'un centre d'information en tératologie ayant regroupé 21 nourrissons nés de 15 femmes traitées avec une dose quotidienne de chloroquine (317 mg par jour en moyenne) ou d'hydroxy-chloroquine (332 mg par jour en moyenne) durant au moins un mois durant leur grossesse : aucune anomalie ophtalmologique détectée à des dates variables (2 mois à 10 ans) selon les enfants[20].	
Clindamycine	Voir le chapitre 20. *Anti-infectieux*	
Dapsone	• Deux essais randomisés contre placebo réalisés chez 600 femmes recevant de la dapsone 100 mg associée à la pyriméthamine en prophylaxie du paludisme lors des visites prénatales : aucune augmentation de mortinais-sances, de décès néonatals ou périnatals, d'avortements spontanés et de décès maternels n'a été observée. Impact positif noté dans deux études concernant le poids de naissance des nourrissons exposés ; cependant, des détails d'exposition selon les trimestres sont inconnus et l'exposition du fœtus est faible[22, 23]. • Dapsone également utilisée quotidien-nement dans d'autres pathologies comme la lèpre ou la dermatite à IgA. Difficile d'extrapoler à partir de ces données d'exposition en raison de l'influence des pathologies sur les issues de grossesse et données parfois difficilement exploitables (issues de grossesses non précises selon l'exposition)[24-27].	L'utilisation de dapsone durant la grossesse est déconseillée. Cependant, une exposition fortuite au cours du premier trimestre ne requiert pas de suivi obstétrical particulier. En raison de l'action anti-folique des sulfonamides, une supplémentation en acide folique de 4 à 5 mg par jour est nécessaire durant le traitement.

Médicaments	Données de tératogénicité	Recommandations, commentaires
	• Dapsone structurellement reliée aux sulfonamides, donc associée à un risque d'allergie croisée chez les patientes allergiques aux sulfamides et un risque d'hyperbilirubinémie chez les nourrissons exposés *in utero*[13]. • Action anti-folique des sulfonamides.	
Doxycycline	Voir le chapitre 20. *Anti-infectieux*	
Méfloquine	• Surveillance post-commercialisation de la méfloquine par la compagnie pharmaceutique rapportant 1627 expositions durant la grossesse : pas d'augmentation du risque d'avortements spontanés, ni du taux de malformations ; aucun tableau spécifique de malformations retrouvé[28]. • Plus de 1000 expositions à des doses prophylactiques de méfloquine dans des études de cohorte prospective, dont 113 durant le premier trimestre : pas d'augmentation du risque de malformations majeures, d'avortements spontanés ou de mortinaissances[16, 17, 29]. • Augmentation du risque de mortinaissances dans une étude rétrospective chez 200 femmes enceintes ayant reçu une prophylaxie par méfloquine (trimestre non précisé) ; cependant, pas d'inclusion dans l'analyse du délai entre le traitement reçu et la mortinaissance (les femmes pouvaient avoir reçu plusieurs traitements antipaludéens durant leur grossesse) ; femmes du groupe méfloquine également exposées à d'autres médicaments. Par ailleurs, pas d'association à une augmentation des avortements spontanés, des petits poids de naissance, des retards mentaux ou des malformations majeures[30]. • Traitement curatif à la méfloquine utilisé en combinaison avec d'autres antipaludéens chez 68 femmes (au moins 40 aux 2e et 3e trimestres) au sein d'un essai randomisé et d'une cohorte prospective : aucune augmentation du risque de malformations majeures, d'avortements spontanés ou de mortinaissances observée[31, 32].	Davantage de données sont disponibles durant le 2e et le 3e trimestres. Cependant, en l'absence d'autres options de traitement au premier trimestre, la méfloquine fait partie des traitements prophylactiques de premier recours.

Médicaments	Données de tératogénicité	Recommandations, commentaires
Primaquine	• Aucune donnée retrouvée concernant l'exposition de femmes enceintes à la primaquine.	Vu l'absence de données, la primaquine n'est pas recommandée chez la femme enceinte.
Proguanil	• En traitement préventif, 118 expositions durant le premier trimestre au proguanil associé à la chloroquine au sein d'une étude de cohorte prospective : aucune augmentation du risque de malformations majeures ou d'avortements spontanés observée[16]. • En traitement curatif d'un accès palustre, 66 expositions au proguanil associé à l'atovaquone et l'artesunate au sein d'une étude randomisée contrôlée et d'une étude de cohorte (au moins 3 femmes traitées durant le 1er trimestre) ; issues de grossesses comparées à celles de femmes ayant reçu de la quinine ou de l'artesunate seul : aucune différence notée concernant les malformations, la croissance à un an ou le développement neurologique et moteur[14, 15].	Si les données publiées semblent limitées, le proguanil reste l'un des médicaments les plus utilisés durant la grossesse dans les pays endémiques. Il est commercialisé au Canada en association avec l'atovaquone, pour laquelle on dispose encore de peu de données (voir *Atovaquone*). Cette association n'est pas un traitement de premier recours en raison du manque de données durant la grossesse. En raison de l'action anti-folique du proguanil, une supplémentation en acide folique de 4 à 5 mg par jour est nécessaire durant le traitement[13].
Quinine	• Étude de cohorte prospective, étude randomisée contrôlée et deux études de surveillance rapportant plus de 300 expositions à des doses curatives de quinine durant le 1er trimestre de grossesse : aucune augmentation du taux d'avortements spontanés, de mortinaissances, de malformations congénitales, de petits poids de naissance ou de prématurité notée[13, 19, 33]. • Quinine utilisée comme agent abortif à des doses importantes (2-8 g) au 1er trimestre de la grossesse. Efficacité de la quinine à des doses élevées comme agent abortif reste peu claire étant donné le manque d'études approfondies menées et le fait que la plupart des cas d'exposition sont des notifications de cas. Décès maternels rapportés dans ces conditions par anémie hémolytique aiguë et insuffisance rénale[34].	L'utilisation de quinine durant la grossesse reste peu étoffée dans la littérature médicale ; cependant, l'équilibre bénéfice-risque reste en faveur d'un traitement par quinine quand la vie de la patiente est en jeu.

Médicaments	Données de tératogénicité	Recommandations, commentaires
	• Malformation la plus souvent rapportée après l'utilisation de quinine au début de la grossesse en tant qu'agent abortif: hypoplasie des nerfs optiques avec 6 cas rapportés et 2 cas de surdité congénitale. Période la plus à risque serait entre la 7e et la 8e semaine de grossesse lors de la formation du nerf optique; cependant, exposition à la quinine après cette période pour 2 cas de cécité sur 6[35]. • Douze femmes de plus de 29 semaines de grossesse traitées par quinine pour des crises de paludisme à *P. falciparum* en Thaïlande: utilisation en fin de grossesse de la quinine semble peu efficace pour induire le travail, mais peut entraîner des hypoglycémies[36].	

Traitements recommandés pendant l'allaitement

Insectifuges

Concernant le DEET, aucune donnée sur le passage dans le lait n'est disponible. Son poids moléculaire (191 daltons) peut lui permettre de passer dans le lait et les effets chez le nourrisson après le passage dans le lait ne sont pas connus. Les formulations avec 10% de DEET sont utilisées chez les enfants à partir de six mois. Même en l'absence de données en allaitement et en considérant l'exposition par application topique et les risques du paludisme, l'utilisation du DEET est recommandée durant l'allaitement.

Aucune donnée n'est disponible concernant le passage dans le lait de la citronnelle. Étant donné le manque de données d'innocuité et la durée d'efficacité inférieure à celle du DEET, l'utilisation de la citronnelle n'est pas recommandée chez la femme qui allaite[12].

Prévention et traitement du paludisme

Les traitements recommandés pendant l'allaitement sont les mêmes que pendant la grossesse (tableau I).

La quantité de médicaments actifs contre le paludisme passant dans le lait est insuffisante pour protéger le nourrisson allaité contre le paludisme. Il est donc nécessaire de donner au nourrisson une chimioprophylaxie adaptée s'il voyage également en zone d'endémie du paludisme.

TABLEAU III – DONNÉES SUR L'INNOCUITÉ DES ANTIPALUDÉENS AU COURS DE L'ALLAITEMENT		
Médicaments	**Données en allaitement**	**Recommandations, commentaires**
Atovaquone	• Aucune donnée sur le passage dans le lait n'est disponible. • Poids moléculaire : 367 Da[37]. • Liaison aux protéines plasmatiques : 99,9 %[10]. • Utilisée en combinaison avec le proguanil en prophylaxie chez les enfants à partir de 11 kg[10].	La prise d'atovaquone n'est pas conseillée durant l'allaitement vu l'absence de données. Cependant, la forte liaison aux protéines plasmatiques est en faveur d'un faible passage dans le lait maternel.
Chloroquine	• Demi-vie d'élimination : 72-120 heures[10]. • Estimation de la dose maximale reçue par l'enfant par le lait maternel : moins de 2 % de la dose pédiatrique dans différentes études. Les mères prenaient des doses variant de dose unique de 600 mg par voie orale à 5 mg/kg par voie intramusculaire[38, 39]. • Aucun effet indésirable n'a été retracé chez des bébés allaités exposés à la chloroquine.	Le passage dans le lait de la chloroquine est faible et son utilisation est rassurante durant l'allaitement.
Clindamycine	Voir le chapitre 20. *Anti-infectieux*.	
Dapsone	• Demi-vie d'élimination longue (28 heures en moyenne) et varie entre 10 et 50 heures[10]. • Estimation de la dose reçue par le lait : 8 % de la dose pédiatrique après administration à la mère d'une dose unique de 100 mg ou répétée à 50 mg par jour[38, 40]. • Notification d'un cas d'anémie hémolytique légère ; la déficience en G6DP* n'a pas été testée[40].	Le faible passage dans le lait et son utilisation en pédiatrie ne contre-indiquent pas son utilisation chez la femme qui allaite. Le risque d'anémie hémolytique semble faible par une exposition par l'allaitement.
Doxycycline	Voir le chapitre 20. *Anti-infectieux*.	
Méfloquine	• Demi-vie d'élimination : 13 à 30 jours[10]. • Estimation de la dose reçue par un enfant en cas d'allaitement exclusif : 1,2 % de la dose utilisée en pédiatrie dans une étude réalisée chez 2 femmes qui n'allaitaient pas leur nourrisson après administration d'une prise unique de 250 mg de méfloquine base[41]. • Aucun effet indésirable chez des bébés exposés par le lait à la méfloquine n'a été retrouvé.	La méfloquine peut être utilisée pendant l'allaitement.

Médicaments	Données en allaitement	Recommandations, commentaires
Primaquine	• Aucune donnée retrouvée sur le passage dans le lait. • Poids moléculaire : 259 Da en faveur d'un passage dans le lait[37]. • Liaison aux protéines plasmatiques : inconnue. • Demi-vie d'élimination : 4 à 7 heures[10]. • Risque théorique d'anémie hémolytique chez des nourrissons exposés ayant un déficit en G6PD[13]. • Utilisée chez les enfants de plus de 1 an[42].	La prise de primaquine n'est pas conseillée durant l'allaitement vu l'absence de données. Il faut tester la déficience en G6PD chez toute femme allaitant et chez son nourrisson.
Proguanil	• Aucune donnée retrouvée sur le passage dans le lait. • Poids moléculaire : 290 Da en faveur d'un passage dans le lait[37]. • Liaison aux protéines plasmatiques : 75 %[10]. • Utilisé en pédiatrie chez les enfants de moins de 1 an[10].	Les données sont insuffisantes pour conseiller son utilisation en allaitement. Cependant, l'utilisation pédiatrique du proguanil est rassurante.
Quinine	• Concentrations dans le lait mesurées chez 30 femmes exposées à 10 à 20 mg/kg de sels de quinine toutes les 8 heures pour traiter un épisode de crise de malaria (nourrissons allaités) : nourrissons exposés au maximum à 5 % de la dose utilisée en pédiatrie[43]. • Risque théorique d'anémie hémolytique chez des nourrissons exposés ayant un déficit en G6PD[13].	Le faible passage de la quinine dans le lait est rassurant pour son utilisation par une femme allaitant son nourrisson. Il faut tester la déficience en G6PD chez toute femme allaitant et chez son nourrisson.

G6DP : Glucose - 6 - Phosphate déshydrogénase

Références

1. COMITÉ CONSULTATIF DE LA MÉDECINE TROPICALE ET DE LA MÉDECINE DES VOYAGES. Recommandations canadiennes pour la prévention et le traitement du paludisme (malaria) chez les voyageurs internationaux. Dans : *Relevé des maladies transmissibles au Canada*, Santé Canada; 2004. p. iv,66.
2. CENTERS FOR DISEASE CONTROL AND PREVENTION. *Health Information for International Travel. The «Yellow Book»*. 2005 [vérifié 19 décembre 2005]; Disponible dans : http://www.cdc.gov/travel/yb/
3. ORGANISATION MONDIALE DE LA SANTÉ. *Des vies en danger : le paludisme pendant la grossesse*. 2003 [vérifié 20 décembre 2005]; Disponible dans : http://www.who.int/features/2003/04b/fr/
4. Roll Back Malaria, World Health Organization, UNICEF. World Malaria Report 2005. 2005 [vérifié]; Disponible dans : http://rbm.who.int/wmr2005/
5. MENENDEZ C. Malaria during pregnancy : a priority area of malaria research and control. *Parasitol Today* 1995;11(5):178-83.

6. AGENCE DE RÉGLEMENTATION DE LA LUTTE ANTIPARASITAIRE. *Conseils de sécurité concernant l'utilisation d'insectifuges personnels.* 2004 [vérifié 21 février 2006]. Disponible dans: http://www.pmra-arla.gc.ca/francais/consum/3

7. McGREADY R, STEPNIEWSKA K, EDSTEIN MD, CHO T, GILVERAY G, LOOAREESUWAN S, et al. The pharmacokinetics of atovaquone and proguanil in pregnant women with acute falciparum malaria. *Eur J Clin Pharmacol* 2003;59(7):545-52.

8. NOSTEN F, KARBWANG J, WHITE NJ, HONEYMOON, NA BANGCHANG K, BUNNAG D, et al. Mefloquine antimalarial prophylaxis in pregnancy: dose finding and pharmacokinetic study. *Br J Clin Pharmacol* 1990;30(1):79-85.

9. NA BANGCHANG K, DAVIS TM, LOOAREESUWAN S, WHITE NJ, BUNNAG D, KARBWANG J. Mefloquine pharmacokinetics in pregnant women with acute falciparum malaria. *Trans R Soc Trop Med Hyg* 1994;88(3):321-3.

10. KLASCO Re. DRUGDEX(e) System. In: *Thomson Micromedex,* Greenwood Village, Colorado; Edition expires 06/2006.

11. McGREADY R, HAMILTON KA, SIMPSON JA, CHO T, LUXEMBURGER C, EDWARDS R, et al. Safety of the insect repellent N,N-diethyl-M-toluamide (DEET) in pregnancy. *Am J Trop Med Hyg* 2001;65(4):285-9.

12. FRADIN MS. Mosquitoes and mosquito repellents: a clinician's guide. *Ann Intern Med* 1998;128(11):931-40.

13. BRIGGS G, FREEMAN R, YAFFE S. *Drugs in Pregnancy and Lactation.* 5th ed. Philadelphia: Lippincott Williams & Wilkins; 2005.

14. McGREADY R, ASHLEY EA, MOO E, CHO T, BARENDS M, HUTAGALUNG R, et al. A randomized comparison of artesunate-atovaquone-proguanil versus quinine in treatment for uncomplicated falciparum malaria during pregnancy. *J Infect Dis* 2005;192(5):846-53.

15. McGREADY R, KEO NK, VILLEGAS L, WHITE NJ, LOOAREESUWAN S, NOSTEN F. Artesunate-atovaquone-proguanil rescue treatment of multidrug-resistant Plasmodium falciparum malaria in pregnancy: a preliminary report. *Trans R Soc Trop Med Hyg* 2003;97(5):592-4.

16. PHILLIPS-HOWARD PA, STEFFEN R, KERR L, VANHAUWERE B, SCHILDKNECHT J, FUCHS E, et al. Safety of mefloquine and other antimalarial agents in the first trimester of pregnancy. *J Travel Med* 1998;5(3):121-6.

17. STEKETEE RW, WIRIMA JJ, SLUTSKER L, KHOROMANA CO, HEYMANN DL, BREMAN JG. Malaria treatment and prevention in pregnancy: indications for use and adverse events associated with use of chloroquine or mefloquine. *Am J Trop Med Hyg* 1996;55(1 Suppl):50-6.

18. WOLFE MS, CORDERO JF. Safety of chloroquine in chemosuppression of malaria during pregnancy. *Br Med J* (Clin Res Ed) 1985;290(6480):1466-7.

19. McGREADY R, THWAI KL, CHO T, SAMUEL, LOOAREESUWAN S, WHITE NJ, et al. The effects of quinine and chloroquine antimalarial treatments in the first trimester of pregnancy. *Trans R Soc Trop Med Hyg* 2002;96(2):180-4.

20. KLINGER G, MORAD Y, WESTALL CA, LASKIN C, SPITZER KA, KOREN G, et al. Ocular toxicity and antenatal exposure to chloroquine or hydroxychloroquine for rheumatic diseases. *Lancet* 2001;358(9284):813-4.

21. WHITE NJ. The treatment of malaria. *N Engl J Med* 1996;335(11):800-6.

22. MENENDEZ C, TODD J, ALONSO PL, LULAT S, FRANCIS N, GREENWOOD BM. Malaria chemoprophylaxis, infection of the placenta and birth weight in Gambian primigravidae. *J Trop Med Hyg* 1994;97(4):244-8.

23. GREENWOOD BM, GREENWOOD AM, SNOW RW, BYASS P, BENNETT S, HATIB-N'JIE AB. The effects of malaria chemoprophylaxis given by traditional birth attendants on the course and outcome of pregnancy. *Trans R Soc Trop Med Hyg* 1989;83(5):589-94.

24. COLLIER PM, KELLY SE, WOJNAROWSKA F. Linear IgA disease and pregnancy. *J Am Acad Dermatol* 1994;30(3):407-11.

25. BHARGAVA P, KULDEEP CM, MATHUR NK. Antileprosy drugs, pregnancy and fetal outcome. *Int J Lepr Other Mycobact Dis* 1996;64(4):457-8.

26. MAURUS JN. Hansen's disease in pregnancy. *Obstet Gynecol* 1978;52(1):22-5.

27. LOPES VG, SARNO EN. Leprosy and pregnancy. *Rev Assoc Med Bras* 1994;40(3):195-201.

28. VANHAUWERE B, MARADIT H, KERR L. Post-marketing surveillance of prophylactic mefloquine (Lariam) use in pregnancy. *Am J Trop Med Hyg* 1998;58(1):17-21.

29. SMOAK BL, WRITER JV, KEEP LW, COWAN J, CHANTELOIS JL. The effects of inadvertent exposure of mefloquine chemoprophylaxis on pregnancy outcomes and infants of US Army servicewomen. *J Infect Dis* 1997;176(3):831-3.

30. NOSTEN F, VINCENTI M, SIMPSON J, YEI P, THWAI KL, de Vries A, et al. The effects of mefloquine treatment in pregnancy. *Clin Infect Dis* 1999;28(4):808-15.

31. BOUNYASONG S. Randomized trial of artesunate and mefloquine in comparison with quinine sulfate to treat P. falciparum malaria pregnant women. *J Med Assoc Thai* 2001;84(9):1289-99.

32. ADAM I, ALI DA, ALWASEILA A, KHEIR MM, ELBASHIR MI. Mefloquine in the treatment of falciparum malaria during pregnancy in Eastern Sudan. *Saudi Med J* 2004;25(10):1400-2.

33. HEINONEN O, SLONE D, SHAPIRO S. *Birth Defects and Drugs in Pregnancy*. Littleton: Publishing Sciences Group, Inc.; 1977.

34. DANNENBERG AL, DORFMAN SF, JOHNSON J. Use of quinine for self-induced abortion. *South Med J* 1983;76(7):846-9.

35. MCKINNA AJ. Quinine induced hypoplasia of the optic nerve. *Can J Ophthalmol* 1966;1(4):261-6.

36. LOOAREESUWAN S, PHILLIPS RE, WHITE NJ, KIETINUN S, KARBWANG J, RACKOW C, et al. Quinine and severe falciparum malaria in late pregnancy. *Lancet* 1985;2(8445):4-8.

37. ANON. In: Reynolds JE, ed. *Martindale - The Extra Pharmacopeia*: The Royal Pharmaceutical society of Great Britain; 1996.

38. EDSTEIN MD, VEENENDAAL JR, NEWMAN K, HYSLOP R. Excretion of chloroquine, dapsone and pyrimethamine in human milk. *Br J Clin Pharmacol* 1986;22(6):733-5.

39. AKINTONWA A, GBAJUMO SA, MABADEJE AF. Placental and milk transfer of chloroquine in humans. *Ther Drug Monit* 1988;10(2):147-9.

40. SANDERS SW, ZONE JJ, FOLTZ RL, TOLMAN KG, ROLLINS DE. Hemolytic anemia induced by dapsone transmitted through breast milk. *Ann Intern Med* 1982;96(4):465-6.

41. EDSTEIN MD, VEENENDAAL JR, HYSLOP R. Excretion of mefloquine in human breast milk. *Chemotherapy* 1988;34(3):165-9.

42. TAKETOMO C, HURLBURT HODDING J, KRAUS D. *Pediatric Dosage Handbook*, 12th ed. Hudson: Lexi-Comp's; 2005-6.

43. PHILLIPS RE, LOOAREESUWAN S, WHITE NJ, SILAMUT K, KIETINUN S, WARRELL DA. Quinine pharmacokinetics and toxicity in pregnant and lactating women with falciparum malaria. *Br J Clin Pharmacol* 1986;21(6):677-83.

Chapitre 20

Anti-infectieux

■

Cécile LOUVIGNÉ
Ema FERREIRA
Marie-Sophie BROCHET
Andréanne PRÉCOURT

Données d'innocuité sur les anti-infectieux durant la grossesse

Anti-infectieux	Données de biodisponibilité et de tératogénicité	Recommandations
Antibiotiques		
Acide fusidique	• BD percutanée : environ 2%[1]. • Pas d'effet tératogène observé chez une espèce animale[2]. • Aucune étude chez la femme enceinte n'a été retrouvée.	L'acide fusidique n'est pas un traitement de premier recours étant donné le manque d'information sur cette molécule ; toutefois, l'absorption par voie percutanée est faible.
Aminosides Amikacine Framycétine Gentamicine Paromomycine Streptomycine Tobramycine	• **Framycétine** : BD cutanée négligeable (peau intacte)[3]. • **Néomycine** : BD orale négligeable. • **Gentamicine** : BD cutanée : 5%[3]. • **Tobramycine** : BD inhalation : 1-16%[3]. • Pas d'association avec une augmentation du taux de malformations congénitales dans une étude cas-témoins (gentamicine, streptomycine, spectinomycine, tobramycine par voie parentérale et néomycine par voie orale)[4]. • Pas d'augmentation du taux de malformations majeures dans une étude de surveillance lors de 81 expositions à la tobramycine au 1er trimestre[5].	Les aminosides peuvent être utilisés durant la grossesse à tous les trimestres. Toutefois, la streptomycine devrait rester un dernier choix de traitement dans les aminosides du fait de son association plus fréquente à des cas d'ototoxicité. Les aminosides par voie topique ou par inhalation ont une absorption faible. Les quantités présentes dans les formes ophtalmiques, otiques ou rectales sont faibles.

Anti-infectieux	Données de biodisponibilité et de tératogénicité	Recommandations
	• Pas d'augmentation du taux de malformations congénitales chez 135 nouveau-nés exposés à la streptomycine au 1er trimestre[6]. • Pas de différence dans les issues de grossesse (poids à la naissance, prématurité, besoins en soins néonatals spécialisés) chez 57 patientes traitées avec ampicilline plus gentamicine comparé à 62 femmes traitées avec des céphalosporines pour une pyélonéphrite aiguë aux 1er et 2e trimestres avec gentamicine[7]. • Deux cas isolés de malformations rénales publiés à la suite d'une exposition *in utero* à la gentamicine[8, 9]. • Treize cas d'ototoxicité rapportés après une exposition *in utero* à la streptomycine et la kanamycine, parfois en association avec d'autres médicaments ototoxiques[5].	Des dosages des taux sériques d'aminosides administrés par voie systémique sont recommandés chez la mère pour assurer l'efficacité et prévenir la toxicité associée au traitement. Pas de données sur l'utilisation des aminosides en doses uniquotidiennes durant la grossesse.
Bacitracine	• BD muco-cutanée négligeable[10] • Aucune étude animale répertoriée. • Étude de surveillance avec 18 femmes traitées au 1er trimestre (voie d'administration non précisée) : pas d'augmentation du risque de malformations mise en évidence[6].	Les données sont limitées pour estimer les risques, cependant l'utilisation topique de la bacitracine pourrait être envisagée en raison de l'absorption négligeable.
Carbapénèmes Ertapénèm Imipénèm Méropénèm	• Études animales : pas d'effet tératogène chez 2 espèces avec ertapénèm, imipénèm/cilastatin et méropénèm[2, 5]. • Aucune donnée chez la femme enceinte au 1er trimestre n'a été retrouvée.	La structure et le mécanisme d'action sont similaires aux pénicillines. La gravité des situations nécessitant des carbapénèmes justifie probablement leur utilisation. Toutefois, ce ne sont pas des agents de premier recours lorsque d'autres options mieux documentées sont disponibles.
Céphalosporines *1ère génération* : céfadroxil céphalexine céphalotine céfazoline *2e génération* : céfaclor céfotétane céfoxitine cefprozil céfuroxime céfuroxime axétil *3e génération* : céfixime céfotaxime ceftazidime ceftizoxime ceftriaxone *4e génération* : céfépime	• Près de 6000 cas d'exposition aux céphalosporines rapportés au 1er trimestre (davantage de données avec les céphalosporines de première génération) : pas d'augmentation du taux de malformations congénitales[5, 11]. • Étude cas-témoins : pas d'association entre l'utilisation de céphalosporines pendant la grossesse et une augmentation du taux de malformations congénitales[12].	Les céphalosporines peuvent être utilisées chez la femme enceinte à tous les trimestres.

Anti-infectieux	Données de biodisponibilité et de tératogénicité	Recommandations
Chloramphénicol	• BD oculaire : passage dans la circulation systémique possible[10]. • Pas d'augmentation du taux de malformations majeures chez 98 nouveau-nés exposés au chloramphénicol au 1er trimestre[6]. • Pas de lien entre une exposition au chloramphénicol par voie orale en début de grossesse et la survenue de malformations congénitales[18]. • Pas d'issue de grossesse défavorable décrite dans plusieurs séries et notifications de cas (trimestre d'exposition non précisé)[5]. • Un cas de collapsus cardiovasculaire décrit (*gray baby syndrome*) chez un bébé exposé en fin de grossesse ; détails non disponibles, toutefois le *gray baby syndrome* est bien décrit chez des nouveau-nés qui reçoivent eux-mêmes du chloramphénicol[5].	Il est recommandé d'éviter d'utiliser le chloramphénicol sous toutes ses formes pendant la grossesse par mesure de prudence.
Clindamycine	• BD cutanée : 4-5 %[3] • BD vaginale : 0,6-11 %[3] • Pas d'augmentation du risque de malformations majeures chez 647 nouveau-nés exposés au 1er trimestre à la clindamycine par voie orale ou topique dans une étude de surveillance[5]. • Expérience clinique importante ; pas de patron d'anomalie rapporté.	La clindamycine peut être utilisée à tous les trimestres.
Colistiméthate	• BD par nébulisation : concentrations très inférieures à celles obtenues par voie intraveineuse[19]. • PM : 1750 Da. • Pas d'effet tératogène mis en évidence chez 3 espèces[2]. • Aucun cas d'exposition chez la femme enceinte n'a été retrouvé dans la littérature médicale.	Le colistiméthate en nébulisation peut être utilisé si nécessaire durant la grossesse en raison de l'absorption qui ne semble pas cliniquement significative.
Fluoroquinolones Ciprofloxacine Gatifloxacine Lévofloaxine Moxifloxacine Norfloxacine Ofloxacine	**Ciprofloxacine** • BD ophtalmique : pas complètement élucidée[10]. • BD otique : libération de quantité mesurable dans le plasma peu probable **Ofloxacine** • BD ophtalmique : pas complètement élucidée[10]. • Pas d'effet tératogène mis en évidence chez 2 ou 3 espèces animales[2,5]. • Risque théorique de fœtotoxicité selon les études animales effectuées chez des chiots et des rats immatures qui ont présenté des arthropathies suite à la prise de fluoroquinolones[5,53]. Pas d'évidence d'augmentation de l'incidence d'arthralgies chez les enfants ayant reçu des fluoroquinolones[53]. Aucun cas d'arthropathies chez les enfants exposés *in utero* à des fluoroquinolones n'a été retrouvé jusqu'à présent. Développement musculo-squelettique normal chez un groupe de 173 enfants exposés durant la grossesse[54].	Il faut réserver l'utilisation des fluoroquinolones au traitement d'infections résistantes ou compliquées et privilégier ciprofloxacine et norfloxacine si possible car ce sont les mieux documentées. Une exposition aux fluoroquinolones au 1er trimestre ne requiert pas de suivi obstétrical particulier.

Anti-infectieux	Données de biodisponibilité et de tératogénicité	Recommandations
	• Plus de 1000 cas d'exposition aux fluoroquinolones au 1er trimestre chez la femme enceinte dans différentes études: pas d'augmentation du taux de malformations majeures mise en évidence ni de patron d'anomalie décrit[5, 54-60]. Ciprofloxacine et norfloxacine principalement étudiées [5, 54, 55, 57-60]; quelques données avec ofloxacine[54, 59, 60]. • Aucune donnée retrouvée chez la femme enceinte avec les autres fluoroquinolones.	
Fosfomycine	• Pas d'effet tératogène mis en évidence chez 2 espèces animales[2]. • Efficacité de la fosfomycine en dose unique dans les cystites non compliquées évaluée dans différentes études, cependant peu de données disponibles sur les issues de grossesse, en particulier en cas d'exposition au 1er trimestre[5].	La fosfomycine est réservée pour des traitements d'infections urinaires non compliquées à partir du 2e trimestre. Toutefois, une exposition accidentelle au 1er trimestre ne requiert pas de suivi obstétrical particulier.
Gramicidine	• BD cutanée, oculaire, muqueuses: négligeable[3]. • Aucune étude animale répertoriée. • Étude de surveillance avec 61 expositions au 1er trimestre: pas d'augmentation du risque de malformations majeures mise en évidence[6].	Les données sont limitées pour estimer les risques; cependant, l'utilisation topique de la gramicidine pourrait être envisagée en raison de l'absorption négligeable.
Inhibiteur des bêta-lactamases Acide clavulanique	• Près de 600 cas d'exposition au 1er trimestre: pas d'augmentation du risque de malformations par rapport au risque de base dans la population générale[5, 14, 15]. • Pas de différence par rapport à un groupe témoin exposé à de l'amoxicilline seule dans le taux de naissances vivantes, de prématurité et du poids du bébé à la naissance chez 191 des patientes recevant amoxicilline/acide clavulanique au 1er trimestre[14]. • Augmentation du risque d'entérocolite nécrosante mise en évidence chez des nouveau-nés exposés à l'association amoxicilline/acide clavulanique en fin de grossesse (mères traitées pour une rupture prématurée des membranes)[16]. Une étude cas-témoins ultérieure n'a pas confirmé ce risque[17].	L'acide clavulanique peut être utilisé à tous les trimestres de la grossesse.
Inhibiteur des bêta-lactamases Tazobactam	• Études animales chez 2 espèces avec tazobactam seul et associé à pipéracilline: pas d'effet tératogène mis en évidence[2].	Le manque de données ne permet pas d'évaluer le risque.
Lincomycine	• Pas d'effet tératogène noté chez 3 espèces animales[2]. • Pas d'augmentation du taux de malformations et développement normal chez 302 enfants exposés in utero à la lincomycine par voie orale à différents moments de la grossesse[5].	Une exposition à la lincomycine au cours du 1er trimestre ne requiert pas de suivi obstétrical particulier; toutefois, en raison du nombre limité de données, il est recommandé de réserver son utilisation à partir du 2e trimestre ou d'utiliser des traitements mieux documentés.

Anti-infectieux	Données de biodisponibilité et de tératogénicité	Recommandations
Linézolide	• Pas d'effet tératogène chez 2 espèces animales à des doses n'entraînant pas une toxicité maternelle[5]. • Aucune donnée retrouvée chez la femme enceinte.	Le linézolide n'est pas un agent de premier recours au cours de la grossesse et devrait être utilisé seulement lorsque d'autres options mieux documentées ne peuvent pas être utilisées.
Macrolide Azithromycine	• Pas d'effet tératogène mis en évidence chez 2 espèces animales[2, 5]. • Passage placentaire faible (2,6 %)[21]. • Une étude prospective contrôlée et une étude de cohorte observationnelle : pas d'augmentation du risque de malformations majeures chez 123 femmes exposées au 1er trimestre[20, 21]. • Plusieurs études ont évalué l'efficacité de l'azithromycine en dose unique dans le traitement de la chlamydiose aux 2e et 3e trimestres principalement, sans toutefois étudier les issues de grossesse (voir chapitre 18. *Infections transmises sexuellement*)[22-25].	Une exposition à l'azithromycine au cours du 1er trimestre ne requiert pas de suivi obstétrical particulier ; toutefois, en raison du nombre limité de données, il est recommandé de réserver son utilisation à partir du 2e trimestre ou chez les patientes chez qui l'observance à un traitement de chlamydiose ne peut être assurée avec les autres options de traitement.

Macrolide
Clarithromycine
	• Des malformations ont été rapportées chez plusieurs espèces animales par voie orale :
	  – malformations cardiovasculaires chez le rat à 1,2 fois la dose recommandée chez l'homme ;
	  – fentes palatines chez la souris à 4 fois la dose recommandée chez l'homme ;
	  – retards de croissance chez le singe avec des concentrations plasmatiques 2 fois supérieures à celles mesurées chez l'homme[5].
	• Aucun patron d'anomalie décrit à l'heure actuelle après une exposition *in utero*[5, 26, 27].
	• Pas d'augmentation du taux de malformations congénitales notée chez plus de 270 femmes traitées au cours du 1er trimestre dans une étude de surveillance rétrospective et une étude prospective[26, 27].
		Une exposition à la clarithromycine au cours du 1er trimestre ne requiert pas de suivi obstétrical particulier ; toutefois, en raison du nombre limité de données, il est recommandé de réserver son utilisation à partir du 2e trimestre.

Macrolide Érythromycine	• Pas d'augmentation du risque de malformations congénitales dans 3 études de surveillance rapportant plus de 7300 expositions au cours du 1er trimestre (sels d'érythromycine non précisés)[5, 6, 28]. • Pas d'effet tératogène en cas d'exposition pendant les 2e et 3e mois de grossesse dans une étude cas-témoins[29]. • Augmentation du taux de malformations cardiaques et de sténose du pylore dans une étude prospective à partir de registres de naissances (1844 bébés exposés à l'érythromycine en début de grossesse)[30]. • Pas de confirmation du risque de sténose du pylore avec la prise de macrolides dans une étude cas-témoins et 2 études rétrospectives[31-33]. • Hépatotoxicité réversible décrite avec l'estolate d'érythromycine chez la femme enceinte[34].	L'érythromycine peut être utilisée à tous les trimestres de la grossesse ; les sels d'estolate doivent être évités.

Anti-infectieux	Données de biodisponibilité et de tératogénicité	Recommandations
Macrolide Spiramycine	• Pas de données animales retracées. • Pas de patron de malformations rapporté ni d'issues de grossesse défavorables dans différents cas publiés visant à étudier l'efficacité du traitement de la toxoplasmose plutôt que l'innocuité[5, 35].	La spiramycine est recommandée pour la prévention de la toxoplasmose congénitale. Pour les autres types d'infections il est préférable d'utiliser d'autres options mieux documentées.
Macrolide Télithromycine	• Pas d'effet tératogène mis en évidence chez 2 espèces animales[36]. • Pas de données retrouvées chez la femme enceinte.	L'utilisation de télithromycine est à éviter au cours de la grossesse en raison du manque de données et de l'existence d'options mieux connues.
Métronidazole	• BD vaginale: 2-56%[3]. • BD cutanée minime[3]. • Mutagène chez la bactérie et carcinogène chez les rongeurs[5]. • Chez l'homme: pas d'effet oncogène démontré, pas d'association à une augmentation des cancers infantiles dans une étude rétrospective[37]. • Pas d'augmentation du risque de malformations majeures dans différentes études rapportant au total plus de 5300 femmes exposées au cours du 1er trimestre par voie orale ou topique[5, 28, 38-41]. • Pas de lien entre une exposition au métronidazole au cours des 2e et 3e mois et la survenue de malformations congénitales dans une étude cas-témoins[42]. • Association entre une exposition au métronidazole par voie vaginale durant le 2e ou le 3e mois et un hydrocéphale congénital dans une étude cas-témoins; cependant faiblement significatif et nombre de cas limité[43]. • Lien entre une exposition à l'association métronidazole-miconazole par voie intravaginale au cours du 2e ou du 3e mois de la grossesse et la survenue de poly-syndactylie; toutefois, exposition concomitante à d'autres médicaments, lien à confirmer[44]. • Une méta-analyse a soulevé la possibilité que l'utilisation du métronidazole au cours du 2e trimestre au sein d'une population à risque élevé de travail préterme puisse augmenter le risque d'accouchement prématuré[45, 46]. • Expérience clinique de plus de 30 ans avec le métronidazole.	Le métronidazole peut être utilisé à tous les trimestres de la grossesse. Chez les femmes à haut risque d'accouchement prématuré, la clindamycine par voie orale pourrait être privilégiée pour le traitement de la vaginose bactérienne au 2e trimestre.
Mupirocine	• BD cutanée: 0,3% sur peau intacte. • BD à 3,3% intranasal[3]. • Pas d'effet tératogène observé chez 2 espèces animales[2]. • Aucun cas d'exposition durant la grossesse n'a été retracé dans la littérature médicale.	La mupirocine pourrait être envisagée sur une peau intacte, de préférence et si l'indication le justifie.

Anti-infectieux	Données de biodisponibilité et de tératogénicité	Recommandations
Nitrofurantoïne	• Pas d'augmentation du taux de malformations majeures chez plus de 1400 femmes exposées à la nitrofurantoïne au 1er trimestre dans 2 études de surveillance, une étude rétrospective et une méta-analyse[5, 6, 47]. • Pas d'association à des malformations congénitales dans une étude cas-témoins[48]. • Lien entre une exposition en début de grossesse à la nitrofurantoïne et une augmentation du risque de malformations cardiovasculaires chez le bébé dans une étude cas-témoins[49]. Nécessité d'autres études pour affirmer l'existence de ce risque. • Au moins 10 cas d'anémie hémolytique rapportés chez des bébés après exposition en fin de grossesse[50, 51]. Dans 8 cas sur 10, aucun dosage de glucose-6, phosphodéshydrogénase (G6PD) documenté ni chez la mère ni chez le nouveau-né[50]. Pas de déficience en G6PD ni chez les bébés ni leurs mères dans les 2 autres cas[50, 51]. • Mort fœtale *in utero* à la suite d'une hémorragie rétro-placentaire, après survenue chez la mère déficiente en G6PD d'une anémie hémolytique sévère lors d'un traitement par nitrofurantoïne[50].	La nitrofurantoïne peut être utilisée à tous les trimestres. Il faut cependant éviter l'utilisation de la nitrofurantoïne chez les femmes provenant d'une région où la déficience en G6PD est prévalente (Afrique, Moyen Orient, Asie du Sud-Est et Grèce) et en cas d'accouchement imminent.
Pénicillines Amoxicilline Ampicilline Bacampicilline Cloxacilline Pénicilline G Pénicilline V Pipéracilline Pivampicilline Ticarcilline.	• Pas d'augmentation du risque de malformations chez plus de 25 000 femmes traitées par la pénicilline et ses dérivés au 1er trimestre dans 2 études de surveillance[5, 6]. • Étude cas-témoins : pas d'association entre l'utilisation d'oxacilline (non commercialisée au Canada) au 1er trimestre et la survenue de malformations congénitales[13]. • Voir *Acide clavulanique* pour les données de l'association amoxicilline/clavulanate.	Les pénicillines peuvent être utilisées chez la femme enceinte à tous les trimestres de la grossesse.
Polymyxine B	• BD cutanée et oculaire négligeable[10]. • Pas d'effet tératogène observé chez 2 espèces animales[2]. • Étude de surveillance rapportant 7 cas d'exposition au 1er trimestre : pas d'augmentation du risque de malformations notée, cependant impossibilité de conclure en raison du nombre limité d'expositions[6]. • Pas de lien entre une exposition à la polymyxine par voie parentérale et la survenue de malformations congénitales dans une étude cas-témoins ; toutefois, nombre de femmes exposées très limité[52].	Les données sont limitées mais en raison de la faible biodisponibilité par voies topique et oculaire, la polymyxine B peut être utilisée à tous les trimestres.
Quinupristine/ Dalfopristine	• Pas d'effet tératogène chez 3 espèces animales[5]. • Aucune information sur les issues de grossesse après exposition *in utero* n'a été retrouvée.	L'association quinupristine/dalfopristine n'est pas un agent de premier recours au cours de la grossesse et devrait être seulement utilisé lorsque d'autres options mieux documentées ne peuvent pas être utilisées.

Anti-infectieux	Données de biodisponibilité et de tératogénicité	Recommandations
Sulfamides Sulfacétamide Sulfadiazine Sulfaméthoxazole	• BD cutanée : 4 %[3] ; BD ophtalmique : absorbés mais proportion inconnue[3] • Pas d'augmentation de la survenue de malformations majeures dans 2 études de surveillance rapportant près de 1600 expositions pendant le 1er trimestre[5, 6]. • Association entre une exposition pendant le deuxième et le troisième mois à différents sulfamides (non commercialisés au Canada) et la survenue de malformations cardiaques et de pieds bots dans une étude cas-témoins[61]. • Association entre l'exposition au triméthoprime-sulfamides pendant les deuxième et troisième mois et la survenue de malformations cardiovasculaires[62] (voir *Triméthoprime*). • Déplacement possible de la bilirubine de ses sites de liaison à l'albumine[5]. Aucun cas de kernictère après exposition *in utero* retrouvé dans la littérature médicale. • Un cas d'anémie hémolytique rapporté chez un fœtus dont la mère était déficiente en G6PD et traitée par sulfisoxazole[5].	Étant donné que les sulfamides administrés par voie oculaire entraînent probablement des concentrations plasmatiques négligeables, ils peuvent être utilisés au cours de la grossesse. Les sulfamides par voie systémique ne sont pas recommandés chez une patiente à risque imminent d'accouchement. Cependant, s'ils sont utilisés, il est recommandé de mesurer la bilirubine sérique dans les premières 24 heures de vie si la mère a pris des sulfamides avant l'accouchement. De plus, l'enfant peut être observé pour des signes d'hyperbilirubinémie : muqueuses et yeux jaunes, léthargie, diminution de la succion et hypotonie dans les cas plus sévères. Les sulfamides à doses prophylactique jusqu'à la fin de la grossesse comportent probablement peu de risques. Les sulfamides par voie systémique destinés aux adultes sont associés au triméthoprime : voir *Triméthoprime*.
Tétracyclines Doxycycline Minocycline Tétracycline	• Pas d'augmentation du taux de malformations majeures notée dans des études de surveillance montrant de nombreux cas de nouveau-nés exposés à des tétracyclines au 1er trimestre : plus de 1000 à la tétracycline, près de 1800 à la doxycycline, près de 200 à la minocycline[5, 6, 28]. • Pas d'association observée entre une exposition à la doxycycline au cours des deuxième et troisième mois de grossesse et la survenue de malformations congénitales[63]. • Décoloration permanente jaune-brun des dents rapportée après une exposition *in utero*[5, 64, 65]. Formation d'un complexe des tétracyclines avec le calcium orthophosphate et ensuite incorporation aux os et dents en cours de calcification[5]. Période à risque de décoloration des dents par les tétracyclines : à partir de 16 semaines de gestation[66]. • Réduction transitoire de la croissance des enfants nés prématurément et exposés aux tétracyclines après leur naissance rapportée dans une étude[67]. Croissance et développement normaux des nouveau-nés exposés pendant la grossesse dans les cas rapportés[5].	Les tétracyclines sont à éviter durant la grossesse, en particulier à partir de 16 semaines de grossesse. Cependant, une exposition à une tétracycline au 1er trimestre ne requiert pas de suivi obstétrical particulier.

Anti-infectieux	Données de biodisponibilité et de tératogénicité	Recommandations
Triméthoprime	• Antagoniste des folates (inhibiteur compétitif de la dihydrofolate réductase)[5]. • Augmentation du taux de malformations cardiovasculaires dans une étude de surveillance rapportant 2296 nouveau-nés exposés au cours du 1er trimestre par rapport aux taux attendus : 5,5% de malformations majeures observées dont 1,6% de malformations cardiovasculaires[5]. • Association entre une exposition au triméthoprime au 1er trimestre et diverses anomalies congénitales telles que des anomalies du tube neural, des malformations cardiovasculaires et des fentes palatines rapportée dans plusieurs études ; risque diminué en présence d'acide folique (dose protectrice incertaine). Risque augmenté d'environ 2 à 4 fois lors d'une exposition pendant la période critique de formation des organes[62, 68, 69].	L'utilisation du triméthoprime est déconseillée au cours du 1er trimestre. Toutefois, s'il doit être utilisé au cours du 1er trimestre, un supplément d'acide folique de 1 à 5 mg pendant le traitement est recommandé avant de revenir à la dose initiale d'acide folique prise par la patiente.
Vancomycine	• BD voie orale négligeable[3]. • Pas d'effet tératogène mis en évidence chez 2 espèces animales[2]. • Pas de néphrotoxicité ni d'ototoxicité dans une étude chez 10 enfants exposés *in utero* pendant au moins une semaine à la vancomycine au 2e ou 3e trimestre[70]. • Aucun cas d'exposition au 1er trimestre retrouvé dans la littérature médicale.	Malgré le peu de données, si nécessaire, la vancomycine pourrait être utilisée à tous les trimestres de la grossesse. Lors d'un traitement intraveineux, des dosages au cours du traitement sont recommandés afin d'assurer l'efficacité et prévenir la toxicité.
Antifongiques		
Antifongiques azolés		
Butoconazole	• BD vaginale : 2 à 5%[3, 10]. • Pas d'augmentation du taux de malformations majeures mise en évidence chez 444 nouveau-nés exposés au butoconazole au cours du 1er trimestre dans une étude de surveillance[5].	Les données actuelles ne suggèrent pas de risque après une exposition au butoconazole durant la grossesse ; les autres options mieux connues devraient être privilégiées.
Clotrimazole	• BD cutanée : moins de 0,5%[3]. • BD vaginale : 3 à 10%[10]. • Pas d'augmentation du taux de malformations majeures mise en évidence chez plus de 2600 nouveau-nés exposés au clotrimazole par voie vaginale pendant le 1er trimestre dans une étude de surveillance[5]. • Pas de lien observé entre une exposition au clotrimazole aux 2e et 3e trimestres et la survenue de malformations congénitales dans une étude cas-témoins[5]. • Diminution du taux de prématurité observée dans une étude après traitement par clotrimazole[71].	Le clotrimazole par voie vaginale ou topique peut être utilisé à tous les trimestres de la grossesse.
Éconazole	• BD cutanée : minime, moins de 4% de la dose appliquée a été retrouvée dans les urines et les fécès dans une étude[10].	Les données actuelles ne suggèrent pas de risque après une exposition à l'éconazole durant la grossesse ; les autres options mieux connues devraient être privilégiées.

Anti-infectieux	Données de biodisponibilité et de tératogénicité	Recommandations
	• Pas d'augmentation du taux de malformations majeures notée dans un groupe de 492 nouveau-nés exposés au kétoconazole, miconazole ou éconazole par voie topique durant le 1er trimestre[72]. • Pas d'association entre une exposition à l'éconazole par voie vaginale au cours du deuxième ou du troisième mois de grossesse et un effet tératogène dans une étude cas-témoins[73].	
Fluconazole	• Augmentation de l'incidence de malformations squelettiques et de fentes palatines observée chez le rat[5]. • Cinq cas de nouveau-nés avec des malformations multiples rapportés à la suite d'une exposition in utero à des doses élevées de fluconazole entre 400 et 1200 mg par jour au moins pendant le 1er trimestre[74-77]. Patron d'anomalies : malformations squelettiques et craniofaciales notamment, et semblables à celles observées dans les études animales et dans un syndrome génétique, le syndrome d'Antley-Bixler[74-77]. Tous ces éléments sont en faveur d'un potentiel tératogène du fluconazole à des doses élevées[76]. • Études épidémiologiques rapportant plus de 650 expositions au cours du 1er trimestre au fluconazole, principalement à des doses uniques de 150 mg : pas d'augmentation du taux de malformations majeures ni de patron de malformations décrit avec des doses élevées de fluconazole[20, 72, 78-81]. • Pas d'augmentation du taux de malformations majeures à la suite du traitement de 191 femmes au fluconazole durant le 1er trimestre dans une étude non publiée sous forme intégrale dans la littérature médicale[82].	Une exposition à une dose unique de fluconazole de 150 mg ne requiert pas de suivi obstétrical particulier. Toutefois, le fluconazole demeure un dernier recours chez la femme enceinte en raison du patron d'anomalie retrouvé avec des doses élevées. Une dose de 150 mg peut être envisagée en cas de contre-indication de l'utilisation d'applicateur vaginal, comme dans le cas des membranes rompues par exemple.
Itraconazole	• Triazolé et structurellement relié au fluconazole. • Études animales : effets tératogènes et embryotoxicité chez 2 espèces mais toxicité maternelle aux doses étudiées[5]. • Quatorze cas d'anomalies congénitales à la suite d'une exposition in utero à l'itraconazole, dont 4 anomalies des membres rapportés à la Food and Drug Administration[5]. • Pas d'augmentation du taux de malformations majeures ni de patron d'anomalies dans 3 études différentes montrant au total plus de 270 nouveau-nés exposés à l'itraconazole au cours du 1er trimestre (médiane d'utilisation de 3 jours et doses quotidiennes médianes de 200 mg)[20, 72, 83]. • Pas d'augmentation du taux de malformations majeures après exposition de 182 femmes à l'itraconazole durant le 1er trimestre dans une étude non publiée sous forme intégrale dans la littérature médicale (durée moyenne de traitement de 9 jours)[82].	Les données sont rassurantes en cas d'une exposition à l'itraconazole, cependant elles sont insuffisantes pour évaluer le risque et recommander son utilisation durant la grossesse.

Anti-infectieux	Données de biodisponibilité et de tératogénicité	Recommandations
Kétoconazole	• Concentrations plasmatiques de kétoconazole indétectables après application sur une peau intacte de la crème de kétoconazole 2 %, et après un shampooing de ketoconazole[10]. • Interfère avec la synthèse des hormones stéroïdiennes et pourrait théoriquement affecter le développement des organes génitaux mâles[5]. • Pas d'effet tératogène observé chez 2 espèces ; embryotoxique et tératogène chez le rat mais à des doses toxiques pour la mère[2, 5]. • Pas de malformations majeures chez 20 nouveau-nés exposés durant le 1er trimestre dans une étude de surveillance[5]. • L'administration du kétoconazole par voie systémique chez 280 femmes au cours du 1er trimestre de la grossesse n'a pas été associée à une augmentation du risque de malformations (durée moyenne de traitement de 15 jours et doses non précisées) (étude disponible seulement sous forme de résumé)[82]. • Pas de patron d'anomalies rapporté dans la littérature médicale[5].	Le kétoconazole n'est pas un traitement de premier recours en raison du manque de données. L'usage du shampooing ou de crème 2 % ne semble toutefois pas inquiétant étant donné la faible biodisponibilité.
Miconazole	• BD vaginale : 1,4 %[3]. • BD cutanée : moins de 0,1 %[3]. • Pas d'augmentation du taux de malformations majeures dans 2 études de surveillance rapportant plus de 7600 nouveau-nés exposés au miconazole au cours du 1er trimestre[5, 72]. • Pas d'association entre une exposition au miconazole et la survenue de fentes palatines, de spina bifida ou de malformations cardiaques dans une étude cas-témoins[84]. • Lien entre une exposition à l'association métronidazole-miconazole par voie intravaginale au cours du deuxième ou troisième mois de grossesse et la survenue de poly-syndactylie ; toutefois exposition concomitante à d'autres médicaments, lien à confirmer[44].	Le miconazole peut être utilisé par voie vaginale ou cutanée à tous les trimestres de la grossesse.
Oxiconazole	• BD vaginale faible[10]. • Pas d'effet tératogène observé chez 2 espèces animales[2]. • Aucune donnée n'a été recensée chez la femme enceinte.	Une exposition à l'oxiconazole au cours du 1er trimestre ne requiert pas de suivi obstétrical particulier ; toutefois, en raison du nombre limité de données, il est recommandé d'utiliser des traitements mieux documentés.
Terconazole	• BD intra-vaginale : 5 à 16 %[3]. • Pas d'augmentation du taux de malformations majeures chez plus de 1100 nouveau-nés exposés au terconazole au cours du 1er trimestre dans une étude de surveillance[5].	Le terconazole peut être utilisé à tous les trimestres de la grossesse.

Anti-infectieux	Données de biodisponibilité et de tératogénicité	Recommandations
Voriconazole	• Tératogène chez le rat à 0,3 fois la dose recommandée chez l'homme: fentes palatines, hydronéphrose, hydro-uretère et embryotoxique chez le lapin[5]. • Aucune donnée chez la femme enceinte n'a été retrouvée.	Les données sont insuffisantes pour évaluer le risque; il est préférable d'éviter l'utilisation du voriconazole durant la grossesse.
Antifongiques non azolés		
Amphotéricine B	• Pas d'effet tératogène démontré chez 2 espèces[5]. • Environ 40 expositions chez la femme enceinte rapportées dans la littérature médicale, principalement après le 1er trimestre[35]; aucun patron d'anomalies observé chez les enfants exposés[6, 85, 86]. • Au moins 7 cas d'utilisation de la forme liposomale d'amphotéricine B rapportés (nombre de cas au 1er trimestre non précisé); pas de toxicité observée chez la mère ni le nouveau-né[87].	Malgré le peu de données d'innocuité publiées chez la femme enceinte, il s'agit de l'antifongique le plus utilisé par voie parentérale pour traiter des infections fongiques systémiques pendant la grossesse.
Caspofongine	• Embryotoxique chez le rat et le lapin à des doses comparables à celles utilisées chez l'homme[5]. • Aucune donnée chez la femme enceinte retrouvée dans la littérature médicale.	Utiliser la caspofongine seulement si aucune autre option thérapeutique n'est disponible.
Naftifine	• BD cutanée: 2,5-6%[3]. • Pas d'effet tératogène observé chez 2 espèces animales[2]. • Aucune donnée chez la femme enceinte n'a été retracée.	En raison du manque de données, l'utilisation de la naftifine est déconseillée durant la grossesse.
Nystatine	• Pas d'absorption à travers une peau intacte ou les muqueuses[10]. • Pas d'augmentation du taux de malformations congénitales ni de patron d'anomalies dans 3 études de surveillance rapportant au total plus de 1000 cas d'exposition au cours du 1er trimestre[5, 6, 28]. • Pas d'association entre une exposition à la nystatine et la survenue de fentes palatines, de spina bifida ou de malformations cardiaques dans une étude cas-témoins[84].	La nystatine peut être utilisée à tous les trimestres.
Terbinafine	• BD cutanée: < 5%[88]. • Pas d'effet tératogène chez le rat et le lapin[5]. • Environ 50 expositions durant la grossesse rapportées durant le 1er trimestre à la suite d'un usage oral et topique selon le résumé d'une étude de cohorte dont les résultats définitifs ne sont pas publiés: 1 malformation congénitale rapportée[89].	Étant donné les information limitées sur son innocuité durant la grossesse, la terbinafine ne devrait pas être utilisée en 1er recours.

Anti-infectieux	Données de biodisponibilité et de tératogénicité	Recommandations
Antiviraux		
Acyclovir	• BD cutanée faible[10]. • Plus de 850 expositions à l'acyclovir par voie systémique ont été rapportées au 1er trimestre de grossesse sans malformations majeures associées ni de patron d'anomalies observé[20, 90, 91]. • Pas d'augmentation du taux de malformations majeures chez 478 nouveau-nés exposés à l'acyclovir (voie non précisée) dans une étude de surveillance[5]. • Pas d'augmentation du taux de complications fœtales ou néonatales (poids de naissance, prématurité, mortinaissance) par rapport à un groupe témoin dans une étude[90]. • Utilisé en traitement suppressif de l'infection génitale à herpès simplex à partir de la 36e semaine de grossesse (voir chapitre 18. *Infections transmises sexuellement*).	L'acyclovir peut être utilisé à tous les trimestres de la grossesse.
Amantadine	Voir chapitre 15. *Rhume et Grippe*	
Famciclovir	• Métabolisé en penciclovir, la molécule active[3]. • Pas d'effet tératogène mis en évidence avec famciclovir et penciclovir dans les études animales chez 2 espèces[2]. • Sept cas d'expositions durant le 1er trimestre rapportés dans une étude : 2 avortements spontanés, une grossesse ectopique, 4 enfants en bonne santé et sans malformation congénitale[20].	Une exposition au famciclovir au cours du 1er trimestre ne requiert pas de suivi obstétrical particulier ; toutefois, en raison du nombre limité de données, il est recommandé d'utiliser des traitements mieux documentés.
Idoxuridine	• Effets tératogènes observés chez 3 espèces animales après administration par voie parentérale, mais aussi par voie ophtalmique chez le lapin : pied bot, exophtalmie[2]. • Aucune étude chez la femme enceinte n'a été retrouvée.	L'utilisation de l'idoxuridine est déconseillée pendant la grossesse en raison du manque de données et de son potentiel tératogène chez l'animal.
Oseltamivir	Voir le chapitre 15. *Rhume et grippe*.	
Trifluridine	• Concentrations sériques négligeables après administration intra-oculaire[3] • Pas d'effets tératogènes observés chez 2 espèces animales[2]. • Aucune étude chez la femme enceinte n'a été retrouvée.	En raison de l'absorption oculaire négligeable et de l'absence d'effet tératogène dans les études animales, une femme exposée à la trifluridine pendant la grossesse peut être rassurée. Toutefois, les données sont insuffisantes pour recommander son utilisation car il est possible d'utiliser d'autres traitements.
Valacyclovir	• Métabolisé à plus de 99 % en acyclovir au niveau hépatique (pas d'étude spécifique sur le métabolisme chez la femme enceinte)[3]. • Pas d'effets tératogènes rapportés chez 2 espèces animales[2].	Les données et leur origine (notifications spontanées) ne permettent pas d'évaluer les risques.

Anti-infectieux	Données de biodisponibilité et de tératogénicité	Recommandations
	• Vingt-huit expositions au cours du 1er trimestre rapportées dans le registre du fabricant; une malformation majeure notée[92]. • Deux études chez un total de 227 femmes ont montré l'efficacité du valacyclovir en traitement suppressif de l'herpès génital à partir de 36 semaines de grossesse[93, 94]. Voir chapitre 18. *Infections transmises sexuellement.*	Puisque le valacyclovir est la prodrogue de l'acyclovir, on peut probablement utiliser les données d'innocuité de l'acyclovir. Si possible, l'acyclovir devrait être utilisé en premier recours et le valacyclovir pourrait être utilisé à partir du 2e trimestre ou dans les cas où l'observance à l'acyclovir n'est pas optimale.
Zanamivir	Voir le chapitre 15. *Rhume et grippe.*	

BD: biodisponibilité; PM: poids moléculaire

Références

1. VICKERS CF. Percutaneous absorption of sodium fusidate and fusidic acid. *Br J Dermatol* 1969;81(12):902-8.
2. SCHARDEIN JL. Antimicrobial agents. In: *Chemically Induced Birth Defects*. 3rd ed. New York: Marcel Dekker; 2000. p. 379-434.
3. KLASCO Re. DRUGDEX® System. In: *Thomson Micromedex*, Greenwood Village, Colorado; Edition expires 06/2006.
4. CZEIZEL AE, ROCKENBAUER M, OLSEN J, SORENSEN HT. A teratological study of aminoglycoside antibiotic treatment during pregnancy. *Scand J Infect Dis* 2000;32(3):309-13.
5. BRIGGS G, FREEMAN R, YAFFE S. *Drugs in Pregnancy and Lactation. A reference guide to fetal and neonatal risk.* 7th ed. Philadelphia: Lippincott Williams & Wilkins; 2005.
6. ANON. Antimicrobial and antiparasitic agents. In: Heinonen O, Slone D, Shapiro S, ed. *Birth Defects and Drugs in Pregnancy.* Littleton, Massachusetts: Publishing Sciences Group Inc; 1977. p. 297-313.
7. WING DA, HENDERSHOTT CM, DEBUQUE L, MILLAR LK. A randomized trial of three antibiotic regimens for the treatment of pyelonephritis in pregnancy. *Obstet Gynecol* 1998;92(2):249-53.
8. YARIS F, KESIM M, KADIOGLU M, KUL S. Gentamicin use in pregnancy. A renal anomaly. *Saudi Med J* 2004;25(7):958-9.
9. HULTON SA, KAPLAN BS. Renal dysplasia associated with in utero exposure to gentamicin and corticosteroids. *Am J Med Genet* 1995;58(1):91-3.
10. MC EVOY G, ed. *AHFS Drug information 2004.* Bethesda, Maryland: American Society of Health-System Pharmacists, Inc.; 2004.
11. BERKOVITCH M, SEGAL-SOCHER I, GREENBERG R, BULKOWSHTEIN M, ARNON J, MERLOB P, et al. First trimester exposure to cefuroxime: a prospective cohort study. *Br J Clin Pharmacol* 2000;50(2):161-5.
12. CZEIZEL AE, ROCKENBAUER M, SORENSEN HT, OLSEN J. Use of cephalosporins during pregnancy and in the presence of congenital abnormalities: a population-based, case-control study. *Am J Obstet Gynecol* 2001;184(6):1289-96.
13. CZEIZEL AE, ROCKENBAUER M, SORENSEN HT, OLSEN J. Teratogenic evaluation of oxacillin. *Scand J Infect Dis* 1999;31(3):311-2.
14. BERKOVITCH M, DIAV-CITRIN O, GREENBERG R, COHEN M, BULKOWSTEIN M, SHECHTMAN S, et al. First-trimester exposure to amoxycillin/clavulanic acid: a prospective, controlled study. *Br J Clin Pharmacol* 2004;58(3):298-302.
15. CZEIZEL AE, ROCKENBAUER M, SORENSEN HT, OLSEN J. Augmentin treatment during pregnancy and the prevalence of congenital abnormalities: a population-based case-control teratologic study. *Eur J Obstet Gynecol Reprod Biol* 2001;97(2):188-92.

16. KENYON SL, TAYLOR DJ, TARNOW-MORDI W. Broad-spectrum antibiotics for preterm, prelabour rupture of fetal membranes: the ORACLE I randomised trial. ORACLE Collaborative Group. *Lancet* 2001;357(9261):979-88.

17. AL-SABBAGH A, MOSS S, SUBHEDAR N. Neonatal necrotising enterocolitis and perinatal exposure to co-amoxyclav. *Arch Dis Child Fetal Neonatal Ed* 2004;89(2):F187.

18. CZEIZEL AE, ROCKENBAUER M, SORENSEN HT, OLSEN J. A population-based case-control teratologic study of oral chloramphenicol treatment during pregnancy. *Eur J Epidemiol* 2000;16(4):323-7.

19. BERINGER P. The clinical use of colistin in patients with cystic fibrosis. *Curr Opin Pulm Med* 2001;7(6):434-40.

20. WILTON LV, PEARCE GL, MARTIN RM, MACKAY FJ, MANN RD. The outcomes of pregnancy in women exposed to newly marketed drugs in general practice in England. *Br J Obstet Gynaecol* 1998;105(8):882-9.

21. SARKAR M, WOODLAND CC, KOREN G, EINARSON AR. Pregnancy outcome following gestational exposure to azithromycin. *BMC Pregnancy Childbirth* 2006;6:18.

22. BUSH MR, ROSA C. Azithromycin and erythromycin in the treatment of cervical chlamydial infection during pregnancy. *Obstet Gynecol* 1994;84(1):61-3.

23. ADAIR CD, GUNTER M, STOVALL TG, MCELROY G, VEILLE JC, ERNEST JM. Chlamydia in pregnancy: a randomized trial of azithromycin and erythromycin. *Obstet Gynecol* 1998;91(2):165-8.

24. JACOBSON GF, AUTRY AM, KIRBY RS, LIVERMAN EM, MOTLEY RU. A randomized controlled trial comparing amoxicillin and azithromycin for the treatment of Chlamydia trachomatis in pregnancy. *Am J Obstet Gynecol* 2001;184(7):1352-4; discussion 1354-6.

25. WEHBEH HA, RUGGEIRIO RM, SHAHEM S, LOPEZ G, ALI Y. Single-dose azithromycin for Chlamydia in pregnant women. *J Reprod Med* 1998;43(6):509-14.

26. DRINKARD CR, SHATIN D, CLOUSE J. Postmarketing surveillance of medications and pregnancy outcomes: clarithromycin and birth malformations. *Pharmacoepidemiol Drug Saf* 2000;9(7):549-56.

27. EINARSON A, PHILLIPS E, MAWJI F, D'ALIMONTE D, SCHICK B, ADDIS A, et al. A prospective controlled multicentre study of clarithromycin in pregnancy. *Am J Perinatol* 1998;15(9):523-5.

28. ASELTON P, JICK H, MILUNSKY A, HUNTER JR, STERGACHIS A. First-trimester drug use and congenital disorders. *Obstet Gynecol* 1985;65(4):451-5.

29. CZEIZEL AE, ROCKENBAUER M, SORENSEN HT, OLSEN J. A population-based case-control teratologic study of oral erythromycin treatment during pregnancy. *Reprod Toxicol* 1999;13(6):531-6.

30. KALLEN BA, OTTERBLAD OLAUSSON P, DANIELSSON BR. Is erythromycin therapy teratogenic in humans? *Reprod Toxicol* 2005;20(2):209-14.

31. MAHON BE, ROSENMAN MB, KLEIMAN MB. Maternal and infant use of erythromycin and other macrolide antibiotics as risk factors for infantile hypertrophic pyloric stenosis. *J Pediatr* 2001;139(3):380-4.

32. COOPER WO, RAY WA, GRIFFIN MR. Prenatal prescription of macrolide antibiotics and infantile hypertrophic pyloric stenosis. *Obstet Gynecol* 2002;100(1):101-6.

33. LOUIK C, WERLER MM, MITCHELL AA. Erythromycin use during pregnancy in relation to pyloric stenosis. *Am J Obstet Gynecol* 2002;186(2):288-90.

34. MCCORMACK WM, GEORGE H, DONNER A, KODGIS LF, ALPERT S, LOWE EW, et al. Hepatotoxicity of erythromycin estolate during pregnancy. *Antimicrob Agents Chemother* 1977;12(5):630-5.

35. KLASCO R. Reprorisk system, Teris. In: *Thomson Micromedex*, Greenwood village, Colorado.; Expires 09/2006.

36. KLASCO R. Reprorisk system, Reprotox. In: *Thomson Micromedex*, Greenwood village, Colorado.; Edition expires 09/2006.

37. THAPA PB, WHITLOCK JA, BROCKMAN WORRELL KG, GIDEON P, MITCHEL EF, Jr., ROBERSON P, et al. Prenatal exposure to metronidazole and risk of childhood cancer: a retrospective cohort study of children younger than 5 years. *Cancer* 1998;83(7):1461-8.

38. DIAV-CITRIN O, SHECHTMAN S, GOTTEINER T, ARNON J, ORNOY A. Pregnancy outcome after gestational exposure to metronidazole: a prospective controlled cohort study. *Teratology* 2001;63(5):186-92.

39. BURTIN P, TADDIO A, ARIBURNU O, EINARSON TR, KOREN G. Safety of metronidazole in pregnancy: a meta-analysis. *Am J Obstet Gynecol* 1995;172(2 Pt 1):525-9.

40. PIPER JM, MITCHEL EF, RAY WA. Prenatal use of metronidazole and birth defects: no association. *Obstet Gynecol* 1993;82(3):348-52.

41. CARO-PATON T, CARVAJAL A, MARTIN DE DIEGO I, MARTIN-ARIAS LH, ALVAREZ REQUEJO A, RODRIGUEZ PINILLA E. Is metronidazole teratogenic? A meta-analysis. *Br J Clin Pharmacol* 1997;44(2):179-82.

42. CZEIZEL AE, ROCKENBAUER M. A population based case-control teratologic study of oral metronidazole treatment during pregnancy. *Br J Obstet Gynaecol* 1998;105(3):322-7.

43. KAZY Z, PUHO E, CZEIZEL AE. Teratogenic potential of vaginal metronidazole treatment during pregnancy. *Eur J Obstet Gynecol Reprod Biol* 2005;123(2):174-8.

44. KAZY Z, PUHO E, CZEIZEL AE. The possible association between the combination of vaginal metronidazole and miconazole treatment and poly-syndactyly Population-based case-control teratologic study. *Reprod Toxicol* 2005;20(1):89-94.

45. MORENCY AM, BUJOLD E. Comment on "Pregnancy outcome after early detection of bacterial vaginosis" Eur. J. Obstet. Gynecol. Reprod. Biol. 128 (2006) 40-45. *Eur J Obstet Gynecol Reprod Biol* 2007;132(1):129; author reply 130.

46. MORENCY AM, BUJOLD E. The effect of second-trimester antibiotic therapy on the rate of preterm birth. *J Obstet Gynaecol Can* 2007;29(1):35-44.

47. BEN DAVID S, EINARSON T, BEN DAVID Y, NULMAN I, PASTUSZAK A, KOREN G. The safety of nitrofurantoin during the first trimester of pregnancy: meta-analysis. *Fundam Clin Pharmacol* 1995;9(5):503-7.

48. CZEIZEL AE, ROCKENBAUER M, SORENSEN HT, OLSEN J. Nitrofurantoin and congenital abnormalities. *Eur J Obstet Gynecol Reprod Biol* 2001;95(1):119-26.

49. KALLEN BA, OTTERBLAD OLAUSSON P. Maternal drug use in early pregnancy and infant cardiovascular defect. *Reprod Toxicol* 2003;17(3):255-61.

50. GAIT JE. Hemolytic reactions to nitrofurantoin in patients with glucose-6-phosphate dehydrogenase deficiency: theory and practice. *DICP* 1990;24(12):1210-3.

51. BRUEL H, GUILLEMANT V, SALADIN-THIRON C, CHABROLLE JP, LAHARY A, POINSOT J. Hemolytic anemia in a newborn after maternal treatment with nitrofurantoin at the end of pregnancy. *Arch Pediatr* 2000;7(7):745-7.

52. KAZY Z, PUHO E, CZEIZEL AE. Parenteral polymyxin B treatment during pregnancy. *Reprod Toxicol* 2005;20(2):181-2.

53. CAMPBELL C. Quinolones: are they safe for children? *Pharmacy Practice* 2004;20(3):48-52.

54. LOEBSTEIN R, ADDIS A, HO E, ANDREOU R, SAGE S, DONNENFELD AE, et al. Pregnancy outcome following gestational exposure to fluoroquinolones: a multicenter prospective controlled study. *Antimicrob Agents Chemother* 1998;42(6):1336-9.

55. PASTUSZAK A, ANDREOU R, SCHICK B, SAGE S, COOK L, DONNENFELD A, et al. New postmarketing surveillance data supports a lack of association between quinolone use in pregnancy and fetal and neonatal complications. *Reprod Toxicol* 1995;9(6):584.

56. BOMFORD J, LEDGER J, O'KEEFFE B, REITER C. Ciprofloxacin use during pregnancy. *Drugs* 1993;45(Suppl. 3):461-2.

57. BERKOVITCH M, PASTUSZAK A, GAZARIAN M, LEWIS M, KOREN G. Safety of the new quinolones in pregnancy. *Obstet Gynecol* 1994;84(4):535-8.

58. KOUL PA, WANI JI, WAHID A. Ciprofloxacin for multiresistant enteric fever in pregnancy. *Lancet* 1995;346(8970):307-8.

59. SCHAEFER C, AMOURA-ELEFANT E, VIAL T, ORNOY A, GARBIS H, ROBERT E, et al. Pregnancy outcome after prenatal quinolone exposure. Evaluation of a case registry of the European Network of Teratology Information Services (ENTIS). *Eur J Obstet Gynecol Reprod Biol* 1996;69(2):83-9.

60. WILTON LV, PEARCE GL, MANN RD. A comparison of ciprofloxacin, norfloxacin, ofloxacin, azithromycin and cefixime examined by observational cohort studies. *Br J Clin Pharmacol* 1996;41(4):277-84.

61. CZEIZEL AE, PUHO E, SORENSEN HT, OLSEN J. Possible association between different congenital abnormalities and use of different sulfonamides during pregnancy. *Congenit Anom* (Kyoto) 2004;44(2):79-86.

62. CZEIZEL AE, ROCKENBAUER M, SORENSEN HT, OLSEN J. The teratogenic risk of trimethoprim-sulfonamides: a population based case-control study. *Reprod Toxicol* 2001;15(6):637-46.

63. CZEIZEL AE, ROCKENBAUER M. Teratogenic study of doxycycline. *Obstet Gynecol* 1997;89(4):524-8.
64. KLINE AH, BLATTNER RJ, LUNIN M. Transplacental effect of tetracyclines on teeth. *JAMA* 1964;188:178-80.
65. KUTSCHER AH, ZEGARELLI EV, TOVELL HM, HOCHBERG B, HAUPTMAN J. Discoloration of deciduous teeth induced by administration of tetracycline antepartum. *Am J Obstet Gynecol* 1966;96(2):291-2.
66. MOORE L, PERSAUD T. The integumentary system. In: *Before We Are Born.* USA: Elsevier Science; 2003. p. 398.
67. COHLAN QS, BEVELANDER G, TIAMSIC T. Growth inhibition of premature receiving tetracycline. *American Journal of Diseases of Children* 1963;105:453-61.
68. HERNANDEZ-DIAZ S, WERLER MM, WALKER AM, MITCHELL AA. Neural tube defects in relation to use of folic acid antagonists during pregnancy. *Am J Epidemiol* 2001;153(10):961-8.
69. HERNANDEZ-DIAZ S, WERLER MM, WALKER AM, MITCHELL AA. Folic acid antagonists during pregnancy and the risk of birth defects. *N Engl J Med* 2000;343(22):1608-14.
70. REYES MP, OSTREA EM, JR., CABINIAN AE, SCHMITT C, RINTELMANN W. Vancomycin during pregnancy: does it cause hearing loss or nephrotoxicity in the infant? *Am J Obstet Gynecol* 1989;161(4):977-81.
71. CZEIZEL AE, FLADUNG B, VARGHA P. Preterm birth reduction after clotrimazole treatment during pregnancy. *Eur J Obstet Gynecol Reprod Biol* 2004;116(2):157-63.
72. JICK SS. Pregnancy outcomes after maternal exposure to fluconazole. *Pharmacotherapy* 1999;19(2):221-2.
73. CZEIZEL AE, SORENSEN HT, ROCKENBAUER M, OLSEN J. A population-based case-control teratologic study of nalidixic acid. *Int J Gynaecol Obstet* 2001;73(3):221-8.
74. LEE BE, FEINBERG M, ABRAHAM JJ, MURTHY AR. Congenital malformations in an infant born to a woman treated with fluconazole. *Pediatr Infect Dis J* 1992;11(12):1062-4.
75. PURSLEY TJ, BLOMQUIST IK, ABRAHAM J, ANDERSEN HF, BARTLEY JA. Fluconazole-induced congenital anomalies in three infants. *Clin Infect Dis* 1996;22(2):336-40.
76. LOPEZ-RANGEL E, VAN ALLEN MI. Prenatal exposure to fluconazole: an identifiable dysmorphic phenotype. *Birth Defects Res A Clin Mol Teratol* 2005;73(11):919-23.
77. ALECK KA, BARTLEY DL. Multiple malformation syndrome following fluconazole use in pregnancy: report of an additional patient. *Am J Med Genet* 1997;72(3):253-6.
78. MASTROIACOVO P, MAZZONE T, BOTTO LD, SERAFINI MA, FINARDI A, CARAMELLI L, et al. Prospective assessment of pregnancy outcomes after first-trimester exposure to fluconazole. *Am J Obstet Gynecol* 1996;175(6):1645-50.
79. RUBIN PC, WILTON LV, INMAN W.H.W. Fluconazole and pregnancy: results of a prescription event-monitoring study. *Int J Gynecol Obstet* 1992 1992;37 (Suppl):25-7.
80. SORENSEN HT, NIELSEN GL, OLESEN C, LARSEN H, STEFFENSEN FH, SCHONHEYDER HC, et al. Risk of malformations and other outcomes in children exposed to fluconazole in utero. *Br J Clin Pharmacol* 1999;48(2):234-8.
81. INMAN W, PEARCE G, WILTON L. Safety of fluconazole in the treatment of vaginal candidiasis. A prescription-event monitoring study, with special reference to the outcome of pregnancy. *Eur J Clin Pharmacol* 1994;46(2):115-8.
82. BUCHAILLE L, VIAL T, ELEFANT E, VON TONNINGEN M, SCHAEFER C, ARNON J. Outcome of pregnancy in 660 women after first trimester exposure to systemic antifungals: a multicenter prospective study (Abstract). *Fundam Clin Pharmacol* 2001;15(Suppl 1):19.
83. BAR-OZ B, MORETTI ME, BISHAI R, MAREELS G, VAN TITTELBOOM T, VERSPEELT J, et al. Pregnancy outcome after in utero exposure to itraconazole: a prospective cohort study. *Am J Obstet Gynecol* 2000;183(3):617-20.
84. ROSA FW, BAUM C, SHAW M. Pregnancy outcomes after first-trimester vaginitis drug therapy. *Obstet Gynecol* 1987;69(5):751-5.
85. KING CT, ROGERS PD, CLEARY JD, CHAPMAN SW. Antifungal therapy during pregnancy. *Clin Infect Dis* 1998;27(5):1151-60.

86. MOUDGAL VV, SOBEL JD. Antifungal drugs in pregnancy: a review. *Expert Opin Drug Saf* 2003;2(5):475-83.

87. PAGLIANO P, CARANNANTE N, ROSSI M, GRAMICCIA M, GRADONI L, FAELLA FS, et al. Visceral leishmaniasis in pregnancy: a case series and a systematic review of the literature. *J Antimicrob Chemother* 2005;55(2):229-33.

88. CANADA ADPD, EDITOR. COMPENDIUM DES PRODUITS ET SPÉCIALITÉS PHARMACEUTIQUES. 9ᵉ éd. Ottawa: Association des pharmaciens du Canada; 2006.

89. SARKAR M, ROWLAND K, KOREN G. *Pregnancy outcome following gestational exposure to terbinafine: a prospective comparative study.* In: OTIS 16ᵗʰ International Conference Program; 2003.

90. RATANAJAMIT C, VINTHER SKRIVER M, JEPSEN P, CHONGSUVIVATWONG V, OLSEN J, SORENSEN HT. Adverse pregnancy outcome in women exposed to acyclovir during pregnancy: a population-based observational study. *Scand J Infect Dis* 2003;35(4):255-9.

91. STONE KM, REIFF-ELDRIDGE R, WHITE AD, CORDERO JF, BROWN Z, ALEXANDER ER, et al. Pregnancy outcomes following systemic prenatal acyclovir exposure: Conclusions from the international acyclovir pregnancy registry, 1984-1999. *Birth Defects Res A Clin Mol Teratol* 2004;70(4):201-7.

92. ASKARIAN-MONAVVARI R. *Registre d'exposition au valacyclovir pendant la grossesse de GSK.* GlaxoSmithKline, ed.; 2006.

93. ANDREWS WW, KIMBERLIN DF, WHITLEY R, CLIVER S, RAMSEY PS, DEETER R. Valacyclovir therapy to reduce recurrent genital herpes in pregnant women. *Am J Obstet Gynecol* 2006;194(3):774-81.

94. SHEFFIELD JS, HILL JB, HOLLIER LM, LAIBL VR, ROBERTS SW, SANCHEZ PJ, et al. Valacyclovir prophylaxis to prevent recurrent herpes at delivery: a randomized clinical trial. *Obstet Gynecol* 2006;108(1):141-7.

L'utilisation des anti-infectieux durant l'allaitement

Les données permettant d'évaluer l'innocuité des anti-infectieux durant l'allaitement sont présentées dans le tableau qui suit. Le lecteur est référé au chapitre 4. *Connaissances de base sur l'utilisation des médicaments au cours de l'allaitement* pour l'explication des critères présentés et leur analyse.

Il faut noter que les calculs réalisés pour estimer la dose maximale à laquelle est exposé le bébé à un médicament à travers le lait sont théoriques. Les résultats utilisés pour ce calcul correspondent toujours aux concentrations maximales obtenues dans le lait avec le médicament; la consommation de lait du bébé correspond aussi à sa consommation moyenne, soit 150 mL de lait par kg par jour.

Les données pharmacocinétiques présentées sont celles définies chez un adulte et ont un intérêt particulier en cas d'absence ou de manque de données. La $t_{1/2}$ correspond au temps après lequel il reste 50% de la concentration maximale du médicament dans le sang de la mère.

Ces calculs se basent sur des études hétérogènes qui comptent souvent très peu de patientes, à des stades d'allaitement et des posologies différents. Il s'agit parfois de vieilles études pour lesquelles la qualité méthodologique n'est pas précisée, notamment en ce qui concerne les techniques de dosage et les temps de prélèvement. Il n'a pas toujours été possible d'avoir accès aux données primaires.

Les études sont très peu nombreuses et ne présentent pas toujours de groupe témoin; la plupart des effets rapportés sont des cas isolés qui ne permettent pas d'évaluer la fréquence ni le lien de causalité. En théorie, un changement de flore intestinale est possible avec tous les anti-infectieux. Cet effet d'une exposition à travers l'allaitement n'a pas été démontré. Cependant, il est conseillé de surveiller les changements de la fréquence et de la consistance des selles des bébés lorsque la mère est exposée à un anti-infectieux, en particulier à large spectre et par voie systémique, et de consulter un professionnel de la santé si nécessaire.

L'expérience clinique durant l'allaitement et en pédiatrie a également été prise en compte pour émettre les recommandations.

Médicament/ classe thérapeutique	Pharmacocinétique (adulte)	n	Dose maternelle	Dose max reçue par bébé (estimée)	Effets décrits chez les enfants allaités
Antibiotiques					
Acide fusidique	**Recommandations** : les données sur l'acide fusidique sont très limitées. L'acide fusidique par voie topique pourrait être utilisé si nécessaire durant l'allaitement en raison de l'absorption faible et de la forte LPP.				
	BD cutanée : 2 %[1]. BD orale : 91 % (pour la suspension, 70 % chez l'adulte, 22,5 % en pédiatrie)[2]. LPP : 97-99,8 %[2]. $T_{1/2}$: 5-6 heures[3]. PM : 525 Da.	?[4]	?[4]	0,02 % de la dose utilisée en pédiatrie.	Aucun effet indésirable à la suite d'une exposition par le lait maternel n'a été retracé dans la littérature médicale.
AMINOSIDES					
Recommandation : les aminosides sont compatibles avec l'allaitement. Ils passent en petite quantité dans le lait maternel et leur BD orale est faible, donc il est peu probable que des effets indésirables soient observés chez les bébés.					
Amikacine	BD orale négligeable. LPP : 4-11 %[2]. $T_{1/2}$: 2 heures[2].	6[5, 6]	100 à 200 mg par voie IM[5, 6].	1,5 % de la dose utilisée en pédiatrie.	Aucun effet indésirable à la suite d'une exposition par le lait maternel n'a été retracé dans la littérature médicale.
Framycétine	BD orale négligeable. BD cutanée : négligeable sur une peau intacte[2].	0			Aucun effet indésirable à la suite d'une exposition par le lait maternel n'a été retracé dans la littérature médicale.
Gentamicine	BD orale : 0,2 %[2]. BD cutanée : 5 %[2]. LPP : 0-30 %[2]. $T_{1/2}$: 1,5-4 heures [2]	10[7]	80 mg 3 fois par jour par voie IM[7].	1,8 % de la dose pédiatrique.	Concentrations plasmatiques détectables chez 5 de ces enfants, toutefois inférieures aux concentrations thérapeutiques (maximum 0,49 mg/L) et correspondant à 10 % du pic de la mère[7].

Médicament/ classe thérapeutique	Pharmacocinétique (adulte)	n	Dose maternelle	Dose max reçue par bébé (estimée)	Effets décrits chez les enfants allaités
					Selles sanguinolentes disparaissant à l'arrêt de l'allaitement chez un nouveau-né allaité dont la mère était traitée par clindamycine et gentamicine[8].
Paromomycine	BD orale minime[2].	0			Aucun effet indésirable à la suite d'une exposition par le lait maternel n'a été retracé dans la littérature médicale.
Streptomycine	BD orale négligeable[2]. LPP : 35 %[2]. $T_{1/2}$: 2,5 heures[2].	0			Aucun effet indésirable à la suite d'une exposition par le lait maternel n'a été retracé dans la littérature médicale.
Tobramycine	BD orale minime[2]. BD par inhalation : 1-16 %[2]. LPP < 30 %[2]. $T_{1/2}$: 1,6-3 heures[2].	6[5, 6]	80 mg par voie IM[5, 6].	1,2 % de la dose pédiatrique.	Aucun effet indésirable à la suite d'une exposition par le lait maternel n'a été retracé dans la littérature médicale.

BACITRACINE

Recommandation : en raison de la faible absorption de la bacitracine, l'allaitement n'est pas contre-indiqué.

	BD orale minime[2]. BD muco-cutanée négligeable[9]. $T_{1/2}$: 1,5 heure[2].	0			Aucun effet indésirable à la suite d'une exposition par le lait maternel n'a été retracé dans la littérature médicale.

CARBAPÉNÈMS

Recommandation : malgré le peu de données disponibles sur l'utilisation des carbapénèms pendant l'allaitement, il semble peu probable que l'enfant absorbe une quantité significative de ces agents puisque leur BD orale est faible.

Ertapénèm	LPP : 85-95 %[2]. $T_{1/2}$: 4 heures[2].	5[6]	1000 mg	0,2 % de la dose utilisée en pédiatrie[6]. (selon le fabricant).	Aucun effet indésirable à la suite d'une exposition par le lait maternel n'a été retracé dans la littérature médicale.
Imipénèm (+ cilastatin)	BD orale faible - détruits par l'acidité gastrique[6]. LPP : 20 % (imipénèm), 40 % (cilastatin)[2]. $T_{1/2}$: 1 heure[2].	12[5, 6]	Perfusion d'imipénèm -cilastatin (500 mg/ 500 mg).	1,4 % de la dose d'imipénèm utilisée en pédiatrie. Le cilastatin n'a pas été détecté.	Aucun effet indésirable à la suite d'une exposition par le lait maternel n'a été retracé dans la littérature médicale.

Médicament/ classe thérapeutique	Pharmacocinétique (adulte)	n	Dose maternelle	Dose max reçue par bébé (estimée)	Effets décrits chez les enfants allaités
Méropénèm	BD orale nulle. LPP : 2 %[2]. $T_{1/2}$: 1 heure[2].	0			Aucun effet indésirable à la suite d'une exposition par le lait maternel n'a été retracé dans la littérature médicale.

CÉPHALOSPORINES DE PREMIÈRE GÉNÉRATION

Recommandation : l'allaitement est compatible avec la prise de céphalosporines étant donné la dose minime à laquelle l'enfant est exposé et qu'il s'agit d'une classe bien connue en pédiatrie.

Médicament/ classe thérapeutique	Pharmacocinétique (adulte)	n	Dose maternelle	Dose max reçue par bébé (estimée)	Effets décrits chez les enfants allaités
Céfadroxil	BD orale : 100 %[2]. LPP : 20 %[2]. $T_{1/2}$: 1,2-1,7 heure[2].	11[5,6]	0,5 à 1 g[5,6].	1,2 % de la dose pédiatrique.	Aucun effet indésirable à la suite d'une exposition par le lait maternel n'a été retracé dans la littérature médicale.
Céphalexine	BD orale bonne[2]. LPP : 15-20 %[2]. $T_{1/2}$: 0,9 heure[2].	9[5,6]	0,5 à 1 g[5,6].	0,6 % de la dose pédiatrique.	Quelques cas de diarrhée rapportés[10, 11].
Céphalotine	BD orale faible[2]. LPP : 65-80 %[2]. $T_{1/2}$: 0,5-1 heure[2].	?	1 g par voie IV[6].	0,1 % de la dose pédiatrique.	Aucun effet indésirable à la suite d'une exposition par le lait maternel n'a été retracé dans la littérature médicale.
Céfazoline	BD orale négligeable[9]. LPP : 80-86 %[2]. $T_{1/2}$: 1,5-2,5 heures[2].	45[5,6]	500 mg 3 fois par jour par voie IM - 2 g par voie IV[5,6].	0,5 % de la dose pédiatrique.	Aucun effet indésirable à la suite d'une exposition par le lait maternel n'a été retracé dans la littérature médicale.

CÉPHALOSPORINES DE DEUXIÈME GÉNÉRATION

Recommandation : l'allaitement est compatible avec la prise de céphalosporines étant donné la dose minime à laquelle l'enfant est exposé et qu'il s'agit d'une classe bien connue en pédiatrie.

Médicament/ classe thérapeutique	Pharmacocinétique (adulte)	n	Dose maternelle	Dose max reçue par bébé (estimée)	Effets décrits chez les enfants allaités
Céfaclor	BD orale bonne[2]. LPP : 25 %[2]. $T_{1/2}$: 30-60 minutes[2].	7[5,6]	Dose unique de 250 ou 500 mg[5,6].	0,2 % de la dose pédiatrique.	Un cas de diarrhée rapporté par les mères dans une étude de suivi téléphonique parmi 5 bébés exposés au céfaclor à travers le lait ; pas de consultation médicale nécessaire[10].
Céfotétane	BD orale faible[6]. LPP : 78-91 %[2]. $T_{1/2}$: 3-4,6 heures[2].	12[5,6]	1000 mg toutes les 12 heures par voie IM - 1000 mg par voie IV[5,6].	0,2 % de la dose pédiatrique.	Aucun effet indésirable à la suite d'une exposition par le lait maternel n'a été retracé dans la littérature médicale.

Médicament/ classe thérapeutique	Pharmacocinétique (adulte)	n	Dose maternelle	Dose max reçue par bébé (estimée)	Effets décrits chez les enfants allaités
Céfoxitine	BD orale nulle. LPP : 41-75 %[2]. $T_{1/2}$: 0,8-1 heure[2].	25[5, 6]	1 à 2 g par voie IM - 1 g par voie IV[5, 6].	0,9 % de la dose pédiatrique.	Aucun effet indésirable à la suite d'une exposition par le lait maternel n'a été retracé dans la littérature médicale.
Cefprozil	BD orale : 89-95 %[2]. LPP : 35-45 %[2]. $T_{1/2}$: 1-2 heures[2].	9[5, 6]	1 seule dose d'1 g PO[5, 6].	2,3 % de la dose pédiatrique.	Aucun effet indésirable à la suite d'une exposition par le lait maternel n'a été retracé dans la littérature médicale.
Céfuroxime, céfuroxime axétil	BD orale : 37-52 % (axétil)[2]. LPP : 50 %[2]. $T_{1/2}$: 1,1-1,9 heure[2].	13[5, 6]	750 mg 1 à 3 fois par jour par voie IM et IV[5, 6].	1 % de la dose pédiatrique.	Un cas de diarrhée rapporté parmi 38 bébés exposés à la céfuroxime à travers le lait[11].

CÉPHALOSPORINES DE TROISIÈME GÉNÉRATION

Recommandation : l'allaitement est compatible avec la prise de céphalosporines étant donné la dose minime à laquelle l'enfant est exposé et qu'il s'agit d'une classe bien connue en pédiatrie.

Médicament/ classe thérapeutique	Pharmacocinétique (adulte)	n	Dose maternelle	Dose max reçue par bébé (estimée)	Effets décrits chez les enfants allaités
Céfixime	BD orale : 40-50 %[2]. LPP : 50-65 %[2]. $T_{1/2}$: 3-4 heures[2].	0			Aucun effet indésirable à la suite d'une exposition par le lait maternel n'a été retracé dans la littérature médicale.
Céfotaxime	BD orale négligeable[9]. LPP : 27-38 %[2]. Métabolite actif : désacétylcéfotaxime[2]. $T_{1/2}$: 1-2 heures[2].	24[5, 6]	Dose unique de 1 g à 2 g 2 fois par jour (voie non précisée)[5, 6].	0,2 % de la dose pédiatrique.	Aucun effet indésirable à la suite d'une exposition par le lait maternel n'a été retracé dans la littérature médicale.
Ceftazidime	BD orale nulle. LPP : 5-17 %[2]. $T_{1/2}$: 1,6-2 heures[2].	11[5, 6]	2 g par voie IV[5, 6].	0,7 % de la dose pédiatrique.	Aucun effet indésirable à la suite d'une exposition par le lait maternel n'a été retracé dans la littérature médicale.
Ceftizoxime	BD orale négligeable[9]. LPP : 28-50 %[2]. $T_{1/2}$: 1,1-2,3 heures[2].	18[5, 6]	1 g par voie IV[5, 6].	< 0,1 % de la dose pédiatrique.	Aucun effet indésirable à la suite d'une exposition par le lait maternel n'a été retracé dans la littérature médicale.
Ceftriaxone	BD orale faible[2]. LPP : 83-96 %[2]. $T_{1/2}$: 5,8-8,7 heures[2].	20[5, 6]	1 g par voie IM ou IV[5, 6].	0,2 % de la dose pédiatrique.	Aucun effet indésirable à la suite d'une exposition par le lait maternel n'a été retracé dans la littérature médicale.

Médicament/ classe thérapeutique	Pharmacocinétique (adulte)	n	Dose maternelle	Dose max reçue par bébé (estimée)	Effets décrits chez les enfants allaités
CÉPHALOSPORINES DE QUATRIÈME GÉNÉRATION					
Recommandation : l'allaitement est compatible avec la prise de céphalosporines étant donné la dose minime à laquelle l'enfant est exposé et qu'il s'agit d'une classe bien connue en pédiatrie.					
Céfépime	LPP : 16-20 %[2]. $T_{1/2}$: 2 heures[2].	0			Aucun effet indésirable à la suite d'une exposition par le lait maternel n'a été retracé dans la littérature médicale.
INHIBITEURS DES BÊTA-LACTAMASES					
Acide clavulanique	**Recommandation** : l'acide clavulanique est compatible avec l'allaitement.				
(utilisé en association avec une bêta-lactamine)	BD orale bonne[2]. LPP : 25 %[2]. $T_{1/2}$: 1 heure[2].	3[4]	Dose unique de 125 mg de clavulanate et 250 mg d'amoxicilline[4].	Acide clavulanique non détecté dans le lait[4].	Effets indésirables reliés à la dose rapportés plus fréquemment de façon globale que dans le groupe exposé à l'amoxicilline dans une étude de cohorte (n = 67) prospective mais pas pris individuellement : irritabilité, diarrhée, rash, constipation et reliés à la dose[11]. Élévation modérée des enzymes hépatiques régressant 10 jours après l'arrêt du traitement chez un seul bébé[11].
Tazobactam	**Recommandation** : le tazobactam est jugé compatible avec l'allaitement en raison des paramètres pharmacocinétiques et de l'expérience en néonatologie et en pédiatrie.				
(utilisé en association avec une bêta-lactamine)	LPP : 16-48 %[2]. $T_{1/2}$ (associé à pipéracilline) : 0,7-1,2 heure[2].	0			Aucun effet indésirable à la suite d'une exposition par le lait maternel n'a été retracé dans la littérature médicale.
Chloramphénicol	**Recommandation** : il est conseillé d'éviter le chloramphénicol durant l'allaitement en raison des effets secondaires rares mais graves.				
	BD oculaire : passage dans la circulation systémique possible[12]. BD orale : 90-100 %[2]. LPP : 50-80 %[2]. $T_{1/2}$: 1,6-3,3 heures[2].	0			Aucun effet indésirable à la suite d'une exposition par le lait maternel n'a été retracé dans la littérature médicale. Potentiel d'effets secondaires sévères : anémie hémolytique, myelosupression.

Médicament/ classe thérapeutique	Pharmacocinétique (adulte)	n	Dose maternelle	Dose max reçue par bébé (estimée)	Effets décrits chez les enfants allaités
Clindamycine	**Recommandation**: la clindamycine est compatible avec l'allaitement.				
	BD par voie topique: 4-5 %[2]. BD par voie vaginale: 5 %[2]. BD orale: 90 %[2]. $T_{1/2}$: 1,5-5 heures[2]. LPP: 60-95 %[2].	25[5, 6]	150 mg 1 à 3 fois par jour PO - 600 mg par voie IV.	5,7 % de la dose utilisée en pédiatrie.	Selles sanguinolentes disparaissant à l'arrêt de l'allaitement rapportées chez un nouveau-né allaité dont la mère était traitée par clindamycine et gentamicine[8].

FLUOROQUINOLONES

Recommandation: il faut réserver l'utilisation des fluoroquinolones au traitement d'infections résistantes ou compliquées. L'exposition à travers le lait maternel est très faible et l'allaitement ne comporte pas de risques pour le nourrisson durant la prise de fluoroquinolones. La ciprofloxacine et l'ofloxacine sont les mieux documentées.

Médicament	Pharmacocinétique	n	Dose maternelle	Dose max reçue par bébé	Effets décrits chez les enfants allaités
Ciprofloxacine	BD orale: 60-80 %[2]. LPP: 20-40 %[2]. $T_{1/2}$: 3-7 heures[2].	12[5, 6, 13, 14]	500 mg une fois par jour - 750 mg 2 fois par jour [5, 6, 13, 14].	2,8 % de la dose utilisée en pédiatrie.	Un cas de colite pseudomembraneuse a été rapporté chez un nouveau-né de 2 mois[15].
Gatifloxacine	BD orale: 96 %[2]. LPP: 20 %[2]. $T_{1/2}$: 7-14 heures[2].	0			Aucun effet indésirable à la suite d'une exposition par le lait maternel n'a été retracé dans la littérature médicale.
Lévofloxacine	Isomère de l'ofloxacine. BD orale: 99 %[2]. LPP: 24-38 %[2]. $T_{1/2}$: 6-8 heures[2].	1[16]	500 mg par voie IV pendant 5 jours[16]	6,1 % de la dose utilisée en pédiatrie.	Aucun effet indésirable à la suite d'une exposition par le lait maternel n'a été retracé dans la littérature médicale.
Moxifloxacine	BD orale: 90 %[2]. LPP: 30-50 %[2]. $T_{1/2}$: 9-16 heures[2].	0			Aucun effet indésirable à la suite d'une exposition par le lait maternel n'a été retracé dans la littérature médicale.
Norfloxacine	BD orale: 30-40 %[2]. LPP: 10-15 %[2]. $T_{1/2}$: 3-4 heures[2].	1[5, 6]	1 seule dose de 200 mg[5, 6].	Concentrations indétectables[5, 6].	Aucun effet indésirable à la suite d'une exposition par le lait maternel n'a été retracé dans la littérature médicale.
Ofloxacine	BD orale: 90-98 %[2]. LPP: 20-32 %[2]. $T_{1/2}$: 5-7,5 heures[2].	10[14]	400 mg 2 fois par jour PO[14]	2,4 % de la dose utilisée en pédiatrie.	Aucun effet indésirable à la suite d'une exposition par le lait maternel n'a été retracé dans la littérature médicale.

Médicament/ classe thérapeutique	Pharmacocinétique (adulte)	n	Dose maternelle	Dose max reçue par bébé (estimée)	Effets décrits chez les enfants allaités
Fosfomycine	**Recommandation**: un traitement par fosfomycine est compatible avec l'allaitement.				
	BD orale: 34-58% (sels de trométamol). Moins de 12% (sels de calcium). $T_{1/2}$: 4 à 8 heures.	2^5	1 à 2 g par voie IV[6].	2,5% de la dose maternelle ajustée au poids.	Aucun effet indésirable à la suite d'une exposition par le lait maternel n'a été retracé dans la littérature médicale.
Lincomycine	**Recommandation**: l'allaitement peut être poursuivi lorsque la lincomycine est l'anti-infectieux de premier recours.				
	BD orale: < 30%[6]. LPP: 28-86%[2]. $T_{1/2}$: 5,4 heures[2].	9^6	500 mg toutes les 6 heures pendant 3 jours[6].	1,2% de la dose utilisée en pédiatrie.	Aucun effet indésirable à la suite d'une exposition par le lait maternel n'a été retracé dans la littérature médicale.
Linézolide	**Recommandation**: étant donné l'absence de données sur le passage dans le lait maternel, il est préférable d'éviter le linézolide chez une femme qui allaite.				
	BD orale: 100%[2]. LPP: 31%[2]. $T_{1/2}$: 5 heures[2].	0			Aucun effet indésirable à la suite d'une exposition par le lait maternel n'a été retracé dans la littérature médicale.
MACROLIDES					
Recommandations: un traitement par érythromycine, clarithromycine ou azithromycine est compatible avec l'allaitement. L'utilisation de la télithromycine au cours de l'allaitement est déconseillée en raison d'un manque de données. Le lien entre les macrolides pris par la mère et la sténose du pylore chez le nourrisson a été évoqué dans une étude seulement et devra être confirmé avant de conclure à un risque réel.					
Azithromycine	BD orale: 38%[2]. LPP: 7-50%[2]. $T_{1/2}$: 11 à 68 heures[2]. Accumulation dans le lait.	1^{17}	1 g PO puis 500 mg 1 fois par jour pendant 5 jours[17].	4,2% de la dose utilisée en pédiatrie.	Une étude de cohorte a associé la survenue de sténose du pylore à la prise d'antibiotiques par la mère dans les 90 jours suivant l'accouchement (0,6% des mères prenaient de l'azithromycine mais on ne sait pas quelle était la proportion d'enfants avec une sténose du pylore)[18].
Clarithromycine	BD orale: 50%[2]. Métabolite actif: 14-hydroxy clarithromycine[2]. $T_{1/2}$: 3-9 heures[2]. LPP: 42-50%[2].	12^5	250 mg 2 fois par jour[5].	0,6% de la dose utilisée en pédiatrie.	Une étude de cohorte a associé la survenue de sténose du pylore à la prise d'antibiotiques par la mère dans les 90 jours suivant l'accouchement (1,7% des mères prenaient de la clarithromycine mais on ne sait pas quelle était la proportion d'enfants avec une sténose du pylore)[18].

Médicament/ classe thérapeutique	Pharmacocinétique (adulte)	n	Dose maternelle	Dose max reçue par bébé (estimée)	Effets décrits chez les enfants allaités
Érythromycine	BD orale variable[2]. LPP: 75-90%[2]. $T_{1/2}$: 1,5 à 2 heures[2].	?	500 mg en une seule dose PO ou IV à 2 g.	2,4% de la dose utilisée en pédiatrie.	Un cas de sténose du pylore, vomissements, sédation, difficultés à la succion et faible gain de poids rapporté chez un bébé de 3 semaines[5, 6]. Une étude de cohorte a associé la survenue de sténose du pylore à la prise d'antibiotiques par la mère dans les 90 jours suivant l'accouchement (72% des mères prenaient de l'érythromycine mais on ne sait pas quelle était la proportion d'enfants avec une sténose du pylore)[18]. Deux cas de diarrhée et 2 cas d'irritabilité rapportés par les mères dans une étude de suivi téléphonique parmi 17 bébés exposés à l'érythromycine à travers le lait; pas de consultation médicale nécessaire[10].
Spiramycine	BD orale: 36%[2]. LPP: 17%[2]. $T_{1/2}$: 4-8 heures[2].	0			Aucun effet indésirable à la suite d'une exposition par le lait maternel n'a été retracé dans la littérature médicale.
Télithromycine	PM: 812 Da. BD orale: 57%[2]. LPP: 60-70%[2]. $T_{1/2}$: 10-13 heures[2].	0			Aucun effet indésirable à la suite d'une exposition par le lait maternel n'a été retracé dans la littérature médicale.
Métronidazole	**Recommandation**: le métronidazole est un médicament utilisé en néonatologie et en pédiatrie. L'arrêt temporaire (12 heures) de l'allaitement est recommandé seulement avec une dose unique de 2 g de métronidazole. Cette recommandation est particulièrement importante chez les prématurés et les nouveau-nés chez qui la $t_{1/2}$ du métronidazole est augmentée. L'arrêt du traitement n'est pas nécessaire avec les doses sur plusieurs jours (par exemple: 500 mg 3 fois par jour).				
	BD orale: 100%[2]. BD vaginale: 2-56%[2]. LPP: moins de 20%[2]. Métabolite actif: hydroxymétronidazole[2]. $T_{1/2}$: 6-14 heures[2].	72[5, 6, 18-20]	200 mg à 400 mg 3 fois par jour PO - 500 mg par voie IV (1 seule dose)[6, 18-20]. Dose unique de 2 g (3 patientes).	25% de la dose utilisée en pédiatrie pour les traitements sur plusieurs jours (% plus élevé chez les très grands prématurés).	Une étude contrôlée comparative n'a pas démontré de différence significative entre les enfants allaités dont les mères prenaient le métronidazole (en association avec ampicilline ou érythromycine), l'ampicilline seule ou aucun médicament en ce qui a trait aux effets indésirables[20].

Médicament/ classe thérapeutique	Pharmacocinétique (adulte)	n	Dose maternelle	Dose max reçue par bébé (estimée)	Effets décrits chez les enfants allaités
				45% de la dose utilisée en pédiatrie à la suite d'une dose unique de 2 g (% diminue si on arrête l'allaitement pendant 12 heures).	
Mupirocine	**Recommandation**: la mupirocine peut être utilisée pendant l'allaitement compte tenu de ses propriétés pharmacocinétiques.				
	BD orale: < 3,3%[2]. BD cutanée: 0,24% (bras). BD intranasale: 3,3%[2]. LPP: 95%[2]. $T_{1/2}$: 19-35 minutes[2].	0			Aucun effet indésirable à la suite d'une exposition par le lait maternel n'a été retracé dans la littérature médicale.
Nitrofurantoïne	**Recommandation**: la nitrofurantoïne est compatible avec l'allaitement. Certains auteurs recommandent d'éviter ce médicament chez les mères allaitant des enfants possiblement déficients en G6PD (Afrique, Moyen Orient, Asie du Sud-Est et Grèce) ou les enfants de moins de un mois souffrant d'hyperbilirubinémie et à risque de déficience en G6PD.				
	BD orale: 94%[2]. $T_{1/2}$: 20 minutes à 1 heure[2]. LPP: 90%[2].	19[5, 6, 21, 22]	1 seule dose de 100 mg - 100 mg 4 fois par jour PO[5, 6, 21, 22]	9,6% de la dose utilisée en pédiatrie.	Deux cas de diarrhée et 1 cas de diminution de production lactée rapportés par les mères dans une étude de suivi téléphonique parmi 6 bébés exposés à la nitrofurantoïne à travers le lait; pas de consultation médicale nécessaire[10].
PENICILLINES					
Recommandation: l'allaitement est compatible avec la prise de pénicillines étant donné la dose minime à laquelle l'enfant est exposé et qu'il s'agit d'une classe bien connue en pédiatrie.					
Amoxicilline	BD orale: 89%[2]. LPP: 15-25%[2]. $T_{1/2}$: 1-2 heures[2].	6[5, 6]	1 g en 1 seule dose PO[5, 6].	0,9% de la dose pédiatrique.	Trois cas de diarrhée rapportés par les mères dans une étude de suivi téléphonique parmi 25 bébés exposés à l'amoxicilline à travers le lait; pas de consultation médicale nécessaire[10].
Ampicilline	BD orale: 50%[2]. LPP: 17-20%[2]. $T_{1/2}$: 1-1,9 heure[2].	27[5, 6]	1 à 2 g par jour PO ou IV[5, 6].	0,9% de la dose utilisée en pédiatrie.	Un cas de diarrhée rapporté par les mères dans une étude de suivi téléphonique parmi 5 bébés exposés à l'ampicilline à travers le lait; pas de consultation médicale nécessaire[10].

Médicament/ classe thérapeutique	Pharmacocinétique (adulte)	n	Dose maternelle	Dose max reçue par bébé (estimée)	Effets décrits chez les enfants allaités
Bacampicilline	BD orale : 98 %[2]. LPP : 17-20 %[2]. $T_{1/2}$: 1,1 heure[2]. Métabolite actif : ampicilline[2].	2[5]	Dose unique de 500 mg[5].	Seulement des traces détectées (limite de détection inconnue)[5].	Aucun effet indésirable à la suite d'une exposition par le lait maternel n'a été retracé dans la littérature médicale.
Cloxacilline	BD orale : 50-75 %[2]. LPP : 94-95 %[2]. $T_{1/2}$: 0,5-1 heure[2].	2[5,6]	1 seule dose de 0,5 g par voie IM[5,6].	0,1 % de la dose pédiatrique.	Deux cas de diarrhée rapportés par les mères dans une étude de suivi téléphonique parmi 10 bébés exposés à la cloxacilline à travers le lait ; pas de consultation médicale nécessaire[10].
Pénicilline G	BD orale : < 30 %[2]. LPP : 65 %[2]. $T_{1/2}$: 25-50 minutesutes[2].	37[5,6]	100 000 à 4 millions d'unités par voie IM[5,6].	0,1 % de la dose pédiatrique.	Réaction d'Herxheimer chez un bébé allaité 6 heures après l'injection de pénicilline G chez la mère ; toutefois, le bébé était aussi traité par pénicilline G pour une syphilis congénitale[5].
Pénicilline V	BD orale : 25-60 %[2]. LPP : 60-80 %[2]. $T_{1/2}$: 30-40 minutes[2].	12[5]	1 dose de 1320 mg PO[5].	0,3 % de la dose utilisée en pédiatrie.	Trois cas de diarrhée et 1 rash parmi les 12 bébés allaités[5].
Pipéracilline	BD orale nulle[3]. LPP : 16-30 %[2]. $T_{1/2}$: 0,5-1,5 heure[2].	8[5]	4 g par voie IV 3 fois par jour[5].	0,2 % de la dose pédiatrique.	Aucun effet indésirable à la suite d'une exposition par le lait maternel n'a été retracé dans la littérature médicale.
Pivampicilline	Métabolite actif : ampicilline	20[4]	350 à 700 mg 3 ou 4 fois par jour[4].	0,3 % de la dose pédiatrique.	Aucun effet indésirable à la suite d'une exposition par le lait maternel n'a été retracé dans la littérature médicale.
Ticarcilline (+ acide clavulanique)	BD orale nulle[3]. LPP : 45-65 %[2]. $T_{1/2}$: 1,2 heure[2].	12[5,6]	5 g 3 fois par jour par voie IV[5,6].	0,2 % de la dose pédiatrique.	Aucun effet indésirable à la suite d'une exposition par le lait maternel n'a été retracé dans la littérature médicale.
Polymyxine B	**Recommandation** : la polymyxine B peut être utilisée pendant l'allaitement compte tenu de ses propriétés pharmacocinétiques.				
	BD orale négligeable[2]. BD cutanée négligeable[9]. BD ophtalmique négligeable[9].	0			Aucun effet indésirable à la suite d'une exposition par le lait maternel n'a été retracé dans la littérature médicale.

Médicament/ classe thérapeutique	Pharmacocinétique (adulte)	n	Dose maternelle	Dose max reçue par bébé (estimée)	Effets décrits chez les enfants allaités
Quinupristine/ Dalfopristine	**Recommandation**: peu d'expérience en pédiatrie avec cet antibiotique, il n'est donc pas un traitement de 1er recours en allaitement.				
	PM: 1022 Da. BD orale nulle[6]. LPP: Q 23-32 %; D 50-56 %[2]. Plusieurs métabolites actifs[2]. $T_{1/2}$: 1,3-1,5 heure[2].	0			Aucun effet indésirable à la suite d'une exposition par le lait maternel n'a été retracé dans la littérature médicale.
SULFAMIDES					
Recommandation: étant donné leurs faibles absorptions, le sulfacétamide et la sulfadiazine peuvent être utilisés durant l'allaitement.					
Sulfacétamide	Absorbé par voie orale BD cutanée: 4 %[2]. BD ophtalmique: absorbé mais proportion inconnue[2].	0			Aucun effet indésirable à la suite d'une exposition par le lait maternel n'a été retracé dans la littérature médicale.
Sulfadiazine	BD orale: bonne[2]. LPP: 38-48 %[2]. $T_{1/2}$: 7-16,8 heures[2].	0			Aucun effet indésirable à la suite d'une exposition par le lait maternel n'a été retracé dans la littérature médicale.
Sulfaméthoxazole	**Recommandation**: le faible passage du sulfaméthoxazole dans le lait maternel laisse présager peu de risques pour l'enfant allaité à moins qu'il ne soit déficient en G6PD. L'hyperbilirubinémie chez l'enfant allaité n'est pas une contre-indication au sulfaméthoxazole pris par la mère.				
	BD orale complète[6]. LPP: 70 %[2]. $T_{1/2}$: 10 heures[2].	50[5]	800 mg 2 ou 3 fois par jour[5].	2 % de la dose utilisée en pédiatrie.	Deux cas de diminution de l'alimentation rapportés par les mères dans une étude de suivi téléphonique parmi 12 bébés exposés à l'association triméthoprime/sulfaméthoxazole à travers le lait; pas de consultation médicale nécessaire[10].
TÉTRACYCLINES					
Recommandation: si une tétracycline est le traitement de premier recours, l'utilisation à court terme (< 3 semaines) des tétracyclines n'est pas contre-indiquée. Toutefois, l'utilisation à long terme (comme pour le traitement de l'acné) n'est pas recommandée afin d'éviter la coloration permanente des dents, même si ceci n'a pas été rapporté suite à une exposition par le lait maternel.					
Doxycycline	BD orale bonne[2]. LPP: 80-93 %[2]. $T_{1/2}$: 15-24 heures[2]. Les tétracyclines se lient fortement au calcium et aux protéines du lait, ce qui pourrait diminuer l'absorption par l'enfant.	43[5,6]	100 mg à 200 mg par jour PO[5,6].	27 % de la dose utilisée en pédiatrie (à partir de 8 ans).	Aucun effet indésirable à la suite d'une exposition par le lait maternel n'a été retracé dans la littérature médicale.

Médicament/ classe thérapeutique	Pharmacocinétique (adulte)	n	Dose maternelle	Dose max reçue par bébé (estimée)	Effets décrits chez les enfants allaités
Minocycline	BD orale : 90 %[2]. LPP : 76 %[2]. $T_{1/2}$: 11-22 heures[2].	2[5, 6]	200 mg par jour PO[5, 6].		Deux cas de coloration du lait en noir après la prise de 100 mg 2 fois par jour depuis 4 ans et 150 mg 1 fois par jour[5, 23].
Tétracycline	BD orale : 75 % (se lie au calcium dans le lait maternel)[6]. LPP : 5 %[2]. $T_{1/2}$: 8-10 heures[2].	12[5, 6]	150 mg à 2 g 1 fois par jour[5, 6].	1,5 % de la dose utilisée en pédiatrie.	Aucun effet indésirable à la suite d'une exposition par le lait maternel n'a été retracé dans la littérature médicale.
Triméthoprime	Recommandation : compatible avec l'allaitement.				
	BD orale : 100 %[6]. LPP : 44 %[2]. $T_{1/2}$: 8-10 heures[2].	70[5, 6]	320 à 480 mg une fois par jour[5, 6].	6 % de la dose utilisée en pédiatrie.	Deux cas de diminution de l'alimentation rapportés par les mères dans une étude de suivi téléphonique parmi 12 bébés exposés à l'association triméthoprime/sulfaméthoxazole à travers le lait ; pas de consultation médicale nécessaire[10].
Vancomycine	Recommandation : la vancomycine peut être utilisée pendant l'allaitement.				
	BD orale négligeable[2]. LPP : 30-55 %[2]. $T_{1/2}$: 4-6 heures[2].	1[24]	1 g par voie IV toutes les 12 heures[24].	12,7 % de la dose utilisée en pédiatrie.	Aucun effet indésirable à la suite d'une exposition par le lait maternel n'a été retracé dans la littérature médicale.
ANTIFONGIQUES					
Antifongiques azolés					
Recommandation : le passage pour les azolés utilisés par voie intravaginale dans le lait est inconnu. Toutefois, puisque leur BD systémique est faible après administration intravaginale, il est raisonnable de croire que le bébé sera exposé à une quantité négligeable de médicament. Pour les azolés systémiques, voir les commentaires pour chaque molécule.					
Butoconazole	BD vaginale : 5,5 %[2]. $T_{1/2}$: 21-24 heures[2].	0			Aucun effet indésirable à la suite d'une exposition par le lait maternel n'a été retracé dans la littérature médicale.
Clotrimazole	BD orale faible. BD cutanée : < 0,5 %[2]. BD vaginale : 3-10 %[2]. $T_{1/2}$: 3,5-5 heures[2].	0			Aucun effet indésirable à la suite d'une exposition par le lait maternel n'a été retracé dans la littérature médicale.
Éconazole	BD topique faible[2]. LPP : 98 %[2].	0			Aucun effet indésirable à la suite d'une exposition par le lait maternel n'a été retracé dans la littérature médicale.
Fluconazole	Recommandation : le fluconazole est compatible avec l'allaitement.				
	BD orale : > 90 %[2]. LPP : 11-12 %[2]. $T_{1/2}$: 30 heures[2].	22[25, 26]	1 dose de 150 mg[25] - 200 mg 1 fois par jour pendant 18 jours PO[26].	5 % de la dose utilisée en pédiatrie.	Aucun effet indésirable à la suite d'une exposition par le lait maternel n'a été retracé dans la littérature médicale.

Médicament/ classe thérapeutique	Pharmacocinétique (adulte)	n	Dose maternelle	Dose max reçue par bébé (estimée)	Effets décrits chez les enfants allaités
Itraconazole	**Recommandation**: étant donné que l'itraconazole a un métabolite actif, une demi-vie plus longue et peut s'accumuler dans les tissus adipeux, le fluconazole devrait si possible être privilégié à l'itraconazole pour les infections fongiques.				
	BD orale: 55% (nécessite un milieu acide pour être absorbé)[2]. LPP: 99%[2]. Métabolite actif: hydroxyitraconazole[2]. $T_{1/2}$: 35-64 heures[2]. L'itraconazole a un grand volume de distribution et s'accumule dans les tissus adipeux.	2[4,6]	2 doses de 200 mg à 12 heures d'intervalle[4,6].	Moins de 1% de la dose utilisée en pédiatrie. Les enfants n'étaient pas allaités pendant l'étude.	Aucun effet indésirable à la suite d'une exposition par le lait maternel n'a été retracé dans la littérature médicale.
Kétoconazole	**Recommandation**: le kétoconazole pourrait être envisagé durant l'allaitement si nécessaire.				
	BD orale: 75%[2]. L'absorption orale est variable et requiert un milieu acide. BD topique négligeable[2]. LPP: 91-99%[2]. $T_{1/2}$: 2-12 heures[2].	1[27]	200 mg 1 fois par jour pendant 10 jours[27].	1% de la dose utilisée en pédiatrie.	Aucun effet indésirable à la suite d'une exposition par le lait maternel n'a été retracé dans la littérature médicale.
Miconazole	**Recommandation**: le miconazole est compatible avec l'allaitement.				
	BD cutanée: < 0,013%[2]. BD vaginale: 1,4%[2]. BD orale: 25-30%[2]. LPP: 90-93%[2]. $T_{1/2}$: 24 heures[2].	0	200 mg 1 fois par jour pendant 10 jours[27].	1% de la dose utilisée en pédiatrie.	Aucun effet indésirable à la suite d'une exposition par le lait maternel n'a été retracé dans la littérature médicale.
Oxiconazole	**Recommandation**: malgré l'absence de données durant l'allaitement, un traitement par oxiconazole par voie vaginale ne justifie pas l'arrêt de l'allaitement en raison de sa faible absorption.				
	BD topique très faible[2].	0			Aucun effet indésirable à la suite d'une exposition par le lait maternel n'a été retracé dans la littérature médicale.
Terconazole	**Recommandation**: le terconazole est compatible avec l'allaitement.				
	BD vaginale: 5-16%[2]. LPP: 95%[2]. $T_{1/2}$: 6,9 heures[2].	0			Aucun effet indésirable à la suite d'une exposition par le lait maternel n'a été retracé dans la littérature médicale.

Médicament/ classe thérapeutique	Pharmacocinétique (adulte)	n	Dose maternelle	Dose max reçue par bébé (estimée)	Effets décrits chez les enfants allaités
Voriconazole	Recommandation : en raison de l'absence de données, un traitement par voriconazole n'est pas recommandé durant l'allaitement.				
	BD orale : 96 %[2]. LPP : 58 %[2]. $T_{1/2}$: 6 heures[2].	0			Aucun effet indésirable à la suite d'une exposition par le lait maternel n'a été retracé dans la littérature médicale.
Antifongiques non azolés					
Amphotéricine B	Recommandation : malgré le manque de données, l'utilisation de l'amphotéricine ne semble pas être problématique durant l'allaitement puisque sa biodisponibilité orale est faible et qu'on l'utilise en pédiatrie depuis de nombreuses années.				
	BD orale faible[2]. LPP : > 90 %[2]. $T_{1/2}$: 15 jours[2].	0		Utilisée en pédiatrie et néonatologie.	Aucun effet indésirable à la suite d'une exposition par le lait maternel n'a été retracé dans la littérature médicale.
Caspofongine	Recommandation : en raison de la faible absorption orale, un traitement par caspofongine n'est pas une contre-indication à l'allaitement.				
	BD orale : faible[2]. LPP : 97 %[2]. $T_{1/2}$: 9-11 heures[2]. PM : 1213 Da[3].	0		Utilisée en pédiatrie et néonatologie.	Aucun effet indésirable à la suite d'une exposition par le lait maternel n'a été retracé dans la littérature médicale.
Naftifine	Recommandation : un traitement par naftifine ne justifie pas un arrêt de l'allaitement en raison de la faible absorption par voie cutanée ; toutefois, il est conseillé d'utiliser des agents mieux connus.				
	BD cutanée : 2,5-6 %[2]. $T_{1/2}$: 2-3 jours[2].	0			Aucun effet indésirable à la suite d'une exposition par le lait maternel n'a été retracé dans la littérature médicale.
Nystatine	Recommandation : le nystatine est compatible avec l'allaitement.				
	BD orale négligeable[2]. BD topique minime[2].	0			Aucun effet indésirable à la suite d'une exposition par le lait maternel n'a été retracé dans la littérature médicale.
Terbinafine	Recommandation : le passage dans le lait semble faible ce qui ne justifie pas l'arrêt de l'allaitement en cas de traitement par terbinafine ; toutefois, la terbinafine s'accumule dans l'organisme et ses effets à long terme n'ont pas été évalués.				
	LPP : 99 %[2]. $T_{1/2}$: 22-26 heures mais $t_{1/2}$ terminale 200-400 heures[2].	2[6]	1 dose orale de 500 mg.	0,13 % de la dose maternelle ajustée au poids.	Aucun effet indésirable à la suite d'une exposition par le lait maternel n'a été retracé dans la littérature médicale.

Médicament/ classe thérapeutique	Pharmacocinétique (adulte)	n	Dose maternelle	Dose max reçue par bébé (estimée)	Effets décrits chez les enfants allaités
ANTIVIRAUX					
Acyclovir	**Recommandations**: l'acyclovir est compatible avec l'allaitement.				
	BD orale: 10-20%[2]. BD topique faible[2]. LPP: 9-33%[2]. $T_{1/2}$: 2,2-20 heures[2].	5[28-32]	200 mg PO 5 fois par jour[30, 31]. 800 mg PO 5 fois par jour[32]. 300 mg 3 fois par jour par voie IV pendant 5 jours[28].	3,6% de la dose utilisée en pédiatrie.	Aucun effet indésirable à la suite d'une exposition par le lait maternel n'a été retracé dans la littérature médicale.
Amantadine	Voir le chapitre 15. *Rhume et grippe*.				
Famciclovir	**Recommandation**: le famciclovir n'est pas une option de 1er recours en allaitement; privilégier acyclovir et valacyclovir qui sont mieux documentés.				
	BD orale faible: 75-77%[2]. LPP: < 20%[2]. Métabolite actif: penciclovir[2]. $T_{1/2}$: 2-3 heures[2].	0			Aucun effet indésirable à la suite d'une exposition par le lait maternel n'a été retracé dans la littérature médicale.
Idoxuridine	**Recommandation**: en l'absence de données il est recommandé d'éviter l'idoxuridine durant l'allaitement; la trifluridine pourrait être une option de traitement.				
	LPP nulle[2].	0			Aucun effet indésirable à la suite d'une exposition par le lait maternel n'a été retracé dans la littérature médicale.
Oseltamivir	Voir le chapitre 15. *Rhume et grippe*.				
Trifluridine	**Recommandation**: en raison de la demi-vie très courte de la trifluridine et de la faible BD par voie ophtalmique, un traitement par trifluridine chez la mère est envisageable pendant l'allaitement. On peu recommander à la mère de l'administrer après une tétée.				
	BD ophtalmique négligeable[2]. $T_{1/2}$: 12 minutes[2].	0			Aucun effet indésirable à la suite d'une exposition par le lait maternel n'a été retracé dans la littérature médicale.
Valacyclovir	**Recommandation**: le valacyclovir est compatible avec l'allaitement.				
	BD orale faible: 55%[2]. LPP: 13,5-17,9%[2]. Métabolite actif: acyclovir[2]. $T_{1/2}$: 3 heures[2].	5[33]	500 mg PO 2 fois par jour pendant 7 jours[33].	2,1% de la dose d'acyclovir utilisée en pédiatrie.	Aucun effet indésirable à la suite d'une exposition par le lait maternel n'a été retracé dans la littérature médicale.
Zanamivir	Voir le chapitre 15. *Rhume et grippe*.				

BD: biodisponibilité, IM: intramusculaire, IV: intraveineuse, LPP: liaison aux protéines plasmatiques, n: nombre de dyades mère-enfant chez lesquelles ont a effectué des dosages dans le lait maternel, PM: poids moléculaire, PO: voie orale.

Références:

1.   VICKERS CF. Percutaneous BD of sodium fusidate and fusidic acid. *Br J Dermatol* 1969;81(12):902-8.
2.   KLASCO Re. DRUGDEX® System. In: *Thomson Micromedex*, Greenwood Village, Colorado; Edition expires 06/2006.
3.   ANON. In: Reynolds JE, ed. *Martindale - The Extra Pharmacopeia*: The Royal Pharmaceutical society of Great Britain; 1996. p. 233.
4.   DE SCHUITENEER B, DE CONINCK B. Acide clavulanique; acide fusidique; itraconazole; pivampicilline. Dans: *Médicaments et allaitement*. Paris: Arnette Blackwell S.A.; 1996. p. 393; 443; 468.
5.   ANDERSON P, SAUBERAN J. *LactMed* [cited 2006 12-07]; Available from: http://toxnet.nlm.nih.gov/cgi-bin/sis/htmlgen?LACT
6.   HALE T. *Medications and Mother's Milk*. Amarillo: Hale Publishing; 2006.
7.   CELILOGLU M, CELIKER S, GUVEN H, TUNCOK Y, DEMIR N, ERTEN O. Gentamicin excretion and uptake from breast milk by nursing infants. *Obstet Gynecol* 1994;84(2):263-5.
8.   BRIGGS G, FREEMAN R, YAFFE S. *Drugs in Pregnancy and Lactation. A reference guide to fetal and neonatal risk*. 7th ed. Philadelphia: Lippincott Williams & Wilkins; 2005.
9.   MC EVOY G, ed. *AHFS Drug information 2004*. Bethesda, Maryland: American Society of Health-System Pharmacists; 2004.
10. ITO S, BLAJCHMAN A, STEPHENSON M, ELIOPOULOS C, KOREN G. Prospective follow-up of adverse reactions in breast-fed infants exposed to maternal medication. *Am J Obstet Gynecol* 1993;168(5):1393-9.
11. BENYAMINUTESI L, MERLOB P, STAHL B, BRAUNSTEIN R, BORTNIK O, BULKOWSTEIN M, et al. The safety of amoxicillin/clavulanic acid and cefuroxime during lactation. *Ther Drug Monit* 2005;27(4):499-502.
12. MCEVOY B. Transfer of bioactive substances in breast milk. *Med J Aust* 1984;141(3):196.
13. COVER DL, MUELLER BA. Ciprofloxacin penetration into human breast milk: a case report. *DICP* 1990;24(7-8):703-4.
14. GIAMARELLOU H, KOLOKYTHAS E, PETRIKKOS G, GAZIS J, ARAVANTINOS D, SFIKAKIS P. Pharmacokinetics of three newer quinolones in pregnant and lactating women. *Am J Med* 1989;87(5A):49S-51S.
15. HARMON T, BURKHART G, APPLEBAUM H. Perforated pseudomembranous colitis in the breast-fed infant. *J Pediatr Surg* 1992;27(6):744-6.
16. CAHILL JB, Jr., BAILEY EM, CHIEN S, JOHNSON GM. Levofloxacin secretion in breast milk: a case report. *Pharmacotherapy* 2005;25(1):116-8.
17. KELSEY JJ, MOSER LR, JENNINGS JC, MUNGER MA. Presence of azithromycin breast milk concentrations: a case report. *Am J Obstet Gynecol* 1994;170(5 Pt 1):1375-6.
18. SORENSEN HT, SKRIVER MV, PEDERSEN L, LARSEN H, EBBESEN F, SCHONHEYDER HC. Risk of infantile hypertrophic pyloric stenosis after maternal postnatal use of macrolides. *Scand J Infect Dis* 2003;35(2):104-6.
19. HEISTERBERG L, BRANEBJERG PE. Blood and milk concentrations of metronidazole in mothers and infants. *J Perinat Med* 1983;11(2):114-20.
20. PASSMORE CM, MCELNAY JC, RAINEY EA, D'ARCY PF. Metronidazole excretion in human milk and its effect on the suckling neonate. *Br J Clin Pharmacol* 1988;26(1):45-51.
21. VARSANO I, FISCHL J, SHOCHET SB. The excretion of orally ingested nitrofurantoin in human milk. *J Pediatr* 1973;82(5):886-7.
22. GERK PM, KUHN RJ, DESAI NS, MCNAMARA PJ. Active transport of nitrofurantoin into human milk. *Pharmacotherapy* 2001;21(6):669-75.
23. HUNT MJ, SALISBURY EL, GRACE J, ARMATI R. Black breast milk due to minutesocycline therapy. *Br J Dermatol* 1996;134(5):943-4.
24. REYES MP, OSTREA EM, Jr., CABINIAN AE, SCHMITT C, RINTELMANN W. Vancomycin during pregnancy: does it cause hearing loss or nephrotoxicity in the infant? *Am J Obstet Gynecol* 1989;161(4):977-81.
25. FORCE RW. Fluconazole concentrations in breast milk. *Pediatr Infect Dis J* 1995;14(3):235-6.
26. SCHILLING C, SEAY R, LARSON T. Excretion of fluconazole in human breast milk. In: *ACCP Fourteenth annual meeting abstracts: Pharmacotherapy*; 1993.

27. MORETTI ME, ITO S, KOREN G. Disposition of maternal ketoconazole in breast milk. *Am J Obstet Gynecol* 1995;173(5):1625-6.

28. BORK K, BENES P. Concentration and kinetic studies of intravenous acyclovir in serum and breast milk of a patient with eczema herpeticum. *J Am Acad Dermatol* 1995;32(6):1053-5.

29. FRENKEL LM, BROWN ZA, BRYSON YJ, COREY L, UNADKAT JD, HENSLEIGH PA, et al. Pharmacokinetics of acyclovir in the term human pregnancy and neonate. *Am J Obstet Gynecol* 1991;164(2):569-76.

30. MEYER LJ, DE MIRANDA P, SHETH N, SPRUANCE S. Acyclovir in human breast milk. *Am J Obstet Gynecol* 1988;158(3 Pt 1):586-8.

31. LAU RJ, EMERY MG, GALINSKY RE. Unexpected accumulation of acyclovir in breast milk with estimation of infant exposure. *Obstet Gynecol* 1987;69(3 Pt 2):468-71.

32. TADDIO A; KLEIN J, KOREN G. Acyclovir excretion in human breast milk. *Ann Pharmacother* 1994;28(5):585-7.

33. SHEFFIELD JS, FISH DN, HOLLIER LM, CADEMATORI S, NOBLES BJ, WENDEL GD, Jr. Acyclovir concentrations in human breast milk after valaciclovir administration. *Am J Obstet Gynecol* 2002;186(1):100-2

Chapitre 21

Immunisation

■

Annie PELLERIN

Vaccins

Certaines maladies infectieuses peuvent entraîner des avortements spontanés, des anomalies congénitales ou des infections néonatales lorsqu'elles sont contractées par la mère pendant la grossesse et transmises à l'embryon, au fœtus ou au nouveau-né[1]. Plusieurs de ces maladies peuvent être prévenues par la vaccination. Cependant, puisque les vaccins sont rarement administrés pendant la grossesse, il existe très peu de données sur leur génésique.

Grossesse

En général, les vaccins inactivés qui sont fabriqués à partir d'agents infectieux tués, que ce soit le micro-organisme complet ou ses constituants, peuvent être administrés à une femme enceinte lorsqu'ils sont indiqués[2,3]. Cependant, il est préférable de reporter la vaccination au deuxième ou au troisième trimestre lorsque cela est possible, afin d'éviter que l'administration de vaccins ne soit faussement associée à la survenue d'anomalies ou d'avortements spontanés[2-4].

L'administration de vaccins vivants est généralement contre-indiquée chez la femme enceinte, en raison d'un risque théorique d'infection pour l'embryon ou le fœtus. On peut cependant considérer leur administration lorsque les risques d'infection sont élevés et que la maladie comporte un risque plus important pour la mère, l'embryon ou le fœtus que le vaccin lui-même[1-3]. La recommandation selon laquelle une période de un à trois mois doit s'écouler entre l'immunisation avec un vaccin vivant et une grossesse est aussi basée sur des considérations théoriques. En cas d'exposition accidentelle à l'intérieur de ce délai, il faut rassurer la patiente, car le risque d'anomalies lié à la transmission de la maladie par un vaccin est minime[3].

L'administration d'un vaccin vivant aux membres de l'entourage de la femme enceinte n'est pas contre-indiqué et ne comporte pas de risque pour le fœtus[3,4].

Le tableau I décrit les principaux vaccins utilisés chez la femme en âge de procréer et leurs particularités pendant la grossesse. Le tableau II présente les risques associés aux maladies infectieuses contractées pendant la grossesse.

Allaitement

Une mère qui allaite peut être vaccinée sans risque pour son enfant, et ce même avec les vaccins vivants. Le seul virus vaccinal retrouvé dans le lait maternel est celui de la rubéole, mais il n'a pas été démontré que sa présence puisse comporter un risque pour le nourrisson[3,4].

Avantages de l'immunisation maternelle

La vaccination permet de protéger la mère elle-même, l'embryon et le fœtus en prévenant plusieurs maladies pouvant causer des malformations majeures ainsi que les complications de certaines maladies infectieuses pendant la grossesse[5,6]. Les femmes en âge de procréer devraient s'assurer d'avoir reçu tous les vaccins et les doses de rappel recommandés avant de devenir enceintes.

Avant la grossesse

L'administration des vaccins contre la rubéole et la varicelle avant la grossesse permet de prévenir les malformations qui pourraient être causées par l'exposition *in utero* à ces infections. Le vaccin contre le tétanos permet quant à lui de protéger le nouveau-né en prévenant le tétanos néonatal[7]. La protection apportée par certains vaccins administrés avant la grossesse peut également se prolonger au-delà de la grossesse, comme c'est le cas du vaccin contre la rougeole qui procure une immunisation passive chez l'enfant jusqu'à l'âge de un an environ[8].

Pendant la grossesse

On peut parfois administrer un vaccin à une femme enceinte afin de prévenir des maladies susceptibles d'être contractées avant la fin de la grossesse ou pendant la période du *post-partum*. L'administration du vaccin contre l'influenza, par exemple, est recommandée chez les femmes enceintes souffrant de problèmes de santé chroniques, car elles présentent un risque élevé de complications associées à la maladie[2,3]. On recommande également de vacciner les femmes enceintes en bonne santé dont l'accouchement est prévu au cours de la saison de l'influenza afin de prévenir la transmission du virus au nouveau-né[3] (voir le chapitre 15. *Rhume et grippe*).

Voyages

Pour la femme enceinte qui voyage, certains vaccins pourront être indiqués pour les destinations où les risques de contracter certaines maladies sont élevés. On recommande toutefois aux femmes enceintes d'éviter de se rendre dans les pays où l'on retrouve des maladies endémiques et où l'accès à des soins médicaux est limité[9,10].

Risques associés à la vaccination pendant la grossesse

Des effets idiosyncrasiques associés aux constituants des vaccins (antigènes, ingrédients non médicinaux, agents de conservation) peuvent comporter un risque pour l'embryon ou le fœtus[5]. L'administration de vaccins peut, par exemple, provoquer une réaction allergique et, plus rarement, l'anaphylaxie (0,11-0,31/100 000 doses de vaccin distribuées)[2]. Même si la femme enceinte n'est pas plus susceptible aux réactions allergiques, les conséquences d'un choc anaphylactique maternel et de son traitement peuvent affecter significativement le bien-être et la survie de l'embryon ou du fœtus[2].

Immunoglobulines

Grossesse

L'immunisation passive est indiquée quand il n'existe pas de vaccin contre une maladie, que les vaccins existants sont contre-indiqués, ou encore lorsqu'une personne est exposée à une infection pour laquelle elle n'a jamais été vaccinée[2]. Il existe deux types de préparations, les immunoglobulines non spécifiques et les immunoglobulines spécifiques contenant des titres élevés d'anticorps spécifiques dirigés contre un micro-organisme particulier ou sa toxine[2,3]. Les immunoglobulines ne comportent pas de risque pour le fœtus[11]. Toutefois, comme avec les vaccins, il peut survenir dans de rares cas des réactions de type anaphylactique après l'administration répétée de ces préparations[2].

Certaines immunoglobulines font l'objet de recommandations spécifiques à la grossesse (tableau I).

Allaitement

Il n'y a pas de données sur l'innocuité des immunoglobulines pendant l'allaitement.

TABLEAU I – IMMUNISATION ET GROSSESSE			
Vaccin	**Type de vaccin**	**Données**	**Recommandations**
Diphtérie et tétanos (D$_2$T$_5$) [2, 3, 10, 11]	Inactivé (bactéries)	L'innocuité du vaccin n'a pas été évaluée pendant la grossesse.	• Peut être administré à tous les trimestres de la grossesse si le risque de contracter la maladie est élevé. • Éviter le premier trimestre si possible lors de l'administration de doses de rappel. • Les immunoglobulines contre le tétanos peuvent être administrées pendant la grossesse.
Encéphalite japonaise (JE-VAX[MD])[2,3, 6, 10, 11]	Inactivé (virus)	Aucune donnée concernant l'innocuité de ce vaccin durant la grossesse n'a été retracée.	Réserver l'administration de ce vaccin aux destinations où le risque de contracter la maladie est élevé et lors de séjours de plus de un mois.
Fièvre jaune (YF-VAX[MD])[2, 3, 10, 11, 12]	Vivant atténué (virus)	• Le contenu du vaccin peut infecter l'embryon ou le fœtus. • Aucune association avec des malformations chez les enfants de 101 femmes enceintes vaccinées lors d'une flambée de fièvre jaune au Nigéria en 1986-87[1].	• Devrait être évité pendant la grossesse sauf si le risque de contracter la maladie est élevé (ex : abondance de moustiques, maladie endémique) et si le voyage ne peut être reporté après l'accouchement, car la maladie comporte un risque plus important pour la mère, l'embryon ou le fœtus que le vaccin lui-même. • Certains gouvernements exigent une preuve d'immunisation pour entrer dans leur pays même pour des patientes enceintes chez qui le risque de contracter la maladie est faible (ex. : visite de courte durée en zone urbaine). Pour ces patientes, une lettre fournie par le vaccinateur expliquant les raisons médicales contre-indiquant la vaccination et portant le sceau de l'Agence de santé publique du Canada pourra être utilisée pour demander une exemption.

Vaccin	Type de vaccin	Données	Recommandations
Hépatite A (Havrix[MD], VAQTA[MD]) Hépatite B (Engerix-B[MD], Recombivax HB[MD]) Hépatite A et hépatite B (Twinrix[MD])[2, 3, 10, 11]	• Hépatite A : inactivé (virus) • Hépatite B : inactivé (virus) • Hépatites A et B : inactivé (virus)	L'innocuité du vaccin n'a pas été évaluée pendant la grossesse.	Peuvent être administrés pendant la grossesse si les risques de contracter la maladie sont élevés en association avec les immunoglobulines s'il y a lieu.
Influenza (Fluviral[MD], Vaxigrip[MD])[2, 3, 10]	Inactivé (virus)	L'innocuité du vaccin n'a pas été évaluée pendant la grossesse.	• Peut être administré à tous les trimestres de la grossesse. • Au Canada, indiqué chez les patientes atteintes de maladies chroniques susceptibles d'accentuer le risque de complications reliées à l'influenza (maladies cardiaques, pulmonaires, etc.).
Méningocoque du sérogroupe C (Menjugate[MD], conjugué) Méningocoque des sérgoupes A, C, Y et W-135 (Menomune[MD], polysaccharidique)[3, 10]	Inactivé (bactérie)	L'innocuité du vaccin n'a pas été évaluée pendant la grossesse.	Peut être administré pendant la grossesse si les risques de contracter la maladie sont élevés.
Pneumocoque des sérotypes 1, 2, 3, 4, 5, 6B, 7F, 8, 9N, 9V, 10A, 11A, 12F, 14, 15B, 17F, 18C, 19A, 19F, 20, 22F, 23F et 33F (Pneumovax-23[MD], Pneumo 23[MD], polysaccharidique) Pneumocoque des sérotypes 4, 9V, 14, 18C, 19F, 23F et 4 µg du sérotype 6B (Prevnar[MD], conjugué)[2, 3, 10, 11]	Inactivé (bactérie)	L'innocuité du vaccin n'a pas été évaluée pendant la grossesse.	• Peut être administré pendant la grossesse. • Indiqué chez les patientes atteintes de maladies chroniques susceptibles d'accentuer le risque de complications reliées à une infection à pneumocoque (maladies cardiaques, pulmonaires, etc.).

Vaccin	Type de vaccin	Données	Recommandations
Poliomyélite (VPI[MD])[2, 8, 10]	Inactivé (virus)	L'innocuité du vaccin n'a pas été évaluée pendant la grossesse.	• Peut être administré pendant la grossesse si les risques de contracter la maladie sont élevés, car la maladie comporte un risque plus important pour la mère, l'embryon ou le fœtus que le vaccin lui-même. • Éviter l'administration au premier trimestre si possible. • Le vaccin oral vivant atténué (Sabin[MD]) n'est plus recommandé pour la vaccination systématique et n'est plus disponible au Canada.
Rage (Imovax Rage[MD])[2, 3, 4, 11]	Inactivé (virus)	L'innocuité du vaccin n'a pas été évaluée pendant la grossesse.	• Peut être administré pendant la grossesse, en association avec les immunoglobulines. • Reporter la vaccination préexposition après l'accouchement.
Rubéole, rougeole et oreillons (MMRII[MD])[2, 3, 4, 8, 10, 13]	Vivant atténué (virus)	Risque théorique de transmission du virus de la rubéole au fœtus ou à l'embryon (3 %). Registres des *Centers for Diseases Control and Prevention* : • 1971-1979 : 290 nouveau-nés, aucune embryopathie associée au syndrome de rubéole congénitale n'a été identifiée suite à une vaccination pendant la grossesse (vaccin retiré du marché). • 1979-1982 : 212 nouveau-nés, aucune embryopathie associée au syndrome de rubéole congénitale, trois enfants présentaient une évidence sérologique d'infection congénitale, sans malformation.	• Contre-indiqué pendant la grossesse. • On devrait prévoir une période d'un mois après la vaccination avant de concevoir (fondé sur la durée de virémie suite à l'infection naturelle). Une interruption de grossesse n'est toutefois pas indiquée si le vaccin est reçu avant la fin de ce délai ou pendant la grossesse. • Les immunoglobulines peuvent être administrées. Même si leur efficacité dans la prévention de la rubéole congénitale n'est pas prouvée, les immunoglobulines sont indiquées dans les 48 heures suivant une exposition à un cas de rubéole survenant en début de grossesse chez la femme enceinte non immunisée[2,3].

Vaccin	Type de vaccin	Données	Recommandations
		• Allemagne, années 80 : 650 nouveau-nés de mères exposées dans les trois mois précédant ou pendant la grossesse, aucune malformation associée au syndrome de rubéole congénitale.	
Tuberculose (BCG)[2, 3, 10, 11]	Vivant (bactérie)	• Risque théorique d'infection *in utero*. • Aucun effet nocif observé chez l'embryon ou le fœtus.	Reporter la vaccination après l'accouchement.
Typhoïde (Typhim Vi[MD], Thipherix[MD], injection) (Vivotif[MD], oral)[2, 3, 10, 11]	• Inactivé (bactérie) pour la forme injectable. • Vivant atténué (bactérie) pour la forme orale.	• Forme injectable : aucune donnée pendant la grossesse. • Forme orale : risque théorique d'infection pour l'embryon ou le fœtus.	• Réserver la forme injectable pour les destinations à risques élevés de contracter la maladie. • La forme orale ne devrait pas être administrée à une femme enceinte.
Varicelle (Varivax III[MD], Varilrix[MD])[2, 11]	Vivant (virus)	• L'innocuité du vaccin n'a pas été évaluée pendant la grossesse. • Risque d'infection fœtale faible, car le virus contenu dans le vaccin est beaucoup moins virulent que la souche sauvage. • Registre Merck Frosst : administration accidentelle pendant la grossesse et lors de grossesses survenant dans les 3 mois suivant la vaccination. • Aucune anomalie compatible avec le syndrome de varicelle congénitale ni augmentation du risque de base de malformations majeures n'ont été rapportés chez 531 cas d'expositions pendant la grossesse[15].	• Ne devrait pas être administré pendant la grossesse. • On devrait prévoir une période d'un mois après la vaccination avant de concevoir (fondé sur la durée de virémie suite à l'infection naturelle), une interruption de grossesse n'est toutefois pas indiquée si le vaccin est reçu avant la fin de ce délai ou pendant la grossesse. • La vaccination des personnes vivant avec une femme enceinte n'est pas contre-indiquée.

TABLEAU II – MALADIES INFECTIEUSES ET GROSSESSE	
Maladie	**Effets possibles de la maladie chez l'embryon, le fœtus et le nouveau-né**
Hépatite A[8, 10]	• Petits poids de naissance. • Avortements spontanés. • Travail préterme et morts fœtales (T_3). • Transmission verticale (T_3, rare).
Hépatite B[4, 8]	• Petits poids de naissance. • Risque élevé de transmission verticale (T_3). • Hépatite chronique.
Influenza[1]	• Augmentation possible du taux d'avortements spontanés.
Oreillons[1, 8]	• Avortements spontanés (T_1). • Morts fœtales. • Mortinaissances. • Cardiomyopathie. • Transmission verticale rare.
Pneumocoque[5]	• Infection néonatale.
Poliomyélite[8]	• Avortements spontanés. • Mortinaissances. • Polimyélite congénitale (paralysie). • Anoxie fœtale. • Transmissions périnatales observées lors d'infections maternelles en fin de grossesse (mortalité 50 %).
Rougeole[1, 8]	• Avortements spontanés. • Mortinaissances. • Rougeole congénitale, mortalité périnatale.

Rubéole[1, 4, 13]	• Avortements spontanés.
	• Syndrome de rubéole congénitale (T_1, T_2, T_3) :
	  – transmission verticale (> 50 % si virémie au T_1) ;
	  – embryopathies (jusqu'à 90 % des cas de transmission verticale dans les 4 premières semaines de la grossesse) ;
	  – anomalies oculaires (cataractes chez 50 % des enfants infectés) ;
	  – surdité ;
	  – anomalies cardiaques et squelettiques spécifiques ;
	  – retard de croissance ;
	  – retard mental ;
	  – mort fœtale.

Tétanos[1, 2, 4, 7]	• Tétanos néonatal (mortalité 60 %).

Maladie	Effets possibles de la maladie chez l'embryon, le fœtus et le nouveau-né

Varicelle[1, 3, 14]	• Syndrome de varicelle congénitale (T_1 et T_2) :
	  – 1 % (jusqu'à 2 % si l'infection est contractée à T_2) ;
	  – résulterait de la réactivation du virus in utero (zona) plutôt que de l'infection primaire ;
	  – accouchement prématuré ;
	  – petit poids de naissance ;
	  – lésions cutanées cicatricielles le long d'un dermatome ;
	  – augmentation du risque de base de malformations majeures de 0,5-1,5 % ;
	    - anomalies neurologiques, anomalies oculaires, hypoplasie des membres, hypoplasie musculaire, atrophie corticale, anomalies du tube digestif et du système génito-urinaire.
	• Mortalité < 2 ans (33 %).
	• Aucun cas de syndrome de varicelle congénitale n'a été rapporté à la suite d'un zona localisé pendant la grossesse.
	• Un cas d'anomalies congénitales apparentées suite à un zona disséminé qui s'est déclaré à 12 semaines de grossesse.
	• Varicelle néonatale (rash chez la mère dans les 5 jours précédant ou les 2 jours suivant l'accouchement) :
	  – 17-30 % ;
	  – taux de mortalité élevé.

Légende : T_1 : premier trimestre ; T_2 : deuxième trimestre ; T_3 : troisième trimestre

Références

1. ACOG. *Immunisation During Pregnancy*. Committee Opinion N°.282. American College of Obstetricians and Gynecologists. 2003; 101: 207-12.

2. COMITÉ CONSULTATIF NATIONAL DE L'IMMUNISATION. DIRECTION GÉNÉRALE DE LA SANTÉ DE LA POPULATION ET DE LA SANTÉ PUBLIQUE - CENTRE DE PRÉVENTION ET DE CONTRÔLE DES MALADIES INFECTIEUSES. *Guide canadien d'immunisation*. 6e édition. Ottawa: Association médicale canadienne, 2002.

3. MINISTÈRE DE LA SANTÉ ET DES SERVICES SOCIAUX. GOUVERNEMENT DU QUÉBEC. *Protocole d'immunisation*, 2005.

4. AMERICAN ACADEMY OF PEDIATRICS. *2003 Red Book*, 26th edition: Report of the Committee on Infectious diseases. Elk Grove Village IL: Academy of Pediatrics, 2003.

5. BRENT R. Risks and benefits of immunizing pregnant women: the risk of doing nothing. *Reproductive Toxicology* 2006; 21: 383-9

6. VERDIER F, BARROW PC, BURGE J. Reproductive toxicity testing of vaccines. *Toxicology* 2003; 185: 213-9.

7. DEMICHELI V, BARALE A, RIVETTEI A. Vaccines for women to prevent neonatal tetanus. *The Cochrane data base systematic rewiews*. 2005; 19;(4):CD002959

8. ORNOY A, TENENBAUM A. Pregnancy outcome following infections by coxsackie, echo, measles, mumps, hepatitis, polio and encephalitis viruses. *Reproductive Toxicology* 2006; 21 446-57.

9. ROSE SR. Pregnancy and travel. *Emerg Med Clin North Am* 1997; 15:93-111.

10. CENTERS FOR DISEASE CONTROL AND PREVENTION. (Page consultée le 4 avril 2006) Travelers' Health: Yellow Book - Preconceptional Planning, Pregnancy and Travel. In: http://www2.ncid.cdc.gov/travel/yb/utils/ybGet.asp?section=special&obj=pregnant.htm

11. CENTERS FOR DISEASE CONTROL AND PREVENTION. (Page consultée le 4 avril 2006) Guidelines for Vaccinating Pregnant Women, from Recommendations of the Advisory Committee on Immunization Practices (ACIP) In: http://www.cdc.gov/nip/publications/preg_guide.htm

12. Samuel BU, Barry M. The pregnant traveler. *Infect Dis Clin North Am* 1998; 12:325-54.

13. De Santis M, Cavaliere AF, Straface G, Caruso A. Rubella infection in pregnancy. *Reproductive Toxicology* 2006; 21: 390-398.

14 Tan MP. Koren G. Chickenpox in pregnancy : Revisited. *Reproductive Toxicology* 2006; 21:140-420.

15. Merck Pregnancy Registry Program. *Merck/CDC pregnancy registry for Varivax: tenth annual report;*2005.

Chapitre 22

Rhinite allergique et allergies saisonnières

■

Josianne MALO

Généralités

Définitions

La rhinite est une inflammation de la muqueuse nasale[1]. Chacun des types de rhinites connus peut survenir durant la grossesse, mais les types de rhinites les plus couramment rencontrés chez la femme enceinte sont la rhinite allergique, la rhinite vasomotrice de la grossesse, la rhinite médicamenteuse et la rhinosinusite bactérienne[2-4].

Épidémiologie

Les désordres allergiques, dont la rhinite allergique, surviennent chez 20 à 30 % des femmes en âge de procréer[5]. Les symptômes de la rhinite sont rapportés chez environ 30 % des femmes enceintes[2, 5]. Trois études incluant un petit nombre de patientes ont observé une incidence variant de 18 à 30 % pour la rhinite vasomotrice de la grossesse[6].

Étiologies

La rhinite allergique est causée par une réponse aux immunoglobulines E (IgE) au niveau de la muqueuse nasale suite à l'inhalation d'allergènes[1]. La rhinite allergique est dite intermittente lorsqu'elle résulte de l'exposition à des allergènes présents seulement pendant une période précise de l'année, comme le pollen des arbres, des graminées et de l'ambroisie et les spores de moisissure. Une rhinite persistante est due à des allergènes présents toute l'année, comme les acariens, les phanères d'animaux et les spores de moisissures intérieures[1, 2, 7].

La rhinite vasomotrice de la grossesse se définit comme une congestion nasale apparaissant au plus tard durant les six dernières semaines de grossesse, sans autre signe d'infection des voies respiratoires, sans cause allergique connue, et dont les symptômes se résolvent complètement dans les deux semaines suivant l'accouchement[6]. Occasionné par certains changements hormonaux observés durant la grossesse, ce type de rhinite est caractérisé par une augmentation du flux sanguin nasal et une augmentation de la production de sécrétions par la muqueuse nasale[2, 3, 5-7].

Pour sa part, la rhinite médicamenteuse est le résultat de l'utilisation prolongée des décongestionnants topiques, c'est-à-dire une utilisation de plus de dix jours[8]. La rhinite médicamenteuse complique souvent une rhinite sous-jacente chez la femme enceinte. Cette observation s'explique probablement par la tendance spontanée des femmes à favoriser les décongestionnants topiques en vente libre plutôt que les traitements systémiques pour protéger leur fœtus[4]. Malgré l'utilisation plus fréquente de décongestionnant topique, les patientes qui développent ce type de rhinite obtiennent un soulagement moindre.

Enfin, la rhinosinusite bactérienne pendant la grossesse semble être causée par les mêmes pathogènes que ceux impliqués chez les patientes non enceintes (voir le chapitre 14. *Infections des voies respiratoires*)[4].

Facteurs de risque

La rhinite allergique est à forte prédisposition génétique. En effet, une histoire familiale ou personnelle de maladie atopique prédispose au développement de la rhinite allergique[8]. De plus, l'exposition aux allergènes constitue un autre facteur de risque[8]. Enfin, l'asthme, le tabagisme et une hypersensibilité aux acariens sont des facteurs de risque probables de la rhinite vasomotrice de la grossesse[6].

Effets de la grossesse sur la rhinite allergique et les allergies saisonnières de la mère

La rhinite est souvent un problème chez la femme enceinte puisque la congestion nasale peut être amplifiée par la grossesse elle-même[5, 7]. Les symptômes de la rhinite allergique s'atténuent chez 15 % des femmes enceintes, s'aggravent chez 34 % d'entre elles et demeurent inchangés chez les autres[2, 3]. Il n'y a pas de preuve que la grossesse affecte l'incidence des allergies saisonnières.

Effets de la rhinite allergique et des allergies saisonnières sur la grossesse

Il semble improbable que la rhinite allergique chez la femme enceinte nuise directement au fœtus, mais elle pourrait lui être nuisible indirectement en ayant des effets néfastes sur le sommeil, l'alimentation et la stabilité émotionnelle de la mère[2-5]. En plus de l'inconfort qu'elle cause, la rhinite non traitée peut exacerber un asthme préexistant ou prédisposer à une sinusite[1-5]. Pour ces raisons, le traitement de la rhinite devrait être optimisé durant la grossesse.

Outils d'évaluation

Symptômes

Les symptômes de la rhinite ne sont pas spécifiques chez la femme enceinte. Les manifestations cliniques possibles de la rhinite allergique sont la rhinorrhée aqueuse, l'éternuement, la congestion nasale, le prurit nasal, oculaire et palatin, le larmoiement, la rougeur oculaire et la céphalée[1, 2].

Dosages biologiques

De façon générale, les tests d'allergie cutanés ne devraient pas être effectués durant la grossesse en raison du risque de réaction systémique associé à ces procédures même si celui-ci est faible[3, 4, 9]. Lorsqu'une allergie spécifique doit être diagnostiquée en cours de grossesse, les tests sanguins *in vitro* comme le dosage des IgE sériques spécifiques par la méthode E.L.I.S.A. sont normalement recommandés[3, 4].

Traitements recommandés pendant la grossesse

Traitements recommandés pour la rhinite allergique

Le traitement de la rhinite allergique pendant la grossesse implique la diminution de l'exposition aux allergènes, la pharmacothérapie et l'immunothérapie. Les mesures à prendre pour diminuer l'exposition varient d'une patiente à l'autre, dépendamment des allergènes en cause[1, 3, 7]. Idéalement, ces mesures doivent être mises en place avant la grossesse[9]. Éviter les allergènes est d'autant plus important chez la femme enceinte puisque cette précaution peut éviter le recours aux agents pharmacologiques[3]. Un autre aspect préventif important est la diminution de l'exposition aux irritants comme la fumée de cigarette et les odeurs fortes[3]. Enfin, lorsque les symptômes de la rhinite allergique surviennent, élever la tête du lit peut aider à soulager la congestion nasale[3]. Malheureusement, ces mesures sont souvent insuffisantes pour soulager complètement les symptômes et un traitement pharmacologique s'impose[2].

L'Organisation Mondiale de la Santé (OMS) a récemment publié des lignes directrices pour encadrer la prise en charge de la rhinite allergique[8]. Cette référence permet de déterminer la durée et la sévérité de la rhinite allergique afin de choisir un traitement pharmacologique adéquat (figure 1). Cet algorithme de traitement peut être utilisé chez la femme enceinte ou qui allaite, tout en tenant compte des données d'innocuité disponibles pour chacune de ces conditions (tableau I). Afin de minimiser l'exposition médicamenteuse, le traitement est débuté à une dose minimale efficace qui pourra être majorée au besoin afin d'obtenir le résultat désiré[9].

Figure 1. Algorithme pour le traitement de la rhinite allergique dans la population générale selon les lignes directrices de l'OMS[8, 10]. Reproduit avec autorisation.

TABLEAU I – TRAITEMENTS RECOMMANDÉS POUR LA RHINITE ALLERGIQUE PENDANT LA GROSSESSE

Ligne thérapeutique	Médicament	Posologie	Suivi recommandé, commentaires
Premier recours	**Antihistaminiques oraux de première génération**		
	Chlorphéniramine	4 mg par voie orale toutes les 4 à 6 heures, ou 12 mg (longue action) par voie orale toutes les 12 heures.	Les antihistaminiques sont très efficaces dans le traitement de la rhinite allergique puisqu'ils agissent contre le principal médiateur de la réaction, l'histamine. Ils sont moins efficaces dans le traitement de la congestion nasale chronique puisqu'un processus inflammatoire impliquant plusieurs médiateurs entretient habituellement cette condition. Les antihistaminiques ont l'avantage de soulager aussi la conjonctivite, un symptôme qui accompagne souvent la rhinite allergique. Les antihistaminiques de première génération sont caractérisés par les effets anticholinergiques (bouche sèche, rétention urinaire, tachycardie) et la sédation qu'ils causent. Ils sont en revanche plus efficaces pour soulager la congestion nasale que les antihistaminiques de deuxième génération[8].
	Diphenhydramine	25 à 50 mg par voie orale toutes les 4 à 6 heures.	
	Hydroxyzine	25 mg par voie orale toutes les 6 à 8 heures.	
	Corticostéroïdes topiques		
	Béclométhasone	1 à 2 vaporisations (50 à 100 µg) dans chaque narine 2 fois par jour.	Une méta-analyse a démontré que les corticostéroïdes topiques sont plus efficaces que les antihistaminiques oraux pour réduire les symptômes de la rhinite allergique, leur avantage étant plus marqué pour la congestion nasale[10]. Une efficacité clinique supérieure a aussi été établie pour les corticostéroïdes topiques comparativement aux antihistaminiques topiques et au cromoglycate sodique topique[10]. Même lorsqu'ils sont administrés par voie nasale, les corticostéroïdes ont un effet comparable aux antihistaminiques oraux sur la conjonctivite de la rhinite allergique saisonnière et peuvent avoir un effet bénéfique sur les symptômes d'hyperréactivité bronchique chez les patients présentant un asthme concomitant[10]. Le délai d'action rapporté pour les corticostéroïdes topiques varie de 10 heures à quelques jours. Leur effet maximal est observé après quelques jours (peut prendre jusqu'à 2 semaines). Malgré de petites différences observées dans certaines études, il semble que les différents corticostéroïdes topiques sont d'efficacité similaire[10].
	Budésonide	2 vaporisations (128 µg) dans chaque narine 1 fois par jour. 2 inhalations (200 µg) dans chaque narine 1 fois par jour.	
	Flunisolide	2 vaporisations (50 µg) dans chaque narine 2 fois par jour.	
	Fluticasone	2 vaporisations (100 µg) dans chaque narine 1 fois par jour.	
	Mométasone	2 vaporisations (100 µg) dans chaque narine 1 fois par jour.	

Ligne thérapeutique	Médicament	Posologie	Suivi recommandé, commentaires
	Triamcinolone	2 vaporisations (220 µg) dans chaque narine 1 fois par jour.	Une administration uniquotidienne est suffisante dans la plupart des cas, ce qui favorise l'observance thérapeutique[10]. Les corticostéroïdes topiques sont généralement bien tolérés. L'irritation du nez et de la gorge, la sécheresse nasale et l'épistaxis mineur sont des effets indésirables associés à leur usage[10].
	Immunothérapie		
	Allergènes spécifiques	Plusieurs posologies selon les allergènes impliqués et le contexte clinique.	L'immunothérapie est un traitement de premier recours seulement s'il est débuté avant que la patiente ne devienne enceinte[3, 7, 9].
	Solution saline physiologique		
	Chlorure de sodium	1 vaporisation dans chaque narine 4 fois par jour.	Il n'y a pas de restriction quant à la fréquence d'utilisation des solutions salines[6]. Leur usage avant les repas et au coucher permet d'améliorer le confort de la patiente[7].
	Stabilisateurs des mastocytes		
	Cromoglycate sodique nasal	1 vaporisation (2,6 mg) dans chaque narine 3 à 4 fois par jour.	La posologie (utilisation plusieurs fois par jour) nuit à l'observance thérapeutique[3]. Ces traitements doivent être utilisés en prophylaxie de la rhinite ou de la conjonctivite allergique. C'est pourquoi il est recommandé de les débuter environ 2 semaines avant la saison des allergies[1].
	Cromoglycate sodique ophtalmique	2 gouttes (environ 1,6 mg) dans chaque œil 4 fois par jour.	
Deuxième recours	**Antihistaminiques oraux de deuxième génération**		
	Cétirizine	5 à 10 mg par voie orale 1 fois par jour.	Les antihistaminiques de seconde génération causent moins de sédation puisqu'ils sont moins liposolubles que leurs prédécesseurs et donc gagnent moins facilement le système nerveux central. Ils sont d'ailleurs très sélectifs des récepteurs H1 de l'histamine, ce qui leur vaut une bonne efficacité pour soulager la démangeaison, les éternuements et la rhinite aqueuse. La plupart des nouveaux antihistaminiques ont un début d'action rapide (1 à 2 heures), et leur profil pharmacocinétique permet une administration uniquotidienne[8].
	Loratadine	10 mg par voie orale 1 fois par jour.	
	Décongestionnants topiques : voir le chapitre 15. *Rhume et grippe*.		

Traitements recommandés pour la rhinite vasomotrice de la grossesse

La rhinite vasomotrice de la grossesse est une condition toute particulière et son traitement diffère de celui de la rhinite allergique. Selon l'expérience clinique de certains auteurs, les solutions salines physiologiques sont utiles pour plusieurs femmes souffrant de rhinite vasomotrice de la grossesse. Ce traitement sécuritaire procure un soulagement temporaire, réduit la quantité de sécrétions et enlève les croûtes qui nuisent au passage de l'air[6, 9]. Les antihistaminiques de première génération font aussi partie du traitement de première intention de cette condition[9]. Même si les décongestionnants topiques sont efficaces pour soulager la congestion nasale de la rhinite vasomotrice de la grossesse, l'utilisation de ces agents est limitée par le risque de rhinite médicamenteuse auquel ils sont associés[6]. Leur usage est donc réservé en deuxième ligne de traitement[9]. Enfin, si l'efficacité des corticostéroïdes topiques est bien établie dans le traitement de la rhinite allergique, il en est tout autrement en ce qui concerne le traitement de la rhinite vasomotrice de la grossesse[10]. Des auteurs ont évalué l'effet d'un traitement de 8 semaines à la fluticasone par voie intra-nasale comparativement au placebo chez 53 femmes souffrant de rhinite vasomotrice de la grossesse dans le cadre d'une étude prospective, randomisée et à double insu. Ils n'ont trouvé aucun effet additionnel, thérapeutique ou indésirable, avec le corticostéroïde[11].

Données sur l'innocuité des médicaments utilisés dans la rhinite allergique et les allergies saisonnières au cours de la grossesse

En règle générale, au moins un des médicaments de chaque classe thérapeutique peut être utilisé de façon sûre pour soulager les symptômes de la rhinite chez la femme enceinte[7].

TABLEAU II – DONNÉES SUR L'INNOCUITÉ DES MÉDICAMENTS UTILISÉS DANS LA RHINITE ALLERGIQUE ET LES ALLERGIES SAISONNIÈRES AU COURS DE LA GROSSESSE		
Médicament	Données durant la grossesse	Recommandations, commentaires
Antihistaminiques oraux de première génération		
• Pas d'augmentation du taux de malformations chez les enfants exposés à des antihistaminiques de première génération au premier trimestre, comparativement à ceux du groupe témoin dans une méta-analyse d'études menées chez plus de 200 000 femmes, dont près de 30 000 ont été exposées à un antihistaminique de première génération[12].		
• Association entre la prise d'antihistaminiques lors des deux dernières semaines de grossesse et un problème rétinien appelé fibroplasie rétrolentale observée dans une étude chez des enfants prématurés[13]. Or, les agents spécifiques utilisés par les mères ne sont pas listés, et certains facteurs confondants comme la prise d'autres médicaments n'ont pas été pris en compte lors de l'analyse statistique. Cette association n'est donc pas très convaincante[14].		
Chlorphéniramine	• Pas d'augmentation du taux de malformations majeures ni mineures dans une étude de surveillance chez 1 070 femmes ayant utilisé la chlorphéniramine au premier trimestre[15].	Chez la femme enceinte, on préfère les antihistaminiques de première génération à ceux de deuxième génération en raison de données animales et humaines favorables et d'une longue expérience clinique attestant leur innocuité[15, 9]. La chlorphéniramine est considérée depuis longtemps comme un agent de premier recours pendant la grossesse[9]. À cause de leur sédation marquée, on réserve

Médicament	Données durant la grossesse	Recommandations, commentaires
	• Pas d'augmentation du taux de malformations après une exposition au cours du premier trimestre à la chlorphéniramine dans une étude de cohorte rétrospective (n ≥ 275), une étude de cohorte prospective (n = 23) et une autre étude de surveillance (n = 61)[16-18].	habituellement la diphenhydramine et l'hydroxyzine pour les cas de prurit important. Certains auteurs recommandent de cesser les antihistaminiques quelques jours avant l'accouchement afin d'éviter un sevrage chez le nouveau-né. En pratique, les antihistaminiques peuvent être utilisés jusqu'au moment de l'accouchement.
Diphenhydramine	• Risque augmenté de fissures labiales (et/ou palatines) chez les enfants exposés à la diphenhydramine lors du premier trimestre observé dans une étude cas-témoins[20] ; étude limitée par le biais de mémoire et l'absence de contrôle de certains facteurs confondants comme la prise concomitante d'autres médicaments[14, 15].	
	• Légère augmentation du taux de malformations chez 1 461 enfants nés de femmes ayant utilisé la diphenhydramine au premier trimestre, soit 80 malformations (5,6 %)[15, 21].	
	• Pas d'augmentation du risque de malformations détecté chez un total de 1 226 enfants exposés à la diphenhydramine au premier trimestre dans une étude de surveillance et 2 études rétrospectives[14, 15].	
	• Moins de malformations comparativement au groupe témoin. Chez des enfants exposés aux antihistaminiques au premier trimestre dans une étude rétrospective (deuxième antihistaminique le plus souvent utilisé : diphenhydramine)[14, 15].	
	• Pas d'augmentation du taux de malformations notée à la suite de l'exposition au premier trimestre de 80 enfants au dropéridol et à la diphenhydramine lors d'un traitement de l'hyperémèse gravidique chez leur mère[22].	
	• Cas de sevrage notifié chez un nourrisson exposé à 150 mg par jour de diphenhydramine tout au long de la grossesse. Symptômes de sevrage, notamment des tremblements et de la diarrhée, survenus au cinquième jour de vie[14, 21].	

Médicament	Données durant la grossesse	Recommandations, commentaires
Hydroxyzine	• Plus de 1 000 cas d'expositions à l'hydroxyzine au premier trimestre de la grossesse sans qu'une augmentation du taux de malformations ne soit identifiée[15, 17].	
Antihistaminiques de deuxième génération		
Cétirizine	• Métabolite actif de l'hydroxyzine. • Pas d'augmentation du taux de malformations majeures chez 48 enfants dont la mère a pris de la cétirizine pendant l'organogenèse dans une étude de cohorte prospective et une étude observationnelle[15, 23]. • Pas d'augmentation du taux de malformations majeures observée dans l'étude du *Swedish Medical Birth Registry* ayant rapporté 917 expositions à la cétirizine en début de grossesse[24].	Parmi les antihistaminiques de deuxième génération, la cétirizine et la loratadine sont considérées comme des options acceptables si la patiente ne répond pas aux antihistaminiques de première génération, si elle ne tolère pas les antihistaminiques de première génération ou si la possibilité d'être somnolente est problématique[3, 19]. Une femme pourrait également continuer de prendre ces médicaments si elle le faisait avant d'être enceinte[19].
Desloratadine	• Métabolite actif principal de la loratadine. • Pas d'effet tératogène observé lors des études animales lorsque la desloratadine est administrée à des doses procurant des concentrations plasmatiques 230 fois supérieures à celles observées chez l'humain utilisant cet agent à dose thérapeutique[15].	
Fexofénadine	• Métabolite actif de la terfénadine. • Pas d'augmentation du taux de malformations décelée dans 4 études totalisant plus de 2 000 expositions à la terfénadine en début de grossesse[15, 25]. • Pas de malformations majeures rapportées chez 23 enfants exposés au premier trimestre de la grossesse à la fexofénadine[26].	
Loratadine	• Pas d'augmentation du taux de malformations majeures dans une étude de surveillance, mais association possible entre la prise de loratadine pendant la grossesse et le risque d'hypospadias, une anomalie congénitale du méat urinaire caractérisée par l'ouverture de l'urètre à la face inférieure du pénis (15 cas sur 2 780 enfants exposés)[27]. Cette association pourrait bien s'expliquer par l'effet du hasard[24]. Étude présentant plusieurs limites, notamment l'absence de groupe témoin pour contrôler certains facteurs confondants comme l'histoire familiale d'hypospadias.	

Médicament	Données durant la grossesse	Recommandations, commentaires
	• Pas d'effet anti-androgène détecté pour la loratadine dans une étude animale (un effet anti-androgénique pourrait expliquer la survenue de l'hypospadias)[28]. • Aucun cas d'hypospadias rapporté dans les groupes exposés à la loratadine ; pas d'augmentation du taux de malformations majeures dans 2 études de cohorte contrôlées totalisant environ 300 expositions à la loratadine pendant le premier trimestre de la grossesse[17, 29]. • Pas d'association décelée entre un hypospadias et l'utilisation de loratadine au cours de la grossesse dans une étude cas-témoin menée par le *Centers for Disease Control and Prevention*[15].	

Antihistaminiques topiques

• Aucune donnée épidémiologique sur l'usage des antihistaminiques topiques durant la grossesse n'a été retracée à l'exception de la phéniramine.
• Taux de malformation normal (3,17 %) dans les observations du *Swedish Medical Birth Registry* portant sur plus de 17 000 grossesses[24]. En tant que classe, l'utilisation des antihistaminiques durant la grossesse ne semble donc pas inquiétant.
• Pas de données pour l'antazoline, la lévocabastine et l'olopatadine.
• Les gouttes ophtalmiques sont généralement peu absorbées, surtout si l'on effectue une légère occlusion des canaux lacrymaux après leur administration[30].

Médicament	Données durant la grossesse	Recommandations, commentaires
Antazoline	• Absence de données animales, humaines et pharmacocinétiques.	Puisque l'exposition systémique à ces agents est généralement limitée, les risques pour le fœtus semblent faibles. Toutefois, les effets des antihistaminiques topiques en cours de grossesse demeurent indéterminés. De plus, les formulations disponibles associent souvent un antihistaminique avec un décongestionnant topique, et cette association est rarement souhaitée.
Kétotifène	• Le kétotifène n'est pas tératogène chez l'animal. • Absence de données humaines et pharmacocinétiques.	
Lévocabastine	• Biodisponibilité intranasale : 60 à 80 %[31]. • Biodisponibilité par voie ophtalmique : 30 à 60 %[31]. • En raison des faibles doses utilisées, les taux plasmatiques obtenus sont toutefois très faibles.	
Olopatadine	• Biodisponibilité par voie ophtalmique : minime ; utilisation de cet agent aux doses recommandées associée à des concentrations plasmatiques indétectables[31].	
Phéniramine	• Pas d'augmentation du risque de malformations détectée chez les enfants de 831 femmes ayant utilisé la phéniramine ophtalmique au premier trimestre de leur grossesse dans une étude épidémiologique[21].	

Médicament	Données durant la grossesse	Recommandations, commentaires
Corticostéroïdes topiques		
Les données d'innocuité concernant les corticostéroïdes nasaux chez la femme enceinte sont pratiquement absentes de la littérature médicale. La béclométhasone et le budésonide en inhalation ont été largement utilisés chez les femmes enceintes asthmatiques sans être associés à des effets néfastes sur le fœtus (voir le chapitre 23. *Asthme*). Étant donné que l'exposition est similaire, il est estimé que ces molécules comportent également peu de risques. Leur faible absorption fait en sorte que l'exposition de l'embryon et du fœtus est probablement très faible. Il est aussi rassurant d'observer que, lorsque utilisés selon les doses recommandées, ces agents ne semblent pas avoir d'effet systémique[5, 7]. Enfin, les quelques données recueillies sur la béclométhasone et la fluticasone intranasales semblent tout aussi rassurantes[11, 32].		
Béclométhasone	• Biodisponibilité systémique : 44 %[10]. • Exposition à la béclométhasone topique chez 157 femmes pendant la grossesse : pas d'augmentation du taux de malformations majeures chez les enfants par rapport au groupe non exposé[32]. Ces notifications de cas incluent aussi 21 femmes dont le corticostéroïde topique n'est pas spécifié.	Malgré le peu de données pour plusieurs agents spécifiques, ces vaporisateurs nasaux sont sécuritaires durant la grossesse, peu importe le trimestre. Les agents les mieux connus dans ce contexte sont la béclométhasone et le budésonide. C'est pourquoi ils sont les agents de premier recours dans cette classe si un traitement doit être initié durant la grossesse. Cependant, il serait logique de continuer un autre corticostéroïde qui soulagerait bien la patiente avant sa grossesse même si l'innocuité de ce corticostéroïde est moins bien attestée[4].
Budésonide	• Biodisponibilité par voie intranasale : 31 %[10].	
Flunisolide	• Biodisponibilité par voie intranasale : 40-50 %[10].	
Fluticasone	• Biodisponibilité par voie intranasale : 0,42-0,51 %[10]. • Issues de grossesses (âge gestationnel, poids de naissance, croissance fœtale, score Apgar) similaires entre 26 femmes exposées à un traitement de 8 semaines à la fluticasone intranasale pendant le deuxième trimestre de la grossesse et un groupe placebo[11].	
Mométasone	• Biodisponibilité par voie intranasale : 0,46 %[10].	
Triamcinolone	• Biodisponibilité par voie intranasale : 46 %[10].	
Décongestionnants oraux : voir le chapitre 15. *Rhume et grippe.*		
Décongestionnants topiques : voir le chapitre 15. *Rhume et grippe.*		
Immunothérapie		
Allergènes spécifiques	• Plusieurs cas rapportés de femmes enceintes ayant eu recours à l'immunothérapie sans qu'un effet indésirable sur la grossesse ne soit rapporté[15]. • Pas d'augmentation du risque de malformations mise en évidence avec l'utilisation de l'immunothérapie durant la grossesse dans une étude de surveillance et 2 études rétrospectives[15].	L'OMS s'est positionné sur l'usage de l'immunothérapie durant la grossesse. En raison d'un risque de réaction anaphylactique, même si il est faible, un traitement ne devrait pas être initié durant la grossesse[3, 7, 9]. Ce traitement n'est toutefois pas contre-indiqué chez la femme qui l'utilisait avant de devenir enceinte, à condition que les doses utilisées demeurent stables.

Médicament	Données durant l'allaitement	Recommandations, commentaires
	• Légère hausse du taux d'avortements spontanés associée à ce traitement[15].	L'augmentation de la dose est effectivement associée à un risque possible de réaction systémique[3, 7-9].
Stabilisateur de mastocytes		
Cromoglycate sodiique	• Biodisponibilité par voie topique : très faible[7, 9]. • Pas de risque accru de malformations majeures détecté lors de 3 études rapportant un total de 638 expositions au cromoglycate sodique inhalé, intranasal ou ophtalmique chez la femme enceinte au cours du premier trimestre[15].	Le cromoglycate sodique est considéré comme un médicament de premier recours en raison des données dont on dispose chez les femmes enceintes asthmatiques.

Traitements recommandés pour la rhinite allergique pendant l'allaitement

Le traitement de la rhinite allergique chez la femme qui allaite est relativement le même que chez la femme enceinte (tableau I). En ce qui concerne le choix d'un antihistaminique oral, le traitement recommandé est toutefois différent. Durant l'allaitement, les antihistaminiques oraux de deuxième génération sont favorisés puisqu'ils sont mieux tolérés que les antihistaminiques de première génération et que leur innocuité est bien établie pour le nourrisson. En raison de leur profil de tolérance inintéressant, les antihistaminiques de première génération sont donc sont relégués au deuxième rang.

TABLEAU III – DONNÉES SUR L'INNOCUITÉ DES MÉDICAMENTS UTILISÉS DANS LA RHINITE ALLERGIQUE ET LES ALLERGIES SAISONNIÈRES AU COURS DE L'ALLAITEMENT

Médicament	Données durant l'allaitement	Recommandations, commentaires
Antihistaminiques oraux de première génération		
Chlorphéniramine Diphenhydramine Hydroxyzine	• Risque théorique de diminution de la production de lait à cause de leur propriété anticholinergique. Néanmoins, un tel effet n'a jamais été signalé et, s'il survenait, il est fort probable que cet effet disparaîtrait à l'arrêt du médicament[14]. • Estimation de la dose de diphenhydramine reçue par l'enfant allaité : 15 µg/kg/jour, soit 0,3 % de la dose pédiatrique[33]. • Quantité de chlorphéniramine et hydroxyzine se retrouvant dans le lait maternel inconnue. • Sédation : effet indésirable pouvant possiblement survenir chez le nourrisson exposé à ces agents par l'allaitement[34].	De façon générale, les antihistaminiques de deuxième génération sont préférés chez la femme qui allaite[34]. Il n'y a pas vraiment d'inquiétude chez les enfants allaités, mais il est recommandé de surveiller si la sédation ou l'irritabilité surviennent chez le nourrisson[34, 35]. Si la mère observe une diminution de sa production lactée, l'arrêt de l'antihistaminique est recommandé[34].

Médicament	Données durant l'allaitement	Recommandations, commentaires
	• Irritabilité, sédation et sommeil diminué rapportés chez 22,6 % des enfants allaités dans une étude ayant observé 234 femmes prenant des antihistaminiques, principalement de première génération ; aucun cas n'a nécessité une consultation médicale pour ces réactions[35].	
Antihistaminiques oraux de deuxième génération		
Cétirizine	• Poids moléculaire suffisamment petit pour permettre son passage dans le lait maternel[21]. • Quantité reçue par l'enfant allaité dont la mère utilise de la cétirizine inconnue[34]. • Médicament utilisé dans la première année de vie chez les enfants.	Les antihistaminiques de deuxième génération présentent peu de risques pour l'enfant allaité. Il est recommandé de surveiller si une sédation plus importante survient chez le nourrisson, notamment avec la cétirizine.
Desloratadine	• Pas de donnée spécifique sur l'usage de la desloratadine lors de l'allaitement. • Utilisation de sa prodrogue, la loratadine, bien connue. • Utilisé dans la population pédiatrique. • Aucun effet indésirable n'a été rapporté chez les enfants allaités dont la mère utilise la desloratadine[34].	
Fexofénadine	• Estimation de la dose de fexofénadine reçue par l'enfant allaité : 6,15 µg/kg/jour, donc très faible[34]. • Utilisé dans la population pédiatrique. • Aucun effet indésirable n'a été rapporté chez les enfants allaités dont la mère utilise la fexofénadine[34].	
Loratadine	• Estimation de la dose de loratadine reçue par l'enfant allaité : 0,9 µg/kg/jour donc très faible[34]. • Utilisé dans la population pédiatrique.	
Antihistaminiques topiques		
Antazoline Lévocabastine Olopatadine Phéniramine	• Aucune donnée sur l'usage des antihistaminiques topiques durant l'allaitement n'a été retrouvée. • Compte tenu de la faible quantité administrée, il est peu probable que ces substances se retrouvent dans le lait maternel en quantité cliniquement significative.	Ces agents peuvent être utilisés aux doses usuelles chez la femme qui allaite.

Médicament	Données durant l'allaitement	Recommandations, commentaires
Corticostéroïdes topiques		
Béclométhasone Budésonide Flunisolide Fluticasone Mométasone Triamcinolone	• Aucune donnée sur l'usage des corticosté-roïdes topiques durant l'allaitement n'a été retrouvée dans la littérature médicale. • Compte tenu de leur faible biodisponibilité lorsque administrées par voie intranasale (voir la partie du tableau II sur les corticosté-roïdes topiques durant la grossesse), il est peu probable que ces substances se retrouvent dans le lait maternel en quantité cliniquement significative[34]. • Aucun effet indésirable n'a été rapporté chez les enfants allaités dont les mères utilisent des corticostéroïdes topiques[34].	Ces agents peuvent être utilisés aux doses usuelles chez la femme qui allaite.
Décongestionnants oraux : voir le chapitre 15. *Rhume et grippe*.		
Décongestionnants topiques : voir le chapitre 15. *Rhume et grippe*.		
Immunothérapie		
Allergènes spécifiques	• Aucune donnée sur l'usage de l'immuno-thérapie durant l'allaitement n'a été retracée dans la littérature médicale.	Il est peu probable que ces produits se retrou-vent dans le lait maternel.
Stabilisateur de mastocytes		
Cromoglycate sodique	• Aucune donnée sur l'usage du cromoglycate sodique durant l'allaitement n'a été retrouvée dans la littérature médicale. • Très peu absorbé par la mère et le nourrisson. • Utilisé dans la population pédiatrique. • Aucun effet indésirable n'a été rapporté chez les enfants allaités dont les mères utilisent ce médicament[34].	Compte tenu de sa faible biodisponibilité systémique, le cromoglycate sodique présente peu de risques pour l'enfant allaité.

Références

1. MICHOULAS A, McINNES D, YEE J, ENSOM M. Allergies: A motherhood issue. *Pharmacy Practice* 2000;16(2):49-58.
2. SCHATZ M, ZEIGER RS. Asthma and allergy in pregnancy. *Clin Perinatol* 1997;24(2):407-32.
3. BLAISS MS. Management of rhinitis and asthma in pregnancy. *Ann Allergy Asthma Immunol* 2003;90(6 Suppl 3):16-22.
4. INCAUDO GA. Diagnosis and treatment of allergic rhinitis and sinusitis during pregnancy and lac-tation. *Clin Rev Allergy Immunol* 2004;27(2):159-77.
5. KELES N. Treatment of allergic rhinitis during pregnancy. *Am J Rhinol* 2004;18(1):23-8.
6. ELLEGARD EK. The etiology and management of pregnancy rhinitis. *Am J Respir Med* 2003;2(6):469-75.

7. DEMOLY P, PIETTE V, DAURES JP. Treatment of allergic rhinitis during pregnancy. *Drugs* 2003;63(17):1813-20.

8. BOUSQUET J, VAN CAUWENBERGE P, KHALTAEV N. Allergic rhinitis and its impact on asthma. *J Allergy Clin Immunol* 2001;108(5 Suppl):S147-334.

9. OSUR SL. The management of asthma and rhinitis during pregnancy. *J Womens Health (Larchmt)* 2005;14(3):263-76.

10. SALIB RJ, HOWARTH PH. Safety and tolerability profiles of intranasal antihistamines and intranasal corticosteroids in the treatment of allergic rhinitis. *Drug Saf* 2003;26(12):863-93.

11. ELLEGARD EK, HELLGREN M, KARLSSON NG. Fluticasone propionate aqueous nasal spray in pregnancy rhinitis. *Clin Otolaryngol Allied Sci* 2001;26(5):394-400.

12. SETO A, EINARSON T, KOREN G. Pregnancy outcome following first trimester exposure to antihistamines: meta-analysis. *Am J Perinatol* 1997;14(3):119-24.

13. ZIERLER S, PUROHIT D. Prenatal antihistamine exposure and retrolental fibroplasia. *Am J Epidemiol* 1986;123(1):192-6.

14. LIONE A, SCIALLI AR. The developmental toxicity of the H1 histamine antagonists. *Reprod Toxicol* 1996;10(4):247-55.

15. GILBERT C, MAZZOTTA P, LOEBSTEIN R, KOREN G. Fetal safety of drugs used in the treatment of allergic rhinitis: a critical review. *Drug Saf* 2005;28(8):707-19.

16. JICK H, HOLMES LB, HUNTER JR, MADSEN S, STERGACHIS A. First-trimester drug use and congenital disorders. *JAMA* 1981;246(4):343-6.

17. DIAV-CITRIN O, SHECHTMAN S, AHARONOVICH A, MOERMAN L, ARNON J, WAJNBERG R, et al. Pregnancy outcome after gestational exposure to loratadine or antihistamines: a prospective controlled cohort study. *J Allergy Clin Immunol* 2003;111(6):1239-43.

18. ASELTON P, JICK H, MILUNSKY A, HUNTER JR, STERGACHIS A. First-trimester drug use and congenital disorders. *Obstet Gynecol* 1985;65(4):451-5.

19. TSCHENG D. Allergic rhinitis, antihistamines and pregnancy. *CPJ/RPC* 2003;136(3):20-1.

20. SAXEN I. Letter: Cleft palate and maternal diphenhydramine intake. *Lancet* 1974;1(7854):407-8.

21. BRIGGS GG, FREEMAN RK, YAFFE SJ. *Drugs in Pregnancy and Lactation: A Reference Guide to Fetal and Neonatal Risk.* In. 7th ed. Philadelphia: Lippincott Williams & Wilkins; 2005. p. 273-4, 493-5, 1277.

22. NAGEOTTE MP, BRIGGS GG, TOWERS CV, ASRAT T. Droperidol and diphenhydramine in the management of hyperemesis gravidarum. *Am J Obstet Gynecol* 1996;174(6):1801-5; discussion 1805-6.

23. WILTON LV, PEARCE GL, MARTIN RM, MACKAY FJ, MANN RD. The outcomes of pregnancy in women exposed to newly marketed drugs in general practice in England. *Br J Obstet Gynaecol* 1998;105(8):882-9.

24. KALLEN B. Use of antihistamine drugs in early pregnancy and delivery outcome. *J Matern Fetal Neonatal Med* 2002;11(3):146-52.

25. LOEBSTEIN R, LALKIN A, ADDIS A, COSTA A, LALKIN I, BONATI M, et al. Pregnancy outcome after gestational exposure to terfenadine: A multicenter, prospective controlled study. *J Allergy Clin Immunol* 1999;104(5):953-6.

26. CRAIG-MCFEELY PM, ACHARYA NV, SHAKIR SA. Evaluation of the safety of fexofenadine from experience gained in general practice use in England in 1997. *Eur J Clin Pharmacol* 2001;57(4):313-20.

27. KALLEN B, OLAUSSON P. Monitoring of maternal drug use and infant congenital malformations. Does loratadine cause hypospadias? *International Journal of Risk & Safety in Medicine* 2001;14:115-9.

28. MCINTYRE BS, VANCUTSEM PM, TREINEN KA, MORRISSEY RE. Effects of perinatal loratadine exposure on male rat reproductive organ development. *Reprod Toxicol* 2003;17(6):691-7.

29. MORETTI ME, CAPRARA D, COUTINHO CJ, BAR-OZ B, BERKOVITCH M, ADDIS A, et al. Fetal safety of loratadine use in the first trimester of pregnancy: a multicenter study. *J Allergy Clin Immunol* 2003;111(3):479-83.

30. SALMINEN L. Review: systemic absorption of topically applied ocular drugs in humans (Abstract). *J Ocul Pharmacol* 1990;6(3):243-9.

31. COMPENDIUM DES PRODUITS ET SPÉCIALITÉS PHARMACEUTIQUES, 42ᵉ éd.: L'Association des pharmaciens du Canada, 2007

32. SCHATZ M, ZEIGER RS, HARDEN K, HOFFMAN CC, CHILINGAR L, PETITTI D. The safety of asthma and allergy medications during pregnancy. *J Allergy Clin Immunol* 1997;100(3):301-6.

33. ANDERSON P, SAUBERAN J. *LactMed* 2006-04-10 [vérifié 2006 23-08]; Disponible dans: http://toxnet.nlm.nih.gov/cgi-bin/sis/htmlgen?LACT

34. HALE TW. *Medications and Mothers' Milk.* In. 11th ed. Amarillo: Pharmasoft Publishing L.P.; 2004. p. 84, 101, 155, 165, 207-8, 226-7, 248-9, 321-2, 334-5, 347-8, 417-8, 495-6, 576, 810-1.

35. MORETTI ME, LIAU-CHU M, TADDIO A, ITO S, KOREN G. Adverse events in breastfed infants exposed to antihistamines in maternal milk. *Reprod Toxicol* 1995;9(6):588.

Chapitre 23

Asthme

■

Marie-France BEAUCHESNE

Généralités

Définition

L'asthme est une maladie inflammatoire chronique des voies aériennes, caractérisée par de l'obstruction bronchique et une hypersensibilité des voies aériennes[1,2]. Les symptômes associés sont la dyspnée, la toux avec ou sans production de mucus, la respiration sifflante et l'oppression thoracique. Certains facteurs peuvent déclencher des symptômes d'asthme comme l'exposition à l'air froid, aux allergènes, à la fumée de cigarette, ainsi que l'apparition d'une infection des voies respiratoires (facteurs aggravants)[1].

Épidémiologie

L'asthme fait partie des maladies chroniques les plus fréquemment rencontrées pendant la grossesse. En effet, l'asthme touche entre 3,7 à 8,4 % des femmes enceintes[3].

Étiologie et facteurs de risque

L'étiologie précise de l'asthme est inconnue, cependant le processus inflammatoire des voies aériennes est identique pendant la grossesse. L'atopie est le facteur prédisposant le plus souvent identifié pour le développement de l'asthme. Il s'agit d'une prédisposition génétique au développement d'une réponse médiée par les IgE aux aéroallergènes les plus communs[4]. Certaines comorbidités présentes chez la femme enceinte peuvent également influencer la maîtrise de l'asthme pendant la grossesse. En effet, l'asthme peut être aggravé par le reflux gastro-œsophagien, qui est symptomatique chez le tiers des femmes enceintes, et par une sinusite et une rhinite qui peut être présente dans 35 % des cas[5]. Le contrôle de ces deux comorbidités pendant la grossesse est donc essentiel pour assurer une bonne maîtrise de l'asthme.

Effets de la grossesse sur la maîtrise de l'asthme

Plusieurs études ont examiné l'influence de la grossesse sur l'asthme. Il est ressorti de ces études que la maîtrise de l'asthme s'améliore dans le tiers des cas, demeure stable dans un autre tiers des cas et se détériore dans le dernier tiers des cas au cours de la grossesse[6]. Il est difficile d'expliquer cette variation de la maîtrise de l'asthme puisque la maladie elle-même varie dans le temps. Toutefois, les changements semblent bien être reliés à la grossesse. En effet, dans une étude où l'on a évalué la maîtrise de l'asthme en *post-partum* chez des femmes dont l'asthme avait changé au cours de la grossesse, le niveau de maîtrise était revenu à celui qu'il était avant la grossesse trois mois après l'accouchement. Parmi les nombreux facteurs potentiels qui pourraient améliorer le contrôle de l'asthme, on suggère une bronchodilatation médiée par la progestérone. Un des multiples facteurs suggérés qui pourrait expliquer la détérioration de l'asthme est la bronchoconstriction médiée par la prostaglandine F_{2alpha}[6]. On a également souligné le fait que les asthmes plus sévères ont davantage de risque de s'aggraver pendant la grossesse[6]. Ensuite, on rapporte que les épisodes d'exacerbations de l'asthme sont plus fréquents entre la 24e et la 36e semaine de gestation et que le plus bas niveau de symptôme se manifeste après la 37e semaine[6]. Par ailleurs, une étude de cohorte rapporte une distribution normale des exacerbations avec une fréquence accrue entre les 17e et 24e semaines de gestation[7]. Les exacerbations de l'asthme peuvent tout de même se présenter à n'importe quel moment de la grossesse, mais elles semblent être plus fréquentes à la fin du 2e trimestre[8]. Une détérioration de l'asthme lors du travail et de l'accouchement est rare[6, 8]. Finalement, la variation de la maîtrise de l'asthme apparaît semblable d'une grossesse à l'autre[6]. L'asthme sévère semble être le facteur de risque le plus important associé aux exacerbations de l'asthme pendant la grossesse, en plus des infections virales respiratoires et de l'absence d'un traitement approprié de corticostéroïdes inhalés (CSI)[8].

Effets de l'asthme sur la grossesse

Un asthme mal contrôlé pendant la grossesse peut être associé à un risque accru de complications pour la mère et le bébé, telles que la prééclampsie et une naissance prématurée[6,9]. À l'inverse, une femme dont l'asthme est bien maîtrisé pendant sa grossesse peut avoir une grossesse normale avec peu d'augmentation du risque pour elle-même et son bébé[3,6,9,10].

Les études qui ont évalué l'influence de l'asthme sur la grossesse ne démontrent pas toutes une augmentation du risque de complications sur le cours de la grossesse et sur le fœtus[6, 11]. Tout d'abord, parmi dix études, une seule a démontré une augmentation de l'incidence de malformations congénitales, mais le risque était faible avec un rapport de cote (RC) - *Odds Ratio* - de 1,37 ($IC_{95\%}$: 1,12 à 1,68). L'incidence de prééclampsie était augmentée chez la femme enceinte asthmatique dans 7 études sur 13 examinant la question (RC de 1,2 à 3,2). Parmi neuf études évaluant la mortalité périnatale, trois ont démontré une augmentation de l'incidence allant jusqu'à deux fois environ (RC de 1,2 à 2,0). Ensuite, 4 études parmi 13 ont observé une augmentation du risque de naissance prématurée (RC de 1,2 à 4,0 ; 29,9 pour les femmes sous corticostéroïdes oraux). Finalement, 5 études sur 12 ont démontré une augmentation de l'incidence de bébés de petit poids (RC de 1,2 à 9,4 ; 17 pour les femmes sous stéroïdes oraux). Ces études n'arrivent pas toutes aux mêmes conclusions puisqu'une des principales limites est l'absence de classification de la sévérité et de la maîtrise de l'asthme. En effet, l'asthme plus sévère, non maîtrisé ou traité avec des corticostéroïdes oraux, est associé à un plus grand risque de complications, tandis qu'un asthme bien contrôlé ne semble pas être associé à ces effets indésirables[3,10]. Ainsi, une maîtrise adéquate de l'asthme pendant la grossesse est primordiale. Une seconde revue des études évaluant les issues de grossesse chez la femme enceinte asthmatique souligne que l'asthme léger à modéré peut être associé à une grossesse sans complication, surtout si le traitement de la maladie est en accord avec les lignes directrices[12]. Cette revue illustre également que l'asthme sévère et non maîtrisé peut être associé à une risque accru de prématurité (< 37 semaines de gestation), d'une nécessité d'avoir recours à une césarienne, de prééclampsie, et d'un retard de croissance intra-utérine. De plus, l'asthme non contrôlé et les exacerbations sévères sont associés à un risque accru de morbidité et de mortalité chez la femme enceinte et le fœtus[12]. Finalement, la survenue d'exacerbations de l'asthme pendant la grossesse a été associée à un risque accru d'avoir un bébé de petit poids à la naissance, mais pas à un risque accru de naissance prématurée ou de prééclampsie, cependant ces données sont tirées d'une méta-analyse[8].

Outils d'évaluation

Le diagnostic de l'asthme repose sur l'évaluation de la fonction pulmonaire (tests de fonction pulmonaire par spirométrie). Il ne faut pas confondre la dyspnée associée à la grossesse elle-même avec celle associée à l'asthme ; c'est pourquoi un diagnostic précis est important[9]. Une évaluation fœtale est recommandée pendant les exacerbations de l'asthme et durant le travail[9].

Un asthme bien maîtrisé se traduit par peu ou pas de symptômes diurnes ou nocturnes, peu ou pas d'exacerbations, pas de limitations dans les activités quotidiennes, le maintien d'une fonction pulmonaire normale, l'utilisation minimale d'agoniste bêta-2 à courte durée d'action et peu d'effets secondaires minime à la médication[3].

Traitements de l'asthme recommandés pendant la grossesse et l'allaitement

L'asthme doit être traité de façon optimale pendant toute la grossesse pour réduire le risque de complications chez la mère et son bébé[9]. Le traitement doit être maximisé pour maintenir une fonction pulmonaire et une oxygénation normales afin d'assurer un apport adéquat en oxygène à la mère et au fœtus et pour prévenir les exacerbations de l'asthme[9]. Les objectifs généraux de traitement sont d'offrir une thérapie optimale à la femme enceinte asthmatique pour maintenir le contrôle de l'asthme, pour la santé de la mère et sa qualité de vie ainsi que pour la maturation fœtale normale[3].

Il est plus sécuritaire pour la femme enceinte asthmatique de recevoir les médicaments appropriés pour l'asthme que d'avoir des symptômes et des exacerbations d'asthme[3]. La thérapie regroupe quatre grandes composantes, soit le suivi étroit de la maîtrise de l'asthme, le contrôle des facteurs aggravants, l'enseignement et les médicaments. L'approche pharmacologique se traduit par des étapes ou un continuum de traitement qui varie en fonction de la sévérité de l'asthme et de son niveau de contrôle[1-3] (voir tableau I).

| TABLEAU I – LE TRAITEMENT DE L'ASTHME CHEZ LA FEMME ENCEINTE OU QUI ALLAITE ||
Niveau de gravité de l'asthme	Thérapie pharmacologique
Asthme léger intermittent	B$_2$ACA au besoin[1]
Asthme léger persistant	Faible dose de CSI[2,3] Solution de rechange au CSI : cromoglycate Poursuivre le B$_2$ACA au besoin[1]
Asthme modéré persistant	Faible dose de CSI[2,3] + B$_2$ALA[4] ou Dose modérée de CSI[2,3] Poursuivre le B$_2$ACA au besoin[1]
Asthme grave persistant	Dose modérée à élevée de CSI[2,3] (le budésonide est préféré si une dose élevée est employée) + B$_2$ALA[4] +/- théophylline Poursuivre le B$_2$ACA au besoin[1]
Asthme très grave persistant	Dose élevée de CSI[2,3] + B$_2$ALA[4] +/- théophylline + corticostéroïdes oraux Poursuivre le B$_2$ACA au besoin[1]

1. Parmi les agonistes bêta-2 à courte durée d'action ou agents bêta-2 à courte action (B$_2$ACA), le salbutamol est l'agent de choix si la thérapie est initiée pendant la grossesse, sinon la terbutaline peut être poursuivie.
2. Parmi les corticostéroïdes inhalés (CSI), le budésonide est préféré si la thérapie est initiée pendant la grossesse. On peut poursuivre un autre CSI (fluticasone ou béclométhasone) si la patiente a une bonne maîtrise de son asthme avec un agent autre que le budésonide et/ou si l'on considère qu'il y a un risque de perte de maîtrise de l'asthme associée à la modification du CSI.
3. Faible dose de CSI : budésonide ≤ 400 µg/j ou fluticasone ≤ 250 µg/j ou béclométhasone-HFA ≤ 250 µg/j. Dose modérée : budésonide 401-800 µg/j ou fluticasone 251-500 µg/j ou béclométhasone-HFA 251-500 µg/j. Dose élevée : budésonide > 800 µg/j ou fluticasone > 500 µg/j ou béclométhasone-HFA > 500 µg/j.
4. Agonistes bêta-2 à longue durée d'action ou bêta-2 à longue action (B$_2$ALA) : salmétérol ou formotérol.

Les exacerbations de l'asthme doivent être traitées adéquatement en raison des complications possibles pour le fœtus et la mère[3]. Les exacerbations légères (ex : pas de respiration sifflante, bien-être fœtal) peuvent être traitées à domicile en augmentant la dose de CSI (ex : doubler la dose de CSI pendant 10 jours) et en intensifiant, au besoin, la prise d'agoniste bêta-2 à courte durée d'action (ex : en augmentant la fréquence d'administration pendant une journée ou deux).

Pour le traitement des exacerbations modérées à sévères (ex : dyspnée importante, respiration sifflante), une corticothérapie systémique (ex : prednisone 50 mg par voie orale une fois par jour pendant 7 jours) doit être instaurée. L'ipratropium peut être ajouté, au besoin, à l'agoniste bêta-2 à courte durée d'action pour maximiser la broncho-dilatation[1,3]. Enfin, une exacerbation sévère de l'asthme représente un risque plus important pour le fœtus que l'utilisation des médicaments anti-asthmatiques en raison de la réduction potentielle de l'apport en oxygène au bébé[8].

Avant de modifier la pharmacothérapie d'une femme enceinte asthmatique en raison d'une maîtrise sous-optimale de l'asthme, on doit toujours vérifier l'observance au traitement, la technique d'inhalation, les mesures d'assainissement de l'environnement et la présence ou non de comorbidités pouvant influencer le contrôle de l'asthme (ex : reflux gastro-œsophagien). L'éviction et le contrôle des facteurs aggravants est très important pendant la grossesse afin de réduire l'incidence des exacerbations de l'asthme[9]. L'arrêt du tabac est une mesure très importante et la grossesse est un bon moment pour motiver la patiente à cesser de fumer. Les mesures non-pharmacologiques à instaurer chez l'asthmatique (incluant les femmes enceintes) sont présentées dans les lignes directrices canadiennes[1].

Les traitements anti-asthmatiques recommandés ainsi que les données d'innocuité pendant la grossesse et l'allaitement sont résumés dans les tableaux I à IV. La plupart des médicaments anti-asthmatiques sont administrés par voie inhalée, ce qui minimise la quantité qui se retrouve dans la circulation systémique de la mère.

TABLEAU II – TRAITEMENTS RECOMMANDÉS DE L'ASTHME PENDANT LA GROSSESSE ET L'ALLAITEMENT

Classe pharmacologique	Médicament	Posologie	Commentaires
Agonistes bêta-2 à courte durée d'action	Salbutamol Terbutaline	Salbutamol : 200 µg par inhalation buccale 4 fois par jour au besoin. Terbutaline : 500 µg par inhalation buccale 4 fois par jour. Une dose peut être prise avant l'effort pour prévenir le déclenchement de symptômes d'asthme.	Il existe plus de données sur l'utilisation du salbutamol pendant la grossesse. On considère qu'un asthme est bien maîtrisé lorsque la fréquence d'utilisation de ces agents est de moins de 4 doses par semaine (excluant les doses prises avant l'effort).
Agonistes bêta-2 à longue durée d'action	Formotérol Salmétérol	Formotérol : 6 à 12 µg par inhalation buccale 2 fois par jour. Salmétérol : 50 µg par inhalation buccale 2 fois par jour.	Thérapie d'ajout aux CSI lorsque des doses faibles à modérées ne maîtrisent pas adéquatement l'asthme (ne pas utiliser en monothérapie).
Anti-allergiques	Cromoglycate	Cromoglycate : 1 à 2 mg par inhalation buccale 4 fois par jour.	Moins efficace que les CSI en traitement d'entretien de l'asthme léger.
Anticholinergiques à courte durée d'action	Ipratropium	40 à 80 µg par inhalation buccale 4 fois par jour au besoin (ou régulier pendant 24-48 heures si employé pour une crise d'asthme).	Peut être employé comme alternative aux agonistes bêta-2 à courte durée d'action pour le soulagement rapide des symptômes si cette classe est mal tolérée.
Corticostéroïdes inhalés	Béclométhasone Budésonide Fluticasone	Dose initiale variant de 400 à 1000 µg par jour équivalent béclométhasone-CFC (en général donné 2 fois par jour). Doses équivalentes : 500 µg béclométhasone-CFC = 250 µg. Fluticasone = 400 µg Budésonide = 250 µg béclométhasone-HFA.	L'utilisation du budésonide pendant la grossesse est sécuritaire. De nombreuses données corroborent ce fait.

Classe pharmacologique	Médicament	Posologie	Commentaires
Corticostéroïdes systémiques	Prednisone	Prednisone : 25 à 50 mg par voie orale 1 fois par jour (crise d'asthme).	Peut être employé à la plus faible dose possible (ex : 5 mg tous les 2 jours) pour le traitement d'entretien de l'asthme sévère lorsque les autres traitements sont insuffisants (en ajout aux CSI et aux bronchodilatateurs à longue durée d'action), mais en général réservé pour les exacerbations de l'asthme. Peut augmenter la glycémie et la tension artérielle. Risque associé de diabète gestationnel lors de la prise chronique.
Méthylxanthines	Théophylline	200 mg par voie orale 1 ou 2 fois par jour (max 600 mg par jour ; fréquence d'administration varie selon la formulation) ; ajuster selon la réponse et les concentrations sériques.	Nécessite un suivi étroit des effets secondaires (nausées, céphalée, tremblements, insomnie...) et des concentrations sériques (viser 30 à 60 µmol/L ; certaines patientes peuvent répondre à une concentration thérapeutique plus faible). Attention aux interactions médicamenteuses (ex : érythromycine) et aux comorbidités qui peuvent influencer l'élimination du médicament (ex : tabagisme actif). Peut aggraver le reflux gastrique déjà présent chez la femme enceinte.

CSI : corticostéroïde inhalé.

Données d'innocuité des anti-asthmatiques au cours de la grossesse et de l'allaitement

Les données sur l'innocuité des médicaments anti-asthmatiques au cours de la grossesse et de l'allaitement sont présentées au tableau III. Une revue des études cliniques (observationnelle, cas-témoins, de cohorte, etc.) portant sur les médicaments anti-asthmatiques employés chez la femme enceinte (sauf pour une étude sur les corticostéroïdes oraux qui incluait diverses pathologies) a été effectuée. Les études animales, les notifications de cas et les résumés ont été exclus de cette revue.

Tableau III : – Données sur l'innocuité des anti-asthmatiques au cours de la grossesse

Médicaments Études (n femmes exposées pendant la grossesse)	Données de tératogénicité	Commentaires
Agonistes bêta-2 à courte durée d'action		
Agonistes bêta-2 (agents non spécifiés). (n = 303)[13], (n = 529 sur agonistes bêta-2 à courte durée d'action)[14].	Malformation congénitale : Pas d'augmentation (OR : 1,0 ; $IC_{95\%}$: 0,6-1,6)[13]. Petit poids à la naissance : pas d'augmentation (RC : 1,4; $IC_{95\%}$: 0,8-2,2)[13]. Retard de croissance intra-utérine : pas d'augmentation (RC : 1,0, $IC_{95\%}$: 0,99-1,01)[14]. Naissance prématurée : pas d'augmentation (RC : 1,0; $IC_{95\%}$: 0,5-1,8)[13]. Hypertension de grossesse : pas d'augmentation (RC : 1,0; $IC_{95\%}$: 0,7-1,5[13] et RC : 1,01; $IC_{95\%}$: 1,0-1,02[14]).	Nombre de femmes exposées au 1er trimestre non spécifié. Les agonistes bêta-2 sont les bronchodilatateurs de premier recours chez la femme enceinte asthmatique.
Salbutamol (n = 1980) (n = 1753)[15], (n = 98)[17], (n = 129)[28]. (n = 1090 au 1er trimestre)[35] Nombre de femmes exposées au 1er trimestre non spécifié pour toutes les études. Résultats pour tous les agonistes bêta-2 dans certaines études[15,17,28].	Malformation congénitale : pas d'augmentation (2 %[15] ; 3,9 %[17] ; 4,3 %[28] et 4,4 %[35]). Retard de croissance intra-utérine : pas d'augmentation[15]. Petit poids à la naissance : pas d'augmentation[15,17,28]. Naissance prématurée : Pas d'augmentation[15,17,28]. (15,8 %[15] et 11,7 %[17]) Prééclampsie : pas d'augmentation[17,28] (5 %[17]).	
Terbutaline (n=343) (n = 5)[17], (n = 316 par voie inhalée, 60 voie orale, 16 voie parentérale)[28]. (n =149 au 1er trimestre)[35].	Malformation congénitale : pas d'augmentation (3,9 %[17] ; 4,3 %[28] et 4,7 %[35]. Petit poids à la naissance : pas d'augmentation[17,28]. Naissance prématurée : pas d'augmentation[17,28] (11,7 %[17]). Prééclampsie : pas d'augmentation[17,28] (5 %[17]).	

Médicaments Études (n femmes exposées pendant la grossesse)	Données de tératogénicité	Commentaires
Agonistes bêta-2 à longue action		
Agonistes bêta-2 à longue action (agents non spécifiés). (n = 64)[14].	Retard de croissance intra-utérine : pas d'augmentation (RC:1,0). Naissance prématurée : pas d'augmentation (RC:0,99).	Il existe encore peu de données sur leur utilisation chez la femme enceinte, mais les données n'indiquent pas une augmentation du risque de complications pour le fœtus. De plus, on considère que les propriétés pharmacologiques et toxicologiques sont similaires aux agonistes bêta-2 à courte durée d'action (outre la rétention prolongée au niveau pulmonaire).
Formotérol (n = 34 dont 31 au 1er trimestre). (n = 1)[17], (n = 33 dont 31 au 1er trimestre)[34]. Voir section *Salmétérol*[17].	Malformation congénitale : 1 anomalie/25 naissances[34]. Naissance prématurée : 5/25 naissances[34].	
Salmétérol (n = 186 dont 65 au 1er trimestre). (n = 77)[15], (n = 11)[17], (n = 91 dont 65 au 1er trimestre)[36]. Résultats rapportés pour tous les agonistes bêta-2 (courte et longue durées d'action) dans deux études[15,17].	Malformation congénitale : pas d'augmentation, 2 %[15] et 3,9 %[17] et 2 cas/98[36]. Retard de croissance intra-utérine : pas d'augmentation[15]. Petit poids à la naissance : pas d'augmentation, 13,5 %[15], RC: 0,57 ;$IC_{95\%}$: 0,16-2,12)[17] Naissance prématurée :Pas d'augmentation , 15,8 %[15] et 11,7 %[17] et 3/98 cas[36] Prééclampsie : pas d'augmentation, 5 %[17].	
Anti-allergiques		
Anti-allergique (agent non spécifié, cromolyn ou nedocromil). (n = 60)[15].	Malformation congénitale : pas d'augmentation (3,3 %). Retard de croissance intra-utérine : pas d'augmentation. Petit poids à la naissance : pas d'augmentation (20%). Naissance prématurée : pas d'augmentation (21,7%).	Parmi les anti-allergiques, le cromolyn est celui pour lequel on a plus de données chez la femme enceinte. Il devrait être préféré au nédocromil si un de ces agents est nécessaire pour le contrôle de l'asthme. Peu de données sur l'utilisation du nédocromil chez la femme enceinte mais peu probable qu'il engendre un risque accru de malformations congénitales.
Cromolyn (cromoglycate) (n = 476, dont 151 au 1er trimestre). (n = 158 dont 151 au 1er trimestre)[28], (n = 22)[14], (n = 296)[33].	Malformation congénitale : pas d'augmentation, 6 % groupe exposé *vs* 5 % groupe non exposé[28] et 1,35 %[33]. Petit poids à la naissance : pas d'augmentation[28]. Naissance prématurée : Pas d'augmentation[28], RC:1,0114. Prééclampsie : pas d'augmentation[28].	
Nédocromil (n = 81 dont 35 au 1er trimestre)[36].	Malformation congénitale : 1 cas. Naissance prématurée : aucune.	

Médicaments Études (n femmes exposées pendant la grossesse)	Données de tératogénicité	Commentaires
Anticholinergiques à courte durée d'action		
Ipratropium (n = 37 au 1er trimestre)[35].	Malformation congénitale : 1 cas.	Peu de données chez la femme enceinte. Cause moins d'effets systémiques que l'atropine[35].
Antileucotriènes		
Antileucotriènes (agent non spécifié). (n = 9)[14]. Registre Merck-Frosst[16] (n = 176 au montélukast dont 145 au premier trimestre).	Malformation congénitale : pas d'augmentation (6 malformations congénitales)[16]. Retard de croissance intra-utérine : pas d'augmentation (RC : 0,94;0,65-1,36)[14]. Naissance prématurée : pas d'augmentation (RC : 1,0;0,87-1,14)[14].	Ces agents ne sont pas des traitements de premier recours car il y a peu de données d'innocuité des antileucotriènes durant la grossesse.
Corticostéroïdes inhalés		
Corticostéroïdes inhalés, agents non spécifiés (n = 72)[26], (n = 176)[14], (n = 1553)[27]. Nombre de femmes exposées au 1er trimestre non spécifié.	Poids néonatal semblable *vs* femmes enceintes non asthmatiques[26]. Pas d'augmentation du retard de croissance intra-utérine (RC : 1,0)[14] ou de naissance prématurée (RC : 0,99)[14]. Pas d'augmentation du risque d'hypertension de grossesse (RC : 1,02)[27].	Les corticostéroïdes inhalés sont des traitements de premier recours pour la maîtrise de l'asthme chez la femme enceinte.
Béclométhasone-CFC (n = 1212). (n = 485)[15], (n = 131)[17], (n = 14)[18], (n = 45)[19], (n = 194)[20], (n = 201)[21], (n = 20)[22]. Nombre de femmes exposées au 1er trimestre non spécifié. Résultats pour tous les CSI combinés dans trois études[15,17,21]. Une étude visait à comparer l'efficacité de la béclométhasone avec celle de la théophylline[20].	Poids néonatal semblable *vs* femmes enceintes non asthmatiques[26]. Pas d'augmentation du retard de croissance intra-utérine (RC : 1,0)[14] ou de naissance prématurée (RC : 0,99)[14]. Pas d'augmentation du risque d'hypertension de grossesse (RC : 1,02)[27].	

Médicaments Études (n femmes exposées pendant la grossesse)	Données de tératogénicité	Commentaires
Budésonide (n = 5317) (n = 196)[23], (n = 2968)[24], (n = 96)[17], (n = 43)[21], (n = 2014)[25]. Nombre de femmes exposées au 1er trimestre non spécifié ; cependant en début de grossesse dans une étude[25].	Malformation congénitale : pas d'augmentation, 1 à 4,1 %[17,21,23,25]. Mortinaissance : pas d'augmentation (1/201[21] cas et 0,1-0,3 %[24]) Petit poids à la naissance : pas d'augmentation[17,21,24]. Naissance prématurée : pas d'augmentation, incidence varie entre 6,1 et 16,2 %[17,21,24]. Prééclampsie : pas d'augmentation 3 %[17].	
Fluticasone (n = 365) (n = 233)[17], (n = 132)[21]. Nombre de femmes exposées au 1er trimestre non spécifié. Résultats pour tous les CSI combinés dans deux études[17,21].	Malformation congénitale : pas d'augmentation 4,1 %[17] et 1 %[21]. Mortinaissance : pas d'augmentation (1/201 cas[21]). Petit poids à la naissance : pas d'augmentation[17,21]. Naissance prématurée : pas d'augmentation, 6,6 %[17] et 6,1 %[21]. Prééclampsie : pas d'augmentation, 3 %[17].	

Corticostéroïdes systémiques : voir le chapitre 28. *Maladies inflammatoires de l'intestin*

Corticostéroïdes systémiques (n = 130)[28], (n = 113)[17], (n = 185)[15], (n = 103)[24], (n = 139)[13], (n = 184 dont 138 au 1er trimestre)[29]. Méta-analyse (n = 535)[29], (n = 52)[14], (n = 48)[30], (n = 31)[31]. Ajustement pour la sévérité de la maladie et autres variables confondantes dans des études[14,15]. Pas d'ajustement pour la sévérité de l'asthme dans trois études[13,28,31].	Malformation congénitale : pas d'augmentation, 0 à 6,9 %[15,17,28,29-31] et RC :0,8[13]. Méta-analyse[29] : RC :1,45 ; 0,81-2,6 (toutes études incluses), et 3,03 ; 1,08-8,54 (exclusion d'une étude n'ayant pas séparé les malformations majeures des mineurs). Fissure labio-palatine : RC :3,35 ; 1,97-5,69[29]. Morti-naissance : pas d'augmentation , 0-2 %[24], 0,5 %[29], 1 cas/51[30]. Retard de croissance intra-utérine : augmentation du risque RC :1,8 (IC$_{95 \%}$ 1,13-2,88)[15], pas d'augmentation, RC : 0,99;0,93-1,0514 et RC :0,8;0,1-5,5[31] Petit poids à la naissance :0 % à 17,9 %[15,24,28,30] ; RC :1 à 5,1[13,17,31]. Naissance prématurée : augmentation (RC : 1,11 à 7,5[13-15,31] et 7,7 à 14,2 %[17,28-30]. Prééclampsie : pas d'augmentation (1,8 %[17]), augmentation du risque 13,2 % groupe exposé vs 7,5 % groupe non exposé28 et RC 5,3[31]. Augmentation légère du risque d'hypertension de grossesse RC : 1,7 (1,0-2,9)[13].	La prednisone est l'agent de premier recours puisque les enzymes placentaires métabolisent une portion importante de la prednisolone (le métabolite actif) en dérivés peu ou non actifs, ce qui résulte en de faibles concentrations fœtales, soit environ 10 % des concentrations plasmatiques maternelles de prednisolone[32].

Médicaments Études (n femmes exposées pendant la grossesse)	Données de tératogénicité	Commentaires
Seulement 30 des femmes étaient asthmatiques dans une étude ; cette méta-analyse inclut des données chez des femmes non asthmatiques et qui n'ont pas été ajustées en fonction de la maladie sous-jacente ou de sa sévérité[29]. Dans une étude, le résultat peut être expliqué par plus d'exacerbations d'asthme chez les cas de petit poids et de naissance prématurée[30].		
Méthylxanthines		
Théophylline (n = 273)[15], (n = 15)[14], (n = 429 dont 292 au 1er trimestre)[28], (n = 85)[37], (n = 190)[20], (n = 51830)[38], (n = 212 dont 121 au 1er trimestre)[39]. Résultats ajustés pour la sévérité de la maladie et autres variables confondantes dans une étude[14] mais pas dans une autre. Dans une étude, les patients sous théophylline avaient un asthme plus sévère et ont reçu plus de CSS que le groupe contrôle[39]. Une étude visait à comparer l'efficacité de la béclométhasone avec celle de la théophylline[20].	Malformation congénitale : Pas d'augmentation, 1,5%[15] et 4,5% groupe exposé vs 5,3% groupe non exposé[28] et 2,6% théophylline vs béclométhasone 3,1 %)[20] et 3,8% groupe exposé vs 1,0% groupe non exposé[39]. Morti-naissance : pas d'augmentation, RC de 0,2 à 1,338,0%[39]. Retard de croissance intra-utérine : pas d'augmentation[15] et RC : 0,99[14]. Petit poids à la naissance : pas d'augmentation, 14,4 %[15]. Naissance prématurée : pas d'augmentation, 16,1 %[15], 16,3 %[20] et 15,6 % groupe exposé vs 5,4 % groupe non exposé[39], augmentation du risque RC : 1,05;$IC_{95\%}$1,01-1,09[14]et 6,0 % groupe exposé vs 3,6 % groupe non exposé[28]. Prééclampsie : pas d'augmentation[37]et 7,9 %[20] Augmentation du risque 15,6 % groupe exposé vs 10,6 % groupe non exposé[39].	La théophylline n'est pas associée à un risque accru de malformations congénitales et peut être utilisée chez la femme enceinte si elle est nécessaire pour la maîtrise des symptômes de l'asthme. Ses effets secondaires et le suivi nécessaire n'en font pas un traitement de l'asthme de premier recours.

TABLEAU IV – DONNÉES SUR L'INNOCUITÉ DES ANTI-ASTHMATIQUES AU COURS DE L'ALLAITEMENT[40,41]		
Médicaments ou classe pharmacologique	**Données en allaitement**	**Recommandations, commentaires**
Agonistes bêta-2 à courte durée d'action		
Salbutamol	• PM : 239 Da. • Biodisponibilté pulmonaire : < 10 % • Absorption orale : 50 % • Aucune étude évaluant l'innocuité du salbutamol au cours de l'allaitement n'a été retracée dans la documentation scientifique.	Les agonistes bêta-2 à courte durée d'action par voie inhalée sont compatibles avec l'allaitement. Si le salbutamol est utilisé par voie orale, de l'agitation et des tremblements pourraient être observés chez le nourrisson.
Terbutaline	• PM : 225 Da. • Biodisponibilité pulmonaire : 10 % • Absorption orale : 33-55 % • Liaison aux protéines plasmatiques : 20 % • Si voie orale employée, la dose relative chez le nourrisson : 0,7 % de la dose maternelle ajustée au poids ; concentration indétectable dans le sérum d'un enfant.	
Agonistes bêta-2 à longue durée d'action		
Formotérol	• PM : 840 Da. • Biodisponibilité pulmonaire : concentrations plasmatiques indétectables. • Absorption orale : complète. • Liaison aux protéines plasmatiques : 64 %. • Aucune étude évaluant l'innocuité du formotérol au cours de l'allaitement n'a été retracée.	Puisque ces agents ont une biodisponibilité pulmonaire faible, on les considère compatibles avec l'allaitement.
Salmétérol	• PM : 416 Da. • Absorption pulmonaire : faible. • Absorption orale : complète. • Liaison aux protéines plasmatiques : 98 %. • Aucune étude évaluant l'innocuité du formotérol au cours de l'allaitement n'a été retracée.	

Médicaments ou classe pharmacologique	Données en allaitement	Recommandations, commentaires
Anti-allergiques		
Cromoglycate sodique (Cromolyn)	• PM : 468 Da. • Absorption orale : < 1 %. • Biodisponibilité pulmonaire : 8 %. • Liaison aux protéines plasmatiques : 76 %. • Aucune étude évaluant l'innocuité du cromolyn durant l'allaitement n'a été retracée.	Puisque ces agents ont une biodisponibilité systémique faible, on les considère compatibles avec l'allaitement.
Nédocromil	• PM : 371 Da. • Absorption orale : < 8-17 %. • Liaison aux protéines plasmatiques : 89 %. • Aucune étude évaluant l'innocuité du nédocromil durant l'allaitement n'a été retracée.	
Anticholinergiques à courte durée d'action		
Ipratropium	• Ammonium quaternaire. • PM : 412 Da. • Biodisponibilité pulmonaire : 0,03-10 %. • Biodisponibilité orale : 0-2 %. • Aucune étude évaluant l'innocuité de cet agent au cours de l'allaitement n'a été retracée.	En raison de la structure moléculaire (ammonium quaternaire), il est peu probable que le passage dans le lait maternel soit important.
Antileucotriènes		
Montelukast	• PM : 608 Da. • Absorption orale : 64 %. • Liaison aux protéines plasmatiques : 99 %. • Aucune étude évaluant l'innocuité du montelukast au cours de l'allaitement n'a été retracée dans la documentation scientifique.	En raison de la forte liaison aux protéines plasmatique, la quantité passant dans le lait maternel est probablement faible.
Zafirlukast	• PM : 575 Da. • Absorption orale : faible. • Liaison aux protéines plasmatiques : > 99 %. • Données du fabricant : la dose théorique à laquelle est exposé le nourrisson correspond 0,65 % de la dose maternelle ajustée au poids[40].	Le passage dans le lait maternel semble faible. Toutefois, le Zafirlukast n'est pas le traitement de 1er recours en raison du manque de données.

Médicaments ou classe pharmacologique	Données en allaitement	Recommandations, commentaires
Corticostéroïdes inhalés		
Corticostéroïdes inhalés (béclométhasone, budésonide, fluticasone)	PM : • Béclométhasone : 409 Da. • Budésonide : 431 Da. • Fluticasone : 501 Da. • Biodisponibilité pulmonaire faible. Aucune étude évaluant l'innocuité de ces agents au cours de l'allaitement n'a été retracée dans la documentation scientifique.	Puisque ces agents ont une biodisponibilité pulmonaire faible, on les considère compatibles avec l'allaitement.
Corticostéroïdes systémiques		
Corticostéroïdes systémiques	Voir le chapitre 28. *Maladies inflammatoires de l'intestin.*	
Méthylxanthines		
Théophylline	• PM : 180 Da. • Absorption orale : 76 %. • Liaison aux protéines plasmatiques : 56 %. • Concentrations dans le lait maternel similaires aux concentrations plasmatiques chez la mère. • Selon les études, la dose théorique reçue par le nourrisson varie entre moins de 1 % et 5,8 % de la dose maternelle ajustée au poids. • Un cas d'irritabilité et de sommeil perturbé rapporté chez un nourrisson allaité seulement les jours où la mère prenait la théophylline.	Le passage dans le lait maternel semble faible ; cependant, il est prudent de surveiller l'apparition de signes de toxicité (irritabilité, nausées, vomissements, tachycardie) chez l'enfant.

PM : Poids moléculaire

Références

1. BOULET LP, BECKER A, BERUBE D, BEVERIDGE R, ERNST P, et al. Canadian asthma consensus report, 1999. *CMAJ* 1999;161 (11 suppl).

2. LEMIÈRE C, BAI T, BALTER M et coll. Adult asthma consensus guidelines. Update 2003. *Can Respir J* 2004;11 :9-32.

3. NATIONAL ASTHMA EDUCATION AND PREVENTION PROGRAM EXPERT PANEL REPORT. Managing asthma during pregnancy: recommendations for pharmacologic treatment-2004 update. *J Allergy Clin Immunol* 2005;115:34-46.

4. EPR-2 NAEPP EXPERT PANEL REPORT. *Guidelines for the diagnosis and treatment of asthma. NIH publication n°.97-4051.* Bethesda (MD): US Department of Health and Human Services; National Institutes of Health; National Heart, Lung and Blood Institute, 1997.

5. JOBIN V, BEAUCHESNE M.-F., CARTIER A. Management of asthma in pregnancy. *Allergy and Asthma* 1999; 14-26.

6. SCHATZ M. Interrelationships between asthma and pregnancy: A literature review. *J Allergy Clin Immunol* 1999;103:S330-6.

7. STENIUS-AARNIALA BS, HEDMAN J, TERAMO KA. Acute asthma during pregnancy. *Thorax* 1996;51:411-4.

8. MURPHY VE, CLIFTON VL, GIBSON PG. Asthma exacerbations during pregnancy: incidence and association with adverse pregnancy outcomes. *Thorax* 2006;61:169-76.

9. LUSKIN AT. An overview of the recommendations of the working group on asthma and pregnancy. *J Allergy Clin Immunol* 1999;103:350-3.

10. GLUCK JC, GLUCK PA. Asthma controller therapy during pregnancy. *Am J Obstet Gynecol* 2005;192:369-80.

11. KALLEN B, RYDHSTROEM H, ABERG A. Asthma during pregnancy - a population based study. *Eur J Epidemiol* 2000;16:167-71.

12. DOMBROWSKI MP. Outcomes of pregnancy in asthmatic women. *Immunol Allergy Clin N Am* 2006;26:81-92.

13. ALEXANDER S, DODDS L, ARMSON A. Perinatal oucomes in women with asthma during pregnancy. *Obstet gynecol* 1998;92:435-40.

14. BRACKEN MB, TRICHE EW, BELANGER K, , SAFTLAS A, BECKETT WS, LEADERER BP. Asthma symptoms, severity, and drug therapy. *Obstet Gynecol* 2003;102:739-52.

15. SCHATZ M, DOMBROWSKI MP, WISE R, MOMIROVA V, LANDON M, MABIR W, et al. The relationship of asthma medication use to perinatal outcomes. *J Allergy Clin Immunol* 2004; 113:1040-5.

16. MERCK RESEARCH LABORATORIES. *Seventh annual report on exposure during pregnancy from the Merck pregnancy registry for Singulair(r) (montelukast sodium) covering the period from U.S. approval (February 20, 1998) through July 31, 2005.* Merck Research Labs, West Point, PA.

17. BAKHIREVA LN, JONES KL, SCHATZ M, JOHNSON D, CHAMBERS CD. Asthma medication use in pregnancy and fetal growth. *J Allergy Clin Immunol* 2005;116:503-9.

18. DOMBROWSKI M, THOM E, MCNELLIS D. Maternal-Fetal Medicine Units (MFMU) studies of inhaled corticosteroids durgin pregnancy. *J Allergy Clin Immunol* 1999;103:S356-9.

19. GREENBERGER PA, PATTERSON R. Beclomethasone diproprionate for severe asthma during pregnancy. *Ann Intern Med* 1983;98:478-80.

20. DOMBROWSKI MP, SCHATZ M, WISE R, THOM EA, LANDON M, MABIE W, et al. Randomized trial of inhaled beclomethasone dipropionate versus theophylline for moderate asthma during pregnancy. *Am J Obstet Gynecol* 2004;190:737-44.

21. NAMAZY J, SCHATZ M, LONG L, LIPKOWITZ M, LILLIE MA, DEITZ RJ, et al. Use of inhaled steroids by pregnant asthmatic women does not reduce intrauterine growth. *J Allergy Clin Immunol* 2004;113:427-32.

22. BROWN HM, STOREY G, JACKSON FA. Beclomethasone dipropionate aerosol in long-term treatment of perennial and seasonal asthma in children and adults: A report of five-and-half years experience in 600 asthmatic patients. *Br J Clin Pharmacol* 1977;4:259-67.

23. SILVERMAN M, SHEFFER A, DIAZ PV, LINDMARK B, RADNER F, BRODDENE M, DE VERDIER MG, et al. Outcome of pregnancy in a randomized controlled study of patients with asthma exposed to budesonide. *Ann Allergy Asthma Immunol* 2005;95:566-70.

24. NORJAVAARA E, DE VERDIER MG. Normal pregnancy outcomes in a population-based study including 2968 pregnant women exposed to budesonide. *J Allergy Clin Immunol* 2003;111:736-42

25. KALLEN B, RYDHSTROEM H, ABERG A. Congenital malformations after the use of inhaled budesonide in early pregnancy. *Obstet Gynecol* 1999;93:392-5.

26. MURPHY VE, ZAKAR T, SMITH R, GILES WB, GIBSON PG, CLIFTON VL. Reduced 11B-Hydroxysteroid dehydrogenase type 2 activity is associated with decreased birth weight centile in pregnancies complicated by asthma. *J Clin Endocrinol Metab* 1987;4:1660-68.

27. MARTEL MJ, REY E, BEAUCHESNE M.-F., PERREAULT S, LEFEBVRE G, FORGET A, et al. Use of inhaled corticosteroids during pregnancy and risk of pregnancy induced hypertension: a nested case-control study. *BMJ.* 2005;330:230-6.

28. SCHATZ M, ZEIGER RS, HARDEN K, HOFFMAN CC, CHILINGAR L, PETITTI D. The safety of asthma and allergy medications during pregnancy. *J Allergy Clin Immunol* 1997;100:301-6.

29. PARK-WYLLIE L, MAZZOTTA P, PASTUAZAK A, MORETTI ME, BEIQUE L, HUNNISETT L, et al. Birth defects after maternal exposure to corticosteroids: prospective cohort study and meta-analysis of epidemiological studies. *Teratology* 2000;62:385-392.

30. FITZSIMONS R, GREENBERGER PA, PATTERSON R. Outcome of pregnancy in women requiring corticosteroids for severe asthma. *J Allergy Clin Immunol* 1986;78:349-53.

31. PERLOW JH, MONTGOMERY D, MORGAN MA, TOWERS CV, PORTO M. Severity of asthma and perinatal outcome. *Am J Obstet Gynecol* 1992;167:963-7.

32. GUILLONNEAU M, JACQZ-AIGRAIN E. Corticothérapie à visée maternelle, pharmacologie et retentissement fœtal. *J Gynecol Obstet Biol Reprod* 1996; 25 : 160-7.

33. WILSON J. Utilisation du cromoglycate de sodium au cours de la grossesse. *Acta Ther* 1982;8 :45-51.

34. WILTON LV, SHAKIR SA. A post-marketing surveillance study of formoterol (Foradil). *Drug Safety* 2002;25:213-23

35. BRIGGS GG, FREEMAN RK, YAFFE SJ. *Drugs in Pregnancy and Lactation*, 7th ed. Philadelphie: Lippincott, Williams & Wilkins; 2005.

36. WILTON LV, PEARCE GL, MARTIN RM, MACKAY FJ, MANN RD, et al. The outcomes of pregnancy in women exposed to newly marketed drugs in general practice in England. *Br J Obstet Gynecol* 1998;105:882-9.

37. DOMBROWSKI MP, BOTTOMS SF, BOIKE M, WALD J. Incidence of preeclampsia among asthmatic patients lower with theophylline. *Am J Obstet Gynecol* 1986;155:265-7

38. NEFF RK, LEVITON A. Maternal theophylline consumption and the risk of stillbirth. *Chest* 1990;97:1266-67.

39. STENIUS-AARNIALA, RIIKONEN S, TERAMO K. Slow-release theophylline in pregnant asthmatics. *Chest* 1995;107:642-7.

40. HALE TW. *Medications and Mothers' Milk.* 12th ed. Amarillo: Pharmasoft publishing L.P; 2006.

41. DE SCHUITENEER B, DE CONINCK B. *Médicaments et Allaitement: guide de prescription des médicaments en période d'allaitement.* Paris: Arnette Blackwell, 1996.

Chapitre 24

Nausées et vomissements

■

Ema FERREIRA

Généralités

Définition

Les nausées et les vomissements font partie des symptômes les plus fréquemment rencontrés dans la grossesse[1]. Ces symptômes débutent habituellement entre la quatrième et la neuvième semaine de grossesse. La majorité du temps, cette symptomatologie est absente après la vingt-deuxième semaine de gestation[2-5].

Les nausées et vomissements incoercibles de la grossesse, aussi connus le sous le nom d'*hyperemesis gravidarum*, sont la forme la plus sévère de nausées et de vomissements rencontrés dans la grossesse. Ils sont caractérisés par des nausées et des vomissements sévères et persistants, accompagnés d'une perte de poids supérieure à 5% du poids prégrossesse, par des signes d'inanition comme la déshydratation et la cétonurie, et par des désordres électrolytiques comme l'hypokaliémie ($<3,5$ mEq/L)[4, 6]. On peut également observer une perturbation du bilan hépatique ou du bilan thyroïdien[4].

Épidémiologie

Les nausées touchent environ 75 % de toutes les femmes enceintes[4, 7]. On estime que la moitié ont des nausées et des vomissements, le quart n'ont que des nausées et les autres sont asymptomatiques[4]. Si la croyance populaire veut que ces symptômes surviennent le matin, on relate qu'uniquement 17 % des femmes enceintes ont des nausées le matin alors que les autres peuvent avoir des symptômes tout au long de la journée[1].

L'*hyperemesis gravidarum* affecte entre 0,5 et 2 % des patientes enceintes. Elle est la cause principale d'hospitalisation durant le premier trimestre de la grossesse. Après le travail préterme, elle est la deuxième cause d'hospitalisation durant toute la grossesse[4].

Étiologies

L'étiologie des nausées et vomissements de la grossesse n'est pas bien élucidée. L'augmentation du temps de la vidange gastrique ainsi que l'augmentation du taux des hormones telles la progestérone, les œstrogènes, l'hormone chorionique gonadotrophique (hCG) et la TSH sont les causes les plus fréquemment associées aux nausées et vomissements de la grossesse. Sont également considérés comme causes potentielles la présence de fer dans les vitamines prénatales, les facteurs psychosomatiques ou l'anxiété[4]. Récemment, on évoqué un lien possible avec une infection à l'*Helicobacter pylori*[8-11]. L'*hyperemesis gravidarum* demeure un diagnostic d'exclusion, ce qui signifie que toutes les autres causes doivent être éliminées[7].

Facteurs de risque

Les nausées et vomissements sont plus fréquents chez les nullipares, les adolescentes et les femmes avec un indice de masse corporelle (IMC) de plus de 24 kg/m^2. Une étude rapporte une incidence élevée dans les cas de grossesses compliquées d'anomalies fœtales[12]. Il est clair que les femmes qui ont une masse placentaire plus importante, comme c'est le cas des grossesses multiples et des môles hydatiformes, sont plus à risque d'*hyperemesis gravidarum*[4]. De plus, les femmes qui ont des antécédents familiaux ou personnels d'*hyperemesis gravidarum*, de migraine ou de mal des transports sont plus à risque[4].

Effets des nausées et vomissements sur la grossesse

Dans le passé, les complications associées aux nausées et vomissements étaient une cause importante de mortalité maternelle. Même si de nos jours, il survient peu de décès, les nausées et vomissements mal contrôlés peuvent avoir des conséquences graves : la déshydratation, les désordres électrolytiques, l'œsophagite, la rupture œsophagienne et même l'encéphalopathie de Wernicke. En outre, ces symptômes peuvent affecter le rendement au travail et diminuer la qualité de vie à un point tel que certaines femmes envisagent une interruption de grossesse[1, 4, 6].

Les effets des nausées et vomissements sur l'embryon et le fœtus varient selon la condition médicale des patientes. Si des symptômes légers à modérés ne semblent pas affecter l'issue de la grossesse, des symptômes plus sévères peuvent mener à des bébés de petit poids. Par contre, la présence de nausées et vomissements serait associée à un taux plus faible d'avortements spontanés et agirait donc comme un facteur de protection à ce niveau[4].

Effets à long terme

Il n'y a pas de donnée sur l'effet à long terme de l'*hyperemesis gravidarum* sur la santé des enfants [4].

Outils d'évaluation

Chez la majorité des patientes, les symptômes se manifestent avant la neuvième semaine de grossesse. Si une femme enceinte présente ces symptômes après la neuvième semaine, une investigation plus poussée doit être faite pour écarter les autres causes. Ces causes peuvent être d'ordre[4, 12] :

- **gastro-intestinal**: gastroentérite, pancréatite, ulcère peptique, achalasie, atteinte vésiculaire, hépatite, appendicite, gastroparésie;
- **génito-urinaire**: pyélonéphrite, néphrolithiases, torsion ovarienne, dégénérescence de fibromes utérins;
- **métabolique**: hyperthyroïdie, acidocétose diabétique, porphyrie, maladie d'Addison, urémie;
- **neurologique**: *pseudotumor cerebri*, lésions vestibulaires, migraines, tumeurs cérébrales;
- **obstétrique**: stéatose hépatique aiguë (*acute fatty liver*), prééclampsie;
- **psychologique**;
- **médicamenteux**.

Certains signes indiquent que les nausées et vomissements peuvent être causés par une autre condition que la grossesse. Par exemple, les patientes ne devraient pas avoir de fièvre ni de céphalées; elles ne devraient pas non plus avoir un examen neurologique anormal ou un goitre, même si une hyperthyroïdie biochimique peut être présente[4].

Les femmes souffrant d'*hyperemesis gravidarum* présentent des signes de déshydratation tels une hypotension orthostatique, une tachycardie, des muqueuses sèches, des urines concentrées et une haleine cétonique[5]. Le tableau I décrit le bilan qui devrait être effectué chez une femme enceinte qui souffre de nausées et vomissements modérés à sévères.

TABLEAU I – BILAN RECOMMANDÉ CHEZ UNE PATIENTE ENCEINTE QUI SOUFFRE DE NAUSÉES ET VOMISSEMENTS DE MODÉRÉS À SÉVÈRES[4, 13]	
Paramètre	**Raison, commentaires**
Bilan thyroïdien	Pour évaluer la fonction thyroïdienne.
Dosage de l'hormone chorionique gonadotrophique (hCG)	Pour exclure la présence d'une môle hydatiforme ou une grossesse multiple.
Électrolytes	Pour évaluer la condition d'inanition de la patiente.
Formule sanguine complète	Pour déterminer s'il y a présence d'infection, d'anémie ou d'une autre condition hématologique.
Poids	Pour évaluer la perte de poids et avoir des valeurs de référence.
Créatinine et urée	Pour éliminer les causes rénales.
Cétones urinaires	Pour évaluer l'état d'inanition et suivre l'évolution du traitement.
Enzymes hépatiques – bilirubine	Pour écarter la présence d'une hépatite.
Amylase	Pour écarter la présence d'une pancréatite.
Échographie fœtale	Pour éliminer môle hydatiforme et grossesse multiple.

Traitements des nausées et vomissements pendant la grossesse

Prévention des nausées et vomissements

La prise de multivitamines au moment de la conception peut réduire les nausées et vomissements. Il est donc raisonnable de conseiller aux femmes qui ont des antécédents de nausées et vomissements ou d'*hyperemesis gravidarum* de commencer à prendre une multivitamine avant même la grossesse[4, 14].

Traitements non pharmacologiques

Il est indiqué de traiter précocement une femme enceinte lorsqu'elle ne peut maintenir une hydratation et une alimentation adéquates ou lorsque les symptômes interfèrent avec ses activités quotidiennes afin de prévenir l'*hyperemesis gravidarum* et ses complications[4].

Changements des habitudes alimentaires et de vie

Il y a peu d'éléments probants qui attestent que les traitements non pharmacologiques permettent un soulagement des nausées et des vomissements. Toutefois, il est acceptable de les recommander aux patientes[7]. Les changements des habitudes de vie conseillés sont[7, 15] :

- se reposer ;
- se lever lentement afin d'éviter l'hypotension orthostatique ;
- manger des biscuits secs ou du pain avant le lever du matin ;
- manger fréquemment de petits repas légers (toutes les 2 ou 3 heures, par exemple) ;
- ne pas sauter de repas ;
- manger des aliments appétissants dont on a envie ;
- éviter de boire en mangeant ;
- éviter de boire de trop grandes quantités de liquides ;
- éviter les aliments gras ou épicés ;
- éviter les boissons froides, acides ou sucrées ;
- obtenir le soutien de la famille ou un soutien psychologique ;
- arrêter la prise de multivitamines avec fer tant que les symptômes persistent[4].

Acupuncture et acupression

L'acupression ou l'acustimulation du point P6 (ou Neiguan) situé à l'intérieur du poignet pourrait être bénéfique chez certaines patientes mais son efficacité demeure incertaine[7, 16-18]. Cette technique est par contre associée à un effet placebo très marqué dans les essais cliniques[4].

Psychothérapie

L'hypnose et la méditation ont été étudiées chez un nombre limité de patientes souffrant de symptômes sévères et pourraient être des traitements adjuvants[7]. Diverses formes de psychothérapies ont été essayées avec des résultats variables. Une aide à ce type peut donc s'avérer un atout dans le traitement[7].

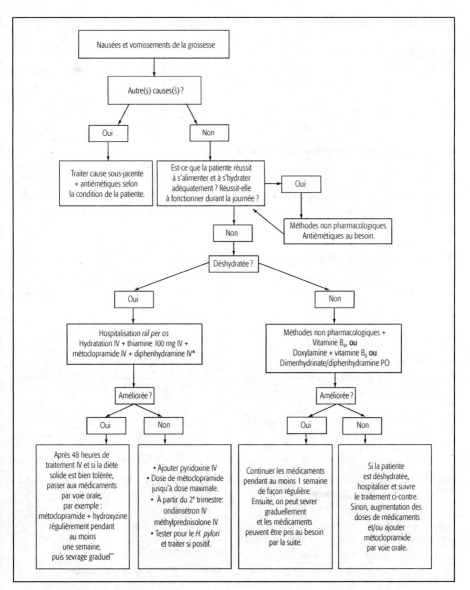

Figure 1 : Algorithme de traitement des nausées et vomissements durant la grossesse

* Traitement adapté du protocole du CHU Sainte-Justine à Montréal. Pour les doses des médicaments, se référer au tableau II.

** Sevrage graduel suggéré (pour éviter récurrence des symptômes) : métoclopramide 10 mg et hydroxyzine 25 mg par la bouche (diminuer la dose si absence de nausée et vomissement x 24-48 heures) :
– avant les repas et au coucher pendant 4 à 5 jours, puis
– avant les repas pendant 4 à 5 jours, puis
– avant le déjeuner et le souper pendant 4 à 5 jours, puis
– au coucher pendant 4 à 5 jours.

IV : intraveineuse .

Produits de santé naturels

Gingembre

Le gingembre est une racine utilisée comme épice et comme aromate. Il est fréquemment utilisé pour soulager les nausées et les vomissements de la grossesse. Son mécanisme d'action comme antiémétique est encore inconnu. On croit à un effet au niveau gastro-intestinal, probablement médié par un effet antagoniste sur les récepteurs 5-HT3[2]. Plusieurs études ont démontré l'efficacité du gingembre dans le soulagement des nausées et des vomissements de la grossesse. Les doses utilisées variaient entre 500 et 1500 mg par jour[19-24]. Les données sur l'innocuité du gingembre durant la grossesse sont résumées dans le tableau III. L'utilisation routinière du gingembre est inquiétante puisque les produits naturels peuvent être contaminés par des médicaments, des métaux lourds et des pesticides. Lorsqu'une réglementation adéquate des produits naturels sera disponible, la place du gingembre dans le traitement des nausées et des vomissements sera probablement plus importante.

Traitement recommandé durant la grossesse

L'algorithme de la figure 1 présente la prise en charge d'une femme enceinte qui souffre de nausées et vomissements. Le tableau II comprend les doses recommandées.

TABLEAU II – TRAITEMENTS DES NAUSÉES ET VOMISSEMENTS RECOMMANDÉS PENDANT LA GROSSESSE		
Médicament	**Doses**	**Commentaires, effets secondaires à surveiller et suivi**
Traitements de premier recours		
Dimenhydrinate	50 à 100 mg par voie orale, intra-rectale ou intraveineuse toutes les 6 heures.	Somnolence et sécheresse de la bouche. Peut être pris en association et au besoin avec les comprimés de doxylamine/pyridoxine[6].
Diphenhydramine	25 à 100 mg par voie orale ou intraveineuse toutes les 4 à 6 heures.	Somnolence et sécheresse de la bouche.
Doxylamine 10 mg et pyridoxine 10 mg (comprimés entériques)	2 comprimés par voie orale au coucher pour les nausées légères. 1 comprimé par voie orale le matin, 1 comprimé l'après-midi et 2 comprimés au coucher pour les nausées modérées.	La dose peut être augmentée à 5 à 8 comprimés par jour dans les cas de nausées persistantes ou chez les femmes avec une IMC plus élevée[6]. Somnolence, sécheresse de la bouche.
Hydroxyzine[25-27]	25 à 100 mg par voie orale ou intra-musculaire toutes les 4 à 6 heures.	Somnolence, sécheresse de la bouche, rétention urinaire.
Méclizine	12,5 à 50 mg par voie orale 1 à 2 fois par jour.	Somnolence, sécheresse de la bouche.

Médicament	Doses	Commentaires, effets secondaires à surveiller et suivi
Métoclopramide	10 à 20 mg par voie orale ou intraveineuse 4 fois par jour ou 1,8 à 3,6 mg par heure en perfusion intraveineuse (maximum 80 mg par jour).	Effets extrapyramidaux (utiliser en association un antihistaminique).
Prochlorpérazine	5 à 10 mg par voie orale ou intraveineuse toutes les 6 heures.	Effets extrapyramidaux (utiliser en association avec un antihistaminique).
Prométhazine	12,5 à 25 mg orale ou intra-rectale toutes les 6 heures.	Effets extrapyramidaux (utiliser en association avec un antihistaminique).
Pyridoxine (vitamine B$_6$)[24, 28, 29]	10 à 25 mg par voie orale ou intraveineuse 3 fois par jour.	Deux études ont démontré une diminution des nausées ou des vomissements comparativement au placebo. La pyridoxine est un des antiémétiques qui semble causer le moins d'effets secondaires[1].
Traitement de deuxième recours		
Dropéridol[25]	0,5 à 1,125 mg par heure en perfusion intraveineuse.	Effets extrapyramidaux (utiliser en association avec diphenhydramine), augmentation de l'onde QT avec des doses dépassant 25 mg. Par précaution, ECG recommandé pour toutes les patientes.
Méthylprednisolone[30]	16 mg par voie orale ou intraveineuse 3 fois par jour suivi d'un sevrage graduel sur 2 semaines.	Les résultats sur son efficacité sont contradictoires. Utiliser à partir du 2e trimestre (voir le chapitre 28. *Maladies inflammatoires de l'intestin* sur l'innocuité des corticostéroïdes durant la grossesse).
Ondansétron	4 à 8 mg par voie orale ou intraveineuse toutes les 8 heures.	Données d'innocuité limitées. Utiliser à partir du 2e trimestre.

IMC: indice de masse corporelle – ECG: électrocardiogramme

Hospitalisation

Quand une femme ne peut pas tolérer les liquides sans vomir et ne répond pas au traitement en ambulatoire, il est préférable de l'hospitaliser. Lors de l'hospitalisation, un bilan complet doit être effectué pour identifier toutes les causes des symptômes de la patiente (tableau I)[4, 13]. Le traitement de l'*hyperemesis gravidarum* doit inclure une hydratation intraveineuse, de la thiamine 100 mg IV pour prévenir l'encéphalopathie de Wernicke et l'arrêt temporaire de la prise d'aliments par la bouche pour permettre une repos gastrique[13]. La prise en charge complète de ces patientes, incluant le traitement antiémétique, est décrite dans l'algorithme de traitement de la figure 1.

Helicobacter pylori

Pour certaines patientes qui ne répondent pas au traitement initial, il peut être opportun de vérifier la présence de *H. pylori* et, s'il y a lieu, de procéder à son éradication par un traitement (voir le chapitre 25. *Reflux gastro-oesophagien et ulcère gastro-duodénal* pour les traitements recommandés). Ce traitement a été efficace dans certains cas[4].

Alimentation parentérale

L'alimentation parentérale est un dernier recours chez les patientes qui continuent à perdre du poids malgré l'utilisation optimale d'antiémétiques et d'hydratation intraveineuse[4]. Cependant, puisque l'alimentation parentérale n'est pas dénuée de complications, il est raisonnable de commencer par essayer l'alimentation entérale[4].

Données sur l'innocuité des antiémétiques durant la grossesse

TABLEAU III - INNOCUITÉ DES DURANT LA GROSSESSE		
Antiémétique	**Données d'innocuité**	**Recommandations, commentaires**
Agonistes sérotoninergiques 5-HT3		
Dolasétron Granisétron	• Pas d'effet tératogène observé chez les animaux[31]. • Pas de données publiées sur l'utilisation des ces agents durant la grossesse[31].	Puisqu'il n'y a pas de données sur leur utilisation au cours de la grossesse, ces agents ne sont pas recommandés.
Ondansétron	• Essai randomisé contrôlé rapportant 15 femmes exposées à l'ondansétron (âge gestationnel moyen de 11 +/- 2,7 semaines): efficacité similaire à la prométhazine pour le traitement de l'*hyperemesis gravidarum*; pas de données sur les issues de grossesse[32]. • Étude de cohorte de 176 femmes exposées à l'ondansétron durant le 1er trimestre: pas de différence dans le taux de malformations congénitales, le taux d'interruptions volontaires de grossesse et d'avortements spontanés comparativement à un groupe de femmes exposées à des médicaments non tératogènes et à un groupe de femmes prenant d'autres antiémétiques[33].	Puisqu'il existe moins d'information sur l'ondansétron que sur d'autres antiémétiques, il est recommandé de réserver son utilisation aux patientes réfractaires aux autres traitements à partir du 2e trimestre.
Anticholinergiques		
Dicyclomine (dicyclovérine)	• Dicyclomine associée à la doxylamine et la pyridoxine avant le retrait du marché de cette association. • Pas d'association avec un risque plus élevé de malformations congénitales (n = 1024 au 1er trimestre) lors de son utilisation avec doxylamine et pyridoxine dans une étude observationnell[7].	La dicyclomine ne semble pas être associée à un risque augmenté de malformations congénitales; toutefois son efficacité n'est pas prouvée.

Antiémétique	Données d'innocuité	Recommandations, commentaires
	• L'ajout de la dicyclomine à la doxylamine et à la pyridoxine ne semble pas avoir un effet bénéfique[7].	
Scopolamine	• Deux études observationnelles (n = 336) n'ont pas associé l'utilisation de la scopolamine à des effets tératogènes au premier trimestre[7]. • Pas de données sur l'efficacité de la scopolamine dans les nausées et vomissements de la grossesse.	La scopolamine demeure un traitement de dernier recours.
Antihistaminiques H1		
Les données sur l'innocuité des antihistaminiques de première génération (diphenhydramine et hydroxyzine) sont révisées dans le chapitre *Rhinite allergique et allergies saisonnières*. Les données pour la doxylamine, le dimenhydrinate et la méclizine sont présentées dans ce chapitre.		
Dimenhydrinate	• Dimenhydrinate = sel chlorothéophylline de la diphenhydramine. • Les données d'innocuité de la diphenhydramine du 1er trimestre peuvent s'appliquer au dimen-hydrinate (chapitre 22. *Rhinite allergique et allergies saisonnières*).	Le dimenhydrinate est un traitement qui peut être utilisé à tous les trimestres de la grossesse que ce soit pour soulager les symptômes temporaires ou comme agent d'appoint avec l'association doxylamine/pyridoxine.
Doxylamine (en association à la pyridoxine +/- dicyclomine)	• Plusieurs études cas-témoin et études de cohorte (n > 17 000 durant le premier trimestre) : l'association de doxylamine et de pyridoxine n'augmente pas le risque de malformations congénitales majeures ou mineures[7].	La doxylamine associée à la pyridoxine est le traitement de 1er recours des nausées chez la femme enceinte.
Méclizine	• Étude de cohorte indique que l'utilisation de la méclizine au premier trimestre chez 16 536 femmes n'augmente pas le risque de malformations majeures[34].	La méclizine peut être utilisée pour traiter les nausées reliées à la grossesse.
Cannabinoïdes		
Delta-9-tétra-hydrocannabinol Nabilone	• Les données sur l'innocuité de ces 2 agents sont dérivées de l'utilisation de la marijuana durant la grossesse; ces données sont résumées dans le chapitre 9. *Substances illicites*.	La nabilone et le delta-9-tétrahydro-cannabinol ne sont pas des antiémé-tiques recommandés durant la grossesse.
Corticostéroïdes		
Se référer au chapitre 28. *Maladies inflammatoires de l'intestin*.		

Antiémétique	Données d'innocuité	Recommandations, commentaires
Antagonistes dopaminergiques		
Phénothiazines		
Chlorpromazine Perphénazine Prochlorpérazine Prométhazine Trifluopérazine	Les données complètes sur l'innocuité de ces produits se retrouvent au chapitre 31. *Maladie bipolaire et troubles psychotiques.*	Les phénothiazines peuvent être utilisées à tous les trimestres de la grossesse.
Butyrophénones		
Dropéridol	• Les études rapportent des expositions au dropéridol au 1er trimestre (n = 181) sans démontrer une augmentation du taux d'avortements spontanés ni de malformations majeures[25-27]. • Avis de Santé Canada émis en 2002 : le dropéridol injectable devrait être utilisé en milieu hospitalier seulement afin de permettre la surveillance des ECG[35].	Le dropéridol devrait être réservé au traitement de patientes qui ne répondent pas de manière convenable à d'autres traitements adéquats. Le dropéridol ne devrait pas être administré en même temps que d'autres médicaments qui peuvent prolonger l'intervalle QT.
Halopéridol	Voir chapitre 31. *Maladies bipolaires et troubles psychotiques.*	
Prokinétiques		
Dompéridone	• Anomalies squelettiques, oculaires et cardiaques chez le rat avec la dompéridone intraveineuse à doses toxiques pour la mère[31]. • Aucune donnée n'a été retracée sur son utilisation chez la femme enceinte.	La dompéridone n'est pas un agent de premier recours durant la grossesse puisqu'il n'existe aucune donnée sur son utilisation chez la femme enceinte.
Métoclopramide	• Étude prospective chez 54 patientes traitées par métoclopramide en association avec une injection de pyridoxine durant le 1er trimestre : aucune anomalie congénitale observée[36]. • Étude de cohorte prospective étudiant les issues de grossesse chez 175 femmes qui ont pris le métoclopramide au 1er trimestre : pas d'augmentation du taux d'avortements spontanés ni de malformations majeures; taux plus élevé de naissances prématurées (8,1%) dans le groupe exposé au métoclopramide[37]. • Étude ayant identifié par une banque de données 309 femmes enceintes prenant du métoclopramide (dont 190 exposées entre 30 jours avant la conception jusqu'à la fin du 1er trimestre) : pas d'augmentation du taux de malformation, de travail préterme ou de faible poids à la naissance[38].	Le métoclopramide est beaucoup utilisé en pratique, toutefois, il existe une quantité limitée de données d'innocuité. Le métoclopramide est un antiémétique efficace et bien toléré. Son utilisation est recommandée durant la grossesse chez les patientes qui ne répondent pas à l'association de doxylamine/pyridoxine, à la pyridoxine ou aux antihistaminiques de première génération.

Antiémétique	Données d'innocuité	Recommandations, commentaires
Produit de santé naturels		
Gingembre	• Sept études ont été menées chez des femmes enceintes de 20 semaines et moins (5,5 à 20 semaines) souffrant de nausées et vomissements : pas d'augmentation du taux de malformations congénitales ou d'avortements spontanés notée chez les utilisatrices de gingembre dans 5 de ces études (n = 440) rapportant des issues de grossesse[2, 19-22, 39].	L'utilisation du gingembre en première intention n'est pas recommandée puisque les produits naturels peuvent être contaminés par des médicaments, des métaux lourds et des pesticides. Le gingembre devrait être réservé pour les patientes qui ne répondent pas au traitement pharmacologique. L'utilisation du gingembre comme épice ou aromatisant dans l'alimentation n'est pas inquiétante.
Vitamines		
Cyanocobalamine (vitamine B_{12})	• Vitamine hydrosoluble. • Pas de données très claires sur l'innocuité de la cyanocobalamine durant la grossesse. Toutefois, il est peu probable que cette vitamine soit tératogène[7].	La cyanocobalamine n'est pas un traitement de premier recours car les données sur l'efficacité de la cyanocobalamine sont limitées.
Pyridoxine (vitamine B_6)	• Vitamine hydrosoluble. • En association avec la doxylamine, la pyridoxine n'augmente pas le risque de malformations congénitales (n > 17 000 durant le 1er trimestre). • Utilisation de la pyridoxine seule pour le traitement des nausées et vomissements : pas d'augmentation du taux de malformations chez 145 patientes dans une de ces études[22, 28, 29].	La pyridoxine peut être utilisée durant la grossesse seule ou en association avec la doxylamine. Pour les patientes qui sont incommodées par la somnolence causée par les antihistaminiques, la pyridoxine peut être utilisée seule.

n = nombre de femmes traitées.

Références :

1. JEWELL D, YOUNG G. Interventions for nausea and vomiting in early pregnancy. *Cochrane Database Syst Rev* 2003(4):CD000145.

2. BOONE SA, SHIELDS KM. Treating pregnancy-related nausea and vomiting with ginger. *Ann Pharmacother* 2005;39(10):1710-3.

3. QUINLAN JD, HILL DA. Nausea and vomiting of pregnancy. *Am Fam Physician* 2003;68(1):121-8.

4. ACOG (American College of Obstetrics and Gynecology) Practice Bulletin: nausea and vomiting of pregnancy. *Obstet Gynecol* 2004;103(4):803-14.

5. DAVIS M. Nausea and vomiting of pregnancy: an evidence-based review. *J Perinat Neonat Nurs* 2004;18(4):312-328.

6. ARSENAULT MY, LANE CA. The management of nausea and vomiting during pregnancy. *J Gynaecol Obstet Can* 2002;24(10):817-823.

7. MAZZOTTA P, MAGEE LA. Risk-benefit assessement of pharmacological and non-pharmacological treatments of nausea and vomiting of pregnancy. *Drugs* 2000;59(4):781-800.

8. FRIGO P, LANG C, REISENBERGER K, KOLBL H, HIRSCHL AM. Hyperemesis gravidarum associated with Helicobacter pylori seropositivity. *Obstet Gynecol* 1998;91(4):615-7.

9. JACOBY EB, PORTER KB. Helicobacter pylori infection and persistent hyperemesis gravidarum. *Am J Perinatol* 1999;16(2):85-8.

10. HAYAKAWA S, NAKAJIMA N, KARASAKI-SUZUKI M, YOSHINAGA H, ARAKAWA Y, SATOH K, et al. Frequent presence of Helicobacter pylori genome in the saliva of patients with hyperemesis gravidarum. *Am J Perinatol* 2000;17(5):243-7.

11. KOCAK I, AKCAN Y, USTUN C, DEMIREL C, CENGIZ L, YANIK FF. Helicobacter pylori seropositivity in patients with hyperemesis gravidarum. *Int J Gynaecol Obstet* 1999;66(3):251-4.

12. ELIAKIM R, ABULAFIA O, SHERER DM. Hyperemesis gravidarum: a current review. *Am J Perinatol* 2000;17(4):207-18.

13. PHILIP B. Hyperemesis gravidarum: literature review. *Wmj* 2003;102(3):46-51.

14. EMELIANOVA S, MAZZOTTA P, EINARSON A, KOREN G. Prevalence and severity of nausea and vomiting of pregnancy and effect of vitamin supplementation. *Clin Invest Med* 1999;22(3):106-10.

15. HEALTH CANADA. *Nutrition for a healthy pregnancy: national guidelines for the chilbearing years.* Ottawa: Health Ministry; 1999.

16. KNIGHT B, MUDGE C, OPENSHAW S, WHITE A, HART A. Effect of acupuncture on nausea of pregnancy: a randomized, controlled trial. *Obstet Gynecol* 2001;97(2):184-8.

17. SLOTNICK RN. Safe, successful nausea suppression in early pregnancy with P-6 acustimulation. *J Reprod Med* 2001;46(9):811-4.

18. ROSEN T, DE VECIANA M, MILLER HS, STEWART L, REBARBER A, SLOTNICK RN. A randomized controlled trial of nerve stimulation for relief of nausea and vomiting in pregnancy. *Obstet Gynecol* 2003;102(1):129-35.

19. WILLETTS KE, EKANGAKI A, EDEN JA. Effect of a ginger extract on pregnancy-induced nausea: a randomised controlled trial. *Aust N Z J Obstet Gynaecol* 2003;43(2):139-44.

20. PORTNOI G, CHNG LA, KARIMI-TABESH L, KOREN G, TAN MP, EINARSON A. Prospective comparative study of the safety and effectiveness of ginger for the treatment of nausea and vomiting in pregnancy. *Am J Obstet Gynecol* 2003;189(5):1374-7.

21. VUTYAVANICH T, KRAISARIN T, RUANGSRI R. Ginger for nausea and vomiting in pregnancy: randomized, double-masked, placebo-controlled trial. *Obstet Gynecol* 2001;97(4):577-82.

22. SMITH C, CROWTHER C, WILLSON K, HOTHAM N, MCMILLIAN V. A randomized controlled trial of ginger to treat nausea and vomiting in pregnancy. *Obstet Gynecol* 2004;103(4):639-45.

23. KEATING A, CHEZ RA. Ginger syrup as an antiemetic in early pregnancy. *Altern Ther Health Med* 2002;8(5):89-91.

24. SRIPRAMOTE M, LEKHYANANDA N. A randomized comparison of ginger and vitamin B6 in the treatment of nausea and vomiting of pregnancy. *J Med Assoc Thai* 2003;86(9):846-53.

25. NAGEOTTE MP, BRIGGS GG, TOWERS CV, ASRAT T. Droperidol and diphenhydramine in the management of hyperemesis gravidarum. *Am J Obstet Gynecol* 1996;174(6):1801-5; discussion 1805-6.

26. FERREIRA E, BUSSIÈRES J, TURCOTTE V, DUPERRON L, OUELLET G. Case-control study comparing droperidol plus diphenhydramine with conventional treatment in hyperemesis gravidarum. *J Pharm Technol* 2003;19:349-54.

27. TURCOTTE V, FERREIRA E, DUPERRON L. Utilité du dropéridol et de la diphenhydramine dans l'hyperemesis gravidarum. *J Soc Obstet Gynaecol Can* 2001;23(2):133-9.

28. SAHAKIAN V, ROUSE D, SIPES S, ROSE N, NIEBYL J. Vitamin B6 is effective therapy for nausea and vomiting of pregnancy: a randomized, double-blind placebo-controlled study. *Obstet Gynecol* 1991;78(1):33-6.

29. VUTYAVANICH T, WONGTRA-NGAN S, RUANGSRI R. Pyridoxine for nausea and vomiting of pregnancy: a randomized, double-blind, placebo-controlled trial. *Am J Obstet Gynecol* 1995;173(3 Pt 1):881-4.

30. SAFARI HR, FASSETT MJ, SOUTER IC, ALSULYMAN OM, GOODWIN TM. The efficacy of methylprednisolone in the treatment of hyperemesis gravidarum: a randomized, double-blind, controlled study. *Am J Obstet Gynecol* 1998;179(4):921-4.

31. BRIGGS G, FREEMAN R, YALLE, S.J. ed. *Drugs in pregnancy and lactation.* 7th ed. Philadelphia: Lippincott Williams & Wilkins; 2005.

32. SULLIVAN CA, JOHNSON CA, ROACH H, MARTIN RW, STEWART DK, MORRISON JC. A pilot study of intravenous ondansetron for hyperemesis gravidarum. *Am J Obstet Gynecol* 1996;174(5):1565-8.

33. EINARSON A, MALTEPE C, NAVIOZ Y, KENNEDY D, TAN MP, KOREN G. The safety of ondansetron for nausea and vomiting of pregnancy: a prospective comparative study. *BJOG* 2004;111(9):940-3.

34. KALLEN B, MOTTET I. Delivery outcome after the use of meclozine in early pregnancy. *Eur J Epidemiol* 2003;18(7):665-9.

35. SANTÉCANADA. *Toxicité cardiovasculaire du dropéridol injectable.* 2002 [vérifié 2006-08-17]; Disponible dans: http://www.hc-sc.gc.ca/dhp-mps/medeff/advisories-avis/prof/2002/droperidol_hpc-cps_f.html

36. BSAT FA, HOFFMAN DE, SEUBERT DE. Comparison of three outpatient regimens in the management of nausea and vomiting in pregnancy. *J Perinatol* 2003;23(7):531-5.

37. BERKOVITCH M, MAZZOTA P, GREENBERG R, ELBIRT D, ADDIS A, SCHULER-FACCINI L, et al. Metoclopramide for nausea and vomiting of pregnancy: a prospective multicenter international study. *Am J Perinatol* 2002;19(6):311-6.

38. SORENSEN HT, NIELSEN GL, CHRISTENSEN K, TAGE-JENSEN U, EKBOM A, BARON J. Birth outcome following maternal use of metoclopramide. The Euromap study group. *Br J Clin Pharmacol* 2000;49(3):264-8.

39. BORRELLI F, CAPASSO R, AVIELLO G, PITTLER MH, IZZO AA. Effectiveness and safety of ginger in the treatment of pregnancy-induced nausea and vomiting. *Obstet Gynecol* 2005;105(4):849-56.

Chapitre 25

Reflux gastro-œsophagien et ulcère gastro-duodénal

■

Co Q. D. PHAM

Reflux gastro-œsophagien

Généralités

Définition

Le reflux gastro-œsophagien (RGO) est très fréquent pendant la grossesse. Les symptômes cliniques sont semblables à ceux de la population générale. Les symptômes principaux sont les brûlures d'estomac (pyrosis) et la régurgitation. L'indigestion, les douleurs épigastriques, l'anorexie, les nausées et vomissements peuvent également être présents[1].

Épidémiologie

Le RGO touche 30 à 80 % des femmes pendant la grossesse[2]. Typiquement, les symptômes de RGO apparaissent en début de grossesse et se résolvent après l'accouchement. Cependant, ces symptômes peuvent représenter l'exacerbation d'un RGO préexistant[1].

Ces symptômes peuvent se produire n'importe quand pendant les trois trimestres de la grossesse. Certaines données ont montré une survenue plus fréquente aux premier et deuxième trimestres[3]. Cependant, d'autres données ont montré une augmentation des brûlures d'estomac avec l'augmentation de l'âge gestationnel, particulièrement dans le troisième trimestre[1, 4, 5].

Facteurs de risque

Les facteurs de risque associés à la survenue de pyrosis dans la grossesse incluent l'âge gestationnel, la présence de brûlures d'estomac avant la grossesse et la multiparité. Le gain de poids pendant la grossesse, l'indice de masse corporelle (IMC) avant la grossesse et l'ethnie de la femme ne sont pas des facteurs prédisposants. Un âge maternel avancé est associé à un effet protecteur de survenue du pyrosis[5].

Effets de la grossesse sur le RGO

Le mécanisme exact de survenue du RGO pendant la grossesse est inconnu, mais la physiopathologie est probablement multifactorielle à cause de l'implication des effets hormonaux. Il y a trois hypothèses principales pour expliquer l'étiologie du RGO pendant la grossesse. Tout d'abord, la majorité des études ont observé une diminution du tonus du sphincter œsophagien inférieur (SOI) pendant la grossesse[2, 6, 7]. Cette diminution de pression du SOI a été associée aux symptômes de brûlure d'estomac (pyrosis) et revient à la normale très rapidement après l'accouchement. Les études chez les animaux et l'humain indiquent que les niveaux élevés de progestérone pendant la grossesse, aidée de l'œstrogène, entraînent la relaxation du SOI[2, 7, 8].

La deuxième hypothèse implique le retard de la vidange gastrique, retard dû à des facteurs hormonaux ou mécaniques. Plusieurs études ont indirectement mesuré la vidange gastrique pendant la grossesse mais n'ont pas démontré de façon significative qu'il y avait un retard au cours des trois trimestres[1, 2]. Par conséquent, l'importance de la vidange gastrique comme cause du RGO pendant la grossesse est moins importante.

La troisième hypothèse est controversée et suggère que l'expansion de l'utérus pendant la grossesse augmente suffisamment la pression intra-abdominale pour comprimer l'estomac et induire du RGO[9]. La plupart des études ont démontré que la pression intra-abdominale augmente pendant la grossesse ; cependant, aucun lien direct entre les changements de pression du SOI et les mécanismes compensatoires n'ont été présentés[1].

Effets du RGO sur la grossesse

Malgré la fréquence élevée du pyrosis pendant la grossesse, celui-ci présente peu de risques pour la santé de la mère et du fœtus et le risque d'œsophagite grave est rare[10].

En général, les complications de l'œsophagite, avec ou sans saignement, et les sténoses de l'œsophage sont rares pendant la grossesse[4]. Les symptômes du RGO sont normalement limités à la grossesse et aucun effet néfaste pour la mère ou le fœtus n'a été rapporté[1, 2].

Cependant, les symptômes du RGO peuvent avoir un impact défavorable sur le bien-être et la qualité de vie des femmes enceintes[10].

Outils d'évaluation

Le diagnostic initial du RGO pendant la grossesse est souvent posé à partir des symptômes cliniques et le traitement est institué sans que d'autres examens soient nécessaires[1, 2].

Les radiographies au baryum ne sont pas nécessaires et devraient être évitées en raison de l'exposition inutile du fœtus à la radiation[1].

Une endoscopie est envisagée pour les patientes qui présentent des symptômes réfractaires au traitement ou des symptômes suggérant des complications sévères de reflux. L'endoscopie peut être effectuée sans risque pour la mère ou le fœtus pendant la grossesse s'il y a une surveillance appropriée de la tension artérielle et de l'oxygénation, et si on s'assure d'une surveillance fœtale et l'utilisation de médicaments sédatifs chez la mère. Récemment, une revue de l'innocuité et de l'efficacité clinique de l'endoscopie pendant la grossesse a été publiée[11]. Les résultats de cette analyse indiquent que les avantages de l'endoscopie surpassent les risques dans les cas d'hémorragie digestive haute. Cependant, l'utilisation de l'endoscopie pour le RGO n'est généralement pas nécessaire, sauf dans des cas de RGO réfractaire à la pharmacothérapie conventionnelle, lors de complications de saignement ou de la présence de dysphagie et, plus rarement, lorsqu'une chirurgie œsophagienne est envisagée. L'intervention chirurgicale est rarement nécessaire pour le RGO pendant la grossesse.

Traitements recommandés du RGO durant la grossesse

Une approche par étapes est suggérée. Pour les femmes ayant des symptômes bénins, la modification des habitudes de vie et de l'alimentation est souvent suffisante pour traiter le RGO. Il s'agit d'éviter de manger ou de boire tardivement en soirée ou avant de se coucher, d'élever la tête du lit de 10 à 15 cm, d'éviter certains aliments (haute teneur en gras, épices, menthe, boissons gazeuses, café, thé), les médicaments qui peuvent causer des brûlures d'estomac (anti-inflammatoires non stéroïdiens, anticholinergiques, agonistes dopaminergiques, bêta-bloqueurs, antagonistes calciques, fer) et d'éviter le tabac[1, 2]. Ces mesures sont suffisantes pour soulager les symptômes chez 25 % des femmes enceintes[3]. La gomme à mâcher peut stimuler les glandes salivaires et également aider à neutraliser l'acide gastrique[1]. De plus, l'arrêt de l'alcool et du tabac peut non seulement réduire des symptômes de RGO, mais éviter l'exposition fœtale à ces substances nocives.

Pour les femmes qui ont des symptômes modérés à sévères, la pharmacothérapie du RGO pendant la grossesse est orientée vers la neutralisation ou la suppression de l'acidité gastrique. Les médicaments recommandés durant la grossesse et l'allaitement figurent dans le tableau I. L'algorithme de traitement du RGO chez la femme enceinte est présenté dans la figure 1. Les données d'innocuité des médicaments utilisés dans le RGO figurent dans le tableau II (grossesse) et le tableau III (allaitement).

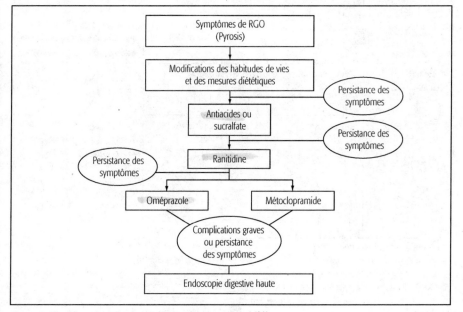

Figure 1. Algorithme de traitement du RGO – femme enceinte[1, 12-28]

Ligne thérapeutique	Médicament	Posologie	Suivi recommandé, commentaires
TABLEAU I – TRAITEMENTS DU RGO RECOMMANDÉS PENDANT LA GROSSESSE ET L'ALLAITEMENT[1, 12-28]			
Premier recours	Antiacides à base de calcium, d'aluminium, ou de magnésium.	Carbonate de calcium : 500 mg par voie orale 1 à 3 fois par jour. Hydroxyde d'aluminium et de magnésium : 30 mL (teneur régulière) par voie orale 1 à 3 fois par jour.	Dose maximale de carbonate de calcium : 2,5 g/jour[29].
	Antiacides à base d'acide alginique.	1 ou 2 comprimés ou 15 à 30 mL (teneur régulière) par voie orale 4 fois par jour, après les repas et avant le coucher.	Soulagement rapide des symptômes de pyrosis (10 minutes).
Deuxième recours	Sucralfate	1 g par voie orale 2 à 4 fois par jour.	
	Ranitidine	75 à 150 mg par voie orale 2 fois par jour.	La ranitidine est le seul anti-H_2 dont l'efficacité a été établie pendant la grossesse. Les autres anti-H_2 peuvent aussi être utilisés pendant l'allaitement. Pour être efficace, la ranitidine à la dose de 75 mg est utilisée en association à un antiacide.
Trosième recours	Métoclopramide	10 à 15 mg par voie orale 1 à 4 fois par jour (avant les repas et/ou au coucher).	
	Oméprazole	20 à 40 mg par voie orale 1 fois par jour.	Durant la grossesse, si un IPP* doit être utilisé, on privilégie l'oméprazole. Durant l'allaitement, seuls l'oméprazole et le pantoprazole ont été étudiés. Cependant, un autre IPP pourrait être utilisé chez une femme qui allaite.

*IPP : inhibiteur de la pompe à protons.

Données d'innocuité des médicaments utilisés dans le RGO pendant la grossesse et l'allaitement

TABLEAU II – DONNÉES D'INNOCUITÉ DES MÉDICAMENTS UTILISÉS DANS LE RGO PENDANT LA GROSSESSE		
Médicament	**Données de tératogénicité**	**Recommandations, commentaires**
Antiacides		
Antiacides à base de calcium, d'aluminium ou de magnésium	• Non tératogène chez les animaux[12]. • Quantité absorbée : 10 à 30 % après la neutralisation de l'acide gastrique[1, 2]. • Étude cas-témoins : association avec une hausse du taux de malformations lorsque toutes les classes d'antiacides étaient regroupées mais les études examinant ces antiacides séparément n'ont pas trouvé d'association avec un risque accru d'anomalies congénitales[13].	Sont recommandés pendant la grossesse pour le traitement du RGO en raison de l'absorption minimale[1, 2]. Le calcium et le magnésium peuvent également être bénéfiques à la mère et au fœtus pour la formation osseuse.
Antiacides à base de trisilates de magnésium	• Pas d'effet tératogène chez les animaux[12]. • Données humaines : cas de néphrolithiase fœtale, d'hypotonie, de détresse respiratoire et d'atteinte cardiovasculaire chez le fœtus en cas d'utilisation à long terme et à des doses élevées[14].	Peuvent être utilisés occasionnellement. Éviter l'utilisation à long terme et à dose élevée pendant la grossesse[12].
Bicarbonate de sodium	• Risque théorique d'alcalose métabolique et de surcharge liquidienne maternelle et fœtale[1].	Déconseillé pendant la grossesse en raison du risque d'alcalose métabolique et de surcharge liquidienne.
Acide alginique	• Aucune information chez les animaux ni les humains n'est disponible. • Absorption négligeable par voie orale[1].	Normalement combiné avec d'autres antiacides. Utilisation possible pendant la grossesse en raison de l'absorption négligeable par voie orale.
Sucralfate	• Absorption orale minime < 2,2 %[15, 16]. • Études animales : pas d'effets sur la fertilité ni d'effet tératogène à des doses équivalant à 50 fois la dose humaine[30]. • Innocuité du sucralfate évaluée chez 183 femmes enceintes au premier trimestre dans une étude de surveillance : aucune augmentation du taux de malformations congénitales[2, 31].	Considéré comme acceptable pour l'usage pendant la grossesse en raison de l'absorption orale minime.

Médicament	Données de tératogénicité	Recommandations, commentaires
Anti-H$_2$		
Cimétidine	• Effets anti-androgéniques faibles chez les fœtus masculins animaux [32]. • Innocuité de la cimétidine évaluée chez plus de 800 femmes enceintes au premier trimestre dans des études de surveillance : aucune augmentation du taux de malformations congénitales[15-21].	L'utilisation de la cimétidine n'est pas un traitement de premier recours durant la grossesse en raison de ses effets secondaires ; cependant, une exposition fortuite ne requiert pas de suivi obstétrical particulier.
Famotidine	• Études animales : aucune toxicité fœtale ni effet tératogène[33, 34]. • Trois études totalisant plus de 160 expositions au premier trimestre : aucune augmentation du taux de malformations congénitales[15, 19, 20].	Les données sont insuffisantes pour recommander son utilisation pendant la grossesse. Toutefois, si une femme devient enceinte pendant la prise de famotidine, aucun suivi obstétrical particulier n'est recommandé.
Nizatidine	• Études animales chez les lapines à des doses 300 fois supérieures aux doses normales : augmentation du taux d'avortements, des poids fœtaux faibles et moins de naissances vivantes[35]. Études chez les rates à des doses 15 fois supérieures aux doses normales : aucun effet nuisible[36].	Les données sont insuffisantes pour recommander son utilisation pendant la grossesse. Toutefois, si une femme devient enceinte pendant la prise de nizatidine, aucun suivi obstétrical particulier n'est recommandé.
Ranitidine	• Études épidémiologiques évaluant près de 1500 femmes enceintes au premier trimestre : aucune augmentation du taux de tératogénicité[15-21]. • Aucune activité anti-androgénique chez les animaux n'a été notée[15]. • Étude randomisée, croisée contre placebo, (n = 20, > 20 semaines de gestation) : efficacité supérieure de la ranitidine 150 mg par voie orale 2 fois par jour par rapport au placebo ou à la ranitidine 150 mg une fois par jour[37]. • Étude similaire chez 50 femmes enceintes (> 20 semaines de gestation) : la ranitidine 75 mg par voie orale 2 fois par jour a démontré la réduction de pyrosis lorsqu'elle est associée au carbonate de calcium[22]. Aucune issue de grossesse défavorable ni d'effets indésirables n'ont été rapportés[22, 37].	La ranitidine est le seul anti-H$_2$ dont l'efficacité a été établie pendant la grossesse. Anti-H$_2$ de premier recours pendant la grossesse.

Médicament	Données de tératogénicité	Recommandations, commentaires
Prokinétique		
Métoclopramide	Se référer au chapitre 24. *Nausées et vomissements.*	
Inhibiteurs de la pompe à protons (IPP)		
Esoméprazole	• Isomère de l'oméprazole. • Aucun effet tératogène ni de toxicité fœtale n'ont été rapportés dans des études animales[15]. • Aucune information chez les femmes enceintes n'est disponible.	Non recommandé pendant la grossesse en raison du manque de données animales et humaines. Toutefois, puisque c'est l'isomère de l'oméprazole, l'exposition durant la grossesse n'est probablement pas inquiétante.
Lansoprazole	• Données animales à des doses 40 fois la dose humaine : aucune évidence d'altération de fertilité ni de toxicité fœtale. Aucune observation d'effet tératogène chez les animaux[38]. • Deux études épidémiologiques : 68 femmes enceintes exposées au premier trimestre ne suggérant pas une augmentation du risque de malformations majeures ni de toxicité fœtale[20, 23, 39].	En raison du manque de données humaines, l'utilisation du lansoprazole pendant la grossesse, notamment pendant le premier trimestre, devrait être évitée.
Oméprazole	• Des études épidémiologiques et séries de cas rapportent plus de 1300 femmes exposées au premier trimestre : pas d'augmentation du taux de malformations majeures[21, 23, 40-43]. • Méta-analyse de cinq études évaluant l'innocuité des IPP (principalement l'oméprazole) pendant le premier trimestre : aucun effet tératogène majeur décelé[44].	L'oméprazole est l'IPP pour lequel il y a le plus de données d'innocuité pendant la grossesse. Si un IPP doit être utilisé pendant la grossesse, il est préférable de choisir l'oméprazole.
Pantoprazole	• Aucun effet tératogène ni toxicité fœtale n'ont été rapportés dans les études animales[15]. • Pas d'augmentation du taux de malformations congénitales observée dans un groupe de 47 femmes exposées au cours du premier trimestre[23].	Non recommandé pendant la grossesse en raison du manque de données animales et humaines. Toutefois le pantoprazole est utilisé dans les cas d'hémorragie digestive lorsqu'un IPP intraveineux est nécessaire.
Rabéprazole	• Aucun effet tératogène ni toxicité fœtale n'ont été rapportés dans les études animales[15]. • Aucune information chez les femmes exposées pendant la grossesse n'est disponible.	Non recommandé pendant la grossesse en raison du manque de données animales et humaines.

Traitements recommandés pendant l'allaitement

Le pyrosis qui est associé au RGO pendant la grossesse se résout généralement après l'accouchement1. Les traitements recommandés durant l'allaitement figurent dans le tableau I. Les données évaluant le passage dans le lait maternel des médicaments utilisés dans le RGO sont présentées dans le tableau III.

TABLEAU III – DONNÉES SUR L'INNOCUITÉ DES MÉDICAMENTS UTILISÉS DANS LE RGO AU COURS DE L'ALLAITEMENT		
Médicament	Données de transfert dans le lait maternel	Recommandations, commentaires
Antiacides		
Antiacides à base d'aluminium, de calcium ou de magnésium	• Les rapports de cas montrent des concentrations indétectables dans le lait maternel[1]. • Absorption orale limitée: 10-30 %[1,2].	Utilisation possible pendant l'allaitement en raison de l'absorption orale limitée[1,2].
Acide alginique	• Aucune information n'est disponible pendant l'allaitement. • Absorption négligeable par voie orale[1].	Normalement combiné à d'autres antiacides. Utilisation possible pendant l'allaitement en raison de l'absorption orale négligeable.
Sucralfate	• Aucune étude n'a été réalisée pendant l'allaitement[1]. • Absorption par voie orale négligeable (< 2,2 % pour la mère)[15,16].	Utilisation possible pendant l'allaitement en raison de l'absorption orale limitée.
Anti-H$_2$		
Cimétidine	• Excrétion dans le lait maternel par transport actif: les concentrations dans le lait sont supérieures aux concentrations sériques maternelles[45]. • La dose théorique à laquelle est exposé le bébé correspond à 16,8 % de la dose utilisée en néonatologie[46,47].	Malgré le passage par transport actif, le bébé est exposé à de faibles doses par le lait maternel. Considéré compatible avec l'allaitement.
Famotidine	• Une étude chez 8 femmes recevant 40 mg par jour de famotidine montre que la dose théorique à laquelle est exposé le bébé correspond à 2,1 % de la dose utilisée en pédiatrie[46,47].	Compatible avec l'allaitement.
Nizatidine	• Étude chez 5 femmes recevant une dose de 150 mg de nizatidine: en théorie, le bébé est exposé au maximum à 3,6 % de la dose utilisée en pédiatrie[46,47].	Compatible avec l'allaitement.

Médicament	Données de transfert dans le lait maternel	Recommandations, commentaires
Raniditine	• Dose théorique maximale à laquelle est exposé le bébé : 19,5 % de la dose utilisée en pédiatrie dans une étude où les mères recevaient 4 doses de 150 mg[46, 47].	Compatible avec l'allaitement.

Inhibiteurs de la pompe à protons (IPP)		
Les IPP sont métabolisés en dérivés inactifs en milieu acide. Les valeurs de biodisponibilité orale mentionnées correspondent à celles des formes entériques chez les adultes et sont donc probablement beaucoup plus faibles pour un bébé exposé par le lait. De plus, la dégradation se fera aussi dans l'estomac du bébé[48].		
Esoméprazole	• Isomère de l'oméprazole. • Biodisponibilité orale : 90 %[49]. • Demi-vie d'élimination : 1,5 h.	En raison du faible passage dans le lait maternel mis en évidence avec l'oméprazole et le pantoprazole, de l'utilisation des IPP en pédiatrie et de leur demi-vie courte, l'allaitement peut être poursuivi en cas de prise d'IPP.
Lansoprazole	• Biodisponibilité orale : 80-90 %. • Demi-vie d'élimination : 1,5 heures[38]. • Aucune étude au cours de l'allaitement n'a été retrouvée.	
Oméprazole	• Étude chez une femme ayant reçu 20 mg d'oméprazole : la dose théorique à laquelle est exposé le bébé correspond à 0,3 % de la dose utilisée en pédiatrie[46, 47].	
Pantoprazole	• Étude chez une femme ayant reçu une dose de 40 mg de pantoprazole : dose théorique à laquelle est exposé le bébé correspond à 1 % de la dose utilisée en pédiatrie[46, 47].	
Rabéprazole	• Biodisponibilité orale : 52 %[50]. • Demi-vie d'élimination : 1-2 heures[50]. • Aucune étude durant l'allaitement n'a été retracée.	

Ulcère gastro-duodénal : éradication de Helicobacter pylori

Généralités

Définition

Les ulcères gastro-duodénaux (UGD) sont des lésions de la muqueuse gastro-intestinale et comprennent les ulcères gastriques (UG) et les ulcères duodénaux (UD). La présence d'acide gastrique favorise le développement de cette pathologie[51]. Les symptômes associés à l'UGD incluent la douleur épigastrique, la sensation de plénitude, les ballonnements abdominaux, la distension et la nausée[52]. Des complications plus sérieuses incluent l'hémorragie (15-20 %), la perforation (5 %) et la sténose pyloro-duodénale (2 %). Cependant, le degré de symptômes est mal corrélé avec la présence d'ulcères ou de l'infection à *Helicobacter pylori*[52].

Épidémiologie

On estime que la prévalence de l'UGD dans la population générale est de 4-10 %. Ce chiffre double chez les personnes infectées par *l'H. pylori* pour atteindre 10-20 %[51]. La prévalence pendant la grossesse n'est pas connue de façon précise. Toutefois, les études épidémiologiques qui sont disponibles montrent une diminution de sévérité et l'incidence de UGD pendant la grossesse[53].

Étiologie

L'*H. pylori* est une infection extrêmement commune pouvant causer un UGD. La moitié de la population mondiale est infectée[54]. La prévalence de *H. pylori* dans une population est associée à des conditions socio-économiques défavorables, à une mauvaise hygiène et à la surpopulation[55]. Par conséquent, cette infection est plus commune dans les pays en voie de développement que dans les pays industrialisés comme le Canada, où la prévalence de l'infection est à la baisse[56]. L' *H. pylori* est surtout contracté pendant l'enfance.

L'*H. pylori* est une bactérie qui diminue la protection de la muqueuse en produisant de l'uréase, ce qui entraîne une gastrite histologique[51]. L'éradication de l'*H. pylori* diminue non seulement les risques d'ulcère, mais diminue également le risque de gastrite atrophique chronique de type B, la dyspepsie ulcéreuse gastro-duodénale et le lymphome gastrique de bas grade de type MALT (MALToma)[57].

Effet de la grossesse sur l'infection à *H. pylori*

Il n'y a pas d'information disponible.

Effets de l'infection à *H. pylori* sur la grossesse

Le rôle de *H. pylori* pendant la grossesse n'a pas été bien étudié. Des études à ce sujet montrent l'impliction de l'*H. pylori* dans la pathogénie de l'hyperémèse gravidique[58-61]. Cependant, d'autres ne suggèrent aucun lien causal entre l'infection de l'*H. pylori* et l'hyperémèse gravidique[60, 62].

Outils d'évaluation

Les tests devraient être entrepris seulement lorsque le clinicien est déterminé à offrir le traitement en cas de résultats positifs. Les tests de *H. pylori* sont typiquement divisés en méthodes effractives (endoscopie, biopsie) et non effractives (sérologie et test à l'uréase). Bien qu'aucun de ces tests ne soit considéré comme le test de référence, les résultats histologiques sont assez précis[63]. Le test respiratoire à l'urée décèle l'infection active en dépistant l'activité enzymatique de l'uréase bactérienne. Le test sanguin détecte des anticorps qui subsistent même après l'éradication. Le test antigène fécal permet de déceler une infection active en détectant la présence d'antigènes dans les selles[57].

Traitements recommandés pour l'éradication de *H. pylori* pendant la grossesse et l'allaitement

L'éradication est plus probable lors d'un premier traitement. Le choix des antibiotiques devrait être basé sur les données de résistance de *H.pylori*. Malheureusement, ces données sont rares au Canada, encore moins pendant la grossesse.

Le tableau IV présente le traitement recommandé pendant 10 à 14 jours. Ceci est basé sur les données qui démontrent une plus grande efficacité des traitements de longue durée dans la population générale [57, 63].

Il est préférable, lorsque cela est possible, d'attendre le deuxième trimestre pour débuter le traitement et d'exposer judicieusement à la patiente les avantages et inconvénients du traitement. De plus, le traitement d'*H. pylori* est rarement urgent en grossesse.

TABLEAU IV : TRAITEMENTS RECOMMANDÉS POUR L'ÉRADICATION DE H. PYLORI PENDANT LA GROSSESSE ET L'ALLAITEMENT[51, 53, 57, 64]

Traitements associés	Posologie	Durée	Suivi recommandé, commentaires
Oméprazole	20 mg par voie orale 2 fois par jour.	10 à 14 jours	• Éradication à 80-90 %.
Clarithromycine	500 mg par voie orale 2 fois par jour.		• La confirmation de l'éradication de *H. pylori* n'est pas nécessaire dans tous les cas. Les tests de confirmation sont recommandés au moins 4 semaines après le début de traitement pour les causes suivantes[53-57] :
Amoxicilline	1 g par voie orale 2 fois par jour.		– ulcères associés ; – UGD* avec traitements chroniques avec les antiacides ; – symptômes de pyrosis persistants ; – MALToma associés à *H. pylori* ; – cancer de l'estomac à un stade précoce qui a été réséqué.

*UGD : Ulcère gastro-duodénal.

Données d'innocuité des médicaments visant à éradiquer *H. pylori* pendant la grossesse

Se référer au tableau II pour les données sur les IPP durant la grossesse et au chapitre 20. *Anti-infectieux* pour les antibiotiques.

Données d'innocuité des médicaments visant à éradiquer *H. pylori* pendant l'allaitement

Se référer au tableau III pour les données sur les IPP durant l'allaitement et au chapitre 20. *Anti-infectieux* pour les antibiotiques.

Références

1. RICHTER JE. Review article: the Management of Heartburn in Pregnancy. *Aliment Pharmacol Ther* 2005;22:749-757
2. RICHTER JE. Gastroesophageal Reflux Disease During Pregnancy. *Gastroenterol Clin North Am* 2003;32:235-261
3. KATZ PO, CATELL DO. Gastroesophageal Reflux Disease During Pregnancy. *Gastroenterol Clin North Am* 1998;27:153-167
4. EVERSON GT. Gastrointestinal Motility in Pregnancy. *Gastroenterol Clin N Am* 1992;21(4):751-776

5. MARRERO JM, GOGGINS PM, DE CAESTECKER JS, PEARCE JM, MAXWELL JD. Determinants of pregnancy heartburn. *Br J obstet Gynaecol* 1992;99(9):731-734

6. FISHER RS, ROBERT GS, GRABOWSKI CJ, COHEN S. Altered lower esophageal sphincter function during early pregnancy. *Gastroenterology* 1978;74(6):1233-1237

7. VAN THIEL DH, GAVALER JS, STREMPLE J. Heartburn of Pregnancy. *Gastroenterology* 1977;72:666-668

8. SCHULZE K, CHRISTENSEN. Lower esophageal sphincter of the opossum esophagus in pseudopregnancy. *Gastroenterology* 1977;73:1082-1085.

9. SPENCE AA, MOIR DD, FINLAY WEI. Observations on intragastric pressure. *Anaesthesia* 1967;22:249-256.

10. BARON TH, RICHTER JE. Gastroesophageal Reflux Disease in Pregnancy. *Gastroenterol Clin N Am* 1992;21(4) :777-791.

11. CAPPELL MS. The fetal safety and clinical efficacy of gastrointestinal endoscopy during pregnancy. *Gastroenterol Clin N Am* 2003;32:123-179.

12. CHING C, LAM S. Antacids: indications and limitations. *Drugs* 1994;47:305-317.

13. WITTER FP, KING TM, BLAKE O. The effects of chronic gastrointestinal medications on the fetus and neonate. *Obstet Gynecol* 1981;58(5 suppl.):79-84.

14. LEWIS JH, WEINGOLD AB, The Committee on FDA-related Matters, American College of Gastroenterology. The use of gastrointestinal drugs during pregnancy and lactation. *Am J Gastrenterol* 1985;80(11):912-923.

15. BRIGGS GG, FREEMAN RY, YAFFE SJ. *Drugs in Pregnancy and Lactation: a Reference Guide to Fetal and Neonatal Risk.* Baltimore, USA: William and Wilkins, 2005.

16. GIESING D, LANMAN R, RUNSER D. Absorption of sucralfate in man (abstract). *Gastroenterology* 1982;82:1066.

17. KOREN G, ZEMLICKIS DM. Outcome of pregnancy after first trimester exposure to H_2 receptor antagonists. *Am J Perinatol* 1991;8(1):37-38.

18. MAGEE LA, INOCENCION G, KAMBOJ L, ROSETTI F, KOREN G. Safety of first trimester exposure to histamine H_2 blockers. A prospective cohort study. *Dig Dis Sci* 1996;41(6) :1145-1149.

19. GARBIS H, ELEFANT E, DIAV-CITRIN O, et al. Pregnancy outcome after exposure to ranitidine and other h2-blockers. A collaborative study of the european network of teratology information services. *Reprod Toxicol* 2005;19(4) :453-458.

20. KALLEN B. Delivery outcomes after the use of acid-suppressing drugs in early pregnancy with special reference to omeprazole. *Br J Obstet Gynaecol* 1998;105:877-883.

21. RUIGOMEZ A, RODRIGUEZ LAG, CATTARUZZI C, TRONCON MG, AGOSTINIS L, WALLANDER M, JOHANSSON S. Use of Cimetidine, omeprazole, and ranitidine in pregnant women and pregnancy outcomes. *Am J Epidemiol* 1999;150 :476-481.

22. RAYBURN W, LILES E, CHRISTENSEN H, ROBINSON M. Antacids vs. Antacids plus non-prescription ranitidine during pregnancy. *Int J Gynaecol Obstet* 1999;66:35-37.

23. DIAV-CITRIN O, ARNON J, SHECHTMAN S, SCHAEFER C, VAN TONNINGEN MR, CLEMENTI M, DE SANTIS M, ROBERT-GNANSIA E, VALTI E, HALM H, ORNOY A. The safety of proton pump inhibitors in pregnancy: a multicentre prospective controlled study. *Aliment Pharmacol Ther* 2005;21(30):269-275.

24. VANCERHOFF BT, TAHBOUB RM. Proton pump inhibitors : an update. *Am Fam Physician* 2002;66 :272-280.

25. BERKOVICH M, ELBIRT D. ADDIS A, et al. Fetal effects of metoclopramide therapy for nausea and vomiting of pregnancy. *N Engl J Med* 2000;343:445-446

26. PRILOSEC (Product Information). Wilmington, De, USA: Astra-zeneca, 2004

27. MARSHALL JK, THOMPSON ABR, ARMSTRONG D. Omeprazole for refractory gastroesophageal reflux disease during pregnancy and lactation. *Can J Gastroenterol* 1998;12:225-227

28. SORENSEN HT, NIELSEN GL, CHRISTENSEN K, et al. Birth Outcome Following Maternal Use of Metoclopramide. *Br J Clin Pharmacol* 2000;49:264-268

29. FOOD AND NUTRITION BOARD, INSTITUTE OF MEDICINE. *Calcium. Dietary reference intakes: calcium, phosphorous, magnesium, vitamin d, and fluoride.* Washington, D.C.: National Academy Press; 1997 :71-145.

30. NIEBYL JR. Teratology and drug use during pregnancy and lactation. In: Scott JR, Isaia PD, Hammond C, et al. Editors. *Dansforths obstetrics and gynecology.* 7th ed. Philadelphia: wb saunders, 1994:225-244.

31. RANCHET G, GANGEMI O, PETRONE M. Sucralfate in the treatment of gravid pyrosis. *G Ital Obstet Ginecol* 1990;12:1-16.

32. FINKELTEIN W, ISSELBACKER JK. Cimetidine. *N Engl J Med* 1978;229:992-996.

33. SAVARINO V, GIASTI M, SCALABRINI P, et al. Famotidine has no significant effect on gonadal function in men. *Gastroenterol Clin Biol* 1988;12:19-22.

34. BUREK JD, MAJKA JA, BOKELMAN DL. Famotidine: summary of preclinical safety assessment. *Digestion* 1985;32 (suppl 1):7-14.

35. MORTON DM. Pharmacology and toxicity of nizatidine. *Scand J Gastroenterol* 1987;22(supll.136):1-8.

36. NEUBAUER BL, GOODE RL, BERT KK, et al. Endocrine effects of a new histamine h2 receptor antagonist, nizatidine, in the male rat. *Toxicol Appl Pharmacol* 1990;102:219-232.

37. LARSON JD, PATATANIAN E, MINER PB jr, RAYBURN WF, ROBINSON MG. Double-blind, placebo-controlled study of ranitidine for gastroesophageal reflux symptoms during pregnancy. *Obstet gynecol* 1997;90:83-87

38. PREVACID (product information). *Lake forest*, Il, USA: tap pharmaceutical, 2005.

39. NIELSON GL, SORENSEN HT, THULCTRUP AM, TAGE-JENSEN U, OLESEN C, EKBOM A. The safety of proton pump inhibitors in pregnancy. *Aliment Pharmacol Ther* 1999;13(8):1085-1090.

40. BRUNNER G, MEYER H, ATHMANN C. Omeprazole for peptic ulcer disease in pregnancy. *Digestion* 1998;59:651-654.

41. CHOULIKA S, CARLIER P, EFTHYMIOU ML. Inhibiteurs de la pompe à protons et grossesse : à propos d'une série de 24 femmes exposées avec évolution connue. *Thérapie* 1997;52 :607-614.

42. KALLEN BAJ. Use of omeprazole during pregnancy – no hazard demonstrated in 955 infants exposed during pregnancy. *Eur J Obstet Gynecol Reprod Biol* 2001 ;96 :63-68.

43. LALKIN A, LOEBSTEIN R, ADDIS A, RAMEZANI-NAMIN F, MASROIACOVO P, MAZZONE T, VIAL T, BONATI M, KOREN G. The safety of omeprazole during pregnancy : a multicenter prospective controlled study. *Am J Obstet Gynecol* 1998 ;179 :727-730.

44. NIKFAR S, ABDOLLAHI M, MORETTI ME, MAGEE LA, GIDEON K. Use of proton pump inhibitors during pregnancy and rates of major malformations. A meta-analysis. *Dig dis sci* 2002;47:1526-1529.

45. OO CY, KUHN RJ, DESAI N, MCNAMARA PJ. Active transport of cimetidine into human milk. *Clin pharmacol ther* 1995;58:548-555.

46. HALE TW. *Medications and mothers' milk*. 12th ed. Amarillo, tx: pharmasoft publishing l.p.; 2006.

47. ANDERSON P, SAUBERAN J. *Lactmed* 2006-06-08 [vérifié 2006-10-03]; disponible dans: http://toxnet.nlm.nih.gov/cgi-bin/sis/htmlgen?lact.

48. VANCERHOFF BT, TAHBOUB RM. Proton pump inhibitors : an update. *Am Fam Physician* 2002;66:272-280.

49. ESOMEPRAZOLE PRODUCT INFORMATION. Drugdex® System: Klasco RK (ed): *Thomson Micromedex*, Greenwood Village, Colorado (Edition expires [2006]).

50. RABEPRAZOLE (product information). *Teaneck*, NJ, USA: Eisai, 2004

51. NATIONAL INSTITUTES OF HEALTH. Helicobacter pylori in peptic ulcer disease. *Nih Consensus Statement*. 1994;12:1-23.

52. KUIPERS EJ, THIJS JC, FESTEN HP. The prevalence of helicobacter pylori in peptic ulcer disease. *Aliment Pharmacol Ther* 1995;9 (suppl 2):59-69.

53. CAPELL MS. Gastric and duodenal ulcers during pregnancy. *Gastroenterol Clin N Am* 2003;32:263-308.

54. REPORT OF THE DIGESTIVE HEALTH INITIATIVE INTERNATIONAL UPDATE CONFERENCE ON HELICOBACTER PYLORI. *Gastroenterology* 1997;113 (suppl):s4-s8.

55. PETERSON WL, FENDRIK AM, CAVE DR, PEURA DA, GARABEDIAN-RUFFALO SM, LAINE L. Helicobacter pylori-related disease: guidelines for testing and treatment. *Arch intern med* 2000;160:1285-1291.

56. HUNT R, FALLONE C, VELDHUYZAN VAN ZANTEN S, SHERMAN P, SMAILL F, FLOOK N, THOMSOM A. Canadian helicobacter study group consensus conference: update on the management of helicobacter pylori – an evidence-based evaluation of six topics relevant to clinical outcomes in patients evaluated for h pylori infection. *Can J Gastroenterol* 2004;18(9):547-554.

57. SAAD R, CHEY WD. A clinician's guide to managing helicobacter pylori infection. *Cleve Clin J Med* 2005;72(2):109-124.

58. FRIGO P, LANG C, REISENBERGER K, KOLBL H, HIRSCHL AM. Hyperemesis gravidarum associated with helicobacter pylori seropositivity. *Obstet Gynecol* 1998;91:615-617.

59. KOCAK I, AKCAN Y, USTUN C, DEMIREL C, GENGIZ L, YANIK FF. Helicobacter seropositivity in patients with hyperemesis gravidarum. *Int J Gynaecol Obstet* 1999;66:251-254.

60. HAYAKAWA S, NAKAJIMA N, KARASAKI-SUZUKI M, YOSHINAGA H, ARAKAWA Y, SATOH K, YAMAMOTO T. Frequent Presence of Helicobacter Pylori Genome in the Saliva of Patients with Hyperemesis Gravidarum. *Am J Perinatol* 2000;17(5):243-247.

61. WU CY, TSENG JJ, CHOU MM, LIN SK, POON SK, CHEN GH. Correlation Between Helicobacter Pylori and Gastrointestinal Symptoms in Pregnancy. *Adv Ther* 2000;17:152-158.

62. ERDEM A, ARSLAN M, ERDEM M, YILDIRIM G, HIMMETOGLU O. Detection of Helicobacter Pylori Seropositivity in Hyperemesis Gravidarum and Correlation with Symptoms. *Am j perinatol* 2002;19:87-92.

63. EL-ZIMAITY HM. Accurate Diagnosis of helicobacter pylori with biopsy. *Gastroenterol Clin North Am* 2000;29(4):863-869.

64. OMEPRAZOLE PRODUCT INFORMATION. Drugdex® system:Klasco RK (ed): *Thomson Micromedex*, Greenwood Village, Colorado (Edition expires [2006]).

Chapitre 26

Constipation et hémorroïdes

■

Virginie GAGNÉ

La constipation

Généralités

Définition

On peut décrire la constipation comme un ralentissement du transit intestinal entraînant une diminution de la fréquence des selles, leur déshydratation et une difficulté dans leur évacuation[1-3].

Épidémiologie

La constipation est un problème très fréquent qui touche le tiers de la population des pays occidentaux industrialisés[4]. Les femmes sont davantage atteintes par ce problème que les hommes[4]. Peu d'études ont analysé l'incidence de la constipation chez la femme enceinte[2]. Toutefois, certains auteurs rapportent que le tiers des femmes pourraient être atteintes de constipation au cours de leur grossesse et ce, surtout lors du premier et du troisième trimestres[2, 4-7].

Étiologies

La constipation en soi n'est pas une maladie, mais le symptôme d'une condition particulière[8]. Plusieurs causes ont été identifiées et la grossesse en est une[8, 9]. Ainsi, puisque la cause ne peut être corrigée, il faut prendre les mesures nécessaires pour traiter les symptômes de la patiente. Toutefois, lorsqu'une femme enceinte consulte pour de la constipation, il peut être utile de vérifier si le problème est nouveau ou s'il s'agit d'un problème chronique, c'est-à-dire pouvant être causé par un ou plusieurs autres facteurs, aggravé par la grossesse.

Facteurs de risque

Tel que mentionné précédemment, le sexe féminin et la grossesse sont des facteurs prédisposant à la constipation[4, 8]. Plusieurs autres facteurs sont aussi associés à un risque accru de constipation : une alimentation à faible apport calorique, un nombre élevé de médicaments consommés, un faible statut économique, avoir un style de vie sédentaire[9].

Effets de la grossesse sur la constipation de la mère

Plusieurs changements physiologiques normaux qui se produisent pendant la grossesse peuvent contribuer à la constipation (tableau I)[2, 5].

TABLEAU I – FACTEURS CONTRIBUANT À LA CONSTIPATION PENDANT LA GROSSESSE[2-5, 7].	
Mécanique	• Compression du côlon par l'utérus. • Obstruction du canal anal par de larges hémorroïdes. • Adhérences/volvulus intestinal. • Lésions ano-rectales douloureuses (fissures, hémorroïdes).
Diète	• Pauvre apport en liquide en raison des nausées et vomissements. • Suppléments vitaminiques (fer et calcium). • Régime à faible teneur en fibres. • Changement hormonal (contribuant à l'augmentation du temps de transit intestinal). • Augmentation du taux de progestérone. • Augmentation du taux d'œstrogènes. • Diminution du taux de motiline.
Changement hormonal (contribuant à l'augmentation du temps de transit intestinal)	• Augmentation du taux de progestérone. • Augmentation des taux d'œstrogènes. • Diminution du taux de motiline.
Comportement	• Diminution de l'activité physique. • Stress.

Effets de la constipation sur la grossesse

Bien que la constipation soit généralement considérée comme un problème mineur de la grossesse, elle peut s'avérer très dérangeante pour la femme qui en est atteinte et ainsi diminuer considérablement sa qualité de vie[3].

La constipation peut être associée à de l'anxiété et à une sensation générale de malaise[2]. Les complications de la constipation sévère et persistante sont la douleur au dos, les hémorroïdes et le fécalome[2]. L'obstruction intestinale est toutefois considérée comme une complication rare chez la femme enceinte[3].

Outils d'évaluation

On peut caractériser la constipation par la présence d'au moins deux des critères suivants pendant plus de trois mois[2, 3, 8] :

- difficulté à évacuer dans plus de 75 % des cas ;
- selles dures dans plus de 75 % des cas ;
- deux selles ou moins par semaine ;

Ces critères n'incluent toutefois pas certaines caractéristiques subjectives présentes lors de constipation telle que : sensation de ballonnement, de distension abdominale ou d'évacuation incomplète, flatulences et inconfort abdominal[1, 2, 8]. Pour cette raison, cette définition peut ne pas être appropriée chez la femme enceinte pour qui ces caractéristiques subjectives peuvent être plus importantes que la définition plus objective.

La constipation peut généralement être traitée sans grande évaluation ou mesure diagnostique[6]. Il est tout de même nécessaire qu'une évaluation de routine soit effectuée en questionnant la patiente sur ses symptômes, sa définition personnelle de la constipation, son historique de constipation, ses habitudes alimentaires, sa médication ainsi que sur l'usage antérieur de laxatif[2].

Dans certains cas, un examen digital ainsi qu'un dépistage de sang occulte dans les selles pourront être effectués[2]. Des analyses biochimiques complètes, incluant les tests de fonctions thyroïdiennes, peuvent aussi être demandées puisque l'hypercalcémie, l'hypothyroïdie, le diabète et l'hypokaliémie peuvent causer de la constipation[2].

Une sigmoïdoscopie flexible peut être effectuée si la patiente n'a pas d'histoire d'hémorroïdes sanguinolentes et si la constipation est associée à un saignement rectal ou s'il y a présence occulte de sang dans les selles[2,6]. La sigmoïdoscopie flexible chez la femme enceinte a été étudiée et est considérée sécuritaire[2,6].

Traitements de la constipation recommandés pendant la grossesse et l'allaitement

Mesures non pharmacologiques

Le traitement de première intention de la constipation chez la femme enceinte ou qui allaite est l'emploi de mesures non pharmacologiques (figure 1). Il convient d'abord d'augmenter progressivement l'apport quotidien en fibres jusqu'à 25 à 30 g/jour[2-4]. Pour y arriver, on peut suggérer à la patiente d'augmenter sa consommation de fruits et légumes, de blé entier, de son, etc.[3, 7, 9].

La femme enceinte devrait aussi augmenter sa consommation quotidienne d'eau et boire entre six à huit verres d'eau par jour (soit 1,5 à 2 litres) si aucune restriction liquidienne ne s'applique. De plus, il est également conseillé de régulariser l'horaire des selles (idéalement 30 minutes à 1 heure après le repas, c'est-à-dire au moment où l'activité motrice du côlon est à son maximum[4, 7]. Il est aussi recommandé de faire de l'exercice de façon régulière (par exemple marcher 1,5 km par jour ou faire de la natation[4]).

L'éducation des patientes sur les fonctions normales de l'intestin est aussi très importante[2, 3, 7]. Par exemple, plusieurs patientes ne savent pas qu'il n'est pas obligatoire d'avoir une selle chaque jour. De plus, elles devraient s'habituer à être davantage à l'écoute de leurs sensations et de ne pas réprimer l'envie d'aller à la selle[2, 3, 7].

Mesures pharmacologiques

L'utilisation de laxatifs peut être envisagée si les mesures non pharmacologiques ne suffisent pas (figure 1 et tableau I). On choisira tout d'abord des laxatifs peu absorbés et avec un bon profil d'innocuité. Les laxatifs recommandés durant la grossesse et l'allaitement sont présentés dans le tableau II. Les données d'innocuité des laxatifs durant la grossesse et l'allaitement figurent dans les tableaux III et IV respectivement.

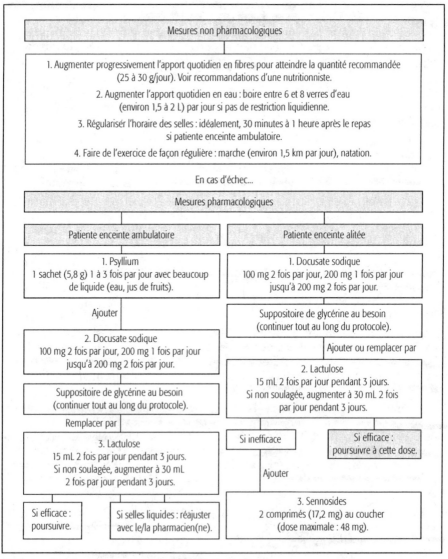

Figure 1 – Algorithme de traitement de la constipation[4]

TABLEAU II – TRAITEMENTS DE LA CONSTIPATION RECOMMANDÉS PENDANT LA GROSSESSE ET L'ALLAITEMENT			
Ligne thérapeutique	Médicament	Posologie	Suivi et commentaires
Premier recours (se référer à la figure 1)	Docusate sodique (capsules)	100 mg par voie orale 2 fois par jour (ou 200 mg 1 fois par jour). Si inefficace, augmenter jusqu'à 200 mg par voie orale 2 fois par jour.	Suivi de l'efficacité après 72 heures. Doses allant jusqu'à 200 mg 4 fois par jour peuvent être utilisées dans des conditions particulières (ex.: avec analgésiques narcotiques)[10].
	Docusate calcique	240 mg 1 ou 2 fois par jour.	Suivi de l'efficacité après 72 heures.
	Suppositoire de glycérine	1 suppositoire intra-rectal au besoin. Garder 15 min. si possible (maximum 2 par jour).	Effet osmotique[8]. Irritation rectale possible[9].
	Lactulose	Débuter avec 15 mL par voie orale 2 fois par jour. Si nécessaire, 30 mL par voie orale 2 fois par jour[4].	Peut être utilisé chez la femme diabétique[4, 7, 9, 11]. Goût sucré qui peut déplaire. Ne pas utiliser chez la patiente nauséeuse (exacerbation)[4,9]. Peut causer flatulences et crampes abdominales, surtout en début de traitement[9].
	Psyllium	3,4 g par voie orale 1 à 3 fois par jour avec 250 mL d'eau[9]. La dose peut varier selon la formulation utilisée.	Patiente ambulatoire seulement car risque de fécalome chez les patientes alitées[4]. Pour les nouvelles utilisatrices, commencer graduellement. Efficacité après 1 à 3 jours[7]. Peut prendre jusqu'à quelques semaines pour constipation chronique[7]. Peut causer flatulences et crampes abdominales[7]. Peut interférer avec l'absorption des autres médicament[9]. Espacer de 2 heures[9].
	Sennosides 8,6 mg/comprimé	2 comprimés par voie orale (17,2 mg) au coucher (dose max.: 48 mg par jour).	Utilisation occasionnelle seulement. Utilisé lors d'échec des autres agents [4, 7, 9]. Ils seraient plus efficaces que les agents de masses[9, 12]. Utilisé en pratique chez les patientes traitées avec des narcotiques.
Deuxième recours	Agents osmotiques (polyéthylèneglycol avec électrolytes)	125 à 250 mL 1 ou 2 fois par jour pendant 15 jours[4, 13].	Utilisation occasionnelle seulement. Pour les cas réfractaires aux autres laxatifs[4].

Donnés d'innocuité des traitements durant la grossesse et l'allaitement

TABLEAU III – DONNÉES SUR L'INNOCUITÉ DES LAXATIFS AU COURS DE LA GROSSESSE		
Médicament	Données durant la grossesse	Recommandations, commentaires
Agents de masse		
Psyllium	• Aucune absorption par voie orale[2, 6]. • Une étude de surveillance effectuée sur 100 femmes ayant utilisé du psyllium pendant le premier trimestre n'a démontré aucune augmentation du taux de malformations[14].	Le psyllium peut être utilisé à tous les trimestres de la grossesse.
Agents hyperosmotiques		
Glycérine (2,6 g/suppositoire)	• Faible absorption par voie rectale[6].	Les suppositoires de glycérine peuvent être utilisés à tous les trimestres de la grossesse.
Lactulose	• Faible absorption par voie orale (3 %)[11]. • Pas tératogène chez les animaux[2]. • On ne sait pas si cet agent traverse le placenta[2, 3, 15]. • Aucune autre donnée disponible chez la femme enceinte.	Peut être utilisé en cas d'échec des mesures non pharmacologiques, du psyllium et du docusate de sodium.
Salins Hydroxyde de magnésium (lait de magnésie) Sulfate de magnésium (sel d'epsom) Citrate de magnésium Phosphate de sodium	• Les salins hyperosmotiques peuvent mener à de la rétention hydrosodée chez la mère[2, 3, 7]. • Pas de notification de cas de malformations congénitales à la suite d'une exposition au sulfate de magnésium[16].	En raison des effets secondaires maternels, les salins ne sont pas des laxatifs recommandés. En cas de fécalome, d'autres choix sont disponibles : lavement à base d'eau + émollient ou suppositoire de bisacodyl, polyéthylèneglycol avec électrolytes, fragmentation digitale[3, 7].
Agent osmotique		
Polyéthylèneglycol avec électrolytes ou PEG + E	• Absorption systémique négligeable, effet local, ne cause pas de déséquilibre électrolytique et poids moléculaire élevé (> 3000 Da), donc ne traverse probablement pas le placenta[4]. • Une seule étude chez 40 femmes enceintes de 8 à 38 semaines et une notification de cas indiquent que le PEG est efficace, occasionne peu d'effets indésirables chez les mères et n'a démontré aucune complication néonatale ni malformation congénitale[4, 13].	Un lavement à base de PEG + E peut être utilisé de façon occasionnelle dans les cas de constipation réfractaires aux autres traitements recommandés.

Médicament	Données durant la grossesse	Recommandations, commentaires
Émollients		
Docusate de sodium ou de calcium	• Largement utilisé dans la pratique sans que des réactions indésirables n'aient été rapportées[2, 3, 9, 15]. • Faible absorption par voie orale[17]. • Une étude prospective effectuée auprès de 116 femmes sur l'utilisation de cet agent durant la grossesse (trimestre non connu) n'a pas démontré d'évidence d'augmentation du taux de malformations congénitales[2, 16]. Il en fut de même dans une autre étude sur 35 femmes ayant pris une combinaison de docusate et de dihydroxyanthraquinone[16]. • Une étude sur 232 nouveau-nés dont les mères avaient utilisé des sels de docusate pendant le premier trimestre n'a pas non plus démontré d'association avec une malformation congénitale[2, 16]. • Une étude de cohorte rapporte 792 expositions au premier trimestre sans augmentation du risque de malformations[14].	Le docusate de sodium ou de calcium peut être utilisé à tous les trimestres de la grossesse.
Lubrifiants		
Huile minérale lourde	• Diminue l'absorption des vitamines liposolubles, ce qui peut entraîner une déficience en vitamines chez la mère et mener à de l'hypoprothrombinémie et des hémorragies chez le fœtus[2, 3, 15]. • Aucune donnée chez la femme enceinte.	En cas d'exposition lors de la grossesse, peu de probabilités d'effets néfastes si utilisation à court terme. Risque de pneumonie lipidique d'aspiration chez les patientes alitées[3]. Ne pas utiliser avec le docusate sodique car augmentation de l'absorption de l'huile minérale[9].
Stimulants		
Bisacodyl	• Aucune donnée disponible. • Faiblement absorbé par voie orale : 5 % de la dose orale est absorbée et excrétée dans l'urine[7].	N'est pas un agent de premier recours. En cas d'exposition lors de la grossesse, aucun suivi particulier n'est nécessaire.
Cascara sagrada	• Aucune augmentation du risque de base de malformations congénitales n'a été trouvée dans une étude sur 53 femmes exposées au *cascara sagrada* durant le premier trimestre[2, 16].	N'est pas un agent de premier recours. Peu de données mais utilisé en pratique.

Médicament	Données durant la grossesse	Recommandations, commentaires
Huile de ricin	• Peut stimuler les contractions utérines[2, 3, 7]. • Notification d'un cas de retard de croissance accompagné de malformations à la naissance chez un bébé dont la mère avait ingéré des graines de ricin en début de grossesse[19]. Toutefois, ceci pourrait être causé par une toxine présente dans la graine qui ne se retrouve pas dans l'huile[19]. • Notification d'un cas d'embolie du liquide amniotique associée à l'ingestion de 30 mL d'huile de ricin prise pour déclencher le travail d'une grossesse à terme ne présentant pas de facteur de risque. Soixante minutes après la prise du produit, la patiente a eu une rupture de membranes spontanée et fait un arrêt cardio-respiratoire[20]. Toutefois, le lien de cause à effet reste à être prouvé[20]. • Associé à une augmentation du risque de détresse fœtale à la suite du passage du méconium dans le liquide amniotique si utilisé près de l'accouchement[14]. Risque d'aspiration du méconium par le fœtus[19].	L'huile de ricin ne devrait être utilisée ni comme laxatif ni pour déclencher le travail. En cas de prise d'huile de ricin, une patiente devrait être référée à un hôpital si elle présente des contractions.
Sennosides, Senné	• N'est pas tératogène chez l'animal[16]. • Aucun cas de tératogénicité ou autre toxicité fœtale n'est rapporté chez l'humain[16]. • Faiblement absorbé après administration par voie orale[16]. • Les laxatifs à base de Senné sont souvent utilisés pendant la grossesse[21]. • Dix études incluant au total 937 femmes (trimestre non connu) qui ont utilisé une variété de préparations à base de Senné pendant une durée de 2 semaines à 9 mois ont démontré une bonne efficacité avec peu d'effets indésirables[21]. Il n'y a pas eu non plus d'augmentation du taux d'avortements spontanés ni de travail préterme[21].	Les sennosides peuvent être utilisés à tous les trimestres de la grossesse.

Selon une étude effectuée chez des brebis, l'utilisation d'un agent stimulant (sennosides) n'aurait pas d'impact sur le déclenchement des contractions utérines[18].

TABLEAU IV – DONNÉES SUR L'INNOCUITÉ DES LAXATIFS AU COURS DE L'ALLAITEMENT		
Médicament	**Données durant l'allaitement**	**Recommandations, commentaires**
Agent de masse		
Psyllium	• Aucune absorption par voie orale[22, 23].	Compatible avec l'allaitement.
Agents hyperosmotiques		
Glycérine (2,6 g/suppositoire)	• Faible absorption par voie rectale[6, 22]. • Aucune donnée disponible sur l'utilisation pendant l'allaitement.	Compatible avec l'allaitement.
Lactulose	• Faible absorption par voie orale (3 %)[11]. • Aucune donnée disponible sur l'utilisation pendant l'allaitement.	Compatible avec l'allaitement.
Hydroxyde de magnésium (lait de magnésie) Sulfate de magnésium (sel d'epsom)	• Pour l'hydroxyde de magnésium, 15 à 30 % de la dose est absorbée par le tractus gastro-intestinal tandis que pour le sulfate de magnésium, l'absorption varie entre 4 et 30 %[17]. • Le magnésium est un électrolyte normal du plasma[17]. • L'utilisation du sulfate de magnésium par voie intraveineuse a été évaluée pour l'utilisation en prééclampsie[24].	Compatible avec l'allaitement.
Agent osmotique		
Polyéthylèneglycol avec électrolytes ou PEG + E	• Aucune donnée disponible pendant l'allaitement. • Absorption systémique du PEG + E est négligeable et a un effet local[4].	Compatible avec l'allaitement.
Émollients		
Docusate de sodium ou de calcium	• Faible absorption par voie orale[17]. • Excrétion dans le lait maternel inconnue[15]. • Une combinaison de docusate de sodium et dihydroxyanthraquinone a été administrée chez 35 femmes en période *post-partum*. Un enfant a eu de la diarrhée mais le lien entre ce symptôme et le laxatif est indéterminé[16, 22].	Compatible avec l'allaitement.
Lubrifiant		
Huile minérale lourde	• Aucune absorption par voie orale[22]. • L'utilisation sur une base régulière peut entraîner une diminution de l'absorption des vitamines liposolubles chez la mère et mener à des déficiences vitaminiques chez les enfants exclusivement allaités[22].	Compatible avec l'allaitement, cependant n'est pas un agent de premier recours à long terme.

Médicament	Données durant l'allaitement	Recommandations, commentaires
Stimulants		
Bisacodyl	• Pas de données dans l'allaitement. • Absorption orale faible (moins de 5 %)[17, 21].	Compatible avec l'allaitement.
Cascara sagrada	• Excrétion dans le lait inconnue[5, 17]. • Données indisponibles sur l'absorption orale. • Deux notifications de cas suggèrent une augmentation de l'incidence de diarrhée chez les enfants de mères ayant utilisé du cascara ou du senné pendant l'allaitement. (voir Senné)[17, 22].	Il est recommandé d'utiliser d'autres laxatifs en premier recours.
Huile de ricin	• Transfert dans le lait maternel et absorption par voie orale inconnus[15, 17]. • Selon certains auteurs, la prise de grande quantité pourrait entraîner divers effets indésirables tel que diarrhée, insomnie et tremblements chez les enfants exposés[17].	N'est pas recommandé car l'effet purgatif est trop marqué[15, 23].
Sennosides, Senné	• Absorption orale faible[16]. • Deux études sur 25 et 50 femmes n'ont pas réussi à démontrer un transfert des sennosides dans le lait maternel[16, 23]. • Il existe une controverse sur le fait que les laxatifs de Senné pourraient entraîner de la diarrhée chez les enfants allaités[21]. Toutefois, le lien de cause à effet reste à prouver[21, 22, 23].	Compatible avec l'allaitement.

Les hémorroïdes

Généralités

Définition

Les hémorroïdes sont souvent définies comme étant des varices anales formées par la dilatation anormale d'une veine de l'anus et du rectum[1]. Toutefois, les hémorroïdes ne proviennent pas des veines. Le sang qui s'écoule des hémorroïdes est rouge vif et non pourpre comme celui des veines[25]. Elles sont plutôt des coussins qui se sont déplacés du canal anal[25,26]. Elles sont dites externes ou internes selon qu'elles se développent au-dessous ou au-dessus du sphincter anal[1, 7, 25, 26]. Elles peuvent aussi être mixtes s'il y a présence d'hémorroïdes externes et internes simultanément[26].

Épidémiologie

Les hémorroïdes sont un problème commun et on estime que 50 à 86 % de la population en est atteinte à un moment ou à un autre[25, 26]. Environ le tiers des femmes enceintes en serait affecté. De ces femmes, une sur dix aurait recours à un traitement[6]. Toutefois, il faut faire attention dans l'interprétation des données épidémiologiques disponibles puisque seulement 50 % des patients qui affirment avoir des hémorroïdes en ont réellement. En effet, les hémorroïdes peuvent être confondues avec d'autres problèmes rectaux[26, 27].

Étiologies et facteurs de risques

Plusieurs facteurs peuvent contribuer au développement d'hémorroïdes[26]. La cause principale semble être l'obstruction des veines hémorroïdales qui amène la congestion et l'hypertrophie des coussinets anaux internes[25]. Cette obstruction des veines hémorroïdales peut être occasionnée, entre autres, par la constipation souvent présente lors de la grossesse[7, 25, 26]. Une congestion des coussinets peut aussi se produire lorsque ceux-ci sont anormalement mobiles, comme c'est le cas lors de diarrhées[25]. Cette congestion et cette hypertrophie contribuent à entraîner les coussinets anaux vers le bas du rectum, causant ainsi les symptômes dérangeants[25].

Les coussinets sont rattachés à la membrane externe du canal anal par des fibres musculaires. Le relâchement des ces fibres peut aussi mener à l'apparition de problèmes hémorroïdaux. Certains facteurs tels que la constipation, l'effort lors de la défécation et la grossesse peuvent contribuer à ce relâchement[7, 25, 26]. Le fait de passer beaucoup de temps assis sur la toilette augmente le risque de souffrir d'hémorroïdes puisque dans cette position, la région anale est relâchée et les coussinets anaux ne sont plus supportés[26].

Effets de la grossesse sur les hémorroïdes de la mère

Lors de la grossesse, certains changements physiologiques spécifiques contribuent au développement d'hémorroïdes. L'augmentation du volume sanguin de 25 à 40 % a pour effet une dilatation et un engorgement des vaisseaux hémorroïdaux[2,7,25]. De plus, l'élargissement de l'utérus entraîne aussi une augmentation de la pression sur ces vaisseaux[25, 28]. L'augmentation de la pression intra-abdominale peut également engendrer un problème d'hémorroïdes[26]. Finalement, la constipation, souvent présente pendant la grossesse, est un autre facteur prédisposant la femme enceinte à développer des hémorroïdes[25, 28].

Effets des hémorroïdes sur la grossesse

Bien que les hémorroïdes n'entraînent pas d'effets directs sur la grossesse, elles peuvent occasionner des symptômes très incommodants qui peuvent nuire à la qualité de vie des patientes qui en sont atteintes[25].

À long terme, si les hémorroïdes prolabées ne sont pas traitées, la partie protubérante pourra nuire à la fermeture complète et étanche du sphincter anal et la patiente risque alors d'avoir des écoulements fécaux incontrôlables[25]. Ceci pourra entraîner des irritations[25].

Habituellement, après l'accouchement , la plupart des patientes retournent à leur état prégrossesse[27].

Outils d'évaluation

Les symptômes liés aux hémorroïdes ne sont pas spécifiques à la femme enceinte. Les saignements et une sensation de gêne sont habituellement les premiers signes d'un problème hémorroïdaire[7, 25]. Les autres symptômes fréquemment rapportés sont la douleur, le prurit et la sensation de défécation incomplète. Les hémorroïdes internes ne sont pas munies de fibres nerveuses sensibles et ne sont habituellement pas douloureuses, contrairement aux hémorroïdes externes[25, 26].

Le diagnostic d'hémorroïdes est habituellement fait par inspection visuelle et par palpation de la région anale, ou encore à l'aide d'une méthode invasive spéciale, l'anuscopie[7, 27]. Les hémorroïdes externes ou étranglées (thrombose hémorroïdaire) sont généralement faciles à détecter lors de l'inspection, alors que l'anuscopie est essentielle pour détecter les hémorroïdes qui ne sont pas douloureuses[7, 27].

Traitements recommandés des hémorroïdes pendant la grossesse et l'allaitement

Mesures non pharmacologiques

Le traitement des hémorroïdes chez la femme enceinte ou qui allaite est le même que celui recommandé à la population générale[25]. Les mesures non pharmacologiques devraient être privilégiées (tableau V). Il est recommandé de traiter la constipation en utilisant les méthodes décrites dans la section *Traitements de la constipation recommandés pendant la grossesse et l'allaitement*[25].

TABLEAU V – MESURES NON PHARMACOLOGIQUES POUR LE TRAITEMENT DES HÉMORROÏDES
Avoir une alimentation riche en fibres (30 g de fibres par jour).
Boire beaucoup de liquides (jusqu'à 8 à 10 verres d'eau par jour).
Éviter les aliments constipants : œufs, fromages.
Éviter les épices et l'alcool (peuvent augmenter la douleur).
Ne pas retarder l'envie d'aller à la selle.
Éviter de forcer en allant à la selle.
Ne pas rester assis longtemps (plus de 2 minutes) sur la toilette.
Bien nettoyer la région anale après chaque selle.
Faire des bains de siège à l'eau tiède (environ 46 °C) 3 à 4 fois par jour pendant 15 à 20 minutes. Des bains de sièges en plastique que l'on peut placer directement sur la toilette sont habituellement vendus en pharmacie.

Traitement pharmacologique

Le but du traitement pharmacologique est le soulagement des symptômes[7, 25, 26]. Ainsi, pour le soulagement de la douleur, l'utilisation d'analgésiques oraux (ex. : acétaminophène) peut être recommandée (voir chapitre 33. *Migraine et douleurs*). Il peut aussi être nécessaire d'administrer un traitement, pharmacologique ou non, contre la constipation si celle-ci est présente[7, 28].

Il existe une variété de produits pour soulager la douleur, la sensation de brûlure, la démangeaison, l'inconfort et l'irritation dus aux hémorroïdes[25, 26]. En général, on préfère les crèmes et les onguents pour leur facilité d'application et leur efficacité plutôt que les suppositoires qu'il faut introduire dans le rectum et qui vont au-delà de la région anorectale que l'on cherche à traiter[25, 26]. De plus, plusieurs médicaments peuvent être absorbés par la muqueuse du rectum[28]. On ne doit pas non plus conseiller l'utilisation de ces produits topiques pendant de longues périodes car il peut en résulter une sensibilisation du derme de l'anus et des problèmes d'ordre dermatologique permanents[27, 29]. Les agents topiques peuvent être utilisés sur de courtes périodes pour apporter un certain soulagement; toutefois, il y a un manque important de preuves pour soutenir leur utilisation répandue[29]. En effet, ces produits n'ont aucun effet sur les changements pathologiques causant les hémorroïdes et ne les traitent pas à proprement parler[25, 29]. Ainsi, la partie la plus importante du traitement des hémorroïdes chez la femme enceinte consiste en leur prévention. Il existe aussi un traitement non médicamenteux qui consiste en une canule qui a été préalablement congelée pendant une heure au minimum et que l'on insère dans l'anus pendant huit minutes. Elle peut être utilisée sans danger chez la femme enceinte ou qui allaite[25].

Si la douleur persiste et demeure sévère, une excision chirurgicale sous anesthésie locale est une méthode efficace et sécuritaire pour traiter les hémorroïdes externes rebelles durant la grossesse[7]. Certains auteurs recommandent toutefois de reporter le recours à cette technique jusqu'au troisième trimestre ou jusqu'à ce que le fœtus soit viable[27, 29]. Pour les hémorroïdes internes, d'autres techniques sont disponibles et peuvent être utilisées chez la femme enceinte: ligature, sclérothérapie, coagulothérapie, cryothérapie et hémorroïdectomie[7, 25]. La cryothérapie est toutefois moins efficace et plus douloureuse, ce qui en fait une alternative non recommandée en regard des autres méthodes disponibles[7]. Finalement, pour les cas réfractaires, on pourra avoir recours à l'hémorroïdectomie sous anesthésie locale[7, 25].

Si les symptômes persistent pendant plus de 7 à 10 jours, malgré l'application de médicaments de vente libre, et que l'enflure reste présente après 2 à 4 semaines, il est nécessaire de diriger la patiente vers un médecin[25]. Il peut alors s'agir d'un problème plus grave: infection intestinale, maladies inflammatoires intestinales, abcès, fistules, fissures anales, etc.[25]

Toute patiente présentant un saignement rectal devrait aussi consulter un médecin pour que ce dernier puisse en déterminer la cause exacte puisqu'il s'agit aussi d'un des symptômes du cancer colorectal[25].

TABLEAU VI – TRAITEMENTS DES HÉMORROÏDES RECOMMANDÉS PENDANT LA GROSSESSE ET L'ALLAITEMENT			
Ligne thérapeutique	Médicament	Posologie	Suivi et commentaires
Soulagement de la douleur			
Premier recours	Acétaminophène	325 mg à 1000 mg par voie orale toutes les 4 à 6 heures (maximum : 4000 mg par jour).	
Soulagement de la constipation (voir tableau II)			
Soulagement du prurit, de l'irritation et de la sensation de brûlure[25]			
Premier recours	Compresses d'hamamélis (10 à 50 %)	Une application locale (externe seulement) jusqu'à 6 fois par jour après chaque selle.	Durée de 7 à 10 jours ou selon avis médical.
	Pommade d'oxyde de zinc	Une application locale (interne ou externe) jusqu'à 6 fois par jour après chaque selle.	Propriété astringente. Durée de 7 à 10 jours ou selon avis médical.
Deuxième recours	Pommade d'oxyde de zinc avec hydrocortisone 0,5 %	Une application locale, sur une petite région seulement, matin et soir, et après la selle jusqu'à 5 fois par jour.	Effet astringent et anti-inflammatoire. Durée de 7 à 10 jours ou selon avis médical.
	Pramoxine 1 %	Une application locale sur une petite région seulement, matin et soir, et après la selle jusqu'à 5 fois par jour.	Efficace en 3 à 5 minutes. Ne pas utiliser plus de 5 à 7 jours car ces agents peuvent masquer des problèmes plus graves : fistules, fissures anales, abcès, tumeurs, et entraîner des dermatites de contact[25, 26]. Légère sensation de brûlure possible lors de l'application. Possibilité de réaction allergique locale ou systémique[25].

Données sur l'innocuité des médicaments antihémorroïdaires au cours de la grossesse

Puisque peu d'absorption est suspectée à partir de l'application topique de la plupart de ces agents, les patientes ayant été exposées à ces produits pendant leur grossesse peuvent être rassurées, malgré l'absence de données réelles. Cependant, les agents que nous recommandons se trouvent dans le tableau VI.

Les données d'innocuité des analgésiques oraux sont présentées dans le chapitre 33. *Migraine et douleurs*, les corticostéroïdes topiques dans le chapitre 35. *Eczéma, psoriasis et troubles spécifiques de la peau pendant la grossesse* et les laxatifs dans le tableau III.

TABLEAU VII – DONNÉES SUR L'INNOCUITÉ DES MÉDICAMENTS ANTIHÉMORROÏDAIRES AU COURS DE LA GROSSESSE		
Médicament	**Données durant la grossesse**	**Recommandations, commentaires**
Anesthésique locaux		
Benzocaïne Dibucaïne Pramoxine	• Absorption faible par voie topique[15]. • Absorption possible si applications excessives ou peau irritée[26]. • Benzocaïne : 264 enfants exposés dont 73 au premier trimestre (dont 26 sous forme de pastilles orales) sans augmentation du taux de malformations majeures[14]. • Aucune donnée (ni animale, ni humaine) n'est disponible sur leur utilisation pendant la grossesse pour la dibucaïne et la pramoxine[15].	Attention aux dermatites de contact si utilisation prolongée (plus de 7 jours)[26]. La pramoxine est un agent moins toxique et moins sensibilisant[25]. Association à un agent vasoconstricteur recommandée pour dibucaïne et benzocaïne afin de diminuer l'absorption et prolonger la durée d'action[25].
Astringents		
Eau d'hamamélis Oxyde de zinc Sulfate de zinc	• Faible absorption par voie topique. • Aucune donnée disponible sur leur utilisation pendant la grossesse. • Utilisée en pratique.	Agents recommandés en raison de leur faible absorption topique.
Kératolytiques		
Allantoïne Résorcinol	• Aucune donnée disponible.	Utilisation déconseillée en l'absence de donnée.
Protecteurs		
Bismuth	• Absorption par voie rectale inconnue[25].	Usage déconseillé même pour la population générale[25]. Efficacité non prouvée[25].
Beurre de cacao Glycérine (usage externe) Huile minérale Kaolin Vaseline	• Agents sûrs et peu absorbés par la muqueuse rectale (saine ou lésée)[25]. • Aucune donnée disponible sur leur utilisation pendant la grossesse. • Souvent utilisés comme véhicules ou bases[25].	Agent recommandé comme véhicule des préparations.
Huile de foie de morue Huile de foie de requin	• Absorption par voie rectale inconnue[14]. • Aucune donnée disponible sur leur utilisation pendant la grossesse. • Huiles de foie de requin et de foie de morue sont une source de vitamine A. Effets chez le fœtus inconnus mais risque non exclu (voir chapitre 6. *Nutrition et suppléments vitaminiques*)[14].	Utilisatiion déconseillée en raison du contenu en vitamine A.

Médicament	Données durant la grossesse	Recommandations, commentaires
Lanoline	• Absorption probablement faible.	Potentiel allergisant[25]. Utilisation déconseillée.
Révulsifs		
Menthol	• Aucune donnée disponible.	Risque de réaction d'hypersensibilité[25]. Utilisation déconseillée.
Vasoconstricteurs		
Éphédrine Épinéphrine Phényléphrine	• Risque d'absorption par voie rectale si la muqueuse est endommagée[25]. • Éphédrine et phényléphrine : (voir chapitre 15. *Rhume et grippe*). • Épinéphrine : une étude de surveillance avec 35 nouveau-nés exposés à de l'épinéphrine pendant le 1er trimestre (voie d'administration non spécifiée) n'a pas montré une augmentation du taux de malformations majeures[16].	Permet de diminuer l'absorption locale des anesthésiques locaux[25]. Devraient être utilisés avec prudence surtout si patiente hypertendue, diabétique ou avec rétention hydrosodée[7]. Utilisation déconseillée en présence de saignements[25].

Données sur l'innocuité des médicaments antihémorroïdaires au cours de l'allaitement

Puisqu'on soupçonne peu d'absorption à partir de l'application topique de la plupart de ces agents, les patientes ayant été exposées à ces produits peuvent continuer à allaiter, malgré l'absence de données réelles. Cependant, les agents que nous recommandons se trouvent dans le tableau VI. Les données d'innocuité des analgésiques oraux sont présentées dans le chapitre 33. *Migraines et douleurs*, les corticostéroïdes topiques dans le chapitre 35. *Eczéma, psoriasis et troubles spécifiques de la peau pendant la grossesse* et les laxatifs dans le tableau IV.

TABLEAU VIII – DONNÉES SUR L'INNOCUITÉ DES MÉDICAMENTS ANTIHÉMORROÏDAIRES AU COURS DE L'ALLAITEMENT		
Médicament	**Données durant l'allaitement**	**Recommandations, commentaires**
Anesthésiques locaux		
Benzocaïne Dibucaïne Pramoxine	• Faible absorption par voie topique, peut augmenter si peau irritée[15, 17]. • Aucune donnée disponible (ni animale, ni humaine) sur leur utilisation pendant l'allaitement [15, 16, 17].	Attention aux dermatites de contact si utilisation prolongée (plus de 7 jours)[26]. La pramoxine est un agent moins toxique et moins sensibilisant[25]. De plus, le risque d'effet sur le nouveau-né est probablement nul[16]. Association à un agent vasoconstricteur recommandée pour dibucaïne et benzocaïne afin de diminuer l'absorption[25].
Astringents		
Eau d'hamamélis Oxyde de zinc Sulfate de zinc	• Faible absorption par voie topique. • Aucune donnée disponible sur leur utilisation pendant l'allaitement.	
Kératolytiques		
Allantoïne Résorcinol	• Aucune donnée disponible.	
Protecteurs		
Bismuth	• Absorption par voie rectale inconnue[25].	Usage déconseillé même pour la population générale[25]. Efficacité non prouvée[25].
Beurre de cacao Glycérine (usage externe) Huile minérale Kaolin Vaseline	• Agents sûrs et peu absorbés par la muqueuse rectale (saine ou lésée)[25]. • Aucune donnée disponible sur leur utilisation pendant l'allaitement. • Souvent utilisés comme véhicules ou bases[25].	
Huile de foie de morue Huile de foie de requin	• Absorption rectale inconnue[14]. • Aucune donnée disponible sur leur utilisation pendant l'allaitement.	
Lanoline	• Absorption par voie topique probablement faible.	Potentiel allergisant[25].

Médicament	Données durant l'allaitement	Recommandations, commentaires
Révulsifs		
Menthol	• Aucune donnée disponible.	Risque de réaction d'hypersensibilité[25].
Vasoconstricteurs		
Éphédrine Épinéphrine Phényléphrine	• Risque d'absorption par voie rectale si la muqueuse est endommagée[25]. • Aucune donnée disponible sur leur utilisation par voie rectale pendant l'allaitement.	Permet de diminuer l'absorption locale des anesthésiques locaux[25]. Devrait être utilisé avec prudence chez la femme qui allaite surtout si patiente hypertendue, diabétique ou avec rétention hydrosodée[7]. Utilisation déconseillée en présence de saignements[25].

Références

1. DELAMARRE J, DELAMARRE F, GARNIER M, et al. *Dictionnaires des termes de médecine Garnier-Delamarre.* 25e éd. Paris : Maloine, 2000; 182, 369.
2. BONAPACE ES, FISHER RS. Constipation and diarrhea in pregnancy. *Gastroenterol Clin N Am* 1998;27 (1) :197-211.
3. WEST L, WARREN J, CUTTS T. Diagnosis and management of irritable bowel syndrome, constipation and diarrhea in pregnancy. *Gastroenterol Clin N Am* 1992; 21 (4) :793-802.
4. OTIS S, FERREIRA E. Traitement de la constipation chez une femme enceinte avec le polyéthylène-glycol avec éléctrolytes : notification d'un cas et revue des écrits scientifiques. *Pharmactuel* 2005; 38 (5) : 277-81.
5. BARON TH, RAMIREZ B, RICHTER JE. Gastrointestinal motility disorders during pregnancy. *Ann Intern Med* 1993; 118: 366-75.
6. RUBIN PH, JANOWITZ HD. Digestive tract disorder. In: *Cherry and Merkatz's Complication of Pregnancy.* 5th ed. Philadelphie: W.R. Cohen. Lippincott Williams & Wilkins. 2000. p.305-317.
7. WALD A. Constipation, diarrhea, and symptomatic hemorrhoids during pregnancy. *Gastroenterol Clin N Am* 2003; 32 :309-22.
8. LONGE R.L, DIPIRO JT. *Diarrhea and constipation.* Dans: DiPiro JT, Talbert RL, Yee GC, Matzke GR, Wells BG, Posey LM, rédacteurs. Pharmacotherapy : A Pathophysiologic Approach. 4th ed. New York : McGraw-Hill Companies Inc; 1999. p.599-613.
9. BOWLES-JORDAN J. Constipation In: *Canadian Pharmacists Association. Patient self-care, helping patients make therapeutic choices.* 1ère éd. Ottawa : Canadian Pharmacists Association; 2002. p.222-36.
10. ASSOCIATION DES PHARMACIENS EN ÉTABLISSEMENT DE SANTÉ AU QUÉBEC. *Guide pratique des soins pallatifs : gestion de la douleur et autres symptômes.* 2e éd. Montréal. APES; 1998 : p.114
11. MC EVOY, ed. *AHFS Drug information 2004.* Bethesda, Maryland: American Society of Health-System Pharmacists, Inc; 2004.
12. JEWELL DJ, YOUNG G, Interventions for treating constipation in pregnancy. *Cochrane Database Syst Rev* 2001;(2):CD001142. Review.
13. NERI I, BLASI I, CASTRO P, et al. Polyethylene glycol electrolyte solution (Isocolan) for constipation during pregnancy: an observational open-label study. *J Midewifery Womens Healt* 2004;49: 355-8.
14. KLASCO Rk (vol 128) : *REPRORISK® System.* Teris. *Thomson Micromedex,* Greenwood Village, Colorado (Edition expire 6/2006).

15. LEWIS JH, WEINGOLD AB and The Committee on FDA-Related Matters, American College of Gastroenterology. The use of gastrointestinal drugs during pregnancy and lactation. *Am J Gastroenterol* 1985; 80 (11): 912-23.

16. BRIGGS GG, FREEMAN RK, SUMMER JY. *Drugs in Pregnancy and Lactation : A reference guide to fetal and neonatal risks*. 7th ed. Philadelphie, ML: Williams & Wilkins; 2005.

17. HALE T. *Medications and Mothers' Milk*. 12th ed. Amarillo, TX: Pharmasoft Medical Publishing;2006.

18. GARCIA-VILLAR R. Evaluation of the effects of sennosides on uterine motility in the pregnant ewe. *Pharmacology*. 1988; 36 Suppl 1. Abstract.

19. ARSENEAULT Y. Quelle est la place de l'huile de ricin dans le déclenchement du travail ? *Québec Pharmacie* 2000; 47 (9) : 746-8.

20. STEINGRUB JS, LOPEZ T, TERES D, et al. Amniotic fluid embolism associated with castor oil ingestion. *Criti Care Med* ; 1988; 16(6) : 642-3.

21. GATTUSO JM, KAMM MA. Adverse effects of drugs used in the management of constipation and diarrhoea. *Drug Saf.* 1994; 10 (1): 47-65.

22. HAGEMANN TM. Gastrointestinal medications and breastfeeding. *J Hum Lact* 1998; 14 (3): 259-62.

23. DE SCHUITENEER B, DE CONINCK B. *Médicaments et allaitement : guide de prescription des médicaments en période d'allaitement*. 1ère éd : Bruxelles : Arnette Blackwell S.A;1996. p 139-147.

24. CRUIKSHANK DP, VARNER MW, PITKIN RM. Breast milk magnesium and calcium concentrations following magnesium sulfate treatment. *Am J Obstet Gynecol* 1982; 143 (6): 685-8.

25. BRUNET C, VINET S. Toute la vérité sur les hémorroïdes ! *Québec Pharmacie* 2003; 50 (5) : 362-7.

26. Carruthers-Czyzewski P. Hemorrhoids. In: *Patient Self Care*. 1st ed. Ottawa: Association des pharmaciens du Canada; 2002. p.287-293.

27. GEARHART SL. Symptomatic Hemorrhoids. *Dis Mon* 2004; 50(11): 603-17.

28. MCCOMBS J, CRAMER MK. Gynecologic and obstetric disorders. In: Dipiro JT, Talbert RL, Yee GC, Matzke GR Wells BG, Posey LM, réd. Pharmacotherapy: A Pathophysiologic Approach. 4th ed. New York: *McGraw-Hill Companies Inc*; 1999. p. 1298-1312.

29. NISAR PJ, SCHOLEFIELD JH. Managing haemorrhoids. *BMJ* 2003; 327 (11): 847-51.

Chapitre 27

La diarrhée

■

Virginie GAGNÉ

Généralités

Définition

La diarrhée peut être décrite comme une évacuation anormalement fréquente de selles liquides avec ou sans douleur abdominale[1, 2]. Cette définition est très subjective, car la fréquence et la consistance des selles varie d'un individu à l'autre[2].

La diarrhée des voyageurs, quant à elle, se définit généralement par la présence de 3 selles non formées ou plus sur une période de 24 heures, accompagnée d'au moins un des symptômes suivants : fièvre, nausée, vomissements, crampes abdominales, défécation douloureuse ou sang dans les selles[3-5].

Épidémiologie

La prévalence de la diarrhée chez la femme enceinte n'est pas bien établie[1, 6].

Étiologie

Dans la population générale, la diarrhée peut avoir une multitude d'étiologies : virus (*Rotavirus, Norwalk*), bactéries (*Salmonella, Shigella, E. coli*), protozoaires (*Giardia*), amibes (*Entamoeba histolytica*), médicaments (agents cholinergiques, antibiotiques, laxatifs, misoprostol), sucres tels que sorbitol ou mannitol, pathologies chroniques (diabète, anxiété, certaines tumeurs), etc.[1, 4, 6, 7]. Contrairement à la constipation, la plupart des cas de diarrhée chez la femme enceinte ne sont pas reliés à la grossesse, mais sont plutôt occasionnés par les mêmes causes que dans la population générale, les agents infectieux (virus ou bactéries) venant en tête de liste[1, 4, 7, 8].

Facteurs de risque

En ce qui concerne la diarrhée d'origine virale, tout contact avec une personne contaminée constitue un facteur de risque[2]. Les voyageurs sont aussi plus à risque d'être atteints. La prévalence de la diarrhée varie selon la région visitée. On estime que jusqu'à 55 % des voyageurs qui se rendent dans des pays en voie de développement en sont atteints[3]. La destination et le type de voyage constituent les facteurs de risque les plus importants en ce qui concerne la diarrhée du voyageur[3, 9]. Les régions où le risque est le plus élevé sont l'Afrique, le sud de l'Asie, l'Amérique latine ainsi que le Moyen-Orient[3]. On déconseille les voyages dans les pays du tiers monde aux femmes enceintes, étant donné le risque élevé d'y contracter la diarrhée des voyageurs ainsi que d'autres maladies endémiques[6, 10].

Effets de la grossesse sur la diarrhée

Il n'y a aucune étude rapportée dans la littérature médicale sur les changements physiologiques se produisant pendant la grossesse et sur leurs effets sur la diarrhée de la mère[1].

La diarrhée lors de la grossesse peut aussi être reliée à une exacerbation d'une maladie inflammatoire de l'intestin, ce qui peut arriver plus fréquemment pendant le premier ou le deuxième trimestre[1]. Par contre, les exacerbations de la colite ulcéreuse semblent être plus fréquentes au premier trimestre et celles de la maladie de Crohn au troisième trimestre (voir le chapitre 28. *Maladies inflammatoires de l'intestin*)[1].

Effets de la diarrhée sur la grossesse

Les épisodes de diarrhée sont habituellement légers ou modérés et répondent au traitement de soutien rapidement; ainsi, leurs effets sur la grossesse sont négligeables bien que cela puisse déranger et diminuer la capacité à accomplir les activités quotidiennes[4, 11]. Rarement, la diarrhée peut aussi être un signe de travail préterme, surtout si elle s'accompagne de pertes vaginales[8, 11]. Dans ce cas, la diarrhée serait causée par la relaxine, une hormone produite par le placenta qui semblerait être reliée au travail préterme[8, 11, 12]. Il est donc important que la cause de la diarrhée soit identifiée chez la femme enceinte[11].

Une diarrhée non traitée ou chronique amène un risque de déshydratation qui peut entraîner des désordres électrolytiques et d'autres conséquences telles qu'une hypovolémie pouvant nuire à la perfusion placentaire ainsi que le déclenchement d'un travail préterme[1, 4, 10, 13].

Une infection systémique à *Salmonella*, une des causes de diarrhée, peut aussi être la cause d'une infection intra-utérine[1].

De plus, la diarrhée peut s'accompagner d'hémorroïdes qui sont d'autant plus fréquentes lors de la grossesse (voir chapitre 26. *Constipation et hémorroïdes*)[4].

On parle d'une diarrhée aiguë si celle-ci dure moins de 14 jours. Une telle diarrhée est souvent causée par des agents infectieux, des médicaments ou encore une intoxication alimentaire[4]. La diarrhée est dite chronique si elle dure 14 jours et plus, ou si plusieurs épisodes de diarrhée aiguë se produisent[4]. Les principales causes de la diarrhée chronique sont les problèmes inflammatoires, comme par exemple la colite ulcéreuse[4]. À long terme, ce qui nous inquiète est le risque de déshydratation.

Outils d'évaluation

Les symptômes de la diarrhée ne sont pas spécifiques à la femme enceinte. Ainsi, une évaluation de routine de la diarrhée devrait être effectuée et devrait inclure la détection de la cause, tel que mentionné précédemment[7].

Puisque la plupart des épisodes de diarrhée sont légers et temporaires, une évaluation intensive n'est généralement pas nécessaire[6]. Toutefois, elle est requise si la diarrhée est profuse et risque de mener à la déshydratation ou s'il y a présence de fièvre de plus de 38,3°C ou de sang, ou si il n'y a pas d'amélioration après 48 heures[6]. Dans ces situations, certaines analyses peuvent être faites à partir d'échantillons de selles: cultures bactériennes, analyse pour œufs et parasites, examen histologique pour leucocytes fécaux, recherche de la toxine du *Clostridium difficile*[1]. Si la diarrhée se prolonge et ne répond pas aux traitements habituels, une sigmoïdoscopie flexible, bien que rarement nécessaire, peut être effectuée afin d'exclure la possibilité de maladies inflammatoires de l'intestin, de maladie coeliaque et d'autres formes de colites[1, 11, 14]. La sigmoïdoscopie flexible chez la femme enceinte a été étudiée et est considérée sécuritaire[1, 14].

Étant donné le risque possible de déshydratation liée à la diarrhée et des complications qu'elle peut entraîner, il faut que les professionnels de la santé soient capables de détecter les signes physiques qui l'accompagnent[11]. Il peut être nécessaire de faire un monitorage étroit du bien-être du fœtus (tachycardie fœtale et examen de réactivé fœtale) et de surveiller la présence de signes et symptômes indiquant un début de travail préterme[11].

Traitements antidiarrhéiques recommandés pendant la grossesse et l'allaitement

Il est important d'établir la cause de la diarrhée et de la corriger si cela est possible[11]. Habituellement, la diarrhée devrait répondre à un traitement de soutien en 24 à 96 heures[11]. Si la diarrhée persiste, la patiente devrait être référée à un médecin pour une investigation plus poussée[11].

Mesures non pharmacologiques

La première étape consiste à utiliser les mesures non pharmacologiques. Il est primordial de prévenir la déshydratation afin de maintenir l'équilibre hydro-électrolytique[4, 11]. Ceci peut se faire en conseillant à la patiente l'utilisation de solutions de réhydratation (commerciales ou recettes maison) dès l'apparition de selles molles et plus fréquentes[13]. L'utilisation de jus de fruits ou de thé sucré ne devrait pas être recommandée à cause de la teneur élevée en glucides[4]. Une réhydratation orale adéquate suffit à traiter la plupart des patientes et à prévenir les complications de la diarrhée[4]. Ensuite, un traitement pharmacologique de courte durée peut être établi (tableau I). Les données d'innocuité sur les antidiarrhéiques pendant la grossesse sont présentées au tableau II, et celles pendant l'allaitement au tableau III.

TABLEAU I – TRAITEMENTS DE LA DIARRHÉE RECOMMANDÉS PENDANT LA GROSSESSE ET L'ALLAITEMENT			
Ligne thérapeutique	Médicament	Posologie	Suivi et commentaires
Traitement antidiarrhéique (diarrhée non spécifique)			
1er recours	Attapulgite (silicate d'aluminium et magnésium)	1200-1500 mg au début puis 1200-1500 mg après chaque selle liquide (maximum 8400 mg/jour)[4].	Bien toléré[4]. Utile dans le traitement de la diarrhée légère à modérée[4, 13]. Donne une certaine consistance aux selles, mais ne corrige pas la perte liquidienne et électrolytique[13]. Suivi de l'amélioration après 24-48 h. Ne pas utiliser plus de 2 jours sans supervision médicale[4].
	Psyllium	Doses variables selon les différentes formulations. Se référer à la posologie indiquée par le fabricant. Mélanger à un peu de liquide 1 à 3 fois par jour.	Utilisé pour sa capacité à absorber l'eau[7]. Séparer au moins 2 h de tous les autres médicaments[4].
2e recours	Lopéramide	4 mg par voie orale au début, puis 2 mg par voie orale après chaque selle liquide (maximum 16 mg par jour)[4].	Cesser l'utilisation si les symptômes persistent plus de 48 heures et si fièvre, sang ou pus dans les selles[4]. Parfois utile pour traiter la diarrhée du voyageur lorsque celle-ci est « légère » (absence de sang ou de pus dans les selles et absence de fièvre) et non pour sa prévention[3, 4].
Traitement antibiotique en cas de diarrhée infectieuse (ou diarrhée du voyageur)			
Une revue des parasitoses intestinales lors de la grossesse à été effectuée en 1985 et concluait que l'on ne devrait traiter la femme enceinte que si le parasite occasionne un problème clinique ou un problème de santé publique[15].			
Traitement empirique de la diarrhée du voyageur Le choix de l'antibiothérapie devrait se faire en tenant compte de la destination, du risque de résistance ainsi que du trimestre de la grossesse.	Azithromycine[3, 9, 10]	1000 mg par voie orale en une seule dose[3, 9]. 500 mg par voie orale 1 fois par jour pendant 3 jours[3, 9, 16].	Données limitées pendant la grossesse[9]. Davantage de données à partir du 2e trimestre. (Voir chapitre 20. Anti-infectieux). Bon choix si voyage en certaines régions l'Asie du Sud-Est (Thaïlande)[9, 10, 13].
	Céfixime[9, 10]	400 mg par voie orale en une seule dose[9].	Solution de rechange si les macrolides sont contre-indiqués[9]. Déconseillé pour le traitement de la shigellose chez l'adulte[9].

Données sur l'innocuité des médicaments utilisés pour traiter la diarrhée au cours de la grossesse

Les données d'innocuité des antibiotiques sont présentées dans le chapitre 20. *Anti-infectieux* et celles des vaccins dans le chapitre 21. *Immunisation*. Se référer au chapitre 26. *Constipation et hémorroïdes* pour les données concernant le psyllium.

TABLEAU II: DONNÉES SUR L'INNOCUITÉ DES MÉDICAMENTS UTILISÉS POUR TRAITER LA DIARRHÉE AU COURS DE LA GROSSESSE		
Médicament	**Données durant la grossesse**	**Recommandations, commentaires**
Antidiarrhéiques		
Attapulgite (silicate de magnésium-aluminium)	• S'apparente au kaolin. • Absorption orale nulle et aucun effet systémique connu[7, 15]. • Aucune donnée chez l'humain n'est disponible[7, 15, 17].	Recommandé pour une utilisation occasionnelle puisque son absorption est nulle.
Chlorhydrate de diphénoxylate et sulfate d'atropine	• N'est pas tératogène chez l'animal[15, 17]. • Diminution de la fertilité et retard de croissance chez des rats femelles traitées à des doses supérieures à celles utilisées chez l'humain[7, 17]. • Poids moléculaire du métabolite actif, le difénoxine (461 Da), est assez faible pour pouvoir traverser le placenta, même si aucune donnée n'est disponible dans la littérature médicale à ce sujet[15]. • La biodisponibilité orale est de 90%[18]. • Dans une étude, 7 femmes exposées après le 1er trimestre ont donné naissance à des enfants sans malformations[15]. • Dans une étude de surveillance, 179 enfants ont été exposés au diphénoxylate (probablement combiné avec atropine) durant le 1er trimestre. Neuf malformations (pas de patron d'anomalie) majeures ont été observées, toutefois aucune association entre ces malformations et le diphénoxylate n'a été mise en évidence[15].	N'est pas recommandé étant donné son absorption importante.
Lopéramide	• Absorption orale très faible (environ 0,3%)[13, 15, 19]. • Dans une étude de surveillance, 108 nouveau-nés ont été exposés au lopéramide durant le 1er trimestre de la grossesse. Six malformations majeures ont été observées dont 3 problèmes cardio-vasculaires. Ce nombre de problèmes cardio-vasculaires suggère une association possible, mais d'autres facteurs peuvent aussi être impliqués (affections sous-jacentes, médication concomitante)[13, 15].	Peut être utilisé de façon occasionnelle et pour une courte période. Traitement efficace pour lequel on a une bonne expérience clinique.

Médicament	Données durant la grossesse	Recommandations, commentaires
	• Une autre étude (prospective-contrôlée) a été effectuée sur 105 femmes (89 au 1er trimestre). Pour aucun des points analysés (augmentation du risque de malformations majeures, taux de malformations mineures, taux d'avortements spontanés, taux de naissances prématurées), on n'a pas noté de différence statistiquement significative par rapport au groupe témoin n'ayant pas pris de lopéramide[19].	
Salicylate de bismuth	• Faiblement absorbé[13, 15, 20]. • Fraction absorbée du bismuth se concentrerait au niveau placentaire pour se lier aux tissus fœtaux[13]. • Pas de notification de toxicité fœtale avec les formes commercialisées de subsalicylate de bismuth[15]. • Quinze expositions durant le 1er trimestre à des sels de bismuth (mais pas au subsalicylate) n'ont pas démontré d'association avec la survenue de malformations congénitales[15]. • L'absorption de salicylates est possible[6, 7, 15] (voir chapitre 33. *Migraines et douleurs*).	La partie bismuth ne représenterait que peu de risques étant donné la faible absorption. Puisqu'il est possible que le salicylate puisse être absorbé, il n'est pas recommandé d'utiliser le subsalicylate de bismuth durant la grossesse (voir chapitre 33. *Migraines et douleurs*).
Probiotiques		
Lactobacillus acidophilus[11]	• Faiblement absorbé. • Deux études de surveillance ont démontré que le taux de malformations congénitales n'était pas augmenté chez les enfants de 127 femmes ayant utilisé du *Lactobacillus acidophilus* pendant le 1er trimestre de leur grossesse[22, 23].	Favoriser les sources alimentaires (ex : yogourt). En raison de l'absence de réglementation actuelle, il est recommandé de choisir des produits dont les normes de fabrication ont été validées par Santé Canada.

Données sur l'innocuité des médicaments utilisés pour traiter la diarrhée au cours de l'allaitement

Se référer au chapitre 26. *Constipation et hémorroïdes* pour les données concernant le psyllium.

TABLEAU III: DONNÉES SUR L'INNOCUITÉ DES MÉDICAMENTS UTILISÉS POUR TRAITER LA DIARRHÉE AU COURS DE L'ALLAITEMENT

Médicament	Données durant l'allaitement	Recommandations, commentaires
Antidiarrhéiques		
Attapulgite (silicate de magnésium-aluminium)	• S'apparente au kaolin. • Absorption orale nulle[15]. • Données non disponibles sur le passage dans le lait maternel[17].	Utilisation possible en raison de l'absorption négligeable.
Chlorhydrate de diphénoxylate et sulfate d'atropine	• Passage dans le lait maternel [1, 7, 17, 24]. • Sulfate d'atropine pourrait inhiber la lactation[7, 17].	N'est pas recommandé en raison des risques potentiels pour l'enfant[17].
Lopéramide	• Absorption orale négligeable (0,3 %)[18]. • Six femmes (immédiatement *post—*) ont reçu 2 doses de 4 mg (intervalle de 12 heures entre chaque dose), d'oxyde de lopéramide, une pro-drogue du lopéramide : un enfant allaité exclusive-ment recevrait 0,03 % de la dose maternelle[15, 18, 20].	En raison de son absorption orale faible, une utilisation de courte durée est compatible avec l'allaitement.
Salicylate de bismuth	• Une faible quantité de bismuth est absorbée oralement[15, 20]. • Toutefois, les salicylates sont excrétés dans le lait maternel et pourraient être absorbés (voir chapitre 33. *Migraines et douleurs*)[20]. • Absorption de salicylates chez les nouveau-nés associée à une augmentation du risque de syndrome de Reye. Ce problème n'a toutefois jamais été rapporté à la suite de l'utilisation de salicylate de bismuth[18].	L'utilisation de salicylate de bismuth n'est pas recommandée durant l'allaitement.

Références

1. BONAPACE ES, FISHER RS. Constipation and Diarrhea in pregnancy. *Gastroenterol Clin N Am* 1998;27(1):197-211.
2. SPRUILL WJ, WADE WE. Diarrhea, constipation and irritable bowel syndrome. In: Dipiro JT, Talbert RL, Yee GC, Matzke GR, Wells BG, Posey LM. *Pharmacotherapy: a pathophysiologic approach.* 6th ed. Toronto: McGraw-Hill Medical Publishing Division; 2005. P.677-684.
3. YATES J. Traveler's Diarrhea. *Am Fam Physician* 2005; 71 (11): 2095-2100.

4. MAKE THERAPEUTIC CHOICES. 1st ed. Ottawa: Canadian Pharmacists Association; 2002. P.238-49.

5. ODELL LJ, LARSON TA. *Gastrointestinal Infections and Enterotoxigenic Poisonings*. In: Dipiro JT, Talbert RL, Yee GC, Matzke GR, Wells BG, Posey LM. *Pharmacotherapy: A Pathophysiologic Approach*. 4th ed. New york: Mcgraw-Hill Companies Inc; 1999. P.1737-52.

6. WALD A. Constipation, diarrhea, and symptomatic hemorrhoids during pregnancy. *Gastroenterol Clin N Am* 2003; 32:309-22.

7. BARON TH, RAMIREZ B, RICHTER JE. Gastrointestinal motility disorders during pregnancy. *Ann Intern Med* 1993; 118: 366-75.

8. FARMER PS. *Gastrointestinal Products*. In: Nonprescription Drug Reference for Health Professionals. 1st ed. Ottawa: Association des pharmaciens du Canada; 1996. P.297-301.

9. SANTÉ CANADA. *Relevé des maladies transmissibles au canada - déclaration sur la diarrhée du voyageurs*. Ministre de la Santé; 2001 p.1-12.

10. CENTERS FOR DISEASE CONTROL AND INFECTION. Chapter 9 - Advising Travelers With Specific Needs. Preconceptional Planning, Pregnancy and Travel. Traveler's Health: Yellow Book. Health Information for International Travel, 2005-2006. Disponible sur: Http://www2.ncid.cdc.gov/travel/yb/utils/ybget.asp?section=special&obj=pregnant.htm (consulté le 10 octobre 2006).

11. WEST L, WARREN J, CUTTS T. Diagnosis and Management of Irritable Bowel Syndrome, Constipation, and Diarrhea in Pregnancy. *Gastroenterol Clin N Am* 1992; 21 (4):793-802.

12. WEISS G, GOLSMITH LT. Mechanisms of Relaxin-Mediated Premature Birth. *Ann N Y Acad Sci* 2005; 1041: 345-50..

13. PELLERIN A, MORNEAU G. *La trousse de voyage pour la femme enceinte*. Québec Pharmacie 2002; 49 (5): 375-80.

14. RUBIN PH, JANOWITZ HD. *Digestive Tract Disorder*. In: Cherry and Merkatz's Complication of Pregnancy. 5th ed. Philadelphie: w.r. Cohen. Lippincott Williams & Wilkins; 2000. P.305-17.

15. BRIGGS GG, FREEMAN RK, SUMMER JY. *Drugs in Pregnancy and Lactation: A Reference Guide to Fetal and Neonatal Risks*. 7th ed. Philadelphie, ML: Williams & Wilkins; 2005: 163-4, 496, 875, 936.

16. JUCKETT G. Prevention and Treatment of Traveler's Diarrhea. *Am Fam Physician* 1999; 60 (1): 119-36.

17. LEWIS JH, WEINGOLD AB and the Committee on FDA-Related Matters, American College of Gastroenterology. The Use of Gastrointestinal Drugs During Pregnancy and Lactation. *Am J Gastroenterol* 1985; 80(11): 912-23.

18. HALE T. *Medication and Mothers' Milk*. 12th ed. Amarillo, Tx: Pharmasoft Medical Publishing; 2006.

19. EINARSON A, MASTROIACOVO P, ARNON J, et al. Prospective, Controlled, Multicentre Study of Loperamide in Pregnancy. *Can J Gastroenterol* 2000; 14(3): 185-87.

20. HAGEMANN TM. Gastrointestinal Medications and Breastfeeding. *J Hum Lact* 1998; 14 (3): 259-262.

21. DE SCHUITENEER B, DE CONINCK B. *Médicaments et allaitement: guide de prescription des médicaments en période d'allaitement*. 1ère éd: bruxelles: Arnette Blackwell;1996. P 139-147.

22. JICK H, HOLMES LB, HUNTER JR, et al. First-trimester Drug Use and Congenital Disorders. *JAMA* 1981; 246: 343-6.

23. ASELTON P, JICK H, MILLINSKY A, et al. First-trimester Drug Use and Congenital Disorders. *Obstet Gynecol* 1985; 65 (4): 451-5.

24. ASSOCIATION DES PHARMACIENS DU CANADA. *Compendium des produits et spécialités pharmaceutiques*. Édition 2006. Ottawa: association des pharmaciens du Canada; 2006. P. 1348.

Chapitre 28

Maladies inflammatoires de l'intestin

■

Marie-Sophie BROCHET
Sophie DOYON
Ema FERREIRA

Les maladies inflammatoires de l'intestin (MII) regroupent deux pathologies chroniques distinctes, soit la colite ulcéreuse et la maladie de Crohn .

Généralités

Définition

Colite ulcéreuse

La colite ulcéreuse est une maladie impliquant la couche superficielle de la muqueuse au niveau rectal et progressant, de façon proximale et continue, impliquant parfois le côlon entier. Le reste du tractus gastro-intestinal est habituellement épargné. Les symptômes usuels sont de la diarrhée, des rectorragies et des douleurs abdominales légères[1].

Maladie de Crohn

La maladie de Crohn correspond à une atteinte inflammatoire granulomateuse transmurale qui peut toucher de façon intermittente tout le tractus gastro-intestinal, principalement l'iléon distal et le côlon proximal. La diarrhée et les saignements peuvent être présents mais les douleurs abdominales, la fièvre et les déficits nutritionnels correspondent aux signes et symptômes d'une phase active de la maladie[1].

Épidémiologie

Les maladies inflammatoires de l'intestin touchent autant les hommes que les femmes et se manifestent entre l'âge de 20 et 50 ans[1]. La maladie de Crohn présente un pic de survenue entre 15 et 30 ans, soit à l'âge de concevoir[1]. L'incidence de la maladie de Crohn est de 1 à 6 par 100 000 habitants avec une tendance actuelle à l'augmentation à travers le monde[2]. L'âge moyen au moment du diagnostic de la colite ulcéreuse est de 10 ans supérieur à celui de la maladie de Crohn[2]. L'incidence de la colite ulcéreuse est de 2 à 15 par 100 000 habitants[2]. Elle est plus élevée que celle de la maladie de Crohn, mais elle a tendance à demeurer stable[2].

Étiologie

L'étiologie des maladies inflammatoires de l'intestin demeure nébuleuse et semble multifactorielle. Des facteurs environnementaux, immunologiques, infectieux et génétiques peuvent être impliqués[1].

Facteurs de risque

Le principal facteur de risque imputable aux maladies inflammatoires de l'intestin est l'histoire familiale[1]. Une prédisposition génétique longtemps suspectée dans l'apparition de la maladie de Crohn semble maintenant confirmée avec la découverte de mutations du gène Nod2 sur le chromosome 16[3]. Le risque de développer une maladie inflammatoire de l'intestin si un parent du premier degré est atteint est de 5,2 % pour la maladie de Crohn et de 1,6 % pour la colite ulcéreuse[4]. Il existe également un risque plus élevé d'apparition ou de rechute de maladie de Crohn chez les fumeurs actifs[5].

Effets de la grossesse sur les maladies inflammatoires de l'intestin

Le diagnostic de la maladie précède généralement la grossesse. La grossesse n'est pas contre-indiquée chez ces patientes, mais on leur conseille d'attendre une phase de rémission pour concevoir (6 à 12 mois empiriquement, le plus longtemps possible étant le mieux). En effet, le nombre d'exacerbations des maladies inflammatoires de l'intestin ne semble pas être influencé par la grossesse et le *post-partum*[6]. Deux-tiers des femmes demeureront en rémission de leur maladie tout au long de leur grossesse[1, 7]. Toutefois, si la conception a lieu lors d'une phase active de la maladie, celle-ci semble plus difficile à maîtriser tout au long de la grossesse car elle demeure active dans 60 à 70 % des cas[1, 7]. La planification d'une grossesse devrait donc se faire lors des épisodes de rémission. De plus, il est important de maintenir la rémission durant la grossesse, car les exacerbations peuvent être plus néfastes pour la grossesse et le fœtus que les effets du traitement pharmacologique[8, 9]. Lors de la planification de la grossesse, il faut discuter avec la patiente des risques associés aux rechutes pendant la grossesse et des options thérapeutiques qui s'offrent à elle[9].

Effets des maladies inflammatoires de l'intestin sur la grossesse

Les études épidémiologiques n'ont pas montré que les complications fœtales augmentaient chez les patientes enceintes présentant une maladie inflammatoire intestinale en rémission, par rapport à la population générale[8, 10]. L'incidence des malformations majeures demeure inchangée sans égard à l'évolution de la maladie[7]. L'incidence des avortements spontanés, de la prématurité, de la mortinaissance et des décès néonatals sont équivalents à ceux de la population générale lorsque les maladies inflammatoires de l'intestin sont en rémission[5, 11, 12]. Une étude a observé une corrélation entre la longueur de la résection intestinale ou le fait que la maladie soit en phase active lors de la conception et une augmentation du risque d'avortement spontané chez les patientes atteintes de maladie de Crohn, comparé à des patientes souffrant de colite ulcéreuse[13].

Effets à long terme

Les effets indésirables occasionnés chez la mère par les maladies inflammatoires de l'intestin ne touchent pas que le système intestinal ; ils peuvent avoir un impact psychologique important sur la personne atteinte. En effet, cette maladie peut limiter la patiente dans ses activités professionnelles, familiales, sociales et sexuelles. La maladie et les diverses interventions pharmacologiques et chirurgicales qu'elle occasionne peuvent également être associées à de l'anxiété, de la dépression et à une faible estime de soi[1].

Outils d'évaluation

Les dosages biologiques et autres examens cliniques

Les changements normaux occasionnés par la grossesse peuvent se confondre avec le diagnostic des maladies inflammatoires de l'intestin[1]. On ne sera pas surpris d'observer une diminution des niveaux d'hémoglobine et d'albumine ainsi qu'une augmentation du temps de sédimentation et de la phosphatase alcaline[1]. Ainsi, le diagnostic des maladies inflammatoires de l'intestin doit se baser sur l'anamnèse et, si nécessaire, sur les découvertes radiologiques, endoscopiques et histo-pathologiques[1]. Bien que la nécessité des examens plus effractifs doit être examinée avec le risque qu'ils occasionnent durant la grossesse, les endoscopies et les biopsies sont généralement possibles si elles sont clairement indiquées[9, 14].

Les signes et symptômes

La maladie de Crohn et la colite ulcéreuse partagent des symptômes similaires tels que les diarrhées fréquentes, les douleurs abdominales et la perte de poids[1]. De plus, les patientes atteintes de maladie de Crohn peuvent présenter des obstructions intestinales, des ulcérations, des fistules, des masses abdominales et des abcès[1]. Des atteintes périnéales, incluant des fissures anales, des abcès et des fistules, peuvent également survenir[1]. Vingt pour cent des patients atteints de la maladie de Crohn souffrent également d'atteintes extra-intestinales auto-immunitaires tels que l'érythème noueux, la spondylarthropathie séronégative, la pyodermite gangréneuse et des atteintes conjonctivales[1, 5]. Le diagnostic est plus laborieux que la colite ulcéreuse[1].

Traitements recommandés

Objectifs visés

Le but de la thérapie est de contrôler les symptômes, de réduire les complications, d'éviter une toxicité reliée au traitement et d'améliorer la qualité de vie[1]. On recommande à la femme enceinte de continuer son traitement si le profil d'innocuité de celui-ci le permet afin de maintenir la patiente en phase de rémission[1]. Tout traitement permettant de réduire les symptômes reliés à la maladie ne doit pas être reporté[1]. Une observation obstétricale étroite est également recommandée, principalement vers le troisième trimestre, car ces patientes sont plus à risque de complications (voir *Effets des maladies inflammatoires de l'intestin sur la grossesse*)[1].

Traitements

Le traitement de premier recours pour une femme atteinte d'une maladie inflammatoire intestinale qui planifie une grossesse est celui qui lui permet de maintenir la rémission, tout en minimisant la toxicité pour elle-même et pour son fœtus[8, 9].

Traitements pharmacologiques

MALADIE DE CROHN

L'acide 5-aminosalicylique (5-ASA) (mésalamine, olsalazine) et la sulfasalazine sont les traitements de première et de deuxième intentions pour l'induction et le maintien de la rémission. Les agents de troisième recours sont l'azathioprine (AZA) et la mercaptopurine (6-MP). Chez les patientes ne répondant pas au 5-ASA ou à la sulfasalazine, le métronidazole est aussi une option de traitement efficace. La ciprofloxacine n'est cependant pas une option durant la grossesse. On administre des corticostéroïdes par voie systémique pendant la phase inflammatoire active. Les données sur l'utilisation des agents biologiques (ex. : infliximab) durant la grossesse sont limitées et leur utilisation ne devrait être envisagée que si les autres options plus documentées ne suffisent pas à maîtriser la maladie[5, 9]. Le tableau I présente le traitement de la maladie de Crohn.

COLITE ULCÉREUSE

Le traitement de la colite ulcéreuse varie selon la région affectée et la sévérité de la maladie. Le tableau II présente le traitement de la colite légère à modérée. Les cas plus graves nécessitent souvent des traitements par voie parentérale tels que les corticostéroïdes et la cyclosporine[8, 15].

Chirurgie

La chirurgie pour une MII en phase active durant le premier trimestre est associée à une augmentation du taux d'avortements spontanés. Toutefois, la mortalité fœtale et maternelle associée à un abcès non traité ou à une perforation de l'intestin est élevée. Chez les femmes qui ont des symptômes graves, la grossesse ne devrait pas être une raison pour reporter la chirurgie si elle est jugée nécessaire[1, 14].

TABLEAU I – TRAITEMENT PHARMACOLOGIQUE RECOMMANDÉ POUR LA MALADIE DE CROHN DURANT LA GROSSESSE ET L'ALLAITEMENT			
Ligne thérapeutique	**Médicament**	**Posologie**	**Recommandations, commentaires**
Premier recours	5-aminosalicylique (5-ASA) (mésalamine, olsalazine)	Les doses varient selon la formulation (dose maximale de 4,8 g par jour divisée en 2 à 4 prises).	L'olsalazine peut causer de la diarrhée chez 15 à 25 % des patients et n'est pas le dérivé de 5-ASA de premier recours dans le traitement de la maladie de Crohn[16].
Deuxième recours	Sulfasalazine	Dose initiale : 500 mg par voie orale 2 fois par jour (augmenter jusqu'à un maximum de 4 g divisée en 2 à 4 prises par jour).	La réponse thérapeutique peut prendre jusqu'à 2 à 3 semaines[16]. Des doses allant jusqu'à 8 g par jour peuvent être utilisées, toutefois le taux de réponse n'est pas meilleur qu'avec 4 g et les effets secondaires sont plus fréquents[16]. Contre-indiqué chez les patientes allergiques aux sulfamides. Ajouter de l'acide folique 2 mg par jour pendant une période allant d'avant la conception à la fin du premier trimestre[8, 10].
Troisième recours	Azathioprine (AZA)	2,5 mg par kg par jour par voie orale 1 fois par jour.	La réponse thérapeutique peut prendre jusqu'à 16 semaines[17]. Si une femme est stabilisée avec une thiopurine, le traitement peut être poursuivi. Si possible, diminuer la dose d'AZA à moins de 2 mg/kg/jour au troisième trimestre et effectuer chez le nouveau-né une formule sanguine complète après l'accouchement afin d'éliminer des cytopénies[8, 18, 19].
	6-mercaptopurine (6-MP)	1,5 mg par kg par jour par voie orale 1 fois par jour.	
	Prednisone	40 à 60 mg par voie orale une fois par jour.	Utilisée comme traitement d'appoint dans les cas modérés à graves. Aussi efficace que la sulfasalazine, mais la réponse thérapeutique peut être plus rapide. Lors de la rémission, il est recommandé de sevrer graduellement de la prednisone[16].
	Métronidazole	Par voie orale jusqu'à un maximum de 20 mg par kg par jour.	Utilisé en association avec le 5-ASA et la sulfasalazine ou la prednisone quand ces derniers ne sont pas suffisants. Surtout efficace chez les patientes avec une atteinte du côlon ou périnéale[16].

TABLEAU II – TRAITEMENT PHARMACOLOGIQUE RECOMMANDÉ POUR LA COLITE ULCÉREUSE DURANT LA GROSSESSE ET L'ALLAITEMENT			
Ligne thérapeutique	Médicament	Posologie	Recommandations, commentaires
Colites			
Premier recours	5-aminosalicylique (5-ASA) (mésalamine, olsalazine)	Les doses varient selon la formulation (dose maximale de 4,8 g par jour divisée en 2 à 4 prises).	L'olsalazine peut causer de la diarrhée chez 15 à 25 % des patients et n'est pas le dérivé de 5-ASA de premier recours dans le traitement de la colite ulcéreuse[16].
Deuxième recours	Sulfasalazine	Dose initiale : 500 mg par voie orale 2 fois par jour (augmenter jusqu'à un maximum de 4 g divisée en 2 à 4 prises par jour).	La réponse thérapeutique peut prendre jusqu'à 2 à 3 semaines[16]. Des doses allant jusqu'à 8 g par jour peuvent être utilisées ; toutefois, le taux de réponse n'est pas meilleur qu'avec 4 g et les effets secondaires sont plus fréquents[16]. Contre-indiqué chez les patientes allergiques aux sulfamides. Ajouter de l'acide folique 2 mg par jour pendant une période allant d'avant la conception à la fin du premier trimestre[8, 10].
Troisième recours	Prednisone	40 à 60 mg par voie orale une fois par jour.	Utilisée comme traitement d'appoint dans les cas modérés à graves. Aussi efficace que la sulfasalazine, mais la réponse thérapeutique peut être plus rapide. Lors de la rémission, il est recommandé de sevrer graduellement la prednisone[16].
Proctite			
Premier recours	Lavement de 5-ASA	2 à 4 g par voie intra-rectale au coucher.	
	Lavement de corticostéroïdes	Les doses varient selon l'agent utilisé.	L'utilisation du lavement de corticostéroïdes permet souvent de réduire la dose de prednisone par voie orale.
Deuxième recours	Prednisone	40 à 60 mg par voie orale une fois par jour.	Utilisée comme traitement d'appoint dans les cas modérés à graves. Lors de la rémission, il est recommandé de sevrer graduellement de la prednisone[16].

TABLEAU III – DONNÉES D'INNOCUITÉ DES TRAITEMENTS DE LA MALADIE DE CROHN ET DE LA COLITE ULCÉREUSE DURANT LA GROSSESSE		
Médicament	**Données au cours de la grossesse**	**Recommandations, commentaires**
Acide 5-amino salicylique (5-ASA) (mésalamine, olsalazine)	• La biodisponibilité du 5-ASA varie selon les préparations offertes. Elle est de 20 à 30 % pour les comprimés, de 15 à 40 % pour les suppositoires et faible pour les suspensions rectales[20]. • Études animales : pas d'effet tératogène lorsque le 5-ASA est administré à des doses supérieures à celles recommandées chez l'humain[21]. • Plus de 450 cas d'expositions au premier trimestre ont été répertoriés dans des séries de cas et des études de cohorte sans aucune preuve d'augmentation du risque de malformations majeures de base à des doses allant jusqu'à 4 g par jour[22-29]. • Les données de deux études suggèrent toutefois une augmentation du taux de naissance préterme, une diminution du gain de poids maternel pendant la grossesse et une réduction du poids de naissance des nouveau-nés[28, 29]. Un contrôle non optimal de la maladie pourrait expliquer ces résultats[28, 29]. • Un cas isolé d'insuffisance rénale a été rapporté chez un bébé dont la mère avait été traitée avec le 5-ASA (4 g/jour) entre le troisième et le cinquième mois de grossesse[30].	Malgré un nombre limité d'expositions connues, l'absence d'effet tératogène chez les animaux et la faible absorption systémique nous rassurent quant à l'usage du 5-ASA pendant la grossesse. Les femmes planifiant une grossesse devraient poursuivre le traitement au 5-ASA afin de maintenir la rémission, et ce, aux doses recommandées pour la population générale[22-29]. Traitement de premier recours.
Sulfasalazine	• La sulfasalazine est métabolisée en 5-ASA, molécule active, et en sulfapyridine, molécule porteuse, par des aminoréductases bactériennes[20]. • L'absorption orale de la sulfasalazine est de 10 à 15 %[20]. • Études animales : pas d'effet tératogène lorsque la sulfasalazine est administrée à des doses supérieures à celles recommandées chez l'humain[21]. • Plus de 300 cas d'expositions pendant la grossesse ont été répertoriés dans des études de cohorte sans aucune preuve d'augmentation du risque de malformations majeures de base[13, 31, 32]. • Dans une étude cas-témoins, un lien a été observé entre la prise des inhibiteurs de la dihydrofolate réductase et une augmentation du risque de malformations cardiaques et de fentes labio-palatines chez le fœtus. Ce lien n'a toutefois pas été observé chez les femmes recevant une multivitamine contenant de l'acide folique[33].	Malgré un nombre limité d'expositions connues, les données sur la sulfasalazine sont rassurantes. L'utilisation de la 5-ASA seul est toutefois à privilégier. Certains auteurs recommandent un supplément d'acide folique de 2 mg par jour chez toutes les femmes traitées à la sulfasalazine pendant une période allant d'avant la conception à la fin du premier trimestre[8, 10].

Médicament	Données au cours de la grossesse	Recommandations, commentaires
	• Il existe un risque théorique de kernictère avec l'administration de sulfamidés en fin de grossesse, ceux-ci pouvant déplacer la bilirubine de ses sites de liaison à l'albumine[21]. Aucun cas n'a toutefois été associé à la prise de sulfasalazine, même lorsqu'elle a été administrée jusqu'à l'accouchement[21].	
Azathioprine (AZA)	• L'AZA est rapidement métabolisée à plus de 80% en 6-MP[34]. • L'absorption orale de l'AZA est de 50%[20]. • Des études animales ont révélé des malformations (fissures palatines, anomalies du squelette et des membres, anomalies oculaires), des retards de croissance et une augmentation des pertes fœtales lorsque l'AZA est administrée à des doses similaires ou supérieures à celles recommandées chez l'humain[17]. • Le plus grand nombre d'expériences cliniques avec l'utilisation d'azathioprine pendant la grossesse sont tirées du registre des transplantations[17]. C'est non seulement la prise de médicaments , mais bien l'état de santé de ces patientes qui influence le cours de la grossesse[17]. • Jusqu'à ce jour, près de 1 000 cas d'exposition pendant la grossesse ont été répertoriés dans des compilations de notifications de cas, des séries de cas cliniques et une étude de cohorte sans preuve d'augmentation du risque de malformations majeures de base[17, 21, 35, 36]. Les données suggèrent toutefois une augmentation du taux de naissance préterme et de retard de croissance intra-utérine[17-19]. • Des anomalies chromosomiques ont été identifiées chez les enfants exposés *in utero*. Le plus souvent, ces anomalies ont été transitoires et sans consé-quences cliniques apparentes. Elles peuvent toute-fois persister dans certains tissus qui ne sont pas régénérés, comme les cellules souches[18, 21]. • Complications néonatales ayant été signalées : lymphopénie, pancytopénie et anémie hémolytique[17]. Ces effets indésirables semblent liés à la dose reçue et ont été le plus souvent observés lors de l'admi-nistration d'un traitement en association avec d'autres agents.	S'il s'agit du seul traitement efficace, l'AZA ne doit pas être interrompue afin de maintenir la patiente en phase de rémission pendant la grossesse. Si l'on veut amorcer un traitement pharmacologique pendant la grossesse, on devrait privilégier les aminosalicylés comme traitement de premier recours. Au troisième trimestre, il est recom-mandé de diminuer, si possible, la dose d'AZA à moins de 2 mg/kg/jour afin de réduire les risques d'immunosuppression chez le nouveau-né[8, 18]. Après l'accou-chement, il est recommandé d'effectuer chez le nouveau-né une formule sanguine complète afin d'éliminer des cytopénies[8, 18, 19]. Malgré les inquiétudes subsistant au sujet de l'utilisation des thiopurines durant la grossesse, on dispose d'une certaine expérience clinique justifiant leur utilisation lorsque jugé nécessaire.

Médicament	Données au cours de la grossesse	Recommandations, commentaires
6-mercaptopurine (6-MP)	• Le 6-MP est le métabolite de l'azathioprine[34]. Il est transformé au niveau intracellulaire en 6-methylmercaptopurine, en 6-thioguanine, en 6-methylmercaptopurine nucléoside et en 6-thioguanine nucléoside[34]. • Une déficience en thiopurine méthyltransférase peut conduire à une augmentation significative de 6-thioguanine nucléosides se traduisant par une immunosuppression profonde[34]. • L'absorption orale du 6-MP est inférieure à 20 %[20]. • Études animales : des malformations (fissures palatines, anomalies du squelette et des membres, anomalies oculaires), des retards de croissance et une augmentation des pertes fœtales ont été notées lorsque le 6-MP est administré à des doses similaires ou supérieures à celles recommandées chez l'humain[17]. • Le plus grand nombre d'expériences cliniques avec l'utilisation du 6-MP pendant la grossesse sont tirées de notifications de cas publiés sur son utilisation en oncologie[17]. • C'est non seulement la prise de médicaments, mais bien l'état de santé de ces patientes qui influence le cours de la grossesse[17]. • Jusqu'à ce jour, près de 200 cas d'expositions pendant la grossesse ont été répertoriés dans des compilations de notifications de cas, des séries de cas cliniques et des études de cohorte sans preuve d'augmentation du risque de malformations majeures de base[17, 21, 35, 37, 38]. • Complications néonatales suivantes signalées : lymphopénie, pancytopénie et anémie hémolytique[17]. Ces effets indésirables semblent liés à la dose et ont été le plus souvent observés lors de l'administration d'un traitement en association avec d'autres agents.	S'il s'agit du seul traitement efficace, le 6-MP ne doit pas être interrompu afin de maintenir la patiente en phase de rémission pendant la grossesse. Si l'on veut amorcer un traitement pharmacologique pendant la grossesse, on devrait toutefois privilégier les aminosalicylés comme traitement de premier recours. Après l'accouchement, il est recommandé d'effectuer chez le nouveau-né une formule sanguine complète afin d'éliminer des cytopénies[8, 18, 19]. Malgré les inquiétudes subsistant au sujet de l'utilisation des thiopurines durant la grossesse, on dispose d'une certaine expérience clinique justifiant leur utilisation lorsque jugé nécessaire.
Antibiotiques Ciprofloxacine Métronidazole	Voir chapitre 20. *Anti-infectieux*	

Médicament	Données au cours de la grossesse	Recommandations, commentaires
Corticostéroïdes	• L'absorption systémique des corticostéroïdes administrés par voie intra-rectale est faible[20]. • Une méta-analyse d'études de cohorte compilant 535 cas d'expositions au premier trimestre n'a pas montré de lien entre l'utilisation de cette classe de médicaments et une augmentation du risque de malformations majeures[39]. Ces données s'ajoutent aux 900 cas d'expositions relevés dans une étude de surveillance et une étude de cohorte prospective, sans preuve d'augmentation du risque de malformations majeures[21, 40]. • Une méta-analyse d'études cas-témoins et une étude cas-témoins signale toutefois un lien entre la prise de corticostéroïdes pendant le premier trimestre et une augmentation du risque de fentes labio-palatines. Des rapports de cotes statistiquement significatifs de 3,35 et de 2,59 se traduisent en clinique par un risque de fissure labio-palatine chez le fœtus de 3 à 4 sur 1 000. Ce risque est présent seulement si l'exposition aux corticostéroïdes a lieu pendant la période de formation du palais, soit de la huitième semaine à la fin du premier trimestre de la grossesse[39, 41]. • Des cas cliniques de retards de croissance, de mortinaissances, d'insuffisance placentaire, de détresse fœtale et de nouveau-nés de petit poids ont également été signalés[8, 10]. Ces effets peuvent être liés à la dose importante utilisée, aux traitements concomitants ou à la maladie sous-jacente. • Aucun cas d'insuffisance surrénalienne n'a été rapporté chez les bébés dont la mère avait été traitée à la prednisolone ou à la prednisone durant la grossesse[42]. Ce risque demeure théorique puisque 50 % de la prednisolone est transformée en produits inactifs au niveau placentaire[8, 10, 42]. Quelques rares cas d'insuffisance surrénalienne chez le nouveau-né à la suite d'un traitement par la dexaméthasone ou la bétaméthasone à fortes doses ont toutefois été signalés[42].	Les corticostéroïdes peuvent être utilisés à tous les trimestres de la grossesse lorsque cet usage est indiqué. Si possible, il faut favoriser l'utilisation de la prednisolone, de la prednisone, de la méthylprednisolone ou de formes pharmaceutiques réservées à l'administration par voie rectale afin de minimiser l'exposition du fœtus à ces agents. Malgré la rareté des cas rapportés, le risque d'insuffisance surrénalienne doit être connu et prévenu lors des situations à risque pouvant survenir en période néonatale chez des enfants exposés *in utero* à de fortes doses de corticostéroïdes de façon prolongée[42].
Immunothérapie Cyclosporine Infliximab Méthotrexate	Voir chapitre 29. *Polyarthrite rhumatoïde et lupus érythémateux disséminé.*	

TABLEAU IV – DONNÉES D'INNOCUITÉ DES TRAITEMENTS DE LA MALADIE DE CROHN ET DE LA COLITE ULCÉREUSE DURANT L'ALLAITEMENT

Médicament	Données au cours de l'allaitement	Recommandations, commentaires
Acide 5-amino salicylique (5-ASA) (mésalamine, olsalazine)	• La biodisponibilité du 5-ASA varie selon les préparations offertes. Elle est de 20 à 30 % pour les comprimés, de 15 à 40 % pour les suppositoires et faible pour les suspensions rectales[20]. • Le 5-ASA est rapidement métabolisé en N-acétyl-5-ASA, molécule inactive, dans le foie, le tractus gastro-intestinal et possiblement le tissu mammaire[20, 43]. • Le 5-ASA est sécrété en faible quantité dans le lait maternel tandis que le N-acétyl-5-ASA s'y retrouve en proportion plus importante[43-46]. Au cours de la journée, l'enfant allaité reçoit toutefois moins de 9 % de la dose maternelle ajustée au poids, soit moins de 6 % de la dose pédiatrique recommandée[44, 46]. • Deux cas de diarrhée ont été signalés chez des bébés dont la mère avait été traitée au 5-ASA durant l'allaitement[46, 47]. Les données d'une étude réalisée prospectivement auprès de 242 femmes allaitantes révèle toutefois que l'incidence de diarrhée est similaire chez les bébés exposés au 5-ASA, à la sulfasalazine et au placebo[48]. • Un cas isolé de thrombose du sinus longitudinal supérieur suivie d'une thrombocytose grave a été signalé chez un bébé dont la mère, traitée au 5-ASA (1-1,5 g par jour), avait cessé abruptement l'allaitement maternel[49].	Le 5-ASA est compatible avec l'allaitement et représente peu de risques pour l'enfant allaité. Il est toutefois recommandé de surveiller les changements au niveau de la consistance ou de la fréquence des selles chez le nourrisson[46, 47].
Sulfasalazine	• L'absorption orale de la sulfasalazine est de 10 à 15 %[20]. • Le 5-ASA est sécrété en faible quantité dans le lait maternel tandis que le N-acétyl-5-ASA et la sulfapyridine s'y retrouvent en proportion plus importante(46, 50). Les données d'une étude réalisée auprès de 8 dyades révèlent toutefois que la quantité de sulfapyridine retrouvée dans le sang des nourrissons est indétectable dans près de la moitié des cas[51]. • Un cas de diarrhée sanguinolente a été signalé chez un bébé dont la mère avait été traitée à la sulfasalazine durant l'allaitement[52]. Les données d'une étude réalisée prospectivement auprès de 242 femmes allaitantes révèle toutefois que l'incidence de la diarrhée est similaire chez les bébés exposées au 5-ASA, à la sulfasalazine et au placebo[48].	La sulfasalazine représente peu de risques pour l'enfant allaité. Il est toutefois recommandé de surveiller les changements au niveau de la consistance ou de la fréquence des selles chez le nourrisson[52]. L'utilisation du 5-ASA seule est toutefois à privilégier.

Médicament	Données au cours de l'allaitement	Recommandations, commentaires
Thiopurines azathioprine (AZA) et 6-mercaptopurine (6-MP)	• L'AZA est rapidement métabolisée à plus de 80 % en 6-MP, à son tour transformé au niveau intracellulaire en 6-méthylmercaptopurine, en 6-thioguanine, en 6-méthylmercaptopurine nucléoside et en 6-thioguanine nucléoside[34]. • L'absorption orale du 6-MP est inférieure à 20 % tandis que celle de l'AZA est de 50 %[20]. • Le 6-MP, le 6-méthylmercaptopurine et le 6-thioguanine nucléoside sont sécrétés en faible quantité dans le lait maternel[53-55]. Au cours de la journée, l'enfant allaité reçoit entre 0,1 % et 0,8 % de la dose maternelle ajustée au poids, soit moins de 0,2 % de la plus faible dose pédiatrique recommandée[53-56]. Le 6-méthylmercaptopurine et le 6-thioguanine nucléoside n'ont pas été détectés dans le sang de 4 bébés dont la mère avait été traitée à l'AZA durant l'allaitement[56]. • Un cas d'anomalie de la formule sanguine a été signalé chez un bébé dont les mères avaient été traitées à l'AZA durant l'allaitement[57]. Les données recueillies auprès de 23 bébés dont la mère avait été traitée à l'AZA durant l'allaitement n'ont toutefois révélé aucun effet indésirable chez les nourrissons[46, 53-56].	Malgré les inquiétudes subsistant au sujet des effets à long terme des thiopurines chez le nourrisson, le faible passage des métabolites de l'AZA dans le lait et les résultats des dosages sanguins obtenus chez 4 bébés nous rassurent quant à l'usage des thiopurines au cours de l'allaitement. Il est toutefois recommandé de surveiller la formule sanguine complète et la fonction hépatique chez le nourrisson mensuellement[46]. Si l'on veut amorcer un traitement pharmacologique pendant l'allaitement, on devrait privilégier les aminosalicylés comme traitement de premier recours.
Antibiotiques Ciprofloxacine Métronidazole	Voir chapitre 20. *Anti-infectieux*.	
Corticostéroïdes	• Aucun cas d'effets indésirables n'a été signalé chez les bébés dont la mère avait été traitée aux corticostéroïdes durant l'allaitement[46]. **Prednisolone** • Sécrétée en faible quantité dans le lait maternel[58-60]. Au cours de la journée, l'enfant allaité reçoit entre 2,1 % et 8,4 % de la dose maternelle corrigée selon le poids[59, 60]. Lors de la prise d'une dose maternelle quotidienne inférieure à 40 mg, l'enfant allaité reçoit 1,7 % de la plus faible dose recommandée en néonatalogie[59, 60]. Lors de la prise d'une dose maternelle quotidienne supérieure à 40 mg, l'enfant allaité reçoit 8,5 % de la plus faible dose recommandée en néonatalogie[59, 60]. **Prednisone** • Sécrétée en faible quantité dans le lait maternel[46]. Au cours de la journée, l'enfant allaité reçoit entre 3,0 % et 5,5 % de la dose maternelle ajustée au poids[46, 61]. Lors de la prise d'une dose maternelle	La prednisolone et la prednisone représentent peu de risques pour l'enfant allaité lors de la prise d'une dose maternelle quotidienne inférieure à 40 mg. La prednisolone et la prednisone représentent également peu de risques pour l'enfant allaité lors de la prise d'une dose maternelle quotidienne supérieure à 40 mg. Il est toutefois recommandé surveiller la courbe de croissance des nourrissons[61]. Comme il n'y a aucune donnée sur le passage de la méthylprednisolone, de la bétaméthasone, de la dexaméthasone et de l'hydrocortisone dans le lait maternel, il est préférable de favoriser l'utilisation de la prednisolone ou de la prednisone[46].

Médicament	Données au cours de l'allaitement	Recommandations, commentaires
	quotidienne inférieure à 40 mg, l'enfant allaité reçoit 1 % de la plus faible dose recommandée en néonatalogie[46]. Lors de la prise d'une dose maternelle quotidienne supérieure à 40 mg, l'enfant allaité reçoit 9,4 % de la plus faible dose recommandée en néonatalogie[46, 61]. **Méthylprednisolone** • Dérivé méthylé de la prednisolone[61]. • Aucune donnée n'est disponible sur le passage de la méthylprednisolone dans le lait maternel[61]. Une simulation réalisée à partir des courbes d'élimination de la méthylprednisolone pulsée au niveau plasmatique a permis d'estimer que l'enfant allaité reçoit 1,5 % de la dose maternelle corrigée selon le poids[61]. **Bétaméthasone** • Aucune donnée n'est disponible sur le passage dans le lait maternel[46, 61]. Il est à noter que l'absorption orale de la bétaméthasone est complète, l'absorption rectale est faible, la concentration plasmatique maximale est obtenue 30 minutes après son administration et sa demi-vie plasmatique est de 5,6 heures[61]. **Dexaméthasone** • Aucune donnée n'est disponible sur le passage dans le lait maternel[61]. Il est à noter que l'absorption orale de la dexaméthasone est de 80 %, la concentration plasmatique maximale est obtenue 60 minutes après son administration et sa demi-vie plasmatique est de 3,3 heures[61]. **Hydrocortisone** • Aucune donnée n'est disponible sur le passage dans le lait maternel[46, 61]. Il est à noter que l'absorption orale de l'hydrocortisone est complète, l'absorption rectale est faible et sa demi-vie plasmatique est de 1 à 2 heures[61].	
Immunothérapie Cyclosporine Infliximab Méthotrexate	Voir chapitre 29. *Polyarthrite rhumatoïde et lupus érythémateux disséminé.*	

Références

1. BRUNO M. Irritable bowel syndrome and inflammatory bowel disease in pregnancy. *J Perinat Neonatal Nurs* 2004;18(4):341-50; quiz 351-2.

2. CORTOT A, GOWER-ROUSSEAU C, COLOMBEL JF. Epidemiology and genetics of inflammatory bowel diseases. *Rev Prat* 1991;41(5):393-6.

3. FRANKISH H. Crohn's gene identified. *Lancet* 2001;357(9269):1678.

4. YANG H, MCELREE C, ROTH MP, SHANAHAN F, TARGAN SR, ROTTER JI. Familial empirical risks for inflammatory bowel disease: differences between Jews and non-Jews. *Gut* 1993;34(4):517-24.

5. SERGENT F, VERSPYCK E, MARPEAU L. Crohn's disease and pregnancy. About 34 cases. Review of the literature. *Gynecol Obstet Fertil* 2003;31(1):20-8.

6. MOGADAM M, KORELITZ BI, AHMED SW, DOBBINS WO 3rd, BAIOCCO PJ. The course of inflammatory bowel disease during pregnancy and postpartum. *Am J Gastroenterol* 1981;75(4):265-9.

7. MOTTET C, JUILLERAT P, GONVERS JJ, FROEHLICH F, BURNAND B, VADER JP, et al. Pregnancy and Crohn's disease. *Digestion* 2005;71(1):54-61.

8. CONNELL W, MILLER A. Treating inflammatory bowel disease during pregnancy: risks and safety of drug therapy. *Drug Saf* 1999;21(4):311-23.

9. STEINLAUF AF, PRESENT DH. Medical management of the pregnant patient with inflammatory bowel disease. *Gastroenterol Clin North Am* 2004;33(2):361-85, xi.

10. SUBHANI JM, HAMILTON MI. Review article: The management of inflammatory bowel disease during pregnancy. *Aliment Pharmacol Ther* 1998;12(11):1039-53.

11. KORNFELD D, CNATTINGIUS S, EKBOM A. Pregnancy outcomes in women with inflammatory bowel disease—a population-based cohort study. *Am J Obstet Gynecol* 1997;177(4):942-6.

12. BAIRD DD, NARENDRANATHAN M, SANDLER RS. Increased risk of preterm birth for women with inflammatory bowel disease. *Gastroenterology* 1990;99(4):987-94.

13. NIELSEN OH, ANDREASSON B, BONDESEN S, JACOBSEN O, JARNUM S. Pregnancy in Crohn's disease. *Scand J Gastroenterol* 1984;19(6):724-32.

14. FERRERO S, RAGNI N. Inflammatory bowel disease: management issues during pregnancy. *Arch Gynecol Obstet* 2004;270(2):79-85.

15. KORELITZ BI. Inflammatory bowel disease and pregnancy. *Gastroenterol Clin North Am* 1998;27(1):213-24.

16. DIPIRO JT, SCHADE RR. *Inflammatory bowel disease*. In: DiPiro JT, Talbert RL, Yee GC, Matze GR, Wells BG, Posey LM, ed. *Pharmacotherapy: A Pathophysilogic Approach*. 5th ed. Toronto: McGraw-Hill; 2002. p. 625-39.

17. POLIFKA JE, FRIEDMAN JM. Teratogen update: azathioprine and 6-mercaptopurine. *Teratology* 2002;65(5):240-61.

18. TENDRON A, GOUYON JB, DECRAMER S. In utero exposure to immunosuppressive drugs: experimental and clinical studies. *Pediatr Nephrol* 2002;17(2):121-30.

19. BERMAS BL, HILL JA. Effects of immunosuppressive drugs during pregnancy. *Arthritis Rheum* 1995;38(12):1722-32.

20. KLASCO Re. DRUGDEX® System. In: *Thomson Micromedex*, Greenwood Village, Colorado; Edition expires 06/2006.

21. BRIGGS G, FREEMAN R, YAFFE S. *Drugs in Pregnancy and Lactation. A reference guide to fetal and neonatal risk.* Philadelphie: Lippincott William & Wilkins; 2005.

22. BELL CM, HABAL FM. Safety of topical 5-aminosalicylic acid in pregnancy. *Am J Gastroenterol* 1997;92(12):2201-2.

23. HABAL FM, HUI G, GREENBERG GR. Oral 5-aminosalicylic acid for inflammatory bowel disease in pregnancy: safety and clinical course. *Gastroenterology* 1993;105(4):1057-60.

24. JONVILLE-BERA AP, SOYEZ C, FIGNON A, MORAINE C, BERGER C, AUTRET E. Pentasa (mesalazine) and pregnancy. *Therapie* 1994;49(5):443-5.

25. MARTEAU P, TENNENBAUM R, ELEFANT E, LEMANN M, COSNES J. Foetal outcome in women with inflammatory bowel disease treated during pregnancy with oral mesalazine microgranules. *Aliment Pharmacol Ther* 1998;12(11):1101-8.

26. MOSKOVITZ DN, BODIAN C, CHAPMAN ML, MARION JF, RUBIN PH, SCHERL E, et al. The effect on the fetus of medications used to treat pregnant inflammatory bowel-disease patients. *Am J Gastroenterol* 2004;99(4):656-61.

27. TRALLORI G, D'ALBASIO G, BARDAZZI G, BONANOMI AG, AMOROSI A, Del Carlo P, et al. 5-Aminosalicylic acid in pregnancy: clinical report. *Ital J Gastroenterol* 1994;26(2):75-8.

28. DIAV-CITRIN O, PARK YH, VEERASUNTHARAM G, POLACHEK H, BOLOGA M, PASTUSZAK A, et al. The safety of mesalamine in human pregnancy: a prospective controlled cohort study. *Gastroenterology* 1998;114(1):23-8.

29. NORGARD B, FONAGER K, PEDERSEN L, JACOBSEN BA, SORENSEN HT. Birth outcome in women exposed to 5-aminosalicylic acid during pregnancy: a Danish cohort study. *Gut* 2003;52(2):243-7.

30. COLOMBEL JF, BRABANT G, GUBLER MC, LOCQUET A, COMES MC, DEHENNAULT M, et al. Renal insufficiency in infant: side-effect of prenatal exposure to mesalazine? *Lancet* 1994;344(8922):620-1.

31. MOGADAM M, DOBBINS WO 3rd, KORELITZ BI, AHMED SW. Pregnancy in inflammatory bowel disease: effect of sulfasalazine and corticosteroids on fetal outcome. *Gastroenterology* 1981;80(1):72-6.

32. WILLOUGHBY CP, TRUELOVE SC. Ulcerative colitis and pregnancy. *Gut* 1980;21(6):469-74.

33. HERNANDEZ-DIAZ S, WERLER MM, WALKER AM, MITCHELL AA. Folic acid antagonists during pregnancy and the risk of birth defects. *N Engl J Med* 2000;343(22):1608-14.

34. DUBINSKY MC. Azathioprine, 6-mercaptopurine in inflammatory bowel disease: pharmacology, efficacy, and safety. *Clin Gastroenterol Hepatol* 2004;2(9):731-43.

35. NORGARD B, PEDERSEN L, FONAGER K, RASMUSSEN SN, SORENSEN HT. Azathioprine, mercaptopurine and birth outcome: a population-based cohort study. *Aliment Pharmacol Ther* 2003;17(6):827-34.

36. ARMENTI VT, RADOMSKI JS, MORITZ MJ, PHILIPS LZ, McGRORY CH, COSCIA LA. Report from the National Transplantation Pregnancy Registry (NTPR): outcomes of pregnancy after transplantation. *Clin Transpl* 2000:123-34.

37. FRANCELLA A, DYAN A, BODIAN C, RUBIN P, CHAPMAN M, PRESENT DH. The safety of 6-mercaptopurine for childbearing patients with inflammatory bowel disease: a retrospective cohort study. *Gastroenterology* 2003;124(1):9-17.

38. MOTHERISK. (Page consultée le 5 décembre 2006). Cancer in Pregnancy: 6-Mercaptopurine: http://www.motherisk.org/prof/commonDetail.jsp?content_id=216.

39. PARK-WYLLIE L, MAZZOTTA P, PASTUSZAK A, MORETTI ME, BEIQUE L, HUNNISETT L, et al. Birth defects after maternal exposure to corticosteroids: prospective cohort study and meta-analysis of epidemiological studies. *Teratology* 2000;62(6):385-92.

40. GUR C, DIAV-CITRIN O, SHECHTMAN S, ARNON J, ORNOY A. Pregnancy outcome after first trimester exposure to corticosteroids: a prospective controlled study. *Reprod Toxicol* 2004;18(1):93-101.

41. PRADAT P, ROBERT-GNANSIA E, DI TANNA GL, ROSANO A, LISI A, MASTROIACOVO P. First trimester exposure to corticosteroids and oral clefts. *Birth Defects Res A Clin Mol Teratol* 2003;67(12):968-70.

42. GUILLONNEAU M, JACQZ-AIGRAIN E. Maternal corticotherapy. Pharmacology and effect on the fetus. *J Gynecol Obstet Biol Reprod.* Paris1996;25(2):160-7.

43. SILVERMAN DA, FORD J, SHAW I, PROBERT CS. Is mesalazine really safe for use in breastfeeding mothers? *Gut* 2005;54(1):170-1.

44. KLOTZ U, HARINGS-KAIM A. Negligible excretion of 5-aminosalicylic acid in breast milk. *Lancet* 1993;342(8871):618-9.

45. CHRISTENSEN LA, RASMUSSEN SN, HANSEN SH. Disposition of 5-aminosalicylic acid and N-acetyl-5-aminosalicylic acid in fetal and maternal body fluids during treatment with different 5-aminosalicylic acid preparations. Résumé. *Acta Obstet Gynecol Scand* 1994;73(5):399-402.

46. ANDERSON P, SAUBERAN J. *LactMed* 2006-04-10 [vérifié 2006 12-07]; Disponible dans: http://toxnet.nlm.nih.gov/cgi-bin/sis/htmlgen?LACT

47. ITO S, BLAJCHMAN A, STEPHENSON M, ELIOPOULOS C, KOREN G. Prospective follow-up of adverse reactions in breast-fed infants exposed to maternal medication. Résumé. *Am J Obstet Gynecol* 1993;168(5):1393-9.

48. MORETTI ME, SPICZYNSKI Y, HASHEMI G, KOREN S, ITO S. Prospective follow-up of infants exposed to 5-aminosalicylic acid containing drugs through maternal milk. Résumé. *J Clin Pharmacol* 1998;38 (Suppl):867.

49. BARRIUSO LM, YOLDI-PETRI ME, OLACIREGUI O, ICETA-LIZARRAGA A, GONI-ORAYEN C. Thrombosis of the superior sagittal sinus in a breast fed infant: secondary to prolonged exposure to mesalazine? Résumé. *Rev Neurol* 2003;36(12):1142-4.

50. BERLIN CMJ, YAFFE SJ. Disposition of salicylazosulfapyridine (Azulfidine) and metabolites in human breast milk. *Dev Pharmacol Ther* 1980;1:31-9.

51. ESBJORNER E, JARNEROT G, WRANNE L. Sulphasalazine and sulphapyridine serum levels in children to mothers treated with sulphasalazine during pregnancy and lactation. *Acta Paediatr Scand* 1987;76:137-42.

52. BRANSKI D, KEREM E, GROSS-KIESELSTEIN E, HURVITZ H, LITT R, ABRAHAMOV A. Bloody diarrhea—a possible complication of sulfasalazine transferred through human breast milk. *J Pediatr Gastroenterol Nutr* 1986;5(2):316-7.

53. COULAM CB, MOYER TP, JIANG NS, ZINCKE H. Breast-feeding after renal transplantation. *Transplant Proc* 1982;13:605-9.

54. KANE SV, PRESENT DH. Metabolites to immunomodulators are not detected in breast milk. Résumé. *Am J Gastroentrol* 2004;99 (10 Suppl.):S246-7.

55. MORETTI ME, ITO S, KOREN G. Therapeutic drug monitoring in the lactating patient. Résumé. *Reprod Toxicol* 1995;9(6):580-1.

56. GARDINER SJ, GEARRY RB, ROBERTS RL, ZHANG M, BARCLAY ML, BEGG EJ. Exposure to thiopurine drugs through breast milk is low based on metabolite concentrations in mother-infant pairs. *Br J Clin Pharmacol* 2006;62(4):453-6.

57. KHARE MM, LOTT J, CURRIE A, HOWARTH E. Is it safe to continue azathioprine in breast feeding mothers? Résumé. *J Obstet Gynaecol* 2005 (Suppl. 1):S48.

58. MCKENZIE SA, SELLEY JA, AGNEW JE. Secretion of prednisolone into breast milk. Résumé. *Arch Dis Child* 1975;50:864-6.

59. OST L, WETTRELL G, BJORKHEM I, RANE A. Prednisolone excretion in human milk. *J Pediatr* 1985;106:1008-11.

60. GREENBERGER PA, ODEH YK, FREDERIKSEN MC. Pharmacokinetics of prednisolone transfer to breast milk. Résumé. *Clin Pharmacol Ther* 1993;53:324-8.

61. HALE T. *Medications and Mothers' Milk*. Amarillon: Pharmasoft Publishing; 2006.

Chapitre 29

Polyarthrite rhumatoïde et lupus érythémateux disséminé

■

Florence WEBER
Michèle MAHONE
Josianne MALO
Andréanne PRÉCOURT
Laurence SPIESSER-ROBELET

Dans ce chapitre sur la polyarthrite rhumatoïde et le lupus érythémateux disséminé, les traitements recommandés seront traités séparément, mais les données d'innocuité des médicaments seront regroupées pour les deux pathologies.

La polyarthrite rhumatoïde

Généralités

Définition

La polyarthrite rhumatoïde (PAR) est une maladie inflammatoire auto-immune chronique qui affecte obligatoirement les articulations. Elle se présente typiquement par des douleurs et des raideurs articulaires symétriques au niveau des mains et un facteur rhumatoïde sanguin. Si elle est non contrôlée, elle peut détruire les articulations et mener à des déformations et des incapacités importantes. Elle peut aussi avoir des cibles extra-articulaires, les principales étant les poumons et la plèvre, le système hématopoïétique, le système cardiovasculaire, les yeux et la peau (formation de nodules sous cutanés). Cette maladie peut être très agressive et nécessite souvent des traitements immunosuppresseurs à long terme avec les complications qu'ils impliquent[1].

Épidémiologie

La PAR affecte environ 1 % de la population caucasienne et sa prévalence est variable selon les ethnies[2]. Elle peut se déclarer dès l'enfance ainsi que chez les personnes âgées mais se déclare surtout entre 30 et 55 ans. Elle affecte 2 à 3 femmes pour un homme[3]. La polyarthrite rhumatoïde complique approximativement une grossesse sur 1000 à 2000[4].

Étiologies

L'étiologie de la PAR est encore méconnue. Elle est probablement multifactorielle, impliquant une susceptibilité génétique, des facteurs hormonaux et possiblement des étiologies environnementales. Tous ces facteurs contribueraient au déclenchement d'une réaction auto-immune[1].

Facteurs de risque

Il y a deux facteurs de risque principaux: être de sexe féminin et avoir entre 30 et 55 ans. Les femmes en âge de procréer sont donc une cible de prédilection pour la maladie[1].

Effets de la grossesse sur la polyarthrite rhumatoïde

On note une amélioration de l'activité de la maladie chez 70 à 80 % des patientes, possiblement grâce aux changements immuns durant la grossesse, notamment une modification de la sécrétion de cytokines à prédominance Th1 pour une prédominance Th2, une augmentation des récepteurs solubles du TNF alpha entraînant une diminution de l'activité de ce dernier, une augmentation des récepteurs à l'IL-1 menant à une diminution de son activité et une élévation du cortisol[5-8]. Ces modifications sont à l'origine d'une amélioration ou d'une rémission complète des symptômes pendant la grossesse[8]. Il est impossible de prédire qui va vivre une amélioration clinique pendant la grossesse. Jusqu'à 90 % des patientes présentent une détérioration de la maladie en *post-partum*[7]. L'allaitement semble aggraver les douleurs articulaires, probablement en raison de l'élévation de la prolactine qui exerce un effet pro-inflammatoire[8]. L'évolution de la maladie lors d'une grossesse est un bon indice du déroulement des grossesses ultérieures[8].

Effets de la polyarthrite rhumatoïde sur la grossesse

Les données sont pauvres dans la littérature médicale à ce sujet. Il existe une possible augmentation des avortements spontanés, de la prématurité, des enfants de plus petits poids de naissance, des césariennes et une possible augmentation du retard de croissance intra-utérine (RCIU) et de la prééclampsie qui, pour leur part, pourraient aussi être secondaires aux traitements pharmacologiques de la maladie[8-11].

Effets néonatals

Il n'y a pas de complication néonatale rapportée dans la littérature médicale liée à la polyarthrite rhumatoïde. Cependant, la prise de corticoïdes pendant la grossesse peut être à l'origine d'un risque plus élevé de RCIU et de rupture prématurée des membranes.

Effets à long terme

Il y a peu d'études sur la répercussion à long terme sur l'enfant. Celui-ci ne semble pas plus à risque de développer une PAR[12]. La grossesse ne semble pas aggraver l'évolution de la PAR en terme d'activité de la maladie, de capacité fonctionnelle de la patiente, d'érosions articulaires, de modification de l'hémoglobine et de la vitesse de sédimentation chez la mère[8].

Outils d'évaluation

Symptômes

Les symptômes de la PAR sont les mêmes chez la femme enceinte. Il faut utiliser judicieusement le questionnaire et l'examen physique pour différentier la PAR des malaises courants musculo-squelettiques associés à la grossesse.

Dosages biologiques

L'anémie, la thrombocytose, la vitesse de sédimentation (VS) augmentée et la protéine C réactive (CRP) élevée sont des marqueurs d'activité de la maladie[13]. Toutefois, il est possible que la VS et la CRP soient également augmentées lors d'une grossesse normale. Une formule sanguine ainsi qu'une mesure du facteur rhumatoïde de la CRP et de la vitesse de sédimentation peuvent être effectuées. En pratique, le suivi est fait en fonction des signes et symptômes de chaque patiente. Le contrôle des fonctions rénale et hépatique doit être effectué en cas de prise de médicaments néphrotoxiques ou hépatotoxiques[14].

Traitements recommandés pendant la grossesse

Traitements non pharmacologiques

Il faut continuer les traitements non pharmacologiques chez la femme enceinte, incluant le repos au besoin, la physiothérapie, l'activité physique et les traitements psychothérapeutiques.

Mesures préventives

La plupart des médicaments utilisés sont immunosuppresseurs ; il est important de rappeler que la vaccination des patientes, incluant les vaccins contre l'influenza et le pneumocoque, doivent être à jour avant d'initier un traitement. Les patientes doivent être dépistées par un test cutané de réaction à la tuberculine (PPD) pour la tuberculose et traitées s'il est positif.

Traitement pharmacologique

Si la patiente souffre particulièrement d'une synovite à une ou plusieurs articulations précises, il faut considérer les traitements par injection intra-articulaire de corticoïdes.

Les médicaments utilisés pour la PAR peuvent être divisés en deux catégories : les analgésiques et les agents qui modifient l'évolution de la maladie. Si un traitement pharmacologique s'impose, il faut tenir compte des médicaments qui ont déjà fonctionné pour cette patiente et de la sévérité de la maladie, tout en évitant certains médicaments tératogènes comme le méthotrexate et la léflunomide. Dans le choix du traitement, il faut garder en tête que toute détérioration de la PAR peut mener à des handicaps à long terme pour la patiente. Le tableau I présente les traitements de la PAR recommandés pendant la grossesse et l'allaitement. Ces médicaments concernent le traitement de la PAR articulaire.

TABLEAU I – TRAITEMENTS DE LA PAR RECOMMANDÉS PENDANT LA GROSSESSE ET L'ALLAITEMENT[15]			
Ligne thérapeutique	Médicament	Posologie	Commentaires
Analgésiques			
Premier recours	Acétaminophène	• 650 mg par voie orale 4 fois par jour lors d'une utilisation chronique. • 500 à 1000 mg par voie orale toutes les 4 à 6 heures au besoin (maximum de 4000 mg par jour).	L'acétaminophène est l'analgésique de premier recours chez la femme enceinte.
	Ibuprofène	• 400 à 600 mg par voie orale 4 fois par jour au besoin.	La prise d'AINS en début de grossesse a été associée à une augmentation du risque d'AS*. Ils sont à utiliser en dernier recours chez les patientes présentant des troubles de la fertilité ou un risque accru d'AS. L'utilisation d'AINS est à proscrire après la 28e semaine de grossesse.
	Naproxène	• 500 mg par voie orale ou intra-rectale 2 fois par jour au besoin ou 250 mg par voie orale ou intra-rectale 4 fois par jour au besoin.	
Deuxième recours Corticostéroïdes intra-articulaires	Méthylprednisolone (acétate)	• 4 à 10 mg pour les petites articulations, 10 à 40 mg pour les articulations de taille moyenne et 20 à 80 mg pour les grosses articulations. Peut être répété toutes les 5 semaines ou plus.	
	Triamcinolone (diacétate)	• 5 à 40 mg pour en fonction de la taille des articulations, toutes les 1 à 8 semaines en fonction des besoins.	

Ligne thérapeutique	Médicament	Posologie	Suivi et commentaires
Agents modifiant l'évolution de la maladie			
Premier recours	Hydroxychloroquine	• 200 à 400 mg par voie orale 1 fois par jour.	Il n'y pas d'ajustement de la posologie de l'hyroxychloroquine. Cette molécule a une très longue demi-vie d'environ 40 jours[16]. Il est recommandé pour la mère de faire un examen ophtalmologique annuel.
	Sulfasalazine	• Dose initiale de 0,5 à 1 g/jour en 1 à 2 prises. • Dose de maintien : 1 g, 2 fois par jour avec au maximum 3 g par jour.	Contre-indiquée chez les patientes allergiques aux sulfamides. Ajouter de l'acide folique 2 mg par jour pendant une période allant d'avant la conception à la fin du premier trimestre.
Deuxième recours	Corticostéroïdes	• Utiliser la dose minimale efficace jusqu'à un maximum de 1 mg/kg d'équivalent prednisone par jour.	
	Azathioprine	• Dose initiale de 1 mg/kg/jour en 1 à 2 prises. Après 6 à 8 semaines de traitement, aumentation tous les mois de 0,5 mg/kg/jour pour atteindre maximum 2,5 mg/kg/jour. • Dose de maintien : réduction de 0,5 mg/kg/jour jusqu'à l'obtention de la dose minimale efficace.	La réponse thérapeutique peut prendre 12 semaines. La durée de traitement optimale n'est pas connue. Ne jamais cesser le traitement de manière brutale.

*AS : avortement spontané.

Le lupus érythémateux disséminé

Généralités

Définition

Le lupus érythémateux disséminé (LED) est une maladie chronique auto-immune inflammatoire multisystémique. L'atteinte des organes est liée à des auto-anticorps et des dépôts de complexes immuns. La peau, les articulations, les reins ainsi que les viscères (sérosites) sont les plus atteints mais tous les organes peuvent être touchés. Les critères de diagnostic du LED sont émis par l'*American College of Rheumatology*. Ces critères sont : l'éruption cutanée en ailes de papillon au niveau du visage, l'éruption discoïde, la photosensibilité, l'ulcération buccale, l'arthrite, les sérosites, l'atteinte rénale, l'atteinte neurologique, l'atteinte hématologique, la présence d'anticorps anti-nucléaire (anti-ADN, antiSm, ANA) ou *Venereal Disease Research Laboratory* (VDRL) positifs.

En présence de 4 critères sur 11, le diagnostic de LED est fait avec une spécificité de 98 % et une sensibilité de 97 %[17].

Étiologie

Des facteurs génétiques, environnementaux, immunologiques et hormonaux sont impliqués dans la pathologie[18].

Épidémiologie

La maladie se retrouve dans 90 % des cas chez les femmes et, le plus souvent, elles sont en âge de procréer. La prévalence est de 15 à 50 pour 100 000 habitants et varie selon l'origine ethnique, étant plus fréquente chez les non-caucasiens[18].

Facteurs de risque

Les facteurs de risque de LED sont : le sexe féminin, l'exposition au soleil, l'exposition professionnelle à des produits comme la silice, les pesticides et le mercure, le virus Epstein-Barr, certains facteurs génétiques, des anomalies de l'aptoptose, de la transduction du signal et dans l'expression de certaines cytokines[19].

Effets de la grossesse sur l'activité du LED

Les complications maternelles reliées au LED dépendent de plusieurs variables telles que l'activité de la maladie, la présence d'une néphropathie, la présence du syndrome des antiphospholipides et la prise de médicaments[20].

La mortalité maternelle est extrêmement rare durant la grossesse ; elle est associée à la présence d'hypertension pulmonaire ou d'infections opportunistes chez les femmes lupiques qui sont immunodéprimées[21].

Une rémission de six mois avant la conception diminue les risques maternels et fœtaux. Le risque de rechute ou de réactivation de la maladie semble être augmenté durant la grossesse et en *post-partum*. Classiquement, les rechutes sont décrites à la fin du deuxième trimestre, au troisième trimestre ou en *post-partum*. Les poussées lupiques lors de la grossesse apparaissent dans environ 50 % des cas[22]. La plupart du temps, l'atteinte est peu sévère. On note surtout une atteinte articulaire ou cutanée. La réactivation de la maladie est associée à l'arrêt de l'hydroxychloroquine, à un antécédent de plus de trois rechutes/réactivations avant la conception ou à une maladie sévère au moment de la conception. L'utilisation de corticostéroïdes en prophylaxie ne prévient pas les rechutes[23-30].

Le risque maternel de maladie thromboembolique est augmenté en présence de LED, du syndrome des antiphospholipides et d'un syndrome néphrotique secondaire à une néphrite lupique.

Par ailleurs, en présence de corticostéroïdes, le risque de diabète gestationnel augmente et il est recommandé de tester ces femmes avec une hyperglycémie orale provoquée à leur première visite *ante partum*[30].

Effets du LED sur la grossesse

L'incidence de l'hypertension gestationnelle (HTAg) avec ou sans protéinurie est environ de 25 à 30 % chez les femmes souffrant de LED. Les facteurs qui prédisposent sont la présence d'hypertension artérielle chronique, la présence de néphrite lupique et une créatininémie > 140 mmol/L. Il est souvent difficile de différencier une prééclampsie de la détérioration d'une néphrite lupique. La prééclampsie est associée à des symptômes tel que : céphalées, troubles visuels, épigastralgies et anomalies du bilan hépatique et trombocytopénie, voire un syndrome de HELLP (*Hemolysis, Elevated Liver enzymes and Low Platelets*). Le taux de prééclampsie chez la femme enceinte lupique avec une pathologie rénale préexistante est de 30 à 50 %[8].

La néphrite lupique, quant à elle, est associée à un sédiment actif, des manifestations extra-rénales du LED, une augmentation du titre des anti-DNA et une diminution du complément C3-C4. Le niveau du complément durant la grossesse n'est pas fiable car les niveaux tendent à augmenter durant la grossesse normale[24-29, 31-33].

Jusqu'à 17 % des femmes souffrant de néphrite lupique présentent une détérioration transitoire de la fonction rénale. Elle est permanente chez environ 8 % de ces dernières. Tel que mentionné précédemment, une créatinine sérique de plus de 140 mmol/L est associée à un risque d'HTAg, de protéinurie et d'insuffisance rénale progressive[25-29, 32, 33].

La grossesse chez les femmes souffrant du LED est associée à un risque plus élevé de perte fœtale, c'est-à-dire plus d'avortements spontanés et de morts *in utero* (29 % *versus* 15 % pour la population générale), un risque d'accouchement prématuré et de retard de croissance intra-utérine (RCIU). Les facteurs prédictifs de morbidité augmentés sont : l'activité lupique durant la grossesse et au moment de la conception (une maladie active moins de six mois avant la conception augmente les complications néonatales), la présence d'une néphropathie, d'hypertension chronique et du syndrome des antiphospholipides[28, 29, 32, 34].

Approximativement 30 à 40 % des femmes atteintes de LED ont des anticorps antiphospholipides[35]. Le traitement prophylactique comprend de l'aspirine et de l'héparine ; il semble diminuer le taux d'avortements spontanés chez cette population[29, 36] (voir chapitre 10. *Anticoagulation*).

Effets néonatals

Le lupus néonatal est rare : 1 pour 20 000 naissances vivantes. On note des atteintes cutanées, cardiaques, hématologiques et hépatiques. Le transfert passif d'auto-anticorps de type IgG à travers le placenta explique la physiopathologie. Les auto-anticorps associés sont les antiRo/SSA et les anti-La/SSB. Les manifestations dermatologiques sont les plus fréquentes. Seules les manifestations cardiaques, c'est-à-dire le bloc cardiaque complet congénital (BCCC) et la fibroélastose endocardique, sont sévères et irréversibles. Ce bloc cardiaque n'est pas associé à des malformations cardiaques. La présentation clinique est celle d'une bradycardie fœtale : 60-80 battements/minute arrivant entre les 16e et 30e semaines de grossesse. Une anasarque fœto-placentaire (*hydrops fœtalis*) peut se développer secondairement au BCCC. Les fœtus à risque sont ceux dont les mères sont atteintes du lupus, du syndrome de Sjögren ou d'autres maladies rhumatologiques. Une certaine proportion est rapportée chez les femmes qui ont ces auto-anticorps mais qui sont asymptomatiques. Le risque de développer le BCCC en présence des anticorps est de 1 à 2 %. Le risque de récidive durant la grossesse subséquente est trois fois plus élevé[37].

Effets à long terme

Une augmentation des difficultés d'apprentissage chez des enfants avec un niveau d'intelligence normal nés de femmes atteinte de LED a été évalué dans des études de suivi à long terme[38, 39].

Outils d'évaluation

Symptômes

Les symptômes de réactivation du lupus sont identiques chez les femmes enceintes et celles qui ne le sont pas. La difficulté réside dans le fait que les symptômes ou signes du lupus peuvent ressembler à des symptômes et signes de la grossesse normale, tels que la fatigue, des arthralgies, une protéinurie légère, une thrombocytopénie, un rash ou un érythème de la grossesse[23].

Dosages biologiques

Le bilan à la première visite anténatale comprend : la formule sanguine complète (FSC), un bilan rénal, hépatique et électrolytique, une analyse d'urine et une collecte urinaire de 24 heures pour protéinurie, un dosage des auto-anticorps ANA, antiRo/SSA et anti-La/SSB, anti-dsDNA, anti-cardiolipines, anticoagulant lupique, et du complément C3 et C4. Par la suite, on doit faire à chaque trimestre une collecte urinaire, une formule sanguine complète, des bilans rénal et hépatique et des électrolytes sériques. Si on suspecte une réactivation de la maladie, un bilan complet sera refait. À noter que l'utilisation de la vitesse de sédimentation ainsi que la protéine C réactive ne sont pas recommandées car ces paramètres inflammatoires peuvent être élevés dans la grossesse normale[30, 33].

De plus, la surveillance des fonctions rénale et hépatique doit être adaptée en fonction du traitement de la patiente.

Traitements recommandés pendant la grossesse

Objectifs visés

Le traitement du LED durant la grossesse demande un suivi étroit afin de détecter une réactivation précoce de la maladie et d'intervenir rapidement pour diminuer la morbidité maternelle et fœtale[30, 33].

Une surveillance de la pression artérielle est recommandée à chaque visite anténatale et un traitement sera instauré selon l'âge gestationnel, la présence de protéinurie et l'histoire antérieure d'hypertension artérielle chronique[30, 33]. Pour le traitement de l'hypertension, voir le chapitre 11. *Hypertension artérielle.*

Mesures non pharmacologiques

Il existe peu de données sur la modification de la diète pour les femmes enceintes atteintes d'un LED ; une diète équilibrée est suggérée. L'arrêt du tabagisme est fortement recommandé car il est associé avec une augmentation de l'activité lupique[40].

Il est important que les femmes atteintes d'un LED se protègent du soleil avec une crème solaire. Les rayons ultraviolets peuvent être à l'origine d'une rechute du lupus[41].

Mesures préventives

Il est recommandé de vacciner les patientes enceintes souffrant du LED contre l'influenza et le pneumocoque si la vaccination n'a pas été faite avant la grossesse[30].

Traitements pharmacologiques

Les traitements pharmacologiques dépendent de la condition clinique de chaque patiente. Le tableau II présente les traitements pharmacologiques du LED recommandés durant la grossesse. Si les traitements cités dans le tableau II ne permettent pas de contrôler la maladie, d'autres traitements de la PAR et du LED peuvent être utilisés. Ces traitements ne doivent être initiés que par des spécialistes en évaluant le rapport bénéfices/risques pour la mère et le fœtus.

TABLEAU II – TRAITEMENTS PHARMACOLOGIQUES DU LED RECOMMANDÉS DURANT LA GROSSESSE ET L'ALLAITEMENT[15, 42]

Médicament	Posologie	Suivi recommandé, commentaires
Ibuprofène	• 400 à 600 mg par voie orale 4 fois par jour au besoin.	Les AINS peuvent être utilisés dans le traitement des arthrites liées au LED.
Naproxène	• 500 mg par voie orale ou intra-rectale 2 fois par jour au besoin ou 250 mg par voie orale ou intra-rectale 4 fois par jour au besoin.	La prise d'AINS en début de grossesse a été associée à une augmentation du risque d'AS. Ils sont à utiliser en dernier recours chez les patientes présentant des troubles de la fertilité ou un risque accru d'AS. L'utilisation d'AINS est à proscrire après la 28e semaine de grossesse. Il est à noter que les AINS peuvent affecter la fonction rénale. Les bienfaits de leur utilisation doivent être évalués chez les femmes avec une fonction rénale perturbée.
Corticostéroïdes	• Phase aiguë : 1 à 2 mg/kg de prednisone en 2 à 3 prises par jour. • Maintien : dose minimale efficace qui doit être < 1 mg/kg/jour.	Les corticostéroïdes peuvent être utilisés dans les arthrites et les néphrites lupiques. Lors de la rémission, il est recommandé de sevrer graduellement la patiente.
Corticostéroïdes topiques	• La posologie varie selon l'agent.	Les corticostéroïdes topiques peuvent être utilisés pour le traitement des manifestations lupiques cutanées. Les doses sont déterminées en fonction de l'agent utilisé. Voir les données du chapitre 35. *Eczéma, psoriasis et troubles spécifiques de la peau.*
Azathioprine	• Utiliser à dose minimale efficace en ne dépassant pas 1,5 à 2 mg/kg/jour.	L'azathioprine peut être utilisée dans le traitement de la néphrite lupique.

Traitement du LED pendant l'allaitement

Les traitements qui peuvent être utilisés pendant l'allaitement sont les mêmes que ceux utilisés pendant la grossesse (tableau II). Cependant, certaines précautions et des suivis de l'enfant peuvent être nécessaires lors de l'utilisation de l'azathioprine et des corticostéroïdes (tableau IV).

Données sur l'innocuité des médicaments utilisés chez les femmes atteintes de la PAR et du LED durant la grossesse et l'allaitement

Les bénéfices et les désavantages de médicaments potentiellement toxiques doivent être évalués lors de leur prescription durant la grossesse. L'utilisation de la dose minimale efficace doit être favorisée[43].

Le tableau III présente les données d'innocuité des médicaments utilisés pour le traitement de la PAR et du LED chez les femmes enceintes. Les corticostéroïdes et les anti-inflammatoires non-stéroïdiens sont utilisés couramment chez les patientes enceintes souffrant de PAR ou de LED. Les données d'innocuité des anti-inflammatoires non-stéroïdiens durant la grossesse et l'allaitement sont présentées dans le chapitre 33. *Migraines et douleurs*, celles des corticostéroïdes, de l'azathioprine et de l'ASA dans le chapitre 28. *Maladies inflammatoires de l'intestin* et celles de l'héparine dans le chapitre 10. *Anticoagulation*.

Les données pharmacocinétiques de chaque médicament sont présentées dans le tableau IV.

TABLEAU III – DONNÉES D'INNOCUITÉ DES MÉDICAMENTS UTILISÉS DANS LE TRAITEMENT DE LA PAR ET DU LED CHEZ LA FEMME ENCEINTE		
Médicament	**Données durant la grossesse**	**Recommandations, commentaires**
Anti-IL 1		
Anakinra	L'anakinra est un antagoniste recombinant des récepteurs de l'interleukine 1 (IL1) qui exerce son effet anti-inflammatoire en diminuant l'activité de l'IL1[44]. **Données animales** • Des études chez 2 espèces animales à des doses supérieures à celles utilisées chez l'humain n'ont pas démontré d'effets indésirables sur la fertilité, ni d'effets tératogènes[44]. • Chez la souris, l'anakinra a été associée à des problèmes d'implantation embryonnaire[44]. Il n'existe pas de données sur la carcinogénèse, mais aucun effet mutagène n'a été observé *in vivo* ou *in vitro*[44]. **Données humaines** • Une étude *in vitro* utilisant des placentas humains a démontré un passage minime[44].	Non recommandé pendant la grossesse en l'absence de données humaines. Cependant, le passage placentaire semble peu probable (poids moléculaire très élevé).

Médicament	Données durant la grossesse	Recommandations, commentaires
	• Deux études suggèrent qu'une déficience endogène en antagonistes des récepteurs de l'IL1 joueraient un rôle dans la survenue d'AS* récurrents[44]. • Aucun cas retracé d'exposition à l'anakinra durant la grossesse.	

Anti-TNF alpha

• Protéines de poids moléculaires élevés, mais de longues demi-vies et exerçant leur activité anti-inflammatoire par inhibition du TNF[44, 45].

• La thalidomide, un agent tératogène bien connu, inhibe entre autres la production de TNF alpha. La portée clinique de ces propriétés pharmacologiques similaires est inconnue[44]. Aucun cas de phocomélie n'a été rapporté suite à l'exposition aux anti-TNF *in utero*.

• Suite à l'administration d'IgG* par voie intraveineuse, un passage transplacentaire significatif n'est observé qu'après 32 semaines d'âge gestationnel[44]. De façon générale, le passage transplacentaire des IgG est lié à l'âge gestationnel, la dose utilisée et la durée de traitement[44].

Médicament	Données durant la grossesse	Recommandations, commentaires
Adalimumab	Immunoglobuline monoclonale recombinante[44, 45]. **Données animales** • Pas d'effet tératogène chez des singes exposés à des doses plus de 300 fois supérieures à celles utilisées chez l'humain[44]. **Données chez la femme enceinte** • Un sondage en ligne réalisé auprès de rhumatologues américains a permis d'identifier 417 grossesses exposées à un anti-TNF (agents non spécifiés). L'exposition s'étendait sur toute la durée de la grossesse pour le tiers des patientes. Les taux d'AS et de prématurité rapportés sont similaires à ceux observés dans la population générale et aucune malformation congénitale n'a été signalée[46]. • Deux expositions durant toute la grossesse, une exposition au premier trimestre ainsi qu'une exposition aux deuxième et troisième trimestres de la grossesse : enfants normaux[47-50]. • Selon un registre anglais, 23 issues de grossesse connues chez des patientes exposées à des anti-TNF en début de grossesse, dont 3 avec l'adalimumab : 2 enfants nés en bonne santé ainsi qu'un AS[51].	Quoique ces agents immunomodulateurs soient très efficaces pour le traitement de la PAR et du LED, ils ne constituent pas des agents de premier recours chez la femme enceinte. Les données d'innocuité relatives aux anti-TNF durant la grossesse sont effectivement limitées ; un passage transplacentaire en fin de grossesse ne peut être exclu et les effets à long terme sur les enfants exposés *in utero* restent à évaluer. Une exposition à un anti-TNF par inadvertance au premier trimestre ne justifie pas une interruption de grossesse. Dans une telle situation, une échographie fœtale détaillée devrait être offerte. Dans certains cas, les bénéfices de ces molécules peuvent surpasser leurs risques. À ce jour, l'infliximab demeure l'anti-TNF alpha le mieux connu durant la grossesse, et les données disponibles suggèrent que l'infliximab n'est pas associé à des issues de grossesse défavorables.

Médicament	Données durant la grossesse	Recommandations, commentaires
Étanercept	• Protéine de fusion dimérique recombinante. • Pas d'effet tératogène chez 2 espèces animales à des doses supérieures à celles utilisées chez l'humain[44]. • État de rémission atteint grâce à l'étanercept chez une patiente souffrant de PAR suivi d'une insémination artificielle 4 semaines plus tard et l'arrêt du traitement par la suite. Grossesse sans particularité[44]. • Deux expositions pendant toute la grossesse ; naissance d'enfants normaux[44, 52]. • Une exposition durant toute la grossesse : enfant né avec une constellation d'anomalies désignée par l'acronyme VATER (malformations des vertèbres, de l'anus, de la trachée, de l'œsophage et des reins)[53]. • Taux de malformations majeures similaire à celui attendu parmi 36 patientes exposées à des anti-TNF (32 avec l'étanercept) dans le cadre d'une étude prospective contrôlée publiée sous forme de résumé ; augmentation des risques de naissances prématurées et de petit poids à la naissance pouvant être associée aux conditions médicales des mères traitées[54]. • Selon un registre anglais, 23 issues de grossesse connues chez des patientes exposées à des anti-TNF en début de grossesse, dont 17 avec l'étanercept (une patiente jusqu'à la 20e semaine et une autre durant toute la grossesse) : 10 enfants nés en bonne santé, 4 AS ainsi que 3 IVG* pour raisons inconnues[51]. • Selon un registre espagnol, 9 issues de grossesse connues chez des patientes exposées à des anti-TNF en début de grossesse, dont 5 avec l'étanercept : 3 enfants nés à terme et en bonne santé ainsi que 2 IVG pour raison inconnue[55]. • Un sondage distribué par la poste à des rhumatologues américains cumule 8 grossesses exposées à l'étanercept : 6 enfants nés à terme et en bonne santé, 1 AS ainsi qu'une IVG pour raison inconnue[56].	
Infliximab	• Anticorps monoclonal chimérique. • Le passage transplacentaire de l'infliximab a été évoqué dans une notification de cas[57]. • L'infliximab n'agit pas sur le TNF des espèces autres que l'humain et le chimpanzé ; aucune étude sur la reproduction animale n'a donc été effectuée avec cet agent[44].	

Médicament	Données durant la grossesse	Recommandations, commentaires
	• Chez la souris, un anticorps analogue inhibant le TNF murin n'a produit aucun effet indésirable maternel ou fœtal[44].	
	• Données d'innocuité post-commercialisation de la compagnie : 96 issues de grossesse connues chez des patientes exposées avant et/ou pendant la grossesse, dont 64 (67 %) naissances vivantes (5 complications sans patron spécifique), 14 (15 %) avortements spontanés et 18 (19 %) IVG pour raisons inconnues (aucune anomalie rapportée)[58].	
	• Une série rétrospective mentionnant 10 expositions (une au premier trimestre, 8 durant toute la grossesse et une au troisième trimestre) : 10 naissances vivantes, dont 3 naissances prématurées et un enfant présentant un syndrome de détresse respiratoire transitoire et un ulcère gastrique résolu à 6 mois de vie[59].	
	• Cinq notifications de cas exposés à l'infliximab (une immédiatement avant la conception, une au premier trimestre, une au deuxième trimestre et 2 durant toute la grossesse) et dont l'issue de grossesse est sans particularité[44, 57, 60-62].	
	• Selon un registre espagnol, 9 issues de grossesse connues chez des patientes exposées à des anti-TNF alpha en début de grossesse, dont 4 avec l'infliximab : 3 enfants nés à terme et en bonne santé ainsi qu'un AS[55].	
	• Taux de malformations majeures similaire à celui attendu parmi 36 patientes exposées à des anti-TNF (4 avec l'infliximab) dans le cadre d'une étude prospective contrôlée publiée sous forme de *poster* ; augmentation des risques de naissances prématurées et de petit poids à la naissance pouvant être associée aux conditions médicales des mères traitées[54].	
	• Selon un registre anglais, 23 issues de grossesse connues chez des patientes exposées à des anti-TNF en début de grossesse, dont 3 avec l'infliximab : 2 enfants nés en bonne santé ainsi qu'un AS[51].	
	• Deux notifications de cas exposés à l'infliximab au premier trimestre de la grossesse : une AS et une naissance avant terme avec décès néonatal[44, 63].	
	• Un sondage distribué par la poste à des rhumatologues américains rapporte une grossesse exposée à l'infliximab : enfant né à terme et en bonne santé[56].	

Médicament	Données durant la grossesse	Recommandations, commentaires
Autres médicaments		
Abatacept	• L'abatacept est une protéine de fusion soluble qui inhibe la fonction des cellules T. • Pas d'effet tératogène ni embryotoxique chez 3 espèces animales à des doses supérieures aux doses humaines recommandées[15].	Non recommandé pendant la grossesse en l'absence de données humaines.
Cyclophosphamide	• Agent alkylant. • Passage transplacentaire objectivé chez une patiente enceinte de 33 semaines[60]. • Tératogène chez toutes les espèces animales testées : malformations crâniofaciales, anomalies du système nerveux central et squelettiques[60]. • L'effet du cyclophosphamide durant la grossesse est difficile à interpréter puisque les femmes exposées à ce médicament ont des maladies sous-jacentes importantes et sont souvent exposées à plusieurs agents de chimiothérapie, incluant la radiothérapie. • Douze notifications de cas ont permis de décrire un spectre de malformations suivant l'exposition au cyclophosphamide au premier trimestre. Les malformations couramment rapportées ressemblent essentiellement à celles rapportées chez l'animal, soit des anomalies crâniofaciales (microcéphalie, craniosynostose, pont nasal plat, oreilles anormales, fente palatine) et des anomalies des membres distaux (doigts ou orteils manquants)[41, 61-64]. • L'utilisation du cyclophosphamide au premier trimestre a été associée à des malformation dans quatre notifications de cas supplémentaires. Cependant, les malformations ne sont pas décrites pour 2 enfants, alors que les hernies ombilicales présentées chez les 2 autres ne sont pas associés au cyclophosphamide selon un auteur[41, 61, 64]. • Il existe aussi quinze notifications de cas décrivant des grossesses normales exposées au cyclophosphamide au premier trimestre[41, 61]. • Aux deuxième et troisième trimestres, les complications possibles d'une exposition au cyclophosphamide incluent notamment un RCIU et une pancytopénie[41, 60, 65]. • Des aberrations chromosomiques ont été observées chez une enfant apparemment normale ayant été exposée au cyclophosphamide durant les deuxième et troisième trimestres. La portée clinique de ces anomalies est pour l'instant inconnue[41].	Le cyclophosphamide est contre-indiqué pendant la grossesse et devrait être prescrit seulement si une contraception adéquate est en cours chez les femmes en âge de procréer. Une femme exposée pendant le premier trimestre de la grossesse devrait être avisée des risques possibles et être prise en charge pour un dépistage prénatal extensif ainsi qu'une échographie de morphologie détaillée. Une femme exposée aux deuxième et troisième trimestres devrait également être avisée des complications possibles. Le traitement par cyclophosphamide chez la femme en âge de procréer pose un risque d'aménorrhée et d'infertilité. Les femmes âgées de plus de 30 ans et celles exposées à une dose cumulative importante de cyclophosphamide sont plus à risque d'insuffisance ovarienne[66, 67].

Médicament	Données durant la grossesse	Recommandations, commentaires
Cyclosporine	• La cyclosporine et ses métabolites sont détectés dans le placenta, le sang de cordon et le liquide amniotique[44, 64-66]. • Plus de 800 grossesses exposées à la cyclosporine sont rapportées, majoritairement dans le contexte d'une greffe d'organe. Le taux de malformations observé est similaire au risque de base dans la population en général. On rapporte aussi de façon générale un risque augmenté de prématurité et de faible poids de naissance[44, 67-71]. Les issues de grossesses ne sont toutefois pas connues dans tous les cas d'expositions. • Une méta-analyse a évalué le risque de prématurité et de faible poids de naissance suite au traitement à la cyclosporine pendant la grossesse. Les risques de naissances préterme et de faibles poids de naissance n'étaient pas augmentés de façon statistiquement significative malgré des prévalences respectives de 56,3 % et 43 %[67]. Il est difficile d'évaluer à quel point ces effets sont dus à l'exposition à la cyclosporine ou à la maladie de base de la mère. • Aucune évidence de néphrotoxicité n'a été démontrée chez 22 enfants exposés *in utero* à la cyclosporine suivis en moyenne 39 mois après la naissance[66]. • Le suivi de 175 enfants (de 4 mois à 12 ans) exposés *in utero* à la cyclosporine provenant du registre américain des transplantations pendant la grossesse a démontré que 84 % des enfants présentent un développement normal[72].	Il est difficile d'évaluer précisément les risques de l'exposition à la cyclosporine puisque les patientes étudiées présentent des maladies sévères et utilisent souvent plusieurs médications concomitantes. La cyclosporine devrait être réservée aux patientes atteintes de PAR grave ne répondant pas aux autres thérapies. Si la cyclosporine est utilisée pendant la grossesse, elle devrait être maintenue à la dose minimale efficace[69]. Un suivi de la tension artérielle chaque mois, de la fonction rénale aux 2 semaines jusqu'à stabilisation de la dose puis chaque mois et de la formule sanguine complète (FSC) aux 3 mois devrait être effectué pendant le traitement à la cyclosporine[69, 73].
Hydroxychloroquine (HCQ)/ Chloroquine (CQ)	• Passage transplacentaire d'HCQ rapporté sans différence significative entre les niveaux moyens maternels et le sang de cordon[69, 74]. • Plus de 300 grossesses ont été exposées à la CQ et l'HCQ à doses thérapeutiques majoritairement dans des cas de LED[16, 69, 75-77]. La plupart de ces données proviennent d'études de cohortes avec ou sans groupe témoin. Aucune augmentation du risque de malformations majeures n'a été rapportée jusqu'à maintenant dans ces études. • L'utilisation en grossesse de l'HCQ à doses thérapeutiques soulève certaines inquiétudes à cause de l'observation de cas de toxicité rétinienne et auditive lors de l'exposition in utero à la CQ, qui a une structure moléculaire similaire chez l'animal et l'humain[44, 69, 77, 78]. Toutefois, on rapporte que	En raison de la très longue demi-vie (30 à 50 jours) de l'HCQ, l'arrêt en début de grossesse n'élimine pas l'exposition du fœtus à ce médicament. De plus, l'arrêt de l'HCQ est associé à un risque augmenté de rechute de LED de 2-2,5 fois dans les 6 mois suivant l'arrêt[16, 77, 83]. Dans ce contexte, plusieurs auteurs recommandent de poursuivre l'HCQ durant la grossesse chez les patientes dont le LED est bien contrôlé par cette molécule. Les bénéfices de débuter cette thérapie au cours de la grossesse ne sont toutefois pas démontrés[75].

Médicament	Données durant la grossesse	Recommandations, commentaires
	l'HCQ se déposerait 2,5 fois moins dans les tissus que la CQ. De plus, chez l'adulte, la toxicité rétinienne de l'HCQ serait minime lorsque l'on maintient une dose inférieure à 6,5 mg/kg/jour[79]. • Aucune anomalie oculaire ou auditive n'a été rapportée chez plus de 200 enfants exposés *in utero* à l'HCQ suivis à long terme[16, 69, 76, 77, 80-82]. • La CQ est également utilisée à dose préventive antipaludéenne en schémas hebdomadaires ou mensuels. Voir chapitre 19. *Paludisme* pour données d'innocuité à ces doses.	Dans la pratique, un test ophtalmologique 3 à 4 mois après la naissance permettra d'éliminer la possibilité de toxicité rétinienne. En ce qui concerne la PAR, les avantages de la continuer pendant la grossesse sont moins évidents. Il faut alors évaluer l'intérêt de poursuivre ou de débuter ce traitement pendant la grossesse.
Léflunomide	• Demi-vie jusqu'à 96 jours. Pourrait donc prendre jusqu'à 2 ans après l'arrêt de léflunomide pour l'atteinte de niveaux plasmatiques indétectables[44, 69, 84-86]. • Passage transplacentaire non étudié mais poids moléculaire suffisamment faible (environ 270 Da) pour supposer un passage[44]. • Le léflunomide est embryotoxique (retards de croissance et létalité) et tératogène (malformations de la tête, de la colonne vertébrale, des côtes, des membres, et microphtalmie et anophtalmie) chez les animaux à des doses inférieures ou équivalentes aux doses humaines[44, 69, 84]. Le léflunomide est carcinogène chez la souris mais pas chez le rat[44, 84]. • Un article publié en 2001 rapporte une trentaine d'expositions pendant la grossesse au léflunomide, dont 27 IVG. Issues de grossesse inconnues dans les 3 grossesses poursuivies[84]. Ces données risquent de recouper le registre du fabricant. • Une série rétrospective de 10 grossesses (moment d'exposition inconnu) provenant d'un questionnaire envoyé à 600 rhumatologues sur leurs habitudes de pratique rapporte 6 issues connues qui n'ont pas mis en évidence de malformations[56]. • Série de 5 cas dont 3 exposés en début de grossesse (2 IVG et un enfant normal né à 36 semaines) et 2 ayant conçu dans les 2 ans suivant l'arrêt du léflunomide (1 IVG et 1 enfant normal à terme). Aucune de ces femmes n'a reçu la procédure d'élimination rapide du médicament[85]. On rapporte également 1 cas d'exposition paternelle au léflunomide 6 mois avant la conception et pendant toute la grossesse avec relations sexuelles sans utilisation de condom où l'enfant est né à terme et en santé[85].	Dans le contexte d'autres options de traitement efficaces disponibles et du potentiel tératogène chez les animaux, on évite le léflunomide durant la grossesse. En planification de grossesse ou si une grossesse non planifiée survient et que la patiente désire la poursuivre, le fabricant suggère l'utilisation d'une procédure d'élimination rapide du léflunomide, soit 8 g de cholestyramine 3 fois par jour pendant 11 jours[56, 69, 84, 86]. On doit ensuite s'assurer que le taux plasmatique du métabolite actif est inférieur à 0,02 mg/L[84, 86]. On devrait conseiller une méthode contraceptive efficace pendant le traitement au léflunomide des femmes et des hommes en âge de procréer.

Médicament	Données durant la grossesse	Recommandations, commentaires
	• Une mise à jour de septembre 2004 non publiée par le fabricant du léflunomide rapporte 428 expositions en grossesse incluant 165 grossesses dont l'issue est connue (moment d'exposition inconnu). On relate 44 IVG, 36 AS et 85 naissances menées à terme dont 7 cas de malformations majeures[69]. • Étude de cohorte prospective contrôlée rapporte 43 femmes exposées au léflunomide en début de grossesse comparées à un groupe de femmes enceintes atteintes de PAR non exposées au léflunomide et à un groupe de femmes enceintes non atteintes de PAR. Taux de malformations majeures et mineures similaires entre les 3 groupes[87]. Les enfants exposés au léflunomide présentent un risque de prématurité et de faible poids de naissance significativement plus élevé que le groupe de femmes non atteintes de PAR mais similaire au groupe de femmes atteintes de PAR non exposées au léflunomide, suggérant un lien avec la maladie sous-jacente de la mère et/ou la médication concomitante[54, 87].	
Méthotrexate (MTX)	• Demi-vie terminale de 8 à 15 heures. Toutefois, 5-35 % du MTX serait converti par le foie et emmagasiné dans les tissus, majoritairement au niveau du foie et des reins pendant plusieurs mois[88, 89]. • Associé à plusieurs anomalies congénitales aussi rapportées avec un autre antagoniste des folates, l'aminoptérine (embryopathie au méthotrexate et à l'aminopterine). On rapporte entre autres des anomalies craniofaciales (oxycéphalie, larges fontanelles, hypertélorisme oculaire, micrognathie, rétrognathie, anomalies des oreilles externes), des anomalies squelettiques, des retards de croissance intra-utérine et parfois des retards intellectuels[44]. Selon une revue de la littérature, la période critique d'exposition pendant la grossesse serait entre 8 et 10 semaines suivant la date des dernières menstruations, à une dose supérieure à 10 mg par semaine[90]. Les 3 premiers cas rapportés d'embryopathie au MTX sont décrits dans cette revue de la littérature. Ces derniers ont tous été exposés à des doses supérieures à 10 mg/semaine de la 8e à la 10e semaine de gestation[90]. • L'utilisation du méthotrexate au premier trimestre dans un contexte de désordres rhumatologiques est décrite pour une cinquantaine de grossesses[88-96].	Le MTX est contre-indiqué pendant la grossesse et devrait être prescrit seulement si une contraception adéquate est en cours chez les femmes en âge de procréer. On peut toutefois rassurer une femme exposée hors de la période et de la dose critiques d'exposition. Une femme exposée au MTX pendant la période critique devrait être avisée des risques possibles, être prise en charge pour un dépistage prénatal extensif et pour une échographie de morphologie détaillée. La durée sécuritaire entre l'arrêt du médicament et la conception diffère selon les références mais la plupart s'entendent pour dire qu'il semble raisonnable d'attendre 3 mois après l'arrêt du méthotrexate pour minimiser les risques[69, 75, 86, 89].

Médicament	Données durant la grossesse	Recommandations, commentaires
	• Aucune anomalie congénitale majeure n'a été rapportée chez 42 enfants exposés au MTX au premier trimestre à des doses de méthotrexate de 2,5 à 15 mg/semaine[88-90, 93, 95]. • Développement intellectuel et physique normal pour un suivi de 11,5 années en moyenne chez 5 enfants[93]. • Des anomalies congénitales s'apparentant à l'embryopathie au MTX ont été rapportées avec une exposition de 12,5 mg/semaine pendant 10 semaines de gestation, avec une exposition de 37,5 mg/semaine pendant 10 semaines de gestation et avec une exposition de 10 mg IM pour 2 doses entre 4 et 6 semaines de gestation et avec une exposition de 15 mg pendant la 5e semaine de gestation[91, 92, 94, 96]. • Une série rétrospective de 38 grossesses (moment d'exposition au MTX inconnu) provenant d'un questionnaire envoyé à 600 rhumatologues sur leurs habitudes de pratique rapporte 2 malformations majeures chez 23 nouveau-nés, une malformation majeure parmi 7 AS et 8 IVG[56]. • On retrouve aussi dans la littérature plusieurs cas d'embryopathie au MTX suite à l'utilisation de hautes doses au premier trimestre dans un contexte d'échec à des IVG ou de grossesses ectopiques suspectées[97-102]. • Jusqu'à maintenant, aucun cas d'anomalies congénitales suite à l'exposition d'un homme avant la conception n'a été rapporté[69]. • Une étude de suivi à long terme (3-19 ans) d'enfants exposés *in utero* à plusieurs agents cytotoxiques dont le MTX a montré un développement physique, neurologique, psychologique et une fonction immunitaire normaux[69].	La supplémentation en acide folique utilisée pendant le traitement au méthotrexate devrait être poursuivie après l'arrêt du traitement et pendant toute la grossesse[69]. La dose d'acide folique à utiliser avant la conception n'est pas précisée mais en pratique, l'utilisation d'une dose de 5 mg par jour semble raisonnable.
Mofétilmyco-phénolate (MMF)	• Passage transplacentaire inconnu mais poids moléculaire suffisamment faible pour permettre un passage[44]. • L'administration de MMF à 2 espèces animales a mené à une augmentation des morts intra-utérines et du développement de malformations congénitales telles l'anophtalmie, l'ectrognathie, l'hydrocéphalie et la hernie diaphragmatique à doses inférieures aux doses humaines utilisées, basées sur la surface sous la courbe[44, 69, 86, 103].	À cause des inquiétudes soulevées dans les études animales et des anomalies congénitales rapportés dans les données d'expositions humaines pendant la grossesse, l'utilisation de MMF devrait être réservée aux femmes en âge de procréer sous contraception efficace seulement[69].

Médicament	Données durant la grossesse	Recommandations, commentaires
	• Un article décrivant tous les cas d'expositions humaines au MMF rapportés dans le registre américain des transplantations fait état de 33 grossesses chez 24 patientes greffées[103]. On rapporte 4 malformations majeures sur 18 naissances vivantes (13 prématurés) et 15 AS. Les malformations incluent un cas d'ongles hypoplasiques et d'anomalie digitale, un cas de microtie avec fissure labiale/palatine, un cas de microtie seule et un cas de mort néonatale avec anomalies multiples[103]. • Un rapport de cas relate l'exposition au MMF jusqu'à 13 semaines de grossesse chez une greffée rénale[104]. Une échographie effectuée à 22 semaines de grossesse a démontré une croissance normale et des malformations multiples (large fissure labiale/palatine, micrognathie, hypertélorisme oculaire, microtie, anomalie rénale et agénésie du corps calleux). La grossesse fut interrompue à 22 semaines. • 119 grossesses exposées au MMF répertoriées par le fabricant, dont 76 avec issue connue. On rapporte 20 AS, 13 IVG, 22 nouveau-nés en santé et 10 nouveau-nés présentant des malformations majeures[69]. • Aucune malformation structurelle rapportée pour 45 grossesses dont les pères greffés étaient traités par MMF lors de la conception (42 naissances vivantes et 3 AS)[86].	
Rituximab	• Le rituximab est une IgG monoclonale chimérique souris-humain qui cible l'antigène CD20 retrouvé sur les lymphocytes B normaux mais aussi malins[105]. • Le passage placentaire est probable comme les autres IgG, principalement à partir de la 32e semaine. Deux rapports de cas ont évalué ce passage : le taux de rituximab était identique dans le sérum maternel et dans le sang de cordon dans un cas[106]. Il était 3 fois plus élevé dans le sang de cordon que dans le sérum maternel dans l'autre cas[107]. • Chez la macaque exposée durant l'organogenèse, le rituximab ne semble ni embryotoxique ni tératogène mais mène à une diminution des lymphocytes B[108]. Il n'y a pas d'études sur la mutagenèse ni les effets sur la fertilité à long terme. • Cinq cas d'exposition au rituximab sont décrits : 4 pour des lymphomes non hodgkiniens (dont 3 ont reçu aussi des cycles de CHOP : cyclophos-	Il existe encore très peu de données sur le rituximab au cours de la grossesse. Il passe le placenta et abaisse considérablement le taux de lymphocytes B fœtaux, ce qui pourrait avoir des conséquences à court et à long terme. Il est préférable de privilégier d'autres traitements de la PAR pendant la grossesse.

Médicament	Données durant la grossesse	Recommandations, commentaires
Rituximab	phamide, doxorubicin, vincristine et prednisone), et un pour une anémie hémolytique auto-immune réfractaire aux corticostéroïdes. Deux expositions ont eu lieu au premier trimestre et les 3 autres au deuxième trimestre. Aucun des 5 enfants n'a présenté de malformations. Deux d'entre eux sont nés prématurément à 33 et 35 semaines. Chez 2 des 3 nouveaux nés exposés au deuxième trimestre, le compte de lymphocytes B a été rapporté et s'est avéré sévèrement diminué, mais avec une récupération rapide et sans conséquences (telles des infections)[105-107, 109, 110].	
Sels d'or Auranofine Aurothiomalate de sodium	• Les sels d'or passent le placenta humain[111]. • Chez l'animal, on note des malformations à des doses très élevées (microphtalmie et hydrocéphalie, malformations des membres et gastroschisis)[44]. • Une étude menée chez 119 femmes ayant été exposées au premier trimestre, dont 26 durant toute la grossesse, a mis en évidence 2 anomalies : une dislocation de la hanche et un *acetabulum* aplati[112]. • Il n'y a pas de données à long terme sur le développement et la carcinogenèse.	Les sels d'or étaient autrefois utilisés comme agents qui modifient l'évolution de la PAR. Ils ne sont presque plus utilisés. Les données sont rassurantes mais insuffisantes pour conclure qu'ils ne sont pas nocifs pour le fœtus.
Tacrolimus (FK 506)	• Le tacrolimus traverse le placenta. Toutefois, sa concentration placentaire est 2 à 56 fois plus élevée que les concentrations plasmatiques de la mère et du cordon, suggérant une protection du fœtus par une barrière placentaire partielle[44, 113]. • Les données animales suggèrent des propriétés abortives chez 3 espèces ainsi que des effets tératogènes dépendants de la dose chez le lapin[44]. • Une revue rapporte 100 grossesses chez 84 femmes greffées exposées au tacrolimus[114]. On rapporte 71 naissances dont 4 malformations majeures sans patron de malformation (70 naissances vivantes suivies de 2 morts néonatales et une mortinaissance), 12 AS et 12 IVG. Dans cette revue, 59 % des naissances étaient prématurées mais 90 % des poids de naissance appropriés selon l'âge gestationnel. On mentionne aussi la survenue d'effets néonatals transitoires tels que l'hypoxie, l'hyperkaliémie et la dysfonction rénale.	Le tacrolimus devrait être réservé aux patientes présentant une détérioration de la néphrite lupique ou aux patientes atteintes de PAR grave ne répondant pas aux autres thérapies. Si le tacrolimus est utilisé pendant la grossesse, on devrait le maintenir à la dose minimale efficace[69]. Un suivi de la tension artérielle, de la fonction rénale et de la formule sanguine complète (FSC) devrait être effectué pendant le traitement au tacrolimus.

Médicament	Données durant la grossesse	Recommandations, commentaires
	• Deux études relatant l'expérience dans un même centre, l'une rétrospective et l'autre prospective, rapportent 70 naissances vivantes et une mortinaissance exposées au tacrolimus après des transplantations rénales, rein-pancréas simultanées et hépatiques[115, 116]. Près de 70 % des naissances sont survenues à plus de 36 semaines d'âge gestationnel et seulement 2 nouveau-nés présentaient des anomalies congénitales. Il est à noter qu'une partie de ces données recoupe les données rapportées dans la première revue de la littérature[114]. • Le registre américain rapporte 147 cas d'exposition au tacrolimus incluant 3 malformations majeures sur 50 naissances vivantes[68]. • Une revue de l'expérience d'un centre hospitalier anglais rapporte 71 grossesses chez 45 femmes greffées, dont 43 exposées au tacrolimus. Aucune anomalie congénitale n'est survenue parmi 29 naissances vivantes, 7 AS et 5 IVG[117]. On y remarque une augmentation de la prématurité et des RCIU lorsque la grossesse survient dans l'année suivant la transplantation. Il est difficile d'évaluer à quel point la prématurité et les RCIU sont dus à l'exposition au tacrolimus ou à la maladie de base de la mère.	
Immunoglobulines		
Immunoglobulines non spécifiques (IgG)	• Le transfert placentaire des IgG dépend de la dose utilisée et de l'âge gestationnel de la grossesse. En effet, les IgG traversent le placenta en quantité significative à partir de la 32e semaine de gestation[69]. • Aucun effet néfaste n'a été décrit chez les fœtus exposés[69]. • Aucune étude randomisée concernant la fonction immunitaire du nouveau-né exposé aux IgG *in utero* ou sa réponse à la vaccination dans l'enfance n'a été publiée[69].	Les IgG intraveineuses peuvent être utilisées en grossesse pour des indications bien précises, soit le traitement des avortements à répétition chez les femmes lupiques souffrant du syndrome des antiphospholipides, la thrombocytopénie immune et le traitement du bloc cardiaque congénital causé par les anti-Ro et anti-La.

AS: avortements spontanés, IVG: Interruption volontaires de grossesse, IgG: immunoglobulines, RCIU: retard de croissance intra-utérine. IM: intramusculaire.

TABLEAU IV – DONNÉES D'INNOCUITÉ DURANT L'ALLAITEMENT DES MÉDICAMENTS UTILISÉS POUR TRAITER LE LED ET LA PAR

Médicament	Données durant l'allaitement	Recommandations, commentaires
Abatacept	• Poids moléculaire : 92 300 Da. • Demi-vie d'élimination : 12 à 23 jours (moyenne : 16,7 jours) après une seule dose et 8 à 25 jours (moyenne : 13,1 jours) après des doses multiples[118]. • Aucune donnée humaine en l'allaitement.	Malgré l'absence de données, l'utilisation d'abatacept pendant l'allaitement est probablement sécuritaire en raison des données pharmacocinétiques et de l'absence probable d'absorption gastro-intestinale par l'enfant. Si la molécule est utilisée pendant l'allaitement, surveiller chez l'enfant une sensibilité particulière aux infections.
Anti-IL1		
Anakinra	• Poids moléculaire : 17 300 Da. • Liaison aux protéines plasmatiques : nulle. • Demi-vie d'élimination : 4 à 6 heures[15]. • Passage dans le lait inconnu. • L'anti-IL1 endogène est un constituant normal du colostrum et du lait maternel[119].	Malgré l'absence de données, l'utilisation d'anakinra pendant l'allaitement est probablement sécuritaire en raison des données pharmacocinétiques et de l'absence probable d'absorption gastro-intestinale par l'enfant. Si la molécule est utilisée pendant l'allaitement, surveiller chez l'enfant une sensibilité particulière aux infections.
Anti-TNF-alpha		
Adalimumab	• Poids moléculaire : 148 000 Da. • Liaison protéique : nulle[119]. • Demi-vie d'élimination : 10 à 18 jours. • Trois cas rapportés de femmes traitées avec 40 mg par semaine pendant toute la grossesse et l'allaite-ment. Aucune information sur le type (mixte ou exclusif) ni sur la durée d'allaitement. Pas de conséquence apparentes chez les 3 enfants. Développement normal pour 2 enfants suivis à 6 mois[48].	L'utilisation d'adalimumab, d'étanercept et d'infliximab pendant l'allaitement est probablement sécuritaire en raison des données pharmacocinétiques et de l'absence probable d'absorption gastro-intestinale par l'enfant. Cependant, il n'existe aucune donnée en allaitement pour l'abatacept et peu de données pour l'étanercept. L'infliximab est la molécule pour laquelle on a le plus de données. Si la molécule est utilisée pen-dant l'allaitement, surveiller chez l'enfant une sensibilité particulière aux infections.
Étanercept	• Poids moléculaire : 150 000 Da[15]. • Demi-vie d'élimination : 3,8 à 12,5 jours[15]. • Dosage dans le lait d'une mère traitée avec 25 mg 2 fois par semaine (bébé non allaité). La dose théorique à laquelle serait exposé un bébé exclu-sivement allaité correspond à 9,8 % de la dose pédiatrique hebdomadaire par voie sous-cutanée (pouvant être administrée après 4 ans), en assumant une absorption gastro-intestinale complète, ce qui n'est probablement pas le cas[120].	

Médicament	Données durant l'allaitement	Recommandations, commentaires
Infliximab	• Poids moléculaire : 149 100 Da. • Demi-vie d'élimination : 8 à 10 jours(15). • Concentrations indétectables dans le lait de 11 mères traitées avec 5 ou 10 mg/kg d'infliximab pendant l'allaitement. Les mesures dans le lait ont été effectuées pendant des périodes d'au moins une semaine après la prise du médicament chez 7 des patientes (8 des enfants étaient allaités, pour les 3 autres enfants l'information n'est pas disponible)[59, 119, 121]. • Concentrations détectables et croissantes sur une période de collecte de 10 jours chez une femme après des doses de 160 mg et 165 mg (délai non précisé entre les 2 doses). Cependant, selon les conditions de l'étude, l'interprétation des résultats semble difficile car la mère avait un écoulement de lait sans qu'elle allaite son enfant de 4 mois[122]. • Pas d'effet indésirable et développement normal chez un des enfants allaités dont la mère était traitée par infliximab (aucune donnée rapportée pour les 10 autres enfants)[121].	
Sels d'or		
Auranofine	• Poids moléculaire : 679 Da. • Absorption orale : 20 à 25 %. • Liaison aux protéines plasmatiques : 60 %. • Demi-vie d'élimination : 15 à 31 jours. • Pas de données humaines sur le passage dans le lait maternel. • Quatre cas rapportés d'enfants allaités dont les mères prenaient des sels d'or. Œdème de la face chez un des enfants âgé de 18 mois dont la mère avait arrêté le traitement depuis 3 mois[121].	Les sels d'or passent en quantité variable dans le lait maternel. Leur longue durée d'élimination pourrait mener à une accumulation toxique chez l'enfant. Pour ces raisons, l'allaitement devrait être évité pendant la prise de sels d'or.
Aurothiomalate de sodium	• Correspond à un mélange d'aurothiomalates mono- et disodiques. • Poids moléculaire : 390 + 368 Da. • Liaison aux protéines : 95 %. • Demi-vie d'élimination : 5 jours[15]. • Demi-vie d'élimination terminale : 250 jours[123]. • Le passage dans le lait maternel a été évalué chez 6 femmes traitées par des doses de 10 à 50 mg par semaine. La quantité retrouvée dans le lait maternel correspondait au maximum à 11,2 % de la dose maternelle ajustée au poids[44, 119, 121, 123]. • Chez 2 enfants allaités, le sel d'or a été détecté dans les urines après plusieurs doses chez les mères[121].	

Médicament	Données durant l'allaitement	Recommandations, commentaires
	• Quatre cas rapportés d'enfants allaités dont les mères prenaient des sels d'or. Œdème de la face chez un des enfants âgé de 18 mois dont la mère avait arrêté le traitement depuis 3 mois[12].	
Autres médicaments		
Cyclophosphamide	• Poids moléculaire : 261 Da. • Biodisponibilité orale : 75 %. • Liaison protéique : 24 %[15]. • Demi-vie d'élimination : 1,3 à 16 heures[15]. • Passage dans le lait maternel, cependant les concentrations n'ont pas été déterminées[12]. • Neutropénie chez 2 enfants allaités dont les mères étaient traitées par des doses de 6 mg/kg/jour et de 800 mg par semaine respectivement. La neutropénie était associée dans le premier cas à une thrombocytopénie et une hémoglobinémie faible 3 jours après le début du traitement et, dans le 2e cas (enfant de 4 mois), à de brefs épisodes de diarrhées 9 jours après le début du traitement[12].	L'allaitement est contre-indiqué pendant le traitement par cyclophosphamide en raison de la toxicité potentielle importante du médicament (notamment hémato-toxicité, néphrotoxicité, cardiotoxicité, hépatotoxicité).
Cyclosporine	• Poids moléculaire : 1203 Da. • Biodisponibilité orale : 10 à 89 %. • Liaison protéique : 90 %. • Demi-vie d'élimination : 10 à 27 heures et de 5 à 18 heures pour la cyclosporine modifiée[15]. • La cyclosporine est excrétée dans le lait maternel. Chez 19 mères traitées par des doses d'au maximum 600 mg par jour, la dose reçue par l'enfant correspond au maximum à 2 % de la dose pédiatrique de maintien suite à une transplantation[119, 121, 124]. • Sur 15 enfants : taux de cyclosporine dans le sang indétectable (pour des seuils de détection compris entre 3 et 30 µg/L) pour 13 enfants[119, 121]. • Chez 3 enfants dont les mères étaient traitées par 225 à 300 mg/jour pendant la grossesse et l'allaite-ment, les concentrations étaient détectables mais infra-thérapeutiques[125]. • Chez un enfant dont la mère prenait 5,3 mg/kg pendant la grossesse et l'allaitement, 2 mesures effectuées à 4 semaines *post-partum* ont montré des cyclosporinémies à des valeurs thérapeutiques. Aucun effet indésirable n'a été noté chez l'enfant et son développement à 18 mois était normal. Cependant, aucun effet immunologique spécifique de la cyclosporine n'a été évalué[125]. • Pas d'effet indésirable chez 17 enfants allaités dont les mères étaient traitées[119, 121].	Le passage dans le lait maternel est faible dans la plupart des cas. La cyclosporine est métabolisée par le cytochrome P450. Cette voie métabolique n'est pas mature chez l'enfant à la naissance, la demi-vie d'élimination chez un nouveau-né pourrait donc être théoriquement plus longue et le médicament pourrait s'accumuler au cours des premières semaines de vie de l'enfant. L'allaitement n'est pas contre-indiqué pendant le traitement. Cependant, il est important de vérifier que l'enfant a un bon état général et une bonne fonction rénale (mictions normales). Un suivi clinique des effets indésirables potentiels, notamment la toxicité rénale, est recom-mandé à la naissance puis aux visites chez le pédiatre. Des dosages biochimiques (formule sanguine, créatinine, ionogramme) pourront être demandés au besoin selon l'examen clinique.

Médicament	Données durant l'allaitement	Recommandations, commentaires
Hydroxy-chloroquine (HCQ)	• Poids moléculaire : 336 Da. • Biodisponibilité orale : 74 %. • Liaison protéique : 63 %. • Demi-vie d'élimination : 40 jours. • Mesures faites dans le lait maternel chez 6 femmes traitées par des doses de 200 ou 400 mg/jour ; on estime que la dose reçue par un enfant exclusivement allaité correspond au maximum à 7 % de la dose maternelle ajustée au poids. Toutes les mesures n'étaient cependant pas faites à l'état d'équilibre. Les doses prises par 4 mères n'étaient pas clairement définies mais correspondaient à 200 ou 400 mg/jour[80, 121]. • Pas d'effet indésirable rapporté chez un enfant allaité dont la mère prenait 400 mg de HCQ[121]. • Pas d'anomalie de la vision chez 21 enfants allaités[121]. • Pas d'anomalie de l'audition chez 16 enfants allaités[121]. • Le suivi pendant 12 mois de 13 enfants allaités n'a pas montré d'anomalie de la rétine. La croissance et le développement moteur étaient normaux (parmi ces 13 enfants, 8 enfants étaient inclus dans l'étude précédemment citée)[121].	L'allaitement peut être envisagé pendant la prise d'hydroxychloroquine. Par mesure de prudence, un examen du fond de l'œil peut être fait 3 à 4 mois après le début de l'allaitement afin de s'assurer de l'absence de dépôts rétiniens chez l'enfant.
Léflunomide	• Poids moléculaire : 270 Da. • Biodisponibilité orale : 80 %. • Absorption orale : 80 %. • Liaison protéique : 99,3 %. • Demi-vie d'élimination : 1 jour[15]. • Aucune donnée humaine en allaitement.	L'allaitement est contre-indiqué pendant le traitement par léflunomide en raison de la toxicité potentielle importante du médicament (notamment hématotoxicité, hépatotoxicité).
Méthotrexate	• Poids moléculaire : 454 Da. • Absorption orale : 33 à 90 %. • Liaison protéique : 34 à 50 %. • Demi-vie d'élimination : 8 à 15 heures[19]. • Étude chez une femme traitée pour un choriocarcinome avec 22,5 mg/jour de méthotrexate. La quantité excrétée dans le lait maternel correspondait à 0,12 % de la dose maternelle ajustée au poids. Pas d'effet indésirable rapporté chez l'enfant[19].	L'allaitement est contre indiqué pendant le traitement par méthotrexate en raison de la toxicité du médicament (notamment hématotoxicité, hépatotoxicité et néphrotoxicité).
Mycophénolate mofétil	• Poids moléculaire : 433 Da. • Absorption orale : 94 %. • Liaison protéique : 97 %[19]. • Demi-vie d'élimination : 16 à 18 heures[15]. • Aucune donnée humaine en allaitement.	L'allaitement devrait être évité pendant la prise de mycophénolate mofétil étant donné l'absence de données et le risque potentiel d'immunosuppression chez l'enfant allaité.

Médicament	Données durant l'allaitement	Recommandations, commentaires
Rituximab	• Poids moléculaire : 145 000 Da. • Demi-vie d'élimination : jusqu'à 8,5 jours lors de perfusions multiples[15]. • Aucune donnée en allaitement.	Il n'existe aucune donnée sur l'utilisation du rituximab en allaitement dans la littérature médicale. L'utilisation de rituximab pendant l'allaitement est probablement sécuritaire en raison des données pharmacocinétiques et de l'absence probable d'absorption par l'enfant. Si la molécule est utilisée pendant l'allaitement, surveiller chez l'enfant une sensibilité particulière aux infections.
Tacrolimus	• Poids moléculaire : 822 Da. • Absorption orale : 14 à 32 %. • Liaison protéique : 99 %. • Demi-vie d'élimination : 8,7 à 11,3 heures[15]. • Chez 2 femmes traitées à des doses 0,05 et 0,1 mg/kg/jour, la quantité excrétée dans le lait maternel correspondait au maximum à 0,2 % de la dose pédiatrique habituelle[119, 126]. • Chez 6 femmes traitées à des doses de 9,8 et 10,3 mg/jour pendant la grossesse, les taux dans le colostrum correspondaient à 0,07 % de la dose pédiatrique habituelle[113, 119, 127]. • Sept enfants allaités pendant des périodes d'un mois à 2 ans par des mères traitées par tacrolimus pour des transplantations rénales ou hépatiques : aucun problème rapporté chez l'ensemble des enfants[121, 127].	Le passage dans le lait maternel est faible dans la plupart des cas. Le tacrolimus est métabolisé par la voie du cytochrome P450. Cette voie métabolique n'est pas mature chez l'enfant à la naissance ; la demi-vie d'élimination chez un nouveau-né pourrait donc être théoriquement plus longue. L'allaitement doit être envisagé avec prudence pendant le traitement. Il est important de s'assurer que l'enfant a un bon état général et une bonne fonction rénale (mictions normales). Un suivi clinique des effets indésirables potentiels, notamment l'hypertension, la toxicité rénale et l'hépatotoxicité, est recommandé à la naissance puis aux visites chez le pédiatre. Des dosages biochimiques (formule sanguine, créatinine, ionogramme, enzymes hépatiques) pourront être demandés au besoin selon l'examen clinique.
Immunoglobines		
Immunoglobulines	• Les immunoglobulines ont un poids moléculaire très élevé[119]. • Demi-vie d'élimination : environ 3 semaines. • Il n'y a pas de donnée de passage dans le lait maternel. • Pas d'effet indésirable recensé chez 151 enfants allaités dont les mères étaient traitées avec des doses de 0,4 mg/kg pendant 5 jours puis toutes les 6 semaines ou avec 10 g/jour pendant 3 jours puis tous les mois[121].	Malgré l'absence de donnée de passage dans le lait maternel, en raison de leur poids moléculaire très élevé et de leur probable destruction dans le tube digestif de l'enfant, les immunoglobulines sont compatibles avec l'allaitement.

Références

1. VENABLES P, MAINI R. *Clinical features of rheumatoid arthritis.* UptoDate 2007 2006-12-07 [cited 2007-12-03]; Available from: http://www.utdol.com/utd/content/topic.do?topickey=rheumart/3022&view=print

2. HOCHBERG MC. Adult and juvenile rheumatoid arthritis: current epidemiologic concepts. *Epidemiol Rev* 1981;3:27-44.

3. SPECTOR TD. Rheumatoid arthritis. *Rheum Dis Clin North Am* 1990;16(3):513-37.

4. CREASY RK, RESNIK R. *Maternal-foetal Medicine.* 4ᵗʰ ed. Philadelphia: PA: W.B Saunders; 1999.

5. OSTENSEN M, FORGER F, NELSON JL, SCHUHMACHER A, HEBISCH G, VILLIGER PM. Pregnancy in patients with rheumatic disease: anti-inflammatory cytokines increase in pregnancy and decrease post partum. *Ann Rheum Dis* 2005;64(6):839-44.

6. OSTENSEN M, SICHER P, FORGER F, VILLIGER PM. Activation markers of peripheral blood mononuclear cells in late pregnancy and after delivery: a pilot study. *Ann Rheum Dis* 2005;64(2):318-20.

7. PERSELLIN RH. The effect of pregnancy on rheumatoid arthritis. *Bulletin on the rheumatic diseases* 1977;27(9):922-927.

8. OSTENSEN M. Sex hormones and pregnancy in rheumatoid arthritis and systemic lupus erythematosus. *Ann N Y Acad Sci* 1999;876:131-43; discussion 144.

9. KAPLAN D, DIAMOND H. Rheumatoid arthritis and pregnancy. *Clin Obstet Gynecol* 1965;17:286-303.

10. WOLFBERG AJ, LEE-PARRITZ A, PELLER AJ, LIEBERMAN ES. Association of rheumatologic disease with preeclampsia. *Obstet Gynecol* 2004;103(6):1190-3.

11. REED SD, VOLLAN TA, SVEC MA. Pregnancy outcomes in women with rheumatoid arthritis in Washington State. *Matern Child Health J* 2006;10(4):361-6.

12. JONES MA, SILMAN AJ, WHITING S, BARRETT EM, SYMMONS DP. Occurrence of rheumatoid arthritis is not increased in the first degree relatives of a population based inception cohort of inflammatory polyarthritis. *Ann Rheum Dis* 1996;55(2):89-93.

13. EDWARD D HARRIS. PHS, MAINI RN. *Overview of the management of rheumatoid arthritis.* UpToDate. 04/05/2007 [cited 02/08/2007]; Available from: http://www.utdol.com/utd/content/topic.do?topicKey=rheumart/7684&view=print

14. Guidelines for the management of rheumatoid arthritis: 2002 Update. *Arthritis Rheum* 2002;46(2):328-46.

15. KLASCO Re. DRUGDEX® System. In: *Thomson Micromedex*, Greenwood Village, Colorado; Edition expires 06/2006.

16. CLOWSE ME, MAGDER L, WITTER F, PETRI M. Hydroxychloroquine in lupus pregnancy. *Arthritis Rheum* 2006;54(11):3640-7.

17. HOCHBERG MC. Updating the American College of Rheumatology revised criteria for the classification of systemic lupus erythematosus. *Arthritis Rheum* 1997;40(9):1725.

18. HAHN BH. Systemic lupus erythematosus. In: *Harrison's Principle of Internal Medicine*: McGraw Hill; 2005. p. 1960-1967.

19. D'CRUZ DP, KHAMASHTA MA, HUGHES GR. Systemic lupus erythematosus. *Lancet* 2007;369(9561):587-96.

20. WECHSLER B, LE THI HUONG D, PIETTE JC. Pregnancy and systemic lupus erythematosus. *Ann Med Interne* (Paris) 1999;150(5):408-18.

21. ABU-SHAKRA M, UROWITZ MB, GLADMAN DD, GOUGH J. Mortality studies in systemic lupus erythematosus. Results from a single center. I. Causes of death. *J Rheumatol* 1995;22(7):1259-64.

22. SCHUR PH., BERMAS BL. *Pregnancy in women with systematic lupus erythematosus.* Up To Date 2007 2007/03/22 [cited 2007/07/03]; Available from: http://www.utdol.com/utd/content/topic.do?topicKey=rheumart/7405&selectedTitle=2~1140&source=search_result

23. KHAMASHTA MA, RUIZ-IRASTORZA G, HUGHES GR. Systemic lupus erythematosus flares during pregnancy. *Rheum Dis Clin North Am* 1997;23(1):15-30.

24. UROWITZ MB, GLADMAN DD, FAREWELL VT, STEWART J, MCDONALD J. Lupus and pregnancy studies. *Arthritis Rheum* 1993;36(10):1392-7.

25. JULKUNEN H. Pregnancy and lupus nephritis. *Scand J Urol Nephrol* 2001;35(4):319-27.

26. Moroni G, Quaglini S, Banfi G, Caloni M, Finazzi S, Ambroso G, et al. Pregnancy in lupus nephritis. *Am J Kidney Dis* 2002;40(4):713-20.

27. Huong DL, Wechsler B, Vauthier-Brouzes D, Beaufils H, Lefebvre G, Piette JC. Pregnancy in past or present lupus nephritis: a study of 32 pregnancies from a single centre. *Ann Rheum Dis* 2001;60(6):599-604.

28. Cortes-Hernandez J, Ordi-Ros J, Paredes F, Casellas M, Castillo F, Vilardell-Tarres M. Clinical predictors of fetal and maternal outcome in systemic lupus erythematosus: a prospective study of 103 pregnancies. *Rheumatology* (Oxford) 2002;41(6):643-50.

29. Georgiou PE, Politi EN, Katsimbri P, Sakka V, Drosos AA. Outcome of lupus pregnancy: a controlled study. *Rheumatology* (Oxford) 2000;39(9):1014-9.

30. Rosene-Montella K. Systemic lupus erythematosus. In: Lee RR-M, K. Barbour, LA. Garner, PR. Keely, E., ed. *Medical Care of the Pregnant Patient*. Philadelphia: American College of Physicians; 2000. p. 522-530.

31. Chakravarty EF, Colon I, Langen ES, Nix DA, El-Sayed YY, Genovese MC, et al. Factors that predict prematurity and preeclampsia in pregnancies that are complicated by systemic lupus erythematosus. *Am J Obstet Gynecol* 2005;192(6):1897-904.

32. Kleinman D, Katz VL, Kuller JA. Perinatal outcomes in women with systemic lupus erythematosus. *J Perinatol* 1998;18(3):178-82.

33. Mascola MA, Repke JT. Obstetric management of the high-risk lupus pregnancy. *Rheum Dis Clin North Am* 1997;23(1):119-32.

34. Rahman P, Gladman DD, Urowitz MB. Clinical predictors of fetal outcome in systemic lupus erythematosus. *J Rheumatol* 1998;25(8):1526-30.

35. Khamashta MA. Systemic lupus erythematosus and pregnancy. *Best Pract Res Clin Rheumatol* 2006;20(4):685-94.

36. Wilson WA, Gharavi AE, Koike T, Lockshin MD, Branch DW, Piette JC, et al. International consensus statement on preliminary classification criteria for definite antiphospholipid syndrome: report of an international workshop. *Arthritis Rheum* 1999;42(7):1309-11.

37. Tseng CE, Buyon JP. Neonatal lupus syndromes. *Rheum Dis Clin North Am* 1997;23(1):31-54.

38. Lockshin MD, Sammaritano LR. Lupus pregnancy. *Autoimmunity* 2003;36(1):33-40.

39. Tincani A, Danieli E, Nuzzo M, Scarsi M, Motta M, Cimaz R, et al. Impact of in utero environment on the offspring of lupus patients. *Lupus* 2006;15(11):801-7.

40. Ghaussy NO, Sibbitt W, Jr., Bankhurst AD, Qualls CR. Cigarette smoking and disease activity in systemic lupus erythematosus. *J Rheumatol* 2003;30(6):1215-21.

41. American College of Rheumatology Ad Hoc Committee on Systemic Lupus Erythematosus Guidelines. Guidelines for referral and management of systemic lupus erythematosus in adults. *Arthritis Rheum* 1999;42(9):1785-96.

42. Dhar JP, Sokol RJ. Lupus and pregnancy: complex yet manageable. *Clin Med Res* 2006;4(4):310-21.

43. Janssen NM, Genta MS. The effects of immunosuppressive and anti-inflammatory medications on fertility, pregnancy, and lactation. *Arch Intern Med* 2000;160(5):610-9.

44. Briggs GG, Freeman RK, Yaffe SJ. *Drugs in Pregnancy and Lactation*. 7th ed. Philadelphie, PA: Lippincott Williams & Wilkins; 2005.

45. Olsen NJ, Stein CM. New drugs for rheumatoid arthritis. *N Engl J Med* 2004;350(21):2167-79.

46. Cush JJ. Biological drug use: US perspectives on indications and monitoring. *Ann Rheum Dis* 2005;64 Suppl 4:iv18-23.

47. Mishkin DS, Van Deinse W, Becker JM, Farraye FA. Successful use of adalimumab (Humira) for Crohn's disease in pregnancy. *Inflamm Bowel Dis* 2006;12(8):827-8.

48. Vesga L, Terdiman JP, Mahadevan U. Adalimumab use in pregnancy. *Gut* 2005;54(6):890.

49. Sanchez Munoz D, Hoyas Pablos E, Ramirez Martin Del Campo M, Nunez Hospital D, Guerrero Jimenez P. Term pregnancy in a patient with Crohn's disease under treatment with adalimumab. *Gastroenterol Hepatol* 2005;28(7):435.

50. Coburn LA, Wise PE, Schwartz DA. The successful use of adalimumab to treat active Crohn's sisease of an ileoanal pouch during pregnancy. *Dig Dis Sci* 2006.

51. HYRICH KL, SYMMONS DP, WATSON KD, SILMAN AJ. Pregnancy outcome in women who were exposed to anti-tumor necrosis factor agents: results from a national population register. *Arthritis Rheum* 2006;54(8):2701-2.

52. SINHA A, PATIENT C. Rheumatoid arthritis in pregnancy: successful outcome with anti-TNF agent (Etanercept). *J Obstet Gynaecol* 2006;26(7):689-91.

53. CARTER JD, VALERIANO J, VASEY FB. Tumor necrosis factor-alpha inhibition and VATER association: a causal relationship. *J Rheumatol* 2006;33(5):1014-7.

54. CHAMBERS CD, TUTUNCU ZN, JOHNSON D, JONES KL. Human pregnancy safety for agents used to treat rheumatoid arthritis: adequacy of available information and strategies for developing post-marketing data. *Arthritis Res Ther* 2006;8(4):215.

55. JOVEN BE, GARCIA-GONZALEZ AJ, RUIZ T, MORENO E, CEBRIAN L, VALERO M, et al. Pregnancy in women receiving anti-TNF-alpha therapy: experience in Spain (Abstract). *Arthritis Rheum* 2005; 52(Suppl):S349.

56. CHAKRAVARTY EF, SANCHEZ-YAMAMOTO D, BUSH TM. The use of disease modifying antirheumatic drugs in women with rheumatoid arthritis of childbearing age: a survey of practice patterns and pregnancy outcomes. *J Rheumatol* 2003;30(2):241-6.

57. VASILIAUSKAS EA, CHURCH JA, SILVERMAN N, BARRY M, TARGAN SR, DUBINSKY MC. Case report: evidence for transplacental transfer of maternally administered infliximab to the newborn. *Clin Gastroenterol Hepatol* 2006;4(10):1255-8.

58. KATZ JA, ANTONI C, KEENAN GF, SMITH DE, JACOBS SJ, LICHTENSTEIN GR. Outcome of pregnancy in women receiving infliximab for the treatment of Crohn's disease and rheumatoid arthritis. *Am J Gastroenterol* 2004;99(12):2385-92.

59. MAHADEVAN U, KANE S, SANDBORN WJ, COHEN RD, HANSON K, TERDIMAN JP, et al. Intentional infliximab use during pregnancy for induction or maintenance of remission in Crohn's disease. *Aliment Pharmacol Ther* 2005;21(6):733-8.

60. TURSI A. Effect of intentional infliximab use throughout pregnancy in inducing and maintaining remission in Crohn's disease. *Dig Liver Dis* 2006;38(6):439-40.

61. OSTENSEN M, RAIO L. A woman with rheumatoid arthritis whose condition did not improve during pregnancy. *Nat Clin Pract Rheumatol* 2005;1(2):111-4;

62. JAMES RL, PEARSON LL. *Successfull Treatment of Pregnancy-triggered Crohn's disease Complicated by Severe Recurrent Life-threatening Gastrointestinal Bleeding.* The American College of Gastroenterology 66th annual meeting. Las Vegas. 2001. Poster P761.

63. KINDER AJ, EDWARDS J, SAMANTA A, NICHOL F. Pregnancy in a rheumatoid arthritis patient on infliximab and methotrexate. *Rheumatology* (Oxford) 2004;43(9):1195-6.

64. McKAY DB, JOSEPHSON MA. Pregnancy in recipients of solid organs—effects on mother and child. *N Engl J Med* 2006;354(12):1281-93.

65. VENKATARAMANAN R, KONERU B, WANG CC, BURCKART GJ, CARITIS SN, STARZL TE. Cyclosporine and its metabolites in mother and baby. *Transplantation* 1988;46(3):468-9.

66. SHAHEEN FA, AL-SULAIMAN MH, AL-KHADER AA. Long-term nephrotoxicity after exposure to cyclosporine in utero. *Transplantation* 1993;56(1):224-5.

67. BAR OZ B, HACKMAN R, EINARSON T, KOREN G. Pregnancy outcome after cyclosporine therapy during pregnancy: a meta-analysis. *Transplantation* 2001;71(8):1051-5.

68. ARMENTI VT, RADOMSKI JS, MORITZ MJ, GAUGHAN WJ, HECKER WP, LAVELANET A, et al. Report from the National Transplantation Pregnancy Registry (NTPR): outcomes of pregnancy after transplantation. *Clin Transpl* 2004:103-14.

69. OSTENSEN M, KHAMASHTA M, LOCKSHIN M, PARKE A, BRUCATO A, CARP H, et al. Anti-inflammatory and immunosuppressive drugs and reproduction. *Arthritis Res Ther* 2006;8(3):209.

70. OSTENSEN M. Drugs in pregnancy. Rheumatological disorders. *Best Pract Res Clin Obstet Gynaecol* 2001;15(6):953-69.

71. LAMARQUE V, LELEU MF, MONKA C, KRUPP P. Analysis of 629 pregnancy outcomes in transplant recipients treated with Sandimmun. *Transplant Proc* 1997;29(5):2480.

72. STANLEY CW, GOTTLIEB R, ZAGER R, EISENBERG J, RICHMOND R, MORITZ MJ, et al. Developmental well-being in offspring of women receiving cyclosporine post-renal transplant. *Transplant Proc* 1999;31(1-2):241-2.

73. O'DELL JR. Therapeutic strategies for rheumatoid arthritis. *N Engl J Med* 2004;350(25):2591-602.

74. COSTEDOAT-CHALUMEAU N, AMOURA Z, AYMARD G, LE TH, WECHSLER B, VAUTHIER D, et al. Evidence of transplacental passage of hydroxychloroquine in humans. *Arthritis Rheum* 2002;46(4):1123-4.

75. VROOM F, DE WALLE HE, VAN DE LAAR MA, BROUWERS JR, DE JONG-VAN DEN BERG LT. Disease-modifying antirheumatic drugs in pregnancy: current status and implications for the future. *Drug Saf* 2006;29(10):845-63.

76. COSTEDOAT-CHALUMEAU N, AMOURA Z, DUHAUT P, HUONG DU LT, SEBBOUGH D, WECHSLER B, et al. Safety of hydroxychloroquine in pregnant patients with connective tissue diseases: a study of one hundred thirty-three cases compared with a control group. *Arthritis Rheum* 2003;48(11):3207-11.

77. COSTEDOAT-CHALUMEAU N, AMOURA Z, HUONG DL, LECHAT P, PIETTE JC. Safety of hydroxychloroquine in pregnant patients with connective tissue diseases. Review of the literature. *Autoimmun Rev* 2005;4(2):111-5.

78. LEVY M, BUSKILA D, GLADMAN DD, UROWITZ MB, KOREN G. Pregnancy outcome following first trimester exposure to chloroquine. *Am J Perinatol* 1991;8(3):174-8.

79. BORDEN MB, PARKE AL. Antimalarial drugs in systemic lupus erythematosus: use in pregnancy. *Drug Saf* 2001;24(14):1055-63.

80. CIMAZ R, BRUCATO A, MEREGALLI E, MUSCARA M, SERGI P. Electroretinograms of children born to mothers treated with hydroxychloroquine during pregnancy and breast-feeding: comment on the article by Costedoat-Chalumeau et al. *Arthritis Rheum* 2004;50(9):3056-7; author reply 3057-8.

81. KLINGER G, MORAD Y, WESTALL CA, LASKIN C, SPITZER KA, KOREN G, et al. Ocular toxicity and antenatal exposure to chloroquine or hydroxychloroquine for rheumatic diseases. *Lancet* 2001;358(9284):813-4.

82. MOTTA M, TINCANI A, FADEN D, ZINZINI E, LOJACONO A, MARCHESI A, et al. Follow-up of infants exposed to hydroxychloroquine given to mothers during pregnancy and lactation. *J Perinatol* 2005;25(2):86-9.

83. COSTEDOAT-CHALUMEAU N, AMOURA Z, LE THI HUONG D, WECHSLER B, PIETTE JC. Pleading to maintain hydroxychloroquine throughout Lupus pregnancies. *Rev Med Interne* 2005;26(6):467-9.

84. BRENT RL. Teratogen update: reproductive risks of leflunomide (Arava); a pyrimidine synthesis inhibitor: counseling women taking leflunomide before or during pregnancy and men taking leflunomide who are contemplating fathering a child. *Teratology* 2001;63(2):106-12.

85. DE SANTIS M, STRAFACE G, CAVALIERE A, CARDUCCI B, CARUSO A. Paternal and maternal exposure to leflunomide: pregnancy and neonatal outcome. *Ann Rheum Dis* 2005;64(7):1096-7.

86. TEMPRANO KK, BANDLAMUDI R, MOORE TL. Antirheumatic drugs in pregnancy and lactation. *Semin Arthritis Rheum* 2005;35(2):112-21.

87. CHAMBERS CD, JOHNSON DL, MACARAEG GR, JONES KL. Pregnancy outcome following early gestational exposure to leflunomide: the OTIS rheumatoid arthritis in pregnancy study (Abstract). *Pharmacoepidemiol Drug Saf* 2004;13:S126.

88. OSTENSEN M, HARTMANN H, SALVESEN K. Low dose weekly methotrexate in early pregnancy. A case series and review of the literature. *J Rheumatol* 2000;27(8):1872-5.

89. DONNENFELD AE, PASTUSZAK A, NOAH JS, SCHICK B, ROSE NC, KOREN G. Methotrexate exposure prior to and during pregnancy. *Teratology* 1994;49(2):79-81.

90. FELDKAMP M, CAREY JC. Clinical teratology counseling and consultation case report: low dose methotrexate exposure in the early weeks of pregnancy. *Teratology* 1993;47(6):533-9.

91. BUCKLEY LM, BULLABOY CA, LEICHTMAN L, MARQUEZ M. Multiple congenital anomalies associated with weekly low-dose methotrexate treatment of the mother. *Arthritis Rheum* 1997;40(5):971-3.

92. DEL CAMPO M, KOSAKI K, BENNETT FC, JONES KL. Developmental delay in fetal aminopterin/methotrexate syndrome. *Teratology* 1999;60(1):10-2.

93. KOZLOWSKI RD, STEINBRUNNER JV, MACKENZIE AH, CLOUGH JD, WILKE WS, SEGAL AM. Outcome of first-trimester exposure to low-dose methotrexate in eight patients with rheumatic disease. *Am J Med* 1990;88(6):589-92.

94. KRAHENMANN F, M OS, STALLMACH T, HUCH A, CHAOUI R. In utero first trimester exposure to low-dose methotrexate with increased fetal nuchal translucency and associated malformations. *Prenat Diagn* 2002;22(6):489-90.

95. LEWDEN B, VIAL T, ELEFANT E, NELVA A, CARLIER P, DESCOTES J. Low dose methotrexate in the first trimester of pregnancy: results of a French collaborative study. *J Rheumatol* 2004;31(12):2360-5.

96. NGUYEN C, DUHL AJ, ESCALLON CS, BLAKEMORE KJ. Multiple anomalies in a fetus exposed to low-dose methotrexate in the first trimester. *Obstet Gynecol* 2002;99(4):599-602.

97. ADAM MP, MANNING MA, BECK AE, KWAN A, ENNS GM, CLERICUZIO C, et al. Methotrexate/misoprostol embryopathy: report of four cases resulting from failed medical abortion. *Am J Med Genet A* 2003;123(1):72-8.

98. ADDAR MH. Methotrexate embryopathy in a surviving intrauterine fetus after presumed diagnosis of ectopic pregnancy: case report. *J Obstet Gynaecol Can* 2004;26(11):1001-3.

99. CHAPA JB, HIBBARD JU, WEBER EM, ABRAMOWICZ JS, VERP MS. Prenatal diagnosis of methotrexate embryopathy. *Obstet Gynecol* 2003;101(5 Pt 2):1104-7.

100. GOFFMAN D, COLE DS, BOBBY P, GARRY DJ. Failed methotrexate termination of pregnancy: a case report. *J Perinatol* 2006;26(10):645-7.

101. GRANZOW JW, THALLER SR, PANTHAKI Z. Cleft palate and toe malformations in a child with fetal methotrexate exposure. *J Craniofac Surg* 2003;14(5):747-8.

102. SEIDAHMED MZ, SHAHEED MM, ABDULBASIT OB, AL DOHAMI H, BABIKER M, ABDULLAH MA, et al. A case of methotrexate embryopathy with holoprosencephaly, expanding the phenotype. *Birth Defects Res A Clin Mol Teratol* 2006;76(2):138-42.

103. SIFONTIS NM, COSCIA LA, CONSTANTINESCU S, LAVELANET AF, MORITZ MJ, ARMENTI VT. Pregnancy outcomes in solid organ transplant recipients with exposure to mycophenolate mofetil or sirolimus. *Transplantation* 2006;82(12):1698-702.

104. LE RAY C, COULOMB A, ELEFANT E, FRYDMAN R, AUDIBERT F. Mycophenolate mofetil in pregnancy after renal transplantation: a case of major fetal malformations. *Obstet Gynecol* 2004;103(5 Pt 2):1091-4.

105. OJEDA-URIBE M, GILLIOT C, JUNG G, DRENOU B, BRUNOT A. Administration of rituximab during the first trimester of pregnancy without consequences for the newborn. *J Perinatol* 2006;26(4):252-5.

106. DECKER M, ROTHERMUNDT C, HOLLANDER G, TICHELLI A, ROCHLITZ C. Rituximab plus CHOP for treatment of diffuse large B-cell lymphoma during second trimester of pregnancy. *Lancet Oncol* 2006;7(8):693-4.

107. FRIEDRICHS B, TIEMANN M, SALWENDER H, VERPOORT K, WENGER MK, SCHMITZ N. The effects of rituximab treatment during pregnancy on a neonate. *Hæmatologica* 2006;91(10):1426-7.

108. MC KEEVER KR, BEYER J, ORTEGA S, COMBS D, TSUSAKI H. An embryo-fetal development study in cynomolgus monkeys, with rituximab, an anti CD-20 antibody. *Toxicol Sci* 2003;72(suppl):172.

109. HEROLD M, SCHNOHR S, BITTRICH H. Efficacy and safety of a combined rituximab chemotherapy during pregnancy. *J Clin Oncol* 2001;19(14):3439.

110. KIMBY E, SVERRISDOTTIR A, ELINDER G. Safety of rituximab therapy during the first trimester of pregnancy: a case history. *Eur J Hæmatol* 2004;72(4):292-5.

111. COHEN DL, ORZEL J, TAYLOR A. Infants of mothers receiving gold therapy. *Arthritis Rheum* 1981;24(1):104-5.

112. MIYAMOTO T, MIYAJI S, HORIUCHI Y, HARA M, ISHIHARA K. Gold therapy in bronchial asthma with special emphasis on blood level of gold and its teratogenicity (author's transl). *Nippon Naika Gakkai Zasshi* 1974;63(10):1190-7.

113. JAIN A, VENKATARAMANAN R, FUNG JJ, GARTNER JC, LEVER J, BALAN V, et al. Pregnancy after liver transplantation under tacrolimus. *Transplantation* 1997;64(4):559-65.

114. KAINZ A, HARABACZ I, COWLRICK IS, GADGIL SD, HAGIWARA D. Review of the course and outcome of 100 pregnancies in 84 women treated with tacrolimus. *Transplantation* 2000;70(12):1718-21.

115. JAIN AB, REYES J, MARCOS A, MAZARIEGOS G, EGHTESAD B, FONTES PA, et al. Pregnancy after liver transplantation with tacrolimus immunosuppression: a single center's experience update at 13 years. *Transplantation* 2003;76(5):827-32.

116. JAIN AB, SHAPIRO R, SCANTLEBURY VP, POTDAR S, JORDAN ML, FLOHR J, et al. Pregnancy after kidney and kidney-pancreas transplantation under tacrolimus: a single center's experience. *Transplantation* 2004;77(6):897-902.

117. CHRISTOPHER V, AL-CHALABI T, RICHARDSON PD, MUIESAN P, RELA M, HEATON ND, et al. Pregnancy outcome after liver transplantation: a single-center experience of 71 pregnancies in 45 recipients. *Liver Transpl* 2006;12(7):1138-43.

118. Monographie du produit. Orencia® (abatacept). Bristol-Meyrs Squibb Montréal 2006.

119. HALE TW. *Medications and Mothers'Milk*. 12th ed. Amarillo: Hale Publishing; 2006.

120. OSTENSEN M, EIGENMANN GO. Etanercept in breast milk. *J Rheumatol* 2004;31(5):1017-8.

121. ANDERSON PO, SAUBERAN J. *LactMed.*; 2006.

122. FORGER F, MATTHIAS T, OPPERMAN M, OSTENSEN M, HELMKE K. Infliximab in breast milk. *Lupus* 2004;13:753. Abstract.

123. BENNETT PN. *Drugs and Human Lactation*. 2nd ed. New York: Elsevier; 1996. p. 363-364.

124. THIRU Y, BATEMAN DN, COULTHARD MG. Successful breast feeding while mother was taking cyclosporin. *BMJ* 1997;315(7106):463.

125. MORETTI ME, SGRO M, JOHNSON DW, SAUVE RS, WOOLGAR MJ, TADDIO A, et al. Cyclosporine excretion into breast milk. *Transplantation* 2003;75(12):2144-6.

126. GARDINER SJ, BEGG EJ. Breastfeeding during tacrolimus therapy. *Obstet Gynecol* 2006;107(2 Pt 2):453-5.

127. FRENCH AE, SOLDIN SJ, SOLDIN OP, KOREN G. Milk transfer and neonatal safety of tacrolimus. *Ann Pharmacother* 2003;37(6):815-8.

Chapitre 30

Dépression et troubles anxieux

■

Brigitte MARTIN
Martin SAINT-ANDRÉ

Introduction

La grossesse constitue un des temps les plus forts de la vie d'une femme. Cette période qui mène à la parentalité se caractérise non seulement par des transformations physiologiques et neurophysiologiques importantes mais aussi par des remaniements psychiques profonds. La grossesse représente une crise développementale importante. La future mère y vit un cortège d'émotions intenses qui incluent le plaisir, l'émerveillement, l'excitation ainsi que des états plus négatifs comme l'angoisse devant la nouveauté, les peurs au plan somatique ainsi que des périodes d'anxiété, de tristesse et de remises en questions au plan de l'identité et de l'anticipation du rôle parental[1].

Troubles de l'humeur

Le troubles de l'humeur de l'*ante* et du *post-partum* peuvent être regroupés en trois catégories : le *blues* ou cafard du *post-partum*, la dépression majeure et le trouble de l'adaptation.

Blues ou cafard du *post-partum*

Cette condition se retrouve chez 30 à 80 % des femmes qui ont donné naissance. Transitoire, elle se limite habituellement à une durée de 48 à 96 heures et se retrouve dans les deux premières semaines après la naissance. Les manifestations de l'humeur sont surtout marquées par des pleurs irrépressibles et de l'hypersensibilité affective. Cette condition est limitée dans le temps et ne constitue pas en soi une condition psychiatrique[2].

Dépression majeure

Épidémiologie

La grossesse ne protège pas de la dépression. Les symptômes dépressifs sont fréquents en anténatal et des études révèlent une incidence de dépression anténatale qui peut atteindre jusqu'à 10 %[3]. La dépression du *post-partum* est une des complications les plus fréquentes de la grossesse. Avec une incidence de 10 à 15 % dans différentes études épidémiologiques, cette condition constitue le motif principal de référence en psychiatrie périnatale[4].

Facteurs de risque

Ce risque sera augmenté significativement chez des femmes ayant déjà présenté une dépression périnatale antérieure, des épisodes dépressifs antérieurs, de l'anxiété anténatale importante, un parcours de vie traumatique, des facteurs de vulnérabilité médicale particulière ou encore une diathèse familiale de troubles de l'humeur. On comptera aussi parmi les facteurs de risque le stress socio-économique, l'absence relative d'un réseau de soutien, les difficultés conjugales et la migration. On sait aussi que la dépression anténatale est un facteur qui prédit fortement la dépression post-natale, ce qui exigera une vigilance particulière de la part du clinicien[5]. De plus, le stress en lien avec les caractéristiques tempéramentales et médicales du nourrisson pourront ajouter au risque[3].

Symptomatologie

En anténatal, le tableau symptomatique s'apparente à la dépression majeure du DSM-IV-R, même si les symptômes de fatigue, de baisse de la libido et de perturbations du sommeil sont moins spécifiques. En plus des éléments en lien avec le degré de souffrance psychique, le clinicien tiendra particulièrement compte de la présence de signes de ralentissement, d'une tendance suicidaire ou de la non-augmentation du gain pondéral qui indiqueront des conditions particulièrement majeures de dépression.

En période postnatale, les critères diagnostiques sont les mêmes que ceux de la dépression majeure du DSM-IV-R. À cette symptomatologie classique de dépression s'ajouteront souvent des symptômes plus « spécifiques » de dépression postnatale, par exemple une culpabilité excessive envers le bébé, le sentiment subjectif de ressentir de la difficulté à s'attacher au bébé, des phobies d'impulsion (par ex. heurter involontairement le bébé), de l'autodépréciation face au rôle maternel. Le clinicien pourra utiliser l'échelle d'Edinburgh comme outil de dépistage amplement validé[6, 7]. Il faut noter que l'incidence de dépression postnatale augmente progressivement durant la première année du *post-partum*, ce qui peut paradoxalement nuire au dépistage lorsque les symptômes évoluent discrètement, et ce *a fortiori* si la femme tend à les masquer en raison des sentiments de honte qu'elle ressent.

Il faut aussi savoir que la dépression du *post-partum* qui s'inscrit dans une problématique de maladie affective bipolaire devrait faire l'objet d'une attention toute particulière (voir le chapitre 31. *Maladie bipolaire et troubles psychotiques*), en particulier en raison du risque de virage hypomaniaque ou maniaque en *post-partum*.

Trouble de l'adaptation

Il arrive parfois qu'une perturbation de l'humeur chez une femme en période périnatale ne rencontre pas les critères de dépression majeure ; dans ce cas, le diagnostic de trouble de l'adaptation peut être considéré. Une perturbation significative du fonctionnement doit être notée. Aux fins de ce chapitre sur la pharmacologie, on retiendra la dimension réactionnelle du trouble de l'adaptation et sa sévérité moindre.

Tout comme pour la dépression majeure, les troubles de l'humeur en périnatal sont souvent liés à des événements intrapsychiques, interpersonnels et sociaux qui devraient faire l'objet d'une intervention spécifique. Par exemple, on pourra reconnaître comme agent stressant psychologique périnatal les phénomènes de transformations identitaires, de dépendance accrue face à l'entourage, de réactivation de conflits face à la famille d'origine, de réactivation de deuils anciens dont celui de sa propre enfance, de réactivation du vécu migratoire. Ces enjeux et leurs conséquences peuvent bien répondre à une intervention psychothérapeutique (thérapies interpersonnelles, cognitivo-comportementales, psychodynamiques, systémiques, etc.)[8].

Le travail en réseau avec les ressources des milieux de première ligne et communautaires constitue aussi un autre point d'entrée pour permettre à la jeune mère et à sa famille de favoriser son adaptation. Un essai vigoureux avec ces dernières approches thérapeutiques non pharmacologiques s'avère très indiqué. Une intervention pharmacothérapeutique, par exemple avec un anxiolytique, peut être occasionnellement envisagée.

Troubles anxieux

Symptomatologie et facteurs de risque

L'anxiété constitue un affect normal retrouvé en cours de grossesse, plus particulièrement au premier trimestre, alors que des sentiments d'ambivalence normale peuvent être retrouvés, et aussi au troisième trimestre, à l'approche de l'accouchement. Des niveaux d'anxiété cliniquement significative ont toutefois été retrouvés chez environ 21 % des femmes dans une étude de grande envergure[5].

Chez les femmes présentant une prédisposition anxieuse, on retrouvera fréquemment des exacerbations d'anxiété généralisée avec des manifestations de tension somatique et d'insomnie en plus des symptômes psychiques habituels. De même, il n'est pas rare de retrouver une exacerbation de trouble panique avec ou sans agoraphobie ou de trouble de phobie sociale, la grossesse entraînant une exposition sociale plus grande et des négociations et échanges plus soutenus avec l'entourage immédiat et distant (famille d'origine, milieu médical, milieu de travail, etc.)[9].

Le trouble de stress post-traumatique peut être exacerbé en cours de grossesse chez les femmes ayant vécu des situations traumatiques au cours de leur vie, qu'elles soient d'origine interpersonnelle (abus physique ou sexuel dans l'enfance, accident, etc.) ou médicale; ces femmes présentent un risque augmenté de complications obstétricales[9].

Le trouble obsessionnel compulsif connaît parfois, lui aussi, une évolution défavorable en cours de grossesse et il arrive qu'il se déclare *de novo* en *post-partum*, nécessitant une intervention vigoureuse[3].

Principes généraux de traitement

Risques d'une psychopathologie non traitée

Le traitement d'une dépression ou d'un trouble anxieux durant la grossesse vise à équilibrer les risques pour la mère et pour l'enfant. Il s'agit d'une période où il est impossible, au sens strict, de ne rien faire puisque les risques de ne pas traiter une condition psychiatrique doivent toujours être contrebalancés avec le risque d'instaurer un traitement qui peut avoir des effets secondaires. Les données les plus récentes ont toutefois sensibilisé de plus en plus les cliniciens, les femmes enceintes et leur famille à « craindre davantage la maladie que le traitement »[10].

Une psychopathologie non traitée durant la grossesse implique les risques suivants : décompensation de la mère avec risque d'impulsivité et de trouble du jugement ; entrave au suivi prénatal ; altération des fonctions physiologiques (par exemple, menace de travail préterme) ; entrave à la préparation concrète pour l'arrivée du nourrisson ; rupture du réseau social ; possibilité d'effets indésirables « directs » sur le fœtus (par exemple, retard de croissance intra-utérine) ; risque de suicide et d'infanticide ; risque d'exposition à l'alcool et aux drogues[3].

Dépression postnatale

Il importe de dire que la dépression postnatale non traitée constitue non seulement un facteur de morbidité significative chez la mère mais qu'elle a été décrite comme ayant un retentissement développemental très significatif sur le jeune enfant : perturbations du développement social, émotionnel et cognitif de l'enfant ; problèmes précoces dans l'interaction mère-enfant avec impact possible sur la mise en place de l'attachement ; retentissement sur le couple et la famille avec conséquences à la fois directes et indirectes sur l'enfant[11]. Il importe de souligner, dans ce chapitre dédié principalement aux thérapies pharmacologiques, que les approches psychothérapeutiques demeurent une composante essentielle du traitement de la dépression postnatale et qu'au moins une étude a démontré l'efficacité de la thérapie interpersonnelle comme traitement « antidépresseur »[12].

Troubles anxieux

Comme pour les troubles de l'humeur, on retiendra que les troubles anxieux chez la mère ont été retrouvés en association avec une morbidité obstétricale significative chez celle-ci, particulièrement un risque de contractions prématurées[13]. L'anxiété maternelle non traitée est aussi reconnue comme un facteur de risque pour le développement du jeune enfant[14].

Prendre un médicament durant la grossesse : des significations

Il est essentiel pour le clinicien de prendre conscience que la prise d'un médicament durant la grossesse va bien au-delà, pour la majorité des patientes, de la question des risques et bénéfices de l'exposition. Il importe donc au praticien, qu'il soit prescripteur ou non, d'être sensibilisé aux dimensions plus « subjectives » de la prise d'un médicament. Les symptômes psychiques de la grossesse sont-ils vécus comme des « échecs » d'une tentative réparatrice par la grossesse ? Le fait de recevoir un médicament constitue-t-il une « preuve » que la patiente prend bien soin d'elle ou constitue-t-il un « échec » du bon déroulement de la grossesse ? Prendre un médicament est-il associé à l'idée de « bien protéger » son bébé ou au contraire à un sentiment de culpabilité à l'endroit du bébé ? Le traitement est-il vécu comme une « preuve » que la femme enceinte est en train de devenir « malade » comme un membre de sa famille ou comme à une étape ancienne de sa vie ?

Enfin, il importe de souligner que certaines femmes peuvent occasionnellement demander à recevoir un médicament pour se protéger d'émotions pressenties comme étant « trop fortes » et dangereuses pour leur fœtus, ce qui n'est pas toujours le cas de façon objective. Dans tous les cas, la sensibilité particulière du clinicien est essentielle, de même qu'une attention aux messages donnés par les différents professionnels au sujet des risques et des bénéfices du traitement.

Poursuite ou arrêt d'un traitement antidépresseur ou anxiolytique en début de grossesse

Le risque de rechute de dépression majeure en cours de grossesse est réel et s'établit par exemple à 43 % des femmes qui avaient cessé leur antidépresseur avant leur grossesse[15]. Il importe donc, au moment de prendre cette décision, de bien documenter les symptômes résiduels de grossesse avant que la patiente ne devienne enceinte, de bien monitorer l'humeur maternelle et de peser les avantages et les inconvénients d'intervenir à chaque trimestre de la grossesse, le premier trimestre s'avérant une période particulièrement sensible en regard du développement du système nerveux chez le fœtus.

Les principes généraux en psychopharmacologie périnatale ne diffèrent pas fondamentalement de la prescription de tout traitement en grossesse. Il faut favoriser une médication plus connue, favoriser la dose minimale efficace (idéalement en monothérapie)[16]. Dans le cas des benzodiazépines, on privilégiera parfois l'utilisation intermittente plutôt que continue[17]. Enfin, il faut garder en tête que l'utilisation précoce sera parfois moins coûteuse au plan thérapeutique que lorsque la patiente est décompensée.

Quand considérer une intervention prophylactique en *post-partum* ?

La décision d'intervenir de façon prophylactique en *post-partum* pour traiter la dépression devrait tenir compte de la gravité de la maladie (gravité, fréquence, récurrence et proximité du dernier épisode), de la vitesse d'apparition des symptômes, de la fiabilité de la patiente de même que du contexte familial et du réseau.

Données sur l'innocuité des médicaments au cours de la grossesse

Le choix d'un antidépresseur, pour une femme qui planifie une grossesse ou qui est enceinte, doit tenir compte des données d'innocuité du médicament pour le fœtus (tableaux I et II), mais aussi de la réponse clinique antérieure à un agent ou à une classe de médicaments, de la présence de comorbidités, du profil d'effets indésirables, du risque d'interactions médicamenteuses et du désir d'allaiter.

La vaste majorité des études conduites sur les conséquences de la médication antidépressive et anxiolytique sur la mère et son enfant à naître sont des études épidémiologiques observationnelles. Les limites inhérentes à ce type d'études, notamment l'absence de groupe témoin comparable en regard de la psychopathologie, le nombre restreint de patientes incluses, l'exposition au médicament souvent limitée au début de la grossesse, la vérification des issues de grossesse par entretien téléphonique avec les mères et les multiples facteurs de confusion (âge maternel, tabac, alcool, drogues, etc.) compliquent l'interprétation des résultats. Par exemple, certaines recherches ont constaté une augmentation du risque d'avortements spontanés, de petits poids à la naissance et de prématurité lors d'une exposition aux antidépresseurs par rapport aux groupes témoins; pour le moment, en raison du devis de ces études, il est impossible de dissocier l'effet des médicaments de ceux de la condition maternelle[18-21].

Une autre inquiétude légitime des femmes exposées à des antidépresseurs durant leur grossesse est celle qui touche le développement neurocomportemental des enfants exposés. Il importe de savoir que les études ayant suivi les enfants au-delà de la naissance sont rares et incluent souvent un petit nombre de patients seulement. Encore là, les nombreux facteurs de confusion, notamment la psychopathologie maternelle et l'environnement postnatal, de même que les contraintes méthodologiques comme l'âge au moment des évaluations, les pertes au suivi, l'hétérogénéité des expositions (durées et posologies variables) et des suivis (échelles validées répétées ou examens subjectifs, observation par les parents ou examens par un psychométricien, etc.) limitent la généralisation des résultats[22, 23]. Les données disponibles sont mentionnées dans les tableaux I et II lorsque ces enjeux ont été explorés.

TABLEAU I – INNOCUITÉ DES ANTIDÉPRESSEURS DURANT LA GROSSESSE		
Médicaments	Données de tératogénicité	Recommandations, commentaires
Antidépresseurs tricycliques et hétérocycliques		
Amitriptyline Clomipramine Désipramine Doxépine Imipramine Maprotiline Nortriptyline Trimipramine	• Plus de 2000 femmes exposées au 1er trimestre dans plusieurs séries de cas et études de cohorte prospectives, sans preuve d'une augmentation du risque de malformations majeures par rapport au risque de base[24-26]. • Augmentation d'environ 2 fois du taux d'anomalies cardiaques par rapport au risque de base dans le registre suédois des naissances comptant un millier de femmes exposées à la clomipramine en début de grossesse, sans patron de malformations cardiaques toutefois[24, 26]. • Quelques notifications d'effets indésirables (retrait, toxicité ou réactions anticholinergiques) chez les nouveau-nés exposés à la fin de la grossesse (rétention urinaire, iléus et, notamment, convulsions avec la clomipramine)[25]. • Pas de preuve d'un effet néfaste sur le développement du langage, le comportement global et le quotient intellectuel dans une étude de cohorte comptant 46 enfants exposés tout au long de la grossesse[27]. • Pas d'impact d'une exposition anténatale sur le développement jusqu'à l'âge de 2 ans de 209 enfants exposés[19].	L'amitriptyline, la clomipramine et l'imipramine sont les agents de cette classe qui ont été le plus étudiés. La désipramine et la nortriptyline (les métabolites de l'imipramine et de l'amitriptyline, respectivement), des amines secondaires, pourraient être privilégiées lorsque des doses antidépressives sont requises, de façon à diminuer les risques d'hypotension et d'effets anticholinergiques[5]. L'utilisation des antidépresseurs tricycliques commande une prudence étant donné les nombreuses interactions et le potentiel d'effets indésirables, de même que les ajustements pharmacocinétiques nécessaires en cours de grossesse, en particulier lorsqu'ils sont employés à doses antidépressives. Les observations suggérant une augmentation des malformations cardiaques avec la clomipramine proviennent d'une seule étude et devront être répétées avant de conclure à un risque accru.

Médicament	Données de tératogénicité	Recommandations, commentaires
		Les complications néonatales sont probablement reliées à la dose utilisée à la fin de la grossesse. La surveillance postnatale de routine est suffisante pour les nouveau-nés exposés.
Inhibiteurs de la monoamine oxydase (IMAO)		
Phénelzine Tranylcypromine	• 21 femmes enceintes traitées dans une étude de surveillance : augmentation possible mais non détaillée du risque de malformations majeures[25].	En plus du manque d'information sur leur innocuité durant la grossesse, les risques théoriques d'exacerbation de l'hypertension maternelle et d'hypoperfusion fœtale avec les IMAO suggèrent d'éviter cette classe durant la grossesse[24].
Inhibiteurs réversibles de la monoamine oxydase A		
Moclobémide	• Pas de données animales retracées. • Un seul cas d'exposition durant la grossesse publié, avec un bébé apparemment en santé[28].	Les données sont insuffisantes pour statuer sur le risque du moclobémide durant la grossesse. Son utilisation devrait être réservée en dernier recours aux femmes qui ne répondent pas aux traitements pharmacologiques mieux connus.
Inhibiteurs sélectifs de la recapture de la sérotonine (ISRS)		

Citalopram Escitalopram Fluoxétine Fluvoxamine Paroxétine Sertraline	Tétrotogenèse structurelle
	• Citalopram, escitalopram, fluoxétine, fluvoxamine, sertraline :
	  – études de cohorte prospectives comptant 125 femmes exposées au citalopram, 1500 à la fluoxétine, 100 à la fluvoxamine et 300 à la sertraline sans augmentation du risque de malformations majeures après exposition pendant l'embryogenèse[16, 24, 25, 29-31] ;
	  – registre suédois des naissances et étude populationnelle finlandaise cumulant 6500 expositions aux ISRS durant le 1er trimestre (2700 expositions au citalopram, 1200 à la fluoxétine, 65 à la fluvoxamine, 1000 à la paroxétine et 1500 à la sertraline) sans risque tératogène accru par rapport au risque de base[26, 32, 33] ;
	  – résultats préliminaires d'une étude rétrospective non publiée provenant d'un jumelage de bases de données et comptant environ 500 expositions au citalopram, 150 à l'escitalopram, 1600 à la fluoxétine, et 1200 à la sertraline, sans risque tératogène augmenté par rapport à l'ensemble des autres antidépresseurs[34].
		La fluoxétine est l'agent de cette classe qui a fait l'objet du plus grand nombre d'études. La somme croissante de données sur les autres ISRS ne suggère pas de tératogenèse structurelle, bien que les données soient encore insuffisantes pour exclure tous les risques.
		
		Jusqu'à présent, seule la paroxétine pourrait être associée à une augmentation du risque de malformations majeures, notamment cardiovasculaires. Jusqu'à ce qu'on précise le risque réel, lorsqu'on doit initier un traitement chez une femme enceinte ou qui planifie une grossesse, on devrait privilégier les autres antidépresseurs connus en grossesse et qui n'ont pas été associés à de tels problèmes. Les données actuelles ne justifient probablement pas l'arrêt de la paroxétine chez les femmes dont la condition psychiatrique est stabilisée avec ce traitement.

Médicament	Données de tératogénicité	Recommandations, commentaires
	• Paroxétine : – Augmentation d'environ 2 fois du risque de malformations majeures, notamment cardiovasculaires, notée dans trois études non publiées et dans un registre de naissances[26, 34-36]. D'autres études comptant moins de patientes exposées ne montrent pas de risques augmentés[30, 32, 33]. Risque absolu de malformations cardiaques (communications interventriculaires surtout) estimé à environ 2 %, comparativement à 1 % pour la population générale, après exposition pendant l'organogenèse cardiaque, soit au cours du 1er trimestre. Risque absolu global de malformations congénitales estimé à environ 4 %, comparativement à 3 % pour la population générale[26, 34]. **Complications néonatales** • Complications néonatales respiratoires (tachypnée, tirage) et centrales (irritabilité, agitation, trémulations, hypertonie) observées de façon transitoire chez environ 20 à 30 % des nouveau-nés exposés au 3e trimestre dans plusieurs séries de cas et études de cohorte[37]. Survenue des complications dans les premières 24 heures suivant la naissance et durée d'environ 2 ou 3 jours en moyenne. Complications plus graves rarement rapportées (convulsions, hypertension pulmonaire chez < 1 % des enfants exposés en fin de grossesse)[38] ; tous les ISRS ont été associés à ces symptômes de toxicité sérotoninergique transitoire ou de syndrome de retrait (étiologie controversée). **Développement** • Pas de preuve d'un effet néfaste majeur sur le développement neurologique, le quotient intellectuel et le comportement dans 10 petites études comptant 305 enfants exposés en anténatal ou en postnatal à différents ISRS et suivis dans les premiers mois de vie (jusqu'à 6 ans dans une étude)[27]. • Une étude comptant 31 enfants exposés *in utero* suggère un impact possible sur le développement moteur[22].	Une échocardiographie fœtale pourrait être envisagée en cas d'exposition à la paroxétine pendant la période d'organogenèse cardiaque. Les complications néonatales observées sont généralement modérées et passagères, et ne justifient pas l'arrêt d'un traitement à la fin de la grossesse chez les femmes dont la condition psychiatrique ne peut être maîtrisée que par un traitement pharmacologique. La surveillance postnatale de routine est suffisante pour les nouveau-nés exposés.

Médicament	Données de tératogénicité	Recommandations, commentaires
Inhibiteurs de la recapture de la sérotonine et de la norépinéphrine (IRSN)		
Venlafaxine	• 150 femmes traitées au 1er trimestre dans une étude de cohorte prospective avec groupes témoins sans risque accru de malformations majeures[39]. • Registre suédois des naissances comptant environ 400 femmes traitées au 1er trimestre ne suggère pas de risque tératogène élevé[26]. • Résultats préliminaires d'une étude de cohorte rétrospective provenant d'un jumelage de bases de données et comptant environ 400 expositions sans risque tératogène augmenté par rapport aux autres antidépresseurs[34]. • Complications néonatales observées semblables aux complications rapportées avec les ISRS[24]. • Pas de données sur le développement neurologique des enfants exposés *in utero*.	Les données cumulées jusqu'à présent ne montrent pas de risque tératogène élevé, mais sont insuffisantes pour exclure tous les risques. Ces données sont cependant rassurantes pour une patiente exposée avant de savoir qu'elle est enceinte, ou dont la condition ne peut être stabilisée par des médicaments mieux connus durant la grossesse. La surveillance postnatale de routine est suffisante pour les nouveau-nés exposés.
Inhibiteurs de la recapture de la dopamine et de la norépinéphrine		
Bupropion	• 380 expositions durant le 1er trimestre dans le registre prospectif du fabricant : pas de preuves d'une augmentation du risque de malformations majeures, mais plusieurs cas de malformations cardiaques suggérant une association possible[34]. • 136 femmes traitées durant le 1er trimestre dans une étude prospective avec groupe témoin, sans effet tératogène majeur décelé[40]. • Étude de cohorte rétrospective basée sur un jumelage de bases de données et comptant plus de 1200 femmes traitées, et étude cas-témoin imbriquée ne montrent pas de lien avec des malformations cardiovasculaires[34, 41]. • Pas de complications néonatales rapportées jusqu'à présent. • Pas de données sur le développement neurologique des enfants exposés *in utero*.	Les données cumulées jusqu'à présent ne montrent pas de risque tératogène élevé, mais sont insuffisantes pour exclure tous les risques. La plupart des données proviennent du registre du fabricant et d'une étude rétrospective qui comporte plusieurs limites : absence de groupe témoin, absence de confirmation de l'exposition et du moment d'exposition, absence de données sur les interruptions de grossesse, etc. Ces données sont toutefois rassurantes pour une patiente exposée avant de savoir qu'elle était enceinte ou dont la condition psychiatrique n'a pas été maîtrisée avec des médicaments dont l'innocuité est mieux documentée durant la grossesse.
Modulateur de la sérotonine et de la norépinéphrine		
Mirtazapine	• Études chez 2 espèces animales à doses supérieures à celles utilisées chez l'humain sans effets tératogènes décelés[25]. • Pas de risque tératogène majeur décelé jusqu'à présent dans quelques séries de cas et une étude prospective (environ 150 femmes traitées au 1er trimestre)[42-44].	Les données très limitées ne montrent pas de risque tératogène élevé, mais sont insuffisantes pour exclure tous les risques. Ces données sont cependant rassurantes pour une patiente exposée avant de savoir qu'elle est enceinte.

Médicament	Données de tératogénicité	Recommandations, commentaires
Modulateur mixte de la sérotonine		
Trazodone	• 158 grossesses exposées à la trazodone au 1er trimestre dans une étude de surveillance et une étude de cohorte prospective avec groupe témoin, sans risque tératogène majeur décelé jusqu'à présent[25, 45]. • Résultats préliminaires d'une étude de cohorte rétrospective basée sur un jumelage de bases de données et comptant environ 225 enfants exposés ne montrent pas de risque tératogène augmenté par rapport aux autres antidépresseurs[34].	Les données limitées ne montrent pas de risque tératogène élevé, mais sont insuffisantes pour exclure tous les risques. Ces données sont cependant rassurantes pour une patiente exposée avant de savoir qu'elle est enceinte, ou dont la condition ne peut être stabilisée par des médicaments mieux connus durant la grossesse.

TABLEAU II – INNOCUITÉ DES ANXIOLYTIQUES, SÉDATIFS ET HYPNOTIQUES DURANT LA GROSSESSE

Médicaments	Données de tératogénicité	Recommandations, commentaires
Benzodiazépines		
Alprazolam Bromazépam Chlordiazépoxide Clobazam Clonazépam Clorazépate Diazépam Flurazépam Lorazépam Midazolam Nitrazépam Oxazépam Témazepam Triazolam	**Tératogenèse structurelle** • Pas d'augmentation du risque de malformations majeures noté dans plusieurs études de cohorte comptant plus d'un millier d'expositions au 1er trimestre ; la plupart des données portent sur le **diazépam** et le **chlordiazépoxide**, mais quelques cohortes d'enfants exposés au **clonazépam** (n ~75), au **lorazépam** (n > 100) et à l'alprazolam (n > 500), sans effet tératogène majeur observé[17, 25, 46-48]. • Association entre l'exposition au 1er trimestre de la grossesse et les fentes labiales et/ou palatines décelée dans quelques études épidémiologiques cas-témoins ; rapport de cote pour les fentes labiales ou palatines calculé à 1,79 ($IC_{95\%}$ 1,13-2,82) dans une méta-analyse d'études hétérogènes[46]. Risque absolu estimé à environ 2 anomalies labio-palatines pour 1000 expositions pendant la période d'organogenèse (contre environ 1 pour 1000 naissances dans la population générale canadienne)[49]. • Autres associations (malformations cardiovasculaires, atrésie anale) parfois suggérées par d'autres études cas-témoins ou études de surveillance évaluant un grand nombre de variables ; lien de causalité non confirmé pour le moment[17, 25, 50].	Les données publiées jusqu'à présent ne suggèrent pas de risque majeur d'anomalies avec une exposition aux benzodiazépines durant la grossesse. On devrait tenter de limiter l'utilisation pendant la période d'organogenèse, lorsque possible. Les agents à demi-vie courte ou intermédiaire, sans métabolite actif, comme le **lorazépam** ou l'**oxazépam** (un métabolite du diazépam et du chlordiazépoxide), pourraient être préférés si une utilisation régulière est envisagée près du terme, de façon à diminuer les risques de symptômes d'imprégnation pour le nouveau-né[47, 52]. L'utilisation des benzodiazépines à plus longue action peut parfois s'avérer une alternative chez une patiente avec un trouble anxieux qui n'a pas répondu à une benzodiazépine à courte action et qui présente des réserves persistantes à recevoir un antidépresseur sur une base continue, ou encore chez les patientes qui reçoivent une benzodiazépine comme traitement antiépileptique.

Médicament	Données de tératogénicité	Recommandations, commentaires
	Complications néonatales • Syndrome d'imprégnation («*floppy infant syndrome*») caractérisé par une dépression du système nerveux central (léthargie, hypotonie, hypothermie) et respiratoire (cyanose, apnées) et des difficultés alimentaires, rapporté dès la naissance chez les enfants exposés à des doses importantes ou régulières à la fin de la grossesse ; effets transitoires, durée correspondant au temps requis pour éliminer le médicament par l'enfant ; incidence imprécise jusqu'à présent[17, 25, 51]. • Syndrome de retrait décrit plus rarement chez les enfants exposés de façon régulière au terme de la grossesse : tremblements, hypertonie, hyperactivité, irritabilité, succion augmentée, tachypnée, diarrhée, vomissements ; apparition dans les jours suivant la naissance et durée variable : plusieurs jours ou semaines ; incidence non précisée jusqu'à présent[17, 25, 51]. **Développement** • Syndrome d'exposition aux benzodiazépines semblable au syndrome de l'alcoolisme fœtal suggéré par un chercheur mais contesté par d'autres ; peu de preuves à ce jour de tératogenèse développementale dans de très petites cohortes d'enfants exposés *in utero*[17, 47].	Les symptômes de sevrage, rarement observés, sont habituellement contenus avec des mesures non pharmacologiques (emmaillotement, petits boires hypercaloriques, exposition limitée à la lumière et au bruit). La surveillance postnatale de routine est suffisante pour les nouveau-nés exposés.
Antipsychotiques atypiques		
Olanzapine Quétiapine Rispéridone	Voir chapitre 31. *Maladie bipolaire et troubles psychotiques.*	Cette classe est de plus en plus souvent utilisée en traitement sédatif d'appoint ; le manque d'information concernant l'innocuité de ces agents justifie d'envisager en 1er recours d'autres options pharmacologiques mieux connues, comme les benzodiazépines.
Autres anxiolytiques, sédatifs et hypnotiques		
Buspirone	• Pas d'effets tératogènes notés chez deux espèces animales exposées à des doses supérieures à celles utilisées chez l'humain[25]. • Pas de risque tératogène majeur décelé dans une étude de surveillance et une étude observationnelle comptant 58 enfants exposés au 1er trimestre[25].	Les données cumulées jusqu'à présent sont insuffisantes pour exclure tout risque : l'emploi de cet anxiolytique devrait être évité durant la grossesse. Ces données peuvent toutefois rassurer une patiente exposée avant de savoir qu'elle est enceinte.

Médicament	Données de tératogénicité	Recommandations, commentaires
Zaleplon	• Pas d'effets tératogènes notés chez 2 espèces animales exposées à des doses supérieures à celles utilisées chez l'humain[25] ; effets fœto-toxiques observés à doses élevées en fin de gestation chez une espèce. • Aucune donnée retracée chez l'humain.	Les données sont insuffisantes pour toute interprétation.
Zopiclone	• Pas d'effets tératogènes notés chez 2 espèces animales exposées à des doses supérieures à celles utilisées chez l'humain[53]. • Aucune malformation majeure notée parmi 31 enfants exposés au 1er trimestre dans une étude prospective[53].	Les données cumulées jusqu'à présent sont insuffisantes pour exclure tout risque ; on devrait éviter l'emploi de cet hypnotique durant la grossesse. Ces données peuvent toutefois rassurer une patiente exposée avant de savoir qu'elle est enceinte.
Produits de santé naturels		
Acides gras oméga-3	• Études prospectives examinant l'effet de suppléments d'oméga-3 (sous forme d'huiles de poissons ou d'œufs enrichis en oméga-3) à partir du 2e trimestre sans effets néfastes sur le risque de diabète gestationnel, de prééclampsie, de temps de saignement ou sur les paramètres de croissance des nouveau-nés[54] ; bienfaits controversés sur la réduction des accouchements prématurés ; avantages possibles sur le développement cognitif des enfants exposés *in utero* dans l'une de ces études. • Pas de données retracées sur l'innocuité de ces suppléments au 1er trimestre. • Plusieurs recherches ont montré une corrélation inverse entre la consommation de poissons, les concentrations d'oméga-3 dans le lait maternel et les taux de dépression postnatale[54].	Il existe encore peu de données sur les effets des suppléments d'oméga-3 sur la dépression périnatale[54]. En raison de l'absence actuelle de réglementation sur les produits de santé naturels et du risque de contamination par des dioxines, des dibenzofuranes et du mercure, les oméga-3 sous forme de suppléments commerciaux devraient être évités pendant la grossesse pour le moment, tout particulièrement durant le 1er trimestre et possiblement chez les femmes à risque de saignements. Les huiles de poissons riches en vitamine A devraient être évitées, à moins que le contenu précis en vitamine A ne soit connu et ne dépasse pas les limites conseillées[55]. (voir le chapitre 6. *Nutrition et suppléments vitaminiques*). Les femmes désirant enrichir leur diète en oméga-3 devraient être adressées à des professionnels en diététique pour tenir compte du contenu en mercure des poissons et pour s'assurer d'un équilibre entre les apports d'acides gras polyinsaturés[54]. Les femmes enceintes qui présentent des symptômes dépressifs devraient être adressées à un médecin.
Millepertuis (*Hypericum perforatum*)	• Pas de données animales menées pour évaluer la tératogenèse structurelle[25]. • Données humaines limitées à 2 expositions[25].	Données insuffisantes pour toute interprétation. Le recours aux agents dont l'innocuité est mieux connue durant la grossesse doit être privilégié. Les femmes enceintes qui présentent des symptômes dépressifs devraient être adressées à un médecin.

Données sur l'innocuité des médicaments au cours de l'allaitement

Les bienfaits de l'allaitement maternel sont très largement connus. La décision d'allaiter chez une femme qui reçoit des psychotropes repose d'une part sur les données d'innocuité du psychotrope utilisé et, d'autre part, sur l'analyse que fait la patiente des avantages et inconvénients que cette décision implique pour elle-même, son nourrisson et sa famille. L'analyse par la patiente des avantages et inconvénients de l'allaitement peut être influencée par sa condition psychique sous-jacente, certaines patientes se montrant légitimement hésitantes à allaiter en raison d'une crainte d'exacerber leur problème d'humeur ou d'anxiété alors que d'autres y voient une situation positive et facilitatrice de la construction du lien avec leur enfant et des routines de vie de la famille. Il importe pour le clinicien de faire non seulement la promotion de l'allaitement maternel auprès de sa patiente mais aussi de bien prendre en compte les hésitations que peut présenter une patiente psychiquement fragile au sujet de ce choix.

De nombreuses études rapportant le transfert des antidépresseurs dans le lait maternel ont été publiées au cours des dernières années. Les résultats observés varient en fonction des doses maternelles, de l'âge des enfants au moment des prélèvements, des techniques d'analyse du lait maternel et de l'exposition au médicament ou non en fin de grossesse. Toutes ces considérations ont été remarquablement explorées dans une revue exhaustive publiée récemment[56].

Des séries de cas et des études cliniques ont montré l'efficacité de plusieurs classes d'antidépresseurs pour le traitement de la dépression postnatale.

La vaste majorité des médicaments antidépresseurs sont jugés compatibles avec l'allaitement. Les effets d'une exposition régulière à une petite quantité d'antidépresseur sur le développement neurologique et comportemental de l'enfant demeurent peu étudiés et ce, pour tous les antidépresseurs[22].

TABLEAU III – INNOCUITÉ DES ANTIDÉPRESSEURS PENDANT L'ALLAITEMENT		
Médicament	**Données durant l'allaitement**	**Recommandations, commentaires**
Antidépresseurs tricycliques et hétérocycliques		
Amitriptyline Clomipramine Désipramine Doxépine Imipramine Maprotiline Nortriptyline Trimipramine	• Faible transfert dans le lait maternel (5 % de la dose maternelle ajustée au poids) chez plus de 75 femmes recevant une variété d'antidépresseurs tricycliques, sans effets indésirables chez la plupart des nourrissons[56-59]. • Sédation, hypotonie et problèmes respiratoires chez 2 enfants dont la mère prenait de la doxépine ; concentrations sanguines élevées chez l'un des enfants[58]. • Pas de preuves d'un retard de développement chez 10 enfants exposés à divers antidépresseurs tricycliques et évalués jusqu'à l'âge de 30 mois[58].	La **doxépine** ne devrait pas être utilisée chez une femme qui allaite sans une surveillance étroite de l'enfant. Les autres antidépresseurs de cette classe, notamment la **nortriptyline** pour laquelle un faible transfert dans le lait a été bien documenté, peuvent être envisagés en période d'allaitement. Étant donné son potentiel d'effets indésirables plus graves et d'interactions à doses antidépressives, cette classe devrait néanmoins être réservée aux femmes dont la condition ne peut être stabilisée par d'autres antidépresseurs. L'utilisation de petites doses pour les autres conditions comme les syndromes douloureux et les migraines ne pose probablement pas de risques.

Médicament	Données durant l'allaitement	Recommandations, commentaires
Inhibiteurs de la monoamine oxydase (IMAO)		
Phénelzine Tranylcypromine	• Aucune donnée sur le transfert dans le lait maternel.	Les IMAO devraient être évités en période d'allaitement.
Inhibiteurs réversibles de la monoamine oxydase A		
Moclobémide	• Passage faible dans le lait maternel (1% de la dose maternelle ajustée au poids) chez 8 femmes allaitant ; aucun effet indésirable observé dans cette cohorte[60].	Le moclobémide pourrait être envisagé chez les femmes qui ne répondent pas à des agents mieux connus durant l'allaitement.
Inhibiteurs sélectifs de la recapture de la sérotonine (ISRS)		

Citalopram
Escitalopram
Fluoxétine
Fluvoxamine
Paroxétine
Sertraline
	• Transfert faible à modéré dans le lait maternel et concentrations sériques rarement décelées chez les enfants allaités, avec les ISRS suivants[3, 56, 57] :
	  – **paroxétine** : > 100 femmes allaitant, enfant exposé à (< 5% de la dose maternelle ajustée au poids ;
	  – **sertraline** : > 100 femmes allaitant, enfant exposé à (≤ 5% de la dose maternelle ajustée au poids ;
	  – **fluvoxamine** : 10 femmes allaitant, enfant exposé à (< 2% de la dose maternelle ajustée au poids.
	• Transfert modéré, rarement mais parfois élevé, avec les ISRS suivants ; faibles concentrations sériques souvent mesurées chez les nourrissons[3, 16, 56, 57] :
	  – **citalopram** : > 60 femmes allaitant, enfant exposé à 1 à 10% de la dose maternelle ajustée au poids ; quelques effets indésirables bénins (troubles du sommeil, coliques) notés chez 10% des nourrissons dans une cohorte[57] ;
	  – **fluoxétine** : > 100 femmes allaitant, enfant exposé de 2 à 19% de la dose maternelle ajustée au poids ; prise pondérale ralentie chez les enfants allaités par rapport à un groupe témoin dans une étude ; effets indésirables parfois notifiés (coliques, pleurs inconsolables, difficultés d'alimentation)[56].
	• Transfert peu connu de l'**escitalopram** dans le lait maternel, estimé à 5 à 8% de la dose maternelle ajustée au poids chez une femme allaitant un enfant, sans effet néfaste apparent[61].
		La **paroxétine** et la **sertraline** sont les ISRS dont l'innocuité est la mieux documentée durant l'allaitement. On doit cependant tenir compte des risques tératogènes possibles associés à la paroxétine (tableau I) lorsqu'on débute ce médicament pour une période prolongée chez une femme qui allaite, mais qui pourrait désirer une grossesse dans un avenir rapproché.
		
		La **fluoxétine** devrait être envisagée prudemment chez les femmes allaitant de jeunes enfants dont le métabolisme hépatique est immature, étant donné son passage plus marqué dans le lait maternel et le risque d'accumulation du médicament et de son métabolite pour le nourrisson[56]. Cependant, la fluoxétine n'est pas contre-indiquée pendant l'allaitement, en particulier chez une femme traitée par la fluoxétine durant la grossesse. L'enfant sera exposé à une quantité moindre de médicament par l'allaitement que pendant la période prénatale. Une surveillance des effets indésirables potentiels (irritabilité, difficultés d'alimentation, troubles du sommeil) est conseillée. Comme toujours, il importe de documenter auprès de la mère l'état de base du bébé avant la prescription du médicament.
		
		Le **citalopram** semble poser peu de risques même si l'enfant est exposé à une quantité un peu plus élevée que pour les autres ISRS.

Médicament	Données durant l'allaitement	Recommandations, commentaires
Inhibiteurs de la recapture de la sérotonine et de la norépinéphrine		
Venlafaxine	• Passage modéré dans le lait maternel chez 15 femmes (5 à 10 % de la dose maternelle ajustée au poids) ; concentrations sériques du médicament ou de son métabolite mesurées en petites quantités chez la plupart des nourrissons[62-65]. • Aucun effet indésirable décrit jusqu'à présent.	Bien que son usage en allaitement soit moins documenté que les ISRS, la venlafaxine peut être envisagée chez une mère qui allaite.
Inhibiteurs de la recapture de la dopamine et de la norépinéphrine		
Bupropion	• Passage faible dans le lait maternel observé chez 13 femmes (2 % de la dose maternelle ajustée au poids)[66-68]. • Convulsions rapportées chez 2 enfants allaités dont la mère recevait du bupropion (un cas rapporté au fabricant, un cas publié)[69, 70].	Ces données très limitées suggèrent d'envisager prudemment le bupropion durant l'allaitement, notamment chez les femmes allaitant des enfants très jeunes. Le lien de causalité entre les convulsions observées et l'exposition au médicament par l'allaitement maternel ne peut pas être établi sur la base de 2 cas (concentrations sanguines non mesurées chez les enfants), mais ces observations commandent la prudence. Le bupropion devrait être réservé aux femmes dont la condition n'est pas stabilisée avec des antidépresseurs mieux connus en allaitement.
Modulateur de la sérotonine et de la norépinéphrine		
Mirtazapine	• Passage faible dans le lait maternel chez 4 femmes allaitant (< 2 % de la dose maternelle ajustée au poids) ; concentrations sanguines indétectables chez 2 enfants sur 4 ; aucun effet indésirable décrit à ce jour[71, 72].	Données très limitées jusqu'à présent. La mirtazapine devrait être réservée aux femmes dont la condition n'est pas stabilisée avec des antidépresseurs mieux connus en allaitement.
Modulateur mixte de la sérotonine		
Trazodone	• Passage faible dans le lait maternel chez 6 femmes (moins de 1 % de la dose maternelle ajustée au poids) ; transfert du métabolite actif non mesuré dans cette étude[3].	Données limitées qui suggèrent que la trazodone pourrait être envisagée chez les femmes qui ne répondent pas à des agents mieux connus.

TABLEAU IV – INNOCUITÉ DES ANXIOLYTIQUES, SÉDATIFS ET HYPNOTIQUES DURANT L'ALLAITEMENT		
Médicament	Données durant l'allaitement	Recommandations, commentaires
Benzodiazépines		
Alprazolam Bromazépam Chlordiazépoxide Clobazam Clonazépam Clorazépate Diazépam Flurazépam Lorazépam Midazolam Nitrazépam Oxazépam Témazépam Triazolam	• Transfert généralement faible à modéré (moins de 5 % de la dose maternelle ajustée au poids) des benzodiazépines suivantes dans le lait maternel [7, 25, 47] : Alprazolam Clobazam Clonazépam Lorazépam Midazolam Oxazépam Témazépam • Transfert modéré à élevé (environ 5 à 12 % de la dose maternelle ajustée au poids, en tenant compte d'un métabolite actif, le desméthyldiazépam) pour le diazépam ; élimination lente du desméthyldiazépam dans le lait maternel et dans le sang des enfants allaités, suggérant un risque d'accumulation avec un usage régulier ; effets indésirables (sédation, léthargie) rapportés avec utilisation pendant le travail et durant le post-partum [47]. • Concentrations sériques de clonazépam décelées chez un seul enfant sur 11 enfants allaités dont la mère recevait le médicament de façon continue ; aucun effet indésirable rapporté par les mères [73]. • Pas de données retracées pour les autres benzodiazépines. • Signes apparentés à un syndrome de retrait (irritabilité, pleurs excessifs, troubles du sommeil) observés chez un enfant allaité à l'arrêt de la médication (alprazolam) par la mère [25].	La plupart des données retracées reposent sur un petit nombre de femmes allaitant et sur une exposition limitée à quelques doses du médicament à l'étude. Néanmoins, l'utilisation de benzodiazépines, occasionnellement ou durant une courte période pendant l'allaitement, semble comporter peu de risques pour le nourrisson [47]. On calcule que l'enfant sera exposé à des doses peu susceptibles d'entraîner des effets indésirables. Les molécules peu lipophiles, ayant un temps de demi-vie court ou intermédiaire, et sans métabolite actif, comme le lorazépam ou l'oxazépam, devraient être privilégiées pour diminuer l'exposition pour l'enfant. Les benzodiazépines dont l'élimination est plus lente ou qui possèdent des métabolites actifs, comme l'alprazolam, le diazépam, le flurazépam, le clonazépam, le clorazépate et le chlordiazépoxide, peuvent comporter plus de risques d'effets indésirables chez le nourrisson et devraient être évités par mesure de prudence, à moins d'en faire une utilisation ponctuelle. Une surveillance de la sédation chez l'enfant allaité est requise si l'exposition est prolongée [47]. Comme à l'accoutumée, il importe de s'informer auprès de la mère de l'état de base du bébé avant la prescription du médicament.
Antipsychotiques atypiques		
Olanzapine Quétiapine Rispéridone	Voir le chapitre 31. Maladie bipolaire et troubles psychotiques.	

Médicament	Données durant l'allaitement	Recommandations, commentaires
Autres anxiolytiques, sédatifs et hypnotiques		
Buspirone	• Transfert non quantifié dans le lait maternel. – Convulsions rapportées chez un enfant dont la mère recevait plusieurs médicaments, dont la buspirone ; médicament non retracé dans le lait (moment du prélèvement et limites de sensibilité non précisés)[25]. – Temps de demi-vie : 2 à 3 h[74]. – Liaison protéique : 95 %[74].	Les propriétés pharmacocinétiques laissent présager un faible passage dans le lait maternel ; l'utilisation occasionnelle pose probablement peu de risques durant l'allaitement.
Zaleplon	• Transfert faible dans le lait maternel observé chez 5 femmes recevant 10 mg pour une dose ; enfant allaité exposé à environ 2 % de la dose maternelle ajustée au poids ; concentrations maximales dans le lait environ une heure après la dose et élimination rapide du lait maternel[75].	Les données d'une seule étude et les propriétés pharmacocinétiques laissent penser qu'une dose au coucher ne pose pas de risques pour l'enfant allaité.
Zopiclone	• Transfert faible dans le lait maternel chez 12 femmes recevant 7,5 mg pour une dose ; l'enfant allaité sera exposé à moins de 2 % de la dose maternelle ajustée au poids ; concentrations maximales dans le lait environ 2,5 h après la dose et élimination rapide du lait maternel[76].	Les données d'une seule étude et les propriétés pharmacocinétiques laissent penser qu'une dose unique au coucher pose peu de risques pour l'enfant allaité.
Produits de santé naturels		
Acides gras Omega 3	• Concentrations en acide docosahexanoïque dans le lait maternel reliées à l'apport maternel[54].	Aucune étude n'a été menée à ce jour sur l'efficacité de des suppléments commerciaux pour le traitement de la dépression postnatale, et une étude n'a pas démontré d'efficacité de ces suppléments dans la prévention de la dépression postnatale[54]. Des apports élevés en oméga-3 dans la diète des nouveau-nés et des jeunes enfants sont associés à un meilleur développement neurologique et cognitif, en particulier chez les enfants prématurés[54]. Ainsi, des apports élevés en oméga-3 chez les femmes qui allaitent ne posent pas de risques pour le nourrisson. Cependant, les suppléments commerciaux d'oméga-3 ne peuvent pas être recommandés pour le moment chez la femme qui allaite, en raison de l'absence de données d'efficacité et des risques inhérents aux produits de santé naturels. Une diète riche en oméga-3 et équilibrée en acides gras devrait être privilégiée, au besoin avec l'aide de professionnels en diététique. Les femmes qui présentent des symptômes dépressifs devraient être référées à leur médecin.

Médicament	Données durant l'allaitement	Recommandations, commentaires
Millepertuis (*Hypericum perforatum*)	• Transfert faible d'un des principes actifs dans le lait maternel dans une étude comptant 5 femmes; concentrations décelables mais faibles d'hyperforine dans le sang de 2 enfants; pas d'effets indésirables notés par les mères[77]. • Effets indésirables (coliques, sédation, léthargie) rapportés chez 5 des 33 enfants allaités dont la mère recevait du millepertuis, soit davantage que dans 2 groupes de comparaison; pas de traitement médical requis chez les enfants, cependant. Pas de différence dans la production de lait rapportée par les mères et le poids des enfants à 1 an[78].	Ces données ont été obtenues chez des femmes allaitant des enfants en santé de plus de 2 mois. Un seul principe actif a été mesuré dans le lait, alors que plus de 10 composés actifs sont retrouvés dans les préparations de millepertuis[77]. L'absence de réglementation actuelle sur les produits de santé naturels et l'absence d'informations sur le transfert des autres composés du millepertuis nous empêchent d'en recommander l'emploi durant l'allaitement. Aucun lien de causalité ne peut être établi pour le moment, mais une surveillance étroite des effets centraux (sédation, léthargie) chez les nourrissons dont la mère consomme du millepertuis est recommandée. Les femmes qui allaitent et qui présentent des symptômes dépressifs devraient être adressées à un médecin.

Références

1. STERN D. *La constellation maternelle*. Calmann-Lévy; 1997.

2. KENNERLEY H, GATH D. Maternity blues. I. Detection and measurement by questionnaire. *Br J Psychiatry* 1989;155:356-362.

3. COHEN LS, NONACS RM, editors. *Mood and Anxiety Disorders during Pregnancy and Postpartum*. Washington, DC: American Psychiatric Publishing; 2005.

4. O'HARA MW, NEUNABER DJ, ZEKOSKI EM. Prospective study of postpartum depression: prevalence, course, and predictive factors. *J Abnorm Psychol* 1984;93(2):158-71.

5. HERON J, O'CONNOR TG, EVANS J, GOLDING J, GLOVER V. The course of anxiety and depression through pregnancy and the postpartum in a community sample. *J Affect Disord* 2004;80(1):65-73.

6. COX JL, HOLDEN JM, SAGOVSKY R. Development of the 10-item Edinburgh Postnatal Depression Scale. *Br J Psychiatry* 1987;150:782-786.

7. EBERHARD-GRAN M, ESKILD A, TAMBS K, OPJORDSMOEN S, SAMUELSEN SO. Review of validation studies of the Edinburgh Postnatal Depression Scale. *Acta Psychiatr Scand* 2001;104:243-249.

8. DENNIS CL. Treatment of postpartum depression, part 2: a critical review of nonbiological interventions. *J Clin Psychiatry* 2004;65(9):1252-1265.

9. SMITH MV, ROSENHECK RA, CAVALERI MA, HOWELL HB, POSCHMAN K, YONKERS KA. Screening for and detection of depression, panic disorder, and PTSD in public-sector obstetric clinics. *Psychiatr Serv* 2004;55(4):407-14.

10. BLIER P. Pregnancy, depression, antidepressants and breast-feeding. *J Psychiatry Neurosci* 2006;31(4):226-228.

11. GOODMAN SH. Genesis and epigenesis of psychopathology in children with depressed mothers: toward an integrative biopsychosocial perspective. In: Cicchetti D, Walker EF, ed. *Neurodevelopmental Mechanisms in Psychopathology*. New York: Cambridge University Press; 2003. p. 428-460.

12. SPINELLI MG, ENDICOTT J. Controlled clinical trial of interpersonal psychotherapy versus parenting education program for depressed pregnant women. *Am J Psychiatry* 2003;160(3):555-562.

13. TEIXEIRA JM, FISK NM, GLOVER V. Association between maternal anxiety in pregnancy and increased uterine artery resistance index: cohort based study. *BMJ* 1999;318(7177):153-157.

14. KAITZ M, MAYTAL H. Interactions between anxious mothers and their infants: An integration of theory and research findings. *Infant Ment Health J* 2005;26(6):570-597.

15. COHEN LS, ALTSHULER LL, HARLOW BL, NONACS R, NEWPORT DJ, VIGUERA AC, et al. Relapse of major depression during pregnancy in women who maintain or discontinue antidepressant treatment. *JAMA* 2006;295(5):499-499.

16. HALLBERG P, SJÖBLOM V. The use of selective serotonin reuptake inhibitors during pregnancy and breast-feeding: a review and clinical aspects. *J Clin Psychopharmacol* 2005;25(1):59-73.

17. IQBAL MM, SOBHAN T, RYALS T. Effects of commonly used benzodiazepines on the fetus, the neonate, and the nursing infant. *Psychiatr Serv* 2002;53(1):39-39.

18. HEMELS MEH, EINARSON A, KOREN G, LANCTAT KL, EINARSON TR. Antidepressant use during pregnancy and the rates of spontaneous abortions: a meta-analysis. *Ann Pharmacother* 2005;39(5):803-809.

19. SIMON GE, CUNNINGHAM ML, DAVIS RL. Outcomes of prenatal antidepressant exposure. *Am J Psychiatry* 2002;159(12):2055-61.

20. LATTIMORE KA, DONN SM, KACIROTI N, KEMPER AR, NEAL CR, VAZQUEZ DM. Selective serotonin reuptake inhibitor (SSRI) use during pregnancy and effects on the fetus and newborn: a meta-analysis. *J Perinatol* 2005;25(9):595-595.

21. WEN SW, YANG Q, GARNER P, FRASER W, OLATUNBOSUN O, NIMROD C, et al. Selective serotonin reuptake inhibitors and adverse pregnancy outcomes. *Am J Obstet Gynecol* 2006;194:964-966.

22. GENTILE S. SSRIs in pregnancy and lactation: emphasis on neurodevelopmental outcome. *CNS Drugs* 2005;19(7):623-633.

23. MISRI S, REEBYE P, KENDRICK K, CARTER D, RYAN D, GRUNAU RE, et al. Internalizing behaviors in 4-year-old children exposed in utero to psychotropic medications. *Am J Psychiatry* 2006;163:1026-1032.

24. KALRA S, BORN L, SARKAR M, EINARSON A. The safety of antidepressant use in pregnancy. *Expert Opin Drug Saf* 2005;4(2):273-284.

25. BRIGGS GG, FREEMAN RK, YAFFE SJ. *Drugs in Pregnancy and Lactation. A reference guide to fetal and neonatal risk.* 7th ed. Philadelphia: William & Wilkins; 2005.

26. KÄLLÉN B, OTTERBLAD OLAUSSON P. Antidepressant drugs during pregnancy and infant congenital heart defect. *Reprod Toxicol* 2006;21(3):221-222.

27. NULMAN I, ROVET J, STEWART DE, WOLPIN J, PACE-ASCIAK P, SHUHAIBER S, et al. Child development following exposure to tricyclic antidepressants or fluoxetine throughout fetal life: a prospective, controlled study. *Am J Psychiatry* 2002;159(11):1889-1895.

28. RYBAKOWSKI JK. Moclobemide in pregnancy. *Pharmacopsychiatry* 2001;34(2):82-83.

29. SIVOJELEZOVA A, SHUHAIBER S, SARKISSIAN L, EINARSON A, KOREN G. Citalopram use in pregnancy: prospective comparative evaluation of pregnancy and fetal outcome. *Am J Obstet Gynecol* 2005;193(6):2004-2009.

30. KULIN NA, PASTUSZAK A, SAGE SR. Pregnancy outcome following maternal use of the new selective serotonin reuptake inhibitors. A prospective controlled multicenter study. *JAMA* 1998;979:609-10.

31. MCELHATTON PR, GARBIS HM, ELEFANT E, VIAL T, BELLEMIN B, MASTROIACOVO P, et al. The outcome of pregnancy in 689 women exposed to therapeutic doses of antidepressants. A collaborative study of the European Network of Teratology Information Services (ENTIS). *Reprod Toxicol* 1996;10(4):285-294.

32. MALM H, KLAUKKA T, NEUVONEN PJ. Risks associated with selective serotonin reuptake inhibitors in pregnancy. *Obstet Gynecol* 2005;106(6):1289-1296.

33. ERICSON A, KÄLLÉN B, WIHOLM BE. Delivery outcome after the use of antidepressants in early pregnancy. *Eur J Clin Pharmacol* 1999;55:503-8.

34. GLAXOSMITHKLINE. EPIP083: Updated Preliminary Report on Bupropion and Other Antidepressants, including Paroxetine, in Pregnancy and the Occurrence of Cardiovascular and Major Congenital Malformation. 2005 [vérifié 2006 March 18th]; Disponible dans: http://ctr.gsk.co.uk/Summary/paroxetine/studylist.asp

35. DIAV-CITRIN O, SHECHTMAN S, WEINBAUM D. Pregnancy outcome after gestational exposure to paroxetine: a prospective controlled cohort study. Abstract. *Teratology* 2002;65(6):298.

36. UNFRED CL, CHAMBERS C, FELIX R. *Birth outcomes among pregnant women taking paroxetine.* In: OTIS 14th annual meeting (Organization of Teratology Information Services); 2001; Montréal, Qc.; 2001.

37. MOSES-KOLKO EL, BOGEN D, PEREL J, BREGAR A, UHL K, LEVIN B, et al. Neonatal signs after late in utero exposure to serotonin reuptake inhibitors: literature review and implications for clinical applications. *JAMA* 2005;293(19):2372-2383.

38. CHAMBERS CD, HERNANDEZ-DIAZ S, VAN MARTER LJ, WERLER MM, LOUIK C, JONES KL, et al. Selective serotonin-reuptake inhibitors and risk of persistent pulmonary hypertension of the newborn. *N Engl J Med* 2006;354(6):579-587.

39. EINARSON A, FATOYE B, SARKAR M, LAVIGNE SV, BROCHU J, CHAMBERS C, et al. Pregnancy outcome following gestational exposure to venlafaxine: a multicenter prospective controlled study. *Am J Psychiatry* 2001;158(10):1728-30.

40. CHUN-FAI-CHAN B, KOREN G, FAYEZ I, KALRA S, VOYER-LAVIGNE S, BOSHIER A, et al. Pregnancy outcome of women exposed to bupropion during pregnancy: A prospective comparative study. *Am J Obstet Gynecol* 2005;192:932-6.

41. COLE JA, MODELL JG, HAIGHT BR, COSMATOS IS, STOLER JM, WALKER AM. Bupropion in pregnancy and the prevalence of congenital malformations. *Pharmacoepidemiol Drug Saf* 2006;(sous presse).

42. BISWAS PN, WILTON LV, SHAKIR SA. The pharmacovigilance of mirtazapine: results of a prescription event monitoring study on 13554 patients in England. *J Psychopharmacol* 2003;17(1):121-126.

43. GUCLU S, GOL M, DOGAN E, SAYGILI U. Mirtazapine use in resistant hyperemesis gravidarum: report of three cases and review of the literature. *Arch Gynecol Obstet* 2005;272(4):298-298.

44. DJULUS J, KOREN G, EINARSON TR, WILTON L, SHAKIR S, DIAV-CITRIN O, et al. Exposure to mirtazapine during pregnancy: a prospective, comparative study of birth outcomes. *J Clin Psychiatry* 2006;67(8):1280-1284.

45. EINARSON A, LAVIGNE S, BROCHU J. Pregnancy outcome following exposure to trazodone and nefazodone: a prospective controlled multicentre study. Abstract. *Teratology* 2000;61:521.

46. DOLOVICH LR, ADDIS A, VAILLANCOURT JM, POWER JD, KOREN G, EINARSON TR. Benzodiazepine use in pregnancy and major malformations or oral cleft: meta-analysis of cohort and case-control studies. *BMJ* 1998;317(7162):839-843.

47. MCELHATTON PR. The effects of benzodiazepine use during pregnancy and lactation. *Reprod Toxicol* 1994;8(6):461-475.

48. ORNOY A, ARNON J, SHECHTMAN S, MOERMAN L, LUKASHOVA I. Is benzodiazepine use during pregnancy really teratogenic? *Reprod Toxicol* 1998;12(5):511-515.

49. SANTÉ CANADA. *Les anomalies congénitales au Canada - Rapport sur la santé périnatale.* 2002. Ottawa: Ministre des Travaux publics et des Services Gouvernementaux Canada; 2002.

50. EROS E, CZEIZEL AE, ROCKENBAUER M, SORENSEN HT, OLSEN J. A population-based case-control teratologic study of nitrazepam, medazepam, tofisopam, alprazolum and clonazepam treatment during pregnancy. *Eur J Obstet Gynecol Reprod Biol* 2002;101(2):147-154.

51. SWORTFIGUER D, CISSOKO H, GIRAUDEAU B, JONVILLE-BERA AP, BENSOUDA L, AUTRET-LECA E. Neonatal consequences of benzodiazepines used during the last month of pregnancy. *Arch Pediatr* 2005;12(9):1327-1331.

52. EBERHARD-GRAN M, ESKILD A, OPJORDSMOEN S. Treating mood disorders during pregnancy: safety considerations. *Drug Saf* 2005;28(8):695-695.

53. DIAV-CITRIN O, OKOTORE B, LUCARELLI K, KOREN G. Pregnancy outcome following first-trimester exposure to zopiclone: a prospective controlled cohort study. *Am J Perinatol* 1999;16(4):157-160.

54. REES A-M, AUSTIN M-P, PARKER G. Role of omega-3 fatty acids as a treatment for depression in the perinatal period. *Aust N Z J Psychiatry* 2005;39(4):274-280.

55. SANTÉ CANADA. *Nutrition pour une grossesse en santé: lignes directrices nationales à l'intention des femmes en âge de procréer.* Ministre des Travaux publics et Services gouvernementaux du Canada; 1999.

56. WEISSMAN AM, LEVY BT, HARTZ AJ, BENTLER S, DONOHUE M, ELLINGROD VL, et al. Pooled analysis of antidepressant levels in lactating mothers, breast milk, and nursing infants. *Am J Psychiatry* 2004;161(6):1066-1078.

57. Whitby DH, Smith KM. The use of tricyclic antidepressants and selective serotonin reuptake inhibitors in women who are breastfeeding. *Pharmacotherapy* 2005;25(3):411-425.

58. Yoshida K, Smith B, Kumar R. Psychotropic drugs in mothers' milk: a comprehensive review of assay methods, pharmacokinetics and of safety of breast-feeding. *J Psychopharmacol* 1999;13(1):64-80.

59. Dodd S, Buist A, Norman TR. Antidepressants and breast-feeding: a review of the literature. *Paediatr Drugs* 2000;2(3):183-92.

60. Buist A, Dennerstein L, Maguire KP. Plasma and human milk concentrations of moclobemide in nursing mothers. *Hum Psychopharmacol Clin Exp* 1998;13:579-82.

61. Castberg I, Spigset O. Excretion of escitalopram in breast milk. *J Clin Psychopharmacol* 2006;26(5):536-538.

62. Ilett KF, Hackett LP, Dusci LJ, Roberts MJ, Kristensen JH, Paech M, et al. Distribution and excretion of venlafaxine and O-desmethylvenlafaxine in human milk. *Br J Clin Pharmacol* 1998;45(5):459-62.

63. Hendrick V, Altshuler L, Wertheimer A, Dunn WA. Venlafaxine and breast-feeding. *Am J Psychiatry* 2001;158(12):2089-90.

64. Ilett KF, Kristensen JH, Hackett LP. Distribution of venlafaxine and its O-desmethyl metabolite in human milk and their effetcs in breastfed infants. *Br J Clin Pharmacol* 2002;53:17-22.

65. Berle JO, Steen VM, Aamo TO, Breilid H, Zahlsen K, Spigset O. Breastfeeding during maternal antidepressant treatment with serotonin reuptake inhibitors: infant exposure, clinical symptoms, and cytochrome P450 genotypes. *J Clin Psychiatry* 2004;65:1228-34.

66. Briggs GG, Samson JH, Ambrose PJ, Schroeder DH. Excretion of bupropion in breast milk. *Ann Pharmacother* 1993;27(4):431-3.

67. Baab SW, Peindl KS, Piontek CM, Wisner KL. Serum bupropion levels in 2 breastfeeding mother-infant pairs. *J Clin Psychiatry* 2002;63(10):910-11.

68. Haas JS, Kaplan CP, Barenboim D, Jacob Pr, Benowitz NL. Bupropion in breast milk: an exposure assessment for potential treatment to prevent postpartum tobacco use. *Tob Control* 2004;13(1):52-56.

69. Chaudron LH, Schoenecker CJ. Bupropion and breastfeeding: a case of a possible infant seizure. *J Clin Psychiatry* 2004;65(6):881-882.

70. Corriveau D. *Utilisation de Wellbutrin SR chez la femme enceinte et chez la femme allaitant.* 2001. Communication personnelle, GlaxoSmithKline.

71. Ilett KF, Hackett LP, Kristensen JH, Rampono J. Distribution and Excretion of the Novel Antidepressant Mirtazapine in Human Milk. *J Hum Lact* 2004;20(3):212.

72. Aichhorn W, Whitworth A.B., Weiss U, Stuppaeck C. Mirtazapine and Breast-Feeding. *Am J Psychiatry* 2004;161(12):2325.

73. Birnbaum CS, Cohen LS, Bailey JW, Grush LR, Robertson LM, Stowe ZN. Serum concentrations of antidepressants and benzodiazepines in nursing infants: A case series. *Pediatrics* 1999;104(1):e11.

74. Hale TW. *Medications and Mothers'Milk.* 12th ed. Amarillo: Hale Publishing; 2006.

75. Darwish M, Martin PT, Cevallos WH, Tse S, Wheeler S, Troy SM. Rapid disappearance of zaleplon from breast milk after oral administration to lactating women. *J Clin Pharmacol* 1999;39(7):670-674.

76. Matheson I, Sande HA, Gaillot J. The excretion of zopiclone into breast milk. *Br J Clin Pharmacol* 1990;30(2):267-271.

77. Klier CM, Schmid-Siegel B, Schafer MR, Lenz G, Saria A, Zernig G. St. John's wort (Hypericum perforatum) and breastfeeding: plasma and breast milk concentrations of hyperforin for 5 mothers and 2 infants. *J Clin Psychiatry* 2006;67(2):305-309.

78. Lee A, Minhas R, Matsuda N, Lam M, Ito S. The safety of St. John's wort (Hypericum perforatum) during breastfeeding. *J Clin Psychiatry* 2003;64(8):966-968.

Chapitre 31

Maladie bipolaire et troubles psychotiques

■

Brigitte MARTIN
Martin SAINT-ANDRÉ

Maladie affective bipolaire : données d'épidémiologie, symptomatologie et facteurs de risque

Grossesse

La maladie bipolaire est une condition fréquente qui touche 1 à 2 % de la population générale. Cette condition chronique est susceptible d'avoir un effet très significatif sur la patiente durant la grossesse et le *post-partum* de même que sur son bébé et sur son entourage immédiat. Le parcours de la maladie affective bipolaire tend à varier significativement d'une patiente à une autre. Une description des différents sous-types de bipolarité ainsi que des dimensions liées à cette condition est au-delà des objectifs de ce chapitre mais le lecteur intéressé pourra se référer à des revues récentes sur le sujet[1-3].

En dépit de travaux initiaux qui ont décrit la grossesse comme protectrice de décompensation, le risque de rechute de la maladie bipolaire durant la grossesse est généralement considéré comme élevé[4]. Ce risque sera encore plus significatif chez les femmes qui cessent leur stabilisateur de l'humeur avant de devenir enceintes ou pendant la grossesse : le risque de récidive atteint alors 50 %[5].

Post-partum

Le *post-partum* constitue une période particulièrement à risque pour la femme atteinte de maladie bipolaire, et ce même chez les femmes qui ne présentent pas de perturbation de l'humeur durant leur grossesse[6]. Le *post-partum* constitue toujours un moment particulièrement névralgique de l'évolution de la maladie avec des taux de rechute dans les 3 à 6 mois suivant l'accouchement situés à plus de 50 %[7]. Le risque de rechute sera augmenté si on arrête rapidement le stabilisateur de l'humeur en début de grossesse et si le parcours de la maladie est marqué par quatre épisodes antérieurs et plus de décompensation[5].

Dépression du post-partum

La dépression du *post-partum* est un risque significatif associé à la maladie affective bipolaire et se manifeste par des tableaux de différentes sévérités qui vont de la dépression majeure à la dépression psychotique. La dépression du *post-partum* ainsi que sa thérapeutique pharmacologique et non pharmacologique ont été abordées au chapitre 30. *Dépression et troubles anxieux.*

Psychose du post-partum

La psychose du *post-partum* survient après 0,1 à 0,2 % de tous les accouchements et se caractérise par une apparition dans les tout premiers jours du *post-partum* de conduites désorganisées, de troubles perceptuels, de propos délirants et d'un tableau d'irritabilité et de confusion qui peut parfois s'apparenter à un *delirium*[8]. Plusieurs patientes qui ont présenté une psychose du *post-partum* évoluent vers une maladie affective bipolaire, la psychose du *post-partum* étant parfois la première manifestation de cette maladie.

La psychose du *post-partum* est une condition fréquente dans la maladie bipolaire et peut atteindre jusqu'à 25 à 50 % des patientes bipolaires non traitées[9].

Une vaste étude épidémiologique a démontré que l'hospitalisation pour une psychose du *post-partum* survient en majorité chez des femmes ayant une histoire d'épisode psychotique ou de maladie affective bipolaire[10].

De plus, il s'agit d'une condition récidivante : le risque de récidive monte à 75 % si la patiente a présenté une psychose du *post-partum* antérieure et grimpe à 90 % si la patiente a présenté une psychose *post-partum* antérieure de même qu'une diathèse familiale de la maladie[8]. Le lithium réduit jusqu'à cinq fois le taux de récidive[11].

La psychose du *post-partum* est associée à un risque significatif de suicide et d'infanticide, *a fortiori* si le bébé est impliqué dans le délire de la mère, ce qui est souvent le cas. Cette condition est clairement une urgence psychiatrique qui met à risque non seulement la santé de la mère, mais aussi celle du bébé. Elle nécessite une hospitalisation de la mère et le recours aux moyens habituels de traitement de la psychose affective aiguë, soit l'utilisation d'antipsychotiques et de stabilisateurs de l'humeur.

Schizophrénie : données d'épidémiologie, symptomatologie et facteurs de risque

Grossesse

Les femmes schizophrènes rapportent une détérioration de leur état durant la grossesse dans 59 % des cas alors que 29 % rapportent une amélioration.

Bien qu'elles puissent présenter des épisodes psychotiques tout aussi dramatiques que les femmes atteintes de maladie bipolaire, il importe de distinguer chez les femmes schizophrènes la présence de délires chroniques qui sont ou non exacerbés durant la grossesse. Il importe de prendre en compte, chez cette population clinique, la non-observance médicamenteuse, laquelle pourra nécessiter l'utilisation d'antipsychotiques dépôts, y compris durant la grossesse. Enfin, on retiendra que l'arrêt de la médication pendant la grossesse comportera un risque de rechute d'environ 65 % dans les populations de patientes schizophrènes[12].

Risques associés à un épisode psychotique durant la grossesse

La schizophrénie a été reconnue comme facteur de risque pour les anomalies congénitales dans certaines recherches, et ce indépendamment de l'exposition aux antipsychotiques[12, 13]. Cette condition grave a été associée à des soins prénatals inadéquats, le recours à l'alcool, au tabac, aux drogues, les conduites à très haut risque pour la sécurité de la mère, les risques physiologiques comme les avortements spontanés, les bébés de petit poids et la mortinaissance[12, 13].

Risques associés à un épisode psychotique non traité en *post-partum*

La présence de délire et d'hallucinations mandatoires constituent toujours un risque très grave pour l'enfant. Les patientes présenteront des risques de suicide et d'infanticide, des risques de perturbations très graves des soins donnés à l'enfant. De plus, la maladie décompensée contribue dans bon nombre de cas à perturber davantage le réseau de soutien. Les risques de consommation d'alcool et de substances sont augmentés.

Principes généraux de prévention et de traitement

Plan de traitement chez une patiente atteinte de maladie affective bipolaire

Afin de construire un plan thérapeutique personnalisé pour sa patiente, le clinicien doit documenter la sévérité de la maladie (présence et nombre d'épisodes dépressifs, hypomaniaques, maniaques ou mixtes; la durée des périodes de fonctionnement euthymique), la récurrence de la maladie (fréquence et durée des décompensations, temps écoulé depuis la dernière décompensation), les facteurs précipitants identifiés antérieurement, ainsi que les comorbidités associées à la maladie (abus de substances ou d'alcool, conduites suicidaires ou intensité des comportements impulsifs lors de décompensations précédentes, présence ou absence d'un trouble de la personnalité). Le clinicien doit aussi documenter la réponse antérieure au traitement, de même que la réponse aux tentatives antérieures d'arrêt de la médication.

Ajoutons que chez les patientes psychiatriquement très fragiles, il peut être nécessaire d'explorer plus en profondeur les risques et bénéfices escomptés de la transition à la parentalité, voire de discuter explicitement des vulnérabilités qui pourraient avoir été minimisées par la patiente tout comme des moyens de protection à mettre en place dans son entourage et dans ses habitudes de vie.

Traitement prophylactique de la maladie bipolaire en cours de grossesse

Les données au sujet des risques de récidive de la maladie bipolaire en cours de grossesse et, plus particulièrement, en *post-partum*, justifient la considération d'une prophylaxie chez les femmes qui ont choisi de suspendre leur traitement pendant la grossesse, après une analyse fine des différentes variables liées au parcours antérieur de la maladie. Malheureusement, en dépit de quelques études qui ont démontré l'utilité d'une prophylaxie au lithium dans la prévention de la décompensation en *ante* et *post-partum* de la maladie bipolaire, les données empiriques sur le sujet sont relativement limitées et laissent le clinicien dans l'ombre au sujet des doses nécessaires de même qu'au sujet du moment optimal du traitement[14]. L'expérience clinique semble toutefois aller dans le sens d'utiliser le lithium en prophylaxie, à des doses thérapeutiques. Cliniquement, il faut traiter la condition avec une vigueur et une durée qui reflètent la sévérité et la prévisibilité de l'évolution de la maladie.

Il importe dans tous les cas de discuter des risques et bénéfices du traitement, idéalement en préconception, en intégrant un membre de l'entourage dans les discussions. Dans tous les cas, une grossesse chez une femme ayant une maladie bipolaire documentée doit être considérée comme une grossesse à risque. Dans le cas où il est décidé de cesser la médication en préconception, il faut que l'arrêt se fasse avant la grossesse de manière progressive, sur une période d'au moins deux semaines, en surveillant étroitement le retour de la symptomatologie. En s'assurant de bien connaître le moment de la grossesse, la patiente pourra minimiser la période durant laquelle elle n'est pas protégée par sa médication. Selon le risque estimé de récidive et le degré de symptomatologie présenté par la patiente, la médication peut être reprise durant la grossesse, idéalement après la période d'organogenèse, c'est-à-dire après le premier trimestre (voir tableau I).

Principes de traitement durant la grossesse

L'utilisation du lithium durant la grossesse est bien documentée et ce stabilisateur est considéré comme le médicament de premier recours (tableau I). Les antiépileptiques devraient être évités dans la mesure du possible chez les femmes ayant un trouble bipolaire qui planifient une grossesse ; en effet, les données concernant notamment l'acide valproïque suggèrent un risque élevé de tératogenèse et des conséquences, peu étudiées encore mais préoccupantes, sur le développement neurologique et comportemental des enfants exposés *in utero*[8]. Lorsque cette classe de médicaments s'avère indiquée, le traitement doit idéalement être initié après le premier trimestre. Finalement, les données d'innocuité croissantes durant la grossesse au sujet des nouveaux antipsychotiques permettront peut-être, dans un avenir rapproché, de les inclure de plus en plus comme traitement pour les patientes bipolaires au cours de la grossesse. Pour le moment, les données sont trop peu détaillées pour les considérer comme des agents de premier recours.

Prévention de la psychose du *post-partum*

La prévention d'une psychose du *post-partum* chez une femme atteinte d'une maladie bipolaire nécessite dans la grande majorité des cas la réintroduction d'un stabilisateur de l'humeur. En raison de la quantité d'études à son sujet, le lithium constitue actuellement le médicament de premier recours, les autres médications devant être considérées seulement en l'absence de réponse antérieure au lithium. Des travaux ont démontré que l'utilisation du lithium avant la naissance réduisait de deux à cinq fois le risque de psychose du *post-partum*[14]. Les recommandations actuelles varient de la 36e semaine de gestation à 48 heures *post-partum*[14].

Dans les cas de maladie plus grave, par exemple une maladie bipolaire de type I mal contrôlée, il peut être préférable de laisser une médication tout au long de la grossesse plutôt que d'avoir à réintroduire des traitements plus lourds plus tard en grossesse. Les difficultés à stabiliser la condition de patientes présentant un trouble psychotique chronique ou un trouble bipolaire peuvent justifier l'utilisation de médicaments dont l'innocuité est peu connue durant la grossesse. En règle générale, on privilégie la monothérapie en conservant les doses minimales efficaces[15].

Données sur l'innocuité des médicaments au cours de la grossesse

TABLEAU I – INNOCUITÉ DES MÉDICAMENTS UTILISÉS POUR LES TROUBLES BIPOLAIRES ET PSYCHOTIQUES AU COURS DE LA GROSSESSE

Médicament	Données de tératogénicité	Recommandations, commentaires
Thymorégulateurs		
Lithium	**GROSSESSE** • Registre international avec 25 malformations majeures sur 225 enfants exposés au premier trimestre, dont 6 malformations d'Ebstein[16]. Cette anomalie cardiaque rare se caractérise par une malformation de la valve tricuspide et une hypoplasie du ventricule droit ; la gravité est variable mais implique souvent une correction chirurgicale[16]. • Deux études de cohorte comptant 165 enfants exposés pendant le premier trimestre montrent des résultats divergents : augmentation des malformations majeures et des malformations cardiaques (jusqu'à 6,8 % des enfants) dans une cohorte comptant 59 enfants, mais pas d'augmentation du risque d'anomalies majeures ou de malformations cardiaques (0,9 %) dans l'étude plus récente comptant davantage de sujets ; une malformation d'Ebstein notée chez un fœtus dans cette dernière cohorte[17, 18]. • Quatre études cas-témoins évaluant 208 enfants avec malformation d'Ebstein sans association décelée[16]. **NAISSANCE** • Complications obstétricales (polyhydramnios, accouchements prématurés) et néonatales apparentées au *floppy baby syndrome* parfois rapportées à la naissance : hypotonie, cyanose, bradycardie, anomalies à l'électrocardiogramme, hypothyroïdie, goitre, diabète insipide, difficultés respiratoires, hépatomégalie ; ces complications sont transitoires et perdurent environ une à deux semaines, ce qui correspond au temps d'élimination du lithium par le nouveau-né[19, 20]. Complications plus fréquemment observées avec des concentrations plasmatiques élevées au moment de l'accouchement[21].	L'utilisation du lithium durant la grossesse est bien documentée et ce stabilisateur est considéré comme le médicament de premier recours. Le risque de malformation d'Ebstein après exposition au lithium pendant la période d'organogenèse cardiaque (entre le 22e jour et le 60e jour suivant la conception) est à présent estimé à environ 1 cas sur 1 000 à 2 000 expositions, comparativement à 1 cas sur 20 000 naissances dans la population générale[23]. Les autres anomalies cardiaques peuvent également être augmentées : le risque absolu, mal défini, oscille entre 0,9 et 6,8 %, ce dernier chiffre étant probablement surestimé[16]. Pour les femmes chez qui l'arrêt du traitement pendant la période d'organogenèse cardiaque ne peut pas être envisagé, une échographie détaillée et une échocardiographie fœtale entre la 16e et la 20e semaine sont recommandées afin d'éliminer la possibilité d'une cardiopathie[16, 24]. **CHANGEMENTS PHARMACOCINÉTIQUES ET SUIVI** Le suivi des dosages est recommandé à chaque trimestre et chaque mois durant le dernier trimestre ; l'augmentation des doses est souvent requise dès le début de la grossesse en raison de l'augmentation de la clairance rénale du lithium. Les nausées et vomissements gravidiques peuvent entraîner de la déshydratation et, conséquemment, une toxicité au lithium.

Médicament	Données de tératogénicité	Recommandations, commentaires
	DÉVELOPPEMENT • Développement neurocomportemental des enfants exposés peu exploré : pas d'effets néfastes rapportés par les mères sur le développement de 60 enfants nés sans malformations dans le registre international du lithium[22]. • Développement normal à 1 an de 22 enfants exposés par rapport à des enfants non exposés[17].	La dose totale quotidienne peut être fractionnée en 3 ou 4 prises pour éviter les fluctuations sériques[25]. La fonction thyroïdienne maternelle, la fonction rénale ainsi que l'ionogramme sanguin devraient être suivis régulièrement (une fois par trimestre). **ACCOUCHEMENT ET *POST-PARTUM*** Les changements de volume plasmatique en *peri partum* nécessitent le monitoring étroit des taux de lithium tout en visant à optimiser la protection pour la mère. En se basant sur des lithémies sériées, les doses doivent être réévaluées en *peri partum* et immédiatement après l'accouchement. Les doses pourront parfois être reprises aux doses prégrossesse d'emblée, étant donné les changements rapides du volume de distribution et de l'élimination rénale qui suivent l'accouchement (voir le chapitre 3. *Impact des changements physiologiques sur la pharmacocinétique*). Une bonne hydratation doit être maintenue pendant toute la grossesse et pendant l'accouchement. Les anti-inflammatoires non stéroïdiens doivent être utilisés prudemment en *post-partum*, en privilégiant une utilisation occasionnelle ou de courte durée pour éviter les interactions[24]. La surveillance habituelle de l'enfant à la naissance est généralement suffisante. La fonction thyroïdienne néonatale doit être vérifiée si un système de dépistage universel n'est pas déjà en place.
Antiépileptiques		
Acide valproïque Carbamazépine Gabapentin Lamotrigine Topiramate	• Voir le chapitre 32. *Épilepsie.*	Les antiépileptiques devraient être évités dans la mesure du possible chez les femmes ayant un trouble bipolaire qui planifient une grossesse ; les options mieux connues et qui posent moins de risques (lithium) devraient être d'abord envisagées.

Médicament	Données de tératogénicité	Recommandations, commentaires
Antipsychotiques conventionnels		
Butyrophénones		
Halopéridol (Voir chapitre 24. *Nausées et* *vomissements* pour les données sur le dropéridol)	• Observations cliniques isolées de malformations des membres chez deux enfants[19]. • Revue de 31 enfants avec des anomalies des membres sans lien décelé avec l'exposition à l'halopéridol pendant l'embryogenèse[26]. • Deux études comptant 150 enfants exposés au premier trimestre, la majorité à de petites doses sur une courte période pour le traitement de l'hyper-émèse gravidique, sans risque tératogène majeur observé[19, 27]. • Étude de cohorte comptant 188 femmes traitées à l'halopéridol, dont 132 au premier trimestre, sans augmentation du risque de malformations majeures, de mortinaissances ou d'avortements spontanés. Cependant, augmentation du taux de césariennes, de prématurité et de poids à la naissance diminués. Près de la moitié des femmes étaient traitées pendant toute la grossesse[28]. • Pas de complications lors de l'utilisation de l'halopéridol aux deuxième et troisième trimestres de la grossesse et lors du travail dans plusieurs observations cliniques[19]. • Quelques cas de complications néonatales pouvant être apparentées à des réactions extrapyramidales (hyperexcitabilité, hypertonie, irritabilité, protrusion de la langue, trémulations, convulsions), survenant dans le premier mois de vie, et souvent décrites comme transitoires[19, 28, 29]. • Pas d'effets majeurs sur le comportement des enfants exposés *in utero*; données limitées et encore insuffisantes pour exclure tout risque[12].	L'halopéridol est un médicament de premier recours pour le traitement des épisodes aigus d'agitation ou de psychose durant la grossesse, étant donné son potentiel moins important d'hypotension, de sédation et d'effets anti-cholinergiques que les autres antipsychotiques conventionnels[24]. Il présente toutefois un risque de réaction extra-pyramidale qui nécessite un monitoring clinique étroit durant les premières heures suivant son administration, surtout lors d'un épisode aigu. Les complications néonatales décrites pourraient être minimisées par l'utilisation de petites doses à la fin de la grossesse. Certains auteurs décrivent un risque augmenté de complications néonatales avec les formulations à longue action[29]; ces formulations peuvent néanmoins être utilisées dans les cas de non-observance médicamenteuse.
Phénothiazines et thioxanthènes		
Chlorpromazine Fluphénazine Flupenthixol Méthotriméprazine Perphénazine Prométhazine Prochlorpérazine Thioridazine Thiothixène Trifluopérazine Zuclopenthixol	• Méta-analyse de 5 études comptant 2591 expositions à des phénothiazines (surtout **chlorpromazine, perphénazine, prochlorpérazine, prométhazine** et **trifluopérazine**) au premier trimestre montre un risque légèrement accru de malformations majeures (risque absolu 2,4 % contre 2,0 % dans la population de comparaison), sans patron de malformations identifié; doses et durée de traitement non précisées, cependant; indications plus souvent obstétricales que psychiatriques[15].	Malgré un profil d'innocuité en grossesse qui semble favorable, cette classe de médicaments est associée à davantage d'hypotension et d'effets indésirables qui empêchent de les recommander en premier recours pour le traitement de conditions psychiatriques[12]. Les petites doses utilisées pour les conditions médicales comme les migraines ou les vomissements incoercibles ne posent pas de risques connus.

Médicament	Données de tératogénicité	Recommandations, commentaires
	• Plusieurs autres séries de cas ou études cas-témoins non incluses dans la méta-analyse ne montrent pas de lien entre l'exposition à des phénothiazines (en particulier **fluphénazine, prométhazine** et **prochlorpérazine**) et des malformations congénitales[19]. • Peu ou pas de données pour les médicaments suivants : **flupenthixol, thioridazine, thiothixène, zuclopenthixol.** • Hypotensions importantes décrites chez les femmes exposées à la **chlorpromazine** pendant le travail dans quelques séries[19]. • Complications néonatales après l'exposition à la fin de la grossesse à plusieurs agents de cette classe : irritabilité excessive, trémulations, hypertonie, mouvements anormaux, hyper-réflexie et difficultés alimentaires observés dans les premières semaines suivant la naissance ; signes souvent transitoires, rarement persistants[12]. • Données limitées ne montrent pas d'effets majeurs sur le développement neurocomportemental des enfants exposés[12, 30]. • Enfants exposés *in utero* et suivis jusqu'à 7 ans significativement plus grands et plus lourds que la moyenne ; effets possiblement médiés par le blocage des récepteurs à la dopamine ; portée clinique inconnue[30].	Les complications néonatales décrites pourraient être minimisées par la réduction des doses en fin de grossesse, lorsque cela est possible.
Autres antipsychotiques conventionnels		
Loxapine	• Études animales chez 2 espèces sans effet tératogène noté ; d'autres études montrent une augmentation de l'incidence d'exencéphalie et d'anomalies rénales à doses comparables à celles utilisées chez l'humain[19]. • Aucune donnée retracée chez l'humain.	Les données sont insuffisantes pour toute interprétation. Les antipsychotiques mieux connus en grossesse, comme l'halopéridol, devraient être privilégiés, à moins qu'on ait documenté une réponse thérapeutique insatisfaisante avec des agents mieux connus.
Pimozide	• Études animales sans effet tératogène avec doses élevées chez une espèce, mais toxicité embryonnaire et fœtale associée avec toxicité maternelle chez une autre espèce[19]. • Une seule exposition à petites doses durant l'embryogenèse rapportée chez l'humain, sans effet néfaste noté[31].	Les données sont insuffisantes pour toute interprétation. Les antipsychotiques mieux connus en grossesse, comme l'halopéridol, devraient être privilégiés, à moins qu'on ait documenté une réponse thérapeutique insatisfaisante avec des agents mieux connus. Les effets indésirables au niveau cardiaque chez l'adulte limitent également son utilisation en pratique.

Médicament	Données de tératogénicité	Recommandations, commentaires
Antipsychotiques atypiques		
Clozapine	• Pas d'effets tératogènes chez 2 espèces animales à doses plus élevées que celles utilisées chez l'humain[19]. • Plusieurs rapports cumulant une vingtaine d'expositions durant la grossesse sans effets néfastes apparents[12, 19]. • Cinq malformations majeures signalées parmi 61 enfants exposés *in utero* à la clozapine et parfois à d'autres psychotropes (trimestre d'exposition inconnu)[32]. • Plus de 200 expositions durant la grossesse cumulées par le fabricant ne suggèrent pas de risque tératogène élevé[12]. • Complications néonatales diverses parfois rapportées : hypotonie et signes apparentés au *floppy infant syndrome*, convulsions[12]. • Pas de données sur les effets à long terme.	La somme des données disparates n'indiquent pas d'effet tératogène majeur chez les enfants exposés à la clozapine. Ce médicament est réservé aux femmes dont la condition est réfractaire aux traitements comportant moins d'effets indésirables graves. Une formule sanguine complète effectuée dans les premiers jours suivant la naissance est suggérée chez le nouveau-né pour éliminer la survenue d'agranulocytose.
Olanzapine Quétiapine Rispéridone	• **Olanzapine** – Observations isolées ou petites séries de cas d'enfants exposés au premier trimestre et nés en santé (13 enfants) ou présentant des malformations diverses (3 enfants), sans patron identifié jusqu'à présent[19, 33-35]. – Trois cent quarante expositions durant la grossesse, dont plus de la moitié au premier trimestre, rapportées dans le registre prospectif du fabricant : issues de grossesse comparables à celles observées dans la population générale[36]. – Registre rétrospectif sans patron caractéristique de malformations décelé parmi les cas rapportés jusqu'à présent[36]. – Soixante femmes traitées au premier trimestre dans une étude prospective sans augmentation du risque de malformations majeures, d'avortements spontanés, de complications obstétricales ou néonatales, de naissances prématurés ou de petits poids à la naissance ; un tiers des femmes traitées pendant toute la grossesse[37]. • **Quétiapine** – Effets tératogènes qualifiés de mineurs chez 2 espèces avec des doses similaires ou supérieures à celles utilisées chez l'humain[19].	Ces données ne suggèrent pas d'effet tératogène majeur mais sont fondées essentiellement sur des petites séries de cas et une étude de faible puissance, ce qui ne permet pas d'exclure tous les risques. Ces données sont toutefois rassurantes pour une patiente dont la condition ne peut être stabilisée par des agents mieux connus en grossesse, comme les antipsychotiques conventionnels incisifs. L'utilisation des formes orales à libération immédiate peut être considérée dans les cas d'urgence psychiatrique pour éviter la voie d'administration intramusculaire et pour minimiser les risques de réactions extrapyramidales associées aux antipsychotiques conventionnels. Les propriétés thymorégulatrices de ces antipsychotiques pourraient en faire des alternatives au lithium lorsque celui-ci ne convient pas. Lorsqu'un traitement avec un antipsychotique atypique doit être initié durant la grossesse, l'**olanzapine**, mieux documenté jusqu'à présent, est le médicament de premier recours.

Médicament	Données de tératogénicité	Recommandations, commentaires
	– Observations isolées de 3 enfants exposés au premier trimestre et nés apparemment en santé[38]. – Issues de grossesse similaires à celles du groupe de comparaison chez 36 femmes traitées au premier trimestre dans une étude ; un tiers des femmes traitées pendant toute la grossesse[37]. • **Rispéridone** – Études animales chez 2 espèces sans risque tératogène à doses élevées, mais toxicité fœtale et mortalité périnatale à doses élevées chez une espèce[19]. – Observations isolées ou petites séries de cas d'enfants exposés au premier trimestre et nés en santé (9 enfants) ou présentant une malformation (1 enfant)[38]. – Issues de grossesse similaires à celles du groupe de comparaison pour 49 femmes traitées au 1er trimestre dans une étude ; un tiers des femmes traitées pendant toute la grossesse[37]. • Aucune donnée sur le développement à long terme des enfants exposés pour ces 3 médicaments.	Le gain de poids secondaire à ces médicaments ainsi que les problèmes métaboliques souvent observés (hyperglycémie, intolérance au glucose, altération du profil lipidique, etc.) pourraient indirectement exposer les femmes traitées à des risques accrus de complications obstétricales et néonatales[37, 38]. Le dépistage du diabète gestationnel est recommandé. Les glycémies et le gain de poids doivent être suivis étroitement au cours de la grossesse. Voir le chapitre 6. *Nutrition et suppléments vitaminiques* pour les recommandations en acide folique.
Sédatifs		
Benzodiazépines	• Voir chapitre 30. *Dépression et troubles anxieux.*	
Anticholinergiques		
Benztropine Diphenhydramine Procyclidine Trihexyphénidyl	• Voir chapitre 22. *Rhinite allergique et allergies saisonnières* pour les données sur la **diphenhydramine**. • Aucune donnée retracée pour la **benztropine** et la **procyclidine**. • Vingt femmes exposées au **trihexyphénidyl** dans une étude de cohorte portant sur les butyrophénones (voir *Butyrophénones* dans ce même tableau)[28]. • Association possible entre les parasympatholytiques et des malformations mineures suggérée dans une étude de surveillance ; ces données n'ont pas été confirmées[19].	Si un anticholinergique est nécessaire, la **diphenhydramine**, dont l'innocuité est la mieux documentée durant la grossesse, devrait être privilégiée.

Données sur l'innocuité des médicaments au cours de l'allaitement

La vaste majorité des données publiées sur le passage des psychotropes dans le lait maternel proviennent d'observations cliniques isolées ou de séries de cas comptant un petit nombre de dyades mère-enfant. Les techniques d'analyse dans le lait maternel et la précision des mesures sont très variables d'une publication à une autre. Les quantités de médicament transférées à l'enfant sont souvent extrapolées à partir d'une seule mesure dans le lait maternel. Ainsi, les données rapportées au tableau II doivent être interprétées avec prudence, et toute prescription d'un psychotrope à une femme qui allaite doit être assortie d'un suivi étroit du nourrisson, après documentation de l'état de base de l'enfant. En plus de prendre en considération les bienfaits de l'allaitement pour la mère et le nourrisson, l'analyse des risques et bénéfices doit tenir compte du fait que les pathologies psychiatriques complexes sont parfois associées à l'utilisation d'autres substances qui passent dans le lait maternel, et aussi au fait que ces conditions sont sensibles aux perturbations du sommeil fréquemment associées à l'allaitement.

Le lecteur est référé au chapitre 30. *Dépression et troubles anxieux* pour une discussion plus générale sur la prescription de psychotropes pour une femme qui allaite.

TABLEAU II – INNOCUITÉ DES MÉDICAMENTS UTILISÉS POUR LES TROUBLES BIPOLAIRES ET PSYCHOTIQUES DURANT L'ALLAITEMENT		
Médicament	Données sur l'allaitement	Recommandations, commentaires
Thymorégulateurs		
Lithium	• Transfert important du lithium dans le lait maternel : on calcule que l'enfant allaité reçoit jusqu'à 45 % de la dose maternelle ajustée au poids, selon les mesures effectuées chez 35 femmes sous traitement[19, 39]. • Revue récente de 11 enfants allaités rapporte une exposition moyenne à 12 % de la dose maternelle ajustée au poids (écart : 0 à 30 %) ; concentrations sériques de 0,14 à 0,47 mmol/L chez les 2 enfants évalués ; aucun effet indésirable rapporté dans cette série[40]. • Vingt-et-un enfants allaités cités dans la documentation scientifique, sans effets indésirables ou signes de toxicité notés[39]. • Effets indésirables (léthargie, cyanose, anomalies à l'électrocardiogramme à 5 jours de vie et anomalie de la fonction thyroïdienne) rapportés chez 4 enfants exposés au lithium par l'allaitement maternel ; certains de ces enfants étaient exposés *in utero* également[39].	L'allaitement est généralement déconseillé pour une mère qui reçoit du lithium, à moins d'un suivi serré des signes et symptômes de toxicité chez l'enfant, de dosages plasmatiques réguliers de lithium, du suivi des fonctions thyroïdienne et rénale du nourrisson et d'un plan d'action pour l'enfant en cas de déshydratation. Les faibles concentrations sériques de lithium généralement observées chez les enfants peuvent rapidement devenir toxiques en présence de déshydratation secondaire à la fièvre, aux diarrhées, etc. Certains cliniciens recommandent des dosages et un suivi tous les mois ou tous les 2 mois tant que l'enfant est allaité. Éviter l'administration d'ibuprofène ou d'autres anti-inflammatoires non stéroïdiens chez les nourrissons exposés au lithium. La prudence est également de rigueur dans le cas d'un enfant prématuré ou dont la fonction rénale est diminuée, ce qui prédispose à une accumulation de lithium.

Médicament	Données sur l'allaitement	Recommandations, commentaires
Antiépileptiques		
Acide valproïque Carbamazépine Gabapentin Lamotrigine Topiramate	• Voir chapitre 32. *Épilepsie.*	Les antiépileptiques de première génération (**acide valproïque, carbamazépine**) peuvent être envisagés comme thymorégulateurs chez une femme qui allaite et qui ne prévoit pas de grossesse dans un avenir rapproché. Le suivi recommandé est décrit au chapitre 32. *Épilepsie.* Les nouveaux antiépileptiques, comme la **lamotrigine**, sont moins documentés en allaitement et devraient être réservés aux femmes qui ne répondent pas aux autres médicaments.
Antipsychotiques conventionnels		
Butyrophénones		
Halopéridol	• Transfert modéré dans le lait maternel chez 5 femmes allaitant et recevant 3 à 30 mg par jour ; selon les concentrations lactées mesurées, les doses estimées pour l'enfant varient entre 0,2 à 7 % des doses pédiatriques connues[39]. • Série de 9 femmes recevant jusqu'à 40 mg par jour confirme un faible transfert dans le lait maternel : on calcule que les enfants allaités reçoivent moins de 3 % de la dose maternelle ajustée au poids[41]. • Baisse des scores de développement psychomoteur et mental à 12 et 18 mois observée chez 3 enfants dont la mère recevait des doses élevées en combinaison avec d'autres antipsychotiques (chlorpromazine)[41]. • Aucun effet indésirable rapporté à court terme[39].	L'exposition à l'halopéridol en allaitement n'est pas bien connue mais ne semble pas être associée à un risque élevé d'effets indésirables chez le nourrisson jusqu'à présent. Les doses élevées d'halopéridol en combinaison avec d'autres antipsychotiques devraient être utilisées avec prudence, bien qu'aucun lien de causalité n'ait été établi jusqu'à présent entre l'exposition par le lait maternel et le développement neurologique anormal de l'enfant. On doit surveiller l'état d'éveil et la survenue d'éventuels effets extrapyramidaux chez l'enfant allaité.
Phénothiazines et thioxanthènes		
Chlorpromazine Fluphénazine Flupenthixol Méthotriméprazine Perphénazine Prochlorpérazine Prométhazine Thioridazine Thiothixène Trifluopérazine Zuclopenthixol	• Chlorpromazine – Faibles quantités du médicament et de ses métabolites décelées dans le lait maternel de 25 femmes exposées à des doses variables (40 à 1200 mg par jour) ; on calcule que l'enfant allaité est exposé à moins de 3 % des doses pédiatriques connues[19, 39] ; faibles concentrations notées dans le sang de 3 nourrissons prélevés[42].	Les concentrations de phénothiazines retrouvées dans le lait maternel des femmes sous traitement sont généralement faibles ; une utilisation occasionnelle ou à petites doses pose peu de risques pour le nourrisson. Étant donné l'élimination lente de ces médicaments et le potentiel d'effets indésirables centraux, la prudence est cependant de rigueur, en particulier lorsque les doses utilisées sont élevées ou lorsque les mères allaitent de jeunes enfants (moins de 2 mois).

Médicament	Données sur l'allaitement	Recommandations, commentaires
	– Bonne évolution sans effets néfastes notés chez la plupart des enfants allaités exposés à la chlorpromazine ; effets indésirables rapportés à quelques occasions (sédation, léthargie)[39]. – Baisse des scores de développement psychomoteur et mental à 12 et 18 mois observé chez 3 enfants dont la mère recevait des doses élevées de chlorpromazine en combinaison avec d'autres antipsychotiques (halopéridol)[41]. • Quelques rapports d'utilisation en allaitement pour le **flupenthixol** (3 cas), la **perphénazine** (1 cas), la **trifluopérazine** (3 cas), le **zuclopenthixol** (8 cas), avec un faible transfert dans le lait maternel pour ces médicaments (moins de 1 % de la dose maternelle ajustée pour le poids) et une évolution apparemment normale des enfants allaités[19, 39, 41-43]. • Aucune donnée retracée pour les autres agents de cette classe.	
Autres antipsychotiques conventionnels		
Loxapine	• Aucune donnée retracée. • Temps de demi-vie chez l'adulte : 19 heures[44]. • Faible poids moléculaire (328 Da)[44].	Les propriétés pharmacocinétiques laissent présager un transfert dans le lait maternel[19]. Étant donné l'absence d'expérience d'utilisation, la loxapine devrait être évitée chez une femme qui allaite. Les autres options mieux connues (halopéridol, olanzapine) devraient être privilégiées.
Pimozide	• Aucune donnée retracée. • Temps de demi-vie chez l'adulte : 55 heures[44]. • Faible poids moléculaire (462 Da)[44].	Les propriétés pharmacocinétiques laissent présager un transfert dans le lait maternel[19]. Étant donné l'absence d'expérience d'utilisation, le pimozide devrait être évité chez une femme qui allaite. Les autres options mieux connues et comportant moins de risques cardiaques (halopéridol, olanzapine) devraient être privilégiées.
Antipsychotiques atypiques		
Clozapine	• Chez une femme recevant 50 à 100 mg par jour, on calcule que l'enfant strictement allaité reçoit 1,2 % de la dose maternelle ajustée au poids[39]. • Effets indésirables potentiellement reliés au médicament (somnolence et agranulocytose) rapportés chez 2 enfants sur 4 enfants allaités dans une série publiée par le fabricant[32].	Étant donné le peu d'expérience en allaitement, la clozapine ne devrait pas être administrée à une femme qui allaite, à moins d'un suivi étroit des effets indésirables potentiels graves (formule sanguine complète selon les recommandations pour tout patient sous clozapine et surveillance de l'état d'éveil de l'enfant).

Médicament	Données sur l'allaitement	Recommandations, commentaires
Olanzapine	• Faible transfert dans le lait maternel mesuré chez 13 femmes recevant 2,5 à 20 mg par jour : on calcule qu'un enfant strictement allaité reçoit jusqu'à 4 % de la dose maternelle ajustée au poids ; médicament indétectable dans le sang de 7 nourrissons évalués[39, 45]. • Quinze enfants allaités sans effets indésirables reliés au traitement[39]. • Effets indésirables chez 2 enfants (somnolence, diarrhée, léthargie, succion diminuée) parmi 23 expositions rapportées au fabricant[46]. • Données anecdotiques de développement normal des nourrissons exposés[39].	L'olanzapine pose probablement peu de risques d'effets indésirables pour l'enfant allaité. On doit néanmoins surveiller l'état d'éveil du nourrisson et l'apparition de sédation, en particulier si l'enfant allaité est jeune (moins de 2 mois) ou prématuré. L'olanzapine est le médicament de cette classe le plus étudié et, de ce fait, l'antipsychotique atypique de premier recours en allaitement.
Rispéridone	• Faible transfert dans le lait maternel mesuré chez 5 femmes recevant 2 à 6 mg par jour ; on calcule qu'un enfant strictement allaité reçoit jusqu'à 4,3 % de la dose maternelle ajustée au poids ; médicament indétectable dans le sang de 3 enfants allaités ; présence en faible concentration du métabolite actif chez un enfant[39, 47, 48]. • Pas d'effets indésirables rapportés chez ces 5 enfants allaités[39]. • Peu d'information sur le développement à long terme des enfants exposés.	Les données actuelles suggèrent un faible passage dans le lait maternel du médicament et de son métabolite. Une surveillance des effets potentiels sur le système nerveux du nourrisson (somnolence, effets extrapyramidaux), et notamment chez les enfants très jeunes (moins de 2 mois), est néanmoins de rigueur étant donné l'expérience limitée en allaitement.
Quétiapine	• Mesures faites dans le lait maternel chez 7 femmes recevant 25 à 400 mg par jour : on calcule que l'enfant strictement allaité reçoit au maximum 0,5 % de la dose maternelle ajustée au poids ; médicament indétectable dans le lait chez 3 mères[49, 50]. • Aucun effet indésirable relié au traitement rapporté chez les enfants allaités[39, 49, 50]. • Peu d'informations sur le développement à long terme des enfants exposés.	Les données limitées suggèrent un très faible passage dans le lait maternel. Une surveillance des effets potentiels sur le système nerveux du nourrisson (somnolence surtout), et notamment chez les enfants très jeunes (moins de 2 mois) est néanmoins de rigueur étant donné l'expérience limitée en allaitement.
Anxiolytiques et sédatifs		
Benzodiazépines	• Voir chapitre 30. *Dépression et troubles anxieux.*	

Médicament	Données sur l'allaitement	Recommandations, commentaires
Anticholinergiques		
Benztropine Diphenhydramine Procyclidine Trihexyphénidyl	• Voir chapitre 22. *Rhinite allergique et allergies saisonnières* pour les données concernant la diphenhydramine. • Transfert inconnu de ces médicaments dans le lait maternel.	Puisque le transfert de ces médicaments dans le lait maternel n'est pas connu et que les nouveau-nés sont particulièrement sensibles à l'effet des anticholinergiques, il est préférable qu'une femme allaitant ait recours au besoin seulement à ces médicaments. Les anticholinergiques ayant une demi-vie d'élimination plus courte, comme la **diphenhydramine**, seraient à privilégier. Une surveillance des effets indésirables (irritabilité, somnolence) est conseillée en cas d'utilisation régulière.

Références

1. MCALLISTER-WILLIAMS RH. Relapse prevention in bipolar disorder: a critical review of current guidelines. *J Psychopharmacol* 2006;20(2 Suppl):12-16.

2. APA. Practical guideline for the treatment of patients with bipolar disorder (revision). *Am J Psychiatry* 2002;159(4 Suppl):1-50.

3. YATHAM LN, KENNEDY SH, O'DONAVAN C, PARIKH S, MACQUEEN G, MCINTYRE R, et al. CANMAT guidelines for the management of patients with bipolar disorder: consensus and controversies. *Bipolar Disord* 2005;7(Suppl 3):5-69.

4. AKDENIZ F, VAHIP S, PIRILDAR S, VAHIP I, DOGANER I, BULUT I. Risk factors associated with childbearing-related episodes in women with bipolar disorder. *Psychopathology* 2003;36(5):234-238.

5. VIGUERA AC, NONACS R, COHEN LS, TONDO L, MURRAY A, BALDESSARINI RJ. Risk of recurrence of bipolar disorder in pregnant and nonpregnant women after discontinuing lithium maintenance. *Am J Psychiatry* 2000;157(2):179-184.

6. NONACS R VA, COHEN LS. *Postpartum course of bipolar illness*. In: 152nd Annual Meeting of the American Psychiatric Association; 1999; Washington, DC; 1999. p. xxx.

7. COHEN LS, NONACS RM, ed. *Mood and Anxiety Disorders during Pregnancy and Postpartum*. Washington, DC: American Psychiatric Publishing; 2005.

8. VIGUERA AC, COHEN LS, BALDESSARINI RJ, NONACS R. Managing bipolar disorder during pregnancy: weighing the risks and benefits. *Can J Psychiatry* 2002;47(5):426-436.

9. JONES I, CRADDOCK N. Bipolar disorder and childbirth: the importance of recognising risk. *Br J Psychiatry* 2005;186:453-454.

10. HARLOW BL, VITONIS AF, SPAREN P, CNATTINGIUS S, JOFFE H, HULTMAN CM. Incidence of hospitalization for postpartum psychotic and bipolar episodes in women with and without prior prepregnancy or prenatal psychiatric hospitalizations. *Arch Gen Psychiatry* 2007;64:42-48.

11. COHEN LS, SICHEL DA, ROBERTSON LM, HECKSCHER E, ROSENBAUM JF. Postpartum prophylaxis for women with bipolar disorder. *Am J Psychiatry* 1995;152(11):1641-1645.

12. TRIXLER M, GATI A, FEKETE S, TENYI T. Use of antipsychotics in the management of schizophrenia during pregnancy. *Drugs* 2005;65(9):1193-1206.

13. PINKOFSKY HB. Effects of antipsychotics on the unborn child. *Paediatr Drugs* 2000;2(2):83-90.

14. VIGUERA AC, COHEN LS, NONACS RM, BALDESSARINI RJ. Management of bipolar disorder during pregnancy and the postpartum period. In: Cohen LS, Nonacs RM, ed. *Mood and Anxiety Disorders during Pregnancy and Postpartum:* American Psychiatric Publishing; 2005. p. 53-76.

15. ALTSHULER LL, COHEN L, SZUBA MP, BURT VK, GITLIN M, MINTZ J. Pharmacologic management of psychiatric illness during pregnancy: dilemmas and guidelines. *Am J Psychiatry* 1996;153(5):592-606.

16. COHEN LS, FRIEDMAN JM, JEFFERSON JW, JOHNSON EM, WEINER ML. A reevaluation of risk of in utero exposure to lithium. *JAMA* 1994;271(2):146-150.

17. JACOBSEN SJ, JONES KL, JOHNSON KA, CEOLIN L, KAUR P, SAHN D, et al. Prospective multicenter study of pregnancy outcome after lithium exposure during first trimester. *Lancet* 1992;339:530-533.

18. KALLEN B, TANDBERG A. Lithium and pregnancy. A cohort study on manic-depressive women. *Acta Psychiatr Scand* 1983;68:134-139.

19. BRIGGS GG, FREEMAN RK, YAFFE SJ. *Drugs in Pregnancy and Lactation. A reference guide to fetal and neonatal risk.* 7th ed. Philadelphia: William & Wilkins; 2005.

20. KOZMA C. Neonatal toxicity and transient neurodevelopmental deficits following prenatal exposure to lithium: Another clinical report and a review of the literature. *Am J Med Genet A* 2005;132(4):441-444.

21. NEWPORT DJ, VIGUERA AC, BEACH AJ, RITCHIE JC, COHEN LS, STOWE ZN. Lithium placental passage and obstetrical outcome: implications for clinical management during late pregnancy. *Am J Psychiatry* 2005;162(11):2162-2170.

22. SCHOU M. What happened later to the lithium babies? *Acta Psychiatr Scand* 1976;54:193-197.

23. LLEWELLYN A, STOWE ZN, STRADER JRJ. The use of lithium and management of women with bipolar disorder during pregnancy and lactation. *J Clin Psychiatry* 1998;59(Suppl 6):57-64.

24. YONKERS KA, WISNER KL, STOWE Z, LEIBENLUFT E, COHEN L, MILLER L, et al. Management of bipolar disorder during pregnancy and the postpartum period. *Am J Psychiatry* 2004;161(4):608-620.

25. EBERHARD-GRAN M, ESKILD A, Opjordsmoen S. Treating mood disorders during pregnancy: safety considerations. *Drug Saf* 2005;28(8):695-706.

26. HANSON JW, OAKLEY GPJ. Haloperidol and limb deformity. *JAMA* 1975;231(1):26.

27. VAN WAES A, VAN DE VELDE E. Safety evaluation of haloperidol in the treatment of hyperemesis gravidarum. *J Clin Pharmacol* 1969:224-227.

28. DIAV-CITRIN O, SHECHTMAN S, ORNOY S, ARNON J, SCHAEFER C, GARBIS H, et al. Safety of haloperidol and penfluridol in pregnancy: a multicenter, prospective, controlled study. *J Clin Psychiatry* 2005;66(3):317-322.

29. COLLINS KO, COMER JB. Maternal haloperidol therapy associated with dyskinesia in a newborn. *Am J Health Syst Pharm* 2003;60(21):2253-2255.

30. PATTON SW, MISRI S, CORRAL MR, PERRY KF, KUAN AJ. Antipsychotic medication during pregnancy and lactation in women with schizophrenia: evaluating the risk. *Can J Psychiatry* 2002;47(10):959-965.

31. BJARNASON NH, RODE L, DALHOFF K. Fetal exposure to pimozide: a case report. *J Reprod Med* 2006;51(5):443-444.

32. DEV VJ, KRUPP P. Adverse event profile and safety of clozapine. *Rev Contemp Pharmacother* 1995;6:197-208.

33. ARORA M, PRAHARAJ SK. Meningocele and ankyloblepharon following in utero exposure to olanzapine. *Eur Psychiatr* 2006;21(5):345-346.

34. SPYROPOULOU AC, ZERVAS IM, SOLDATOS CR. Hip dysplasia following a case of olanzapine exposed pregnancy: a questionable association. *Arch Womens Ment Health* 2006;9(4):219-222.

35. BISWASL PN, WILTON LV, PEARCEL GL, FREEMANTLE S, SHAKIR SA. The pharmacovigilance of olanzapine: results of a post-marketing surveillance study on 8858 patients in England. *J Psychopharmacol* 2001;15(4):265-271.

36. KIRK M. *Zyprexa - Use in pregnancy or nursing women.* Eli Lilly Canada; 2006.

37. MCKENNA K, KOREN G, TETELBAUM M, WILTON L, SHAKIR S, DIAV-CITRIN O, et al. Pregnancy outcome of women using atypical antipsychotic drugs: a prospective comparative study. *J Clin Psychiatry* 2005;66(4):444-444.

38. GENTILE S. Clinical utilization of atypical antipsychotics in pregnancy and lactation. *Ann Pharmacother* 2004;38(7-8):1265-1271.

39. ANDERSON P, SAUBERAN J. *LactMed* [cited 2006 12-07]; Available from: http://toxnet.nlm.nih.gov/cgi-bin/sis/htmlgen?LACT

40. MORETTI ME, KOREN G, VERJEE Z, ITO S. Monitoring lithium in breast milk: an individualized approach for breast-feeding mothers. *Ther Drug Monit* 2003;25(3):364-366.

41. YOSHIDA K, SMITH B, CRAGGS M, KUMAR R. Neuroleptic drugs in breast-milk: a study of pharmaco-kinetics and of possible adverse effects in breast-fed infants. *Psychol Med* 1998;28(1):81-91.

42. WINANS EA. Antipsychotics and breastfeeding. *J Hum Lact* 2001;17(4):344-347.

43. SCHAEFER CH. *Psychoactive and Parkinson's drugs*. In: Schaefer CH, ed. Drugs during Pregnancy and Lactation. 1st ed. Amsterdam: Elsevier; 2001. p. 299-301.

44. HALE TW. *Medications and Mothers'Milk*. 12th ed. Amarillo: Hale Publishing; 2006.

45. GARDINER SJ, KRISTENSEN JH, BEGG EJ, HACKETT LP, ILETT KF, et al. Transfer of olanzapine into breast milk, calculation of infant drug dose, and effect on breast-fed infants. *Am J Psychiatry* 2003;160(8):1428-1431.

46. GOLDSTEIN DJ, CORBIN LA, WOHLREICH K, KWONG K. Olanzapine use during breast-feeding. *Schizophr Res* 2002;53(3 Suppl 1):185.

47. ILETT KF, HACKETT LP, KRISTENSEN JH, VADDADI KS, GARDINER SJ, BEGG EJ. Transfer of risperidone and 9-hydroxyrisperidone into human milk. *Ann Pharmacother* 2004;38(2):273-276.

48. AICHHORN W, STUPPAECK C, WHITWORTH AB. Risperidone and breast-feeding. *J Psychopharmacol* 2005;19(2):211-213.

49. LEE A, GIESBRECHT E, DUNN E, ITO S. Excretion of quetiapine in breast milk. *Am J Psychiatry* 2004;161(9):1715-1716.

50. MISRI S, CORRAL M, WARDROP AA, KENDRICK K. Quetiapine augmentation in lactation. *J Clin Psychopharm* 2006;26:508-511.

Chapitre 32

Épilepsie

■

Brigitte MARTIN

Généralités

Définition et épidémiologie

L'épilepsie est une affection neurologique caractérisée par des perturbations de l'activité électrique cérébrale et qui se manifeste par des crises intermittentes récurrentes.

L'épilepsie affecte environ 1 % de la population, dont près du tiers est en âge d'avoir des enfants[1]. Comme le traitement pharmacologique constitue bien souvent la pierre angulaire du traitement de l'épilepsie, on estime qu'une grossesse sur 250 est exposée à un antiépileptique[1]. Rappelons que 90 % des grossesses chez les femmes épileptiques se dérouleront sans problème[1-3].

Contraception et *counseling*

Un sondage effectué au Royaume-Uni révèle que près de la moitié des femmes épileptiques ne sont pas informées des questions reliées à la contraception et à la reproduction[4]. La Société des obstétriciens et gynécologues du Canada a émis des recommandations pour la contraception des femmes traitées avec des antiépileptiques qui compromettent l'efficacité de la contraception hormonale[5]. Il s'agit d'une question primordiale à aborder dès la prescription d'un antiépileptique chez une femme en âge d'avoir des enfants, de façon à prévenir les grossesses non planifiées.

L'importance d'une consultation précédant la grossesse ne saurait être trop soulignée. Il est essentiel d'aborder avec la patiente et avec le couple toutes les questions relatives aux risques associés aux médicaments et à l'épilepsie, et d'expliquer les interventions (acide folique, ajustement de la pharmacothérapie) et le suivi prénatal requis[2].

Effets de la grossesse sur l'épilepsie

Effet de la grossesse sur la maîtrise de la condition maternelle

La grossesse a des effets variables sur la fréquence des crises. La plupart des femmes (50 à 60 %) ne verront pas de changement dans la maîtrise de leur condition, 15 à 25 % verront une amélioration, et 15 à 35 % verront une aggravation[2, 3, 6, 7]. Dans un registre international prospectif comptant près de 2000 femmes (registre EURAP), les femmes sous polythérapie, les femmes atteintes d'épilepsie partielle et les femmes traitées en monothérapie avec l'oxcarbazépine sont plus à risque de voir leur épilepsie se détériorer durant la grossesse[8]. Certaines études suggèrent que la détérioration est plus fréquente au cours du premier trimestre, alors que d'autres suggèrent que le risque est plus grand à la fin de la grossesse[7]. La période périnatale semble particulièrement à risque pour la survenue de crises[8].

Pharmacocinétique des antiépileptiques durant la grossesse

L'altération de la pharmacocinétique des antiépileptiques est souvent proposée pour expliquer l'augmentation de la fréquence des crises. Les variations des concentrations plasmatiques peuvent être expliquées par la diminution de l'absorption intestinale des antiépileptiques, notamment à cause des nausées et des vomissements gravidiques, l'augmentation du volume plasmatique, la diminution des concentrations d'albumine et de la liaison protéique, et l'augmentation de la clairance des antiépileptiques (voir le chapitre 3. *Impact des changements physiologiques sur la pharmacocinétique*)[2, 7]. Alors que les concentrations totales sont souvent diminuées, la fraction libre des antiépileptiques est souvent stable ou parfois augmentée: l'interprétation des dosages n'est donc pas aisée. Idéalement, on mesurera les concentrations de la fraction libre, surtout pour les antiépileptiques fortement liés aux protéines plasmatiques, comme l'acide valproïque et la phénytoïne (voir tableau I)[9].

Facteurs de risques pour l'aggravation durant la grossesse

Parmi les autres causes de détérioration de l'épilepsie durant la grossesse, citons les causes hormonales et métaboliques reliées à la grossesse, les stresseurs physiologiques comme la réduction du sommeil et les causes psychologiques, comme la diminution de l'observance au traitement. Ce dernier semble être un facteur prépondérant, et s'explique probablement en partie par la crainte des effets nocifs des médicaments sur le développement embryonnaire et fœtal[7].

Effets de l'épilepsie sur la grossesse

Malformations majeures et mineures

Le risque de malformations majeures est augmenté d'environ deux à trois fois chez les femmes épileptiques traitées par rapport à la population générale. Rappelons que le risque de base d'anomalies congénitales majeures est de 2 à 3 % dans la population générale. Chez les femmes épileptiques, le risque absolu varie entre 3 à 10 % selon les définitions utilisées[1, 3, 10]. Le risque est augmenté en polythérapie, atteignant jusqu'à 20 % dans certains registres, particulièrement si la polythérapie comprend l'acide valproïque[1, 10].

Jusqu'à 20% des enfants exposés présentent des malformations mineures, une fréquence également augmentée par rapport aux 10 à 15% observés dans la population générale[11]. Plusieurs chercheurs ont proposé une association entre les antiépileptiques de première génération et un syndrome d'exposition fœtale spécifique, comprenant un retard de croissance et une constellation d'anomalies cranio-faciales et digitales (hypertélorisme oculaire, plis épicanthiques, racine du nez large, hypoplasie des ongles et des phalanges distales)[12].

Contribution de la condition maternelle

Plusieurs indices tendent à montrer que l'exposition aux médicaments, plutôt que l'épilepsie elle-même, peut expliquer l'augmentation des malformations chez les enfants de mères épileptiques. Une méta-analyse de 10 études totalisant 400 femmes épileptiques non traitées ne décèle pas de risque accru de malformations majeures par rapport aux femmes non épileptiques, contrairement aux femmes sous traitement[13]. Les femmes épileptiques qui ne reçoivent pas de traitement pendant leur grossesse peuvent aussi être celles dont la condition est moins grave et qui ont moins de crises[13].

Les études animales et les rares données évaluant le risque tératogène des antiépileptiques chez des femmes traitées pour d'autres conditions que l'épilepsie montrent également un risque accru[14].

Potentiel tératogène des crises épileptiques

L'impact des crises épileptiques durant l'organogenèse sur les malformations majeures, et notamment des crises généralisées, est controversé[2, 7]. Une étude rapporte 12,3% de malformations majeures chez les nouveau-nés exposés à des convulsions maternelles au premier trimestre, contre 4% lorsque les crises survenaient en dehors de l'organogenèse[15]. Au contraire, dans au moins une étude de grande envergure, aucun impact des crises généralisées au premier trimestre n'a été noté sur le taux de malformations majeures[16].

Complications obstétricales et néonatales

Les altérations de l'équilibre acido-basique provoquées par une crise tonicoclonique chez la mère ainsi que la redistribution du flot sanguin entraînent une hypoperfusion utérine et des altérations de la fréquence cardiaque fœtale[7]. On estime en général que les crises partielles ne sont pas associées aux mêmes risques que les convulsions généralisées[7, 17].

La documentation scientifique rapporte quelques rares décès intra-utérins à la suite d'une seule crise durant la grossesse. L'état de mal épileptique, quant à lui, comporte un risque élevé pour la mère et le fœtus : dans une revue de 29 cas, on note 9 décès maternels et 14 décès fœtaux[6]. Le registre EURAP fait état d'un risque moindre, rapportant un décès fœtal et un avortement spontané parmi les 36 grossesses compliquées par un *status epilepticus*[8].

L'épilepsie maternelle a été associée à une augmentation d'environ deux fois du risque d'anémie, de nausées et vomissements gravidiques, de saignements vaginaux, d'hypertension gestationnelle avec protéinurie et de travail prématuré[3, 18]. On rapporte également davantage d'accouchements avec instruments et de césariennes chez les femmes épileptiques[7]. Cependant, les études récentes montrent que lorsque les soins prénatals optimaux sont apportés et que le suivi est approprié, les femmes épileptiques ne semblent pas être davantage à risque de complications[3, 19].

Effets néonatals

En plus du risque tératogène augmenté chez les enfants de mères épileptiques, d'autres liens ont parfois été suggérés entre l'épilepsie maternelle et les mortinaissances, la mortalité périnatale, les retards de croissance intra et extra-utérine, un petit poids à la naissance, la prématurité, des scores d'APGAR diminués et des hémorragies néonatales[7, 11]. Ces complications n'ont pas été observées dans les études récentes et une amélioration des soins prénatals et du suivi périnatal pourrait expliquer les différences observées[19].

Effets à long terme

Épilepsie

Bien qu'il soit difficile de distinguer l'effet des médicaments de celui de la maladie, une étude a suggéré que les crises tonico-cloniques répétées pendant la grossesse sont associées à une diminution du quotient intellectuel verbal chez l'enfant[3]. Ces données, quoique préliminaires, renforcent l'importance du contrôle de l'épilepsie durant la grossesse.

Il importe également d'aborder avant la conception les questions concernant la transmission de l'épilepsie et de référer les patientes à des professionnels spécialistes du conseil génétique pour identifier les risques potentiels[9].

Antiépileptiques

Pour la plupart des antiépileptiques, il existe un nombre limité d'études, souvent de petite taille, sur le développement à long terme des enfants exposés[14]. Globalement, les données montrent une prévalence plus élevée de retards de développement chez les jeunes enfants exposés *in utero* à des antiépileptiques ; les données sont plus controversées lorsqu'on examine des enfants plus âgés[11].

Le groupe de médecine factuelle Cochrane a retenu et évalué 31 études explorant cette question[1]. Malgré les difficultés à comparer des études très dissemblables, on peut dégager les points suivants : une monothérapie durant la grossesse avec la carbamazépine et la phénytoïne ne semble pas être associée à des scores développementaux différents des scores mesurés chez les enfants non exposés. Lorsque des différences sont observées, elles sont généralement de faible magnitude. Les données concernant l'acide valproïque et le phénobarbital sont trop limitées pour en tirer des conclusions pour le moment. Des études qui n'ont pas été retenues dans cette revue systématique ont suggéré que l'acide valproïque pouvait être associé à des scores de développement plus faibles que la carbamazépine ou la phénytoïne, notamment en ce qui a trait au développement verbal[1].

Bien qu'il reste beaucoup d'études à faire avant d'élucider tous les risques, la polythérapie est en général associée à des scores neuropsychologiques et développementaux moins bons que dans la population générale et qu'avec une monothérapie, du moins dans les premières années de vie[1].

Traitements recommandés

Antiépileptiques

Le traitement de premier recours pour une femme épileptique qui planifie une grossesse est celui qui lui permet d'obtenir la maîtrise de son épilepsie tout en minimisant la toxicité pour elle-même et pour son fœtus[2, 9, 20]. On s'accorde néanmoins pour ne pas considérer l'acide valproïque en premier recours, étant donné son potentiel tératogène plus élevé que les autres médicaments[2]. Les antiépileptiques de première génération sont ceux dont le potentiel tératogène est le mieux exploré. Les risques tératogènes associés aux médicaments plus récents sont beaucoup moins bien caractérisés jusqu'à présent, à l'exception de la lamotrigine. Ces données sont compilées au tableau II.

On reconnaît plusieurs principes de base de prescription pendant la grossesse. Lorsque la condition de la patiente le permet, la monothérapie devrait toujours être privilégiée. On doit s'en tenir aux doses minimales efficaces. S'il n'y a pas d'interférence avec l'observance au traitement, il faut répartir les doses uniformément dans la journée ou utiliser les formes à libération prolongée pour minimiser les fluctuations sériques. Les changements doivent être apportés au traitement avant la grossesse ; une fois la grossesse amorcée, des ajustements de doses peuvent être faits, mais le traitement ne devrait pas être modifié, à moins d'une maîtrise inadéquate de la condition[9]. Le tableau I résume le suivi suggéré pour une patiente épileptique qui envisage une grossesse.

Acide folique

L'efficacité de l'acide folique pour diminuer les malformations reliées aux antiépileptiques n'est pas clairement démontrée jusqu'à présent[9, 21]. Certaines études, mais pas toutes, montrent un effet protecteur possible de l'acide folique[22, 23]. Les mécanismes de tératogenèse pourraient être différents de ceux qui sont impliqués dans les malformations survenant dans la population générale.

Considérant le profil d'effets indésirables favorable de l'acide folique, même si son effet protecteur n'est pas démontré, il est recommandé de donner 5 mg par jour aux femmes qui reçoivent de l'acide valproïque ou de la carbamazépine, les deux antiépileptiques associés spécifiquement aux anomalies du tube neural[24]. Pour les femmes traitées avec d'autres antiépileptiques, une dose d'au moins 0,4 mg par jour doit être donnée[9]. Certains cliniciens recommandent 5 mg par jour pour toutes les femmes épileptiques, même si les bienfaits n'ont pas été démontrés[18]. On estime généralement que des doses importantes d'acide folique ne sont pas associées à une augmentation des crises épileptiques[12].

Vitamine K

Les antiépileptiques inducteurs des enzymes hépatiques peuvent accélérer le métabolisme fœtal de la vitamine K et augmenter les risques d'hémorragie néonatale précoce. Certaines lignes directrices préconisent donc des suppléments de vitamine K à raison de 10 à 20 mg par jour par voie orale durant le dernier mois de la grossesse[9, 18].

Dans la principale étude portant sur le sujet, le risque de complications hémorragiques néonatales était augmenté par la prématurité ou l'abus d'alcool, mais pas par l'exposition à un antiépileptique inducteur enzymatique[25]. Les données actuelles suggèrent qu'il est probablement suffisant d'administrer de la vitamine K à la naissance chez les nouveau-nés exposés. À noter qu'il n'existe pas de forme orale de vitamine K au Canada : la forme intraveineuse doit être reconditionnée sous forme de solution orale par le pharmacien. Les risques d'une telle pratique pour la mère, les thromboses par exemple, n'ont pas été étudiées.

TABLEAU I - SUIVI ANTÉNATAL ET APPROCHE CLINIQUE CHEZ LA FEMME TRAITÉE POUR UNE ÉPILEPSIE ET QUI PLANIFIE UNE GROSSESSE OU QUI EST ENCEINTE[2, 9, 12, 18, 21]	
Avant la conception	• Consultation auprès du neurologue et de l'obstétricien. • Conseil génétique au sujet du risque de transmission de l'épilepsie. • Révision de l'indication du médicament. • Si sevrage de l'anticonvulsivant envisagé (si pas de crises depuis 2 à 5 ans), prévoir 3 à 6 mois d'arrêt avant la conception. • Monothérapie à préconiser. • Anticonvulsivant à dose minimale efficace, doses fractionnées. • Dosages sériques de l'anticonvulsivant lorsque bonne maîtrise des crises convulsives, pour avoir un niveau de base, si applicable. • **Acide folique 5 mg par voie orale par jour** au moins un mois avant la conception et pendant le premier trimestre pour les femmes sous acide valproïque et carbamazépine, et **au moins 0,4 mg par voie orale par jour** pour les femmes recevant d'autres antiépileptiques. • Conseils à la patiente et au couple : 90 % d'issues favorables.
Durant la grossesse	• Échographie précoce (entre la 11e et la 14e semaine) pour la détection des malformations majeures. • Échographie détaillée (entre la 16e et la 20e semaine) ± échocardiographie fœtale. • Si acide valproïque ou carbamazépine : alpha-fœtoprotéines sériques ou amniotiques (entre la 14e et la 20e semaine). • Dosages sériques de l'antiépileptique : au moins une fois par trimestre et dans les 4 dernières semaines de la grossesse, si applicable, et ajustements de la dose selon les résultats et les symptômes ; dosages de la fraction libre si disponible. • Tout changement de médication doit être évité une fois la grossesse amorcée, à moins d'un contrôle sous-optimal de la condition. • Discussion du désir d'allaiter.
À l'accouchement	• Poursuite de la médication, par voie intraveineuse si nécessaire. • Surveillance étroite des convulsions pendant le travail et dans les 24 premières heures du *post-partum*. • **Vitamine K 1 mg par voie intramusculaire** pour l'enfant dans les premières heures suivant la naissance. • Examen de l'enfant et suivi des complications potentielles (toxicité, sevrage).
Durant le *post-partum*	• Dosages sériques de l'antiépileptique 4 à 8 semaines (ou plus tôt si lamotrigine) suivant l'accouchement chez la mère, si applicable, et ajustements de la dose. • Si allaitement : suivi des signes et symptômes de toxicité chez l'enfant. • Discussion au sujet de la contraception.

Données sur l'innocuité des antiépileptiques au cours de la grossesse

L'exposition aux antiépileptiques durant la grossesse comporte plusieurs risques potentiels. Les risques de tératogenèse structurelle (les malformations majeures ou mineures) et les complications néonatales (le sevrage ou les coagulopathies, par exemple) sont résumés au tableau II. Le lecteur est référé à la section *Effets à long terme* pour une discussion sur les effets neurologiques et comportementaux.

Les informations les plus récentes proviennent principalement des registres d'exposition aux antiépileptiques. Ces registres ont l'avantage de compiler des tailles d'échantillon importantes dans des populations variées. Cependant, ce sont des études essentiellement observationnelles et donc non randomisées, où les facteurs de confusion possibles, comme le type d'épilepsie, la fréquence des crises d'épilepsie, l'histoire familiale, et tous les facteurs de risques additionnels, doivent être soigneusement contrôlés. Les différences importantes parfois observées dans ces registres peuvent être attribuées aux variations dans les devis de recherche, les définitions utilisées, les moments d'examen des enfants, etc.[10].

À moins d'avis contraire, étant donné la nature chronique de cette condition, les études citées dans le tableau II, incluant les registres, portent sur une exposition durant toute la grossesse, y compris pendant la période d'embryogenèse.

TABLEAU II - INNOCUITÉ DES ANTIÉPILEPTIQUES DURANT LA GROSSESSE		
Médicament	**Données de tératogénicité**	**Recommandations, commentaires**
Antiépileptiques de première génération		

Acide valproïque ou divalproex sodique	• Risque de malformations majeures augmenté d'environ 2 à 3 fois et jusqu'à 7 fois par rapport à la population générale[14].
	
	• Risque absolu de malformations majeures en monothérapie variant entre 6 et 17 % dans les registres cumulant plus de 1500 expositions[26-31].
	
	• Risque absolu augmenté en polythérapie[14].
	
	• Malformations spécifiques : anomalies du tube neural (surtout lombaires ou sacrées) lors d'une exposition entre le 17e et le 28e jour après la conception[14, 21, 27, 28] :
	  – risque relatif estimé de 7 à 20 fois ;
	  – risque absolu : environ 1 à 2 %, jusqu'à 5,4 % ;
	  – relation dose-réponse suggérée :
	    doses > 1000 mg par jour associées à
	    un risque supérieur.
	
	• Autres malformations majeures et mineures[12, 14] :
	  – fentes labiales ou palatines ;
	  – malformations cardiaques ;
	  – malformations radiales et squelettiques ;
	  – anomalies urogénitales, notamment hypospadias ;
	  – dysmorphies cranio-faciales ;
		L'acide valproïque est l'antiépileptique qui comporte le plus grand risque tératogène. Ce n'est pas un médicament de premier recours, en particulier lorsqu'on traite une patiente pour d'autres conditions que l'épilepsie.
		
		Si on doit néanmoins exposer une patiente à ce médicament pour l'épilepsie, on doit prévoir des suppléments d'acide folique au premier trimestre ainsi qu'un suivi anténatal étroit (échographie détaillée, échocardiographie, alpha-fœtoprotéines sériques ou amniotiques) (tableau I). Si possible, les doses doivent être inférieures à 1000 mg par jour.
		
		À la naissance, un suivi des glycémies pendant la première journée de vie et un suivi des signes cliniques d'hépatotoxicité chez le bébé sont recommandés.

Médicament	Données de tératogénicité	Recommandations, commentaires
	– anomalies digitales. • Complications néonatales : irritabilité, hypoglycémie dans les 24 premières heures de vie, hépatotoxicité,	En plus des données sur la tératogenèse structurelle, l'acide valproïque a été récemment associé à des retards de développement, des quotients intellectuel et verbal diminués et des troubles ressemblant à de l'autisme.
Benzodiazépines	• Voir chapitre 30. *Dépression et troubles anxieux.*	
Carbamazépine	• Inducteur des enzymes hépatiques. • Risque de malformations majeures augmenté d'environ 2 à 3 fois par rapport à la population générale[14, 25, 33]. • Risque absolu de malformations majeures en monothérapie variant entre 2,2 à 6,8 % dans une méta-analyse d'études prospectives et 4 registres cumulant plus de 3500 expositions[27, 29-31]. • Bithérapie ou polythérapie associées à des risques supérieurs (8,6 à 18,8 %), notamment si combinaison avec d'autres antiépileptiques de première génération[33]. • Malformations spécifiques : anomalies du tube neural[14, 32] : – risque relatif estimé de 10 fois ; – risque absolu : environ 0,5 à 1 %. • Autres malformations majeures et mineures[14, 22] : – fentes labiales et palatines (risque augmenté de 2 à 5 fois, soit environ 0,2 à 0,5 %) ; – malformations cardiaques (risque augmenté d'environ 2 fois, soit environ 2 %) ; – malformations urogénitales ; – microcéphalie ; – dysmorphies cranio-faciales ; – anomalies digitales. • Complications néonatales : syndrome hémorragique précoce du nouveau-né, hypocalcémie, hépatotoxicité[32].	Le potentiel tératogène de la carbamazépine est comparable à celui qu'on observe avec les autres antiépileptiques, et inférieur à celui qu'on associe à l'acide valproïque. Son utilisation pour d'autres indications que l'épilepsie, comme le trouble bipolaire ou les syndromes douloureux, n'est pas recommandée, à moins que les autres options thérapeutiques plus sécuritaires ne soient pas efficaces. En plus des suppléments d'acide folique au premier trimestre, un suivi anténatal étroit (échographies, alpha-fœtoprotéines) est recommandé (voir tableau I). À la naissance, un bilan hépatique et électrolytique et un suivi clinique des saignements dans la première journée de vie sont conseillés chez le nouveau-né.
Éthosuximide	• Augmentation des malformations chez plusieurs espèces animales à doses similaires ou supérieures aux doses utilisées chez l'humain[34]. • Six malformations majeures parmi 75 expositions au premier trimestre, surtout en polythérapie, dans 2 études[32, 35]. • Complications néonatales : hémorragies rapportées[34].	Les données sont limitées et insuffisantes pour exclure tous les risques, mais suggèrent un risque similaire aux autres antiépileptiques de première génération. Les recommandations générales (acide folique, vitamine K, etc.) sont discutées dans le texte et au tableau I. Un suivi clinique des saignements pour le premier jour de vie est conseillé chez le nouveau-né.

Médicament	Données de tératogénicité	Recommandations, commentaires
Phénobarbital et primidone	• Inducteurs des enzymes hépatiques. • Augmentation d'environ 2 à 4 fois le risque de malformations majeures par rapport à la population générale, notamment de malformations cardiaques et de fentes labio-palatines, dans plusieurs études de cohorte et séries de cas chez des femmes épileptiques[12, 32, 36]. • Risque absolu de malformations majeures en monothérapie estimé à 6,5 % dans un registre[36]. • Dysmorphies cranio-faciales, hypoplasie des phalanges distales et retard de croissance notés chez 15 % des enfants dans une cohorte[34]. • Étude de surveillance comptant 1415 femmes traitées au premier trimestre, probablement pour d'autres conditions que l'épilepsie, sans effet tératogène majeur, outre une augmentation possible avec des cardiopathies[32]. • Complications néonatales : dépression respiratoire avec doses élevées près du terme, syndrome hémorragique précoce du nouveau-né, hypocalcémie[32, 34]. • Sevrage néonatal dans les 2 premières semaines de vie, avec des doses supérieures à 60 mg par jour dans les derniers mois de la grossesse : irritabilité, trémulations[14, 32].	Le risque tératogène est comparable à celui qu'on observe avec les autres antiépileptiques de première génération, et inférieur à celui qu'on associe à l'acide valproïque. Le risque associé aux barbituriques en général est probablement plus faible lors d'une utilisation occasionnelle, en combinaison avec des analgésiques pour les migraines par exemple, ou encore en traitement de la cholestase hépatique de la grossesse. Les recommandations concernant les interventions et le suivi (acide folique, vitamine K, etc.) sont discutées dans le texte et au tableau I. À la naissance, le suivi clinique des saignements est recommandé pour le premier jour de vie chez le nouveau-né. Un suivi des symptômes de sevrage est recommandé chez l'enfant si une exposition a eu lieu jusqu'à la fin de la grossesse.

Phénytoïne	• Inducteur des enzymes hépatiques.
	
	• Risque de malformations majeures augmenté d'environ 2 à 3 fois par rapport au risque de base[14].
	
	• Risque absolu de malformations majeures en monothérapie variant entre 2,6 et 7,1 % dans 4 registres[3, 29-31].
	
	• Autres malformations majeures et mineures associées[12, 14, 32] :
	  – fentes labio-palatines ;
	  – malformations cardiaques ;
	  – anomalies génitales ;
	  – microcéphalie ;
	  – syndrome d'exposition fœtale à la phénytoïne noté chez 20 % des enfants : dysmorphies cranio-faciales, retards de croissance, anomalies digitales (hypoplasie des ongles et des phalanges distales).
	
	• Complications néonatales : hémorragies[32].
		Le risque tératogène est comparable à celui qu'on observe avec les autres antiépileptiques de première génération, et inférieur à celui qu'on associe à l'acide valproïque.
		
		Les recommandations générales concernant les interventions et le suivi (acide folique, vitamine K, etc.) sont discutées dans le texte et au tableau I.
		
		À la naissance, le suivi clinique des saignements est recommandé pour le premier jour de vie chez le nouveau-né.

Médicament	Données de tératogénicité	Recommandations, commentaires
Nouveaux antiépileptiques		
Gabapentin	• Augmentation des malformations du tractus urinaire rapportée chez une espèce animale parmi 3 espèces testées, à doses similaires ou supérieures à celles utilisées chez l'humain[32]. • Quatre malformations majeures notées parmi 47 grossesses exposées, souvent en polythérapie et pour la plupart au premier trimestre, dans des études cliniques et des études post-commercialisation[32]. • Trois malformations majeures parmi 75 expositions au premier trimestre dans un registre et une série[31, 37]. • Complications néonatales non étudiées jusqu'à présent : hypotonie transitoire notée chez un enfant et trémulations dans les premiers jours de vie chez un deuxième enfant[32, 38]. • Pas de données sur le développement neurologique des enfants exposés.	Les données actuelles ne permettent pas d'estimer les risques réels ; pour le moment, le risque tératogène ne semble pas supérieur à celui des autres antiépileptiques. Bien que son utilisation puisse se justifier dans les cas d'épilepsie réfractaire, le gabapentin ne constitue pas un médicament de premier recours pour les autres conditions comme les syndromes douloureux, pour lesquels des médicaments mieux connus en grossesse sont disponibles (par exemple, amitriptyline). Un suivi des complications néonatales rapportées est suggéré dans les premiers jours de vie chez les enfants exposés *in utero*.
Lamotrigine	• Données animales négatives[39]. • Données provenant de 3 registres[31, 39, 40] : – monothérapie : 2,8 à 3,2 % de malformations majeures parmi plus de 1600 grossesses exposées ; doses supérieures à 200 mg par jour associées à un risque plus élevé (5,4 %) dans le registre du Royaume-Uni ; – polythérapie : 2,8 à 4,8 % de malformations majeures parmi 883 grossesses exposées ; jusqu'à 11,7 % si polythérapie avec acide valproïque. • Association avec des fentes labio-palatines non syndromiques dans le registre nord-américain comptant 564 enfants ou fœtus exposés ; risque relatif de fentes palatines calculé à 32,8 (IC$_{95\%}$ 10,6-101,3) et de fentes labiales à 17,1 (IC$_{95\%}$ 4,3-68,2), soit un risque absolu d'environ 9 fentes labiales ou palatines pour 1000 naissances exposées[39]. • Changements pharmacocinétiques marqués en cours de grossesse : clairance augmentée dès le premier trimestre, baisse continue des concentrations sanguines jusqu'à la fin de la grossesse, et retour aux valeurs prégrossesse dès les premiers 3 à 10 jours après l'accouchement ; diminution des concentrations associée à une aggravation des crises épileptiques à partir du deuxième trimestre dans plusieurs séries[41, 42].	La lamotrigine est l'antiépileptique de deuxième génération le mieux étudié en grossesse. Les données provenant des registres permettent d'exclure une augmentation marquée des malformations majeures en monothérapie. Le risque tératogène augmente avec des doses élevées et une polythérapie, particulièrement avec l'acide valproïque. Le lien avec les fentes labio-palatines provient d'un seul registre jusqu'à présent. Les recommandations générales concernant les interventions et le suivi (acide folique, vitamine K, etc.) sont discutées dans le texte et au tableau I. Un suivi étroit des dosages et un ajustement des doses au besoin, en fonction aussi de la symptomatologie, est recommandé. Des dosages sont aussi recommandés lorsque les contraceptifs oraux sont arrêtés en vue d'une grossesse. Le risque d'aggravation des crises lié aux changements pharmacocinétiques marqués et les données concernant l'allaitement (voir tableau III) doivent être prises en compte dans l'évaluation des risques lorsqu'on doit traiter une patiente épileptique.

Médicament	Données de tératogénicité	Recommandations, commentaires
		La lamotrigine pourrait être préférée aux antiépileptiques de première génération pour les femmes avec un trouble affectif bipolaire qui planifient une grossesse et qui ne sont pas éligibles au traitement de premier recours (lithium) ; les effets indésirables potentiellement sévères (rash, entre autres) doivent néanmoins être considérés dans l'évaluation des risques[14].
Lévétiracétam	• Malformations squelettiques, retard de croissance et augmentation des morts embryonnaires et fœtales notés chez 2 espèces animales, à doses similaires ou supérieures à celles utilisées chez l'humain[32]. • Trois malformations majeures notées parmi 32 grossesses exposées au premier trimestre, surtout en polythérapie, au cours d'essais cliniques[43]. • Une malformation majeure notée parmi 56 expositions en grossesse dans 2 registres, dont au moins 26 en monothérapie ; 26 % des nouveau-nés avec poids à la naissance inférieur au 5e percentile dans l'un de ces registres[8, 31]. • Pas de données sur les effets à long terme.	Ces données humaines sont nettement insuffisantes pour estimer les risques réels. Le risque de retard de croissance observé chez les animaux et dans une petite cohorte chez les humains devra être confirmé avant de conclure à un lien causal. Le lévétiracétam devrait être réservé au traitement de l'épilepsie chez des femmes qui ne répondent pas aux médicaments mieux connus. Les recommandations générales concernant les interventions et le suivi (acide folique, vitamine K, etc.) sont discutées dans le texte et au tableau I.

Oxcarbazépine	• Inducteur des enzymes hépatiques.
	• Augmentation des malformations chez une espèce animale à doses similaires ou supérieures aux doses humaines ; pas d'augmentation chez 2 autres espèces animales[32].
	• Compilation des registres et séries de cas ; trimestres d'exposition parfois non précisés, mais souvent exposition au moins au premier trimestre[44] :
	  – monothérapie : 6 malformations majeures sur 248 expositions, soit 2,4 %, sans patron de malformations ;
	  – polythérapie : 4 malformations majeures sur 61 expositions, soit 6,6 %.
	• Diminution marquée des concentrations du métabolite actif notée dès le 1er trimestre, et atteignant près de 40 % au 3e trimestre ; augmentation des concentrations dans les premières semaines suivant l'accouchement[45, 46].
	• Pas de données sur le risque d'hémorragie à la naissance chez les nouveau-nés.
	• Pas de données sur les effets à long terme[14].
		Les données actuelles suggèrent un risque tératogène qui n'excède pas celui des antiépileptiques de première génération, mais ces données sont encore insuffisantes pour estimer les risques réels. L'oxcarbazépine est un analogue de la carbamazépine, mais son métabolisme n'entraîne pas la formation d'un intermédiaire réactif : le risque tératogène est théoriquement moindre, mais on doit considérer un risque similaire en attendant d'avoir davantage de données.
		
		Les recommandations générales concernant les interventions et le suivi (acide folique, vitamine K, etc.) sont les mêmes que pour la carbamazépine et sont discutées dans le texte et au tableau I.
		
		Un suivi étroit des concentrations sanguines en cours de grossesse et dans les premières semaines suivant l'accouchement est recommandé étant donné les altérations importantes observées, et le risque de détérioration de la maîtrise de l'épilepsie.

Médicament	Données de tératogénicité	Recommandations, commentaires
		À la naissance, le suivi clinique des saignements est recommandé dans le premier jour de vie chez le nouveau-né, bien que ce risque soit théorique jusqu'à présent.
Topiramate	• Inducteur des enzymes hépatiques. • Augmentation des malformations et fœtotoxicité chez 3 espèces animales à doses similaires ou plus souvent supérieures à celles utilisées chez l'humain[32]. • Trois malformations notées parmi 28 grossesses exposées en polythérapie durant des études cliniques ; trimestre d'exposition et gravité des malformations non précisés[21]. • Données de surveillance post-commercialisation rapportent 139 expositions durant la grossesse (trimestres d'exposition non précisés), résultant en 23 interruptions de grossesse (raisons non spécifiées), 29 issues inconnues, 87 naissances vivantes, dont 5 cas d'hypospadias[21]. • Trente-cinq expositions en monothérapie au premier trimestre dans le registre du Royaume-Uni, résultant en 2 malformations (hypospadias, fente labio-palatine)[31]. • Pas de données sur le développement neurologique des enfants exposés.	Ces données sont nettement insuffisantes pour estimer les risques réels, d'autant plus que ces données n'ont pas été publiées sous une forme permettant une analyse critique. Les cas d'hypospadias constituent un signal pouvant indiquer une association possible, mais d'autres études avec un devis adapté devront être menées avant de conclure à un lien causal. Bien que son utilisation puisse se justifier dans les cas d'épilepsie réfractaire, le topiramate ne constitue pas un médicament de premier recours pour les autres conditions comme la prophylaxie des migraines, étant donné son potentiel tératogène peu connu. Les recommandations générales concernant les interventions et le suivi (acide folique, vitamine K, etc.) sont discutées dans le texte et au tableau I.
Vigabatrin	• Augmentation des malformations chez plusieurs espèces, souvent à des doses supérieures à celles utilisées chez l'humain[47]. • Deux malformations majeures parmi 47 enfants exposés au premier trimestre dans une cohorte[48]. • Plus de 80 grossesses exposées dans le registre du fabricant, et jusqu'à 18 % des issues de grossesses jugées anormales, sans autre détail ; trimestres d'exposition non précisés[47]. • Deux enfants exposés sans effets apparents sur la fonction visuelle[49]. • Pas de données sur le développement neurologique des enfants exposés.	Ces données sont insuffisantes pour estimer les risques réels, d'autant plus que ces données n'ont pas été publiées sous une forme permettant une analyse critique. Le vigabatrin devrait être réservé au traitement de l'épilepsie chez des femmes qui ne répondent pas aux médicaments mieux connus. Les recommandations générales concernant les interventions et le suivi (acide folique, vitamine K, etc.) sont discutées dans le texte et au tableau I.

Données sur l'innocuité des antiépileptiques au cours de l'allaitement

La plupart des études effectuées sur le passage des antiépileptiques dans le lait maternel ont été effectuées chez des femmes recevant de multiples médicaments en combinaison. Comme plusieurs antiépileptiques agissent sur le métabolisme des autres médicaments (induction ou inhibition des enzymes hépatiques), il est parfois difficile d'établir des liens entre les doses maternelles et les concentrations mesurées dans le lait. Les autres caractéristiques de ces études (moment et méthode de dosage, fraction du lait analysée, état d'équilibre, etc.) compliquent aussi l'interprétation des résultats.

De façon générale, bien que plusieurs médicaments passent bien dans le lait maternel et s'y retrouvent en concentrations parfois élevées (tableau III), les femmes traitées en monothérapie durant la grossesse peuvent envisager un allaitement sans risque pour leur enfant. Les risques sont plus importants pour un enfant dont la mère reçoit une polythérapie. Les enfants exposés *in utero* aux antiépileptiques inducteurs des enzymes hépatiques métabolisent plus rapidement les médicaments et ont moins de risques d'accumulation que les enfants qui n'ont pas été exposés durant la grossesse[50].

En tout temps, étant donné les effets sédatifs de la plupart des antiépileptiques, un suivi étroit de l'état d'éveil du nourrisson, de son appétit et de son gain de poids sont recommandés. Des dosages sériques de routine chez les enfants allaités ne sont probablement pas nécessaires, à moins qu'on observe des effets indésirables chez le nourrisson.

À part quelques observations cliniques isolées, il existe très peu de données sur le suivi à long terme des enfants exposés aux antiépileptiques par l'allaitement[50].

TABLEAU III: INNOCUITÉ DES ANTIÉPILEPTIQUES DURANT L'ALLAITEMENT		
Médicament	**Données durant l'allaitement**	**Recommandations, commentaires**
Antiépileptiques de première génération		
Acide valproïque, ou divalproex sodique	• Faible transfert dans le lait bien documenté: l'enfant allaité est exposé au maximum à environ 5 % des doses pédiatriques, selon les dosages effectués chez 40 femmes[51, 52]. • Concentrations sanguines chez les nourrissons correspondant à environ 1 à 2 % des concentrations maternelles simultanées[51]. • Neuf enfants allaités sans effets indésirables rapportés[51]. • Purpura thrombocytopénique et anémie notés chez un enfant allaité dont la mère recevait de l'acide valproïque; réversible après l'arrêt de l'allaitement; lien de causalité avec l'acide valproïque pris par la mère controversé[51, 52]. • Sédation notée chez un enfant allaité dont la mère recevait aussi de la primidone; effet réversible à l'arrêt de l'allaitement[51].	L'acide valproïque et le divalproex sodique sont généralement jugés compatibles avec l'allaitement. Un suivi clinique des effets indésirables potentiels, notamment la sédation, l'hépatotoxicité et les signes de saignements, est recommandé à la naissance, puis aux visites chez le pédiatre. Des dosages biochimiques (formule sanguine et enzymes hépatiques) pourront être demandés au besoin, selon l'examen clinique.

Médicament	Données durant allaitement	Recommandations, commentaires
Benzodiazépines	• Voir chapitre 30. *Dépression et troubles anxieux.*	
Carbamazépine	• Transfert faible à modéré dans le lait bien documenté : l'enfant allaité est exposé au maximum à 10 % des doses pédiatriques (en comptant le médicament et son métabolite), selon les dosages effectués chez 40 femmes[51, 52]. • Concentrations sanguines mesurées chez 7 enfants allaités correspondant à environ 20 % mais parfois jusqu'à 60 % des concentrations sanguines maternelles[51, 52]. • Douze enfants allaités partiellement ou exclusivement sans effets indésirables notés[51]. • Diminution de l'appétit, succion faible, sédation et gain de poids ralenti notés chez 3 nourrissons exposés par l'allaitement à la carbamazépine, dont 2 en polythérapie avec d'autres médicaments[51]. • Hépatite cholestatique rapportée entre 3 et 7 semaines de vie chez 3 enfants allaités exposés aussi durant la grossesse[51]. • Autres effets indésirables rapportés anecdotiquement chez des nourrissons exposés en polythérapie : irritabilité, convulsions, sevrage[51].	Malgré un passage non négligeable dans le lait maternel, la carbamazépine est généralement jugée compatible avec l'allaitement. Cependant, un suivi des effets indésirables potentiels est recommandé, en particulier si l'enfant est jeune, allaité exclusivement, ou si la mère reçoit plusieurs médicaments. On surveillera la sédation et le gain de poids aux visites chez le pédiatre. Un dosage des enzymes hépatiques à la naissance, puis au besoin selon l'examen clinique, est suggéré pour surveiller l'apparition d'une hépatite cholestatique.
Éthosuximide	• Transfert modéré à élevé dans le lait : l'enfant allaité est exposé à 25 à 70 % des doses pédiatriques, selon les dosages effectués chez 5 femmes[51]. • Concentrations sanguines importantes mesurées chez 5 enfants allaités, correspondant à 25 à 30 %, et parfois jusqu'à 75 % des concentrations maternelles simultanées[51]. • Quatre enfants allaités sans effets indésirables notés[51]. • Sédation, succion diminuée et gain de poids ralenti noté chez un enfant dont la mère recevait aussi de la primidone et de l'acide valproïque[51]. • Hyperexcitabilité rapportée chez 5 enfants allaités[50].	L'éthosuximide passe en quantités non négligeables dans le lait maternel. On doit l'envisager avec prudence chez une femme qui allaite, surtout si l'enfant allaité est jeune ou exposé à plusieurs médicaments sédatifs par le lait maternel. Un suivi étroit des effets indésirables potentiels (sédation, succion diminuée, faible gain de poids) est recommandé.
Phénobarbital et primidone	• Transfert modéré à élevé dans le lait maternel : l'enfant allaité est exposé à des quantités allant jusqu'à 25 % des doses pédiatriques habituelles, selon des dosages effectués chez 11 mères recevant entre 90 et 375 mg par jour[51]. • Concentrations sanguines importantes mesurées chez 3 enfants allaités et excédant parfois les concentrations sanguines maternelles[32, 51].	Le phénobarbital et la primidone doivent être envisagés avec prudence chez une femme qui allaite, notamment si elle n'a pas reçu le médicament durant la grossesse : une accumulation sanguine est possible étant donné la faible clairance des enfants[50, 52].

Médicament	Données durant l'allaitement	Recommandations, commentaires
	• Plusieurs cas de somnolence, de diminution de succion et d'appétit, et de gain de poids ralenti rapportés chez des enfants allaités[51, 52]. • Symptômes apparentés à un syndrome de sevrage (trémulations, convulsions) notés chez 2 enfants à l'arrêt de l'allaitement[51].	Un suivi étroit des effets indésirables potentiels (sédation, faible gain de poids, succion diminuée) est recommandée, surtout si l'enfant a moins de 2 mois et s'il est allaité exclusivement.
Phénytoïne	• Transfert faible à modéré dans le lait : l'enfant allaité est exposé au maximum à 5 à 15 % des doses pédiatriques habituelles, selon des dosages effectués chez 15 mères recevant entre 100 et 500 mg par jour[51]. • Concentrations sanguines très faibles détectées chez 2 des 6 enfants allaités évalués dans une série[51]. • Trente enfants allaités sans effets indésirables rapportés[51]. • Méthémoglobinémie, sédation et succion diminuée notées chez un nourrisson dont la mère recevait aussi du phénobarbital[52]. • Autres effets indésirables rapportés anecdotiquement chez des nourrissons exposés en polythérapie : somnolence, irritabilité, difficultés alimentaires[51, 52].	La phénytoïne, transférée en petites quantités dans le lait maternel, est généralement jugée compatible avec l'allaitement. À l'exception de rares effets indésirables idiosyncrasiques, la prise du médicament comporte peu de risques pour l'enfant allaité, à tout le moins lorsque le médicament est pris en monothérapie.
Nouveaux antiépileptiques		
Gabapentin	• Transfert dans le lait peu documenté : l'enfant allaité est exposé à 1,3 à 3,8 % de la dose maternelle ajustée pour le poids selon des dosages effectués chez 6 mères recevant entre 600 et 2100 mg par jour ; ces doses correspondent à moins de 15 % des doses initiales utilisées en pédiatrie[38, 51]. • Concentrations sanguines mesurées chez 5 nourrissons correspondant à 4 à 6 % des concentrations mesurées chez la mère[38, 51]. • Six enfants allaités sans effets indésirables notés[51].	Ces données préliminaires suggèrent une exposition limitée pour l'enfant allaité. Un suivi étroit des effets indésirables potentiels chez le nourrisson (sédation, courbe de croissance) est recommandé.
Lamotrigine	• Transfert modéré à élevé dans le lait maternel documenté chez 29 femmes allaitant et recevant entre 100 et 800 mg par jour : on calcule que l'enfant reçoit par le lait jusqu'à 10 à 50 % des doses initiales utilisées en néonatologie et en pédiatrie[53]. • Concentrations sanguines chez 22 nourrissons équivalant en moyenne à près de 30 % des concentrations sanguines maternelles (écart : 3 à 50 %)[51, 53]. • Pas d'effets indésirables rapportés chez 31 enfants allaités[51]. • Symptômes de retrait (anorexie, irritabilité) observés chez un nourrisson lors du sevrage abrupt de l'allaitement[51].	Le passage important du médicament dans le lait maternel suggère une grande prudence ; cependant, la grande majorité des enfants allaités n'ont pas présenté d'effets indésirables jusqu'à présent. L'enfant allaité étant exposé à des doses thérapeutiques par l'allaitement, une surveillance étroite des effets indésirables potentiels (sédation, rash, difficultés alimentaires) est recommandée, tout particulièrement si l'allaitement est exclusif et que l'enfant est jeune (moins de 2 mois).

Médicament	Données durant l'allaitement	Recommandations, commentaires
	• Retards de développement chez 2 nourrissons[51]. • Accumulation attribuée à la capacité réduite de glucuronidation chez les jeunes enfants[53].	Les dosages de routine ne sont probablement pas nécessaires, à moins que l'enfant ne présente des effets indésirables. Le sevrage de l'allaitement devrait être fait progressivement pour éviter la survenue de symptômes de retrait chez l'enfant.
Lévétiracétam	• Transfert faible à modéré dans le lait maternel : l'enfant reçoit entre 5 et 10 % de la dose maternelle ajustée pour le poids selon des dosages effectués chez 7 femmes allaitant et recevant 1 500 à 3 500 mg par jour ; ces doses correspondent à 5 à 40 % des doses utilisées en pédiatrie[54]. • Concentrations sanguines de médicament indétectables chez 6 des 7 nourrissons évalués[54]. • Huit enfants allaités sans effets indésirables notés[54]. • Hypotonie et difficultés alimentaires rapportées chez un nourrisson exposé aussi à d'autres antiépileptiques[51].	Malgré un transfert non négligeable dans le lait maternel, le médicament ne s'accumule pas dans le sang des nourrissons, ce qui laisse supposer une élimination rapide du médicament, même chez des nouveau-nés. Le médicament semble donc comporter peu de risques d'effets indésirables pour l'enfant allaité. Un suivi des effets indésirables potentiels (sédation, succion diminuée, courbe de croissance ralentie) est recommandé, particulièrement si la mère reçoit une polythérapie.
Oxcarbazépine	• Transfert dans le lait peu documenté ; l'enfant allaité est exposé à environ 10 % des doses utilisées en pédiatrie selon un seul rapport[51]. • Peu de risques d'accumulation selon un rapport montrant des concentrations sanguines diminuant après la naissance chez un enfant pourtant allaité[44]. • Cinq enfants allaités sans effets indésirables notés par les mères[51].	Ces données très limitées ne semblent pas montrer d'accumulation chez les enfants allaités ; un suivi serré des effets indésirables potentiels (sédation, succion diminuée, courbe de croissance ralentie) est suggéré, surtout si l'enfant allaité a moins de 2 mois.
Topiramate	• Transfert dans le lait peu documenté : l'enfant allaité est exposé à 3 à 23 % des doses maternelles ajustées pour le poids selon des mesures effectuées chez 4 mères recevant des doses de 150 à 200 mg par jour ; ces doses correspondent au maximum à 15 % des doses utilisées en pédiatrie à partir de 2 ans[51, 55]. • Médicament détecté chez 3 des 4 nourrissons prélevés ; concentrations sanguines mesurées équivalentes à environ 10 à 20 % des concentrations maternelles[51, 55]. • Cinq enfants allaités sans effets indésirables notés[51].	Ces données très limitées suggèrent une exposition non négligeable pour l'enfant allaité, mais sans risques documentés jusqu'à présent. Un suivi étroit des effets indésirables potentiels chez le nourrisson (sédation, succion diminuée, courbe de croissance ralentie) est recommandé.
Vigabatrin	• Transfert dans le lait maternel peu documenté : l'enfant allaité est exposé à moins de 4 % de la dose maternelle ajustée pour le poids selon les mesures effectuées chez 2 femmes recevant 2000 mg par jour ; ces doses correspondent à moins de 1 % des doses pédiatriques connues[56]. • Pas d'effets indésirables rapportés à ce jour.	Ces données très limitées sont rassurantes, mais sont insuffisantes pour exclure tout risque. Une surveillance étroite des enfants allaités est recommandée (sédation). Les effets indésirables graves mais rares (hépatotoxicité, problèmes visuels) n'ont pas été rapportés par l'allaitement à ce jour. Un suivi clinique est probablement suffisant.

Références

1. ADAB N, TUDUR SC, VINTEN J, WILLIAMSON P, WINTERBOTTOM J. Common antiepileptic drugs in pregnancy in women with epilepsy. *Cochrane Database Syst Rev* 2004(3):CD004848.

2. TETTENBORN B. Management of epilepsy in women of childbearing age: practical recommendations. *CNS Drugs* 2006;20(5):373-87.

3. TATUM WO. Use of antiepileptic drugs in pregnancy. *Expert Rev Neurother* 2006;6(7):1077-86.

4. Crawford P, Hudson S. Understanding the information needs of women with epilepsy at different lifestages: results of the "Ideal World" survey. *Seizure* 2003;12(7):502-507.

5. BLACK A, FRANCOEUR D, ROWE T, COLLINS J, MILLER D, BROWN T, et al. SOGC clinical practice guidelines: Canadian contraception consensus. *J Obstet Gynaecol Can* 2004;26(3):219-96.

6. HUNT SJ, MORROW JI. Safety of antiepileptic drugs during pregnancy. *Expert Opin Drug Saf* 2005;4(5):869-77.

7. YERBY MS. Special considerations for women with epilepsy. *Pharmacotherapy* 2000;20(8 Pt 2):159S-170S.

8. Seizure control and treatment in pregnancy: observations from the EURAP epilepsy pregnancy registry. *Neurology* 2006;66(3):354-60.

9. Practice parameter: management issues for women with epilepsy (summary statement). Report of the Quality Standards Subcommittee of the American Academy of Neurology. *Neurology* 1998;51(4):944-8.

10. PERUCCA E. Birth defects after prenatal exposure to antiepileptic drugs. *Lancet Neurol* 2005;4(11):781-6.

11. ADAB N. Birth defects and epilepsy medication. *Expert Rev Neurother* 2006;6(6):833-45.

12. MORROW JI, CRAIG JJ. Anti-epileptic drugs in pregnancy: current safety and other issues. *Expert Opin Pharmacother* 2003;4(4):445-56.

13. FRIED S, KOZER E, NULMAN I, EINARSON TR, KOREN G. Malformation rates in children of women with untreated epilepsy: a meta-analysis. *Drug Saf* 2004;27(3):197-202.

14. ORNOY A. Neuroteratogens in man: an overview with special emphasis on the teratogenicity of antiepileptic drugs in pregnancy. *Reprod Toxicol* 2006;22(2):214-26.

15. LINDHOUT D, MEINARDI H, MEIJER JW, NAU H. Antiepileptic drugs and teratogenesis in two consecutive cohorts: changes in prescription policy paralleled by changes in pattern of malformations. *Neurology* 1992;42(4 Suppl 5):94-110.

16. HOLMES LB, HARVEY EA, COULL BA, HUNTINGTON KB, KHOSHBIN S, HAYES AM, et al. The teratogenicity of anticonvulsant drugs. *N Engl J Med* 2001;344(15):1132-8.

17. MOTAMEDI GK, MEADOR KJ. Antiepileptic drugs and neurodevelopment. *Curr Neurol Neurosci Rep* 2006;6(4):341-6.

18. CRAWFORD P. Best practice guidelines for the management of women with epilepsy. *Epilepsia* 2005;46 Suppl 9:117-24.

19. RICHMOND JR, KRISHNAMOORTHY P, ANDERMANN E, BENJAMIN A. Epilepsy and pregnancy: an obstetric perspective. *Am J Obstet Gynecol* 2004;190(2):371-9.

20. TOMSON T, BATTINO D. Teratogenicity of antiepileptic drugs: state of the art. *Curr Opin Neurol* 2005;18(2):135-40.

21. YERBY MS. Clinical care of pregnant women with epilepsy: neural tube defects and folic acid supplementation. *Epilepsia* 2003;44 Suppl 3:33-40.

22. HERNANDEZ-DIAZ S, WERLER MM, WALKER AM, MITCHELL AA. Folic acid antagonists during pregnancy and the risk of birth defects. *N Engl J Med* 2000;343(22):1608-14.

23. HERNANDEZ-DIAZ S, WERLER MM, WALKER AM, MITCHELL AA. Neural tube defects in relation to use of folic acid antagonists during pregnancy. *Am J Epidemiol* 2001;153(10):961-8.

24. WILSON RD, DAVIES G, DESILETS V, REID GJ, SUMMERS A, WYATT P, et al. The use of folic acid for the prevention of neural tube defects and other congenital anomalies. *J Obstet Gynaecol Can* 2003;25(11):959-73.

25. KAAJA E, KAAJA R, MATILA R, HIILESMAA V. Enzyme-inducing antiepileptic drugs in pregnancy and the risk of bleeding in the neonate. Neurology 2002;58(4):549-53.

26. WYSZYNSKI DF, NAMBISAN M, SURVE T, ALSDORF RM, SMITH CR, HOLMES LB. Increased rate of major malformations in offspring exposed to valproate during pregnancy. Neurology 2005;64(6):961-5.

27. ARTAMA M, AUVINEN A, RAUDASKOSKI T, ISOJARVI I, ISOJARVI J. Antiepileptic drug use of women with epilepsy and congenital malformations in offspring. Neurology 2005;64(11):1874-8.

28. VAJDA F, O'BRIEN MD, HITCHCOCK A, GRAHAM J, COOK M, LANDER C, et al. Critical relationship between sodium valproate dose and human teratogenicity: results of the Australian register of anti-epileptic drugs in pregnancy. J Clin Neurosci 2004;11(8):854-858.

29. MEADOR KJ, BAKER GA, FINNELL RH, KALAYJIAN LA, LIPORACE JD, LORING DW, et al. In utero antiepileptic drug exposure. Fetal death and malformations. Neurology 2006;67:407-412.

30. WIDE K, WINBLADH B, KALLEN B. Major malformations in infants exposed to antiepileptic drugs in utero, with emphasis on carbamazepine and valproic acid: a nation-wide, population-based register study. Acta Paediatr 2004;93(2):174-6.

31. MORROW J, RUSSELL A, GUTHRIE E, PARSONS L, ROBERTSON I, WADDELL R, et al. Malformation risks of antiepileptic drugs in pregnancy: a prospective study from the UK Epilepsy and Pregnancy Register. J Neurol Neurosurg Psychiatry 2006;77(2):193-8.

32. BRIGGS GG, FREEMAN RK, YAFFE SJ. Drugs in Pregnancy and Lactation. A reference guide to fetal and neonatal risk. 7th ed. Philadelphia: William & Wilkins; 2005.

33. MATALON S, SCHECHTMAN S, GOLDZWEIG G, ORNOY A. The teratogenic effect of carbamazepine: a meta-analysis of 1255 exposures. Reprod Toxicol 2002;16(1):9-17.

34. ROBERT E, REUVERS M, SCHAEFER C. Antiepileptics. In: Schaefer C, ed. Drugs During Pregnancy and Lactation. 1st ed. Amsterdam: Elsevier; 2001. p. 46-57.

35. SAMREN EB, VAN DUIJN CM, KOCH S, HIILESMAA VK, KLEPEL H, BARDY AH, et al. Maternal use of antiepileptic drugs and the risk of major congenital malformations: a joint European prospective study of human teratogenesis associated with maternal epilepsy. Epilepsia 1997;38(9):981-990.

36. HOLMES GL, Wyszynski DF, Lieberman E. The AED (antiepileptic drug) pregnancy registry. A 6-year experience. Arch Neurol 2006;61:673-678.

37. MONTOURIS G. Gabapentin exposure in human pregnancy: results from the Gabapentin Pregnancy Registry. Epilepsy Behav 2003;4(3):310-7.

38. OHMAN I, VITOLS S, TOMSON T. Pharmacokinetics of gabapentin during delivery, in the neonatal period, and lactation: does a fetal accumulation occur during pregnancy? Epilepsia 2005;46(10):1621-4.

39. BRIGGS GG, FREEMAN RK, YAFFE SJ. Lamotrigine. Drugs in Pregnancy and Lactation Update 2006;19(3):19-22.

40. MEADOR KJ, ZUPANC ML. Neurodevelopmental outcomes of children born to mothers with epilepsy. Cleve Clin J Med 2004;71 Suppl 2:S38-41.

41. DE HAAN GJ, EDELBROEK P, SEGERS J, ENGELSMAN M, LINDHOUT D, DEVILE-NOTSCHAELE M, et al. Gestation-induced changes in lamotrigine pharmacokinetics: a monotherapy study. Neurology 2004;63(3):571-3.

42. PETRENAITE V, SABERS A, HANSEN-SCHWARTZ J. Individual changes in lamotrigine plasma concentrations during pregnancy. Epilepsy Res 2005;65(3):185-8.

43. FRENCH J, EDRICH P, CRAMER JA. A systematic review of the safety profile of levetiracetam: a new antiepileptic drug. Epilepsy Res 2001;47(1-2):77-90.

44. MONTOURIS G. Safety of the newer antiepileptic drug oxcarbazepine during pregnancy. Curr Med Res Opin 2005;21(5):693-701.

45. MAZZUCCHELLI I, ONAT FY, OZKARA C, ATAKLI D, SPECCHIO LM, NEVE AL, et al. Changes in the disposition of oxcarbazepine and its metabolites during pregnancy and the puerperium. Epilepsia 2006;47(3):504-9.

46. CHRISTENSEN J, SABERS A, SIDENIUS P. Oxcarbazepine concentrations during pregnancy: a retrospective study in patients with epilepsy. Neurology 2006;67(8):1497-1499.

47. MORRELL MJ. The new antiepileptic drugs and women: efficacy, reproductive health, pregnancy and fetal outcome. Epilepsia 1996;37(Suppl 6):S34-S44.

48. WILTON LV, PEARCE GL, MARTIN RM, MACKAY FJ, MANN RD. The outcomes of pregnancy in women exposed to newly marketd drugs in general practice in England. *Br J Obstet Gynaecol* 1998;105:882-889.

49. SORRI I, HERRGARD E, VIINIKAINEN K, PAAKKONEN A, HEINONEN S, KALVIAINEN R. Ophthalmologic and neurologic findings in two children exposed to vigabatrin in utero. *Epilepsy Res* 2005;65(1-2):117-20.

50. HÄGG S, SPIGSET O. Anticonvulsivant use during lactation. *Drug Safety* 2000;22(6):425-440.

51. ANDERSON P, SAUBERAN J. *LactMed* [cited 2006 12-07]; Available from: http://toxnet.nlm.nih.gov/cgi-bin/sis/htmlgen?LACT

52. BAR-OZ B, NULMAN I, KOREN G, ITO S. Anticonvulsivants and Breast Feeding: A critical review. *Paediatr Drugs* 2000;2(2):113-126.

53. LIPORACE J, KAO A, D'ABREU A. Concerns regarding lamotrigine and breast-feeding. *Epilepsy Behav* 2004;5(1):102-5.

54. JOHANNESSEN SI, HELDE G, BRODTKORB E. Levetiracetam concentrations in serum and in breast milk at birth and during lactation. *Epilepsia* 2005;46(5):775-7.

55. OHMAN I, VITOLS S, LUEF G, SÖDERFELDT B, TOMSON T. Topiramate kinetics during delivery, lactation, and in the neonate: preliminary observations. *Epilepsia* 2002;43(10):1157-1160.

56. TRAN A, O'MAHONEY T, REY E, MAI J, MUMFORD JP, OLIVE G. Vigabatrin: placental transfer in vivo and excretion into breast milk of the enantiomers. *Br J Clin Pharmacol* 1998;45(4):409-11.

Chapitre 33

Migraines et douleurs

■

Caroline MORIN
Sonia PROT-LABARTHE
Ema FERREIRA
Laurence SPIESSER-ROBELET

Les femmes enceintes ou qui allaitent peuvent être traitées avec des analgésiques par voie orale ou parentérale pour différentes raisons. Des exemples de situations justifiant une prise en charge pharmacologique de la douleur incluent les douleurs reliées à l'anémie falciforme, aux fibromes utérins, aux coliques néphrétiques et aux douleurs post-opératoires. Dans la première partie de ce chapitre, nous avons choisi de traiter principalement des céphalées, des migraines et des douleurs musculo-squelettiques. Cependant, le lecteur peut se référer aux tableaux III et IV pour choisir un analgésique à partir des données d'innocuité de ces médicaments retrouvées dans la documentation scientifique.

Céphalées et migraines

Définition

Les principaux types de céphalées primaires incluent la migraine, la céphalée de tension et la céphalée vasculaire de Horton[1].

La migraine est un type de céphalées avec des attaques épisodiques récurrentes. Ses caractéristiques varient d'une personne à l'autre, de même que chez une même personne d'une attaque à l'autre. La douleur se présente la plupart du temps avec des symptômes associés, soit des nausées ou vomissements ou encore de la photophobie ou de la phonophobie, ce qui aide à différencier la migraine des céphalées de tension. Les épisodes sont périodiques, durent de 4 à 72 heures, la douleur est généralement unilatérale, pulsatile, d'intensité modérée à sévère et limite les activités quotidiennes à des degrés variés. On parle de migraine avec aura lorsqu'elle s'accompagne ou est précédée de symptômes neurologiques focaux (incluant des problèmes visuels, sensoriels ou de langage)[2]. Les épisodes de céphalées de tension durent de 30 minutes à 7 jours, et la douleur est généralement bilatérale, non pulsatile, d'intensité légère à modérée et non aggravée par l'activité physique[2].

Épidémiologie

Au Canada, de 14 à 15 % des femmes âgées de 25 à 54 ans souffriraient de migraine[3]. Un questionnaire administré à 430 femmes a révélé que 29 % d'entre elles avaient un antécédent de céphalée primaire : migraines avec aura (10 %), migraines sans aura (64 %), un mélange des deux types de migraine (21 %) et céphalées de tension (26 %).

Étiologie

Les céphalées peuvent résulter de la dilatation, la distension ou la traction des vaisseaux intracrâniens[5]. Un dysfonctionnement neurologique serait à l'origine des symptômes de migraine. Un foyer de dépolarisation prenant origine et se propageant dans le cortex amènerait la libération de plusieurs neurotransmetteurs des terminaisons nerveuses et des changements dans les concentrations d'ions extracellulaires. Ces modifications biochimiques mèneraient à l'activation des fibres nociceptives périvasculaires et la douleur résulterait d'une réponse inflammatoire et d'une hypersensibilité des centres recevant les afférences nociceptives. La transmission de la douleur se ferait au niveau du système trigéminovasculaire. On ne sait pas exactement ce qui amène cette onde de dépression corticale, bien qu'il puisse y avoir une certaine prédisposition génétique et un dysfonctionnement neurogénique[5].

Facteurs de risque

Certains facteurs déclencheurs des céphalées ont été identifiés. Ces facteurs sont différents d'une personne à l'autre et peuvent inclure le manque de sommeil, un état de stress, le bruit important, certaines odeurs fortes, certaines formes d'éclairage, des allergènes et certains aliments (chocolat, boissons contenant de la caféine et des aliments contenant du glutamate monosodique ou des nitrites, par exemple)[3]. À noter que la prise trop fréquente d'analgésiques peut aussi mener à des céphalées (céphalée d'origine médicamenteuse)[2].

Effets de la grossesse sur les céphalées et les migraines

De 55 à 90 % des femmes verront leurs migraines s'améliorer durant leur grossesse, soit en ayant une rémission complète de leurs symptômes ou en observant une diminution de 50 % de la fréquence de leurs épisodes. Celles qui ont le plus de chances d'avoir une amélioration sont celles qui ont des migraines liées aux menstruations et celles ayant des migraines sans aura. L'amélioration des symptômes débutent généralement à la fin du premier trimestre. Toutefois, environ 25 % des femmes ne verront pas de changement dans la fréquence de leurs attaques. Des céphalées *de novo*, quoique plus rares, peuvent aussi apparaître durant la grossesse. Cette modification pourrait s'expliquer par une augmentation puis une stabilisation des concentrations sériques d'œstrogènes au cours de la grossesse. Toutefois, la variation hormonale ne peut pas tout expliquer et une variation de la sensibilité des récepteurs aux œstrogènes a aussi été postulée comme hypothèse. Dans les semaines suivant l'accouchement, de 35 à 40 % des femmes auront des céphalées, en particulier celles ayant des antécédents[4].

Effets des céphalées et des migraines sur la grossesse

L'effet de la migraine sur les issues de grossesse a été évalué dans une étude portant sur 777 femmes. On n'a pas trouvé de différence par rapport au groupe témoin quant à l'incidence d'avortements spontanés, d'anomalies congénitales, de prééclampsie ou encore de mortinaissances[6].

Outils d'évaluation

Il est rare que des migraines apparaissent pour la première fois pendant la grossesse. La première étape dans le diagnostic d'une céphalée est une anamnèse complète qui inclut l'âge au début des symptômes, le site, la sévérité et le type de douleur, la fréquence des attaques, les autres symptômes associés, les facteurs déclenchants et atténuants, les habitudes de sommeil et les antécédents familiaux. De plus, on devrait faire une histoire pharmacothérapeutique complète qui décrit les médicaments, les posologies, la durée d'utilisation et l'efficacité de chaque médicament[1].

Les maux de tête peuvent également être attribuables à d'autres conditions qu'il faut exclure, comme par exemple une tumeur cérébrale, une vasculite, des malformations artério-veineuses, un accident vasculaire cérébral, une thrombose cérébrale veineuse, une éclampsie, une hémorragie sous-arachnoïdienne, une sinusite ou une méningite[1].

Chez une personne migraineuse typique, il n'est généralement pas nécessaire de faire des tests de laboratoire avant de débuter le traitement. Des examens plus poussés peuvent toutefois être importants si une cause secondaire est suspectée[1]. Une patiente qui a une céphalée qui persiste depuis plus de trois jours malgré la prise d'analgésique, qui présente un épisode de migraine pour la première fois durant sa grossesse, ou encore qui a des maux de tête accompagnés d'autres signes et symptômes tels l'hypertension, des changements visuels, de la confusion ou de la somnolence doit consulter un médecin.

Douleurs musculosquelettiques

Définition

Les douleurs lombaires sont les douleurs musculosquelettiques les plus fréquentes chez la femme enceinte; elles affectent surtout la région sacro-iliaque et augmentent au fur et à mesure que la grossesse avance[7].

Épidémiologie

Les douleurs lombaires peuvent débuter précocement pendant la grossesse et touchent environ 50 % des femmes enceintes, mais cette fréquence ne tient pas compte des antécédents de douleurs au dos chez ces femmes[7]. Les anomalies des disques intervertébraux lombo-sacrés ne semblent pas plus fréquentes chez les femmes enceintes que dans la population générale[8]. Dans la période du *post-partum*, 30 à 45 % des femmes souffrent de douleurs lombaires[9].

Facteurs de risque

Les facteurs associés à une augmentation du risque de douleur lombaire sont le jeune âge ou l'âge avancé de la mère, le nombre de grossesses antérieures, les conditions de travail et les antécédents de douleurs au dos[7].

Effets de la grossesse sur les douleurs musculosquelettiques

La relaxine est une hormone produite majoritairement par le corps jaune et responsable du remodelage du collagène, de l'assouplissement des articulations sacro-iliaques et de la symphyse pubienne en vue de l'accouchement[10]. L'élargissement de la symphyse pubienne débute à partir de la dixième semaine[9]. La relaxine entraîne une hyperlaxité des ligaments et une lordose vertébrale modifiant le centre de gravité du corps et pouvant mener à des douleurs lombaires durant la grossesse[8]. Le poids de l'utérus en évolution contribue également au développement des douleurs. La prise de poids pendant la grossesse, elle, ne semble pas affecter la prévalence[7].

Effets des douleurs musculosquelettiques sur la grossesse

Nous n'avons pas retrouvé de données sur l'effet des douleurs musculosquelettiques sur la grossesse. Toutefois, l'inconfort qu'elles génèrent semble évident.

Outils d'évaluation

L'examen physique d'une femme enceinte ayant des douleurs dorsales devrait débuter par un examen neuromusculaire qui inclut l'observation, la palpation, l'amplitude des mouvements et les déséquilibres musculaires[9].

Effets néonatals des analgésiques

L'utilisation d'opiacés chez la femme enceinte peut entraîner un syndrome de sevrage chez le nouveau-né. La naloxone n'est pas un traitement recommandé car elle peut entraîner un syndrome de sevrage plus sévère. L'apparition du syndrome et son délai dépendent du moment d'exposition par rapport à l'accouchement, de la vitesse du métabolisme, de l'élimination du médicament et de ses métabolites et de la dose utilisée. Le début du syndrome de sevrage aux opiacés survient généralement dans les 48 à 72 heures après la naissance. Les symptômes de sevrage aux opiacés comprennent :

- une perturbation du système nerveux central (tremblements, irritabilité, hyperréactivité des réflexes, parfois des convulsions) ;
- une perturbation du système gastro-intestinal (vomissements, diarrhée, difficulté à s'alimenter) ;
- d'autres signes centraux (fièvre, hypersudation, température instable).

Un traitement de soutien doit d'abord être mis en place : emmaillotement du nouveau-né pour diminuer ses stimulations sensitives et maintenir une bonne température corporelle, apports hypercaloriques fréquents et en petite quantité, surveillance étroite (poids, température, signes cliniques). La décision de donner un traitement pharmacologique dépend de la sévérité du syndrome de sevrage. Le traitement pharmacologique apporte un bénéfice clinique à court terme, mais son impact à long terme reste inconnu. Différents scores d'évaluation clinique existent : Lipsitz,

Finnegan, Ostrea. Le choix du type de score, de sa fréquence d'utilisation et du traitement du syndrome de sevrage varient selon les établissements (morphine, méthadone, clonidine, phénobarbital, diazépam, chlorpromazine). À noter que le sevrage à la méthadone peut être biphasique, apparaissant alors jusqu'à deux semaines après la naissance de l'enfant (voir chapitre 9. *Substances illicites*)[11].

Traitements recommandés

Céphalées et migraines

Traitements non pharmacologiques

Il est important d'optimiser les mesures non pharmacologiques avant de débuter un traitement pharmacologique afin de favoriser une bonne réponse au traitement. Les mesures non pharmacologiques devraient également toujours accompagner un traitement pharmacologique. Ces mesures incluent une bonne hygiène du sommeil, la gestion du stress, les massages, l'application de glace et le *biofeedback*[4, 12]. Deux études ont démontré que des mesures incluant des méthodes de relaxation, du *biofeedback* et des thérapies physiques étaient efficaces chez une majorité de femmes enceintes et que la diminution de la fréquence et la sévérité des céphalées était maintenue un an après l'accouchement[12].

Traitements pharmacologiques

Les agents recommandés pour les céphalées et les migraines sont présentés dans le tableau I et le tableau II. Les médicaments listés dans ces tableaux sont des exemples de traitement de premier recours. Le lecteur devra se référer aux tableaux III et IV pour vérifier les données d'innocuité des autres agents.

Douleurs musculosquelettiques

Traitements non pharmacologiques

Pour les cas légers d'inflammation de la symphyse pubienne, le repos et l'application de glace peuvent être suffisants pour soulager la douleur[9]. Les douleurs lombaires répondent bien à un programme d'activité physique adapté (débuté lorsque la douleur aiguë est maîtrisée) et à des changements de posture. D'autres modalités comme une ceinture lombaire et l'acuponcture peuvent également être envisagées[9].

Traitements pharmacologiques

Les agents recommandés pour les douleurs musculosquelettiques sont présentés dans le tableau I et le tableau II. Les médicaments listés dans ces tableaux sont des exemples de traitement de premier recours. Le lecteur devra se référer aux tableaux III et IV pour vérifier les données d'innocuité des autres agents.

TABLEAU I – ANALGÉSIQUES RECOMMANDÉS DURANT LA GROSSESSE[3, 13, 14]			
Ligne thérapeutique	**Médicament**	**Posologie**	**Suivi et commentaires**
CÉPHALÉES ET MIGRAINES			
Traitement aigu			
Douleurs légères	Acétaminophène	500 à 1000 mg par voie orale toutes les 4 à 6 heures au besoin (maximum de 4000 mg par jour).	L'acétaminophène est l'analgésique de 1er recours chez la femme enceinte. Il peut être associé à d'autres agents comme co-analgésique.
	Anti-inflammatoires non stéroïdiens (AINS)		
Douleurs modérées à sévères	Ibuprofène	400 à 600 mg par voie orale 4 fois par jour au besoin.	La prise d'AINS en début de grossesse a été associée à une augmentation du risque d'avortement spontané (AS). Un risque faiblement augmenté de malformation cardiaque suite à une exposition au 1er trimestre ne peut être exclu (voir tableau III). Éviter une exposition prolongée sur quelques jours au 2e trimestre. L'utilisation d'AINS est à proscrire après la 28e semaine de grossesse.
	Naproxène	500 mg par voie orale ou intra-rectale 2 fois par jour au besoin ou 250 mg par voie orale ou intra-rectale 4 fois par jour au besoin.	
	Opiacés		
	Codéine	Codéine 30 à 60 mg par voie orale ou sous-cutanée toutes les 4 heures au besoin.	Les opiacés sont utilisés pour les douleurs modérées à sévères. En pratique, certaines femmes ne répondent pas à la codéine et ont un meilleur soulagement avec l'hydromorphone et la morphine. L'hydromorphone peut être mieux tolérée chez certaines femmes car elle entraîne moins de libération d'histamine. Au 1er trimestre, privilégier l'utilisation de la codéine étant donné que son innocuité est mieux établie.
	Hydromorphone	2 à 4 mg par voie orale toutes les 3 à 6 heures au besoin. 1 à 2 mg par voie sous-cutanée toutes les 3 à 6 heures au besoin.	
	Morphine	5 à 10 mg par voie orale toutes les 3 à 4 heures au besoin. 2,5 à 5 mg par voie intraveineuse toutes les 3 à 4 heures au besoin.	
	Autres options		
	Métoclopramide	10 mg par voie intraveineuse toutes les 6 heures au besoin.	Une utilisation concomitante de diphenhydramine diminue le risque de présenter des réactions extrapyramidales. Seule la voie intraveineuse a été associée à une efficacité dans le soulagement des migraines.

Ligne thérapeutique	Médicament	Posologie	Suivi et commentaires
	Association de butalbital (30 mg), acide acétylsalicylique (330 mg) et caféine (50 mg).	2 comprimés (ou gélules) suivi de 1 comprimé (ou gélule) par voie orale toutes les 3 à 4 heures au besoin.	L'utilisation d'acide acétylsalicylique à des doses supérieures à 150 mg par jour est à proscrire après la 28e semaine de grossesse.
	Chlorpromazine	12,5 à 37,5 mg par voie intraveineuse toutes les 6 heures au besoin.	Une utilisation concomitante de diphenhydramine par voie intraveineuse diminue le risque de réactions extrapyramidales.
	Sumatriptan	50 à 100 mg par voie orale (la dose peut être répétée après 2 heures au besoin jusqu'à un maximum de 200 mg par 24 heures). 6 mg par voie sous-cutanée (la dose peut être répétée après 1 heure au besoin jusqu'à un maximum de 12 mg par 24 heures). 5 à 20 mg par voie intranasale (la dose peut être répétée après 2 heures au besoin jusqu'à un maximum de 40 mg par 24 heures).	Moins de recul d'utilisation durant la grossesse. Utiliser lors de douleurs sévères ne répondant pas aux autres traitements.
Prophylaxie des céphalées et des migraines			
Premier recours	Amitriptyline	Dose initiale : 10 à 25 mg par voie orale au coucher (la dose peut être augmentée au besoin, doses varient entre 10 et 400 mg par jour).	Plus efficaces si céphalées de tension associées. À noter que le traitement prophylactique peut être choisi en fonction des comorbidités présentes.
	Nortriptyline	10 à 150 mg par voie orale au coucher.	
Deuxième recours	Propranolol	Dose initiale : 80 mg par voie orale divisée en 2 à 3 prises par jour (augmenter la dose de 20 à 40 mg toutes les 3 à 4 semaines jusqu'à un maximum de 160 à 240 mg par jour). **Formulation à longue action** Dose initiale : 80 mg par voie orale 1 fois par jour (doses varient entre 160 à 240 mg par jour).	À noter que le traitement prophylactique peut être choisi en fonction des comorbidités présentes. Le soulagement devrait être observé dans un délai maximal de 6 semaines. L'arrêt du traitement devrait être étalé sur plusieurs semaines.

Ligne thérapeutique	Médicament	Posologie	Suivi et commentaires
	Métoprolol	100 à 200 mg par voie orale par jour.	
DOULEURS MUSCULOSQUELETTIQUES			
Douleurs légères	Acétaminophène	500 à 1000 mg par voie orale toutes les 4 à 6 heures au besoin (maximum de 4000 mg par jour).	L'acétaminophène est l'analgésique de 1er recours chez la femme enceinte. Il peut être associé à d'autres agents comme co-analgésique.
	Salicylate de triéthanolamine à 10% (trolamine) Myoflex	Application locale 2 à 3 fois par jour au besoin.	Éviter de masser ou d'appliquer de la chaleur. Peut être utilisé avec des agents systémiques.
Douleurs modérées à sévères	**Anti-inflammatoires non stéroïdiens (AINS)**		
	Ibuprofène	400 à 600 mg par voie orale 4 fois par jour au besoin.	La prise d'AINS en début de grossesse a été associée à une augmentation du risque d'AS. Un risque faiblement augmenté de malformation cardiaque suite à une exposition au 1er trimestre ne peut être exclu (voir tableau III). Éviter une utilisation prolongée sur quelques jours au 2e trimestre. L'utilisation d'AINS est à proscrire après la 28e semaine de grossesse.
	Naproxène	500 mg par voie orale ou intra-rectale 2 fois par jour au besoin ou 250 mg par voie orale ou intra-rectale 4 fois par jour au besoin.	
	Opiacés		
	Codéine	Codéine 30 à 60 mg par voie orale ou sous-cutanée toutes les 4 à 6 heures au besoin.	Les opiacés sont utilisés pour les douleurs modérées à sévères. En pratique, certaines femmes ne répondent pas à la codéine et ont un meilleur soulagement avec l'hydromorphone et/ou la morphine. L'hydromorphone peut être mieux tolérée chez certaines femmes car elle entraîne moins de libération d'histamine. Au 1er trimestre, privilégier l'utilisation de la codéine étant donné que son innocuité est mieux établie.
	Hydromorphone	2 à 4 mg par voie orale toutes les 3 à 6 heures au besoin. 1 à 2 mg par voie sous-cutanée toutes les 3 à 6 heures au besoin.	
	Morphine	5 à 10 mg par voie orale toutes les 3 à 4 heures au besoin. 2,5 à 5 mg par voie intraveineuse toutes les 3 à 4 heures au besoin.	
	Autre médicament		
	Cyclobenzaprine	5 à 10 mg par voie orale 3 fois par jour au besoin.	

Ligne thérapeutique	Médicament	Posologie	Suivi et commentaires
DOULEURS NEUROPATHIQUES			
Premier recours	Amitriptyline	Dose initiale : 25 mg par voie orale au coucher (dose peut être augmentée jusqu'à 150 mg par jour).	
AUTRES TYPES DE DOULEURS			
Options de traitement à évaluer selon le type de douleur, l'efficacité obtenue chez la patiente et les données d'innocuité présentées au tableau III.			

TABLEAU II – ANALGÉSIQUES RECOMMANDÉS DURANT L'ALLAITEMENT			
Ligne thérapeutique	Médicament	Posologie	Suivi et commentaires
CÉPHALÉES ET MIGRAINES			
Traitement aigu			
Douleurs légères	Acétaminophène	500 à 1000 mg par voie orale toutes les 4 à 6 heures au besoin (maximum de 4000 mg par jour).	L'acétaminophène est l'analgésique de 1er recours chez la femme qui allaite. Il peut être associé à d'autres agents comme co-analgésique.
	Anti-inflammatoires non stéroïdiens (AINS)		
	Ibuprofène	400 à 600 mg par voie orale 4 fois par jour au besoin.	Le diclofénac, le flurbiprofène et l'indométhacine peuvent être également utilisés durant l'allaitement.
	Naproxène	500 mg par voie orale ou intra-rectale 2 fois par jour au besoin ou 250 mg par voie orale ou intra-rectale 4 fois par jour au besoin.	
Douleurs modérées à sévères	**Opiacés**		
	Codéine	Codéine 30 à 60 mg par voie orale ou sous-cutanée toutes les 4 à 6 heures au besoin.	
	Hydromorphone	2 à 4 mg par voie orale ou 1 à 2 mg par voie sous-cutanée toutes les 3 à 6 heures au besoin.	Moins bien documentée durant l'allaitement que la codéine.
	Autres options		
	Métoclopramide	10 mg par voie intraveineuse toutes les 6 heures au besoin.	Une utilisation concomitante de diphenhydramine diminue le risque de présenter des réactions extrapyramidales. La voie intraveineuse a été associée à une efficacité dans le soulagement des migraines.

Ligne thérapeutique	Médicament	Posologie	Suivi et commentaires
	Agonistes 5-HT1 (triptans)	**Sumatriptan** • 50 à 100 mg par voie orale (la dose peut être répétée après 2 heures au besoin jusqu'à un maximum de 200 mg par 24 heures). • 6 mg par voie sous-cutanée (la dose peut être répétée après 1 heure au besoin jusqu'à un maximum de 12 mg par 24 heures). • 5 à 20 mg par voie intranasale (la dose peut être répétée après 2 heures au besoin jusqu'à un maximum de 40 mg par 24 heures). **Élétriptan** • 20 à 40 mg par voie orale (la dose peut être répétée 2 heures plus tard au besoin jusqu'à un maximum de 80 mg par 24 heures).	
Prophylaxie des céphalées et des migraines			
Premier recours	Amitriptyline	Dose initiale : 10 à 25 mg par voie orale au coucher (la dose peut être augmentée au besoin, doses varient entre 10 et 400 mg par jour).	Plus efficaces si céphalées de tension associées. À noter que le traitement prophylactique peut être choisi en fonction des co-morbidités présentes.
	Nortriptyline	10 à 150 mg par voie orale au coucher.	
	Propranolol	Dose initiale : 80 mg par voie orale divisé en 2 à 3 prises par jour (augmenter la dose de 20 à 40 mg toutes les 3 à 4 semaines jusqu'à un maximum de 160 à 240 mg par jour). **Formulation à longue action** Dose initiale : 80 mg par voie orale 1 fois par jour (doses varient entre 160 à 240 mg par jour).	À noter que le traitement prophylactique peut être choisi en fonction des comorbidités présentes. Le soulagement devrait être observé dans un délai maximal de 6 semaines. L'arrêt du traitement devrait être étalé sur plusieurs semaines.
	Métoprolol	100 à 200 mg par voie orale par jour.	

Ligne thérapeutique	Médicament	Posologie	Suivi et commentaires
		DOULEURS MUSCULOSQUELETTIQUES	
Premier recours	Acétaminophène	500 à 1000 mg par voie orale toutes les 4 à 6 heures au besoin (maximum de 4000 mg par jour).	L'acétaminophène est l'analgésique de 1er recours chez la femme qui allaite. Il peut être associé à d'autres agents comme co-analgésique.
	Ibuprofène	400 à 600 mg par voie orale 4 fois par jour au besoin.	Le diclofénac, le flurbiprofène et l'indométhacine peuvent être également utilisés durant l'allaitement.
	Naproxène	500 mg par voie orale ou intra-rectale 2 fois par jour au besoin ou 250 mg par voie orale ou intra-rectale 4 fois par jour au besoin.	
	Salicyate de triethandomine à 10 % (trolamine)	Application locale 2 à 3 fois par jour au besoin.	Les autres analgésiques topiques peuvent également être utilisés durant l'allaitement.
		DOULEURS NEUROPATHIQUES	
Premier recours	Amitriptyline	Dose initiale : 25 mg par voie orale au coucher (dose peut être augmentée jusqu'à 150 mg par jour).	
		AUTRES TYPES DE DOULEURS	
Options de traitement à évaluer selon le type de douleur, l'efficacité obtenue chez la patiente et les données d'innocuité présentées au tableau IV.			

Données sur l'innocuité des analgésiques au cours de la grossesse

Les données d'innocuité des antiémétiques sont présentées dans le chapitre 24. *Nausées et vomissements*. Certaines données relatives à l'utilisation des opiacés sont présentées dans le chapitre 9. *Substances illicites*. L'innocuité de plusieurs médicaments utilisés pour la prophylaxie de la migraine est traitée dans divers autres chapitres :

- Chapitre 30. *Dépression et troubles anxieux*
  - Amitriptyline, doxépine, imipramine, nortriptyline, phénelzine, fluoxétine, fluvoxamine, paroxétine, sertraline, bupropion, mirtazapine, trazodone, venlafaxine.
- Chapitre 32. *Épilepsie*
  - Acide valproïque, divalproex, carbamazépine, gabapentin, topiramate.
- Chapitre 11. *Hypertension artérielle*
  - Aténolol, métoprolol, nadolol, propranolol, timolol, diltiazem, vérapamil.

Nous n'aborderons pas spécifiquement les médicaments utilisés principalement pour l'anesthésie ou l'analgésie péridurale durant la grossesse ou pour l'accouchement.

TABLEAU III – DONNÉES D'INNOCUITÉ DES ANALGÉSIQUES AU COURS DE LA GROSSESSE		
Médicament	**Données durant la grossesse**	**Recommandations, commentaires**
Analgésiques systémiques		
Acétaminophène (paracétamol)	• Plus de 11 000 cas de femmes traitées au 1er trimestre dans des études de surveillance et des séries de cas, sans association avec des anomalies[15]. • 300 cas de surdosage d'acétaminophène durant la grossesse dont 118 au 1er trimestre sans association avec des anomalies[16]. Toutefois, 2 cas d'hépatotoxicité fatale chez le fœtus ont été rapportés lors de surdosages[15]. • Utilisation d'acétaminophène durant les 5 premiers mois de grossesse n'est pas associée à une diminution du quotient intellectuel, de l'attention et de la croissance de l'enfant à 4 ans[17]. • L'exposition en fin de grossesse n'est pas associée à des effets indésirables pour le nouveau-né[15].	L'acétaminophène est parmi les médicaments les plus utilisés par les femmes enceintes et constitue l'analgésique et l'antipyrétique de 1er recours à tous les trimestres[15].
Agonistes des récepteurs 5-HT1 (Triptans).		
Almotriptan	• Études chez 2 espèces animales ne suggèrent pas d'effet tératogène[15]. • Aucune donnée chez l'humain.	Les données sont insuffisantes pour évaluer le risque.
Élétriptan	• Données animales : une étude ne suggère pas d'effet tératogène chez une espèce, une étude a observé des anomalies à des doses similaires aux doses humaines (signification incertaine)[15]. • Aucune donnée chez l'humain.	
Naratriptan	• Toxicité embryonnaire et fœtale chez 2 espèces animales suite à l'utilisation de doses supérieures à la dose humaine recommandée[15]. • Registre prospectif de la compagnie : 43 expositions prospectives (dont 38 au 1er trimestre) : pas d'indice de tératogénécité[18].	Les données chez la femme enceinte sont trop limitées pour permettre d'estimer un risque tératogène.
Rizatriptan	• Études chez 2 espèces animales ne suggèrent pas d'effet tératogène[15]. • Registre prospectif de la compagnie : 67 expositions (dont 42 au 1er trimestre[19]), mais données disponibles pour 34 grossesses : pas d'indice de tératogénécité. Pas de patron dans les anomalies rapportées de façon rétrospective à la compagnie[20]. • Dans les études cliniques, 26 expositions (trimestre non spécifié) sans indice de tératogénécité[20]. • Registre suédois des naissances : 41 expositions, en majorité au 1er trimestre, sans indice de tératogénécité[19].	Les données actuelles ne suggèrent pas d'évidence de tératogénécité, mais elles sont trop limitées pour estimer un risque juste.

Médicament	Données durant la grossesse	Recommandations, commentaires
Sumatriptan	• Registre prospectif de la compagnie : données disponibles pour 447 grossesses dont 391 expositions au 1er trimestre : pas d'augmentation du risque de malformation majeure et d'AS[21]. • Registre suédois des naissances : 658 expositions au 1er trimestre sans augmentation du risque de base de malformations majeures. Prématurité, poids à la naissance et décès périnatal similaires à la population générale[22]. • Étude prospective avec 76 expositions dont 75 au 1er trimestre : aucune malformation ou mortinaissance, pas d'augmentation du risque d'AS[23]. • Étude prospective : 96 expositions, dont 95 au 1er trimestre, et 19 ont continué après le 1er trimestre sans différence avec le groupe témoin pour les malformations majeures, malformations mineures, poids à la naissance et âge gestationnel. Plus d'AS étaient observées par rapport au groupe témoin, mais l'incidence demeurait dans les valeurs normales[24]. • Une étude chez 34 femmes enceintes traitées a observé une augmentation du risque de prématurité et de bébé de petit poids à la naissance (un seul cas de bébé de petit poids dans le groupe sumatriptan). L'étiologie de la prématurité ou du RCIU et les doses n'étaient pas connues. Aucune malformation ou mortinaissance observée lors d'exposition au sumatriptan[25]. • Augmentation des contractions utérines *ex vivo* avec des doses élevées[26]. • Pas de patron d'anomalie rapporté[15, 21, 22, 24].	Les données actuelles ne suggèrent pas une augmentation du risque de base d'anomalies. Toutefois, la validité externe de ces données est limitée par la nature rétrospective ou observationnelle des études, de plus le nombre de doses prises est souvent inconnu. Son utilisation sera réservée en dernier recours.
Zolmitriptan	• Études chez 2 espèces animales ne suggèrent pas d'effet tératogène[15]. • Aucune donnée chez l'humain.	Le zolmitriptan n'est pas recommandé du fait de l'absence de donnée.
Alcaloïdes de l'ergot		
Ergotamine	• Dans 2 études de surveillance, 84 expositions au 1er trimestre : 11 malformations rapportées[15, 27]. • Étude rétrospective chez 450 femmes migraineuses (au total 1142 grossesses et 924 naissances vivantes) : 70,8 % avaient été exposées à l'ergotamine précédemment, mais les auteurs ne pouvaient pas certifier que cette utilisation avait eu lieu durant la grossesse. Aucune augmentation des malformations n'a été rapportée[6]. • Plusieurs cas de malformations rapportés dans la littérature médicale et semblant liés à une action vasoconstrictrice proportionnelle à la dose[28].	Les alcaloïdes de l'ergot comme l'ergotamine et la dihydroergotamine possèdent des propriétés ocytociques[29]. L'utilisation d'ergotamine est déconseillée durant la grossesse. Cependant, le risque de malformation lié à une exposition ne requiert pas un suivi obstétrical particulier.

Médicament	Données durant la grossesse	Recommandations, commentaires
Dihydroergotamine	• Les études chez les cobayes montrent une diminution de la perfusion placentaire[30]. • Dans une étude de surveillance, 32 expositions au 1er trimestre[27].	Les propriétés pharmacologiques et les faibles données d'exposition font que la dihydroergotamine est déconseillée durant la grossesse.
Méthysergide	• Aucune donnée sur l'utilisation de méthysergide durant la grossesse.	Le méthysergide est déconseillé durant la grossesse.
Anti-inflammatoires non stéroïdiens (AINS)		

Diclofénac
Diflunisal
Étodolac
Ibuprofène
Indométhacine
Fénoprofène
Floctafénine
Flurbiprofène
Kétoprofène
Kétorolac
Méfénamique, acide
Nabumétone
Naproxène
Oxaprozin
Phénylbutazone
Piroxicam
Sulindac
Ténoxicam
Tiaprofénique, acide
	Fertilité
	• Infertilité réversible documentée dans quelques études et séries de cas[31]:
	  – ovulation inhibée ou retardée en présence d'un développement folliculaire normal[32, 33];
	  – effet pourrait être lié à la dose[31].
	
	Avortements spontanés (AS)
	• Association entre la prise d'AINS et un risque augmenté d'AS rapportée[34-36]. L'association est plus forte lors de prise d'AINS dans la semaine précédant l'AS[35, 36]. Le devis de ces études est critiqué, mais l'étude permettant d'estimer le risque le plus justement observait un risque d'AS augmenté surtout avec prise d'AINS en péri-conception et pendant plus d'une semaine[34]. Prise de moins d'une semaine pas associée à une augmentation du risque[34]. Les prostaglandines étant essentielles à l'implantation embryonnaire dans l'endomètre, il est biologiquement plausible que la prise d'un inhibiteur de la synthèse de prostaglandines au 1er trimestre puisse affecter l'implantation[34].
	
	Traitement au 1er trimestre
	• Anomalies majeures:
	  Des études de surveillance n'ont pas observé d'association entre une prise d'AINS au 1er trimestre et un risque augmenté de malformations majeures. Molécules les mieux documentées: ibuprofène (n= 4 400), naproxène (n=1 450), diclofénac (n=1 400) diflunisal (n>200), fénoprofène (n>100), kétoprofène (n>100) et piroxicam (n>100).
	  – Quatre études comportant plus de 10 000 expositions au 1er trimestre de grossesse[15, 35, 37, 38]. Trois études n'ont pas fait ressortir d'augmentation du risque de malformations congénitales. L'étude la plus récente a montré une association entre l'utilisation d'un AINS au 1er trimestre chez 1056 femmes et une augmentation du risque de malformations majeures (risque relatif ajusté de 2,21)[38].
		Les AINS devraient être évités chez une femme ayant une histoire d'infertilité.
		
		Il est possible que la prise d'AINS au début du 1er trimestre augmente le risque d'AS, en particulier lors de prise sur plus d'une semaine. Il est peu probable que la prise d'une dose unique, par exemple, puisse augmenter ce risque.
		
		Les AINS sont parmi les médicaments les plus utilisés durant la grossesse. De façon globale, on n'observe pas de risque augmenté de malformations majeures. On ne peut toutefois exclure un risque faiblement augmenté de malformations cardiaques, en particulier au niveau des communications interventriculaires ou inter-auriculaires. À noter que d'autres études ayant évalué ce risque n'ont pas pu établir d'association. L'exposition à quelques doses, même en période d'organogenèse cardiaque, ne nécessite probablement pas de suivi particulier.
		
		Au 2e trimestre, éviter un traitement de longue durée (plus de 5 jours consécutifs) en raison du risque d'oligohydramnios[41].
		
		À partir de 28 semaines de grossesse, l'utilisation des AINS est à proscrire.

Médicament	Données durant la grossesse	Recommandations, commentaires
	• Malformations cardiaques : – le risque de malformations cardiaques associé à la prise d'AINS au 1er trimestre est controversé. Si un risque existe, il est au maximum de 1,7 à 3,3 fois le risque de base et l'augmentation du risque serait attribuable surtout à des communications inter-ventriculaires ou inter-auriculaires[37-40] ; – d'autres études n'ont pas observé de risque augmenté de malformations cardiaques suite à la prise d'AINS au 1er trimestre[15]. **Traitement aux 2e et 3e trimestres** • Une prise sporadique au 2e trimestre n'est pas associée à des anomalies. Une prise prolongée sur plusieurs jours peut avoir un effet rénal chez le fœtus et mener à un oligohydramnios[15, 41]. • Augmentation des hémorragies intracrâniennes et des entérocolites nécrosantes chez des nouveau-nés prématurés ou de petit poids de naissance rapportées après exposition *in utero* aux AINS[41]. • Les AINS inhibent la synthèse des prostaglandines qui sont nécessaires au maintien de la perméabilité du canal artériel. On ne peut exclure une fermeture *in utero* de ce canal (pouvant alors mener à une hypertension pulmonaire pour l'enfant) suite à une prise d'AINS au 3e trimestre. • Trois notifications de cas de complications sévères attribuées à une exposition à l'indométhacine pendant respectivement 1 mois, 3 et 2 jours avant l'accouchement. Deux enfants ont présenté des œdèmes, un hydrops et une oligourie, des saignements gastro-intestinaux, une absence d'agrégation plaquettaire, des contusions sous-cutanées et une hémorragie intraventriculaire chez un enfant[15].	
Anti-inflammatoires non stéroïdiens sélectifs de la COX-2		
Célécoxib Lumiracoxib Méloxicam	**Célécoxib** • Hernie du diaphragme chez une espèce animale et anomalies squelettiques chez une autre espèce, avec des doses supérieures aux doses humaines recommandées[15]. • Aucune donnée d'exposition chez l'humain. **Lumiracoxib** • Aucune donnée d'exposition.	L'utilisation des AINS sélectifs de la COX-2 n'est pas recommandée pendant la grossesse dû à l'absence de données d'exposition chez la femme enceinte.

Médicament	Données durant la grossesse	Recommandations, commentaires
	Méloxicam • Anomalie du septum cardiaque chez une espèce animale et augmentation des mortinaissances chez une autre espèce, avec des doses supérieures aux doses humaines recommandées[15]. • Aucune donnée d'exposition chez l'humain.	
Aspirine **(Acide** **acétylsalycilique)**	**Fertilité** • Avec les AINS, on rapporte une infertilité réversible dans quelques études et séries de cas, attribuée à l'inhibition ou au retard de l'ovulation (voir AINS)[31-33]. • Toutefois, la prise d'aspirine à dose antiplaquettaire (80 à 100 mg par jour) a été utilisée dans le but d'améliorer le flot sanguin ovarien et utérin lors de fécondation *in vitro*. Une revue systématique de 7 études n'a pas observé d'impact positif à ce niveau, mais n'a pas observé d'association avec des risques non plus[42]. Le traitement était débuté au plus tôt 4 semaines avant le transfert d'embryon et généralement poursuivi jusqu'à la fin de l'organogenèse. **Avortements spontanés (AS)** • Association entre la prise d'AINS au 1er trimestre et un risque augmenté d'AS (voir AINS)[34-36]. Une des études incluait des femmes sous aspirine (posologie non spécifiée)[34]. • Une méta-analyse de 7 études et une autre étude publiée récemment n'ont pas observé d'association entre la prise d'aspirine et un risque augmenté d'AS[43, 44]. **Traitement au 1er trimestre** • Anomalies majeures : – plus de 17 000 femmes traitées au 1er trimestre sans augmentation du risque de base de malformation[15, 45]. Plus de 5000 de ces femmes avaient pris de l'aspirine pendant plus de 8 jours durant les 4 premiers mois de leur grossesse[46]. Pas d'évidence d'association avec des malformations majeures lorsque les études les ont évaluées individuellement, à part peut-être le gastroschisis. • Gastroschisis : – une méta-analyse de 5 études cas-témoins a observé une association entre une prise d'aspirine au 1er trimestre et un risque augmenté de gastroschisis, avec un RC de 2,37[45]. Cette anomalie étant relativement rare, le risque absolu demeure faible pour un enfant exposé au 1er trimestre.	• Dose ≤ 150 mg par jour n'est pas associée à des anomalies. • Dose > 150 mg par jour : prise au 1er trimestre non associée avec des anomalies ; prise sporadique au 2e trimestre non associée à des anomalies mais une prise prolongée sur quelques jours peut mener à un oligohydramnios ; prise à partir de 28 semaines à proscrire.

Médicament	Données durant la grossesse	Recommandations, commentaires
	• Développement neurologique : – une étude prospective a montré une association entre la prise modérée ou importante d'aspirine au 1er trimestre de la grossesse et un quotient intellectuel plus faible chez 421 enfants à l'âge de 4 ans[15, 47]. Cette association n'a pas été retrouvée dans une autre étude à plus large échelle[15, 47]. **Traitement aux 2e et 3e trimestres** • Dose ≤ 150 mg par jour : – plusieurs études ont évalué l'efficacité de l'aspirine ≤ 150 mg par jour dans la prévention de complications obstétricales (prééclampsie, RCIU, mort *in utero*) sans effet toxique observé pour le fœtus ou le nouveau-né[15] ; – dans les études où l'aspirine a été utilisée à cette posologie en fin de grossesse, aucune perturbation de l'hémostase chez l'enfant et chez la mère n'a été observée[48]. • Dose > 150 mg par jour : – Une prise sporadique au 2e trimestre n'est pas associée à des anomalies. Une prise prolongée sur plusieurs jours peut avoir un effet au niveau rénal chez le fœtus et mener à un oligohydramnios[15, 41]. – L'aspirine est un inhibiteur de la synthèse des prostaglandines qui sont nécessaires au maintien de la perméabilité du canal artériel. On ne peut exclure une fermeture *in utero* de ce canal (pouvant alors mener à une hypertension pulmonaire pour l'enfant) suite à la prise d'aspirine > 150 mg par jour au 3e trimestre[15, 47, 49]. • L'exposition à des doses élevées d'aspirine pendant la dernière semaine de la grossesse a été associée à une inhibition de l'agrégation plaquettaire et à des saignements intracrâniens chez des bébés prématurés mais pas chez les enfants nés à terme, ainsi qu'à des complications maternelles incluant l'anémie, l'hémorragie, ainsi qu'un travail prolongé[48].	

Médicament	Données durant la grossesse	Recommandations, commentaires
Association : butalbital + aspirine + caféine		
Butalbital	• 1236 expositions au 1er trimestre dans deux études épidémiologiques, sans augmentation du risque de malformation[15]. • Une notification de cas de sevrage sévère (irritabilité, trémulations, instabilité vasomotrice) chez un nouveau-né dont la mère a pris quotidiennement 150 mg de butalbital dans les deux derniers mois de la grossesse[50].	Une utilisation sporadique aux 1er ou 2e trimestres de la grossesse ne pose probablement pas de risque augmenté. Une utilisation au 3e trimestre est à éviter dû au contenu en aspirine de l'association. Les inquiétudes rapportées avec certains autres barbituriques (voir phénobarbital dans le chapitre 32. *Épilepsie*) justifient probablement de ne pas utiliser le butalbital en 1er recours.
Caféine	• Pas d'association entre la prise de caféine et des anomalies structurelles[51, 52]. • Pas de preuve d'association entre la prise de caféine et d'autres anomalies. Des études ont démontré que la prise de caféine, surtout à des doses élevées, augmentait le risque d'AS et de RCIU. Ces études comportaient des failles méthodologiques importantes. À des doses de moins de 300 mg par jour, la prise de caféine ne semble pas être associée à des risques additionnels pour le déroulement de la grossesse[51-53].	Aux quantités présentes dans les préparations analgésiques (généralement de 40 mg ou moins par comprimé), on ne s'attend pas à ce qu'une exposition à la caféine par les analgésiques augmente le risque de base d'anomalie. Tenir compte de la prise de caféine en dehors de la médication pour respecter le maximum quotidien de 300 mg de caféine recommandé par Santé Canada[53].
Opiacés		
Tous les opiacés ont le potentiel d'exposer le nouveau-né à un risque de sevrage ou de la dépression respiratoire lorsqu'ils sont utilisés en fin de grossesse ou durant le travail. La sévérité des symptômes dépend de la dose et de la durée du traitement utilisées[41]. Toutefois, ils demeurent une option de traitement de 1er recours en fin de grossesse lorsque l'acétaminophène n'est pas efficace dans le soulagement de la douleur.		
Butorphanol	• Aucune donnée d'exposition durant le 1er trimestre, les seules données concernent l'administration intraveineuse pour l'analgésie durant l'accouchement. L'utilisation en intraveineux durant le travail a été associée à un rythme cardiaque fœtal sinusoïdal[54]. • Le butorphanol passe la barrière placentaire[55].	Vu le peu de données disponibles et les effets indésirables potentiels, l'utilisation de butorphanol intranasal n'est pas recommandée durant la grossesse.
Codéine	• Plus de 7000 expositions au 1er trimestre dans des études de surveillance, sans augmentation du risque de malformation[5, 27]. • Pour une utilisation en fin de grossesse, des cas de syndrome de sevrage sont décrits même pour des posologies habituelles[56].	La codéine est un des opiacés de 1er recours durant la grossesse.

Médicament	Données durant la grossesse	Recommandations, commentaires
Fentanyl	• Ni embryotoxique ni tératogène chez le rat à des doses allant jusqu'à 500 µcg/kg/jour[57]. • Passe la barrière placentaire[58, 59]. • Aucune donnée concernant les issues de grossesses de femmes exposées durant leur grossesse pour une utilisation antalgique régulière. • Une notification de cas : syndrome de sevrage chez un bébé d'une mère exposée durant toute sa grossesse à 125µg/h de fentanyl en timbre. Le bébé ne présentait aucune malformation et aucun traitement pharmacologique n'a finalement été nécessaire[60].	Vu le peu de données disponibles, l'utilisation de fentanyl durant la grossesse n'est pas recommandé pour un traitement antalgique au 1er trimestre. Cependant, en pratique, il est utilisé après le 1er trimestre (par analogie aux opiacés mieux connus).
Hydrocodone	• Structurellement relié à la codéine. • Dans une étude de surveillance, 60 cas d'exposition dont 12 durant le 1er trimestre : aucune augmentation du risque de malformation[27]. • Dans une autre étude de surveillance, 332 femmes exposées au 1er trimestre : au total, 24 malformations majeures rapportées contre 14 attendues. Il est difficile de conclure à un lien de causalité à partir de ces résultats[15].	Vu le peu de données disponibles, l'hydrocodone n'est pas utilisée en 1er recours durant le 1er trimestre. On lui préférera la codéine, structurellement proche et pour laquelle davantage de données sont disponibles.
Hydromorphone	• Dans une étude de surveillance, 61 cas d'exposition dont 12 au 1er trimestre : aucune augmentation du risque malformation[27].	Vu le peu de données disponibles, l'hydromorphone n'est pas conseillé en 1er recours durant le 1er trimestre. Cependant, en pratique, il est utilisé après le 1er trimestre.
Mépéridine (Péthidine)	• Plus de 300 femmes ont été exposées durant le 1er trimestre et 1100 à un moment durant la grossesse dans 2 études de surveillance. Aucune augmentation du risque de malformation n'a été observée[15, 27]. • Son métabolite, la normépéridine, possède une longue $t_{1/2}$ (24 à 48 heures)[13]. Lorsque la mépéridine est utilisée pour l'anesthésie durant l'accouchement, une diminution des scores neuro-comportementaux a été observée chez les nouveau-nés, proportion-nellement à la dose utilisée[61].	Les données quand à une exposition occasionnelle ou de courte durée sont rassurantes. Cependant, vu la longue demi-vie du métabolite, une utilisation chronique de mépéridine n'est pas conseillée, en particulier en fin de grossesse.
Méthadone	Chapitre 9. *Substances illicites*.	
Morphine	• Dans une étude de surveillance, 70 femmes traitées au 1er trimestre et 448 à un moment durant la grossesse : aucune augmentation du risque de malformation[27]. • Largement utilisée pour l'analgésie péridurale lors de l'accouchement.	La morphine est un opiacé de 1er recours chez la femme enceinte.

Médicament	Données durant la grossesse	Recommandations, commentaires
Nalbuphine	• Pas d'effets tératogène observé chez 2 espèces animales à des doses supérieures aux doses humaines[15]. • Traverse la barrière placentaire[15, 46]. • Durant la grossesse, la nalbuphine a surtout été utilisée pendant le travail avec une efficacité et un profil d'effets secondaires similaires aux autres opiacés[15].	La nalbuphine n'est pas l'opiacé de 1er recours durant la grossesse.
Oxycodone	• Structurellement proche de la codéine. • Dans une étude de surveillance, 8 cas d'exposition durant le 1er trimestre rapportés[27]. • 359 cas d'exposition durant le 1er trimestre de grossesse, sans augmentation du risque de base de malformations[15, 62].	On ne s'attend pas à un risque augmenté d'anomalies suite à la prise d'oxycodone durant la grossesse.
Pentazocine	• Agoniste-antagoniste des récepteurs aux opiacés. • Études rapportant l'exposition à la pentazocine durant la grossesse concernent son utilisation comme drogue d'abus. Les femmes étaient exposées à d'autres substances et il est difficile d'analyser les issues de grossesse[63-65]. • Un syndrome de sevrage du nourrisson rapporté après exposition d'une femme durant toute sa grossesse à la pentazocine 50 mg toutes les 4 heures au besoin[66].	L'exposition occasionnelle à ce médicament est rassurante, toutefois on privilégiera un opiacé mieux documenté chez la femme enceinte.
Propoxyphène (dextro-propoxyphène)	• Plus de 1500 femmes exposées durant le 1er trimestre dans 2 études de surveillance sans augmentation du risque de malformations[5, 27]. Malformations décrites, mais survenue non directement liée à l'exposition au dextropropoxyphène (prise d'autres médicaments, pas de tableau de malformations, cas rares). • Longue $t_{1/2}$ (30 à 36 heures) de son métabolite, le norpropoxyphène[13].	L'exposition occasionnelle à ce médicament est rassurante, toutefois on privilégiera un opiacé mieux documenté chez la femme enceinte.
Tramadol	• Non tératogène chez 2 espèces animales[15]. • Traverse la barrière placentaire[15]. • Données durant la grossesse surtout pour une utilisation durant le travail[15].	Le tramadol n'est pas l'opiacé de 1er recours durant la grossesse.

Médicament	Données durant la grossesse	Recommandations, commentaires
Relaxants musculaires		
Cyclobenzaprine	• Proche structurellement des antidépresseurs tricycliques. • 545 expositions au 1er trimestre sans augmentation du risque de malformations dans une étude de surveillance[15].	Sa structure proche des antidépresseurs tricycliques fait que la cyclobenzaprine peut être utilisée durant la grossesse.
Méthocarbamol	• 27 expositions rapportées par le fabriquant au 1er trimestre sans malformation observée[15]. • 362 expositions rapportées dans 2 études de surveillance durant le 1er trimestre de la grossesse sans augmentation du risque de malformation[15, 27]. • Un cas de contracture articulaire multiple rapporté après une exposition de 3 jours à 750 mg 2 à 3 fois par jour de méthocarbamol à 2 mois de grossesse[67].	Les données restent limitées quant à l'utilisation de méthocarbamol durant la grossesse. On préfère utiliser la cyclobenzaprine comme relaxant musculaire.
Orphénadrine	• 411 expositions dans une étude de surveillance au 1er trimestre sans augmentation du risque de malformations[15].	Les données restent trop limitées pour recommander son utilisation durant la grossesse. On préfère utiliser la cyclobenzaprine comme relaxant musculaire.
Analgésiques topiques		
Camphre	• Études chez 2 espèces animales ne suggèrent pas d'effet tératogène[15]. • 168 expositions au 1er trimestre et 763 expositions tous trimestres confondus dans une étude de surveillance sans augmentation du risque d'anomalies[15]. • Quatre notifications de cas d'ingestion durant la grossesse, incluant un cas de décès fœtal et un cas d'insuffisance respiratoire néonatale[15].	Privilégier l'utilisation de salicylate de triéthanolamine si possible. Toutefois, l'utilisation du camphre pose probablement peu de risques.
Capsaïcine	• Étude chez une espèce animale : pas d'augmentation des malformations structurelles, mais changements biochimiques au niveau du système nerveux central et diminution des mouvements fœtaux observés[46, 71]. • Aucune donnée chez l'humain.	En l'absence de données chez la femme enceinte, l'utilisation de la capsaïcine n'est pas recommandée.
Diclofénac topique	• Les concentrations sériques obtenues sont 1,5 % de celles obtenues suite à la prise de 50 mg par voie orale[14]. • Ce produit contient également 45 % de dimethyl-sulfoxide : aucune donnée chez l'humain, effets tératogènes chez 4 espèces[14].	Le diclofénac topique n'est pas un traitement de 1er recours. Les concentrations sériques obtenues sont faibles, cependant l'utilisation d'un pansement occlusif et une application sur une surface importante n'est pas recommandée.

Médicament	Données durant la grossesse	Recommandations, commentaires
	• Une notification de cas de constriction réversible du canal artériel chez un fœtus de 35 semaines suite à l'application pendant 2 jours chez sa mère de diclofénac au niveau des épaules et du cou, couvert d'un timbre contenant du camphre, du menthol et du salicylate de méthyle pendant toute la nuit[68].	
Eucalyptus	• Étude chez une espèce animale de suggère pas d'effet tératogène[71]. • Aucune donnée chez la femme enceinte.	En l'absence de données chez la femme enceinte, privilégier l'utilisation de salicylate de triéthanolamine.
Menthol	• Études chez 4 espèces animales ne suggèrent pas d'effet tératogène[46]. • Absorption percutanée rapportée[71]. • Aucune donnée chez la femme enceinte.	Les données ont trop limitées pour estimer un risque. Il est toutefois peu probable que le menthol constitue un risque majeur. Privilégier l'utilisation de salicylate de triéthanolamine si possible.
Salicylate de méthyle	• Suite à l'application de 5 g d'onguent 12,5 %, 2 fois par jour pour 8 doses sur une peau intacte au niveau de la jambe, les concentrations maximales de salicylates correspondent à près de 10 % des concentrations mesurées suite à la prise orale d'aspirine 650 mg[69, 70]. • L'aspirine est métabolisée en acide salicylique au niveau hépatique et le salicylate de méthyl-triéthanolamine est métabolisé en acide salicylique au niveau cutané.	1er et 2e trimestres : on ne s'attend pas à ce qu'un utilisation occasionnelle constitue un facteur de risque additionnel. 3e trimestre : utilisation non recommandée. L'utilisation de salicylate de triéthanolamine, beaucoup moins absorbé, est à privilégier à tous les trimestres de la grossesse.
Salicylate de triéthanolamine (trolamine)	• Aucune donnée chez l'humain, mais données disponibles avec l'aspirine. • L'aspirine est métabolisée en acide salicylique au niveau hépatique et le salicylate de triéthanolamine est métabolisé en acide salicylique au niveau cutané. • Suite à l'application de 10 g de crème 10 % sur une peau intacte au niveau du genou, les concentrations sériques de salicylates mesurées correspondent à moins de 1 % de celles mesurées suite à la prise orale d'un comprimé d'aspirine 500 mg[69].	On ne s'attend pas à ce qu'une application topique sur une région limitée puisque constituer un facteur de risque additionnel d'anomalies. Il est recommandé de ne pas faire de massage excessif ou d'appliquer de la chaleur car l'absorption s'en trouverait ainsi augmentée.

Médicament	Données durant la grossesse	Recommandations, commentaires
Prophylaxie des céphalées et des migraines		
Cyproheptadine	• Dans une étude de surveillance, 285 expositions au 1er trimestre sans augmentation du risque de malformation[15]. • Deux cas d'exposition au 1er trimestre lors de tentatives de suicide. Un des 2 enfants est né avec un hypospadias et d'autres anomalies mineures[72]. • Parfois utilisée pour prévenir la récidive d'AS ou pour le traitement de syndrome de Cushing[73-75].	D'autres agents plus connus peuvent être utilisés durant la grossesse. L'utilisation de la cyproheptadine n'est pas recommandée pour un traitement de migraine durant la grossesse. Une exposition accidentelle ne serait pas inquiétante.
Flunarizine	• Association avec des anomalies des doigts, RCIU et décès embryonnaires chez le rat et le lapin à des doses supérieures à la dose humaine recommandée[47, 71]. • 50 femmes fumeuses traitées à partir de 5 mois de grossesse dans le but de prévenir un RCIU/poids de naissance supérieur par rapport au groupe placebo. • Les autres issues de grossesse ne sont pas rapportées[76].	Les données sont trop limitées pour conclure quant à son innocuité durant la grossesse.
Grande camomille (feverfew)	• Chez le rat, diminution du poids fœtal, mais pas d'augmentation du risque de malformations ou de résorptions[47]. • Inhibition de l'agrégation plaquettaire *in vitro*, inhibition de la synthèse des prostaglandines et effet abortif rapporté[77]. • Aucune donnée d'exposition chez la femme enceinte.	Utilisation déconseillée chez la femme enceinte.
Magnésium	• Une étude de surveillance rapporte 141 expositions durant la grossesse dont 6 au 1er trimestre sans augmentation du risque de malformations[46]. • Deux études randomisées regroupant 463 femmes enceintes qui recevaient environ 360 mg de magnésium par jour par voie orale pour la prévention du travail préterme. L'âge gestationnel lors du début du traitement était en moyenne de 18 semaines (13 à 24) pour une étude et de moins de 16 semaines pour l'autre. Ces études n'ont pas évalué les anomalies congénitales. Une étude a montré une baisse du nombre d'accouchements et des admissions des nouveau-nés aux soins intensifs. La 2e étude n'a pas montré de différence par rapport au groupe témoin pour ces mêmes issues[15, 78].	On ne s'attend pas à un risque augmenté pour le déroulement de la grossesse lors d'utilisation de doses recommandées pour la prophylaxie de la migraine (400 à 600 mg/jour).

Médicament	Données durant la grossesse	Recommandations, commentaires
	• Le sulfate de magnésium par voie intraveineuse a été utilisé à doses élevées pour la prévention du travail préterme et de l'éclampsie. À ces doses, on observe des effets secondaires chez la mère et chez le nouveau-né[15].	
Nimodipine	• Résultats contradictoires au sujet de son risque tératogène et embryotoxique dans les études animales[15]. • Passage transplacentaire sans toxicité chez 10 femmes à terme pendant 24 heures avant l'accouchement et lors du suivi pendant 24 heures *post-partum*[15]. • Chez 4 femmes, traitées par une dose de nimodipine avant une césarienne : passage transplacentaire mais pas d'effet chez les nouveau-né à la naissance et 6 semaines *post-partum*[15]. • Une cohorte prospective de 78 expositions aux bloquants du canal calcique dont 11% avec la nimodipine durant le 1er trimestre n'indique pas d'association avec des malformations congénitales[79].	Les données sur l'utilisation de la nimodipine durant la grossesse sont trop limitées pour la recommander comme prophylaxie de la migraine chez la femme enceinte.
Pizotyline (pizotifen)	• Chez la souris, pas d'augmentation du risque d'anomalies structurales, mais diminution du poids fœtal[47]. • Aucune donnée d'exposition chez la femme enceinte.	Utilisation non recommandée chez la femme enceinte.
Riboflavine	• La riboflavine est une vitamine hydrosoluble[14]. • Transport placentaire actif et concentrations fœtales plus élevées que les concentrations plasmatiques maternelles[15]. • L'administration chez la rate à des doses supérieures à la dose recommandée dans la diète n'a pas causé d'augmentation d'anomalies[46]. • Pas de cas de toxicité rapportée en grossesse, mais les doses utilisées lors de carence en riboflavine ne dépassaient pas 20 mg par jour (les doses recommandées dans ces conditions varient de 5 à 30 mg par jour)[14, 15]. • Pas de notification de cas d'exposition en grossesse à la dose recommandée dans la prophylaxie de la migraine.	La dose de 400 mg orale par jour utilisée pour la prophylaxie de la migraine est supérieure aux doses utilisées lors de carence en riboflavine et il est impossible avec les données actuelles de la recommander[14].

RCIU : retard de croissance intra-utérine, AS : avortement spontané.

Données sur l'innocuité des médicaments au cours de l'allaitement

L'innocuité de plusieurs médicaments utilisés pour la prophylaxie de la migraine est traitée dans divers autres chapitres :

- Chapitre 30. *Dépression et troubles anxieux.*

  Amitriptyline, doxépine, imipramine, nortriptyline, phénelzine, fluoxétine, fluvoxamine, paroxétine, sertraline, bupropion, mirtazapine, trazodone, venlafaxine.

- Chapitre 32. *Épilepsie.*

  Acide valproïque, divalproex, carbamazépine, gabapentin, topiramate.

- Chapitre 11. *Hypertension artérielle.*

  Aténolol, métoprolol, nadolol, propranolol, timolol, diltiazem, vérapamil.

TABLEAU IV – DONNÉES D'INNOCUITÉ DES ANALGÉSIQUES ET DES MÉDICAMENTS UTILISÉS DANS LA PROPHYLAXIE DE LA MIGRAINE DURANT L'ALLAITEMENT		
Médicament	**Données durant l'allaitement**	**Recommandations, commentaires**
Analgésiques systémiques		
Acétaminophène (paracétamol)	• Faible passage dans le lait maternel : l'enfant allaité est exposé à moins de 10 % de la dose pédiatrique[80]. • Un cas de rash chez un nourrisson associé à la prise d'acétaminophène chez sa mère[81]. • Aucun autre effet indésirable rapporté avec l'utilisation d'acétaminophène durant l'allaitement.	L'acétaminophène est un analgésique et un antipyrétique de 1er recours durant l'allaitement.
Agonistes des récepteurs 5-HT1 (Triptans)		
Almotriptan	• Pas de donnée sur son passage dans le lait maternel.	L'utilisation occasionnelle d'élétriptan ou de sumatriptan est compatible avec l'allaitement.
Elétriptan	• L'enfant allaité reçoit 0,02 % de la dose maternelle par le lait maternel sur une période de 24 heures (n = 8, dose unique de 80 mg)[82].	
Naratriptan	• Pas de donnée sur son passage dans le lait maternel.	
Rizatriptan	• Pas de donnée sur son passage dans le lait maternel.	
Sumatriptan	• Faible passage dans le lait maternel : l'enfant allaité est exposé au maximum à 3,5 % de la dose maternelle ajustée au poids (n=5, dose unique de 6 mg par voie sous-cutanée)[83]. • Aucun effet indésirable rapporté chez les nourrissons (n = 32)[84, 85].	

Médicament	Données durant l'allaitement	Recommandations, commentaires
Zolmitriptan	• Pas de donnée sur son passage dans le lait maternel.	
Alcaloïdes de l'ergot		
Ergotamine	• Pas de donnée sur son passage dans le lait maternel. • L'ergotamine possède des propriétés vasoconstrictrices qui semblent pouvoir compromettre la réussite de l'allaitement. • Cas rapportés de vomissements, diarrhées et convulsions chez le nourrisson[87].	L'utilisation des dérivés de l'ergot est déconseillée durant l'allaitement.
Dihydroergotamine	• Pas de donnée sur son passage dans le lait maternel.	
Méthysergide	• Pas de donnée sur son passage dans le lait maternel.	
Anti-inflammatoires non stéroïdiens (AINS)		
Diflunisal	• Faible passage dans le lait maternel : l'enfant allaité est exposé au maximum à 5,5 % de la dose maternelle ajustée au poids[15, 86].	Plusieurs AINS sont compatibles avec l'allaitement. Les agents de 1er recours suivants sont sélectionnés en se basant sur leur utilisation connue en pédiatrie, leur utilisation répandue en pratique chez la femme qui allaite ou encore sur la qualité des données disponibles sur leur faible passage dans le lait maternel : diclofénac, ibuprofène, indométhacine, flurbiprofène, naproxène.
Diclofénac	• Faible passage dans le lait maternel : l'enfant allaité est exposé au maximum à environ 1% de la dose pédiatrique (n = 7)[14, 86, 88, 89]. • Diclofénac topique : les concentrations sériques obtenues sont 1,5 % de celles obtenues suite à prise de 50 mg par voie orale[14]. Ce produit contient également 45 % de dimethylsulfoxide pour lequel aucune donnée n'est disponible durant l'allaitement.	
Etodolac	• Pas de donnée sur son passage dans le lait maternel.	
Floctafénine	• L'enfant allaité est exposé au maximum à 2,7 % de la dose maternelle ajustée au poids (n = 11, dose unique de 200 mg)[90].	
Flurbiprofène	• L'enfant allaité est exposé à moins de 5 % de la dose pédiatrique (n = 22)[13, 86, 91].	
Ibuprofène	• L'enfant allaité est exposé au maximum à 1% de la dose pédiatrique (n = 14, jusqu'à 1600 mg par jour pendant 17 jours)[15, 86, 88, 89, 91]. • Aucun effet indésirable rapporté (n = 23)[86, 92].	
Indométhacine	• L'enfant allaité est exposé au maximum à 4 % de la dose néonatale (utilisé en néonatalogie pour la fermeture du canal artériel, sinon peu utilisé en pédiatrie), (n = 24)[15, 86, 88, 89, 91]. • Un cas de convulsion chez un nourrisson, lien de causalité non établi[89].	

Médicament	Données durant l'allaitement	Recommandations, commentaires
Kétoprofène	• Pas de donnée sur son passage dans le lait maternel.	
Kétorolac	• L'enfant allaité est exposé à moins de 1% de la dose pédiatrique (indiqué en pédiatrie seulement pour administration en dose unique), (n = 10, aucun enfant allaité durant l'étude)[88-91].	
Méfénamique, acide	• L'enfant allaité est exposé au maximum à environ 1% de la dose maternelle ajustée au poids (n = 10)[15, 86, 91]. • Médicament détectable chez 3 nourrissons sur 10 à des concentrations sériques inférieures à 10% des concentrations maternelles[15, 86, 91].	
Nabumétone	• Pas de donnée sur son passage dans le lait maternel.	
Naproxène	• L'enfant allaité est exposé au maximum à 3,6% de la dose pédiatrique (n = 1, 500 à 750 mg par jour)[86, 89, 91, 93]. • Une notification de cas d'anémie aiguë, de rectorragie, d'hématurie et de saignement prolongé au site de ponction veineuse (pas d'analyse de la fonction plaquettaire de l'enfant)[94]. • Vingt expositions sans effet indésirable grave (2 cas de somnolence et un cas de vomissement, sans nécessité de consultation médicale)[92].	
Oxaprozin	• Pas de donnée sur son passage dans le lait maternel.	
Phénylbutazone	• Données disponibles ne permettent pas d'évaluer l'exposition au médicament par l'enfant allaité[15].	
Piroxicam	• L'enfant allaité est exposé au maximum à 16% de la dose pédiatrique (n = 6)[86, 89, 91, 95, 96]. • Médicament non détectable dans le sérum d'un enfant exposé[96]. • Pas d'effet indésirable rapporté chez 5 enfants exposés à long terme[86, 89, 91, 95, 96].	
Sulindac	• Pas de donnée sur son passage dans le lait maternel.	
Ténoxicam	• L'enfant allaité est exposé au maximum à 4,5% de la dose maternelle ajustée au poids (n = 6, dose unique de 40 mg)[91]. Utilisation non recommandée en pédiatrie.	
Tiaprofénique, acide	• L'enfant allaité est exposé au maximum à 1% de la dose pédiatrique (posologie documentée, mais utilisation non recommandée en pédiatrie), (n = 3, dose unique de 300 mg)[90].	

Médicament	Données durant l'allaitement	Recommandations, commentaires
Anti-inflammatoires non stéroïdiens sélectifs de la COX-2		
Célécoxib	• L'enfant allaité est exposé au maximum à 2% de la dose pédiatrique (posologie documentée, mais utilisation non recommandée en pédiatrie), (n = 12, 200 mg par jour, seulement 3 de ces enfants étaient allaités)[89, 97, 98]. • Jusqu'à 8,6% de la dose pédiatrique (n = 13, 400 à 800 mg par jour) dans une autre étude. Le manque de données sur la méthode rend difficile l'interprétation de ces résultats[99]. • Médicament non détectable dans le plasma de 2 enfants (enfant de 17 et 22 mois)[89]. • Aucun effet indésirable décrit chez les bébés (n = 2)[89].	L'utilisation des autres AINS sélectifs de la COX-2 n'est pas recommandée vu l'absence de données. Privilégier un autre AINS durant l'allaitement. Toutefois, si une femme ne peut prendre un AINS non sélectif pour la COX-2, la prise de célécoxib amène une très faible exposition chez le nourrisson et ne nécessite pas d'arrêt de l'allaitement.
Lumiracoxib	• Pas de donnée sur son passage dans le lait maternel.	
Méloxicam	• Pas de donnée sur son passage dans le lait maternel.	
Aspirine (Acide acétylsalicylique)	• Pourcentage transféré dans le lait maternel augmente avec la dose[100]. • Passage dans le lait maternel non évalué à une dose antiplaquettaire de 80 mg par jour. • Dose unique de 500 à 1000 mg: l'enfant allaité peut être exposé à une dose antiplaquettaire (0,24-3,2 mg/kg/jour par le lait alors que la dose antiplaquettaire en pédiatrie est de 3 à 5 mg/kg/jour), (n = 36)[86, 88, 91, 100-102]. • Dose supérieure à 1000 mg: – quatre cas avec prise chronique de 1,4 à 5,9 g par jour: un nourrisson avait une exposition causant un effet antiplaquettaire et analgésique, un autre a eu une acidose métabolique et une détresse respiratoire, les 2 autres enfants n'ont pas présenté d'effets indésirables[15, 88, 103-106]. – dose unique de 1500 mg: exposition estimée chez l'enfant allaité de 7,2 mg/kg/jour (n = 6)[100]. • Quinze expositions durant l'allaitement sans effet indésirable chez le nourrisson (doses utilisées non rapportées)[92]. • Thrombocytopénie, fièvre, anorexie et pétéchies chez un nourrisson de 5 mois[107]. • Un cas d'hémolyse chez un nourrisson de 23 jours ayant un déficit en G6PD[108].	Pour l'effet analgésique ou antipyrétique, un autre médicament devrait idéalement être choisi (l'acétaminophène ou un autre AINS). Il n'y a pas lieu de décourager un allaitement chez une femme prenant une dose antiplaquettaire de 81 mg par jour, car il est très peu probable qu'une si faible exposition puisse entraîner un effet néfaste chez le nourrisson. Pour les doses anti-inflammatoires (plus de 2,4 g par jour), les données sont moins claires et une évaluation des risques et bienfaits est nécessaire. Un suivi des concentrations sériques de salicylates chez le nourrisson pourrait être effectuée.

Médicament	Données durant l'allaitement	Recommandations, commentaires
	**Association : butalbital + aspirine + caféine**	
Butalbital	• Pas de donnée sur son passage dans le lait maternel. • Demi-vie de 40 à 140 heures mène à une exposition prolongée[89].	En se basant sur le passage dans le lait maternel de certains autres barbituriques (voir phénobarbital dans le chapitre 32. *Épilepsie*), une utilisation sporadique pose probablement peu de risques durant l'allaitement, mais ce n'est pas une option de traitement à privilégier. Une prudence s'impose toutefois dans le cas d'une jeune nourrisson ou encore dans le cas d'un nourrisson qui présenterait des problèmes respiratoires. L'exposition à l'aspirine peut devenir préoccupante selon la dose utilisée (voir *Aspirine*).
Caféine	• Faible passage dans le lait maternel lors de prise en faible quantité (jusqu'à 300 mg par jour) : l'enfant allaité est exposé au maximum à 0,2 à 1 mg/kg/jour, une quantité jugée trop faible pour avoir un effet cliniquement significatif (n = 92) [15, 86, 89-91]. • Lors de prise plus importante (500 à 750 mg par jour), l'enfant allaité est exposé au maximum à 0,24 à 4,3 mg/kg/jour, la dose la plus élevée étant similaire aux doses utilisées dans le traitement de l'apnée du prématuré (n = 11) [15, 86, 89-91]. • Cinq cas d'effets indésirables rapportés : symptômes incluant agitation, irritabilité, perturbation du sommeil, tremblements et hypertonie. Dans tous les cas la mère prenait plus de 300 mg de caféine par jour [15, 86, 89-91]. • Une étude n'a pas observé d'impact sur la fréquence cardiaque et le sommeil de nourrissons exposés à la caféine par le lait (n = 11, 500 mg/jour) [15, 91].	La prise de caféine en faible quantité est jugée compatible avec l'allaitement. Tel que recommandé par Santé Canada, ne pas dépasser 300 mg par jour, en tenant compte de l'apport par les médicaments et par l'alimentation et les habitudes de vie (café, thé, cola, chocolat, par exemple) [53].
	**Opiacés**	
	En général, pour les opiacés utilisés aux doses habituelles, on a des données suggérant un faible passage dans le lait maternel. Toutefois, un suivi particulier du nourrisson est suggéré lors d'utilisation de doses plus élevées prises de façon continue.	
Butorphanol	• L'enfant allaité est exposé au maximum à 2% de la dose pédiatrique (posologie documentée, mais utilisation non recommandée en pédiatrie) (n = 12, administration d'une dose unique, enfants non allaités durant l'étude) [55, 90].	Une utilisation occasionnelle de butorphanol par voie intranasale est compatible avec l'allaitement.

Médicament	Données durant l'allaitement	Recommandations, commentaires
Codéine	• L'enfant est exposé au maximum à 1,2 % de la dose pédiatrique (n = 11, 1 à 12 doses par jour)[109]. • Médicament largement utilisé en pédiatrie. • Quatre cas d'apnée chez des enfants exposés par l'allaitement où les mères prenaient 60 mg toutes les 4 à 6 heures alors que codéine n'était pas détecté dans le sérum des enfants. Les apnées ont cessé après l'arrêt du traitement de la mère[110]. • Un cas récemment rapporté de décès au 13e jour de vie du nourrisson allaité par une mère prenant 60 mg par voie orale 2 fois par jour puis la moitié de la dose à partir du 2e jour après l'accouchement. La mère était métabolisatrice ultra-rapide de codéine en morphine et au jour 10, des concentrations de 87 ng/mL de morphine dans le lait ont été mesurées (concentrations usuelles dans le lait de 1,9 à 20,5 ng/mL). Ce sont les signes de constipation et de surdosage présentés par la mère qui avaient mené à la diminution de la dose[111].	Son faible passage dans le lait et son utilisation en pédiatrie fait que la codéine est considérée dans les 1ers choix de médicaments antalgiques en allaitement. Il est souvent administré aux mères pour traiter leur douleur en post-partum. Une dose cumulative de moins de 240 mg par jour est recommandée par certains auteurs[86]. Une attention particulière à des signes de surdosage (somnolence, constipation) doit être portée pour la mère comme pour l'enfant pour éviter une exposition trop importante du nourrisson.
Fentanyl	• L'enfant allaité est exposé au maximum à moins de 1 % de la dose pédiatrique (n = 36, 50 à 400 µg durant une anesthésie ou l'accouchement)[86, 88-90, 112, 113]. • Courte $t_{1/2}$ (2 à 4 heures)[89].	Le faible passage du fentanyl dans le lait est rassurant. Cependant aucune donnée pour le timbre ou pour des traitements prolongés chez la mère n'est disponible.
Hydrocodone	• L'enfant allaité est exposé au maximum à 3 % de la dose pédiatrique (n = 2, doses de 10 à 35 mg/jour)[88, 114]. • Une notification de cas d'un enfant très somnolent. Effet indésirable disparu suite à la diminution de la dose de 20 mg à 10 mg par voie orale toutes les 4 heures[114]. • Bon recul d'utilisation chez la femme qui allaite[89].	L'utilisation occasionnelle ou de courte durée de l'hydrocodone est compatible avec l'allaitement. De façon similaire à la codéine, l'hydrocodone est métabolisée en hydromorphone et l'exposition du nourrisson pourrait être augmentée chez une mère métabolisatrice ultra-rapide.
Hydromorphone	• L'enfant allaité est exposé à moins de 2% de la dose pédiatrique (n = 8, dose de 2 mg, enfants non allaités durant l'étude)[88, 115].	Par analogie avec la morphine et vu le faible passage dans le lait, l'utilisation d'hydromorphone est compatible avec l'allaitement à des doses analgésiques habituelles.
Mépéridine (Péthidine)	• La $t_{1/2}$ de la mépéridine est plus longue chez les nouveau-nés (13 heures par rapport à 3 heures chez l'adulte)[88]. Son métabolite, la normépéridine, possède une longue $t_{1/2}$ (30 à 85 heures chez le nouveau-né par rapport à 8 à 16 heures chez l'adulte)[88] et est encore détecté dans le lait 56 heures après une administration intramusculaire de 50 mg chez la mère[116].	L'utilisation prolongée de mépéridine n'est pas conseillée durant l'allaitement. Cependant, une exposition ponctuelle n'est pas inquiétante en regard du faible passage dans le lait et de sa faible absorption par voie orale.

Médicament	Données durant l'allaitement	Recommandations, commentaires
	• L'enfant allaité est exposé à moins de 2 % de la dose pédiatrique (n = 24, doses de 25 à 75 mg, traitement de courte durée)[86, 88-90]. • La normépéridine peut s'accumuler chez le nouveau-né et mener à des convulsions[88]. • Dépression neuro-comportementale chez 5 nourrissons allaités dont les mères recevaient une analgésie contrôlée par le patient (ACP) de mépéridine, contrairement aux nouveau-nés de mères traitées par morphine[117].	
Méthadone	Voir chapitre 9. *Substances illicites*	
Morphine	• L'administration de morphine semble inhiber la libération d'ocytocine, mais l'impact clinique n'est pas établi[118]. • Passage faible à modéré selon la dose utilisée : l'enfant allaité est exposé à des doses pouvant aller jusqu'à 7,5 % de la dose pédiatrique (n = 55)[86, 88-90, 119]. • Un nourrisson de mère exposée à des petites doses de morphine par voie orale en sevrage (10 mg 4 fois par jour puis 5 mg 4 fois par jour) peut présenter des concentrations plasmatiques analgésiques de morphine[120].	La morphine est largement utilisée comme traitement antalgique chez les femmes allaitant. La faible absorption par voie orale et la publication de plusieurs cas de présence en concentration faible dans le lait est rassurante. Cependant on ne peut exclure pour des prises prolongées et à forte dose la survenue de sédation et de dépression respiratoire chez le nourrisson.
Nalbuphine	• La nalbuphine a été documentée surtout lors d'utilisation pendant le travail. Les concentrations plasmatiques sont non détectables chez les nourrissons[86, 90].	Une utilisation de courte durée est compatible avec l'allaitement.
Oxycodone	• L'enfant allaité est exposé à moins de 5 % de la dose pédiatrique (n = 6). Aucun effet indésirable n'a été noté[121].	Les données de passage dans le lait ainsi que sa proximité structurelle avec la codéine font que la prise occasionnelle d'oxycodone est compatible avec l'allaitement.
Pentazocine	• Pas de donnée sur son passage dans le lait maternel.	L'utilisation de pentazocine n'est pas conseillée durant l'allaitement vu l'absence de donnée.
Propoxyphène (dextro-propoxyphène)	• L'enfant allaité reçoit moins de 2 % de la dose pédiatrique (n = 7)[88, 122]. • Longue $t_{1/2}$ de son métabolite, le norpropoxyphène, (30 à 36 heures)[13]. • Pas d'effet indésirable rapporté à ce jour.	L'utilisation du propoxyphène semble sécuritaire durant l'allaitement. Cependant, vu la longue $t_{1/2}$ de son métabolite, on lui préfère d'autres opiacés.
Tramadol	• L'enfant allaité est exposé au maximum à environ 3 % de la dose pédiatrique (n = 2)[13, 86, 89].	Une utilisation occasionnelle pose probablement peu de risques, toutefois un autre agent est à privilégier vu le manque de recul avec l'utilisation de tramadol en allaitement et en pédiatrie.

Médicament	Données durant l'allaitement	Recommandations, commentaires
Relaxants musculaires		
Cyclobenzaprine	• Pas de donnée sur son passage dans le lait maternel. • Structurellement proche de l'amitriptyline et on sait que cette dernière passe très peu dans le lait maternel (chapitre 30. *Dépression et troubles anxieux*)[89].	Une exposition ponctuelle ne semble pas inquiétante vu sa proximité structurelle avec l'amitriptyline.
Méthocarbamol	• Pas de donnée sur son passage dans le lait maternel.	Une exposition ponctuelle ne semble pas inquiétante puisque le méthocarbamol a une courte $t_{1/2}$ (0,9-1,9 heure)[89].
Orphénadrine	• Pas de donnée sur son passage dans le lait maternel.	L'orphénadrine n'est pas un traitement de 1er recours durant l'allaitement vu l'absence de donnée.
Analgésiques topiques		
Camphre Capsaïcine Eucalyptus Menthol	• Pas de donnée sur son passage dans le lait maternel.	Il est peu probable qu'une faible quantité de ces agents appliquée sur la peau puisse amener une exposition significative pour le nourrisson par le lait.
Salicylate de méthyle	• Pas de donnée sur son passage dans le lait maternel. • Suite à l'application de 5 g d'onguent 12,5 % BID pour 8 doses sur une peau intacte au niveau de la jambe, les concentrations maximales de salicylates (3,9 mg/L), soit près de 10% des concentrations mesurées avec la prise orale de 650 mg d'aspirine (40-55 mg/L)[69, 70].	En tenant compte des données disponibles sur le passage de l'aspirine dans le lait maternel, on peut conclure qu'il est peu probable qu'une utilisation sur une faible surface puisse mener à une exposition significative pour le nourrisson par le lait. Le salicylate de triéthanolamine mène à une exposition systémique plus faible de salicylate que le salicylate de méthyle.
Salicylate de triéthanolamine (trolamine)	• Pas de donnée sur son passage dans le lait maternel. • Suite à l'application de 10 g de crème 10 % sur une peau intacte au niveau du genou, les concentrations sériques de salicylates mesurées correspondent à moins de 1% de celles mesurées avec la prise orale de 500 mg d'aspirine[69].	
Antiémétiques utilisés dans le traitement des migraines		
Les données des principaux antiémétiques utilisés dans le traitement de la migraine sont présentées dans d'autres chapitres, à l'exclusion du métoclopramide et de la dompéridone. Pour les données concernant les anti-histaminiques, voir le chapitre 22. *Rhinite allergique et allergies saisonnières.* Pour les données concernant les antipsychotiques (chlorpromazine, prochlorpérazine), voir le chapitre 31. *Maladie bipolaire et troubles psychotiques.*		
Dompéridone	• L'enfant allaité est exposé au maximum à 0,05 % de la dose pédiatrique (n = 18)[13, 15, 89]. • Aucun effet indésirable rapporté suite à une exposition par le lait (n = 24)[15, 86, 89].	Compatible avec l'allaitement, on ne s'attend pas à ce qu'une telle exposition puisse être cliniquement significative.

Médicament	Données durant l'allaitement	Recommandations, commentaires
Métoclopramide	• L'enfant allaité est exposé au maximum à 6% de la dose pédiatrique (n = 50)[15, 86, 88-91]. • Inconfort intestinal rapporté chez 2 enfants exposés par le lait, pas d'effet indésirable rapporté chez 83 autres enfants[15, 86, 89].	Compatible avec l'allaitement.
Médicaments utilisés pour la prophylaxie des céphalées et des migraines		
Cyproheptadine	• Pas de donnée sur son passage dans le lait maternel. • La cyproheptadine a été utilisée dans le traitement du syndrome de galactorrhée-aménorrhée et semble efficace pour diminuer les taux de prolactine. Son utilisation pourrait donc compromettre l'allaitement[123].	Utilisation déconseillée durant l'allaitement.
Flunarizine	• Pas de donnée sur son passage dans le lait maternel.	Utilisation déconseillée durant l'allaitement.
Grande camomille (feverfew)	• Aucune donnée sur son passage dans le lait maternel.	Utilisation déconseillée durant l'allaitement.
Magnésium	• Faible passage dans le lait maternel. • Administration en perfusion intraveineuse à 1 g par heure dans les 24 premières heures *post-partum* a mené à une faible augmentation de la concentration de magnésium dans le lait maternel par rapport à un groupe de femmes non traitées (64 mg/L *vs* 48 mg/L), appuyant l'existence d'un mécanisme de contrôle de la concentration de magnésium dans le lait maternel (n = 10)[15, 89]. L'enfant allaité est ainsi exposé à 2,4 mg/kg/jour de magnésium supplémentaire, correspondant à la dose de départ de traitement de maintien de magnésium chez un nourrisson[88]. Des doses plus faibles telles que celles utilisées dans la prophylaxie de la migraine mèneront à une exposition moins importante.	Compatible avec l'allaitement aux doses utilisées pour la prophylaxie de la migraine (400 à 600 mg/jour).
Nimodipine	• Faible passage dans le lait maternel : l'enfant allaité est exposé au maximum à 0,09% de la dose maternelle ajustée au poids (n = 2, 240 mg par voie orale par jour et 46 mg par voie intraveineuse par jour)[15, 86, 89].	Compatible avec l'allaitement, on ne s'attend pas à ce qu'une telle exposition puisse être cliniquement significative.
Pizotyline (pizotifen)	• Aucune donnée sur son passage dans le lait maternel.	Utilisation déconseillée durant l'allaitement.
Riboflavine	• Aucune donnée sur le passage dans le lait maternel de doses utilisées pour la prophylaxie de la migraine (400 mg par jour).	L'effet de l'exposition d'un nourrisson à des doses aussi élevées que celles utilisées dans la prévention des migraines n'est pas connu.

Médicament	Données durant l'allaitement	Recommandations, commentaires
	• Plusieurs études ont évalué son passage dans le lait maternel et ont mesuré des concentrations proportionnelles aux quantités retrouvées dans la diète. Les doses les plus élevées évaluées étaient de 29 mg par jour. L'apport nutritionnel recommandé durant l'allaitement est de 1,6 mg par jour[15, 91]. • Pas de toxicité rapportée à ce jour. Les vitamines du groupe B présentent généralement un faible risque de toxicité[14].	

G6PD : Gluco-6-phosphate déshydrogénase

Références

1. SILBERSTEIN SD. Headache and female hormones: what you need to know. *Curr Opin Neurol* 2001;14(3):323-33.
2. INTERNATIONAL HEADACHE SOCIETY. The international classification of headache disorders. *Cephalalgia* 2004;24(S1):8-160.
3. PRYSE-PHILLIPS WE, DODICK DW, EDMEADS JG, GAWEL MJ, NELSON RF, PURDY RA, et al. Guidelines for the diagnosis and management of migraine in clinical practice. Canadian Headache Society. *CMAJ* 1997;156(9):1273-87.
4. PFAFFENRATH V, REHM M. Migraine in pregnancy, what are the safest treatment options? *Drug Safety* 1998;19(5):383-8.
5. ALLDREDGE BK. Headache. In: Koda-Kimble MA, Young LL, Kradjan WA, Guglielmo BJ, ed. *Applied Therapeutics, the Clinical Use of Drugs.* Baltimore: Lippincott Williams & Wilkins; 2005. p. 52.1-52.27.
6. WAINSCOTT G, SULLIVAN FM, VOLANS GN, WILKINSON M. The outcome of pregnancy in women suffering from migraine. *Postgrad Med J* 1978;54(628):98-102.
7. OSTGAARD HC, ANDERSSON GB, KARLSSON K. Prevalence of back pain in pregnancy. *Spine* 1991;16(5):549-52.
8. RATHMELL JP, VISCOMI CM, ASHBURN MA. Management of nonobstetric pain during pregnancy and lactation. *Anesth Analg* 1997;85(5):1074-87.
9. BORG-STEIN J, DUGAN SA, GRUBER J. Musculoskeletal aspects of pregnancy. *Am J Phys Med Rehabil* 2005;84(3):180-92.
10. CREASY RK, RESNIK R. *Maternal-Fetal Medicine.* 4th ed. Montréal: W.B Saunders compagny; 1999.
11. AMERICAN ACADEMY OF PEDIATRICS. Neonatal drug withdrawal. American Academy of Pediatrics Committee on Drugs. *Pediatrics* 1998;101(6):1079-88.
12. CONNER SJ, SULLO E. Cliniqual inquiries. How can you prevent migraines during pregnancy? *J Fam Pract* 2006;55(5):429-32.
13. KLASCO R. *DRUGDEX® System.* In: Greenwood Village, Colo: Thomson Micromedex. Updated periodically.; 2007.
14. ASSOCIATION DES PHARMACIENS DU CANADA. *Compendium des produits et spécialités pharmaceutiques.* Ottawa: Association des pharmaciens du Canada; 2007.
15. BRIGGS G, FREEMAN R, YAFFE S. *Drugs in Pregnancy and Lactation.* Philadelphia: Lippincott Williams & Wilkins; 2005.
16. MCELHATTON PR, SULLIVAN FM, VOLANS GN. Paracetamol overdose in pregnancy analysis of the outcomes of 300 cases referred to the Teratology Information Service. *Reprod Toxicol* 1997;11(1):85-94.

17. STREISSGUTH AP, TREDER RP, BARR HM, SHEPARD TH, BLEYER WA, SAMPSON PD, et al. Aspirin and acetaminophen use by pregnant women and subsequent child IQ and attention decrements. *Teratology* 1987;35(2):211-9.

18. GLAXOSMITHKLINE. *Naratriptan Pregnancy Registry Interim Report: 1 january 1996 through 30 april 2005.*

19. FIORE M, SHIELDS KE, SANTANELLO N, GOLDBERG MR. Exposure to rizatriptan during pregnancy: post-marketing experience up to 30 june 2004. *Cephalalgia* 2005;25:685-8.

20. MERCK PREGNANCY REGISTRY PROGRAM. *Eight annual report from the Merck Pregnancy Registry for Maxalt (rizatriptan benzoate) covering the period from approval (june 1998) through july 31, 2006;* 2006.

21. GLAXOSMITHKLINE. *Sumatriptan Pregnancy Registry Interim Report*: 1 january 1996 through 30 april 2005.

22. KALLEN B, LYGNER PE. Delivery outcome in women who used drugs for migraine during pregnancy with special reference to sumatriptan. *Headache* 2001;41(4):351-6.

23. O'QUINN S, EPHROSS SA, WILLIAMS V, DAVIS RL, GUTTERMAN DL, FOX AW. Pregnancy and perinatal outcomes in migraineurs using sumatriptan: a prospective study. *Arch Gynecol Obstet* 1999;263(1-2):7-12.

24. SHUHAIBER S, PASTUSZAK A, SCHICK B, MATSUI D, SPIVEY G, BROCHU J, et al. Pregnancy outcome following first trimester exposure to sumatriptan. *Neurology* 1998;51(2):581-3.

25. OLESEN C, STEFFENSEN FH, SORENSEN HT, NIELSEN GL, OLSEN J. Pregnancy outcome following prescription for sumatriptan. *Headache* 2000;40(1):20-4.

26. GEI A, LONGO M, VEDERNIKOV Y, SAADE G, GARFIELD R. The effect of sumatriptan on the uterine contractility of human myometrium. *Am J Obstet Gynecol* 2001;184(1):S193 (résumé).

27. HEINONEN O, SLONE D, SHAPIRO S. *Birth Defects and Drugs in Pregnancy.* Littleton: Publishing Sciences Group, Inc.; 1977.

28. RAYMOND GV. Teratogen update: ergot and ergotamine. *Teratology* 1995;51(5):344-7.

29. ALTMAN SG, WALTMAN R, LUBIN S, REYNOLDS SR. Oxytocic and toxic actions of dihydroergotamine-45. *Am J Obstet Gynecol* 1952;64(1):101-9.

30. HOHMANN M, KUNZEL W. Dihydroergotamine causes fetal growth retardation in guinea pigs. *Arch Gynecol Obstet* 1992;251(4):187-92.

31. STONE S, KHAMASHTA MA, NELSON-PIERCY C. Nonsteroidal anti-inflammatory drugs and reversible female infertility: is there a link? *Drug Saf* 2002;25(8):545-51.

32. PALL M, FRIDEN BE, BRANNSTROM M. Induction of delayed follicular rupture in the human by the selective COX-2 inhibitor rofecoxib: a randomized double-blind study. *Hum Reprod* 2001;16(7):1323-8.

33. MARIK J, HULKA J. Luteinized unruptured follicle syndrome: a subtle cause of infertility. *Fertil Steril* 1978;29(3):270-4.

34. LI D-K, LIU L, ODOULI R. Exposure to non-steroidal anti-inflammatory drugs during pregnancy and risk of miscarriage: population based cohort study. *BMJ* 2003;327:368.

35. NIELSEN GL, SORENSEN HT, LARSEN H, PEDERSEN L. Risk of adverse birth outcome and miscarriage in pregnant users of non-steroidal anti-inflammatory drugs: population based observational study and case-control study. *BMJ* 2001;322(7281):266-70.

36. NIELSEN GL, SKRIVER MV, PEDERSEN L, SORENSEN HT. Danish group reanalyses miscarriage in NSAID users. *BMJ* 2004;328(7431):109.

37. ERICSON A, KALLEN BA. Nonsteroidal anti-inflammatory drugs in early pregnancy. *Reprod Toxicol* 2001;15(4):371-5.

38. OFORI B, ORAICHI D, BLAIS L, REY E, BERARD A. Risk of congenital anomalies in pregnant users of non-steroidal anti-inflammatory drugs: A nested case-control study. *Birth Defects Res B Dev Reprod Toxicol* 2006;77(4):268-79.

39. CLEVES MA, SAVELL VH, Jr., RAJ S, ZHAO W, CORREA A, WERLER MM, et al. Maternal use of acetaminophen and nonsteroidal anti-inflammatory drugs (NSAIDs), and muscular ventricular septal defects. *Birth Defects Res A Clin Mol Teratol* 2004;70(3):107-13.

40. KALLEN BA, OTTERBLAD OLAUSSON P. Maternal drug use in early pregnancy and infant cardiovascular defect. *Reprod Toxicol* 2003;17(3):255-61.

41. SCHAEFER C. *Drugs during Pregnancy and Lactation.* 1st ed. Amsterdam: Elsevier Science B.V; 2001.

42. KHAIRY M, BANERJEE K, EL-TOUKHY T, COOMARASAMY A, KHALAF Y. Aspirin in women undergoing in vitro fertilization treatment: a systematic review and meta-analysis. *Fertil Steril* 2007.

43. KOZER E, COSTEI AM, BOSKOVIC R, NULMAN I, NIKFAR S, KOREN G. Effects of aspirin consumption during pregnancy on pregnancy outcomes: meta-analysis. *Birth Defects Res B Dev Reprod Toxicol* 2003;68(1):70-84.

44. KEIM SA, KLEBANOFF MA. Aspirin use and miscarriage risk. *Epidemiology* 2006;17(4):435-9.

45. KOZER E, NIKFAR S, COSTEI A, BOSKOVIC R, NULMAN I, KOREN G. Aspirin consumption during the first trimester of pregnancy and congenital anomalies: a meta-analysis. *Am J Obstet Gynecol* 2002;187(6):1623-30.

46. KLASCO R. Reprorisk system®, Teris. In: *Thomson Micromedex*, Greenwood village, Colorado.; 2007.

47. KLASCO Re. Reprorisk system®, Shepard's. In: *Thomson Micromedex*, Greenwood Village, Colorado; 2007.

48. CARON N. Les mythes et les réalités entourant la prise d'aspirine par la femme enceinte. *Québec Pharmacie* 2003;50(6):439-442.

49. ALANO MA, NGOUGMNA E, OSTREA EM, Jr., KONDURI GG. Analysis of nonsteroidal antiinflammatory drugs in meconium and its relation to persistent pulmonary hypertension of the newborn. *Pediatrics* 2001;107(3):519-23.

50. OSTREA EM, Jr. Neonatal withdrawal from intrauterine exposure to butalbital. *Am J Obstet Gynecol* 1982;143(5):597-8.

51. LEVITON A, COWAN L. A review of the litterature relating caffeine consumption by women to their risk of reproductive hazards. *Food Chem Toxicol* 2002;40:1271-310.

52. CHRISTIAN MS, BRENT RL. Teratogen update: evaluation of the reproductive and developmental risks of caffeine. *Teratology* 2001;64:51-78.

53. SANTÉ CANADA. *La caféine et votre santé.* 2005 [vérifié 2007-02-26]; Disponible dans: www.hc-sc.gc.ca/fn-an/securit/facts-faits/caf/caffeine_f.html

54. HATJIS CG, MEIS PJ. Sinusoidal fetal heart rate pattern associated with butorphanol administration. *Obstet Gynecol* 1986;67(3):377-80.

55. PITTMAN KA, SMYTH RD, LOSADA M, ZIGHELBOIM I, MADUSKA AL, SUNSHINE A. Human perinatal distribution of butorphanol. *Am J Obstet Gynecol* 1980;138(7 Pt 1):797-800.

56. KHAN K, CHANG J. Neonatal abstinence syndrome due to codeine. *Arch Dis Child Fetal Neonatal Ed* 1997;76(1):F59-60.

57. FUJINAGA M, STEVENSON JB, MAZZE RI. Reproductive and teratogenic effects of fentanyl in Sprague-Dawley rats. *Teratology* 1986;34(1):51-7.

58. SHANNON C, JAUNIAUX E, GULBIS B, THIRY P, SITHAM M, BROMLEY L. Placental transfer of fentanyl in early human pregnancy. *Hum Reprod* 1998;13(8):2317-20.

59. COOPER J, JAUNIAUX E, GULBIS B, QUICK D, BROMLEY L. Placental transfer of fentanyl in early human pregnancy and its detection in fetal brain. *Br J Anaesth* 1999;82(6):929-31.

60. REGAN J, CHAMBERS F, GORMAN W, MACSULLIVAN R. Neonatal abstinence syndrome due to prolonged administration of fentanyl in pregnancy. *BJOG* 2000;107(4):570-2.

61. HODGKINSON R, BHATT M, WANG CN. Double-blind comparison of the neurobehaviour of neonates following the administration of different doses of meperidine to the mother. *Can Anaesth Soc J* 1978;25(5):405-11.

62. SCHICK B, HOM M, TOLOSA J, LIBRIZZI A, Donnenfeld A. Preliminary analysis of first trimester exposure to oxycodone and hydrocodone. *Reprod Toxicol* 1996;10(2):162.

63. LITTLE BB, SNELL LM, BRECKENRIDGE JD, KNOLL KA, KLEIN VR, GILSTRAP LC. Effects of T's and blues abuse on pregnancy outcome and infant health status. *Am J Perinatol* 1990;7(4):359-62.

64. DUNN DW, REYNOLDS J. Neonatal withdrawal symptoms associated with 'T's and blues' (pentazocine and tripelennamine). *Am J Dis Child* 1982;136(7):644-5.

65. DEBOOY VD, SESHIA MM, TENENBEIN M, CASIRO OG. Intravenous pentazocine and methylphenidate abuse during pregnancy. Maternal lifestyle and infant outcome. *Am J Dis Child* 1993;147(10):1062-5.

66. KOPELMAN AE. Fetal addiction to pentazocine. *Pediatrics* 1975;55(6):888-9.

67. HALL JG, REED SD. Teratogens associated with congenital contractures in humans and in animals. *Teratology* 1982;25(2):173-91.

68. TORLONI MR, CORDIOLI E, ZAMITH MM, HISABA WJ, NARDOZZA LM, SANTANA RM, et al. Reversible constriction of the fetal ductus arteriosus after maternal use of topical diclofenac and methyl salicylate. *Ultrasound Obstet Gynecol* 2006;27(2):227-9.

69. AMERICAN SOCIETY OF HEALTH-SYSTEM PHARMACISTS. *AHFS drug information.* Bethesda: American Society of Health-System Pharmacists; 2004.

70. MORRA P, BARTLE W, WALKER S, LEE S, BOWLES S, REEVES R. Serum concentrations of salicylic acid following topically applied salicylate derivatives. *Ann Pharmacother* 1996;30:935-40.

71. KLASCO R. Reprorisk system®, Reprotox. In: *Thomson Micromedex*, Greenwood village, Colorado.; 2007.

72. CZEIZEL AE, TOMCSIK M, TIMAR L. Teratologic evaluation of 178 infants born to mothers who attempted suicide by drugs during pregnancy. *Obstet Gynecol* 1997;90(2):195-201.

73. SADOVSKY E, PFEIFER Y, POLISHUK WZ, SULMAN FG. A trial of cyproheptadine in habitual abortion. *Isr J Med Sci* 1972;81(5):623-5.

74. KASPERLIK-ZALUSKA A, MIGDALSKA B, HARTWIG W, WILCZYNSKA J, MARIANOWSKI L, STOPINSKA-GLUSZAK U, et al. Two pregnancies in a woman with Cushing's syndrome treated with cyproheptadine. Case report. *Br J Obstet Gynaecol* 1980;87(12):1171-3.

75. KHIR AS, HOW J, BEWSHER PD. Successful pregnancy after cyproheptadine treatment for Cushing's disease. *Eur J Obstet Gynecol Reprod Biol* 1982;13(6):343-7.

76. JANSSENS D. Prevention of low birth weight by flunarizine given to smoking mothers. *Arch Gynecol* 1985; 237 (suppl 1):S397(résumé).

77. DERMARDEROSIAN A, BEUTLER J. *Review of natural products.* Saint Louis: Walter Kluwer Health; 2007.

78. SPATLING L, SPATLING G. Magnesium supplementation in pregnancy. A double-blind study. *Br J Obstet Gynaecol* 1988;95(2):120-5.

79. MAGEE LA, SCHICK B, DONNENFELD AE, SAGE SR, CONOVER B, COOK L, et al. The safety of calcium channel blockers in human pregnancy: a prospective, multicenter cohort study. *Am J Obstet Gynecol* 1996;174(3):823-8.

80. BAR-OZ B, BULKOWSTEIN M, BENYAMINI L, GREENBERG R, SORIANO I, ZIMMERMAN D, et al. Use of antibiotic and analgesic drugs during lactation. *Drug Saf* 2003;26(13):925-35.

81. MATHESON I, LUNDE PK, NOTARIANNI L. Infant rash caused by paracetamol in breast milk? *Pediatrics* 1985;76(4):651-2.

82. FDA CENTER FOR DRUG EVALUATION AND RESEARCH. *NDA 21-016. Clinical pharmacology and biopharmaceutics reviews.* [cited 2007-01-05]; Available from: http://www.fda.gov/cder/foi/nda/2002/21016_Relpax_BioPharmr.pdf

83. WOJNAR-HORTON RE, HACKETT LP, YAPP P, DUSCI LJ, PAECH M, ILETT KF. Distribution and excretion of sumatriptan in human milk. *Br J Clin Pharmacol* 1996;41(3):217-21.

84. COULTER DM. The New Zealand intensive medicines monitoring programme in pro-active safety surveillance. *Pharmacoepidemiol Drug Saf.* 2000;9:273-80.

85. KRISTENSEN J. Sumatriptan and breastfeeding. *Australian journal of hospital pharmacy* 1996;26(4):460.

86. ANDERSON PO, SAUBERAN J. *LactMed: Drug and Lactation Database.* In: U.S. National Library of Medicine, 8600 Rockville Pike, Bethesda, MD 20894; 2007.

87. Transfer of drugs and other chemicals into human milk. *Pediatrics* 2001;108(3):776-89.

88. TAKETOMO CK, HODDING JH, KRAUS DM. *Pediatric Dosage Handbook.* 13th ed. Hudson: Lexi-Comp; 2006.

89. HALE T. *Medications and Mothers' Milk.* Amarillo: Pharmasoft Publishing; 2006.

90. DE SCHUITENEER B, DE CONINCK B. *Médicaments et allaitement.* 2e ed. Bruxelles; 1996.

91. BENNETT PN. *Drugs and Human Lactation.* 2nd ed. Amsterdam: Elsevier Science B. V.; 1996.

92. ITO S, BLAJCHMAN A, STEPHENSON M, ELIOPOULOS C, KOREN G. Prospective follow-up of adverse reactions in breast-fed infants exposed to maternal medication. *Am J Obstet Gynecol* 1993;168(5):1393-9.

93. JAMALI F, STEVENS DR. Naproxen excretion in milk and its uptake by the infant. *Drug Intell Clin Pharm* 1983;17(12):910-1.

94. FIDALGO I, CORREA R, GOMEZ CARRASCO JA, MARTINEZ QUIROGA F. Acute anemia, rectorrhagia and hematuria caused by ingestion of naproxen. *An Esp Pediatr* 1989;30(4):317-9.

95. OSTENSEN M, MATHESON I, LAUFEN H. Piroxicam in breast milk after long-term treatment. *Eur J Clin Pharmacol* 1988;35(5):567-9.

96. OSTENSEN M. Piroxicam in human breast milk. *Eur J Clin Pharmacol* 1983;25(6):829-30.

97. KNOPPERT DC, STEMPAK D, BARUCHEL S, KOREN G. Celecoxib in human milk: a case report. *Pharmacotherapy* 2003;23(1):97-100.

98. GARDINER SJ, DOOGUE MP, ZHANG M, BEGG EJ. Quantification of infant exposure to celecoxib through breast milk. *Br J Clin Pharmacol* 2006;61(1):101-4.

99. RUHLEN RL, CHEN YC, ROTTINGHAUS GE, SAUTER ER. RE: «Transfer of celecoxib into human milk». *J Hum Lact* 2007;23(1):13-4.

100. JAMALI F, KESHAVARZ E. Salicylate in breast milk. *Int J Pharmacol* 1981;8:285-90.

101. BERLIN CM et al. Excretion of aspirin and its metabolites in human milk. *Pediatr Res* 1990;27(57A).

102. FINDLAY JW, DEANGELIS RL, KEARNEY MF, WELCH RM, FINDLAY JM. Analgesic drugs in breast milk and plasma. *Clin Pharmacol Ther* 1981;29(5):625-33.

103. BAILEY DN, WEIBERT RT, NAYLOR AJ, SHAW RF. A study of salicylate and caffeine excretion in the breast milk of two nursing mothers. *J Anal Toxicol* 1982;6(2):64-8.

104. UNSWORTH J, D'ASSIS-FONSECA A, BESWICK DT, BLAKE DR. Serum salicylate levels in a breast fed infant. *Ann Rheum Dis* 1987;46(8):638-9.

105. ERICKSON SH, OPPENHEIM GL. Aspirin in breast milk. *J Fam Pract* 1979;8(1):189-90.

106. CLARK JH, WILSON WG. A 16-day-old breast-fed infant with metabolic acidosis caused by salicylate. *Clin Pediatr* (Phila) 1981;20(1):53-4.

107. TERRAGNA A, SPIRITOL L. Thrombocytopenic purpura in an infant after administration of acetylsalicylic acid to the wet-nurse. *Minerva Pediatr* 1967;19(13):613-6 (cité dans Drugs and Lactation Database (Lactmed) disponible à: http://toxnet.nlm.nih.gov/cgi-bin/sis/htmlgen?LACT).

108. HARLEY JD, ROBIN H. «Late» neonatal jaundice in infants with glucose-6-phosphate dehydrogenase-deficient erythrocytes. *Australas Ann Med* 1962;11:148-55.

109. MENY RG, NAUMBURG EG, ALGER LS, BRILL-MILLER JL, BROWN S. Codeine and the breastfed neonate. *J Hum Lact* 1993;9(4):237-40.

110. DAVIS J, BHUTANI V. Neonatal apnea and maternal codeine use. *Pediatr Res* 1985;19(4):A170 (abstract).

111. KOREN G, CAIRNS J, CHITAYAT D, GAEDIGK A, LEEDER SJ. Pharmacogenetics of morphine poisoning in a breastfed neonate of a codeine-prescribed mother. *Lancet* 2006;368(9536):704.

112. NITSUN M, SZOKOL JW, SALEH HJ, MURPHY GS, VENDER JS, LUONG L, et al. Pharmacokinetics of midazolam, propofol, and fentanyl transfer to human breast milk. *Clin Pharmacol Ther* 2006;79(6):549-57.

113. LEUSCHEN MP, WOLF LJ, RAYBURN WF. Fentanyl excretion in breast milk. *Clin Pharm* 1990;9(5):336-7.

114. ANDERSON PO, SAUBERAN J, LANE JR, ROSSI SS. Hydrocodone excretion into breast millk: the two first Reported cases. *Breastfeeding medicine* 2007;2(1):10-14.

115. EDWARDS JE, RUDY AC, WERMELING DP, DESAI N, MCNAMARA PJ. Hydromorphone transfer into breast milk after intranasal administration. *Pharmacotherapy* 2003;23(2):153-8.

116. QUINN PG, KUHNERT BR, KAINE CJ, SYRACUSE CD. Measurement of meperidine and normeperidine in human breast milk by selected ion monitoring. *Biomed Environ Mass Spectrom* 1986;13(3):133-5.

117. WITTELS B, SCOTT DT, SINATRA RS. Exogenous opioids in human breast milk and acute neonatal neurobehavior: a preliminary study. *Anesthesiology* 1990;73(5):864-9.

118. LINDOW SW, HENDRICKS MS, NUGENT FA, DUNNE TT, VAN DER SPUY ZM. Morphine suppresses the oxytocin response in breast-feeding women. *Gynecol Obstet Invest* 1999;48(1):33-7.

119. FEILBERG VL, ROSENBORG D, BROEN CHRISTENSEN C, MOGENSEN JV. Excretion of morphine in human breast milk. *Acta Anaesthesiol Scand* 1989;33(5):426-8.

120. Robieux I, Koren G, Vandenbergh H, Schneiderman J. Morphine excretion in breast milk and resultant exposure of a nursing infant. *J Toxicol Clin Toxicol* 1990;28(3):365-70.

121. Marx C, Pucino F, Carlson J, Driscoll J, Ruddock V. Oxycodone excreted in human milk in the puerperium (abs 104). *Drug Intell Clin Pharm* 1986;20:474.

122. Kunka RL, Venkataramanan R, Stern RM, Ladik CF. Excretion of propoxyphene and nor-propoxyphene in breast milk. *Clin Pharmacol Ther* 1984;35(5):675-80.

123. Wortsman J, Soler NG, Hirschowitz J. Cyproheptadine in the management of the galactorrhea-amenorrhea syndrome. *Ann Intern Med* 1979;90(6):923-5.

Chapitre 34

Acné

■

Josianne MALO
Véronique BOUCHE

Généralités

Définition

L'acné est une maladie folliculaire dont l'origine est multifactorielle[1]. Quatre facteurs semblent intervenir dans la pathogenèse de l'acné. Sous l'influence des hormones androgènes, il se produit d'abord une hyperplasie de la glande sébacée, ce qui cause une production excessive de sébum[2-4]. Ensuite, une hyperkératinisation du follicule pileux empêche la desquamation normale des kératinocytes, lesquels vont obstruer le follicule et former un microcomédon inapparent[2-5]. Celui-ci peut augmenter de taille pour former une lésion non inflammatoire visible, soit un comédon ouvert (point noir) ou un comédon fermé (point blanc)[2-5]. La colonisation des micro-comédons et des comédons par *Propionibacterium acnes* causerait la transformation de ces impactions folliculaires en lésions inflammatoires[2-5]. Dans la majorité des cas, les lésions inflammatoires se manifestent sous forme de macules, de papules et de pustules[5]. Dans les cas plus sévères, des lésions inflammatoires plus profondes comme des nodules sont présentes[5].

Épidémiologie

L'acné affecte plus de 85 % des adolescents et se poursuit souvent jusqu'à l'âge adulte[1, 2]. L'âge moyen des patients qui consultent pour recevoir un traitement de l'acné est estimé à 24 ans, avec environ 10 % des visites concernant des personnes de 35 à 44 ans[1]. Il va sans dire que l'acné est une affection courante parmi les femmes en âge de procréer[2].

Étiologies

L'hérédité et certains problèmes hormonaux sont des étiologies connues de l'acné, mais il est accepté que ni la diète, ni l'hygiène ne jouent un rôle significatif à ce niveau[2, 4]. Certains médicaments, comme les corticostéroïdes, les anticonvulsivants et le lithium, peuvent entraîner une acné médicamenteuse[4, 5]. L'exposition à certaines substances dans un contexte professionnel peut aussi causer des lésions acnéiformes[4]. Enfin, l'acné cosmétique résulte de l'utilisation de produits topiques comédogènes[4, 5].

Facteurs de risque

Les facteurs de risque identifiés pour l'acné sont l'hérédité, le tabagisme, le stress, l'adolescence et l'exposition solaire[6-8].

Effets de la grossesse sur l'acné

La grossesse étant une période de modifications hormonales, immunologiques, métaboliques et vasculaires, il apparaît naturel d'observer chez la femme enceinte des modifications physiologiques de la peau et des phanères[9]. Malgré une augmentation de l'activité des glandes sébacées au dernier trimestre de la grossesse, l'effet de la grossesse sur l'acné est variable[10]. Quoique l'influence de taux augmentés d'œstrogènes soit bénéfique pour plusieurs patientes, d'autres peuvent développer de l'acné pour la première fois ou voir leur acné se détériorer lorsqu'elles sont enceintes[10]. Certaines patientes développent une acné récurrente durant la grossesse, suivie d'une disparition complète après l'accouchement[10].

Effets de l'acné sur la grossesse

Les conséquences de l'acné sont majoritairement cosmétiques, et l'acné est rarement une menace à l'état de santé des patientes atteintes[2, 5]. Il semble donc peu probable que l'acné chez la femme enceinte ait des répercussions sur la grossesse. Certaines études ont cependant associé la présence de l'acné et des cicatrices avec l'anxiété, la dépression, l'isolement social et les difficultés interpersonnelles[5].

Outils d'évaluation

Plusieurs échelles pour évaluer la sévérité de l'acné ont été utilisées[1, 7]. La sévérité de la maladie est généralement établie selon le nombre, le type et la distribution des lésions (voir tableau I).

Traitements de l'acné recommandés pendant la grossesse

Les consultations dermatologiques sont très fréquentes au cours de la grossesse, comme en atteste le nombre de femmes qui reçoivent des prescriptions à visée dermatologique au cours de cette période (63 % des femmes enceintes)[9]. Ceci peut présenter un défi thérapeutique pour le clinicien[2]. Malgré cette contrainte, des soins dermatologiques adéquats peuvent être apportés aux patientes enceintes afin de contrôler les lésions d'acné, prévenir l'apparition de cicatrices et minimiser la morbidité (figure 1)[4, 10]. Les détails sur la posologie et les éléments de suivi spécifiques sont listés au tableau II.

TABLEAU I – ÉVALUATION DE LA SÉVÉRITÉ DE L'ACNÉ[1]	
Sévérité	**Description**
Légère	Les comédons (lésions non inflammatoires) sont les lésions principales. Les papules et pustules peuvent être présents en petit nombre (généralement < 10).
Modérée	Des quantités modérées de papules et pustules (10-40) et de comédons (10-40) sont présentes. Une atteinte légère du tronc peut aussi survenir.
Modérément sévère	De nombreux papules et pustules (40-100), habituellement avec plusieurs comédons (40-100) et occasionnellement quelques nodules inflammatoires plus profonds ($\leq$ 5) sont présents. Une atteinte étendue touche généralement le visage, la poitrine et le dos.
Sévère	L'acné nodulo-kystique et l'acné *conglobata* avec plusieurs lésions nodulaires ou pustuleuses douloureuses sont présentes, avec plusieurs papules, pustules et comédons.

Les traitements topiques comportent plusieurs avantages. L'application directe sur la peau affectée maximise la quantité de médicament qui atteint l'unité pilosébacée et limite l'exposition systémique[2]. Leur effet principal est la prévention de l'apparition de nouvelles lésions; ils doivent donc être utilisés chaque jour sur toutes les surfaces du corps vulnérables à l'acné[1]. Suite à l'atteinte des résultats désirés, le traitement de maintien est nécessaire pour prévenir les récurrences[1].

Figure 1. Guide pour le traitement de l'acné chez la femme enceinte ou qui allaite[5, 11-15].
*Chez la femme qui allaite, un rétinoïde topique pourrait aussi être considéré.

Il est important de maximiser l'observance thérapeutique, puisque c'est la cause d'échec au traitement la plus fréquente[3, 4].

- Sélectionner un traitement composé d'un nombre limité d'agents.
- N'attendre les résultats optimaux qu'après quelques mois de traitement, une amélioration visible survient après 8 à 12 semaines.
- Être averti d'une possible exacerbation de l'acné en début du traitement.

TABLEAU II – TRAITEMENTS RECOMMANDÉS DE L'ACNÉ PENDANT LA GROSSESSE[1, 4-6]

Ligne thérapeutique	Médicament	Posologie	Suivi recommandé et commentaires
Premier recours	**Antibiotiques topiques** Peroxyde de benzoyle	Application locale 1 ou 2 fois par jour*.	Ce traitement cause de l'irritation locale. Les formulations contenant 2,5 % de peroxyde de benzoyle sont moins irritantes mais aussi efficaces que celles contenant 10 % de principe actif.
	Peroxyde de benzoyle associé à clindamycine ou érythromycine topique	Application locale 1 ou 2 fois par jour*.	Afin d'éviter l'émergence de résistance bactérienne, les antibiotiques topiques sont maintenant associés à un autre agent comme le peroxyde de benzoyle.
	Autres agents topiques Oxyde de zinc Soufre	Application locale 1 ou 2 fois par jour*. Application locale 1 ou 2 fois par jour*.	Traitements alternatifs ou adjuvants acceptables et généralement bien tolérés.
Deuxième recours	**Antibiotiques oraux** Érythromycine	250 à 500 mg par voie orale 2 à 4 fois par jour.	L'érythromycine peut causer des troubles gastro-intestinaux, et la résistance bactérienne peut poser problème. On l'associe généralement avec un traitement topique autre qu'un antibiotique.

*Pour être efficaces, les agents topiques doivent être appliqués sur toute la surface affectée, et non seulement sur les lésions ; les lésions actuelles vont disparaître d'elles-mêmes et le but du traitement est de prévenir de nouvelles lésions[1, 3, 4].

TABLEAU III – DONNÉES SUR L'INNOCUITÉ DES MÉDICAMENTS ANTIACNÉIQUES AU COURS DE LA GROSSESSE		
Médicament	**Données durant la grossesse**	**Recommandations, commentaires**
Antibiotiques oraux		
Les antibiotiques oraux sont indiqués dans les cas d'acné modérée à sévère, l'acné qui est résistante au traitement topique ou l'acné qui couvre de grandes parties du corps[16].		
Érythromycine	Voir chapitre 20. *Anti-infectieux.*	
Tétracyclines	Voir chapitre 20. *Anti-infectieux.*	
Antibiotiques topiques		
Clindamycine Érythromycine	Voir chapitre 20. *Anti-infectieux.*	Les données épidémiologiques et pharmacocinétiques intéressantes de ces antibiotiques en font des traitements de 1er recours chez la femme enceinte qui souffre d'acné inflammatoire[11, 12].
Autres agents topiques		
Peroxyde de benzoyle	Il n'existe aucune étude épidémiologique ou expérimentale permettant d'évaluer le risque d'utiliser le peroxyde de benzoyle durant la grossesse. Il n'y a toutefois aucune notification de cas suggérant un effet tératogène, alors qu'il s'agit d'un traitement facilement accessible. L'absorption par la peau se limite à environ 2 %[2].	Certains auteurs s'entendent pour dire que le peroxyde de benzoyle constitue un traitement de première intention chez la femme enceinte[11-13].
Les préparations à base d'acide salicylique, d'oxyde de zinc, de soufre et de sulfacétamide sodique sont généralement bien tolérées, mais l'expérience clinique indique que leur efficacité est moindre que celle des agents discutés plus haut[1]. Ces produits sont habituellement mis à profit comme traitement adjuvant ou en deuxième ligne lorsque les autres agents ne sont pas tolérés[1, 3, 4].		
Acide salicylique	Il n'existe pas de donnée épidémiologique concernant l'utilisation d'acide salicylique topique chez la femme enceinte. Contrairement aux autres agents topiques, la biodisponibilité de l'acide salicylique appliquée sur la peau peut être assez importante, atteignant jusqu'à 25 %[2]. Il existe aussi dans la littérature médicale quelques cas d'intoxication aux salicylates découlant de l'utilisation de grandes quantités de ce produit sur la peau[2]. Toutefois, la concentration d'acide salicylique retrouvée dans les produits anti-acnéiques est généralement faible, et varie entre 0,5 et 2 %. Les données d'exposition à l'acide acétylsalicylique (voir chapitre 33. *Migraines et douleurs*) durant la grossesse sont applicables dans ce cas-ci, puisque l'acide acétylsalicylique est hydrolysé en acide salicylique, qui est le composé actif.	L'application d'acide salicylique sur une petite surface pour une courte période de temps ne devrait pas poser de risque pour le fœtus[13].

Médicament	Données durant la grossesse	Recommandations, commentaires
Oxyde de zinc	Le zinc est un oligoélément essentiel qui joue un rôle important dans la croissance et le développement, et les besoins en zinc sont augmentés chez la femme enceinte[14]. L'évaluation du risque associé à l'oxyde de zinc durant la grossesse se base principalement sur sa faible absorption. L'oxyde de zinc est pratiquement insoluble dans l'eau et les solvants organiques. L'analyse bibliographique sur cet oligoélément ne met pas en évidence de risque de toxicité chez la femme enceinte ni de risque tératogène[14].	Certains auteurs recommandent l'usage d'oxyde de zinc en 1er recours chez la femme enceinte qui souffre de prurit[11]. L'oxyde de zinc peut donc être utilisé durant la grossesse pour traiter l'acné.
Soufre	Le soufre a été depuis longtemps un traitement de choix pour les affections de la peau chez les femmes enceintes, sans que des effets indésirables n'aient été observés[17]. Seulement 1 % de la quantité appliquée est absorbée, ce qui ne semble pas causer de toxicité systémique[2, 17].	L'utilisation du soufre topique est considérée sure en cours de grossesse.
Sulfacétamide sodique	Le sulfacétamide sodique, un antibiotique de la famille des sulfamides, est disponible en combinaison avec le soufre pour le traitement de l'acné. Parmi 93 femmes traitées au sulfacétamide sodique au 1er trimestre de la grossesse, le taux de malformations congénitales ne semblait pas anormalement élevé[15]. Les données d'innocuité de la classe des sulfamides systémiques sont présentées dans le chapitre 20. *Anti-infectieux*. Toutefois, il est estimé que seulement 4 % de la dose employée est absorbée.	Il semble très peu probable que l'application de la lotion en couche mince sur le visage puisse entraîner une augmentation du risque d'anomalies[2].

Rétinoïde oral

À l'origine, le terme rétinoïde était utilisé pour décrire les analogues chimiques de la vitamine A[2]. Depuis la découverte des récepteurs rétinoïdes vers la fin des années 1980, la définition a évolué pour inclure les molécules qui ont la capacité de lier et d'activer ces récepteurs[2].

Isotrétinoïne	Bien avant l'utilisation clinique de l'isotrétinoïne en Amérique du Nord, des études de reproduction avaient confirmé que l'isotrétinoïne était tératogène pour toutes les espèces animales testées[15]. Aujourd'hui, les anomalies de l'embryopathie rétinoïde sont bien connues. Les anomalies incluent des malformations du système nerveux central, du crâne, du visage et des oreilles, du système cardiovasculaire et du thymus[18]. Des rapports de cas plus récents suggèrent que des atteintes des membres peuvent aussi survenir[15]. Parmi les grossesses exposées qui atteignent la vingtième semaine gestationnelle, le risque de malformations majeures se chiffre autour de 25 à 30 %[18-20]. L'embryopathie rétinoïde a été observée après l'ingestion d'une seule dose d'isotrétinoïne, et même lorsque les doses utilisées sont aussi faibles que 10 mg par jour[21, 22]. D'autre part, des problèmes de développement cognitifs sont observés même chez	La compagnie Hoffmann-Roche et la *Food and Drug Administration* (FDA) ont élaboré une campagne éducative connue sous le nom de Programme de prévention de la grossesse (PPG). Ce programme énonce des recommandations quant à la prescription de l'isotrétinoïne chez la femme en âge de procréer et fournit aux professionnels de la santé des brochures informatives à l'intention des patientes[24]. Malgré l'instauration de ces mesures préventives, le problème des grossesses exposées à l'isotrétinoïne n'est pas éliminé[24-27].

Médicament	Données durant la grossesse	Recommandations, commentaires
	les enfants qui ne présentent pas d'anomalie structurelle ; environ 40 % des enfants exposés *in utero* développent des problèmes d'apprentissage[23]. L'isotrétinoïne augmente aussi les risques d'avortements spontanés et de mortinaissances, qui surviennent jusqu'à 40 % des grossesses exposées[19, 20]. De plus, le risque d'accouchement prématuré est doublé[18]. Le métabolite de l'isotrétinoïne qui est éliminé le plus lentement possède une demi-vie de 50 heures, ce qui suggère que la majorité du médicament et ses métabolites seraient éliminés dans les 15 jours suivant la dernière dose.	Pour cette raison, il demeure primordial de fournir de l'information claire et adaptée sur la contraception aux patientes sous isotrétinoïne. Le fabricant de l'isotrétinoïne recommande que les mesures contraceptives soient prises un mois avant de débuter le traitement, pendant toute la durée du traitement et jusqu'à un mois après l'arrêt.
Rétinoïdes topiques		
Adapalène	Très peu d'informations sont disponibles sur l'innocuité de l'adapalène durant la grossesse. Lorsque des rates étaient exposées à des doses 120 à 150 fois supérieures à celles utilisées chez l'humain, le fabricant n'a pas observé d'effet tératogène[2, 15]. Pour l'instant, la seule donnée dont on dispose chez la femme enceinte se limite à une notification de cas[2, 15]. Une patiente ayant utilisé l'adapalène lors du 1er trimestre a interrompu sa grossesse en raisons de malformations majeures observées à l'échographie. Les anomalies observées n'étaient pas celles associées à l'embryopathie rétinoïde et un lien de causalité ne peut donc pas être établi. Cependant, l'adapalène est un agoniste des récepteurs rétinoïdes et il se pourrait bien que cet agent partage le profil de tératogénicité des autres rétinoïdes[2]. Sur le plan pharmacocinétique, il est estimé que seulement 0,01 % de la dose d'adapalène appliquée est absorbée[2].	Jusqu'à ce qu'on dispose de plus d'informations sur les effets de l'adapalène chez la femme enceinte, on devrait éviter l'usage de cet agent pendant la grossesse. Il y a toutefois lieu de rassurer une femme qui y aurait été exposée par inadvertance.
Tazarotène	Des revues de littérature médicale et l'étiquetage du produit indiquent que des niveaux systémiques élevés de tazarotène produisent des effets tératogènes caractéristiques des rétinoïdes chez les rates et les lapines[2, 15]. Le feuillet d'information sur le produit fait mention de 9 femmes enceintes exposées par inadvertance au tazarotène dans le cadre d'études cliniques[15]. Une patiente a choisi d'interrompre sa grossesse tandis que les autres ont mis au monde des enfants en santé[15]. Le nombre de cas est très limité, d'autant plus que le trimestre d'exposition et la dose utilisée ne sont pas rapportés, ce qui limite l'extrapolation de ces données. Par ailleurs, les études pharmacocinétiques démontrent que seulement 5 % de la dose appliquée est absorbée, ce qui entraîne des concentrations plasmatiques très faibles[2, 15].	Les données sur l'innocuité du tazarotène chez les femmes enceintes sont très limitées, et son usage est à éviter dans cette population[2, 15]. Il serait cependant approprié de rassurer une femme qui y aurait déjà été exposée.

Médicament	Données durant la grossesse	Recommandations, commentaires
Trétinoïne	Le risque de tératogénicité associé à l'usage de trétinoïne topique a été l'objet de plusieurs préoccupations étant donné la similarité de cette molécule avec l'isotrétinoïne orale. Tout d'abord, des données animales et des études pharmacocinétiques chez l'humain procurent des données rassurantes[2, 15]. En effet, l'absorption systémique de la trétinoïne topique est faible, ce qui minimise la possibilité d'un effet tératogène[2]. Ensuite, les données épidémiologiques totalisent plus de 1 500 expositions au 1er trimestre de la grossesse[15, 28-31]. Ces données suggèrent que l'exposition à la trétinoïne topique en début de grossesse n'augmente pas le risque de malformations par rapport à la population générale, d'autant plus que les malformations observées dans ces cohortes ne sont pas suggestives d'embryopathies rétinoïdes. Cependant, ces études comportent d'importantes limites. Les 2 études de plus grande envergure utilisent des bases de données sur les ordonnances de trétinoïne topique pour déterminer les cas exposés. Il se pourrait très bien qu'une patiente reçoive une ordonnance de trétinoïne topique sans l'utiliser, ou qu'elle obtienne ce produit d'une façon contournée. Les deux autres études sont de très petite taille, ce qui limite leur puissance statistique. Malgré ces données rassurantes, il existe dans la littérature 5 notifications de cas décrivant des enfants exposés à la trétinoïne topique *in utero* et qui présentent des anomalies consistantes avec l'embryopathie rétinoïde[15]. Ces cas de malformations pourraient être le fruit du hasard, mais ils pourraient aussi représenter les conséquences d'une exposition au rétinoïde.	Il n'est pas possible d'exclure un risque tératogène augmenté avec l'usage de trétinoïne topique durant la grossesse. Le plus sécuritaire est d'éviter l'utilisation de ce médicament durant la grossesse. Cependant, si par inadvertance une femme est exposée à la trétinoïne topique en début de grossesse, le risque fœtal apparaît très faible s'il existe.
	**Traitements hormonaux**	
	L'efficacité des traitements hormonaux est basée sur la diminution de la sécrétion excessive de sébum causée par les androgènes[4, 16].	
Contraceptifs oraux combinés (COC)	Les COC diminuent la production d'androgènes ovariens en inhibant l'ovulation[1, 3-5, 16]. De plus, ils diminuent la quantité de testostérone libre et active en augmentant la synthèse hépatique de globuline liant la testostérone[1, 3-5, 16]. Initialement, certains faits suggéraient une association entre l'exposition aux COC en début de grossesse et un risque augmenté d'une constellation de malformations majeures[12, 15]. Ce patron d'anomalies était défini par l'acronyme VACTREL et incluait des anomalies des vertèbres, de l'anus, du cœur, de la trachée, des reins, de l'œsophage et des membres[15]. D'autre part, en raison des	Lorsqu'une grossesse non planifiée est exposée à un COC, l'arrêt du traitement contraceptif s'impose. Toutefois, il est généralement admis que les COC ne présentent pas de risque tératogène majeur et un suivi obstétrical particulier n'est pas recommandé en cas d'exposition[17].

Médicament	Données durant la grossesse	Recommandations, commentaires
	effets biologiques connus des hormones sexuelles sur le développement des organes génitaux, des risques augmentés de féminisation du fœtus mâle et de masculinisation du fœtus féminin ont aussi été suspectés. Toutefois, la majorité des rapports incriminant les COC ont été publiés au début des années 1960 alors que les doses de progestérone et d'œstrogène retrouvées dans les COC étaient bien supérieures à celles utilisées aujourd'hui[15]. De plus, la plupart de ces études ont été largement critiquées sur le plan méthodologique[17].	
	Plus récemment, 2 méta-analyses n'ont pas trouvé d'association entre l'exposition aux COC en début de grosssesse et un risque augmenté de malformations majeures, générales ou génitales[32, 33].	
Cyprotérone	La cyprotérone inhibe l'ovulation et bloque les récepteurs androgéniques[1, 3]. L'administration de cyprotérone chez des rongeurs gravides a été associée à une féminisation du tractus génital du fœtus mâle[34, 35]. Cet effet n'a pour l'instant pas été observé chez l'humain, même lors d'une exposition durant la période critique. Les données du fabricant totalisent 44 fœtus mâles exposés durant la grossesse, dont 38 durant une partie ou toute l'organogénèse sexuelle[13]. Ces données semblent rassurantes, sans toutefois exclure un risque potentiel. L'effet d'une exposition *in utero* sur le développement sexuel à long terme demeure aussi une question ouverte[36].	De par leur mécanisme d'action, l'usage de ces agents est déconseillé en cours de grossesse. En effet, la cyprotérone et la spironolactone pourraient théoriquement entraîner des anomalies au niveau des organes génitaux externes de l'enfant de sexe masculin. La période critique pour ces malformations majeures se situe entre la neuvième et la onzième semaine gestationnelle[37]. Cependant, l'exposition par inadvertance à ces agents ne justifie ni une interruption volontaire de grossesse, ni une investigation particulière[13].
Spironolactone	Premièrement, la spironolactone démontre des propriétés antiandrogéniques en agissant comme un antagoniste des récepteurs androgéniques et en inhibant l'enzyme 5 alpha-réductase[1, 3, 5]. Chez les rates gravides exposées à ce médicament, une féminisation des fœtus mâles a été notée[15]. Cette observation a amené l'inquiétude d'une virilisation insuffisante chez les garçons exposés *in utero*. À ce jour, un tel effet n'a pas été rapporté chez l'humain. En fait, les notifications de cas totalisent 3 fœtus mâles exposés à la spironolactone durant toute la grossesse sans qu'une virilisation insuffisante ne soit décrite[38, 39]. Une étude de surveillance recueille 31 enfants exposés au 1er trimestre de la grossesse, dont 2 malformations majeures (1 attendue)[15].	
	Par ailleurs, les propriétés diurétiques de la spironolactone sont une source d'inquiétudes supplémentaires. En tant que classe, les diurétiques pourraient théoriquement diminuer la perfusion placentaire et causer un retard de croissance intra-utérine[15].	

Traitements de l'acné recommandés pendant l'allaitement

Le traitement de l'acné chez la femme qui allaite est relativement le même que chez la femme enceinte et figure dans le tableau IV. En ce qui concerne le choix d'un traitement local, les possibilités sont toutefois plus nombreuses. Durant l'allaitement, les rétinoïdes topiques constituent effectivement des options de traitement valables.

Ligne thérapeutique	Médicament	Posologie	Suivi recommandé et commentaires
TABLEAU IV – TRAITEMENTS DE L'ACNÉ RECOMMANDÉS PENDANT L'ALLAITEMENT			
Antibiotiques topiques			
Voir tableau II			
Autres agents topiques			
Voir tableau II			
Rétinoïdes topiques			
Premier recours	Adapalène	Application locale 1 fois par jour au coucher*.	Mêmes effets indésirables potentiels que la trétinoïne topique, mais généralement d'intensité moindre.
	Tazarotène	Application locale 1 fois par jour au coucher*.	Mêmes effets indésirables potentiels que la trétinoïne topique, mais généralement plus marqués.
	Trétinoïne	Application locale 1 fois par jour au coucher*.	Effets indésirables potentiels : xérose, irritation, érythème, brûlure, photosensibilité.
Antibiotiques oraux			
Voir tableau II			

*Pour être efficaces, les agents topiques doivent être appliqués sur toute la surface affectée, et non seulement sur les lésions; les lésions actuelles vont disparaître d'elles-mêmes et le but du traitement est de prévenir de nouvelles lésions[1, 3, 4].

TABLEAU V – DONNÉES SUR L'INNOCUITÉ DES MÉDICAMENTS ANTIACNÉIQUES AU COURS DE L'ALLAITEMENT		
Médicament	**Données durant l'allaitement**	**Recommandations, commentaires**
Antibiotiques oraux		
Érythromycine	Voir chapitre 20. *Anti-infectieux.*	
Tétracyclines	Voir chapitre 20. *Anti-infectieux.*	
Antibiotiques topiques		
Clindamycine Érythromycine Peroxyde de benzoyle	L'absorption topique de ces agents est négligeable et aucun effet indésirable n'a été rapporté chez le nourrisson dont la mère utilise un de ces traitements[2, 40].	Ces produits topiques semblent compatibles avec l'allaitement. Le risque d'effets indésirables apparaît très faible pour le nourrisson.
Autres agents topiques		
Il n'existe pas de donnée sur l'innocuité de l'acide salicylique, de l'oxyde de zinc, du soufre et du sulfacétamide sodique topiques chez la femme qui allaite. En principe, les traitements topiques externes sont acceptables pendant l'allaitement lorsqu'ils sont appliqués sur une petite surface et que la fréquence d'utilisation est limitée[13].		
Acide salicylique	La quantité absorbée suivant une application au visage est estimée à 3 mg seulement[2]. La biodisponibilité de l'acide salicylique appliquée sur la peau peut être assez importante, atteignant jusqu'à 25 %[2]. Voir chapitre 33. *Migraines et douleurs* pour les données concernant l'acide acétylsalicylique	Ces produits topiques semblent compatibles avec l'allaitement. Le risque d'effets indésirables apparaît très faible pour le nourrisson.
Oxyde de zinc	L'absorption topique de l'oxyde de zinc est faible, et il est généralement accepté que l'apport maternel en zinc n'affecterait pas la quantité retrouvée dans le lait[2, 40]. Les besoins minimaux recommandés en zinc chez un enfant né à terme se chiffrent entre 0,3 à 0,5 mg/kg/jour. En général, chez les mères qui ne prennent pas de suppléments, l'apport en zinc par le lait maternel est estimé à environ 0,35 mg/kg/jour[40].	
Soufre	La quantité absorbée par voie topique est d'environ 1 %[2].	
Sulfacétamide sodique	La quantité absorbée suivant une application au visage est estimée à moins de 3 mg et moins de 2 % de cette dose se retrouve dans le lait maternel[2, 15].	
Rétinoïde oral		
Isotrétinoïne	Le passage de l'isotrétinoïne dans le lait maternel est inconnu, mais considérant les propriétés lipophiles de ce rétinoïde, il est attendu que les concentrations obtenues dans le lait maternel soient significatives[15, 40]. Il n'existe aucun cas d'exposition rapporté par le lait maternel.	Les risques sont trop peu connus pour permettre l'usage de ce médicament chez la femme qui allaite[40]. La prise d'isotrétinoïne en période d'allaitement est déconseillée.

Médicament	Données durant l'allaitement	Recommandations, commentaires
Rétinoïdes topiques		
Adapalène Tazarotène Trétinoïne	Il n'existe pas d'études sur les rétinoïdes topiques durant l'allaitement. L'absorption de ces produits est faible et associée à des concentrations plasmatiques presque indétectables chez les utilisateurs[2].	Les traitements topiques externes sont acceptables pendant l'allaitement lorsqu'ils sont appliqués sur une petite surface et que la fréquence d'utilisation est limitée[13]. Le risque d'effets indésirables apparaît très faible pour le nourrisson. Il est en revanche préférable d'éviter l'application de rétinoïdes sur de grandes surfaces.
Traitements hormonaux		
Contraceptifs oraux combinés (COC)	Les COC ont tendance à diminuer la production lactée[40]. Cet effet est bien connu et survient surtout lorsque les COC sont débutés peu de temps après l'accouchement[40]. La diminution de la production de lait peut même nuire à l'instauration d'un allaitement exclusif. L'effet des œstrogènes sur la composition du lait maternel et sa qualité nutritive demeurent toutefois controversés[40]. Les œstrogènes se retrouvent dans le lait de la mère, mais en quantité comparable à celle qui est naturellement présente dans le lait maternel[15]. Les progestatifs passent aussi très peu dans le lait de la mère[15]. Plusieurs données suggèrent que ces quantités n'auraient pas d'effet sur le développement sexuel des enfants allaités[40]. Dans la littérature scientifique, il existe une seule notification d'effet indésirable chez un nourrisson qui a développé de la gynécomastie et de la mastalgie. Il est spécifié que cet enfant était exposé à de fortes doses d'œstrogènes par le lait maternel[15].	Si un COC doit être utilisé durant l'allaitement, il est recommandé d'attendre que l'allaitement soit bien établi (60 à 90 jours) et d'utiliser un contraceptif contenant de faibles doses d'œstrogènes, soit 20 à 35 µg[15, 40]. La production de lait pourrait malgré tout être compromise, ce qui pourrait entraîner une réduction du gain de poids chez le nourrisson[15, 40].
Cyprotérone	Les données sur la cyprotérone chez la femme qui allaite se limitent à l'administration d'une dose unique de 50 mg à 6 femmes immédiatement après l'accouchement[41]. Ces patientes n'allaitaient pas leur enfant pendant la durée de l'étude. À partir de ces données, il est possible d'estimer qu'un enfant allaité dont la mère prendrait un contraceptif oral contenant 2 mg de cyprotérone chaque jour recevrait environ 2 % de la dose maternelle ajustée au poids de l'enfant. Les risques pour l'enfant exposé par l'allaitement demeurent cependant inconnus.	Malgré la faible quantité de cyprotérone qui se retrouve dans le lait maternel, les propriétés antiandrogéniques de cette molécule font en sorte que son utilisation est généralement contre-indiquée en période d'allaitement[13, 42]. L'utilisation accidentelle de cet agent ne justifie pas une interruption de l'allaitement, tandis que l'arrêt du traitement est recommandé[13].

Médicament	Données durant l'allaitement	Recommandations, commentaires
Spironolactone	La spironolactone n'a pas été détectée dans le lait maternel. La canrénone, son principal métabolite actif, se retrouve toutefois dans le lait maternel en petite quantité[15, 40]. Pour une mère qui reçoit une dose unique de 25 mg, il est estimé que l'enfant allaité exclusivement est exposé à seulement 1,6 % de la dose néonatale[40]. Aucun effet indésirable n'a d'ailleurs été rapporté chez l'enfant allaité dont la mère prend de la spironolactone[40].	La spironolactone est habituellement compatible avec l'allaitement[15, 40]. Si la mère observe une diminution de la production lactée avec la prise de spironolactone, l'arrêt du traitement est recommandé.

Références

1. JAMES WD. Clinical practice. Acne. *N Engl J Med* 2005;352(14):1463-72.

2. AKHAVAN A, BERSHAD S. Topical acne drugs: review of clinical properties, systemic exposure, and safety. *Am J Clin Dermatol* 2003;4(7):473-92.

3. KATSAMBAS AD, STEFANAKI C, CUNLIFFE WJ. Guidelines for treating acne. *Clin Dermatol* 2004;22(5):439-44.

4. FELDMAN S, CARECCIA RE, BARHAM KL, HANCOX J. Diagnosis and treatment of acne. *Am Fam Physician* 2004;69(9):2123-30.

5. LAYTON AM. A review on the treatment of acne vulgaris. *Int J Clin Pract* 2006;60(1):64-72.

6. KRAUTHEIM A, GOLLNICK HP. Acne: topical treatment. *Clin Dermatol* 2004;22(5):398-407.

7. HAIDER A, SHAW JC. Treatment of acne vulgaris. *JAMA* 2004;292(6):726-35.

8. DRENO B. The treatment of acne. *Presse Med* 2005;34(7):540-3.

9. SCHMUTZ JL. Physiological skin changes during pregnancy. *Presse Med* 2003;32(38):1806-8.

10. DOTZ W, BERMAN B. Dermatologic disorders. In: Cohen WR, ed. *Cherry and Merkatz's Complications of Pregnancy.* 5th ed. Philadelphia: Lippincott Williams & Wilkins; 2000. p. 635-63.

11. SMITH J, TADDIO A, KOREN G. Drugs of choice for pregnant women. In: Koren G, ed. *Maternal-Fetal Toxicology: a clinician's guide.* 2nd ed. New York: Marcel Dekker; 1994. p. 115-28.

12. KOREN G, PASTUSZAK A, ITO S. Drugs in pregnancy. In: Koren G, ed. *Maternal-Fetal Toxicology: a clinician's guide.* 3rd ed. New-York: Marcel Dekker; 2001. p. 37-56.

13. SCHAEFER C. Specific drug therapies during lactation. In: Schaefer C, ed. *Drugs during Pregnancy and Lactation.* 1st ed. Amsterdam: Elsevier Science B.V.; 2001. p. 253-341.

14. FAVIER M, HININGER-FAVIER I. Zinc and pregnancy. *Gynecol Obstet Fertil* 2005;33(4):253-8.

15. BRIGGS GG, FREEMAN RK, YAFFE SJ. *Drugs in Pregnancy and Lactation.* 7th ed. Philadelphia: Lippincott Williams & Wilkins; 2005.

16. KATSAMBAS A, PAPAKONSTANTINOU A. Acne: systemic treatment. *Clin Dermatol* 2004;22(5):412-8.

17. MATSUI D, RIEDER MJ. Drugs and chemicals most commonly used by pregnant women. In: Koren G, ed. *Maternal-Fetal Toxicology: a clinician's guide.* 3rd ed. New-York: Marcel Dekker; 2001. p. 115-35.

18. LAMMER EJ, CHEN DT, HOAR RM, AGNISH ND, BENKE PJ, BRAUN JT, et al. Retinoic acid embryopathy. *N Engl J Med* 1985;313(14):837-41.

19. DAI WS, LABRAICO JM, STERN RS. Epidemiology of isotretinoin exposure during pregnancy. *J Am Acad Dermatol* 1992;26(4):599-606.

20. LAMMER EJ, HAYES EM, SCHUNIOR A. Risk for major malformation among human foetuses exposed to isotretinoin (13-cis-retinoic acid). *Teratology* 1987;35:68A.

21. AYME S, JULIAN C, GAMBARELLI D, MARIOTTI B, MAURIN N. Isotretinoin dose and teratogenicity. *Lancet* 1988;1(8586):655.

22. MITCHELL AA. Oral retinoids. What should the prescriber known about their teratogenic hazards among women of child-bearing potential? *Drug Saf* 1992;7(2):79-85.

23. ADAMS J, LAMMER EJ. Neurobehavioral teratology of isotretinoin. *Reprod Toxicol* 1993;7(2):175-7.

24. ATANACKOVIC G, KOREN G. Young women taking isotretinoin still conceive. Role of physicians in preventing disaster. *Can Fam Physician* 1999;45:289-92.

25. HONEIN MA, PAULOZZI LJ, ERICKSON JD. Continued occurrence of Accutane-exposed pregnancies. *Teratology* 2001;64(3):142-7.

26. PASTUSZAK A, KOREN G, RIEDER MJ. Use of the Retinoid Pregnancy Prevention Program in Canada: patterns of contraception use in women treated with isotretinoin and etretinate. *Reprod Toxicol* 1994;8(1):63-8.

27. ROBERTSON J, POLIFKA JE, AVNER M, CHAMBERS C, DELEVAN G, KOREN G, et al. A survey of pregnant women using isotretinoin. *Birth Defects Res A Clin Mol Teratol* 2005;73(11):881-7.

28. LOUREIRO KD, KAO KK, JONES KL, ALVARADO S, CHAVEZ C, DICK L, et al. Minor malformations characteristic of the retinoic acid embryopathy and other birth outcomes in children of women exposed to topical tretinoin during early pregnancy. *Am J Med Genet A* 2005;136(2):117-21.

29. JICK H. Retinoids and teratogenicity. *J Am Acad Dermatol* 1998;39(2 Pt 3):S118-22.

30. SHAPIRO L, PASTUSZAK A, CURTO G, KOREN G. Safety of first-trimester exposure to topical tretinoin: prospective cohort study. *Lancet* 1997;350(9085):1143-4.

31. ROSA F, PIAZZA-HEPP T, GOETSCH R. Holoprosencephaly with 1st trimester topical tretinoin. *Teratology* 1994;49:418-9.

32. BRACKEN MB. Oral contraception and congenital malformations in offspring: a review and meta-analysis of the prospective studies. *Obstet Gynecol* 1990;76(3 Pt 2):552-7.

33. RAMAN-WILMS L, TSENG AL, WIGHARDT S, EINARSON TR, KOREN G. Fetal genital effects of first-trimester sex hormone exposure: a meta-analysis. *Obstet Gynecol* 1995;85(1):141-9.

34. SCHARDEIN JL. Hormones and hormonal antagonists. In: Schardein JL, ed. *Chemically Induced Birth Defects.* 2nd ed. New York: Marcel Dekker Inc.; 1993. p. 271-339.

35. STATHAM BN, CUNLIFFE WJ, CLAYTON JK. Conception during 'Diane' therapy—a successful outcome. *Br J Dermatol* 1985;113(3):374.

36. BERGH T, BAKOS O. Exposure to antiandrogen during pregnancy: case report. *Br Med J* (Clin Res Ed) 1987;294(6573):677-8.

37. MOORE KL, PERSAUD TVN. Human birth defects. In: Moore KL, Persaud TVN, ed. *The Developing Human.* 5th ed. Philadelphia: W.B. Saunders Company; 1993. p. 142-73.

38. RIGO J, Jr., GLAZ E, PAPP Z. Low or high doses of spironolactone for treatment of maternal Bartter's syndrome. *Am J Obstet Gynecol* 1996;174(1 Pt 1):297.

39. GROVES TD, CORENBLUM B. Spironolactone therapy during human pregnancy. *Am J Obstet Gynecol* 1995;172(5):1655-6.

40. HALE TW. *Medications and Mothers' Milk.* 12th ed. Amarillo: Hale Publishing L.P.; 2006.

41. STOPPELLI I, RAINER E, HUMPEL M. Transfer of cyproterone acetate to the milk of lactating women. *Contraception* 1980;22(5):485-93.

42. DE SCHUITENEER B, DE CONINCK B. *Médicaments et allaitement.* 1ère éd. Paris: Arnette Blackwell S. A.; 1996.

Chapitre 35

Eczéma, psoriasis et troubles spécifiques de la peau

■

Simon TREMBLAY
Ema FERREIRA

Généralités

Les affections cutanées durant la grossesse sont un motif fréquent de consultation. Ce chapitre est consacré aux troubles divers de la peau, alors que l'acné est traitée spécifiquement au chapitre 34.

Les atteintes cutanées spécifiques de la grossesse englobent le prurit (incluant la cholestase intra-hépatique de la grossesse), le pemphigoïde *gestationis* (aussi appelé herpès gestationnel) et les plaques et papules d'urticaire prurigineuses de la grossesse (PPUPG) communément appelées *Pruritic Urticarial Papules and Plaques of Pregnancy*)[1]. D'autres conditions, tel le prurigo de la grossesse, la folliculite prurigineuse de la grossesse et l'impétigo herpétiforme, ne seront pas traitées en raison de la difficulté à en faire le diagnostic et du peu de documentation publiée à leur sujet[2]. Il est toutefois important d'aborder le traitement d'autres dermatoses chroniques chez les femmes en âge de procréer, telles l'eczéma et le psoriasis.

Enfin, il faut noter que les termes et le vocabulaire désignant ces diverses affections sont en perpétuel changement en raison des chevauchements et des limites encore flous de certaines d'entre elles[2].

Affections spécifiques de la grossesse

La grossesse est une période importante de changements sur plusieurs plans et comprend ainsi des modifications immunologiques, hormonales, vasculaires et métaboliques[3]. Ces facteurs engendrent de nombreuses modifications au niveau de la peau ; citons un changement dans la pigmentation, une modification du tissu conjonctif, des modifications de la vascularisation et une modification des annexes cutanées[3,4,5]. L'objet de ce chapitre est de traiter des pathologies spécifiques à la peau mais un survol des changements physiologiques et de leur prise en charge sera effectué au tableau I. La majorité de ces modifications tendent à se résorber spontanément en *post-partum*[4,5].

TABLEAU I – CHANGEMENTS DE LA PEAU ET DE SES ANNEXES LORS DE LA GROSSESSE ET LEUR TRAITEMENT		
Changement physiologique	**Incidence et commentaires**	**Traitements et recommandations**
Hyper-pigmentation	• Jusqu'à 90 % des femmes enceintes[5]. • Une hypermélanose est plutôt rare et pourrait indiquer un état sous-jacent d'hyperthyroïdisme[5].	L'hydroquinone est utilisée en dehors de la grossesse et de l'allaitement[3]. En raison d'une absorption percutanée d'environ 35 % et d'une absence de données pendant la grossesse et l'allaitement, il n'est pas recommandé de l'utiliser chez la femme enceinte ou qui allaite[6]. De plus, en raison du danger ou de l'absence de données, les traitements à la trétinoïne topique, à l'acide glycolique ou à l'aide de lasers ne sont pas recommandés pendant la grossesse[7].
Mélasme (chloasma ou masque de grossesse)	• Dans 5 % à 75 % des grossesses[3,4]. • Apparaît généralement vers la fin du 2e ou au début du 3e trimestre[3].	
Vergetures	• Affectent les femmes dans 60 % à 90 % des cas et apparaissent souvent entre le 6e et le 8e mois[3].	Aucun traitement sécuritaire pendant la grossesse et l'allaitement n'a été démontré comme étant efficace[7].
Angiomes stellaires	• Affectent de 50 % à 70 % des femmes de race blanche ; la majorité des angiomes stellaires se résorbent 3 mois *post-partum* tandis que 10 % peuvent persister[3].	La cryochirurgie, l'électro-cautérisation et l'utilisation de lasers vasculaires semblent sécuritaires en période de grossesse et d'allaitement. Toutefois, la plupart des lésions étant auto-résolutives, il peut être préférable de les traiter en *post-partum*[7].
Varices	• Affectent près de 40 % des femmes enceintes, avec une prédominance dans les membres inférieurs et le rectum[4,5].	Élever les jambes, dormir en position de Trendelenburg ou en position de décubitus latéral gauche et éviter les vêtements serrés pourraient prévenir l'apparition de varices. Toutefois, on n'a démontré scientifiquement l'efficacité d'aucune de ces méthodes. Aucun traitement sécuritaire des varices non hémorroïdales pendant la grossesse et l'allaitement n'a pu être identifié[7]. Voir le chapitre 26. *Constipation et hémorroïdes* pour le traitement des hémorroïdes.

Changement physiologique	Incidence et commentaires	Traitements et recommandations
Hyperplasie gingivale	• Apparaît dans 80% des grossesses, particulièrement à partir du quatrième mois[3,4,7]. La résolution est spontanée en *post-partum*[4].	La recherche effectuée n'a pas permis d'identifier de traitement efficace et sécuritaire durant la grossesse et l'allaitement.
Hyperhidrose	• La recherche effectuée n'a pas permis de trouver d'incidence pour l'hyperhidrose pendant la grossesse.	Les antisudorifiques à base de chlorure d'aluminium sont souvent utilisés. Les données durant la grossesse sont toutefois manquantes. Elles ont été extrapolées à partir de données sur l'hydroxyde d'aluminium[8]. L'absorption percutanée d'aluminium a toutefois été démontrée comme étant faible chez 2 hommes[9]. On peut dire que l'utilisation de produits à base de chlorure d'aluminium à dose normale semble rassurante et que des antisudorifiques à concentrations en chlorure d'aluminium supérieures (6,25%, 12,5%, 20%) devraient être évitées si possible[10].
Hirsutisme	• La majorité des femmes constatent un hirsutisme dans les premiers mois de la grossesse qui disparaît généralement en *post-partum*[1,3,4,5].	La recherche effectuée n'a pas permis d'identifier de traitement efficace et sécuritaire pendant la grossesse et l'allaitement.

La cholestase intra-hépatique de la grossesse

Définition

La cholestase intra-hépatique de la grossesse (CIG) se manifeste souvent lors du troisième trimestre par un prurit menant à des lésions cutanées secondaires en raison du grattage (excoriation)[2]. Cette condition peut mener à un ictère dans 10 à 20% des cas[11]. Une résolution spontanée du prurit s'observe généralement dans la première semaine du *post-partum*[11,12].

Épidémiologie

Au Canada, la CIG survient dans moins de 1% des grossesses ; ce pourcentage peut augmenter jusqu'à 9,2 à 15,6% dans les pays d'Amérique du Sud[12,13]. Le prurit se manifeste dans 3 à 14% des grossesses et jusqu'à 1,6% de ces cas s'avèrent assez sévères pour nécessiter un traitement[1].

Étiologie

Bien qu'une influence génétique ait clairement été démontrée, l'étiologie de la CIG reste multifactorielle[2,11,12]. Toutefois, la concentration élevée d'œstrogènes circulants a été associée au développement de la CIG[14].

Facteurs de risque

Le taux de récurrence chez les femmes ayant déjà souffert de CIG lors d'une grossesse précédente est de 60 à 70%[2]. De plus, 50% des cas diagnostiqués ont des antécédents familiaux de CIG. Si la mère a un enfant atteint de cholestase intra-hépatique familiale progressive de type 3 ou de cholestase familiale récurrente, elle a également plus de risque de souffrir de CIG[12]. Certains médicaments ont aussi été associés à une incidence accrue de CIG, dont la progestérone, l'acétaminophène, les macrolides et l'alphaméthyldopa[15].

Outils d'évaluation

SYMPTÔMES

Le prurit est très fréquent et n'est donc pas spécifique. Toutefois, un prurit persistant et généralisé sans lésion cutanée primaire apparaissant au troisième trimestre ou un ictère doivent nécessairement impliquer une investigation hépatique afin de confirmer ou d'infirmer une cholestase intra-hépatique de la grossesse (CIG)[15].

DOSAGES BIOLOGIQUES

Les dosages biologiques ont une utilité diagnostique particulière dans les cas de CIG. Ils peuvent également servir à l'évaluation de l'efficacité du traitement. Les acides biliaires (l'acide cholique, l'acide désoxycholique et l'acide chénodésoxycholique) peuvent être les premiers paramètres à augmenter, leur concentration pouvant atteindre de 3 à 100 fois les valeurs de référence du laboratoire[15,16]. Ce paramètre pourrait même précéder une cytolyse hépatique. Il faut toutefois noter que l'acide chénodésoxycholique augmente de façon normale à proximité du terme de la grossesse[15]. La bilirubine conjuguée est également augmentée mais rarement à plus de 34,2 à 85,5 µmol/L[16]. Les transaminases sont aussi élevées, pouvant atteindre de 4 à 10 fois les valeurs de référence du laboratoire[15,16]. Les phosphatases alcalines peuvent aussi être augmentées. Il est toutefois difficile de s'y fier puisqu'elles peuvent également être d'origine placentaire[15]. Toutefois, ces élévations de paramètres biochimiques ne permettent pas d'évaluer le risque fœtal causé par la CIG en clinique, mais permettent de confirmer la présence de la pathologie[16].

Effets de la cholestase intra-hépatique sur la grossesse

Les effets de la cholestase intra-hépatique de la grossesse sur la mère sont généralement négligeables. Cette condition peut toutefois rendre la mère très inconfortable[17]. Une détresse psychologique peut également survenir, en plus de nausées, de vomissements, d'anorexie et d'un faible gain de poids[18]. L'effet le plus important est la malabsorption des vitamines liposolubles (A, D, E, K), et plus particulièrement de la vitamine K en raison de l'accumulation de sels biliaires[15,17]. De plus, l'absorption des graisses étant dépendante des sels biliaires, la patiente peut également présenter de la stéatorrhée[17]. La diminution de l'absorption de la vitamine K peut mener à une augmentation des risques d'hémorragie, tout particulièrement en *post-partum*. De plus, chez une primipare, le risque de cholélithiase est augmenté de deux à sept fois en *post-partum*[18].

Comparativement à une population obstétricale normale, les femmes souffrant de CIG ont un risque jusqu'à trois fois plus élevé de donner naissance prématurément[19].

Le retard de croissance *in utero* peut affecter de 17,5 à 50% des naissances. Finalement, la conséquence la plus grave est la mort intra-utérine, pouvant être présente dans 2 à 25% des cas de CIG. Elle serait d'origine hypoxique, secondaire à une constriction de la veine ombilicale probablement causée par la présence de *méconium*[12,17].

Une échographie Doppler des vaisseaux ombilicaux sur une base hebdomadaire pourrait être une approche potentielle en matière de prévention de mortalité[17].

En raison de ces risques, certains auteurs recommandent de provoquer l'accouchement pour tous les cas de CIG (généralement à partir de la 36e semaine de gestation) selon la gravité des cas, la maturité de la fonction pulmonaire du fœtus et l'état du col utérin[2,18]. La CIG semble également associée à un plus petit poids à la naissance à terme[19].

Effets à long terme

La CIG est sans conséquences à long terme pour la mère[18]. Toutefois, quatre cas de cholestase intra-hépatique s'étant prolongé en *post-partum* et ayant évolué en maladies hépatiques chroniques (cirrhose, fibrose portale) ont été rapportés. Un lien de cause à effet n'a cependant pas pu être démontré[20].

Le fœtus ne semble pas non plus affecté à long terme par la CIG[19].

Le tableau II présente les traitements recommandés de la CIG pendant la grossesse et l'allaitement tandis que les tableaux III et IV présentent les données d'innocuité durant la grossesse et l'allaitement, respectivement.

TABLEAU II – TRAITEMENTS DE LA CIG RECOMMANDÉS PENDANT LA GROSSESSE ET L'ALLAITEMENT[13-18,21]			
Ligne thérapeutique	Médicament	Posologie	Suivi recommandé
Premier recours	Acide ursodésoxycholique (ursodiol, UDCA)	14 mg à 25 mg par kg par voie orale par jour divisé en 2 ou 3 prises.	La dose maximale étudiée a été de 2 g par voie orale par jour. Le prurit devrait cesser en 2 à 3 jours et la cytolyse devrait diminuer en une à 2 semaines. Les concentrations d'acides biliaires et les enzymes hépatiques se normalisent avec ce traitement. L'ursodiol est bien toléré et permet l'amélioration des pronostics maternel et fœtal.
En association avec le traitement	Antihistaminiques oraux	Diphenhydramine : 25 à 50 mg par voie orale toutes les 4 à 6 heures. Hydroxyzine : 25 mg par voie orale toutes les 6 à 8 heures. Loratadine : 10 mg par voie orale 1 fois par jour.	
Autres traitements	Cholestyramine	24 g par voie orale par jour divisé en 3 ou 4 prises.	Le soulagement du prurit se voit en 1 à 2 semaines après le début du traitement. Les paramètres biochimiques et le pronostic fœtal ne s'en trouvent toutefois pas améliorés. Il est également

Ligne thérapeutique	Médicament	Posologie	Suivi recommandé
			nécessaire de surveiller le rapport normalisé international (RNI) de la patiente en raison de la malabsorption possible de la vitamine K. L'administration de vitamine K pourrait être envisagée. L'administration de vitamines prénatales doit également être faite 2 à 3 heures après la prise de la cholestyramine. L'adhésion au traitement est aussi problématique en raison de la faible tolérance de plusieurs patientes.
	Dexaméthasone	12 mg par voie orale 1 fois par jour pendant 7 jours. Diminution graduelle pendant 3 jours par la suite.	Les concentrations d'œstriol devraient chuter de façon significative après le premier jour de traitement. Les taux d'acides biliaires devraient également diminuer dans les 4 premiers jours. L'alanine aminotransférase (ALT) peut toutefois augmenter durant cette période, mais devrait diminuer de façon significative entre le quatrième et le douzième jour suivant le début du traitement. D'autres études sont toutefois nécessaires pour confirmer ces résultats.
	Phénobarbital	2 à 5 mg par kg par jour par voie orale.	Le phénobarbital a amélioré le prurit chez 50 % des patientes sans toutefois améliorer le profil biochimique. Il peut être particulièrement utile lorsque administré au coucher quand le prurit interfère avec le sommeil.

TABLEAU III – DONNÉES SUR L'INNOCUITÉ PENDANT LA GROSSESSE DES MÉDICAMENTS UTILISÉS DANS LA CIG

Médicament	Données durant la grossesse	Recommandations, commentaires
Acide ursodésoxycholique (ursodiol, UDCA)	• Les études animales n'ont pas montré d'effet tératogène[22]. • L'absorption par voie orale est estimée à 30 à 50 % et les concentrations sanguines et tissulaires autres qu'hépatiques sont faibles[22]. • Aucun cas d'exposition au 1er trimestre n'a été répertorié dans la littérature médicale. Près d'une centaine de cas d'exposition lors des 2e et 3e trimestres n'ont pas été associés à des issues défavorables chez le nouveau-né[21-28].	L'utilisation de l'UDCA semble sécuritaire aux 2e et 3e trimestres de la grossesse[6,23]. Il manque toutefois de données afin de prouver l'innocuité de l'ursodiol au 1er trimestre.

Médicament	Données durant la grossesse	Recommandations, commentaires
Cholestyramine	• La cholestyramine est une résine non absorbée. Dans une étude de surveillance, 4 enfants ont été exposés au 1er trimestre et 33 l'ont été après le 1er trimestre. Aucun nourrisson n'avait de malformations congénitales[6]. Un cas d'hémorragie cérébrale chez le fœtus menant au décès a toutefois été rapporté après une exposition allant de la 19e semaine jusqu'à la fin de la grossesse chez l'enfant d'une mère consommant 16 g de cholestyramine par jour. Un déficit en vitamine K a été suspecté[6,18,22].	Les données sont insuffisantes pour évaluer un risque tératogène. Toutefois en raison de son absorption orale nulle, l'utilisation de la cholestyramine est possible avec un suivi approprié. Il faut porter une attention particulière au risque de malabsorption de la vitamine K[17,18].
Antihistaminiques oraux	Voir chapitre 22. *Rhinite allergique et allergies saisonnières.*	
Dexaméthasone	Voir chapitre 29. *Polyarthrite rhumatoïde et lupus érythémateux disséminé.*	
Phénobarbital	Voir chapitre 32. *Épilepsie.*	

TABLEAU IV – DONNÉES SUR L'INNOCUITÉ DES MÉDICAMENTS UTILISÉS PENDANT L'ALLAITEMENT DANS LA CIG

Médicament	Données durant l'allaitement	Recommandations, commentaires
Acide ursodésoxycholique (ursodiol, UDCA)	• Les recherches effectuées n'ont pas permis de trouver d'études pendant l'allaitement. L'UDCA se retrouve en très faible concentration plasmatique et est hautement lié à l'albumine. Il est improbable qu'une quantité significative se retrouve dans le lait maternel[6,22]. • L'UCDA est également utilisé en pédiatrie[29].	L'UDCA est compatible avec l'allaitement[6,22].
Cholestyramine	• Les recherches effectuées n'ont pas permis de trouver d'études au cours de l'allaitement. La cholestyramine n'est toutefois pas absorbée par la voie orale. Par contre, elle lie les vitamines liposolubles, ce qui pourrait créer une carence chez la mère et chez l'enfant[6,22]	La cholestyramine peut être utilisée pendant l'allaitement[6,22].
Antihistaminiques oraux	Voir chapitre 22. *Rhinite allergique et allergies saisonnières.*	
Dexaméthasone	Voir chapitre 29. *Polyarthrite rhumatoïde et lupus érythémateux disséminé.*	
Phénobarbital	Voir chapitre 32. *Épilepsie.*	

Pemphigoïde *gestationis*

Définition

Le pemphigoïde *gestationis* (PG) est une affection auto-immune rare souvent associée à la grossesse. Elle survient généralement durant les deuxième et troisième trimestres et plus rarement lors du premier trimestre[2,11,30]. Elle peut aussi apparaître jusqu'à sept jours en *post-partum* dans 20% des cas[2,11]. Elle se manifeste par des lésions papuleuses prurigineuses et urticariennes d'apparition brutale à début péri-ombilicales dans 50% des cas et d'extension centrifuge. Ces lésions deviennent rapidement vésiculo-bulleuses[11,30]. Le PG peut parfois atteindre les muqueuses. Cette manifestation ne représente toutefois pas le symptôme prédominant et demeure rare[31,32]. Une flambée des symptômes est observée chez 75% des patientes au moment de l'accouchement[2]. Le PG régresse spontanément chez la plupart des patientes en *post-partum*[2]. La guérison peut nécessiter de 1 à 17 mois[11].

Des poussées peuvent ultérieurement se voir en dehors de la grossesse. Ces dernières sont plus souvent vues lors de la prise de contraceptifs oraux combinés mais peuvent parfois être simplement déclenchées par les menstruations[2,11,16,30].

Épidémiologie

Le PG se manifeste à raison de 1/50 000 à 1/10 000 grossesses[11,30]. Il est plus fréquent chez les femmes d'origine caucasienne[16].

Étiologie

Le PG est une maladie auto-immune affectant la membrane basale de l'épiderme[2,16]. Une réaction immunologique contre le placenta en raison d'une prédisposition génétique pourrait être à l'origine de cette maladie[2,16,30].

Facteurs de risque

La récurrence lors d'une grossesse ultérieure est de l'ordre de 60% à 70 %. La gravité de la maladie peut alors également augmenter[11].

Des récidives peuvent survenir à l'occasion des menstruations et des prises de contraceptifs oraux[2,11,16,30].

Outils d'évaluation

Aucun dosage biologique de routine ne peut être effectué pour diagnostiquer le PG[16]. Toutefois, la déposition du complément (C3) avec ou sans immunoglobuline G (IgG) sur la membrane basale, révélée par immunofluorescence directe sur la biopsie cutanée, constitue l'élément clé du diagnostic[16,30]. Des auto-anticorps anti-membrane basale (IgG) peuvent aussi être recherchés dans le sérum (immunofluorescence indirecte)[2,11,30].

Effets du Pemphigoïde gestationis *sur la grossesse*

Le PG est associé à un plus petit poids pour l'âge gestationnel et à un risque augmenté de naissance prématurée. Toutefois, aucun risque accru de mortalité ou de morbidité n'a été noté[2].

Effets néonatals

Le nouveau-né présente des vésicules à la naissance dans 10% des cas. Ceci est probablement dû au transfert passif des anticorps de la mère. L'éruption est généralement modérée et limitée[2]. Les lésions disparaissent spontanément en deux ou trois mois sans traitement[30].

Effets à long terme

Lors d'une grossesse ultérieure, le PG peut survenir tôt et être plus sévère. Le PG peut également resurgir durant les menstruations (dans de rares cas) et parfois lors de la prise de contraceptifs oraux[2, 11, 16, 30]. Une augmentation du risque des maladies auto-immunes, particulièrement de la maladie de Graves, est notée chez les patientes ayant présenté un PG[2].

L'allaitement pourrait accélérer la résorption des lésions en *post-partum*. En effet, la durée moyenne de disparition des lésions chez la femme qui allaite est de 5 semaines pour les lésions bulleuses et de 24 semaines pour les lésions d'urticaire. Chez la femme qui n'allaite pas, les lésions bulleuses disparaissent généralement en 24 semaines et les lésions d'urticaire en 68 semaines[16].

Le tableau V présente les traitements recommandés pour le PG pendant la grossesse et l'allaitement tandis que les tableaux VI et VII présentent les données d'innocuité durant la grossesse et l'allaitement, respectivement.

TABLEAU V – TRAITEMENTS DU PG RECOMMANDÉS PENDANT LA GROSSESSE ET L'ALLAITEMENT[2,16, 30]			
Ligne thérapeutique	Médicament	Posologie	Suivi et commentaires
Pour les lésions d'urticaire en début de maladie	Corticostéroïdes topiques de force intermédiaire à forte	• Application selon le produit.	Passer aux corticostéroïdes oraux lors de la progression du PG.
Progression du PG	Prednisone	• 20 à 40 mg de prednisone par voie orale par jour au petit déjeuner. Des doses allant jusqu'à 180 mg de prednisone par voie orale par jour ont été administrées. • La rémission peut être induite à l'aide de 20 à 60 mg de prednisone par voie orale par jour.	L'évolution de la maladie est évaluée par l'apparition de nouvelles lésions. La dose de prednisone peut être diminuée 7 à 10 jours après l'arrêt de l'apparition de nouvelles lésions. Une diminution de la dose peut se faire à raison de 5 mg par jour. Une dose d'entretien de 5 à 10 mg de prednisone par voie orale peut être requise afin de prévenir une récurrence jusqu'à l'accouchement. Si une amélioration n'est pas notée, la dose de prednisone peut être augmentée à 50 à 80 mg par voie orale par jour.
En association avec les corticostéroïdes oraux	Antihistaminiques oraux (diphenydramine, hydroxyzine, loratadine)	• Diphenydramine : 25 à 50 mg par voie orale toutes les 4 à 6 heures. • Hydroxyzine : 25 mg par voie orale toutes les 6 à 8 heures. • Loratadine : 10 mg par voie orale 1 fois par jour.	

	TABLEAU VI – DONNÉES SUR L'INNOCUITÉ DES MÉDICAMENTS UTILISÉS DANS LE PG PENDANT LA GROSSESSE	
Médicament	**Données durant la grossesse**	**Recommandations, commentaires**
Corticostéroïdes topiques	• Voir chapitre 29. *Polyarthrite rhumatoïde et lupus érythémateux disséminé* pour les effets par la voie orale. • Peu de données sont disponibles par la voie topique. La pénétration percutanée varie selon le lieu d'application. Par exemple, dans le cas de l'hydrocortisone topique, la dose est absorbée à 1 % sur l'avant-bras, 2 % sur le rectum, 4 % sur le cuir chevelu et 7 % sur le front[6]. Deux études castémoins n'ont révélé aucune association entre des malformations congénitales, dont les fentes labio-palatines, et l'utilisation des corticostéroïdes topiques durant le 1er trimestre[33,34]. Un cas de retard de croissance sévère symétrique a été observé chez le fœtus d'une patiente ayant appliqué 40 mg par jour d'acétonide de triamcinolone sur sa peau entre la 12e et la 29e semaine de gestation. Aucune cause hypoxique, infectieuse ou chromosomique n'a été identifiée pour le retard de croissance[35]. Les données sur des primates lors d'application de triamcinolone topique suggèrent un risque accru de malformations majeures (anomalies du tube neural, malformations craniofaciales et squelettiques) à des doses supérieures à la dose équivalente chez l'humain. Ces effets n'ont pas été observés chez les primates avec les autres corticostéroïdes[36].	Les corticostéroïdes topiques semblent compatibles avec la grossesse.
Corticostéroïdes oraux	Voir chapitre 29. *Polyarthrite rhumatoïde et lupus érythémateux disséminé.*	
Antihistaminiques oraux (diphenydramine, hydroxyzine, loratadine)	Voir chapitre 22. *Rhinite allergique et allergies saisonnières.*	
Cyclophosphamide Méthotrexate	Voir chapitre 29. *Polyarthrite rhumatoïde et lupus érythémateux disséminé.*	

TABLEAU VII – DONNÉES SUR L'INNOCUITÉ DES MÉDICAMENTS UTILISÉS DANS LE PG PENDANT L'ALLAITEMENT		
Médicament	**Données durant l'allaitement**	**Recommandations, commentaires**
Corticostéroïdes topiques	Voir chapitre 29. *Polyarthrite rhumatoïde et lupus érythémateux disséminé* pour effets pour la voie orale. Peu de données sont disponibles par la voie topique. Toutefois, la quantité de corticostéroïdes passant dans le lait maternel est jugée faible. La pénétration percutanée varie selon le lieu d'application. Par exemple, dans le cas de l'hydrocortisone topique, la dose est absorbée à 1 % sur l'avant-bras, 2 % sur le rectum, 4 % sur le cuir chevelu et 7 % sur le front[6]. Un cas d'hypertension a été rapporté chez un enfant allaité dont la mère utilisait des corticostéroïdes au niveau du mamelon[37].	Les corticostéroïdes semblent compatibles avec l'allaitement. Si une application doit être faite au niveau du mamelon, préférer l'application en petites quantités d'onguent après l'allaitement. Enlever toute quantité résiduelle avant l'allaitement[6].
Corticostéroïdes oraux	Voir chapitre 29. *Polyarthrite rhumatoïde et lupus érythémateux disséminé.*	
Antihistaminiques oraux (diphenydramine, hydroxyzine, loratadine)	Voir chapitre 22. *Rhinite allergique et allergies saisonnières.*	
Cyclophosphamide Méthotrexate	Voir chapitre 29. *Polyarthrite rhumatoïde et lupus érythémateux disséminé.*	

Plaques et papules d'urticaire prurigineuses de la grossesse (PPUPG)

Définition

Les plaques et papules d'urticaire prurigineuses de la grossesse (PPUPG ou *Pruritic Urticarial Papules and Plaques of Pregnancy*) est la dermatose spécifique la plus fréquente de la grossesse. Le PPUPG est une éruption cutanée constituée de plaques prurigineuses urticariennes avec de petites papules[16]. Ces dernières peuvent se regrouper pour former des plaques qui s'étendent aux extrémités proximales. La plante des pieds et des mains ainsi que le visage ne sont généralement pas atteints[38]. Les lésions apparaissent souvent sur l'abdomen en premier tout en épargnant la région péri-ombilicale. Elles peuvent être micro-vésiculeuses mais ne présentent pas d'aspect bulleux. Ceci représente une différence caractéristique avec le pemphigoïde *gestationis*[16]. Le PPUPG apparaît généralement vers la fin du troisième trimestre ou, plus rarement, en *post-partum* immédiat. Les lésions disparaissent de façon spontanée en *post-partum*[11].

Épidémiologie

Le PPUPG a une incidence de 1/130 à 1/300 grossesses et prédomine chez les femmes primipares[2].

Étiologie

Bien qu'elle soit la plus fréquente des affections de la peau spécifiques à la grossesse, l'étiologie de la PPUPG est mal définie[2,39].

Facteurs de risque

Les récidives sont rares lors de grossesses subséquentes[11]. Les grossesses multiples semblent augmenter le risque de souffrir de PPUPG[2,38]. Jusqu'à 14 % des grossesses triples peuvent en être affectées[11]. Une distension abdominale ou un gain de poids important et rapide semblent aussi être un facteur de risque[2,11].

Outils d'évaluation

Les investigations sérologiques et immunologiques sont normales[2,16]. La biopsie cutanée est non spécifique.

Effets du PPUPG sur la grossesse

Les pronostics fœtal et maternel sont excellents. Le PPUPG ne semble pas associé à des problèmes fœtaux[2,11,16,38].

Effets néonatals

Aucun effet néonatal n'a pu être identifié. Le PPUPG n'est pas transmissible au nouveau-né[38].

Effets à long terme

Aucun effet à long terme n'a été identifié. De plus, la récurrence lors de la prise de contraceptifs oraux combinés ou lors des menstruations ne se produit pas[2,16,38].

Le tableau VIII présente les traitements recommandés du PPUPG pendant la grossesse et l'allaitement.

TABLEAU VIII – TRAITEMENTS DU PPUPG RECOMMANDÉS PENDANT LA GROSSESSE ET L'ALLAITEMENT[2,11,30]

Ligne thérapeutique	Médicament	Posologie	Suivi et commentaires
Premier recours	Antihistaminiques oraux	Diphenydramine : 25 à 50 mg par voie orale toutes les 4 à 6 heures. Hydroxyzine : 25 mg par voie orale toutes les 6 à 8 heures. Loratadine : 10 mg par voie orale 1 fois par jour.	
Deuxième recours	Corticostéroïdes topiques	Application selon le produit.	
	Prednisone	20 à 40 mg de prednisone par voie orale par jour au petit déjeuner.	La recherche effectuée n'a pas permis de trouver de durée de traitement. Lorsque la décision est prise de cesser la prednisone, un sevrage graduel devrait être privilégié.

Données sur l'innocuité des médicaments utilisés dans le PPUPG pendant la grossesse et l'allaitement

Les données sur les antihistaminiques oraux se retrouvent dans le chapitre 22. *Rhinite allergique et allergies saisonnières*. Les données sur les corticostéroïdes topiques sont dans le tableau VI et VII de ce chapitre et celles sur l'utilisation des corticostéroïdes oraux sont dans le chapitre 29. *Polyarthrite rhumatoïde et lupus érythémateux disséminé*.

Affections dermatologiques chroniques

Eczéma

Définition

L'eczéma est un problème inflammatoire localisé à la couche superficielle de la peau. Il est en général prurigineux et est caractérisé par des papules et microvésicules regroupant des plaques mal définies sur fond érythémateux. La lichénification de ces plaques est la conséquence d'un eczéma chronique[1,40].

La dermite atopique, la dermite séborrhéique, l'eczéma nummulaire et la dermite de contact allergique ou irritative forment la grande famille des eczémas[41].

Épidémiologie

L'eczéma est une condition fréquente et non spécifique à la grossesse. Toutefois, en raison de la large définition retenue, aucun chiffre spécifique ne peut être avancé.

Étiologie

Déclenchée par des stimuli endogènes ou exogènes, une réponse du système immunitaire mal régulée et médiée par les cytokines semble être un facteur pathogénique important[42].

Facteurs de risque

L'exposition aux allergènes ainsi que la sécheresse cutanée (xérose), les facteurs hormonaux, irritatifs, infectieux, psychologiques, souvent liés à un contexte de prédisposition génétique, peuvent précipiter une exacerbation d'eczéma[1,41].

Outils diagnostiques

Le diagnostic repose essentiellement sur un examen clinique. Aucun dosage biologique n'a été identifié dans le cas de l'eczéma[43]. Une biopsie cutanée peut écarter les diagnostiques différentiels dans les cas douteux.

Effets de la grossesse sur l'eczéma

La grossesse a un effet imprévisible sur la progression de l'eczéma. La maladie peut s'aggraver chez certaines femmes alors qu'elle peut se résorber chez d'autres[44].

Effets de l'eczéma sur la grossesse

La recherche effectuée n'a permis de trouver aucun effet de l'eczéma sur le cours de la grossesse.

Effets néonatals

L'eczéma n'a pas d'effet néonatal propre[40].

Effets à long terme

Un enfant qui naît d'un parent atteint d'eczéma atopique a un plus grand risque de souffrir d'eczéma. Le lien de causalité est encore plus important si les deux parents en sont atteints[45].

Le tableau IX présente les traitements recommandés de l'eczéma pendant la grossesse et l'allaitement tandis que les tableaux X et XI présentent les données d'innocuité durant la grossesse et l'allaitement, respectivement.

TABLEAU IX – TRAITEMENTS DE L'ECZÉMA RECOMMANDÉS PENDANT LA GROSSESSE ET L'ALLAITEMENT[41]			
Ligne thérapeutique	Médicament	Posologie	Suivi et commentaires
Premier recours	Corticostéroïdes topiques	Application selon le produit particulier.	
Deuxième recours	Prednisone (usage de corticostéroïde systémique doit rester exceptionnel dans la prise en charge de l'eczéma)	La recherche effectuée n'a pas permis de trouver de durée de traitement. 60 à 80 mg de prednisone par voie orale par jour pour 1 à 2 semaines.	Lorsque la décision est prise de cesser la prednisone, un sevrage graduel et rapide devrait être privilégié.
Troisième recours	Azathioprine	2,5 mg par kg par voie orale par jour.	Voir chapitre 29. *Polyarthrite rhumatoïde et lupus érythémateux disséminé* pour l'azathoprine. Début d'action de 4 à 6 semaines

Données sur l'innocuité des médicaments utilisés pour l'eczéma en grossesse

Les données d'innocuité des corticostéroïdes oraux, de la cyclosporine, de l'aza-thioprine, du mycophénolate mofétil et du méthotrexate se retrouvent dans le chapitre 29. *Polyarthrite rhumatoïde et lupus érythémateux disséminé.*

**TABLEAU X – DONNÉES SUR L'INNOCUITÉ DES MÉDICAMENTS UTILISÉS
POUR L'ECZÉMA DURANT LA GROSSESSE**

Médicament	Données de tératogénicité	Recommandations, commentaires
Corticostéroïdes topiques	Voir le tableau V.	
Pimécrolimus topique	• Les études chez le rat et chez le lapin n'ont pas démontré d'effets tératogènes à des doses supérieures à celles obtenues après l'application topique chez l'homme[46]. • Aucune étude chez la femme enceinte n'a été localisée.	L'état actuel des connaissances ne nous permet pas de recommander le pimécrolimus topique lors de la grossesse en raison d'un manque de données.
Tacrolimus topique	• Voir chapitre 29. *Polyarthrite rhumatoïde et lupus érythémateux disséminé* pour effets par la voie orale. Peu de données sont disponibles pour la voie topique. • L'absorption par voie cutanée est estimée à moins de 1 %[47]. Aucune donnée clinique n'a été répertoriée chez la femme enceinte par voie topique.	L'état actuel des connaissances ne nous permet pas de recommander le tacrolimus topique lors de la grossesse en raison d'un manque de données.

Données sur l'innocuité des médicaments utilisés pour l'eczéma durant l'allaitement

Les données d'innocuité des corticostéroïdes oraux, de la cyclosporine, de l'azathio-prine, du mycophénolate mofétil et du méthotrexate se retrouvent dans le chapitre 29. *Polyarthrite rhumatoïde et lupus érythémateux disséminé.*

**TABLEAU XI – DONNÉES SUR L'INNOCUITÉ DES MÉDICAMENTS UTILISÉS
POUR L'ECZÉMA PENDANT L'ALLAITEMENT**

Médicament	Données durant l'allaitement	Recommandations, commentaires
Corticostéroïdes topiques	Voir le tableau VI.	
Pimécrolimus 1 % topique	• Peu de données sont disponibles pour la voie topique. • Les biodisponibilités orale et topique du pimécrolimus ne sont pas connues et son poids moléculaire est de 810 Da. Il n'y a pas d'étude sur son passage dans le lait maternel. Le pimécrolimus est indiqué chez les enfants de plus de 2 ans mais il a été utilisé à partir de l'âge de 3 mois[48,49].	Puisqu'il n'y a pas de données pendant l'allaitement et qu'il s'agit d'un agent immunosuppresseur pour lequel on a peu de recul chez les enfants, son utilisation n'est pas recommandée.

Médicament	Données durant l'allaitement	Recommandations, commentaires
Tacrolimus 0,1% topique	• Voir chapitre 29. *Polyarthrite rhumatoïde et lupus érythémateux disséminé* pour effets par la voie orale. Peu de données sont disponibles pour la voie topique. L'absorption par voie cutanée est estimée à moins de 1 %[47]. La biodisponibilité orale du tacrolimus est estimée à moins de 32 % ; son poids moléculaire est 822 Da[49]. • On a rapporté le cas d'une femme recevant 0,1 mg par kg par jour de tacrolimus par voie orale durant sa grossesse et durant la période d'allaitement. Les auteurs ont déterminé que l'enfant recevait 0,02 % de la dose ajustée en fonction du poids de la mère lorsque exclusivement allaité. À 2 1/2 mois d'âge, l'enfant avait un développement physique et neurologique normal[50].	En raison du peu de données pendant l'allaitement et de son effet immunosuppresseur, son utilisation n'est pas recommandée pendant l'allaitement.

Psoriasis

Définition

Le psoriasis est une maladie papulosquameuse transmise génétiquement caractérisée par des exacerbations et des rémissions chroniques. Toute surface cutanée peut être affectée et les lésions ne sont pas nécessairement inflammatoires. Il existe plusieurs variantes cliniques de psoriasis[51].

Épidémiologie

Le psoriasis atteint de 0,6 à 4,8 % de la population[52].

Étiologie

La cause du psoriasis serait génétique. Toutefois, certains facteurs peuvent précipiter l'apparition des lésions. Le stress peut déclencher un épisode tout comme l'agression de la peau, certains médicaments et diverses infections systémiques[51]. Le psoriasis débute souvent dans l'enfance[51].

Facteurs de risque

Le psoriasis présente peu de facteurs de risque. Toutefois, le tabagisme et la consommation d'alcool ont été associés à une incidence accrue de psoriasis[53]. Certains médicaments, tels que le lithium, les bêta-bloqueurs, les agents anti-malariens ainsi que les corticostéroïdes systémiques peuvent exacerber ou aggraver les lésions existantes[51].

Outils d'évaluation

Le diagnostic repose sur un examen clinique. Aucun dosage biologique spécifique n'a été identifié. La biopsie cutanée peut souvent confirmer le diagnostic dans les cas douteux.

Effets de la grossesse sur le psoriasis

Dans une étude regroupant 47 patientes enceintes, 55,3 % ont rapporté une amélioration de leur condition, 21,3 % n'ont noté aucun changement et 23,4 % ont rapporté une détérioration. La diminution de la surface corporelle affectée a été significative vers la 10ᵉ à la 20ᵉ semaine de gestation. Les auteurs n'ont pas trouvé d'association entre les taux de progestérone et la variation du psoriasis[54].

Effets du psoriasis sur la grossesse

Aucun effet du psoriasis sur la grossesse n'a été identifié.

Effets néonatals

Aucun effet néonatal chez le fœtus n'a été identifié.

Effets à long terme

Aucun effet à long terme n'a été identifié.

À la suite de l'accouchement, une détérioration importante du psoriasis a été observée chez 65 % des patientes, 26 % n'ont rapporté aucun changement alors que seulement 9 % ont rapporté une amélioration[54].

Traitements recommandés du psoriasis pendant la grossesse et l'allaitement

FORMES LÉGÈRES À MODÉRÉES

TABLEAU XII – TRAITEMENTS RECOMMANDÉS DES FORMES LÉGÈRES À MODÉRÉES DU PSORIASIS PENDANT LA GROSSESSE ET L'ALLAITEMENT[55]			
Ligne thérapeutique	Médicament	Posologie	Suivi et commentaires
Premier recours	Corticostéroïdes topiques	Selon les agents utilisés. Traitement en continu pour obtenir une rémission.	Une amélioration devrait être observée après 2 semaines de traitement. La réévaluation de la nécessité du traitement selon la réponse clinique doit être effectuée régulièrement.
	Acide salicylique dans gelée de pétrole blanche (2 % à 10 % en acide salicylique)	Application topique de 1 à 2 fois par jour ou selon les produits spécifiques.	Utilisé en combinaison avec les corticostéroïdes topiques pour améliorer leur efficacité. L'application à plus de 20 % de la surface corporelle peut mener à des toxicités. L'acide salicylique devrait être réservé pour les plaques les plus épaisses.

FORMES MODÉRÉES À SÉVÈRES

Des séances de photothérapie UVB peuvent être associées au traitement topique en cas d'échec aux corticostéroïdes topiques seuls.

PRINCIPES DE TRAITEMENT PAR PHOTOTHÉRAPIE UVB

La photothérapie UVB occupe une place de choix dans le traitement du psoriasis pendant la grossesse et l'allaitement en raison de son innocuité. Plusieurs algorithmes ont été établis en fonction des différentes sources d'UVB. Les visites en cabinet médical se font généralement plusieurs fois par semaine[56]. La photothérapie UVB a été majoritairement étudiée dans le psoriasis en plaques. D'autres études sont nécessaires pour vérifier l'efficacité dans d'autres formes de psoriasis. Les patientes nécessitent généralement de une à trois séances de photothérapie par semaine[56,57].

La thérapie est généralement bien tolérée et les effets secondaires incluent une sensation de brûlure passagère au site d'irradiation. Plus de données sont toutefois nécessaires afin d'établir l'innocuité à long terme de ces thérapies[57].

Les tableaux XIII et XIV présentent les données d'innocuité de la photothérapie durant la grossesse et l'allaitement, respectivement.

TABLEAU XIII – DONNÉES SUR L'INNOCUITÉ DES PHOTOTHÉRAPIES UTILISÉES
DANS LE PSORIASIS PENDANT LA GROSSESSE

Médicament	Données durant la grossesse	Recommandations, commentaires
Photothérapie UVB	Très peu de données sont disponibles chez la femme enceinte. Toutefois, les rayons UVB sont en grande partie absorbés par la peau et la pénétration tissulaire est minimale[58].	En raison de la pénétration tissulaire minimale, l'effet sur le fœtus est probablement négligeable[58]. La grossesse n'est pas considérée comme une contre-indication à la thérapie UVB. Il faut toutefois s'assurer que la mère ne souffre pas d'hyperthermie lors des traitements. De plus, cette thérapie a été associée à une augmentation des éruptions d'herpès simplex chronique. La photothérapie UVB est sécuritaire lors de la grossesse[58].
PUVA	• Dans une étude rétrospective, 14 femmes ont été exposées au PUVA durant la grossesse et ont donné naissance à des enfants sans malformations congénitales[59]. • Dans une étude de surveillance, 8 femmes ont été traitées avec une dose maximale de 40 mg de methoxsalen par jour exclusivement au 1er trimestre. Aucune malformation congénitale n'a été observée[22]. • L'application topique de psoralène sur la plante des pieds et sur la paume des mains pourrait mener à des concentrations sériques indétectables de 8-methoxypsoralen.	Il ne semble pas y avoir de raison d'interrompre une grossesse en raison d'un traitement au PUVA. Toutefois, le risque de tératogénicité ne peut pas être éliminé et le PUVA devrait être évité lors de la grossesse, la famille des psoralènes étant un mutagène reconnu[59].

TABLEAU XIV – DONNÉES SUR L'INNOCUITÉ DES PHOTOTHÉRAPIES UTILISÉES DANS LE PSORIASIS PENDANT L'ALLAITEMENT		
Traitements	**Données durant l'allaitement**	**Recommandations, commentaires**
Photothérapie UVB	La recherche effectuée n'a permis d'identifier aucune donnée lors de l'usage en allaitement.	Étant donné la non pénétration de la photothérapie UVB dans la circulation systémique, elle est probablement sécuritaire en allaitement.
PUVA	Aucune donnée n'est disponible lors de l'usage du methoxsalen durant l'allaitement. Une dose orale de methoxsalen ingérée est éliminée à 95 % dans l'urine en 24 heures[22].	Il est préférable d'éviter la thérapie PUVA lors de l'allaitement en raison du manque de données d'innocuité.

Données sur l'innocuité des médicaments utilisés dans le psoriasis pendant la grossesse

Les données d'innocuité de l'acide salicylique et du tazarotène se retrouvent dans le chapitre 34. *Acné* et celles du méthotrexate, de la cyclosporine, de l'infliximab et l'étanercept se retrouvent dans le chapitre 29. *Polyarthrite rhumatoïde et lupus érythémateux disséminé.*

TABLEAU XV – DONNÉES SUR L'INNOCUITÉ DES MÉDICAMENTS UTILISÉS DANS LE PSORIASIS PENDANT LA GROSSESSE		
Médicament	**Données durant la grossesse**	**Recommandations, commentaires**
Psoriasis - agents topiques		
Corticostéroïdes topiques	Voir le tableau V.	
Calcipotriol topique	• La recherche effectuée a permis d'identifier peu de données chez la femme enceinte. Toutefois, approximativement 6 % de la dose appliquée est absorbée de façon systémique. Le calcipotriol est un analogue synthétique de la vitamine D. • Les études animales ont révélé des anomalies squelettiques lors de la prise de grandes doses orales. Par contre, d'autres études animales n'ont pas montré d'effet tératogène[58]. Aucune donnée humaine de tératogénicité n'a été relevée.	Le calcipotriol topique est probablement sécuritaire en grossesse. Toutefois, un manque de données ne permet pas d'établir l'innocuité du produit ni de le recommander en 1er recours.
Préparations de goudron	• Une étude rétrospective avec questionnaires chez 23 patientes ayant utilisé du shampooing au goudron de houille entre la première semaine et le septième mois de gestation n'a pas montré d'augmentation du taux de malformations majeures[60]. • Les données chez le rat et chez la souris ont montré des effets tératogènes importants, pouvant être reliés à la dose[61].	Il est conseillé d'éviter les préparations de goudron lors de la grossesse en raison du manque de données chez l'humain et des effets mutagènes chez les animaux[60]. Certains auteurs suggèrent toutefois que l'utilisation de ces produits après le 1er trimestre puisse être sécuritaire durant la grossesse[60].

Médicament	Données durant la grossesse	Recommandations, commentaires
Psoriasis - agents systémiques		
Acitrétine	• Voir chapitre 34. *Acné* pour l'exposition aux rétinoïdes • Le temps de demi-vie de l'acitrétine est de 2 à 4 jours et l'acitrétine est éliminée à plus de 98 % après 2 mois[62]. Toutefois, l'acitrétine peut être reconvertie en étrétinate *in vivo*, réaction qui est plus importante en présence d'éthanol[63]. Le temps de demi-vie de l'étrétinate est de plus de 120 jours, et l'étrétinate est éliminé à plus de 98 % 2 ans après la fin du traitement.	L'acitrétine n'est pas recommandée durant la grossesse. Il est recommandé d'attendre au moins de 2 à 3 ans avant de concevoir après la fin du traitement.
Psoriasis - agents biologiques		
Alefacept	La recherche effectuée n'a permis de trouver aucune donnée concernant l'alefacept.	L'alefacept ne devrait pas être utilisé pendant la grossesse en raison de l'absence de données.
Efalizumab	Les recherches effectuées n'ont pas permis d'identifier de données spécifiques chez la femme enceinte. Toutefois, des doses équivalentes à 30 fois celles utilisées chez l'humain n'ont pas montré d'effet tératogène chez la souris. Une réduction de la capacité à former une défense immunitaire a toutefois été remarquée chez le nourrisson murin à l'âge de 11 semaines de vie[64].	Il manque de données pour établir l'innocuité durant la grossesse de l'efalizumab. Cet agent doit donc être utilisé uniquement si les bénéfices surpassent clairement les risques[64].

Données sur l'innocuité des médicaments utilisés dans le psoriasis durant l'allaitement

Les données d'innocuité de l'acide salicylique et du tazarotène se retrouvent dans le chapitre 34. *Acné* et celles du méthotrexate, de la cyclosporine, de l'infliximab et l'étanercept se retrouvent dans le chapitre 29. *Polyarthrite rhumatoïde et lupus érythémateux disséminé.*

TABLEAU XVI – DONNÉES SUR L'INNOCUITÉ DURANT L'ALLAITEMENT DES MÉDICAMENTS UTILISÉS DANS LE PSORIASIS		
Médicament	**Données durant l'allaitement**	**Recommandations, commentaires**
Psoriasis - agents topiques		
Corticostéroïdes topiques	Voir le tableau VI.	
Calcipotriol topique	La recherche effectuée n'a permis d'identifier aucune donnée lors de l'usage durant l'allaitement. Toutefois, l'absorption cutanée est de 5 % à 6 %[6].	En raison de l'absence de données durant l'allaitement, un autre traitement devrait être préféré. Toutefois, les données pharmacocinétiques d'absorption et de liaison aux protéines plasmatiques tendent à indiquer que le passage dans le lait maternel est faible.
Préparations de goudron	La recherche effectuée n'a permis d'identifier aucune donnée lors de l'usage durant l'allaitement.	En raison de l'absence de données durant l'allaitement, un autre traitement devrait être préféré. L'usage ne devrait être fait qu'en cas d'échec aux autres produits dont l'innocuité a été établie.
Psoriasis - agents systémiques		
Acitrétine	• Voir le chapitre 34. *Acné* pour les rétinoïdes. • Chez une femme recevant 40 mg d'acitrétine par jour 8 mois *post-partum*, la dose théorique à laquelle aurait été exposé le nourrisson est estimée à 1,5 % de la dose maternelle ajustée pour le poids[22]. Le temps de demi-vie de l'acitrétine est de 2 à 4 jours et l'acitrétine est éliminée à plus de 98 % après 2 mois. Toutefois, l'acitrétine peut être reconvertie en étrétinate *in vivo*, réaction qui est plus importante en présence d'éthanol. Le temps de demi-vie de l'étrétinate est de plus de 120 jours, et l'étrétinate est éliminé à plus de 98% 2 ans après la fin du traitement.	En raison du peu de données, du temps de demi-vie et du risque potentiel de toxicité chez l'enfant, l'acitrétine n'est pas recommandée pendant l'allaitement.

Médicament	Données durant l'allaitement	Recommandations, commentaires
Psoriasis - agents biologiques		
Alefacept	La recherche effectuée n'a permis de trouver aucune donnée concernant l'alefacept. L'alefacept a un poids moléculaire de 91 400 Da[65].	L'alefacept ne devrait pas être utilisé en allaitement en raison de l'absence de données.
Efalizumab	On ne sait pas si l'efalizumab est excrété dans le lait humain. L'efalizumab a un poids moléculaire de 150 000 Da[66].	Il est préférable de cesser l'efalizumab en cas d'allaitement ou de ne pas allaiter si l'efalizumab est essentiel en raison du manque de données[64].

Références

1. GABBE SG, NIEBYL JR, SIMPSON JL. *Obstetrics - Normal and problem pregnancies*. 4th ed. Orlando: Churchill Livingstone ; 2002. pp 41-8, 86-7, 1218-20, 1286, 1288-9.
2. KROUMPOUZOS G, COHEN LM. Specific Dermatoses of Pregnancy: An Evidence-based Systematic review. *Am J Obstet Gynecol* 2003;188:1083-92.
3. SCHMUTZ JL. Modifications physiologiques de la peau au cours de la grossesse. *Presse Med* 2003;32:1806-8
4. BARANKIN B, SILVER SG, CARRUTHERS A. The Skin in Pregnancy. *J Cutan Med Surg* 2002;6:236-40.
5. ELLING SV, POWELL FC. Physiological changes in the skin during pregnancy. *Clin Dermatol* 1997;15(1):35-43.
6. HALE TW. *Medications and Mother's Milk*, 12th ed. Amarillo: Hale publishing; 2006. pp.123-4, 181-2, 444, 446, 713-4, 827-8, 885.
7. NUSSBAUM R, BENEDETTO AV. Cosmetic Aspects of Pregnancy. *Clin Dermatol* 2006;24:133-141.
8. DOMINGO JL. Reproductive and Developmental Toxicity of Aluminum: a Review. *Neurotoxicol Teratol* 1005;17:515-21.
9. FLAREND R, BIN T, ELMORE D, HEM SL. A preliminary study of the dermal absorption of aluminium from antiperspirants using aluminium-36. *Food Chem Toxicol* 2001;39:163-8.
10. REINKE CM, BREITKREUTX J, LEUENBERGER H. Aluminium in over-the-counter drugs risks outweigh benefits? *Drug Saf* 2003;36:1011-25.
11. SCHMUTZ JL. Dermatoses spécifiques de la grossesse. *Presse Med* 2003;32:1813-7.
12. MILKIEWICZ P, ELIAS E, WILLIAMSON C, WEAVER J. Obstetric Cholestasis. *BMJ* 2002;324;123-4.
13. RIELY CA, BACQ Y. Intrahepatic cholestasis of pregnancy. *Clin Liv Dis* 2004:8;167-76.
14. HIRVIOJA ML, TUIMALA R, VUORI J. The treatment of intrahepatic cholestasis of pregnancy by dexamethasone. *Br J Obstet Gynaecol* 1992;99:109-11.
15. MARPEAU L, VERSPYCK E, DESCARGUES G. Prise en charge d'une cholestase gravidique. *Press Med* 1999;28:2132-4.
16. SHERARD III GB, ATKINSON Jr SM. Focus on primary care: pruritic dermatological conditions in pregnancy. *Obstet Gynecol Surv* 2001;56(7):427-32.
17. JENKINS JK, BOOTHBY LA. Treatment of itching associated with intrahepatic cholestasis of pregnancy. *Ann Pharmacother* 2002;36:1462 - 5.
18. SANDHU BS, SANYAL AJ. Pregnancy and liver disease. *Gastroenterol Clin North Am* 2003;32(1):407-36
19. HEINONEN S, KIRKINEN, P. Pregnancy outcome with intrahepatic cholestasis. *Obstet Gynecol* 1999;94:189 -93.
20. LEEVY CB, KONERU B, KLEIN KM. Recurrent familial prolonged intrahepatic cholestasis of pregnancy associated with chronic liver disease. *Gastroenterology* 1997;113:966-72.

21. PALMA J, REYES H, RIBALTA J, HERNÁNDEZ I, SANDOVAL L, ALMUNA R et al. Ursodeoxycholic acid in the treatment of cholestasis ofpregnancy: a randomized, double-blind study controlled with placebo. *J Hepatol* 1997;27:1022-8.

22. BRIGGS GG, FREEMAN RK, YAFFE SJ, ed. *Drugs in Pregnancy and Lactation*. Philadelphie: Lippincott Williams & Wilkins; 2005. pp. 299-301, 1045-6, 1646-8.

23. MAZZELLA G, RIZZO N, SALZETTA A, IAMPIERI R, BOVICELLI L, RODA E. Management of intrahepatic cholestasis in pregnancy. *Lancet* 1991;338:1594-5.

24. PALMA J, REYES H, RIBALTA JI, GONZALEZ MC, HERNANDEZ I, ALVAREZ C, et al. Effects of ursodeoxy-cholic acid in patients with intrahepatic cholestasis of Pregnancy. *Hepatology* 1992;15:1043-7.

25. DAVIES MH, DA SILVA RCMA, JONES SR, WEAVER JB, ELIAS E. Fetal Mortality associated with cholestasis of pregnancy and the potential benefit of therapy with ursodeoxycholic acid. *Gut* 1995;37:580-4.

26. DIAFERIA A, NICASTRI PL, TARTAGNI M, LOIZZI P, IACOVIZZI C, DI LEO A. Ursodeoxycholic acid therapy in pregnant women with cholestasis. *Int J Gynaecol Obstet* 1996;52:133-40.

27. KONDRACKIENEK J, BEUERS U, KUPCINSKAS L.Efficacy and safety of ursodeoxycholic acid versus cholestyramine in intrahepatic cholestasis of pregnancy. *Gastroenterology* 2005;129:894-90.

28. CALMELET P, COUMAROS D, VIVILLE B, RAIGA J, FAVREAU JJ, TREISSER A. L'acide ursodésoxycholique : perspective de traitement de la cholestase gravidique? *J Gynecol Obstet Biol Reprod* 1998;27:617-21.

29. TAKETOMO CK, HODDING JG, KAUS DM. *Pediatric Dosage Handbook*. 9th ed. Hudson: Lexi-Comp Inc; 2002. pp. 1091-3.

30. LIN MS, ARTEAGA LA, DIAZ LA. Herpes gestationis. *Clin Dermatol* 2001;19(6):697-702.

31. SHIMANOVICH I, SKROBEK C, ROSE C, NIE Z, HASHIMOTO T, BRÖCKER EB, ZILLIKENS D. Pemphigoid gestationis with predominant involvement of oral mucous membranes and IgA autoantibodies targeting the C-terminus of BP180. *J Am Acad Dermatol* 2002;47:780-4.

32. SHORNICK JK, BANGERT JL, FREEMAN RG, GILLIAM JN. Herpes Gestationis: clinical and histologic features of twenty-eight cases. *J Am Acad Dermatol* 1983;8:214-224.

33. PRADAT P, ROBERT-GNANSIA E, DI TANNA GL, ROSANO A, LISI A, MASTROIACOVO P, et al. First trimester exposure to corticosteroids and oral clefts. *Birth Defects Res A Clin Mol Teratol* 2003;68:968-70.

34. CZEIZEL AE, ROCKENBAUER M. Population-based case-control study of teratogenic potential of corticosteroids. *Teratology*. 1997;56:335-40.

35. KATZ VL, THORP JM Jr, BOWES WA Jr. Severe symmetric intrauterine growth retardation associated with the topical use of triamcinolone. *Am J Obstet Gynecol* 1990;162(2):396-7.

36. GILSTRAP III LC, LITTLE BB. *Drugs and Pregnancy*, Chapman & Hall. 1998. pp. 277-79.

37. LEACHMAN SA, REED BR. The use of dermatologic drugs in pregnancy and lactation. *Dermatol Clin* 2006;24:167-97.

38. HIGH WA, HOANG MP, MILLER MD. Pruritic urticarial papules and plaques of pregnancy with unusual and extensive palmoplantar involvement. *Obstet Gynecol* 2005;105(5 Pt 2):1261-4.

39. ARONSON IK, BOND S, FIEDLER VC, VOMVOURAS S, GRUBER D, RUIZ C. Pruritic urticarial papules and plaques of pregnancy: clinical and immunopathologic observations in 57 patients. *J Am Acad Dermatol* 1998;39(6):933-9.

40. WADONDA-KABONDO N, STERNE JAC, GOLDING J, KENNEDY CTC, ARCHER CB, DUNNILL MGS. Association of parental eczema, hayfever, and asthma with atopic dermatitis in infancy: birth cohort study. *Arch Dis Child* 2004;89:917-21.

41. BROWN S, REYNOLDS NJ. Atopic and non-atopic dermatitis. *BMJ* 2006;332:584-588.

42. TRAUTMANN A, AKDIS M, KLEEMANN D, ALTZNAUER F, SIMON HU, GRAEVE T, et al. T Cell-mediated fas-induced keratinocyte apoptosis plays a key pathogenetic role in eczematous dermatitis. *J Clin Invest* 2000;106:25-35

43. HAGSTROMER L, YE W, NYREN O, EMTESTAM L. Incidence of cancer among patients with atopic dermatitis. *Arch Dermatol* 2005 141:1123-7.

44. SCHMUTZ JL. Maladies dermatologiques influencées par la grossesse. *Presse Med* 2003;32:1809-12.

45. ZUTAVERN A, VON MUTIUS E, HARRIS J, MILLS P, MOFFATT S, WHITE C, et al. The introduction of solids in relation to asthma and eczema. *Arch Dis Child* 2004 89:303-8.

46. HOLTEN KB. How should we care for atopic dermatitis?. *J Fam Pract* 2005;54(5):426-7.

47. SIMPSON EL, HANIFIN JM. Atopic dermatitis. *Med Clin N Amer* 2006;90:149-167.

48. AKHAVAN A, RUDIKOFF D. The treatment of atopic dermatitis with systemic immunosuppressive agents. *Clin Dermatol* 2003;21:225-240.

49. KLASCO RK (Ed): *REPRORISK® System*. Thomson Micromedex, Greenwood Village, Colorado (Edition expires 6/2006). Reprotox. Pimecrolimus.

50. *Micromedex® Healthcare Series*. Thomson Micromedex, Greenwood Village, Colorado (Edition expires 06/2006). Tacrolimus.

51. PAUL C, CORK M, ROSSINI AB, PAPP KA, BARBIER N, DE PROST Y. Safety and tolerability of 1% pimecrolimus cream among infants: experience with 1133 patients treated for up to 2 years. *Pediatrics* 2006;117:118-28.

52. NOVARTIS PHARMA CANADA INC. *Monographie Elidel*. Dorval, 2003.

53. FRENCH AE, SOLDIN SJ, SOLDIN OP, KOREN G. Milk Transfer and Neonatal Safety of Tacrolimus. *Ann Pharmacother* 2003;27:815-8.

54. HABIF TP. *Clinical Dermatology: a color guide to diagnosis and therapy*. 4th ed. St-Louis. Mosby Inc. 2004. pp. 209-239

55. NALDI L. Epidemiology of psoriasis. *Curr Drug Targets Inflamm Allergy* 2004;3:121-8.

56. NALDI L. PELI L. PARAZZINI F. Association of early-stage psoriasis with smoking and male alcohol consumption: evidence from an italian case-control study. *Arch Dermatol* 1999;135(12):1479-84.

57. MURASE JE, CHAN KK, GARITE TJ, COOPER DM, WEINSTEIN GD. Hormonal effect on psoriasis in pregnancy and post partum. *Arch Dermatol* 2005;141:601-6.

58. TAUSCHER AE, FLEISCHER Jr AB, PHELPS KC, FELDMAN SR. Psoriasis and pregnancy. *J Cutan Med Surg* 2002;6(6):561-70.

59. LEMAY R. Pharmacothérapie du psoriasis. *Québec Pharmacie* 2006;53:141-50.

60. WITMAN PM. Topical Therapies for localized psoriasis. *Mayo Clin Proc* 2001;76:943-949.

61. DAWE RS, CAMERION H, YULE S, MAN I, IBBOTSON SH, FERGUSON J. UV-B phototherapy clears psoriasis through local effects. *Arch Dermatol* 2002;138:1071-6.

62. ASAWANONDA P, CHINGCHAI A, TORRANIN P. Targeted UV-B Phototherapy for plaque-type psoriasis. *Arch Dermatol* 2005;141:1542-6.

63. LAVERY JP. Teratology for the dermatologist. *Int J Dermatol* 1981;20(4):272-4.

64. GUNNARSKOG JG, KÄLLÉN B, LINDEL of BG, Sigurgeirsson B. Psoralen photochemotherapy (PUVA) and pregnancy. *Arch Dermatol* 1993;129:320-3.

65. FRANSSEN ME, VAN DER WILT GJ, DE JONG PC, BOS RP, ARNOLD WP. A retrospective study of the teratogenicity of dermatological coal tar products. *Acta Derm Venereol*. 1999; 79(5):390-1.

66. ZANGAR RC, SPRINGER DL, BUXCHBOM RL, MAHLUM DD. Comparison of Fetotoxic Effect of a Dermally Applied Complex Organic Mixture in Rats and Mice. *Fundam Appl Toxicol* 1989;13:662-669.

67. KATZ HI, WAALEN JI, LEACH EE. Acitretin in psoriasis : an overview of adverse effects. *J Am Acad Dermatol* 1999;41;S7-12.

68. BARBERO P, LOTERSZTEIN V, BRONBERG R, PEREZ M, ALBA L. Acitretin Embryopathy : A Case Report. *Birth Defects Res A Clin Mol Teratol* 2004;70:831-3.

69. JORDAN JK. Efalizumab for the treatment of moderate to severe plaque psoriasis, *Ann Pharmacother* 2005;39:1476-82.

70. ASSOCIATION DES PHARMACIENS DU CANADA. Compendium des produits et spécialités pharmaceutiques. Association des pharmaciens du Canada. 2006. *Amevive*, pp. 134-7.

71. GENETECH INC. Genetech : Products - Product Information - Raptiva Full Prescribing http://www.gene.com/gene/products/information/immunological/raptiva/insert.jsp.

Chapitre 36

Pédiculoses et scabiose

■

Guila BENYAYER
Ema FERREIRA

Un ectoparasite est un organisme qui vit à la surface externe du corps de son hôte. Les deux infections ectoparasitaires les plus courantes mondialement chez l'humain sont les pédiculoses et la scabiose[1, 2].

Pédiculoses

Les poux sont des insectes qui se nourrissent du sang de leur seul et unique hôte, soit l'humain. Il en existe trois différents types: le pou de tête (pédiculose *capitis*), le pou de vêtements et le pou du pubis[3].

Pédiculose *capitis*

Définition et étiologie

La pédiculose *capitis* est causée par *Pediculus humanus capitis* et infeste le plus souvent le cuir chevelu. Il se transmet par contact direct d'une tête à une autre et moins fréquemment par des objets[2].

Épidémiologie

Les infestations de poux sont endémiques tant dans les pays industrialisés que dans les pays en voie de développement[2]. Elles affectent surtout les enfants d'âge scolaire (5 à 11 ans) provenant de toute strate socio-économique[2]. Puisque les enfants sont plus à risque de contracter des poux, une femme enceinte vivant avec des enfants à la maison ou au travail aura plus de chance d'avoir des poux elle aussi. L'infestation est plus fréquente chez les filles et est plus rarement retrouvée chez les personnes de race noire[4]. Les cheveux propres sont plus susceptibles d'être infestés que les cheveux sales ou gras. Les familles nombreuses sont plus enclines à avoir les poux à cause du contact rapproché entre ses membres[5].

Outils d'évaluation

Le pou de tête est viable jusqu'à 30 jours sur le cuir chevelu; on le retrouve surtout à l'arrière de la tête et derrière les oreilles[6]. Le diagnostic repose sur plusieurs caractéristiques qui sont détaillées dans d'autres ouvrages et que nous n'aborderons pas ici[4, 7].

La majorité des cas sont asymptomatiques mais le prurit est le symptôme le plus courant. D'autres signes possibles sont les excoriations, les réactions locales à la morsure du pou, les adénopathies cervicales et les conjonctivites. Une infection bactérienne peut survenir et, ainsi, compliquer le cas[6-8].

Pédiculose de vêtements

Définition et étiologie

Pediculus humanus corporis dépose ses lentes dans les vêtements des personnes infestées[9]. Il ne vit pas sur son hôte, cependant il continue à se nourrir de sang humain[5]. Le pou de corps est le vecteur de trois pathogènes: *Rickettsia quintana* (fièvre des tranchées), *Rickettsia prowazeki* (typhus exanthématique) et *Borrelia recurrentis* (fièvre récurrente cosmopolite)[5].

Épidémiologie

La pédiculose de vêtements est fréquente chez les sans-abris et les populations défavorisées[5]. Le pou de corps est transmis par contact direct par l'échange de vêtements ou le partage du même lit[5].

Outils d'évaluation

Avec la pédiculose de vêtements, une sensation de prurit est ressentie sur tout le corps[10]. De petites lésions rouges sont généralement situées sur les épaules, au niveau de la taille et sur les fesses[5]. Le corps entier peut être recouvert d'excoriations, d'eczéma et de surinfections bactériennes[9].

Traitement de la pédiculose de vêtements

Le traitement avec des pédiculicides n'est pas nécessaire. Le traitement non pharmacologique recommandé est de jeter les vêtements infestés et d'améliorer l'hygiène personnelle[11-12]. Comme deuxième option, il y a le nettoyage à sec ou le nettoyage des vêtements à l'eau chaude et séchage dans une sécheuse à air chaud (20 minutes) suivi du repassage des coutures au fer à vapeur[11]. Il y a aussi la possibilité d'entreposer les items infestés dans un sac de plastique scellé pendant au moins 10 jours[7].

Pédiculose de pubis

Définition et étiologie

Le pou de pubis (causé par *Pthirus pubis*), aussi appelé morpion, est transmis par le contact sexuel, par des vêtements ou par des objets contaminés[5, 10].

Épidémiologie

La pédiculose de pubis est plus fréquente chez personnes âgées de 15 à 40 ans[5]. De plus, cette infection est plus commune chez les femmes que chez les hommes. Environ un tiers des patients atteints de pédiculose de pubis a d'autres infections transmises sexuellement[1].

Outils d'évaluation

La pédiculose de pubis est caractérisée par des excoriations au niveau inguinal avec des infestations locales secondaires telles que des macules bleu-gris sur la portion basse du tronc et l'intérieur des cuisses[9]. Le symptôme principal est le prurit[13].

Effets de la grossesse sur les pédiculoses de la mère

La grossesse n'est pas un facteur prédisposant pour les pédiculoses[1].

Effets des pédiculoses sur la grossesse

On n'a pas retrouvé de documentation qui indique que le cours de la grossesse est affecté par les pédiculoses. Même si les infestations de poux et la gale posent rarement des problèmes de santé majeurs, elles peuvent provoquer de la détresse psychologique incluant l'anxiété, l'embarras et l'inconfort, et peuvent résulter en une augmentation de l'absentéisme[2].

Effets néonatals des pédiculoses

Il y a un risque contagieux lors de contact direct entre la mère infestée et le nouveau-né, d'où l'importance de vérifier si l'enfant a des poux ou des lentes. Dans le cas où une infestation serait présente chez le nouveau-né, il est important de traiter l'enfant avec les traitements pédiatriques recommandés et de traiter toute la famille afin d'éviter une ré-infestation[10].

Traitements des pédiculoses recommandés pendant la grossesse

Pédiculicides

Il existe divers traitements pour les pédiculoses. Cependant, les médicaments présentés dans le tableau 1 sont ceux qui sont appropriés pour la femme enceinte. L'ivermectine peut être disponible par le programme d'accès spécial aux médicaments de Santé Canada. Cependant, ce médicament n'a pas d'indication officielle pour le traitement des pédiculoses. Il a été utilisé lors d'échec à d'autres traitements[14-16]. Il existe divers produits naturels à base de plantes, fleurs ou huiles essentielles qui promettent une activité pédiculicide ou scabicide. Cependant, leur efficacité n'a pas été prouvée. De plus, les huiles essentielles et l'alcool contenus dans ces préparations risquent d'irriter et d'assécher les cheveux et le cuir chevelu[6-7, 17]. Une attention particulière est portée à l'utilisation d'acide acétique, d'acide formique ou de préparations contenant ces ingrédients car ils pourraient nuire à l'activité résiduelle de la perméthrine. Le benzoate de benzyle a été largement remplacé par la perméthrine et le lindane dans le traitement de la gale et la pédiculose et n'est donc pas considéré comme agent de première ligne[9].

Le retrait des lentes est recommandé. Les détails concernant cette étape peuvent être retrouvés dans les références listées[6-7, 17].

Une consultation médicale est recommandée dans le cas d'une pédiculose de pubis pour vérifier la possibilité d'autres infections transmises sexuellement[11]. Les partenaires sexuels doivent recevoir un traitement concomitant[5, 13].

Les patientes qui ne répondent pas à un des traitements recommandés devraient reprendre un autre traitement parmi le choix de traitements proposés.

Traitements adjuvants

ANTIPRURIGINEUX

Un antihistaminique oral ou un corticostéroïde topique de faible puissance pourrait être employé pour soulager la démangeaison associée à la réponse à l'infestation et à la réponse inflammatoire survenant parfois à la suite du traitement avec un pédiculicide (voir le chapitre 22. *Rhinite allergique et allergies saisonnières* pour les données sur l'innocuité des antihistaminiques oraux et le chapitre 35. *Eczéma, psoriasis et troubles spécifiques de la peau* pour les corticostéroïdes topiques)[18].

MESURES ENVIRONNEMENTALES

Tous les membres de la famille doivent être examinés et traités au besoin. Les personnes qui partagent le même lit doivent être traitées de façon prophylactique. Les peignes et les brosses à cheveux doivent être désinfectés avec des pédiculicides ou de l'eau chaude. La literie doit être lavée à l'eau chaude ou nettoyée à sec. Il n'est pas nécessaire de désinfecter le mobilier[2].

\	TABLEAU I – TRAITEMENTS DES PÉDICULOSES RECOMMANDÉS CHEZ LA FEMME ENCEINTE OU QUI ALLAITE		
Ligne thérapeutique	**Médicament**	**Posologie**	**Suivi recommandé, commentaires**
Pédiculose *capitis*			
Premier recours	Perméthrine 1 % (après shampooing)[12, 17]	Appliquer pendant 10 minutes sur tout le cuir chevelu et rincer. Répéter 7 à 10 jours plus tard[2, 4, 19].	Appliquer sur des cheveux lavés au shampooing et sécher à la serviette. Produit peu toxique, réactions dermiques bénignes, prurit chez 5-6 % des patients[6, 17]. Ne cause pas d'allergie chez les patients allergiques aux plantes[2, 20]. Efficacité de plus de 95 %[17].
	Pyréthrines et butoxyde de pipéronyle (shampooing revitalisant)[17, 19]	Appliquer pendant 10 minutes et rincer. Répéter 7 à 10 jours plus tard[2, 4, 19].	Appliquer sur des cheveux lavés au shampooing et sécher à la serviette. Dermatite de contact, atteinte cornéenne, érythème, œdème, prurit possibles[6]. Efficacité de 45 % après la première application et 94 % après la deuxième application[17]. Prudence chez les personnes allergiques aux chrysanthèmes et à l'herbe à poux[6-7, 17].

Ligne thérapeutique	Médicament	Posologie	Suivi et commentaires
Autres traitements	Perméthrine 5 % (crème ou lotion)[17]	Appliquer au coucher pendant 10 heures. Répéter 7 jours plus tard si nécessaire[17].	Utiliser chez les patientes qui ont un échec avec la perméthrine 1 %.
	Triméthoprime sulfaméthoxazole	800 mg/160 mg par voie orale 2 fois par jour pendant 10 jours[2]. (TMP-SMX) associé à un produit qui contient de la perméthrine 1 % en application topique le premier jour et le septième jour[6, 21].	Traitement recommandé lors d'échec ou de suspicion de résistance avec les autres traitements[2]. Ne pas utiliser le TMP-SMX chez les patients qui ont une hypersensibilité au triméthoprime ou aux sulfamides[4]. Utilisation recommandée au cours du 2e trimestre de la grossesse seulement (voir chapitre 20. *Anti-infectieux*).
	Traitement occlusif (huile d'olive, huile minérale, gelée de pétrole, gel à cheveux)[17]	**Gelée de pétrole**: appliquer pendant toute la nuit et laver. **Gel à cheveux**: appliquer 1 fois par semaine pendant 1 mois[17].	Efficace dans certains cas pour suffoquer les poux, suivi de l'élimination de toutes les lentes des cheveux, mais les résultats n'ont pas fait l'objet d'études scientifiques. Certains proposent de répéter ce traitement mais il n'y a pas de données disponibles sur la fréquence d'application. Risque de pneumonie d'aspiration en cas d'usage inadéquat. La gelée de pétrole est très difficile à retirer des cheveux[17]. Si les sourcils sont atteints, appliquer de la gelée de pétrole en couche épaisse 2 fois par jour pendant une semaine. Retirer les lentes à l'aide d'une pince à sourcils[3, 4]. Si les cils sont atteints, privilégier un onguent ophtalmique.
Pédiculose de pubis			
Premier recours	Perméthrine 1 % (après shampooing)[12-13, 18]	Appliquer sur les régions affectées pendant 10 minutes et rincer[18].	Les patientes devraient être évaluées une semaine plus tard si les symptômes persistent[13, 18]. Un deuxième traitement pourrait être nécessaire si des poux ou des lentes sont présents à la racine du poil[13, 22]. Prurit et irritation possible[18]. Ne cause pas d'allergie chez les patients allergiques aux plantes[2, 20].

Scabiose (gale)

Définition et étiologie

La scabiose (ou gale) est causée par un ectoparasite nommé *Sarcoptes scabiei*. La gale norvégienne, une forme atypique et hyperkératosique de la maladie, est d'autant plus contagieuse et toutes les manifestations dermatologiques sont plus sévères. La gale norvégienne se retrouve chez les personnes immunosupprimées, telles que les personnes âgées, celles infectées par le virus du syndrome d'immunodéficience humaine (VIH) et les femmes enceintes[7, 9].

Épidémiologie

La gale est présente chez toutes les races et les classes sociales, mais particulièrement parmi des personnes habitant dans des endroits surpeuplés[1]. Les femmes ont un nombre plus élevé d'infestations que les hommes mais la prévalence la plus élevée apparaît chez les enfants âgés de moins de deux ans[7]. Cette infection est transmise par contact direct[9]. La transmission d'un parent à un enfant, et plus particulièrement d'une mère à son bébé, est très fréquente. Chez les jeunes adultes, la gale est surtout transmise par contact sexuel[23]. La gale peut aussi être transmise en partageant un lit ou des vêtements, mais le risque associé est faible[1]. Une surinfection bactérienne peut compliquer la gale[9].

Outils d'évaluation

Les lésions de la gale sont caractéristiques et se retrouvent sur les poignets, le pénis, le scrotum, l'arche du pied, les aisselles, le nombril, la région sous mammaire, la région ano-génitale, les espaces interdigitaux et, chez les femmes, sur la peau autour des mamelons[23]. En cas d'infection, des sillons peuvent être vus dans le *stratum corneum* avec l'acarien au bout sous forme de point noir[9]. Le symptôme principal est le prurit intense qui est plus sévère la nuit. La tête n'est atteinte qu'en cas de gale norvégienne et chez les bébés ou les enfants[7]. Un test spécifique pour l'identification de la gale peut être effectué[23].

Effets de la grossesse sur la scabiose

La grossesse semble être un facteur prédisposant à la gale[7].

Effets de la scabiose sur la grossesse

On n'a pas retrouvé de documentation qui indique que le cours de la grossesse est affecté par la scabiose.

Effets néonatals de la scabiose

La transmission de la mère à son nourrisson par contact direct est fréquente[23].

Traitements de la gale recommandés pendant la grossesse

Traitements adjuvants

Pour soulager le prurit qui peut persister pendant une à deux semaines après le traitement scabicide, on peut recommander la prise d'un antihistaminique tel la diphenhydramine (voir chapitre 22. *Rhinite allergique et allergies saisonnières*)[18, 23].

Scabicides

Le principe de traitement de la gale est de tuer la mite avec des traitements topiques. Lorsque ces traitements sont bien utilisés, leur efficacité est d'environ 100 %[23]. Des études ont comparé l'efficacité relative du traitement avec le baume du Pérou, un scabicide contenant de l'éther cinnamone de benzyle et du benzoate de benzyle, et le traitement avec d'autres scabicides tels que le lindane, la perméthrine et l'ivermectine. Les résultats ont démontré que le baume de Pérou n'était pas requis dans l'arsenal thérapeutique de cette infestation[1]. Le rash et le prurit associés à la gale peuvent persister pendant deux semaines après le traitement. Certains spécialistes recommandent de répéter le traitement après 7 à 14 jours chez les patients qui présentent encore des symptômes. D'autres recommandent de refaire un deuxième traitement seulement dans le cas où des mites vivantes seraient observées. Les patientes qui ne répondent pas à un des traitements recommandés devraient reprendre un autre traitement parmi le choix de traitements proposés[13, 18].

TABLEAU II – TRAITEMENTS RECOMMANDÉS DE LA SCABIOSE CHEZ LA FEMME ENCEINTE ET QUI ALLAITE

Ligne thérapeutique	Médicament	Posologie	Suivi recommandé, commentaires
Premier recours	Perméthrine 5 % (crème ou lotion)[12-13, 18]	Appliquer sur les lésions de la tête aux pieds, laisser pendant 8 à 14 heures et laver par la suite (douche ou bain)[13, 18].	Ne cause pas d'allergie chez les patients allergiques aux plantes[2, 20]. Efficacité : 91-100 %[9].
Deuxième recours	Crotamiton 10 %[14, 18, 22, 24.]	Appliquer sur tout le corps toutes les 24 heures pendant 2 jours, rincer après 48 heures[25].	Irritation cutanée possible. Application incommodante/difficile[18]. Efficacité moindre que la perméthrine (varie entre 60-100 %)[9].
	Soufre 6 % dans de la gelée de pétrole[3, 7, 9, 12, 18, 22]	Appliquer toutes les 24 heures, laver et réappliquer pendant 3 jours[9, 18].	Préparation magistrale. Irritation locale possible[9]. Très malodorant et salissant[9, 24]. Pourrait avoir un effet antiprurigineux. Efficacité approchant 80 % (avec des concentrations entre 5 et 20 %)[9].

TABLEAU III – INNOCUITÉ DES PÉDICULICIDES ET SCABICIDES AU COURS DE LA GROSSESSE		
Pédiculicide ou scabicide	Données durant la grossesse	Recommandations, commentaires
Baume du Pérou	• Contient du cinnamate et du benzoate de benzyle. • Aucune documentation sur les effets potentiels pendant la grossesse n'a été localisée (voir benzoate de benzyle)[26].	Ce n'est pas un agent de première ligne.
Benzoate de benzyle	• Aucune étude épidémiologique sur l'utilisation du benzoate de benzyle chez la femme enceinte n'a été rapportée[28]. • Potentiel tumorigène du benzoate de benzyle suggéré dans des études expérimentales mais ces effets n'ont pas été rapportés chez l'humain[9]. • Poids moléculaire : 212,2 Da. • Absorption percutanée : minime mais augmente en cas d'occlusion du site d'application[9, 27].	L'usage du benzoate de benzyle n'est pas recommandé chez les nourrissons, les enfants et la femme enceinte qui allaite car son usage en pédiatrie a été associé à des symptômes neurologiques[9-10].
Bioalléthrine et butoxyde de pipéronyle	• Aucune donnée sur l'utilisation de ces agents durant la grossesse n'a été recensée.	Puisqu'il y a un manque de données sur son utilisation durant la grossesse, cette association n'est pas un traitement de 1er recours durant la grossesse[6].
Complexe acétomicellaire (acide acétique, camphre, citronnelle, éthersulfate, sodique de lauryle)	• Aucune donnée sur l'utilisation de ce complexe durant la grossesse n'a été recensée.	Puisqu'il y a un manque de données sur son utilisation durant la grossesse, ce complexe n'est pas un traitement de 1er recours[6].
Crotamiton	• Aucune étude épidémiologique sur l'utilisation du crotamiton chez la femme enceinte n'a été rapportée. • Absorption dermique : 3 à 6 % de chaque dose appliquée[26]. • L'effet tératogène n'a pas été étudié mais son potentiel toxique semble être très faible[9].	Puisque son absorption cutanée et son potentiel toxique sont faibles, le crotamiton est un traitement utilisé durant la grossesse[1].
Ivermectine	• Aucune différence significative entre 200 femmes exposées à l'ivermectine durant le 1er trimestre (85 % dans les 12 premières semaines de grossesse et 36 % pendant les 4 premières semaines) et le groupe non traité concernant les malformations congénitales, les morts in utero ou toutes les issues combinées (malformations congénitales, mort in utero et avortements spontanés)[30].	On n'a observé aucune tératogénécité ou toxicité attribuable à l'ivermectine dans l'expérience limitée chez la femme enceinte. Les données chez les humains suggèrent un faible risque. À utiliser en cas d'échec avec les autres traitements recommandés[29].

Pédiculicide ou scabicide	Données durant la grossesse	Recommandations, commentaires
	• Pas de différence statistique au niveau des avortements thérapeutiques, des avortements spontanés, des mortinaissances et des malformations majeures entre 110 femmes exposées à l'ivermectine durant la grossesse, dont 97 au 1er trimestre, et un groupe témoin[31].	
Lindane	• Pesticide organochloré. • Absorption possible à travers la peau, les poumons ou le tractus gastrointestinal[28]. • Absorption percutanée varie entre 10 % et 90 % selon le véhicule utilisé[9]. • Propriétés légèrement œstrogéniques qui pourraient changer le métabolisme stéroïdien fœtal[26]. • Plusieurs études animales ont démontré un effet toxique chez la mère et le fœtus[9]. • Aucun rapport publié liant l'utilisation de ce médicament avec des malformations congénitales ou des effets fœtotoxiques n'a été localisé. • Association possible entre le lindane et l'hypospadias dans une étude présentant 1417 nourrissons exposés au lindane topique pendant le 1er trimestre; cependant on ne peut pas exclure l'influence d'autres facteurs incluant l'usage concomitant d'autres médicaments[29].	Dû aux risques sérieux de neurotoxicité, de convulsions et d'anémie aplasique, le lindane n'est pas un traitement recommandé durant la grossesse. On recommande l'utilisation de la perméthrine ou des pyréthrines et butoxyde de piperonyle pour le traitement de la pédiculose et l'utilisation de la perméthrine pour traiter la gale[29]. En cas d'exposition, le risque de malformations congénitales reste faible et un suivi obstétrical particulier ne semble pas nécessaire.
Perméthrine	• Absorption cutanée : 2 % de la dose ou moins. • Hydrolyse rapide en métabolites inactifs dans la circulation systémique. • Potentiel toxique très faible[9]. • Notification de cas d'un garçon né à terme et en santé après avoir été exposé *in utero* entre 5 et 6 semaines de grossesse à la perméthrine 5 % (mère atteinte de la gale norvégienne et traitée par une application de perméthrine 5 % sur tout le corps pendant 4 semaines)[33]. • Pas d'augmentation du taux de malformations majeures observée dans une étude incluant 113 femmes exposées à la perméthrine durant la grossesse, dont 31 pendant le 1er trimestre[25].	La perméthrine est un des traitements de 1er recours dans le traitement des pédiculoses et de la gale chez la femme enceinte[29].
Pyréthrines et butoxyde de pipéronyle	• Aucun rapport d'utilisation pendant la grossesse n'a été localisé. • Absorption topique à travers une peau intacte : faible[29]. • Métabolisation rapide chez les mammifères[34].	Considéré comme traitement de 1er recours pour les pédiculoses chez la femme enceinte[29].

Pédiculicide ou scabicide	Données durant la grossesse	Recommandations, commentaires
Soufre 6 % dans de la gelée de pétrole	• Biodisponibilité en application topique : 1 % de la dose[28]. • Soufre décelable dans l'épiderme 2 heures après l'application topique, dans toutes les couches de la peau 8 heures après et disparaît au bout de 24 heures[28].	Ce traitement peut être utilisé durant la grossesse pour le traitement de la gale[18].
Triméthoprime sulfamethoxazole (TMP-SMX)	Voir le chapitre 20. *Anti-infectieux*.	

TABLEAU IV – INNOCUITÉ DES PÉDICULICIDES ET SCABICIDES DURANT L'ALLAITEMENT		
Pédiculicide ou scabicide	**Données durant l'allaitement**	**Recommandations, commentaires**
Baume du Pérou	• Contient notamment du cinnamate et du benzoate de benzyle. • Aucune référence sur les effets potentiels pendant l'allaitement n'a été localisée (voir benzoate de benzyle)[26].	Pas un agent de première ligne.
Benzoate de benzyle	• Poids moléculaire : 212,2 Da. • Absorption percutanée minime mais augmente si occlusion du site d'application[9, 27]. • Quantité absorbée rapidement hydrolysée en alcool benzylique[9]. • Usage en pédiatrie a été associé avec des symptômes neurologiques[9].	L'usage du benzoate de benzyle n'est pas recommandé chez les nourrissons, les enfants et la femme enceinte ou qui allaite[9, 10].
Bioalléthrine et butoxyde de pipéronyle	• Aucune donnée sur l'utilisation durant l'allaitement ni sur les paramètres pharmacocinétiques n'a été retrouvée.	Peut être utilisé chez les nourrissons ; toutefois, il n'existe pas de données pour le recommander durant l'allaitement[6].
Complexe acétomicellaire (acide acétique, camphre, citronelle, ether-sulfate, sodique de lauryle)	• Aucune donnée sur l'utilisation durant l'allaitement ni sur les paramètres pharmacocinétiques n'a été retrouvée.	Peut être utilisé chez les nourrissons de plus de 30 mois ; toutefois, il n'existe pas de données pour le recommander durant l'allaitement[5].
Crotamiton	• Aucun rapport sur l'excrétion du crotamiton dans le lait maternel n'a été retrouvé[10, 26]. • Absorption percutanée et potentiel toxique faibles[9].	Traitement recommandé pendant l'allaitement car son absorption et son potentiel toxique sont faibles.

Pédiculicide ou scabicide	Données durant l'allaitement	Recommandations, commentaires
Ivermectine	• Estimation de la dose totale reçue par le nourrisson : 1,4 % de la dose pédiatrique après administration d'une dose d'ivermectine 0,15 mg/kg à 4 mères[35].	Puisque le passage dans le lait maternel est faible et que le traitement est donné en une seule dose, l'allaitement peut être poursuivi.
Lindane	• Pesticide organochloré. • Absorption à travers la peau, les poumons ou le tractus gastrointestinal[28]. • Absorption percutanée varie entre 10 % et 90 % selon le véhicule utilisé[9]. • Demi-vie d'élimination : environ 20 heures[34]. • Estimation par le fabricant de la dose de lindane reçue par un enfant qui boit 1 litre de lait par jour : 30 µg/jour[29]. Cette dose serait comparable à la quantité que le nourrisson pourrait recevoir si le produit avait été appliqué directement sur sa peau[29]. • Cas de convulsions, d'hypersensibilité et d'augmentation des enzymes hépatiques décrits après application chez des nouveau-nés et des jeunes enfants[35]. • Passage du lindane dans le lait maternel décrit dans une étude à la suite de 4 applications : concentrations mesurées 10 à 28 fois supérieures à celles de femmes non traitées et exposées dans l'environnement à des pesticides[37].	Le lindane n'est pas un traitement conseillé en raison de son potentiel de toxicité.
Perméthrine	• Aucun rapport décrivant l'usage topique de la perméthrine pendant l'allaitement n'a été localisé. • Poids moléculaire : 391 Da. • Absorption systémique : minime. • Métabolisme rapide[29]. • Toxicité associée à la perméthrine perçue comme étant très faible[10]. • Utilisée chez les enfants à partir de 2 mois ; aucun effet indésirable n'a été rapporté[10].	La perméthrine est compatible avec l'allaitement et est un des traitements de 1er recours contre les pédiculoses et la gale chez les femmes qui allaitent[29].
Pyréthrines et butoxyde de pipéronyle	• Aucune donnée chez la femme qui allaite[29]. • Absorption topique à travers une peau intacte : faible[29]. • Métabolisation rapide chez les mammifères[34].	Puisque son absoprtion percutanée est faible et que la quantité absorbée est rapidement métabolisée, l'association pyréthrines et butoxyde de pipéronyle est compatible avec l'allaitement[29].
Soufre 6 % dans de la gelée de pétrole	• Excrétion du soufre dans le lait maternel : inconnue[28]. • Biodisponibilité par voie cutanée : environ 1 %[28]. • Utilisé chez les enfants de moins de 2 mois pour le traitement de la gale[18].	Ce traitement peut être utilisé pendant l'allaitement.
Trimethoprime sulfamethoxazole (TMP-SMX)	Voir le chapitre 20. *Anti-infectieux.*	

Références

1. STRAY-PEDERSEN, B. Parasitic infections. In: Cohen WR, ed. *Cherry and Merkatz's Complications in Pregnancy*. 5th éd. Philadelphia: Lippincott Williams and Wilkins; 2000. 693-707.

2. LEUNG AKC, FONG JHS, PINTO-ROJAS A. Pediculosis capitis. *J Pediatr Health Care* 2005; 19 :369-73.

3. FLINDERS DC, DE SCHWEINITZ P. Pediculosis and scabies. *Am Fam Phys* 2004; 69 : 341-8.

4. ROBERTS RJ. Head lice. *N Engl J Med* 2002 ; 346 : 1645-9.

5. MARCEAU N. La pédiculose. *Québec Pharmacie* 1997 ; 44 : 842-7.

6. MARCEAU N. Mise à jour sur la pédiculose. *Québec Pharmacie* 2004 ; 51 : 773-8.

7. MILLER PF. Skin infections and manifestations. In: Elliot R, Repchinsky C, ed. *Patient Self Care*. 1st ed. Ottawa: Association des pharmaciens du Canada; 2002 : 607-21.

8. DIVISION FOR PARASITIC DISEASES, CENTERS FOR DISEASE. (Cité le 22 décembre 2004, consulté le 16 juin 2005,.) Head Lice : http://www.dpd.cdc.gov/dpdx/html/headlice.htm

9. ROOS TC, ALAM M, ROOS S, MERK HF, BICKERS DR. Pharmacotherapy of Ectoparasitic infections. *Drugs* 2001 ;61 : 1067-1088.

10. PORTO I. Antiparasitic Drugs and Lactation : Focus on anthelmintics, scabicides, and pediculicides. *J Hum Lact* 2003 ;19 :421-5.

11. NOVOPHARM PHARMAGUIDE : *Guide de réponses aux questions les plus courantes à l'usage du pharmacien. Poux et gale*. 2004.

12. SANFORD JP, GILBERT DN, MOELLERING RC, ELIOPOULOS GM, SANDE MA. *The Sanford Guide to Antimicrobial Therapy 2006*. 36th ed. Hyde Park, VT: Antimicrobial Therapy Inc.; 2006. p 103.

13. CENTERS FOR DISEASE CONTROL AND PREVENTION. *Sexually transmitted diseases treatment guidelines* 2002. MMWR 2002 ; (No. RR-6) : 1-80.

14. KARTHIKEYAN K. Treatment of scabies: newer perspectives. *Postgrad Med J* 2005 ; 81 : 7-11.

15. ANON. *Drugs for head lice. The medical letter on drugs and therapeutics* 2005; 47 (1215/1216) : 68-70.

16. FAWCETT RS. Ivermectin use in scabies. *Am Fam Phys* 2003 ;68 :1089-92.

17. GROUPE DE TRAVAIL AD HOC DE LA TABLE DE CONCERTATION NATIONALE EN MALADIES INFECTIEUSES (TCNMI). *Liste des traitements spécifiques contre les poux de tête et modes d'utilisation suggérée par les directions régionales de santé publique*. Août 2002.

18. LEONARD EA, SHELDON IV. Ectoparasitic Infections. *Clinics in Family Practice* 2005;7 :97-104.

19. AMERICAN ACADEMY OF PEDIATRICS. Pediculosis capitis (head lice). In: Pickering LK, ed. *Red Book : 2003 Report of the Committee on Infectious Diseases*. Elk Groove Village, IL: American Academy of Pediatrics; 2003. 463-465.

20. FRANKOWSKI BL, WEINER LB. Head lice. *Pediatrics* 2002; 110 : 638-643.

21. HIPOLITO RB, et al. Head lice infestation : single drug versus combination therapy with one percent permethrin and trimethoprim/sulfamethoxazole. *Pediatrics* 2001;107:E30.

22. WENDEL K, ROMPALO A. Scabies and pediculosis: an update of treatment regimens and general review. *Clinical infectious diseases* 2002;35(Suppl 2):S146-51.

23. GOLSTEIN BG, GOLDSTEIN AO. *Scabies*. In: UpToDate 2006. [cité le 19 mai 2005; consulté le 16 mars 2006].

24. MORIN AK, Stoukides CA. Scabicides and Pediculicides and Breastfeeding. *J Hum Lact* 1994 ; 10 : 267-8.

25. KENNEDY D, HURST V, KONRADSDOTTIR E, EINARSON A. Pregnancy outcome following exposure to permethrin and use of teratogen information. *Am J Perinatol* 2005;22:87-90.

26. LUER J, PATTERSON LE, *Editorial Staff: Peru balsam, Crotamiton, Lindane, Ivermectin (Reprotox)*. In Klasco RK (Ed): DRUGDEX(r) System. Thomson MICROMEDEX, Greenwood Village, Colorado; Edition expires 9/2005.

27. BRONAUGH RL et al; *Food Chem Toxicol* 1990 ; 28 (5): 369-74.

28. LUER J, PATTERSON LE, *Editorial Staff: Benzyl benzoate, Crotamiton, Lindane, Soufre (Teris)*. In Klasco RK (Ed): DRUGDEX(r) System. Thomson MICROMEDEX, Greenwood Village, Colorado; Edition expires 9/2005.

29. BRIGGS, GG, FREEDMAN RK, YAFFE SJ. *Drugs in Pregnancy and Lactation: a reference guide to fetal and neonatal risk.* 7th ed. Philadelphia: Lippincott Williams and Wilkins; 2002. 871-73, 921, 1269-70, 1373.

30. PACQUÉ M et al. Pregnancy outcome after inadvertent ivermectin treatment during community-based distribution. *Lancet* 1990;336:1486-89.

31. CHIPPAUX JP et al. Absence of any adverse effect of inadvertent ivermectin treatment during pregnancy. *Transactions of the royal society of tropical medecine and hygiene* 1993;87:318.

32. THE CHEMICAL SOCIETY. *Foreign Compound Metabolism in Mammals.* Volume 2: A Review of the Literature Published Between 1970 and 1971. London: The Chemical Society, 1972. p. 144.

33. JUDGE MR, KOBZA-BLACK A. Crusted scabies in pregnancy. *British Journal of Dermatology* 1995; 132:116-119.

34. THOMAS HEALTHCARE, Inc. In USP DI® Advice for the Patient® (25th ed.). Thomson MICROMEDEX, Greenwood Village, Colorado. Version July 2005.

35. HALE TW. *Medications and Mothers' Milk.* 12th ed. Amarillo, TX.: Pharmasoft Medical Pub; 2006: 488-9; 523-4.

36. McEVOY GK. STAT Ref Online Electronic Medical Library. Bethesda (MD):AHFS Drug Information(r). Version July 2005.

37. DE SCHUITENEER B., DE CONINCK B. *Médicaments et allaitement: guide de prescription des médicaments en période d'allaitement.* Paris: Arnette Blackwell, 1996. p 573-74.

Liste des lecteurs scientifiques

Benoît Bailey, M.D., M.Sc., FRCPC
Professeur agrégé de clinique,
Faculté de médecine,
Université de Montréal.
Toxicologue, CHU Sainte-Justine,
Montréal (Canada).

Gilles Bernier, M.D., FRCPC
Neurologue, CHUM,
Pavillon Notre-Dame,
Montréal (Canada).

Guylaine Bertrand, B.Pharm.
Coordonnatrice en formation
professionnelle, Université de Montréal.
Pharmacienne, Repentigny (Canada).

Marc Boucher, M.D., FRCSC, DABOG
(MFM)
Professeur titulaire, Faculté de
médecine, Université de Montréal.
Gynécologue-obstétricien
CHU Sainte-Justine, Montréal (Canada).

Sonia Boulanger, B.Pharm, M.Sc.
Pharmacienne, CHU de Québec,
Québec (Canada).

Martin Brizard, M.D.
Omnipraticien, Polyclinique Concorde,
Laval (Canada).

Christine Cadrin, M.D., FRCSC
Gynécologue-obstétricienne,
CHU Sainte-Justine, Montréal (Canada).

Nadia Caron, M.D. FRCPC
Professeur adjoint,
Université de Sherbrooke.
Interniste, CHU Sherbrooke (Canada).

Michèle David, M.D., FRCPC
Professeur agrégé, Faculté de médecine,
Université de Montréal.
Hématologue, CHU Sainte-Justine,
Montréal (Canada).

Anne De Ravinel, B.C.L., L.L.B.
Avocate, CHU Sainte-Justine,
Montréal (Canada).

Valérie Désilets, M.D., FRCSC, FCCMG
Professeur adjoint de clinique,
Faculté de médecine,
Université de Montréal.
Généticienne, CHU Sainte-Justine,
Montréal (Canada).

Stephen Di Tommaso, M.D.
Omnipraticien, CLSC des Faubourgs,
Montréal (Canada).

Louise Duperron, M.D., FRCSC
Gynécologue-obstétricienne,
CHU Sainte-Justine, Montréal (Canada).

Nathalie East, M.D.
Obstétricienne-gynécologue,
CH Rouyn Noranda, Québec (Canada).

Lise Gauthier, B.Pharm, M.Sc
Clinicienne associée,
Université de Montréal.
Pharmacienne, Acton Vale (Canada).

Afshin Hatami, M.D.
Chargé d'enseignement de clinique,
Faculté de médecine,
Université de Montréal.
Dermatologue, CHU Sainte-Justine,
Montréal (Canada).

Elizabeth Hazel, M.D., FRCPC
Rhumatologue, Centre universitaire de
santé McGill, Montréal (Canada).

Francine Morin, M.D., FRCPC
Interniste, CHU Sainte-Justine,
Montréal (Canada).

Michèle Mahone, M.D., M.Sc., FRCPC
Interniste, CHU Sainte-Justine,
Montréal (Canada).

Véronique Mareschal, M.D.
Résidente en médecine,
CHU Sainte-Justine,
Montréal (Canada).

Nicole Michon, M.D., FRCPC
Interniste, endocrinologue,
CHU Sainte-Justine,
Montréal (Canada).

Andréanne Précourt, B.Pharm, M.Sc
Clinicienne associée,
Faculté de pharmacie,
Université de Montréal.
Pharmacienne, CHU Sainte-Justine,
Montréal (Canada).

Eric Proulx, B.Pharm., M.Sc.
Pharmacien, Centre mère-enfant du
CHU de Québec, Québec (Canada).

Danièle Regimbald, B.Sc Nutrition
Nutritionniste, CHU Sainte-Justine,
Montréal (Canada).

Evelyne Rey, M.D., M.Sc., FRCPC
Interniste, CHU Sainte-Justine,
Montréal (Canada).

Julie Rousseau, B.Pharm
Clinicienne associée,
Faculté de pharmacie,
Université de Montréal.
Pharmacienne, Laval (Canada).

Nadine Sauvé, M.D., FRCPC
Professeur agrégé,
Faculté de médecine et des sciences de
la santé, Université de Sherbrooke.
Interniste, CHU de Sherbrooke,
Sherbrooke (Canada).

Roxane Therrien, B.Pharm., M.Sc.
Clinicienne associée,
Faculté de pharmacie,
Université de Montréal.
Pharmacienne, CHU Sainte-Justine,
Montréal (Canada).

Édith Villeneuve, M.D.
Anesthésiste, CHU Sainte-Justine,
Montréal (Canada).

Index

■

Marquis imprimeur inc.

Québec, Canada
2010